A *tradição do* Yoga

HISTÓRIA, LITERATURA, FILOSOFIA E PRÁTICA

Georg Feuerstein

A *tradição do* Yoga

HISTÓRIA, LITERATURA, FILOSOFIA E PRÁTICA

Prefácio
KEN WILBER

Tradução
MARCELO BRANDÃO CIPOLLA

Editora
Pensamento
SÃO PAULO

Título original: *The Yoga Tradition*.

Copyright © 1998 Georg Feuerstein.

Todos os direitos reservados. Nenhuma parte deste livro pode ser reproduzida ou usada de qualquer forma ou por qualquer meio, eletrônico ou mecânico, inclusive fotocópias, gravações ou sistema de armazenamento em banco de dados, sem permissão por escrito, exceto nos casos de trechos curtos citados em resenhas críticas ou artigos de revistas.

A Editora Pensamento não se responsabiliza por eventuais mudanças ocorridas nos endereços convencionais ou eletrônicos citados neste livro.

1ª edição 2001 - 11ª reimpressão 2021.

Dados Internacionais de Catalogação na Publicação (CIP)
(Câmara Brasileira do Livro, SP, Brasil)

Feuerstein, Georg
    A tradição do yoga : história, literatura, filosofia e prática / Georg Feuerstein ; prefácio Ken Wilber ; tradução Marcelo Brandão Cipolla. -- São Paulo : Pensamento, 2006.

Título original : The yoga tradition.
5ª reimpr. da 1ª ed. de 2001.
ISBN 978-85-315-1197-4

1. Ioga I. Wilber, Ken   II. Título

06-7392   CDD-181.45

Índices para catálogo sistemático:

1. Ioga : Prática e escola filosófica :
   Filosofia indiana   181.45

Direitos de tradução para a língua portuguesa, adquiridos com exclusividade pela
EDITORA PENSAMENTO-CULTRIX LTDA., que se reserva a
propriedade literária desta tradução.
Rua Dr. Mário Vicente, 368 – 04270-000 – São Paulo, SP
Fone: (11) 2066-9000
http://www.editorapensamento.com.br
E-mail: atendimento@editorapensamento.com.br
Foi feito o depósito legal.

SUMÁRIO

Bênção de Sri Satguru Sivaya Subramuniyaswami 11
Prefácio de Ken Wilber 13
Prólogo 15
Agradecimentos 21
Transliteração e Pronúncia das Palavras em Sânscrito 23
Introdução: A Aspiração à Transcendência 25

PARTE I: FUNDAMENTOS

Capítulo 1: Elementos Básicos 35

I. A Essência do Yoga
II. O Porquê do Nome Yoga
III. Graus de Transcendência do Ego — O Praticante (*Yogin* ou *Yoginî*)
IV. Uma Luz na Escuridão — O Mestre
    Texto Original 1: Dakshinamûrti-Stotra
V. A Aprendizagem Além do Ego — O Discípulo
VI. O Nascimento de uma Nova Identidade — A Iniciação
VII. A Sabedoria da Loucura e os Adeptos Loucos
    Texto Original 2: Siddha-Siddhânta-Paddhati (Trechos Escolhidos)

Capítulo 2: A Roda do Yoga 63

I. Visão Geral
II. Râja-Yoga — O Yoga Resplandecente dos Reis do Espírito
III. Hatha-Yoga — O Cultivo de um Corpo de Diamante
IV. Jnâna-Yoga — A Visão do Olho da Sabedoria
    Texto Original 3: Amrita-Bindu-Upanishad
V. Bhakti-Yoga — O Poder Transcendente do Amor
    Texto Original 4: O Bhakti-Sûtra de Nârada
VI. Karma-Yoga — Liberdade na Ação
VII. Mantra-Yoga — O Som como Veículo de Transcendência
VIII. Laya-Yoga — A Dissolução do Universo
IX. Yoga Integral — Uma Síntese Moderna

Capítulo 3: O Yoga e as Outras Tradições do Hinduísmo 99

    I.   Resumo da História Cultural da Índia
    II.   O Brilho do Poder Psíquico — O Yoga e o Ascetismo
    III.   A Felicidade no Despojamento — O Yoga e o Caminho da Renúncia
    IV.   O Yoga e a Filosofia Hindu
    V.   O Yoga, o Âyur-Veda e a Medicina dos Siddhas
    VI.   O Yoga e a Religião Hindu

PARTE II: O YOGA PRÉ-CLÁSSICO

Capítulo 4: O Yoga nos Tempos Antigos 133

    I.   A História como Meio de Autocompreensão
    II.   Do Xamanismo ao Yoga
    III.   O Yoga e a Enigmática Civilização do Indo-Sarasvatî
    IV.   Sacrifício e Meditação — O Yoga Ritual do Rig-Veda
           Texto Original 5: Rig-Veda (Trechos Escolhidos)
    V.   Encantamentos da Transcendência — O Yoga Mágico do Atharva-Veda
           Texto Original 6: Atharva-Veda (Trechos Escolhidos)
    VI.   As Misteriosas Irmandades dos Vrâtyas

Capítulo 5: A Sabedoria Secreta dos Primeiros Upanishads 169

    I.   Visão Geral
    II.   O Brihad-Âranyaka-Upanishad
    III.   O Chândogya-Upanishad
    IV.   O Taittirîya-Upanishad
    V.   Outros Upanishads Antigos
    VI.   Os Primeiros Yoga-Upanishads

Capítulo 6: Jaina Yoga: A Doutrina dos Pontífices Vitoriosos 187

    I.   Resumo Histórico
    II.   Os Livros Sagrados do Jainismo
    III.   O Caminho da Purificação
           Texto Original 7: Yoga-Drishti-Samuccaya (Trechos Escolhidos)

Capítulo 7: O Yoga no Budismo 205

    I.   Nascimento e Evolução do Budismo
    II.   A Grande Doutrina do Pequeno Veículo — O Budismo Hînayâna
    III.   O Caminho Yogue do Budismo Hînayâna
    IV.   Sabedoria e Compaixão — O Grande Idealismo do Budismo Mahâyâna
           Texto Original 8: Prajnâ-Pâramitâ-Hridaya-Sûtra
           Texto Original 9: O Mahâyâna-Vimshaka de Nâgârjuna
    V.   A Jóia no Lótus — O Budismo Vajrayâna (Tântrico)

Capítulo 8: O Florescer do Yoga 237

    I.   Visão Geral
    II.   Heroísmo, Pureza e Ascetismo — O Râmâyana de Vâlmîki
    III.   A Imortalidade no Campo de Batalha — A Epopéia do Mahâbhârata
    IV.   O Bhagavad-Gîtâ — Jóia do Mahâbhârata
           Texto Original 10: Bhagavad-Gîtâ (Trechos Escolhidos)
    V.   A Doutrina Yogue do Anu-Gîtâ
    VI.   Os Evangelhos de Libertação da Epopéia do Mahâbhârata — O Moksha-Dharma
           Texto Original 11: Moksha-Dharma (Trechos Escolhidos)
    VII.   O Yoga Sêxtuplo do Maitrâyanîya-Upanishad
    VIII. O Yoga Intangível do Mândûkya-Upanishad
    IX.   Moral e Espiritualidade — O Yoga Pré-Clássico na Literatura Ético-Jurídica

PARTE III: O YOGA CLÁSSICO

Capítulo 9: A História e a Literatura do Pâtanjala-Yoga 271

    I.   Patanjali — Filósofo e *Yogin*
    II.   A Codificação da Sabedoria — O Yoga-Sûtra
           Texto Original 12: O Yoga-Sûtra de Patanjali
    III.   A Elaboração da Sabedoria — Os Comentários

Capítulo 10: A Filosofia e a Prática do Pâtanjala-Yoga 299

    I.   A Cadeia do Ser — O Eu e o Mundo a Partir do Ponto de Vista de Patanjali
    II.   Os Oito Membros do Caminho da Autotranscendência
    III.   A Libertação

PARTE IV: O YOGA PÓS-CLÁSSICO

Capítulo 11: A Visão Não-Dualista de Deus dos Adoradores de Shiva 321

    I.   Visão Geral
    II.   Os Seguidores de Shiva à Esquerda — "Porta-Caveiras", "Os que Têm por Efígie o Falo" e Outros Ascetas
    III.   O Poder do Amor — Os Adoradores de Shiva ao Norte
           Texto Original 13: O Shiva-Sûtra de Vasugupta
    IV.   Por Amor a Deus — Os Adoradores de Shiva ao Sul

Capítulo 12: A Visão Vedântica de Deus dos Adoradores de Vishnu 347

    I.   Deus é Amor: Os Adoradores de Vishnu do Norte e do Sul
    II.   Os Âlvârs
    III.   O Bhâgavata-Purâna
           Texto Original 14: Uddhava-Gîtâ (Trechos Escolhidos)

    IV.   O Gîtâ-Govinda
    V.   O Bhakti-Yoga dos Preceptores Vaishnavas
    VI.   Jnânadeva e Outros Santos de Maharashtra
    VII.   Os Santos Menestréis da Bengala Medieval
    VIII.   O Misticismo Popular do Amor no Norte da Índia

Capítulo 13: O Yoga e os *Yogins* nos Purânas 365

    I.   O Asceta Nu
    II.   Ensinamentos Yogues nas Enciclopédias Purânicas
            Texto Original 15: O Mârkandeya-Purâna (Trechos Escolhidos)

Capítulo 14: O Idealismo Yogue do Yoga-Vâsishtha 373

    I.   Visão Geral
    II.   O Espírito Somente — A Doutrina Idealista
    III.   O Caminho Yogue
            Texto Original 16: Yoga-Vâsishtha (Trechos Escolhidos)

Capítulo 15: Deus, Visões e Poder: Os Yoga-Upanishads 383

    I.   Visão Geral
    II.   O Som do Absoluto
            Texto Original 17: Amrita-Nâda-Bindu-Upanishad
    III.   Som, Respiração e Transcendência
    IV.   O Yoga da Luz
            Texto Original 18: Advaya-Târaka-Upanishad
    V.   Cortando os Laços da Consciência Cotidiana
            Texto Original 19: Kshurikâ-Upanishad
    VI.   A Transmutação do Corpo — Os Upanishads do Hatha-Yoga

Capítulo 16: O Yoga entre os Sikhs 409

    I.   Visão Geral
    II.   O Yoga da Unidade
    III.   O Yoga no Sikhismo Contemporâneo

PARTE V: PODER E TRANSCENDÊNCIA NO TANTRISMO

Capítulo 17: O Esoterismo do Tantra-Yoga Medieval 417

    I.   O Prazer Córporeo e a Bem-Aventurança Espiritual — O Advento do Tantra
    II.   A Realidade Oculta
    III.   Práticas Rituais Tântricas
    IV.   A Magia dos Poderes
            Texto Original 20: Kula-Arnava-Tantra (Trechos Escolhidos)

**Capítulo 18: O Yoga como Alquimia Espiritual: A Filosofia e a
Prática do Hatha-Yoga**.. 461

    I.   A Iluminação do Corpo — As Origens do Hatha-Yoga
    II.   Andando no Fio da Navalha — O Caminho do Hatha-Yoga
    III.   Os Textos do Hatha-Yoga
           Texto Original 21: Goraksha-Paddhati

Epílogo 511
Notas 513
Cronologia 529
Glossário de Palavras-Chave 539
Bibliografia Selecionada 549

Bênção

De Sri Satguru Subramuniyaswami
*Jagadacharya da Kailasa Parampara Guru Mahasannidhanam
de Nandinatha Sampradaya*

Este livro, A *Tradição do Yoga*, é uma apresentação madura do Yoga. Ao contrário de outros livros, ele conserva uma perspectiva profundamente hindu sem ceder à tentação do exclusivismo. Delineia não só o caminho, mas também o fim do caminho. Ao passo que outras pessoas vêem no Yoga uma miríade de técnicas que devem ser praticadas e levadas à perfeição em vista da aquisição de um grau espiritual elevado, o dr. Feuerstein tem a intuição daquilo que foi revelado pelos *rishis* da Índia: o Yoga não é algo que nós fazemos, mas algo que somos e em que nos tornamos. Sem a consciência todo-abrangente do yogue, o Yoga assemelha-se a um sol sem calor e sem luz. Como a matéria deste livro vem documentada de acordo com a tradição — recorde-se, de passagem, que a tradição é a preservação do que de melhor houve no passado —, podemos estar certos de que os conselhos e orientações aqui apresentados foram utilíssimos aos nossos antepassados, aos antepassados deles e às muitas gerações que os precederam por milhares de anos.

Grande é a nossa felicidade em dar as bênçãos deste mundo e dos mundos interiores a Georg Feuerstein, para que a sua vida seja longa e para que ele goze dos quatro *purushârthas*, "objetivos humanos" — o *dharma*, a riqueza, o prazer e a libertação —, como coroação de sua busca pessoal.

Prefácio
de Ken Wilber

Autor de *O Espectro da Consciência, A Consciência sem Fronteiras, O Paradigma Holográfico e Outros Paradoxos, O Projeto Atman, Transformações da Consciência e Um Deus Social* (publicados pela Editora Cultrix).

É para mim um grande prazer, e até uma honra, escrever este Prefácio. Sou admirador de Georg Feuerstein desde que li o seu clássico *A Essência do Yoga*. Suas obras subseqüentes só fizeram confirmar a minha crença de que em Georg Feuerstein temos um estudioso e um praticante de primeira magnitude, um importantíssimo e precioso porta-voz da filosofia perene e, talvez, a maior autoridade viva no campo do Yoga.

No Oriente como no Ocidente, parece haver duas maneiras bastante diferentes de abordar a espiritualidade — a do estudioso e a do praticante. O estudioso tende à abstração e estuda as religiões do mundo como alguém estudaria insetos, rochas ou fósseis — simplesmente como mais um campo para o exercício do intelecto abstrato. A idéia de praticar de fato uma disciplina espiritual ou contemplativa parece passar longe da mente do estudioso. Com efeito, afirma-se que o ato de praticar aquilo que se estuda interfere com a "objetividade" da pessoa, que se torna crente e, portanto, não-objetiva.

Os praticantes, por seu lado, embora se dediquem de maneira admirável à disciplina de fato, tendem a ser extremamente desinformados acerca das diversas facetas da tradição que seguem. Podem encarar com ingenuidade as exterioridades culturais do caminho, podem desconhecer-lhe totalmente as origens históricas, podem não saber distinguir, no caminho, o quanto há de verdade essencial e o quanto há de bagagem cultural.

Raríssimo é o estudioso que também é praticante. Mas, quando se trata de escrever um livro sobre o Yoga, essa combinação é absolutamente essencial. Nenhum tratado de Yoga pode ser deixado a cargo dos estudiosos ou dos praticantes somente. A quantidade de informações que têm de ser compreendidas para escrever-se sobre o Yoga é imensa, e para tanto é necessário um estudioso. Mas o Yoga em si mesmo nasce do fogo da experiência direta. Precisa ser abraçado, vivido e praticado. Precisa vir da cabeça, mas também do coração. E é essa raríssima combinação que Georg Feuerstein põe a serviço deste tema admirável.

A essência do Yoga é muito simples: a palavra significa *união* ou *junção*. Quando Jesus disse: "Meu jugo é suave", queria dizer: "Meu Yoga é suave." Quer no Oriente, quer no Ocidente, o Yoga é a técnica da junção ou união da alma individual com o Espírito absoluto. É um meio de libertação. E é, por isso, ígneo, quente, intenso, extático. Vai levar você muito além de você mesmo; alguns dizem que pode levá-lo ao infinito.

Portanto, escolha cuidadosamente os seus orientadores. O livro que você agora tem nas mãos é, sem sombra de dúvida, a melhor apresentação geral do Yoga a que se pode ter acesso hoje em dia. É um livro destinado a tornar-se um clássico, por uma simples razão: nasceu da cabeça e do coração, de um estudo acadêmico impecável e da prática devota. Nesse sentido, é muito mais profundo e preciso do que as obras de Eliade ou Campbell, por exemplo.

Penetre agora no mundo do Yoga, do qual se diz que pode conduzi-lo do sofrimento à libertação, da agonia ao êxtase, do tempo à eternidade, da morte à imortalidade. E saiba que, nessa viagem extraordinária, você está em boas mãos.

Prólogo

Meu primeiro encontro com a herança espiritual da Índia aconteceu no dia em que fiz quatorze anos, quando ganhei de presente um exemplar da tradução alemã do *A Índia Secreta*, de Paul Brunton. Daquela época para cá, passei a considerar Brunton — ou "PB", como seus alunos vieram a chamar-lhe — um dos maiores místicos ocidentais deste século. Foi ele, sem dúvida, um dos pioneiros do diálogo entre o Oriente e o Ocidente, e seus escritos tiveram larga influência. Brunton, que morreu em 1971, ainda tem muito a ensinar àqueles que trilham o caminho do fio da navalha. Ao lado de seus livros, os dezesseis volumes de seus *Cadernos*, publicados em edição póstuma, são um verdadeiro tesouro para os que se dedicam à busca espiritual.

Ainda me lembro muito bem do anseio que senti quando li o relato do memorável encontro de Brunton com Sri Ramana Maharshi, o grande sábio de Tiruvannamalai, no sul da Índia, cuja iluminação, ocorrida espontaneamente e sem esforço quando ele tinha dezesseis anos, tornou-se para mim um símbolo arquetípico. Eu sonhava em largar a escola, que achava absurdamente tediosa, para seguir as pegadas dos grandes santos e homens realizados da Índia. Mas meus pais, preocupados e bem-intencionados, tinham acerca desse assunto uma opinião muito diferente.

Por isso, foi só em 1965, quando eu tinha dezoito anos, que deparei com o espírito da Índia sob forma mais concre-

© Ramanashramam, Tiruvannamalai; Índia

Ramana Maharshi

ta na pessoa de um swami hindu que estava virando notícia em toda a Europa em virtude das suas inacreditáveis proezas físicas. Ele agüentava no peito o peso de um rolo compressor, puxava um vagão de trem carregado e amarrado a seus cabelos compridos e fazia o coração parar de bater à vontade. Embora essas capacidades espetaculares me impressionassem, elas me fascinavam muito menos do que o segredo que estava por trás dessa maestria sobre o corpo. Percebi que a mente, ou a consciência, era a chave não só para essas capacidades impressionantes, mas também para a felicidade perene, o que era muito mais importante.

Eu me senti misteriosamente atraído por esse taumaturgo moderno, que tinha um físico notável e um grande carisma. Consegui entrar em contato com ele e tornei-me seu discípulo. No decorrer do ano que passei ao lado dele em seu eremitério na Floresta Negra, Alemanha, aprendi muito sobre Hatha-Yoga, mas ainda mais sobre a necessidade de disciplina e perseverança. No meio do inverno, meu mestre me fez morar num quarto quase sem mobília, sem carpete nem papel de parede, e com uma janela quebrada que eu não devia consertar. De manhã bem cedo, eu tinha o dever de quebrar o gelo do poço e tomar banho ao ar livre. Logo aprendi que, para conservar a saúde e o calor do corpo, eu tinha de ficar sempre ativo e respirar bastante. Tudo era muito estimulante.

Pouco a pouco, fui aprendendo acerca da relação entre mestre e discípulo, que envolve a confiança, o amor e a disposição de ser posto à prova e transpor os limites impostos pela própria imaginação. Tirei muita vantagem da maravilhosa oportunidade de autotranscendência que essas circunstâncias me proporcionaram. Mas, no decorrer do tempo, vim a sentir também o lado negativo daquilo tudo, pois descobri que meu preceptor, além de ser um mestre consumado de Hatha-Yoga, também usava o seu carisma e os seus poderes paranormais para manipular os outros. Enquanto a iluminação não é atingida, o ego não é transcendido, e portanto existe sempre a possibilidade de a pessoa empregar as próprias capacidades yogues para alcançar objetivos egoístas, e não em prol da elevação espiritual dos outros.

Quando tentei me libertar desse relacionamento já bastante intrincado, aprendi outra lição: os poderes psíquicos são uma realidade a ser levada em conta, e alguns "mestres" os usam para segurar os discípulos. Embora eu tivesse cortado os laços externos que me ligavam ao mestre, ele continuou influenciando minha vida por meios sutis, o que me perturbava muitíssimo.

Felizmente, nunca sofri os efeitos terríveis de ter uma força vital (*kundalinî*) plenamente desperta mas malconduzida, efeitos esses descritos pelo Pandit Gopi Krishna. Foi ele quem tornou a palavra *kundalinî* amplamente conhecida por aqueles que, no Ocidente, buscavam a espiritualidade. Não obstante, senti na minha própria carne alguns dos efeitos colaterais perturbadores de uma *kundalinî* que tinha sido maltratada — em específico, estados de separação entre a mente e o corpo. Precisei de muitos anos e da ajuda benevolente de outra pessoa para me libertar finalmente daqueles laços e tocar minha vida adiante. Embora a experiência, em seu todo, tivesse sido positiva, ela me deixou decepcionado e, por muitos anos, fiquei afastado do todos os mestres orientais.

Nesse meio tempo, interessei-me pela aprendizagem do sânscrito e pelo estudo dos grandes escritos religiosos e filosóficos hindus em sua língua original. Direcionei meu impulso espiritual frustrado para uma carreira profissional de indologista. Encarava meus estudos e publicações como uma forma de Karma-Yoga, de ação autotranscendente, e também buscava pôr em prática na vida cotidiana o grandioso ideal do "testemunho", que é o coração do Jnâna-Yoga.

De tempos em tempos, eu me dedicava superficialmente a uma ou outra técnica ou prática meditativa iogue, e cheguei até a dar aulas de Hatha-Yoga por alguns anos, à noite e nos fins de semana. Porém, foi só em 1980 que tomei de novo uma atitude espiritual mais decisiva. Uma série de crises em minha vida trouxe à tona o impulso espiritual, libertando-me a atenção para ponderar de maneira mais séria sobre a grande pergunta: *Quem sou eu?* Comecei a procurar por um mestre competente e um ambiente adequado à espiritualidade.

Desde 1966 eu gozo da amizade espiritual de Irina Tweedie, mestre sufi da Inglaterra cujo precioso diário, *Filha do Fogo*, foi publicado em 1986. Durante a minha crise espiritual, nosso relacionamento se aprofundou e ela me ajudou imensamente naquela época de reorientação. Graças a ela, notei em mim os primeiros sinais de um verdadeiro progresso espiritual. Além disso, sem que eu soubesse, ela me preparava para uma aventura espiritual muito maior.

Em 1982 travei contato com o adepto Da Free John (nascido Franklin Jones, chamado hoje Adi Da), cujos primeiros escritos, especialmente *The Knee of Listening*, me haviam estimulado intelectualmente e tocado profundamente no nível emocional. Dessa vez, com quinze anos de aprendizado nas costas, me foi muito mais difícil seguir a minha intuição e confiar-me de novo ao processo espiritual sob a orientação de um mestre. Para piorar as coisas, Da Free John não se encaixava em nenhum dos estereótipos que eu passara a associar aos mestres espirituais. Ele não era um sábio gentil e amável, mas, como ele mesmo disse, uma "personalidade selvagem" e um "fogo".

Não obstante, apesar das minhas muitas dúvidas a respeito desse mestre extravagante, eu sabia que tinha de recorrer à orientação dele. Sentia-me atemorizado e entusiasmado com a possibilidade de ter as barreiras artificiais da minha personalidade analisadas e postas em cheque por um adepto que é bem conhecido pela sua inflexibilidade. No fim, meu discipulado foi extremamente difícil mas enormemente benéfico, pois me confrontei com certos aspectos de mim mesmo que até então eu conseguira ignorar.

Em 1986, o discipulado terminou, pois senti que já aprendera todas as lições que eu era capaz de aprender com aquele mestre e que já era hora de seguir em frente. Eu já não conseguia pôr panos quentes no conflito interior que sentia perante o seu método controverso de ensinar e não queria perder tudo o que havia ganho nos anos anteriores de discipulado. No livro *Holy Madness*, cuja primeira edição veio a público em 1990, eu analiso detalhadamente o método de ensino pela "sabedoria da loucura", adotado por Da Free John e vários outros adeptos contemporâneos. Apesar de me sentir pouco à vontade com o método de ensino pela sabedoria da loucura, e apesar das diferenças intelectuais e morais que me separam de Da Free John, continuo grato a ele por ter me dado a oportunidade de aprofundar a compreensão que tenho de mim mesmo.

Em 1993, minha vida espiritual encaminhou-se para uma nova direção. Depois de trilhar o caminho espiritual sozinho por muitos anos, conheci o Lama Segyu Choepel (Shakya Zangpo), que tem sido o meu mentor na via. Ele é iniciado não só no Budismo Vajrayâna como também no Xamanismo dos índios do Brasil. Através da sua amizade e da sua orientação especializada, tenho descoberto cada vez mais níveis do processo espiritual, e especialmente a dimensão viva do ideal budista do *bodhisattva*. Pode parecer estranho que, depois de conhecer e praticar por tantos anos vários aspectos do Yoga hindu, eu esteja agora ligado a um *sâdhanâ* budista. Essa sensação de estranheza, porém, desaparece quando adotamos uma perspectiva espiritual de longo prazo, percebendo que somos o produto de todas as nossas volições passadas, e não só das volições desta vida. Além disso, o Hinduísmo e o Budismo têm muitos conceitos e práticas em comum, e esse fato, no caso de alguns *siddhas* medievais, até nos torna difícil saber se eles eram hindus ou budistas. E por fim, como o santo Sri Ramakrishna demonstrou com tanta evidência no século XIX, se nós seguirmos até o fim qualquer um dos grandes caminhos espirituais, encontraremos as mesmas verdades espirituais e, por último, a Realidade ou a Verdade mesma.

Faz muito tempo que eu percebi que a vida espiritual é um caminho infinito de descobertas que continua até o nosso último suspiro, e mesmo depois disso. É maravilhoso saber que o aspirante dedicado sempre encontrará a ajuda necessária, na hora certa, para transpor a etapa seguinte. Na minha vida, essa ajuda me chegou em medida generosa, mas na maioria das vezes sob uma forma inesperada.

Achei necessário começar este livro com uma breve nota autobiográfica porque até mesmo a abordagem mais "objetiva" é entremeada de características pessoais: não me ponho perante a história, a filosofia e a psicologia do Yoga como um antiquário, mas como uma pessoa que tem a mais profunda apreciação pelo gênio espiritual da Índia, cultivado no decorrer de muitos milênios. Testemunhei a eficácia dessa espiritualidade no meu próprio ser e em outros que são mais capazes do que eu sob o ponto de vista espiritual.

Não há como esconder que eu tenho uma simpatia fundamental pelas tradições espirituais da Índia, que representam esforços autênticos de transcendência do eu. A experiência prática que tenho dessas tradições me estimula a supor que suas intuições fundamentais são verdadeiras e dignas da mais séria consideração. Afirmo ainda que qualquer um que queira negar essas intuições e metas tem de fazê-lo com base na experiência e na experimentação pessoal, e não na mera teorização. Em português claro, a pessoa que sentiu na própria carne o estado de êxtase (*samâdhi*) não pode de modo algum pôr em questão o valor e o atrativo intrínsecos desse estado. A experiência da tranqüilidade bem-aventurada no estado de consciência não-dual, onde todas as diferenças marcantes entre os seres e entre as coisas são eclipsadas (ou *outshined*, para usar a feliz expressão de Da Free John), muda inevitavelmente o modo pelo qual encaramos toda a jornada espiritual e as tradições sagradas do mundo inteiro, sem mencionar o modo pelo qual encaramos todas as pessoas e todas as coisas.

Ao mesmo tempo, vim a perceber que esses estados superiores de consciência, embora sejam extraordinários, não são por si mesmos mais significativos do que a nossa consciência cotidiana. Qualquer experiência é útil na medida em que facilita o nosso despertar espiritual, mas só a iluminação — que não é um mero estado transitório da mente — tem uma importância suprema, porque revela a Realidade como tal. Antes da iluminação, o que importa é o modo pelo qual empregamos na vida em geral e nos relacionamentos cotidianos as percepções que tivemos em nossos estados alterados de consciência. É como o meu filho mais velho me disse quando tinha vinte e dois anos de idade: Tudo se reduz ao fato de nós amarmos ou não amarmos. Gostaria de ter tido essa puríssima intuição quando eu tinha a idade dele!

O fulcro da vida espiritual é a autotranscendência como uma orientação constante. No meu entender, a autotranscendência não se resume à simples busca de estados alterados de consciência. Implica também a constante disposição de ser transformado e, no sentido eckhartiano, "superformado" pela Realidade maior cuja existência e cuja bondade se nos revelam no estado de êxtase e no de meditação.

Este volume representa a nata de quase trinta anos de dedicação prática e acadêmica à tradição yogue. Nasceu do meu *Textbook of Yoga*, publicado em 1975 por Rider & Co., de Londres, e já fora de catálogo. No verão de 1974, tirei três meses das minhas pesquisas de pós-graduação na Universidade de Durham para escrever aquele livrinho. Embora ele tivesse sido bem recebido, eu fiquei ressabiado desde o início com as suas muitas limitações, que eu provavelmente identificava com mais clareza que a maioria dos leitores. Desde então eu esperava por uma oportunidade de revisar e ampliar o texto, e depois ficou claro que o que era necessário era um livro completamente novo. Por isso, quando Jeremy Tarcher manifestou o seu interesse em publicar um manual que abarcasse todos os aspectos do Yoga, eu agarrei a oportunidade e escrevi um livro totalmente novo e bem maior, que foi publicado em 1989 sob o título de *Yoga: The Technology of Ecstasy* [Yoga: A Tecnologia do Êxtase].

Este volume é uma nova edição desse livro, totalmente revisada e bastante ampliada. As mudanças feitas no texto foram tão substanciais que um novo título me pareceu justificável. Além de rever o texto já escrito, eu mais que dupliquei o número de páginas, sobretudo mediante o acréscimo de minhas traduções para o inglês de grandes textos sagrados sobre o Yoga em sânscrito; entre elas, as traduções completas do *Yoga-Sûtra* de Patanjali, do *Shiva-Sûtra* de Vasugupta, do *Bhakti-Sûtra* de Nârada, do *Amrita-Nâda-Bindu-Upanishad*, do *Amrita-Bindu-Upanishad*, do *Advaya-Târaka-Upanishad*, do *Kshurikâ-Upanishad*, do *Dakshinamûrti-Stotra*, do *Mahâyâna-Vimshaka* de Nâgârjuna, do *Prajnâ-Pâramitâ-Hridaya-Sûtra* e do *Goraksha-Paddhati*, que nunca antes tinham sido traduzidos. Apresento também muitos trechos traduzidos de outros textos significativos para o Yoga, entre os quais o *Yoga-Drishti-Samuccaya* de Haribhadra Sûri, habilmente traduzido por Christopher Chapple. Por fim, acrescentei uma nova seção sobre os adeptos de Maharashtra e um capítulo completamente novo sobre o Yoga entre os sikhs.

O objetivo deste livro é dar ao leitor leigo uma introdução sistemática e abrangente ao fenômeno multíplice da espiritualidade indiana, especialmente em seu aspecto hindu; e, ao mesmo tempo, resumir em grandes linhas tudo o que os estudos acadêmicos já descobriram sobre a evolução do Yoga até os dias de hoje. Essa introdução permitirá que o leitor apreenda e compreenda não só a impressionante complexidade do Yoga como tal, mas também dos seus múltiplos relacionamentos com os outros aspectos da complexa cultura da Índia. Não pude deixar de lidar com algumas idéias um pouco complicadas que parecerão estranhas aos que nunca estudaram filosofia, e em específico o pensamento oriental. Procurei, porém, ir apresentando essas idéias da maneira mais gradual possível, sem ao mesmo tempo diluí-las em nenhuma medida.

Os primeiros capítulos têm a intenção de dar uma visão geral; os capítulos subseqüentes seguem uma ordem cronológica aproximada. Assim, começo discutindo a presença de elementos do Yoga na civilização indiana dos primeiros tempos, tal como a conhecemos a partir das escavações arqueológicas de cidades como Harappa e Mohenjo-Daro e também de um estudo cuidadoso do arcaico *Rig-Veda*. A isso se segue um estudo do Yoga nos primeiros *Upanishads* (um gênero particular de textos esotéricos hindus), na literatura épica (inclusive no *Bhagavad-Gîtâ*), nos *Upanishads* posteriores,

> "O Yoga é chamado de unificação da teia das dualidades."
>
> — *Yoga-Bîja* (84)
>
> "O Yoga é a união da psique individual com o Si Mesmo transcendental."
>
> — *Yoga-Yâjnavalkya* (1.44)

no *Yoga-Sûtra* e em seus comentários e nas diversas formas de Yoga na era pós-clássica. A recapitulação histórica termina com o Tantra-Yoga e o Hatha-Yoga. Abstive-me de discutir as modernas manifestações do Yoga, pois tal discussão daria a este livro um tamanho proibitivo.

Para o bem dos não-especialistas, acrescentei em apêndice um pequeno glossário de palavras-chave e uma cronologia que começa com a primeira constatação da presença humana no subcontinente indiano, por volta de 250000 a.C., e termina com a independência da Índia, em 1947.

No conjunto, este livro dá ênfase à abrangência e à inteligibilidade. Fiz o máximo possível para apresentar com imparcialidade cada uma das facetas do Yoga de acordo com o lugar que ocupa no contexto geral, mas, dada a escala e os objetivos deste livro, muitos assuntos não puderam ser tratados com a devida profundidade. Minhas outras publicações e as obras de outros estudiosos podem ajudar a preencher as lacunas que ficaram. Quero sublinhar, porém, que o conhecimento que temos da tradição yogue é incompleto, e às vezes muito incompleto. Isso se refere particularmente ao Tantra-Yoga, que desenvolveu uma elaborada tecnologia esotérica e todo um simbolismo que são praticamente ininteligíveis para os não-iniciados. Os leitores que quiserem estudar essa tradição em particular podem consultar o meu livro *Tantra: The Path of Ecstasy*, que é uma introdução ao Tantrismo hindu.

Embora este livro tenha sido escrito especificamente para os leitores leigos, creio que a sua eficácia enquanto instrumento de orientação se estende também para os especialistas em história das religiões, história da intelectualidade, teologia, estudos da consciência e psicologia transpessoal. É evidente que não me foi possível tratar nos mínimos detalhes todos os aspectos da tradição yogue, mas procurei traçar um quadro tão equilibrado quanto possível.

Espero que o livro seja particularmente útil para os professores de Yoga e sirva também como obra de referência para os currículos de formação de professores de Yoga no mundo inteiro. A fim de torná-lo mais acessível, tenho a intenção de escrever um *Guia de Estudos* para ele. Farei isso junto com vários professores que concordaram em procurar dar-lhe o máximo valor didático.

Escrever A *Tradição do Yoga* foi, para mim, uma experiência difícil mas compensadora, porque consegui integrar certas idéias que já estavam em gestação dentro de mim há vários anos e também porque fui obrigado a tornar essas idéias o máximo possível inteligíveis, e isso não beneficia só a pessoa que lê, mas também a que escreve. O grau em que consegui vencer o desafio da integração e da clareza de apresentação será determinado por meus leitores. Espero que eles gostem tanto de ler este livro quanto eu gostei de escrevê-lo.

Namas te
Georg Feuerstein

Nota:

Os textos em sânscrito refletem os padrões sexuais que prevalecem na sociedade tradicional védica e hindu. Por amor à fidelidade, conservei em todas as traduções a preferência deles pelos pronomes masculinos. Sempre que possível, procurei levar em conta a sensibilidade ocidental moderna. Uma exceção a esse caso é o uso que faço — pelo bem da simplicidade — do termo "*yogin*", que tecnicamente se refere apenas ao praticante homem, mas que o leitor deve transpor para incluir também a mulher praticante (*yoginî*) na grande maioria dos casos.

Agradecimentos

Muitos indivíduos — amigos, colegas e professores — contribuíram para que este livro fosse escrito. Sou grato a todos eles.

A pessoa que mais me encorajou no começo da minha carreira de escritor, provavelmente sem o saber, foi o dr. Daniel Brostoff, ex-editor-chefe da Rider & Co., de Londres. Ele aceitou meus quatro primeiros livros numa época em que eu ainda lutava para me familiarizar com a língua inglesa e os processos editoriais correntes na Inglaterra. Infelizmente perdi o contato com ele. Onde quer que você esteja, Daniel, sou-lhe profundamente grato.

Em minhas pesquisas, recorri sobretudo às excelentes obras acadêmicas de J. W. Hauer e Mircea Eliade, dois gigantes das pesquisas sobre o Yoga, infelizmente já falecidos. A profunda erudição do saudoso dr. Ram Shankar Bhattacharya, de Varanasi, Índia, também me serviu de fonte de inspiração. Mais do que qualquer outro pesquisador que eu conheça, ele era sensível ao fato de que os eruditos que estudam o Yoga precisam dos conhecimentos que só a prática pode dar. Seus conselhos, sempre brilhantes e oportunos, foram preciosos para mim.

Outra pessoa cuja obra intelectual vem me inspirando há vinte anos é a minha amiga Jeanine Miller. No campo dos estudos védicos, que é o dela, Jeanine também busca aliar a erudição acadêmica à sensibilidade espiritual. Suas obras pioneiras alimentaram minhas discussões sobre o Yoga na época védica antiga. A propósito, gostaria de agradecer também a meus amigos David Frawley e Subhash Kak pelos numerosos favores e pelas brilhantes pesquisas. David e Subhash, com quem tive o prazer de escrever — como co-autor — o livro *In Search of the Cradle of Civilization*, muito fizeram para corrigir a visão que temos da Índia antiga. A primeira edição de *A Tradição do Yoga* foi muito beneficiada pelo entusiasmo e pela revisão cuidada de Dan Joy. Na época, recebi também, com gratidão, a ajuda prática de Claudia Bourbeau e Stacey Koontz, amigos meus.

Muitas das ilustrações que constam deste livro foram criadas com a máxima perícia por James Rhea, que, depois de ler os meus livros anteriores, ofereceu-se para pôr a meu serviço suas habilidades artísticas. Sou-lhe profundamente grato pelos belos desenhos e pelo apoio moral.

Agradeço a Margo Gal pelos belos desenhos de deusas hindus; eles acrescentam muito ao valor do livro.

Gostaria de registrar minha gratidão a Stephan Bodian, ex-editor do *Yoga Journal*, por ter me dado a oportunidade, no decorrer de um período de sete ou oito anos, de exercer a minha capacidade de escrever para um público não-universitário.

Fico também profundamente grato ao Satguru Sivaya Subramuniyaswami pela bênção e pelas palavras gentis que escreveu acerca do livro. Elas significam muito para mim, vindas de um ocidental que assimilou por completo a tradição hindu no pensamento e na prática e que agora se destaca como um exemplo fulgurante não só para os ocidentais que praticam o Hinduísmo, mas também para os próprios indianos.

Um muito obrigado de todo o coração para Ken Wilber pelo prefácio elogioso que escreveu. Minha gratidão por ele deve-se também às várias obras pioneiras que publicou e que, no decorrer dos anos, estimularam-me o pensamento. Seu dom nato para a síntese foi para mim motivo de inspiração e encorajamento.

Há cinco anos venho recebendo o apoio moral e espiritual do Lama Segyu Choepel, cujo coração e cujo cérebro são grandes o suficiente para entrever a verdade que está por trás das categorias históricas e diferenças conceituais. Minha gratidão por ele é profundíssima.

Esta nova edição revista e ampliada deve a sua existência ao olhar agudo de Lee Lozowick, que, através da Hohm Press, permitiu que eu criasse o melhor livro possível, apesar do alto custo de produção de um tomo tão volumoso. Sou também muito grato a Regina Sara Ryan, Nancy Lewis e a toda a equipe editorial da Hohm Press pelo entusiasmo e pelo apoio; e a Tori Bushert pela paciência exemplar que demonstrou ao defrontar com os problemas de tipografia que este livro apresentou.

Quero, por fim, registrar a gratidão e o amor que sinto por Trisha, que tem sido minha companheira de viagem no caminho espiritual desde 1982. Seus atos de bondade no decorrer de cada dia são inúmeros; sua paciência e sua perseverança são exemplares. Ela trabalhou muito para aprontar para publicação o manuscrito de 1.100 páginas. Todas as falhas e limitações restantes devem-se exclusivamente à minha pessoa.

Nota sobre a Transliteração e a Pronúncia das Palavras em Sânscrito

Para a conveniência do leitor leigo, usei em todo este livro uma transliteração simplificada das expressões em sânscrito; cada termo é explicado em sua primeira ocorrência no texto. O especialista não terá problemas para identificar os termos técnicos e acrescentar-lhes os sinais diacríticos necessários. Além disso, traduzi a maioria dos títulos dos textos em sânscrito mencionados no livro. Só não traduzi os que não têm tradução possível ou aqueles cujo significado fica claro pelo contexto.

No caso das palavras compostas em sânscrito, levei em conta a conveniência do leitor leigo e, ao contrário da regra estabelecida, separei por hífen as palavras isoladas. Assim, em vez de escrever *Yoga-tattvopanishad* ou *Yogacûdâmanyupanishad*, preferi usar as transliterações mais inteligíveis *Yoga-Tattva-Upanishad* e *Yoga-Cûdâ-mani-Upanishad*, respectivamente. Neste último nome, o termo *mani* ("jóia") é empregado em sua forma-raiz gramatical e não na forma modificada *many*, que se torna necessária quando a letra "i" é seguida por outra vogal no sânscrito. No caso dos nomes próprios, como Vâcaspati Mishra, Vijnâna Bhikshu ou Abhinava Gupta, decidi dividir o termo composto em dois, mais uma vez pelo bem da inteligibilidade.

Nas passagens traduzidas, uso parênteses para demarcar os equivalentes em sânscrito e colchetes para isolar as palavras ou expressões que não constam do texto original. Um exemplo: "Agora [começa] a exposição (*anushâsana*) do Yoga" (*atha yoga-anushâsanam* — *Yoga-Sûtra* 1.1). No caso, a palavra "começa" não consta do original em sânscrito, mas não há dúvida de que está implícita. O termo *anushâsana* é o equivalente de "exposição" em sânscrito, e por isso figura entre parênteses e não entre colchetes. A rigor, o artigo "a" que precede a palavra "exposição" também não consta do texto em sânscrito, mas, ao contrário de "começa", não constitui uma interpretação, e por isso não está entre colchetes.

Transliteração Erudita
(usada na maioria das obras acadêmicas sobre o assunto)

Transliteração Simplificada
(usada nesta obra)

(I) Vogais
a, ā, i, ī, u, ū, ṛ, ṝ, ḷ, e, ai, o, au

a, â, i, î, u, û, ri, li, e, ai, o, au

(II) Consoantes
Guturais: k, kh, g, gh, ṅ
Palatais: c, ch, j, jh, ñ
Cerebrais: ṭ, ṭh, ḍ, ḍh, ṇ
Dentais: t, th, d, dh, n
Labiais: p, ph, b, bh, m
Semivogais: y, r, l, v
Fricativas: ś, ṣ, s, h
Visarga: ḥ
Anusvara: ṃ

k, kh, g, gh, n
c, ch, j, jh, n
t, th, d, dh, n
t, th, d, dh, n
p, ph, b, bh, m
y, r, l, v
s, sh, sh, h
h
m

Pronúncia

Todas as vogais são abertas, como as vogais do italiano; as vogais ā, ī, ū e o raro ṝ (que não é usado neste livro), bem como os ditongos e, ai, o e au, são longos; o r de ṛgveda, que também não é muito comum, é pronunciado como o r da palavra inglesa "pretty", mas na transliteração simplificada aparece como ri e pode inclusive ser pronunciado como tal (daí a forma Rig-Veda, adotada neste livro); todas as consoantes aspiradas, como kh, gh, ch, jh, etc., são pronunciadas com uma aspiração claramente distinta, como, por exemplo, kh no inglês "ink-horn", th no inglês "hot-house", etc.; assim, o hatha de hatha-yoga se pronuncia hat-ha, e não como o th inglês em heath; o ṅ tem o som do ng da palavra inglesa "king" ou como o n da palavra "incapaz" na pronúncia do português no Brasil, ou seja, a língua não encosta nos dentes; o ñ, como no nome de Patañjali, tem o som do n da palavra inglesa "punch", ou seja, a língua encosta nos dentes; as palatais c e j têm o som de tch e dj respectivamente; assim, cakra se pronuncia "tcha-kra", e não "chakra", segundo a pronúncia errônea de muitos ocidentais; as cerebrais são articuladas com a língua voltada para trás e encostada no céu da boca; o s tem o som do s em "saúde"; o ṣ, o som do ch em "chave"; e o ś é uma intermediária entre os dois. O v é pronunciado como o v em "vontade"; o anusvara (ṃ), que integra, por exemplo, as sílabas mântricas om e hum, é um som nasal cuja pronúncia aproxima-se da do n na palavra francesa "bon"; o visarga (ḥ) é um h aspirado forte, seguido por um curto eco da vogal precedente — yogaḥ, por exemplo (transliterada como yogah neste livro), pronuncia-se yogaʰᵃ, e bhaktiḥ pronuncia-se bhaktiʰⁱ.

> "Dentre milhares de homens, dificilmente se encontra um que busque a perfeição."
> — *Bhagavad-Gîtâ* 7.3

Introdução

A ASPIRAÇÃO À TRANSCENDÊNCIA

I. A SUPERAÇÃO DA PERSONALIDADE EGÓICA

O desejo de transcender a condição humana, de ir além da consciência e da personalidade que conhecemos, é uma aspiração profunda e tão antiga quanto a própria humanidade. Vemos essa aspiração operando na magia das pinturas rupestres da Europa Meridional, e, ainda antes disso, nos túmulos paleolíticos do Oriente Médio. Em ambos os casos se expressa o desejo de contato com uma realidade maior. Também encontramos esse desejo nas crenças e ritos animistas do Xamanismo arcaico e vemo-lo florescer nas tradições religiosas da era neolítica — na civilização do Indo-Sarasvatî, na Suméria, no Egito e na China.

Mas essa aspiração à transcendência não encontrou em nenhum outro lugar uma expressão tão coerente e criativa quanto encontrou na península indiana. A civilização da Índia gerou uma variedade avassaladora de crenças, práticas e perspectivas espirituais, todas as quais têm como objeto uma dimensão da realidade que supera em muito a vida humana individual e o cosmos ordenado que a humanidade percebe e imagina. Essa dimensão já foi chamada Deus, o Ser Supremo, o Absoluto, o Si Mesmo (transcendental)*, o Espírito, o Incondicionado e o Eterno.

Sâdhu hindu

---

* N. do T.: A expressão "Si Mesmo" foi a tradução adotada para a palavra inglesa *Self*, que por sua vez traduz o termo sânscrito *ātman*. Literalmente, *ātman* significa o ser mais profundo de uma coisa, o que a faz ser o que é e lhe dá existência e consciência. No Ve-

Muitos foram os pensadores, místicos e sábios — não só da Índia como também do resto do mundo — que nos deram uma ampla variedade de imagens ou explicações dessa Realidade última e da sua relação com o universo manifestado. Todos, porém, concordam em que Deus, ou o Si Mesmo, transcende tanto a linguagem quanto a própria mente. Com poucas exceções, eles também são unânimes em afirmar três coisas correlacionadas — a saber, que o Supremo:

1. é *único* — isto é, um Todo indivisível e completo em si mesmo, fora do qual nada existe;

2. tem um grau mais alto de *realidade* do que o mundo da multiplicidade que se reflete para nós através dos sentidos; e

3. é o nosso bem (*nihshreyasa*; latim: *summum bonum*), isto é, o mais desejável de todos os valores possíveis.

Além disso, muitos místicos afirmam que a Realidade última é perfeitamente feliz. Essa felicidade não é a simples ausência de dor ou desconforto, nem é um estado que depende do cérebro. Está além do prazer e da dor, que *são* estados do sistema nervoso. Isso vai de par com a insistência dos místicos em que a realização da Identidade transcendente não é uma experiência, segundo o sentido que costuma se dar a essa palavra. Os adeptos simplesmente *são* essa Realidade. Por isso, quando me refiro a esse grau último do caminho espiritual, prefiro falar de *realização* de Deus ou *realização* do Si Mesmo, e não de *experiência* mística. Vou usar também os termos "iluminação" e "libertação".

A espiritualidade da Índia, que leva o nome de Yoga, é sem dúvida alguma a mais versátil do mundo. Com efeito, é difícil descobrir algum problema ou solução metafísica que já não tenha sido concebido pelos sábios e pânditas da Índia antiga ou medieval. Os "tecnólogos sagrados" da Índia captaram e analisaram todo o espectro das possibilidades psicoespirituais — desde os estados paranormais até a iluminação permanente (chamada *sahaja-samâdhi* ou "êxtase espontâneo"), passando pela consciência unitiva da realização temporária de Deus.

Todos os métodos e estilos de vida desenvolvidos pelos gênios filosóficos e espirituais da Índia no decorrer de um período de pelo menos cinco milênios têm um único propósito sempre idêntico: ajudar-nos a romper os hábitos da nossa consciência ordinária e realizar a nossa identidade (ou pelo menos nossa união) com a Realidade perene. As grandes tradições de crescimento psicoespiritual da Índia concebem-se a si mesmas como caminhos de libertação. A meta delas é a de nos libertar do condicionamento convencional e, portanto, libertar-nos também do sofrimento, que é um produto dos nossos condicionamentos inconscientes. Em outras palavras, elas são vias que levam à realização de Deus, à realização do Si Mesmo, que é um estado de felicidade absoluta.

Deus, nesse sentido, não é o Deus Criador das religiões deístas, como o Judaísmo, o Islam e o Cristianismo. Antes, Deus é a totalidade transcendental da existência, que, nas escolas não-dualistas do Hinduísmo, é chamada *brahman*, ou "Absoluto". Esse Absoluto é concebido como a natureza essencial, o Si Mesmo transcendente que está por trás da personalidade humana. Assim, quando se elimina o condicionamento inconsciente que nos leva a ver-nos como um ego independente e isolado, percebemos que no âmago do nosso ser nós somos todos aquele mesmo Um. E essa realidade singular é considerada o destino último da evolução humana. Nas palavras do moderno *yogin* e filósofo Sri Aurobindo:

> Nós falamos da evolução da Vida na Matéria, da evolução da Mente na Matéria; mas evolução é uma palavra que só faz afirmar o fenômeno, sem explicá-lo. Isso porque não parece haver razão alguma pela qual a Vida tenha de evoluir a partir dos elementos materiais, ou a Mente evoluir a partir das formas vivas, a menos que aceitemos a solução vedântica[1] de que a Vida já está implicada na Matéria e a Mente já está implicada na Vida, sendo a Matéria, em essência, uma forma velada de Vida, e esta, uma forma velada de Consciência. Com isso, parece não haver nada que nos impeça de dar um passo adiante e supor que a consciência mental talvez não seja senão uma forma e um véu que encobre ou-

---

danta, é o Princípio transcendente e incondicionado do qual todos os seres são manifestações limitadas. Em específico é esse Princípio encarado sob o aspecto "microcósmico". O uso do próprio termo *Self* foi evitado na tradução para não dar margem a confusões com a psicologia junguiana, da qual é um termo técnico; do mesmo modo, a expressão "Eu Superior", usada em outras traduções, foi evitada para sublinhar a distinção que existe entre o Si Mesmo, princípio transcendente e absolutamente impessoal, e o "eu", que designa a individualidade limitada.

tros estados, superiores, que estão além da Mente. Nesse caso, a aspiração irrefreável do homem por Deus, pela Luz, pela Felicidade, pela Liberdade, pela Imortalidade, apresenta-se no lugar que lhe cabe nessa cadeia como o impulso imperioso pelo qual a Natureza busca evoluir além da Mente, e configura-se como algo tão natural, tão justo e verdadeiro quanto o movimento rumo à Vida que ela implantou em certas formas de Matéria ou o movimento rumo à Mente que ela implantou em certas formas de Vida... É muito possível que o próprio homem seja um laboratório pensante e vivente no qual e com cuja cooperação consciente ela busca desenvolver o super-homem, o deus. Ou será que não devemos dizer: com o qual ela busca manifestar a Deus?[2]

A idéia de que a aspiração à transcendência é uma força primordial e onipresente — embora oculta, em sua maior parte — em nossa vida foi expressa por vários psicólogos transpessoais eminentes, e especialmente por Ken Wilber. Ele chama essa força de "projeto Atman":

> Desenvolvimento é evolução; evolução é transcendência; ... e a transcendência tem como a sua meta última o Atman, ou a Consciência Suprema da Unidade em Deus somente. Todos os ímpetos são subordinados a esse Ímpeto, todos os quereres são subordinados a esse Querer, todos os impulsos são subordinados a essa Atração — e é a esse movimento inteiro que damos o nome de projeto Atman: o ímpeto de Deus em direção a Deus, de Buda em direção a Buda, de Brahman em direção a Brahman, mas que se realiza inicialmente por intermédio da psique humana, com resultados que vão do sublime ao catastrófico.[3]

A aspiração à transcendência, portanto, é inerente à vida humana. Não se manifesta somente nas buscas religiosas e espirituais da humanidade, mas também nas aspirações da ciência, da tecnologia, da filosofia, da teologia e da arte. Esse fato nem sempre é evidente, especialmente naqueles setores que, à semelhança da ciência moderna, fazem questão de negar toda e qualquer associação com o pensamento metafísico e, ao invés, prostram-se diante dos ídolos gêmeos do ceticismo e da objetividade. Não obstante, como salientaram os melhores críticos da atividade científica, a ciência, em sua busca apaixonada pelo conhecimento e pelo sentido das coisas, está apenas usurpando o lugar supremo que antes cabia à religião e à teologia.

Hoje em dia, as raízes metafísicas da ciência são postas à mostra especialmente pela física quântica, que destrói a ideologia materialista que constituiu a crença principal de muitos, senão da maioria, dos cientistas no decorrer dos últimos duzentos anos. Com efeito, físicos de vanguarda como David Bohm e Fred Alan Wolf já formularam grandes interpretações físico-quânticas da realidade que coincidem em muitos aspectos com as idéias orientais tradicionais acerca da estrutura do mundo: o universo é um mar de energia único e, em última análise inimaginável (a "espuma quântica"), no qual as formas diferenciadas — as coisas — aparecem e desaparecem, provavelmente por toda a eternidade. Gary Zukav escreve:

> A mecânica quântica, por exemplo, nos mostra que não estamos tão separados do resto do mundo quanto antes pensávamos. A física das partículas nos mostra que o "resto do mundo" não é um conjunto inerte que está à nossa frente. É um reino luminoso de criação, transformação e aniquilação contínuas. As idéias da nova física, quando compreendidas por inteiro, podem dar origem a experiências extraordinárias. O estudo da teoria da relatividade, por exemplo, pode dar origem à experiência notável do tempo e do espaço como simples construções da mente![4]

Os trabalhos de cientistas criativos como os mencionados acima deixam claro que a ciência, como qualquer outra atividade humana, leva no seu bojo a aspiração à transcendência. John Lilly chamou acertadamente a ciência de "simulação de Deus".[5] O que Lilly queria dizer com essa expressão é o seguinte: nós, seres humanos, procuramos descrever e compreender a nós mesmos e ao mundo que aparentemente nos cerca. Ao fazer isso, criamos modelos da realidade e programas de ação mediante os quais podemos nos movimentar em nossos mundos conceitualizados e simulados. Mas, no decorrer de todo esse processo, sentimos o impulso — ou a atração — de ir além dos nossos modelos e da nossa programação, de ir além da nossa mente.

Se concebermos a ciência e a tecnologia como formas da mesma aspiração à transcendência que motivou os sábios da Índia a explorar o mundo interior da consciência, poderemos enxergar muitas outras coisas sob um ponto de vista radicalmente novo. Não precisamos necessariamente ver a ciência e a tecnologia como *perversões* da aspiração espiritual, mas antes como *expressões inconscientes* dela. Não está implícito aí nenhum juízo moral, e portanto podemos nos dedicar simplesmente a inserir nas atividades científicas e tecnológicas uma consciência mais abrangente e autocrítica. Desse modo, adquirimos a esperança de transformar aquilo que se tornou uma obsessão descontrolada do hemisfério esquerdo do cérebro numa busca autêntica, legítima e posta a serviço do ser humano integral e de toda a raça humana.

Na bela obra *Gitanjali*, de Rabindranath Tagore, há um verso que resume todo o dilema da atitude moderna: "A liberdade é tudo que quero, mas fico envergonhado de ter a esperança de obtê-la."[6] Nós nos sentimos envergonhados e constrangidos porque sentimos que a busca da liberdade espiritual, do êxtase, pertence a uma era passada, a uma visão de mundo já perdida. Isso, porém, não passa de uma meia verdade. É certo que determinadas concepções e atitudes perante a liberdade espiritual são evidentemente antiquadas, mas a liberdade espiritual em si e sua busca são tão importantes e pertinentes nos dias de hoje quanto foram em qualquer outra época. O desejo de liberdade é um impulso atemporal, uma solicitude de todas as épocas. Nós queremos a liberdade, ou a felicidade perene, mas quase nunca reconhecemos a existência desse desejo profundo. Ele permanece sempre no nível de um programa inconsciente que nos motiva secretamente em todas as nossas realizações — da engenhosidade científica e tecnológica à criatividade artística, ao fervor religioso, aos esportes, à sexualidade, à vida social e, infelizmente, ao vício das drogas e do álcool. Em todas essas atividades, o que nós buscamos é a satisfação, a realização, a felicidade. É claro que constatamos que a felicidade assim obtida é lamentavelmente efêmera, e entendemos isso como um incentivo a continuar a nossa busca ritual de satisfação pela procura de novos estímulos.

Hoje em dia, porém, podemos ir buscar força na nova visão que se consubstancia na física quântica e na psicologia transpessoal e elevar corajosamente esse impulso à categoria de uma necessidade consciente. Com isso, a sabedoria inigualável das doutrinas de libertação da Índia e do Extremo Oriente vai adquirir para nós um novo sentido e o atual encontro entre o Oriente e o Ocidente poderá enfim chegar à sua consumação.

II. AS TECNOLOGIAS DO ORIENTE E DO OCIDENTE

A tecnologia material, mais do que qualquer outra força cultural, mudou as características da vida humana e a face do nosso planeta, mas as dádivas que concedeu à humanidade nem sempre se mostraram benignas. Desde a década de 1970 que a atitude do público perante a tecnologia, e indiretamente perante a ciência, vem se tornando cada vez mais ambivalente. Nas palavras de Colin Norman, editor da revista *Science*, a tecnologia é "o Deus claudicante".[7] É um Deus que se alimenta da razão, mas que sofre de uma falta de sabedoria. As consequências de uma tecnologia que carece de discernimento e equilíbrio não precisam ser especificadas; elas estão evidentes em toda parte, na ecologia do nosso planeta.

É muito diferente a atitude que prevalece na "contra"-tecnologia da Índia, que é essencialmente uma questão de sabedoria e crescimento pessoal. Ela evoluiu no decorrer de milênios a partir do fértil solo de experiências interiores obtidas à custa de muito trabalho, do fértil solo da maturação psicoespiritual, dos estados extraordinários de consciência e da própria condição suprema da realização do Si Mesmo. As descobertas e realizações dos virtuoses espirituais da Índia são pelo menos tão espetaculares quanto os motores elétricos, os computadores, as viagens espaciais, os transplantes de órgãos e a engenharia genética. Os ensinamentos práticos desses virtuoses espirituais podem ser considerados como uma espécie de tecnologia que busca adquirir o controle sobre o universo interior, o meio ambiente da consciência.

A tecnologia psicoespiritual é uma sabedoria e um conhecimento aplicados ao serviço do destino evolutivo superior da humanidade através do estímulo à maturação psicoespiritual do indivíduo. Ela evita o perigo da tecnologia descontrolada porque tem em seu centro uma solicitude profunda não só pelo que é *possível*, mas pelo que é *necessário*. Trata-se, portanto, de uma tecnologia ética que vê o indivíduo humano como um ser multidimensional e, acima de tudo, *auto-*

INTRODUÇÃO — A ASPIRAÇÃO À TRANSCENDÊNCIA ॐ

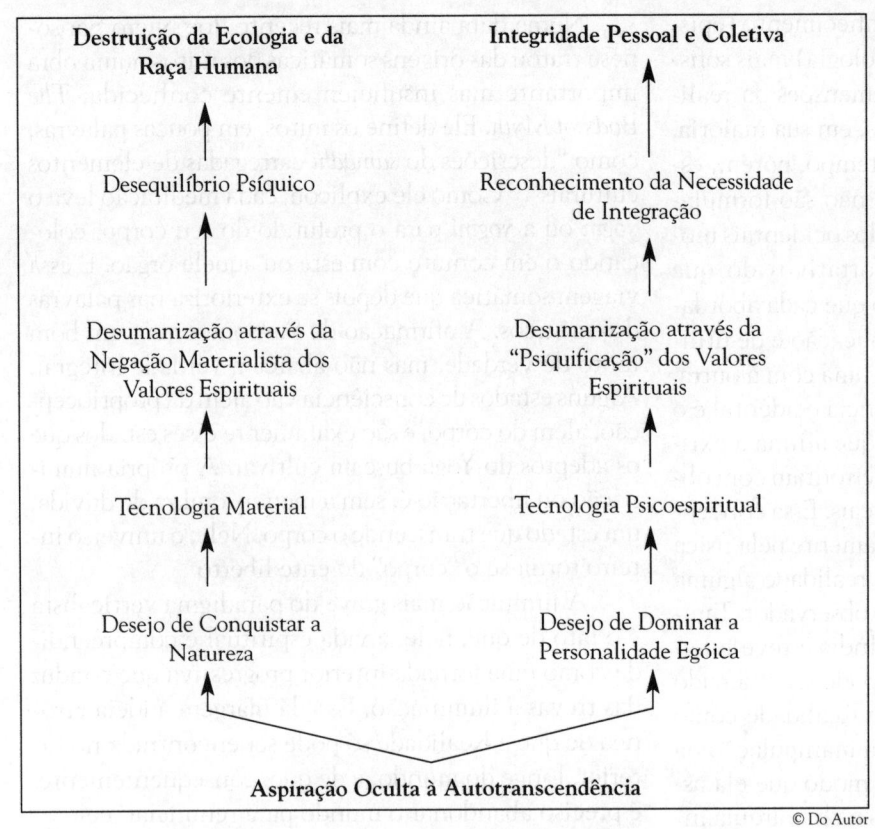

```
Destruição da Ecologia e da          Integridade Pessoal e Coletiva
     Raça Humana
         ↑                                      ↑
         |                                      |
   Desequilíbrio Psíquico           Reconhecimento da Necessidade
                                            de Integração
         ↑                                      ↑
         |                                      |
  Desumanização através da          Desumanização através da
  Negação Materialista dos          "Psiquificação" dos Valores
    Valores Espirituais                    Espirituais
         ↑                                      ↑
         |                                      |
    Tecnologia Material             Tecnologia Psicoespiritual
         ↑                                      ↑
         |                                      |
   Desejo de Conquistar a             Desejo de Dominar a
        Natureza                      Personalidade Egóica
         ↑                                      ↑
         └──────────────┬───────────────────────┘
                        |
            Aspiração Oculta à Autotranscendência
```
© Do Autor

As duas espécies de tecnologia e suas possibilidades

rânea. Mal começamos a compreender tudo o que elas têm a nos oferecer. É evidente, porém, que, para sairmos do túnel escuro do cientificismo materialista, precisamos de algo que vá além do conhecimento científico, da simples informação, das estatísticas, das fórmulas matemáticas, dos programas sociopolíticos e das soluções tecnológicas. Precisamos de sabedoria. E o que há de melhor para rejuvenescer o nosso coração e restaurar a integridade do nosso ser do que a sabedoria do Oriente, especialmente as intuições e realizações lúcidas e grandiosas dos videntes, sábios, místicos e santos da Índia?

transcendente. É, por definição, uma tecnologia que gira em torno da integridade humana. Em última análise, a tecnologia psicoespiritual não é nem mesmo antropocêntrica, mas sim teocêntrica: tem a Realidade em si como seu último ponto de referência. Se a tecnologia, segundo as palavras do físico Freeman J. Dyson, é "um dom de Deus",[8] a psicotecnologia é uma via que leva a Deus. A primeira, quando bem utilizada, pode nos libertar das necessidades econômicas e dos males sociais; a segunda, aplicada com sabedoria, pode nos libertar da tendência psíquica que o ser humano tem de viver como um ser fechado em si e em luta contra si mesmo e contra o mundo inteiro.

A tecnologia psicoespiritual é mais do que uma sabedoria e um conhecimento aplicados. É também um instrumento de conhecimento, na medida em que a sua utilização nos faz descortinar novos panoramas de autocompreensão, que se abrem inclusive para as dimensões superiores do mundo que constituem a extensão do espaço interior.

Não há dúvida de que as doutrinas indianas de libertação — os grandes Yogas do Hinduísmo, do Budismo, do Jainismo e do Sikhismo — representam um recurso preciosíssimo para a humanidade contempo-

III. A REALIDADE E OS MODELOS DA REALIDADE

É importante lembrar que a tecnologia espiritual da Índia também se baseia somente em *modelos* da realidade. A realização suprema, conhecida como iluminação ou realização de Deus, é, em última análise, inefável: transcende o pensamento e a fala. Por isso, no momento mesmo em que o adepto que realizou Deus ou o Si Mesmo abre a boca para falar acerca da natureza da sua realização, tem de recorrer necessariamente a metáforas, imagens e modelos — e os modelos são intrinsecamente limitados em sua capacidade de comunicar aquele estado de unicidade e indivisibilidade.

Sob alguns aspectos, os modelos propostos pelas disciplinas da consciência que se desenvolveram no Oriente são mais fiéis à realidade. Isso se deve ao fato de os modelos yogues terem sido criados por uma sensibilidade mais abrangente. Os *yogins* fazem uso de meios cognitivos cuja existência os cientistas ocidentais em geral ignoram, como a clarividência e os estados superiores de identificação com o objeto de contemplação, estados esses que são chamados de *samâdhi*.

O Yoga opera com uma teoria do conhecimento (epistemologia) e uma teoria do ser (ontologia) mais sofisticadas, reconhecendo níveis ou dimensões da realidade de cuja existência os cientistas, em sua maioria, nem sequer suspeitam. Ao mesmo tempo, porém, esses modelos espirituais tradicionais não são formulados com tanto rigor quanto os modelos ocidentais modernos. São mais intuitivos e exortativos do que analíticos e descritivos. É manifesto que cada abordagem tem o seu campo próprio de aplicação e de utilidade, e que elas têm o que aprender uma com a outra.

O paradigma dominante na ciência ocidental é o dualismo materialista newtoniano, que afirma a existência de observadores reais que se defrontam com objetos exteriores a eles e igualmente reais. Essa concepção tem sido posta em cheque ultimamente pela física quântica, segundo a qual não existe realidade alguma que seja completamente separada do observador. Também a tecnologia psicoespiritual da Índia esteve sujeita a um paradigma dominante, que pode ser chamado *verticalismo*: concebe a realização da Realidade como fruto da introversão da atenção e da manipulação da consciência voltada para dentro de modo que ela ascenda a graus cada vez mais elevados na hierarquia interior da existência, até que absolutamente tudo seja transcendido. Assim, o lema típico do Yoga indiano é "para dentro, para cima e para fora".

Esse modelo vertical da espiritualidade se baseia na imaginação mítica arcaica, que concebe a Realidade como diametralmente oposta à existência condicionada: o Céu em cima, a Terra embaixo. Como demonstrou o adepto contemporâneo Da Free John (Adi Da), esse modelo é uma representação conceitual do sistema nervoso humano. Disse ele em breves palavras:

> A chave da linguagem mística e das metáforas religiosas não é a teologia nem a cosmologia, mas a anatomia. Toda a linguagem religiosa e cosmológica do misticismo é metafórica, e as metáforas em questão são símbolos das características anatômicas das estruturas funcionais superiores do indivíduo humano.
>
> Aqueles que penetram profundamente na dimensão mística da existência logo descobrem que a ordem cósmica que esperam desvendar no seu caminho interior e ascendente em direção a Deus é na verdade a simples ordem das suas próprias estruturas anatômicas ou psicofísicas. Com efeito, é esse o segredo que só era revelado aos iniciados das escolas místicas.[9]

Numa data ainda mais recente, Joe Nigro Sansonese tratou das origens somáticas dos mitos numa obra importante mas insuficientemente conhecida, *The Body of Myth*. Ele define os mitos, em poucas palavras, como "descrições do *samâdhi* carregadas de elementos culturais".[10] Como ele explicou, cada meditação leva o *yogin* ou a *yoginî* para o profundo do seu corpo, colocando-o em contato com este ou aquele órgão. É essa viagem somática que depois se exterioriza nas palavras dos místicos. A afirmação de Sansonese tem um bom tanto de verdade, mas não abarca a verdade integral. Alguns estados de consciência vão além da propriocepção, além do corpo, e são exatamente esses estados que os adeptos do Yoga buscam cultivar. A própria iluminação ou libertação é, sem a menor sombra de dúvida, um estado que transcende o corpo. Nele, o universo inteiro torna-se o "corpo" do ente liberto.

A limitação mais grave do paradigma verticalista é o fato de que, nele, a vida espiritual é compreendida como uma jornada interior progressiva que conduz das trevas à iluminação. Isso dá margem à idéia errônea de que a Realidade só pode ser encontrada no interior, longe do mundo, e de que, conseqüentemente, é preciso abandonar o mundo para renunciar a ele.

Mas os adeptos da Índia têm o mérito de não ter deixado de propor desafios a esse paradigma. No Tantra, por exemplo, que faz parte tanto do Hinduísmo quanto do Budismo, a compreensão da espiritualidade é diferente. Como exporemos em detalhe no Capítulo 17, o Tantra se baseia no pressuposto radical de que, se a Realidade está em algum lugar, ela deve estar em todo lugar, e não apenas dentro da psique humana. A grande máxima do Tantrismo afirma que a Realidade transcendente e o mundo condicionado são coessenciais— *nirvâna* é *samsâra*. Em outras palavras, não há uma incompatibilidade irredutível entre o êxtase transcendente e o prazer sensorial. Na iluminação, o prazer se revela como êxtase. No estado não-iluminado, o prazer não passa de um substituto do êxtase, que constitui a sua realidade profunda. Essa intuição gerou toda uma filosofia da integração entre a busca espiritual e a existência material, integração essa que é particularmente necessária hoje.

IV. O YOGA E O OCIDENTE MODERNO

No nosso esforço pela autocompreensão e pelo crescimento psicoespiritual, temos muito a ganhar da intensificação de nossos contatos com a herança espiritual da Índia. É claro que não precisamos nos converter a nenhum caminho nem precisamos aceitar sem questionamento as idéias e práticas do Yoga. O alerta de C. G. Jung, de que não devemos procurar transplantar as doutrinas orientais para o Ocidente, é verdadeiro num certo nível: não há dúvida de que a simples imitação faz mais mal do que bem.[11] Isso porque, se adotarmos uma idéia e um estilo de vida sem verdadeiramente assimilá-los nas emoções e no intelecto, correremos o risco de levar uma vida falsa. Em outras palavras, sucumbiremos à exterioridade. Não obstante, Jung era pessimista demais quanto à capacidade que as pessoas têm de separar o joio do trigo, ou de aprender e integrar-se mesmo a partir das experiências negativas.

Além disso, sua idéia de que a constituição psíquica dos ocidentais é radicalmente diferente da dos orientais é manifestamente incorreta. Certamente existem diferenças psicológicas entre os ramos oriental e ocidental da família humana — diferenças que se revelam com evidência aos que já viajaram muito e aos que, a negócios, cruzam os grandes divisores de águas culturais que separam o "Oriente" do "Ocidente" e o "Norte" do "Sul". Essas diferenças chegam a ser até muito grandes quando comparamos os orientais de ontem aos ocidentais de hoje, mas não são radicais nem intransponíveis.

A esse respeito, temos de nos lembrar que, com a possível exceção de alguns povos tribais isolados, a humanidade inteira compartilha as mesmas estruturas de consciência desde a época que o filósofo-psiquiatra alemão Karl Jaspers chamou de "era axial" o grande período de transformação que ocorreu por volta da metade do primeiro milênio a.C. No decorrer da era axial, o mundo antigo deixou para trás a forma de pensamento mitopoéica que caracterizava as eras anteriores. Espíritos pioneiros como Sócrates, Gautama Buda, Mahâvîra, Lao-Tsé e Confúcio incorporaram um novo estilo cognitivo, manifestando uma preferência explícita pelo pensamento mais estritamente racional e preterindo as metáforas mitológicas.[12] É por isso que podemos entrar em ressonância com os antigos ensinamentos do Yoga, muito embora sejam eles o fruto de uma cultura e de um tipo de personalidade que não sofreu a hipertrofia do hemisfério cerebral esquerdo ou do pensamento abstrato, que é o sinal distintivo da nossa própria época.[13]

O diálogo entre o Oriente e o Ocidente é um dos acontecimentos mais significativos do nosso século. Se o Ocidente, como Jung afirmou confiadamente, terá de criar o seu próprio Yoga nos séculos seguintes, esse Yoga não será criado tão-somente sobre os fundamentos do Cristianismo, como queria ele, mas sim sobre os novos fundamentos globais que estão sendo lançados em decorrência desse diálogo entre as duas metades da humanidade planetária. De qualquer maneira, é importante compreender que esse diálogo é necessariamente uma questão *pessoal*, que se trava no palco do coração e da mente de cada indivíduo. Isso significa que nós — você e eu — temos de iniciá-lo e alimentá-lo. Esse empreendimento é um desafio tremendo e uma obrigação enorme, mas constitui também uma oportunidade sem paralelo para colaborar no "projeto Atman" que nos leva rumo ao nosso próprio despertar na Realidade maior.

Parte I
FUNDAMENTOS

"A face da Verdade é velada por um disco dourado. Retira-o, ó Pûshan, para que eu, que me prendo à lei [divina], possa contemplá-La."

— Îsha-Upanishad (15)

"Yoga é compostura impassível (*samâdhâna*)."

— *Yoga-Sûtra-Bhâshya-Vivarana* de Shankara (1.1)

Capítulo 1
ELEMENTOS BÁSICOS

I. A ESSÊNCIA DO YOGA

O Yoga é um fenômeno espetacularmente multifacetado e, como tal, é muito difícil de definir, pois cada regra concebível terá as suas exceções. O que todos os ramos e escolas de Yoga têm em comum, porém, é o fato de estarem ligados a um estado de ser ou de consciência que é realmente extraordinário. Um dos antigos textos sagrados do Yoga, o *Yoga-Bhâshya* de Vyâsa (1.1), resume essa orientação essencial na seguinte formula: "Yoga é êxtase."

Nesse texto, escrito em sânscrito, a palavra traduzida por "êxtase" é *samâdhi*. A definição de Vyâsa pôs em palpos de aranha todos os seus comentadores e os estudiosos modernos, pois como pode o *samâdhi*, segundo ele afirma, ser uma qualidade estável da consciência (*citta*), se é evidente que esta muda constantemente? Só nos é possível compreender essa noção peculiar quando correlacionamo-la à idéia de que o Si Mesmo transcendental, *purusha*, permanece para sempre na condição de êxtase, e que essa condição permanece sempre a mesma independentemente da mutação das qualidades e estados de espírito da mente humana.[1] Seja como for, o uso que Vyâsa faz do termo *samâdhi* neste contexto certamente reflete o estado extático que é o sinal distintivo do caminho yogue.

योगः समाधिः ॥

Yogah samâdhih

O termo *samâdhi* tem uma importância crucial no Yoga e será encontrado muitíssimas vezes neste volume. Portanto, parece-me adequado explicá-lo cuidadosamente agora no início. O sânscrito, que é a língua na qual foi escrita a maioria dos textos sagrados do Yoga, é particularmente apropriado para o discurso filosófico e psicológico. Permite a expressão concisa de nuances de pensamento que, na língua inglesa, exigem freqüentemente a justaposição de diversos termos. A palavra *samâdhi*, por exemplo, é composta dos prefixos *sam* (equivalente ao latim, *syn*) e *â*, seguidos pela raiz verbal *dhâ* ("pôr, colocar") na forma modificada *dhi*. O sentido literal do termo, portanto, é o de "colocar junto, reunir".

Aquilo que é reunido ou unificado é o sujeito consciente e o seu objeto ou seus objetos mentais. *Samâdhi* é tanto a *técnica* da unificação da consciência quanto o *estado* conseqüente, de união extática com o objeto de contemplação. Os místicos cristãos chamam esse estado de "união mística" (*unio mystica*). Como observou Mircea Eliade, historiador das religiões mundialmente famoso, *samâdhi* na verdade não é "êxtase", mas "ênstase"[2]. A palavra "êxtase", derivada do grego, significa estar (*stasis*) fora (*ex*) do eu ordinário, ao passo que *samâdhi* significa estar (*stasis*) dentro (*en*) do Si Mesmo, da Essência transcendente da personalidade. Mas ambas as interpretações estão corretas, pois só podemos habitar no Si Mesmo (*âtman* ou *purusha*) e identificarmo-nos com Ele quando transcendemos o eu egóico (*ahamkâra*). O Yoga, portanto, é a tecnologia do êxtase, da autotranscendência. Como veremos, o modo de interpretação e os meios de realização desse estado extático diferem de escola para escola.

O termo sânscrito *yoga* é normalmente interpretado como a "união" do eu individual (*jîva-âtman*) com o Supremo Si Mesmo (*parama-âtman*).[3] Essa definição sucinta encontra o seu ambiente perfeito no Vedânta, o ramo dominante da filosofia hindu, que também influenciou muitíssimo à maioria das escolas de Yoga. O Vedânta propriamente dito originou-se com os antigos textos esotéricos conhecidos como *Upanishads*, que foram os primeiros a ensinar o "ritual interno" de meditação no Fundamento unitário de toda a existência e de absorção nesse Fundamento.[4] Entretanto, a metafísica não-dualista já está prefigurada nos hinos arcaicos dos *Vedas* (veja o diagrama do Capítulo 3, que mapeia os livros sagrados do Hinduísmo).

De acordo com o Vedânta o eu individual está separado do seu Fundamento transcendente, do Supremo Si Mesmo (*parama-âtman*), do Absoluto (*brahman*). O modo pelo qual essa separação é compreendida difere de escola para escola. Algumas escolas concebem o eu finito, bem como o universo fenomênico, como meramente ilusórios ou sobrepostos à Realidade; outras consideram-nos perfeitamente reais, mas vítimas da "doença" (*duhkha*) da separação entre eles e a Realidade última. Em virtude dessas noções divergentes acerca do verdadeiro *status* existencial do eu individual, existem também várias interpretações sobre a natureza da sua re-união com a Realidade transcendente. Certas escolas de pensamento chegam até a negar que essa re-união possa acontecer, porque na verdade nós nunca nos separamos do Fundamento; e, quando descobrimos esse fato, a descoberta assemelha-se muito mais a uma recordação da nossa condição eterna de identidade com o Si Mesmo transcendente e eternamente feliz.

Embora a noção de união faça algum sentido no contexto da tradição vedântica, não é característica de todas as formas de Yoga. É válida no que se refere às escolas antigas (pré-clássicas) e aplica-se também às escolas posteriores (pós-clássicas) de Yoga, que adotam uma espécie de filosofia vedântica não-dualista. Não obstante, a metáfora da união não se encaixa de modo algum no sistema do Yoga Clássico, formulado por Patanjali no século II d.C. O *Yoga-Sûtra* de Patanjali, texto fundamental do Yoga Clássico, não afirma em momento algum que a meta última do esforço yóguico é a união com a Realidade transcendente. Dada a metafísica dualista de Patanjali, que estabelece uma separação estrita entre o Si Mesmo transcendente e a Natureza (*prakriti*) com todos os seus produtos, a noção acima descrita não faria sentido algum.

Um dos aforismos de Patanjali (2.44) refere-se tão-somente a uma tomada de "contato" (*samprayoga*) com a "divindade escolhida" (*ishta-devatâ*) pela pessoa, contato esse que resulta de um trabalho intenso de estudo sobre si mesmo. Essa divindade escolhida não é o Absoluto em si, mas uma divindade específica do panteão hindu, como Shiva, Vishnu, Krishna ou as deusas Durgâ e Kâlî.[5] O *yogin*, em outras palavras, pode ter uma visão da forma que escolheu para *representar* a Realidade transcendente, assim como um cristão devoto pode ter um encontro visionário com o seu santo protetor. Esse aforismo não implica nada além disso.

Patanjali (no *Yoga-Sûtra* 1.2) define o Yoga simplesmente como "a restrição dos turbilhões da consciência" (*citta-vritti-nirodha*). Isto significa que o Yoga é a concentração da atenção no objeto que está sendo contemplado, à exclusão de todos os outros. Ao fim e ao cabo, a atenção deve concentrar-se no Si Mesmo transcendente e fundir-se com ele. Não se trata de uma simples questão de impedir que os pensamentos surjam; trata-se de uma concentração do corpo inteiro, na qual todo o ser da pessoa se aquieta. O estudo do *Yoga-Sûtra* deixa claro que os termos *citta* e *vritti* fazem parte do vocabulário técnico de Patanjali e, portanto, têm significados razoavelmente precisos. Sabemos, por exemplo, que o processo de restrição chega a um nível muito mais profundo que o da mente verbal, porque, no final, toda a personalidade condicionada da pessoa deve conservar-se num estado de equilíbrio e transparência. Podemos perceber o quanto é difícil essa empresa quando tentamos fazer parar por meros trinta segundos a esteira rolante dos nossos pensamentos.

Patanjali explica que, depois de efetuada essa parada psicomental, fulgura o brilho da Consciência-Testemunha transcendental. Essa Consciência-Testemunha, ou "Aquele que vê" (*drashtri*), é a Atenção pura (*cit*) que reside eternamente para além dos sentidos e da mente, captando ininterruptamente todo o conteúdo da consciência. Todas as escolas do Hinduísmo concordam em que a Realidade última não é um estado de estupor pétreo, mas de superconsciência.

Essa afirmação não é mera especulação; baseia-se na realização concreta de milhares de adeptos do Yoga, e o que eles descobriram é confirmado pelo testemunho dos místicos de outros recantos do mundo. A Essência imutável, o Espírito, é Ser-Consciência. Tudo o mais, de acordo com a filosofia de Patanjali, é matéria não-senciente e cai sob o domínio da Natureza, diametralmente oposta à Consciência-Testemunha.

O Yoga Clássico afirma um dualismo estrito entre o Espírito (*purusha*) e a matéria (*prakriti*), dualismo esse que nos faz lembrar do Gnosticismo, movimento esotérico que concorreu com o Cristianismo e floresceu no Mediterrâneo por volta da mesma época em que Patanjali pôs por escrito os seus aforismos. Por força desse dualismo irredutível, o Rei Bhoja, que viveu no século 11 d.C. e escreveu um comentário sobre o *Yoga-Sûtra*, pôde afirmar que *yoga* na verdade significa *viyoga*, ou "separação": a técnica básica do Yoga Clássico, segundo o Rei Bhoja, é o "discernimento" (*viveka*) do *yogin* entre o Si Mesmo transcendente e o "não-eu" (*anâtman*), que é toda a personalidade psicofísica, a qual pertence ao domínio da matéria.

Depois de compreender essa distinção importantíssima entre o Espírito e a mente, o *yogin* procura então afastar-se, passo a passo, daquilo que percebeu que não constitui a sua natureza essencial — a saber, do corpo e da mente em sua totalidade. Esse afastamento gradual da realidade fenomênica se completa quando o *yogin* recupera a sua verdadeira Identidade, a Consciência-Testemunha transcendental.

O interessante é que esse procedimento é adotado até pelas escolas não-dualistas do Yoga e do Vedânta, nas quais é conhecido como "anulação" (*apavâda*). É o método do *neti-neti* ("isto não, isto não"), inventado pelos sábios cujos ensinamentos inovadores foram registrados nos mais antigos *Upanishads*. O método consiste numa progressiva subtração da atenção em relação aos diversos aspectos da existência psicofísica, que conduz a uma destruição gradual da falsa idéia de identidade com um corpo, uma mente e um ego particulares. Essa atitude se manifesta de modo fulgurante no *Nirvâna-Shatka*, famoso poema didático atribuído a Shankara, que viveu no fim do século VIII d.C. e é amplamente reconhecido como a maior autoridade do Vedânta não-dualista:

> *Om*. Não sou a razão, nem a intuição (*buddhi*), nem o ego (*ahamkâra*), nem a memória. Não sou tampouco a audição, nem o paladar, nem o olfato, nem a visão; nem o éter nem a terra; nem o fogo nem o ar. Sou Shiva, na forma de Consciência-Felicidade. Sou Shiva. (vs. 1)

Aí se manifesta a *via negativa* da espiritualidade hindu. Ao mesmo tempo, é um bom exemplo do método alternativo, e muitas vezes complementar, recomendado pelas autoridades do Vedânta: em vez de se "desmembrar", o *yogin* ou a *yoginî* pressupõe a sua identidade fundamental com o Ser-Consciência transcendental. Assim, ele afirma "Eu sou o Absoluto" (*aham brahma-asmi*, que se escreve *aham brahmâsmi*), ou, como no texto acima citado, "Eu sou Shiva" (*shivo'ham*). Shiva, no caso, não é uma divindade pessoal, mas o próprio Absoluto. Esse procedimento afirmativo é fortemente recomendado pelo *Tejo-Bindu-Upanishad* (3.1-43), no qual o próprio deus Shiva instrui longamente o sábio Kumâra sobre a suprema realização espiritual. Eis um trecho da confissão-instrução extática de Shiva:

Shankara, o grande preceptor do Vedânta

Eu sou o supremo Absoluto. Sou a suprema Bem-Aventurança. Minha forma é a do Conhecimento único. Sou único e transcendente. (3.1)

Minha forma é a da forma da tranqüilidade única. Sou feito da Consciência (*cit*) única. Minha forma é a da eternidade única. Sou eterno. (3.2)

Minha forma é a do Ser (*sattva*) único. Tendo abandonado o eu, Eu Sou. Sou da essência d'Aquilo que é despojado de tudo. Sou feito do espaço da Consciência. (3.3)

Minha forma é a do único "Quarto" (*tur-ya*).[6] Sou a [Realidade] única que transcende o Quarto. Minha forma é eternamente a da Consciência (*caitanya*). (3.4)

Podemos supor que Shankara compôs o *Nirvâna-Satka*, acima citado, no estado extático ou iluminado. Não estava num estado "alterado" de consciência nem estava fazendo uma simples declaração de piedade. Também não estava simplesmente submerso no estado de êxtase não-qualificado (*nirvikalpa-samâdhi*), pois nesse estado não há consciência do corpo e, portanto, a fala não é possível. Antes, ele falou *na qualidade* daquele singular Ser-Consciência. A iluminação dele não era um lampejo momentâneo, mas um grau permanente de realização. Ele falava como um adepto iluminado ou liberto, como alguém que havia transcendido a si mesmo no mais elevado grau possível.

A libertação (*mukti, moksha*) é o gozo extático contínuo do Si Mesmo transcendental. É a *raison d'être* de todo o Yoga autêntico. A tecnologia do Yoga se realiza na sua própria transcendência. Isso porque a libertação não é uma técnica, mas um modo de ser ou estar no mundo sem pertencer a ele. Depois de subir ao último degrau da escada do Yoga, os *yogins* realizados se desfazem da escada e abandonam-se ao jogo infinito da Realidade.

II. O PORQUÊ DO NOME YOGA

Nosso mundo, segundo nos revelam os sábios da Índia antiga, é apenas uma colagem maravilhosa e sedutora de "nome" (*nâma*) e "forma" (*rûpa*). Nesse ponto eles prefiguraram a filosofia contemporânea. A realidade é um contínuo que nós mesmos dividimos numa multiplicidade de fenômenos isolados, e o fazemos por meio da linguagem. De certo modo, nós criamos as coisas pelo ato de dar-lhes um nome. As palavras reificam, ou "coisificam", a realidade. No geral, isso tem utilidade prática, pois permite que nos orientemos em nosso universo, que é bastante complexo. No entanto, também pode ser uma desvantagem, pois as palavras podem erigir-se em obstáculos que impedem o conhecimento e sufocam o amor. Não obstante, as palavras podem ser úteis, desde que nos lembremos sempre que elas não são idênticas à realidade que pretendem significar.

Nâma-rûpa

Por isso, parece-me suficientemente oportuno começar esta seção com uma investigação acerca do sentido da palavra *yoga*. No sentido técnico, *yoga* refere-se ao conjunto enorme dos valores, atitudes, preceitos e técnicas espirituais que se desenvolveram na Índia no decurso de pelo menos cinco milênios e que podem ser vistos como o fundamento mesmo da antiga civilização indiana. *Yoga* é, portanto, o nome genérico dos vários caminhos indianos de autotranscendência extática, ou de transmutação metódica da consciência até que esta se liberte do feitiço da personalidade egóica. É a tecnologia psicoespiritual específica da grande civilização da Índia.

Por extensão, a palavra *yoga* também foi aplicada às tradições que se inspiraram direta ou indiretamente em fontes indianas, como o Yoga tibetano (=Budismo Vajrayâna), o Yoga japonês (=Zen) e o Yoga chinês (= Ch'an). Seria, porém, enganoso falar de Yoga judeu, Yoga cristão ou Yoga egípcio, a menos que a palavra *yoga* fosse tomada como um substituto puro e simples das palavras "mística" ou "espiritualidade". Tanto a mística judaica quanto a cristã são essencialmente independentes da aventura espiritual da Índia, e foi só neste século que se fizeram algumas tentativas de utilizar as idéias e práticas do Yoga dentro do contexto da tradição judeu-cristã.[7] É verdade que existem paralelos interessantes entre a espiritualidade védica e as crenças, práticas e símbolos religiosos egípcios, mas a espiritualidade egípcia leva o selo indelével do gênio específico dos povos nilóticos.

Num sentido mais restrito, o termo *yoga* se refere ao sistema de Yoga Clássico proposto por Patanjali no início da era cristã. Ele se conta entre as seis grandes tradições ou "pontos de vista" (*darshana*) do Hinduísmo. As outras cinco tradições ortodoxas são o Nyâya, o Vaisheshika, o Sâmkhya, o Mîmâmsâ e o Vedânta. No Capítulo 3 discutiremos as relações da tradição yogue com esses outros sistemas.

Deve-se observar também que, vez por outra, o termo yoga é usado nos textos em sânscrito para denotar a própria meta do Yoga. Assim, no *Maitrâyanîya-Upanishad* (6.28), texto anterior à era cristã, a palavra se refere à realização do Supremo Si Mesmo. No *Tattva-Vaishâradî* (3.9) e no *Amrita-Nâda-Bindu-Upanishad* (23), a palavra *yoga* é empregada para designar o estado de êxtase temporário (*samâdhi*). Em contextos muito raros, como o do *Mahâbhârata* (12.293.30), a palavra se refere ao adepto da tradição yogue. Pode referir-se por fim, como também o pode o cognato *yauga*, ao seguidor das tradições do Nyâya e do Vaisheshika.

O termo *yoga* é usado com muita freqüência na literatura sânscrita. Já fora empregado de diversas maneiras no antiquíssimo *Rig-Veda*, que é para o hindu piedoso o que o Antigo Testamento é para o cristão. O *Rig-Veda* é uma coletânea de hinos arcaicos, alguns dos quais provavelmente foram compostos de três a cinco mil anos a.C. A palavra *yoga* é etimologicamente derivada da raiz verbal *yuj*, que significa "conjugar, juntar, jungir", e pode ter muitas conotações, como as de "união", "conjunção de dois astros", "regra gramatical", "empenho", "ocupação", "equipe", "equipamento", "meio para um fim", "artimanha", "agregado", "somatória" e por aí afora. Tem relação com o inglês *yoke*, o francês *joug*, o alemão *Joch*, o grego *zugos*, o latim *iugum*, o russo *igo*, o espanhol *yugo*, o sueco *ok* e o português *jugo*.

Como já dissemos, no *Yoga-Bhâshya* (1.1), que é o mais antigo comentário do *Yoga-Sûtra* que chegou até nós, Vyâsa propõe a fórmula "Yoga é êxtase". Desse modo, ele indica com precisão qual é a "junção" que aí está implicada — a saber, o atrelamento e a contenção da atenção, ou da consciência, até a realização da condição extática (*samâdhi*) na qual os mecanismos da mente são ao menos temporariamente transcendidos.

No século IX d.C., Vâcaspati Mishra compôs um subcomentário erudito sobre os aforismos de Patanjali ao qual deu o nome de *Tattva-Vaishâradî*. No início dessa obra, Vâcaspati Mishra observa que o termo *yoga* deve ser derivado da raiz *yuja* (no sentido de "concentração") e não de *yuji* (no sentido de "conjunção"). Talvez ele se sentisse no dever de fazer esse comentário porque, como já vimos, na tradição não-dualista do Vedânta o termo *yoga* é freqüentemente explicado como a união (*samyoga*) entre o eu individual e o Si Mesmo transcendental. Essa definição, porém, não se aplica de modo estrito ao Yoga Clássico, que é dualista na medida em que distingue entre o Si Mesmo transcendente e a Natureza multiforme.

O *Mahâbhârata* (14.43.24) afirma que o sinal distintivo do Yoga é a "atividade" (*pravritti*). Isso nos lembra da definição do *Bhagavad-Gîtâ* (2.50), equivalente hindu do Novo Testamento, segundo a qual "Yoga é a perícia na ação" (*yogah karmasu kaushalam*). Isso significa que o *yogin* ou a *yoginî* fazem o trabalho que lhes cabe e desincumbem-se das suas obrigações sem esperar por recompensa alguma. Essa atitude será explicada de modo mais detalhado no Capítulo 2.

O *Bhagavad-Gîtâ* (2.48) também define *yoga* como "equanimidade" (*samatva*). O termo sânscrito *samatva* significa literalmente "igualdade" ou "regularidade" e tem todo um conjunto de sentidos derivados, entre os quais os de "equilíbrio" e "harmonia". Essencialmente, denota a atitude de encarar a vida com isenção e não se deixar abalar pelos altos e baixos da existência.

Assim, *yoga* é uma palavra que pode ser aplicada a muitas coisas; e, ao ler-se os textos do Yoga, é bom ter na mente essa flexibilidade.

III. GRAUS DE TRANSCENDÊNCIA DO EGO — O PRATICANTE (YOGIN OU YOGINÎ)

A palavra *yogin* (nominativo: *yogî*) é derivada da mesma raiz verbal de *yoga*, a raiz *yuj*, e denota o praticante do Yoga, que pode ser um iniciante, um avançado ou até mesmo um adepto perfeito, realizado em Deus ou no Si Mesmo.

योगिन् । योगी । योगिनी ॥

Yogin, yogî, yoginî

A praticante mulher é chamada *yoginî*. Esta palavra também se aplica à parceira feminina na sexualidade ritual (*maithunâ*) de certas escolas tântricas, acerca das quais falaremos no Capítulo 17. O termo *yoginî* também pode referir-se a uma dentre as sessenta e quatro divindades femininas particularmente relacionadas ao Tantra, que são vistas como manifestações da energia criativa universal (*shakti*). O culto das sessenta e quatro *yoginîs* remonta aos séculos seis ou sete d.C.[8]

Em geral, o termo *yogin* é aplicado indistintamente a todos os praticantes espirituais, mas às vezes se estabelece uma distinção, por exemplo, entre o *yogin* e o *samnyâsin* ("o que renuncia"), ou entre o *yogin* (enquanto praticante de uma determinada disciplina) e o *jnânin* ("gnóstico"), que em tese não segue nenhuma ideologia ou método, mas se orienta por suas compreensões ou intuições espirituais espontâneas. No *Mândûkya-Kârikâ* (3.39), por exemplo, que é uma das referências reconhecidas do Advaita Vedânta, encontramos o seguinte versículo:

> Nem todos os *yogins* conseguem realizar o Yoga intangível (*asparsha-yoga*) [do não-dualismo]. Os *yogins* têm medo dele, percebendo o medo no [ou naquilo cuja essência na verdade é feita de] absoluto destemor.

Nesse texto, o autor Gaudapâda, que foi o mestre do mestre de Shankara, distingue entre os *yogins* e aqueles que realizaram a Realidade não-dual e intangível, isto é, os *jnânins*. A distinção é um pouco idiossincrática, pois também existem adeptos realizados entre os seguidores do Yoga. Mas, até aí, que peso pode ter um nome? Gaudapâda queria apenas deixar clara a superioridade dos *jnânins*, libertos do ego e do medo, sobre aqueles que se esforçam ansiosamente por realizar Deus, sem compreender que a própria busca se lhes erige em obstáculo. Isso porque, enquanto existe uma meta, existe também o que a busca — e, portanto, existe uma personalidade egóica presa no estado de não-iluminação.

Afirma-se que o amadurecimento espiritual do *yogin* ocorre segundo uma série de fases ou estágios (*bhûmi*) distintos. No terceiro capítulo do *Jîvan-Mukti-Viveka* ("Discernimento sobre a Libertação em Vida"), o erudito e praticante de Yoga Vidyâranya, da época medieval, menciona duas classes de *yogins*: os que transcenderam a si mesmos e os que não transcenderam — uma classificação simples e eficaz. O famoso filósofo vedântico Vijnâna Bhikshu, que viveu no século XVI, distingue em seu *Yoga-Sâra-Samgraha* ("Compêndio sobre a Essência do Yoga") os seguintes graus:

1. *ârurukshu* — aquele que deseja a vida espiritual
2. *yunjana* — aquele que já pratica de fato
3. *yoga-ârûdha* — aquele que se elevou no Yoga; também chamado *yukta* ("jungido") ou *sthita-prajnâ* ("aquele que tem uma sabedoria estável").

O *Bhagavad-Gîtâ*, que sem dúvida alguma é o texto mais popular que fala sobre o Yoga, caracteriza o aspirante (*ârurukshu* e *yunjana*) e o adepto (*yoga-ârûdha*) pelas seguintes palavras:

> Para o sábio que tem o desejo de elevar-se no Yoga, afirma-se que o meio próprio é a ação. Para aquele que se elevou no Yoga, afirma-se que o meio próprio é a serenidade (*shama*). (6.3)

> Quando ele não se apega mais aos objetos dos sentidos nem às ações, e quando renunciou a todos os desejos, é chamado "aquele que se elevou no Yoga". (6.4)

> Quando controlou a mente e firmou-se no Si Mesmo (*âtman*) somente, despojado de todos os desejos, é chamado de "jungido" (*yukta*). (6.18)

O *yogin* perfeito que chegou à "sabedoria estável" — *sthita-prajnâ* — é descrito no *Bhagavad-Gîtâ* (2.56) nos seguintes termos:

> Aquele cuja mente não é afetada pelo sofrimento nem é tomada pelo desejo de prazer, que não tem apego, nem medo, nem ira — este é chamado um sábio de "intuição estável" (*sthita-dhi*).

Os textos do grande movimento da Índia medieval que é chamado de Tantra, ou Tantrismo, fazem uma distinção entre o "aspirante realizador" (*sâdhaka*) e o "perfeito" (*siddha*) — ou adepto — que atingiu a emancipação ou perfeição (*siddhi*), o pináculo do "caminho da Realização" (*sâdhana*). Outras classificações constam dos diversos *Purânas* (enciclopédias populares semi-religiosas), dos *Âgamas* e *Samhitâs* (obras sectárias de amplitude enciclopédica) dos textos do Hatha-Yoga, o Yoga "vigoroso" da disciplina física. Além de tudo isso, as grandes tradições religiosas do Budismo e do Jainismo, que incorporaram o Yoga e contribuíram para o seu desenvolvimento, têm as suas próprias escalas de realização espiritual.

O *Yoga-Bhâshya* (3.51) apresenta uma interessante divisão em quatro. O legendário autor, Vyâsa, faz as seguintes distinções:

1. *prathama-kalpika* — o neófito no primeiro estágio
2. *mâdhu-bhûmika*— "o que está no estágio do deleite [lit. 'mel']"
3. *prajnâ-jyotis* — "o que atingiu a luz (*jyotis*) da sabedoria"
4. *atikrânta-bhâvanîya* — "o que está a ponto de transcender [toda a existência condicionada]"

Vyâsa (*Yoga-Bhâshya* 3.51) lança alguma luz sobre esses quatro graus de realização espiritual. Explica:

> O primeiro é o praticante (*abhyâsin*) para quem a luz está apenas começando a brilhar. O segundo é dotado da sabedoria transcendente que leva em si a verdade. O terceiro é aquele que subjugou os elementos e os órgãos dos sentidos e que desenvolveu os meios necessários para assegurar-se da posse de tudo o que já foi cultivado e do que ainda o será... Ao passo que o quarto, que já foi além do que pode ser cultivado, tem como único objetivo a resolução (*pratisarga*) da mente [na matriz primordial da Natureza, onde o Si Mesmo brilha em sua pureza original].

O último estágio de transcendência conduz diretamente à realização do objetivo supremo do Yoga Clássico — a "solidão" (*kaivalya*), no sentido de atualização do Si Mesmo transcendental (*purusha*), a essência eterna do ser humano, que está além da dimensão sempre-mutável do cosmos. *Kaivalya* é o grau mais alto de perfeição espiritual e a consumação da vida do *yogin* que segue o caminho ensinado por Patanjali.

Em seu *Yoga-Bhâshya* (1.21), Vyâsa também explica que existem nove classes de *yogins*, hierarquizadas de acordo com a intensidade (*samvega*) da busca, que pode ser medíocre, média ou extremamente forte. Vâcaspati Mishra afirma ainda que o grau de intensidade depende das impressões subliminares previamente adquiridas (*vâsanâ*) e das influências (kármicas) invisíveis, chamadas *adrishta* (lit. "invisíveis"). Em outras palavras, nosso compromisso com a prática do Yoga não depende exclusivamente de uma decisão consciente. A profundidade da nossa atração por Deus, pelo Si Mesmo transcendente, não é sujeita à nossa vontade; é precondicionada pelo passado kármico. As ações e intenções que tivemos em vidas passadas determinam o estado futuro do nosso ser (por exemplo, nossa bagagem genética e a circunstância social em que nascemos — e portanto, em algum grau, nossa personalidade psicossocial). Isso explica por que às vezes as nossas melhores intenções para com o caminho espiritual se frustram, especialmente no início da prática, e por que temos de continuar sempre a nos disciplinar.

Um dos sinônimos freqüentes de *yogin* é *yoga-vid*, que significa "conhecedor do Yoga" e é termo muito usado nos textos de Hatha-Yoga, mais especificamente. O praticante adiantado é chamado às vezes de *yukta*, ou "jungido", ao passo que o principiante pode ser conhecido como *yoga-yuj*, "aquele que se juntou ao Yoga". O *yogin* perfeito é muitas vezes chamado de "rei do Yoga" (*yoga-râj*) e "senhor dos *yogins*" (*yoga-indra*, que se escreve *yogendra*).

O termo "yoguista" é de cunhagem moderna e denota o entusiasta ocidental que se interessa sobretudo pelo aspecto físico do Yoga — especialmente pelas posturas (*âsana*) —, e não pelo Yoga como disciplina espiritual de realização do Si Mesmo.

IV. UMA LUZ NA ESCURIDÃO — O MESTRE

Como afirmou Mircea Eliade no seu conhecidíssimo estudo sobre o Yoga, "O que caracteriza o Yoga não é somente o seu lado prático, mas também a sua estrutura iniciática".[9] O Yoga, como todas as formas de esoterismo, pressupõe a orientação de um iniciado, de um mestre dotado de experiência imediata dos fenômenos e realizações do caminho yogue. O ideal é que ele tenha chegado ao destino último de todo o esforço yogue — a iluminação (*bodha, bodhi*) ou libertação (*moksha*). Assim, ao contrário do Yoga "pop" adotado por tantos ocidentais, o verdadeiro Yoga nunca é algo que a pessoa aprende sozinha. "Ninguém aprende Yoga por si mesmo", observou Eliade.[10] Muito pelo contrário, o Yoga, como todos os outros sistemas tradicionais indianos, envolve um processo de discipulado no decorrer do qual um mestre revela os seus segredos ao discípulo ou ao devoto que se mostrarem dignos. E esses segredos não se resumem ao tipo de conhecimento que pode ser expresso em palavras ou impresso nos livros.

Um guru com um grupo de discípulos

Boa parte do que o mestre (*guru*) concede ao discípulo se inclui no que se chama de transmissão espiritual (*sancâra*). Essa transmissão, na qual o *guru* literalmente dá poder ao discípulo através de uma transferência de "energia" ou "consciência" (correspondente ao "Espírito Santo" do batismo cristão), é o fulcro do processo iniciático do Yoga. Por meio dela, o praticante é abençoado no seu empenho pela obtenção da realização transcendente. Em decorrência disso, o *yogin* ou *yoginî* iniciados sofrem a necessária "conversão" (*parâvritti*) que é um elemento crucial do processo espiritual: começam a achar a Realidade, ou o Si Mesmo que se esconde por trás do ego, mais atraentes do que as numerosas possibilidades da existência mundana. O fundamento dessa atração é uma intuição tácita do Si Mesmo, que vai se tornando cada vez mais forte no decurso da prática.

A natureza iniciática do Yoga se expressa num grande número de símbolos, o mais impressionante dos quais é o do nascimento. No *Atharva-Veda* ("Conhecimento de Atharvan"), um dos quatro *Samhitâs* védicos, encontramos o seguinte versículo:

> Na iniciação, o mestre como que leva o discípulo em si mesmo, assim como a mãe [leva] o embrião em seu corpo. Depois dos três dias da cerimônia [de iniciação], o discípulo nasce. (11.5.3)

Uma metáfora "ginecológica" igualmente arcaica foi usada, mais de quatro mil anos depois, no *Hevajra-Tantra* dos budistas (2.4.61-62):

> A escola é semelhante ao corpo. O mosteiro é chamado o útero. Através do desapego, entra-se no útero. A túnica amarela é a membrana [que envolve o embrião]. E o preceptor é a mãe. A saudação é a posição do feto ao nascer, de cabeça para baixo (*mastaka-anjali*). O discipulado é a existência no mundo. E a recitação de *mantras* é [a idéia de] "eu".

Através da graça (*prasâda* ou *kripâ*) do mestre, o discípulo digno é iniciado para a grande "alternativa" da existência — a realidade do Espírito, do Ser-Consciência-Felicidade transcendente. Por isso, é importante que o preceptor seja um mestre ou um adepto (*siddha*) plenamente realizado. Só nesse caso o praticante tem a garantia de que vai atravessar incólume o "oceano da existência fenomênica" (*samsâra-sâgara*). Isso porque, como observa o *Shiva-Purana* (7.2.15.38), quando o preceptor só o é de nome, o mesmo se pode dizer da "libertação" que ele confere ao discípulo.

O sistema iniciático de mestres e discípulos remonta aos primórdios do período védico (4500-2500 a.C.), no qual cada jovem passava a infância e a adolescência na casa de um instrutor das escrituras sagradas, que continham a mais profunda sabedoria e o mais perfeito conhecimento da época. O estudo dos *Vedas* era o dever sagrado de todos os membros da sociedade "nascidos duas vezes" (*dvija*) — isto é, a casta dos *brâhmana*, ou sacerdotes, a dos *kshatriya*, ou militares e governantes, e a dos *vaishya*, ou agricultores, artesãos e comerciantes. Os *shûdras*, ou servos, eram excluídos dessa antiquíssima tradição, embora às vezes se abrissem exceções para um ou outro indivíduo especialmente dotado. O conhecimento védico era transmitido ao jovem pela palavra falada e tinha de ser cuidadosamente memorizado. O mestre tinha a obrigação de guiar o discípulo em seus estudos, de levá-lo a compreender a sabedoria dos *Vedas* e de cuidar do seu bem-estar.

O discípulo, em compensação pela orientação e pela supervisão paternal do mestre, tinha de honrar e obedecer o *guru* como faria com seu próprio pai; e tinha de empenhar uma energia considerável no estudo diligente (*svâdhyâya*) e no serviço (*sevâ*) à casa do mestre. No *Shiva-Samhitâ* (3.13), texto de Hatha-Yoga escrito no fim da época medieval, esse ideal se expressa da seguinte maneira:

> Não há dúvida de que o *guru* é pai; o *guru* é mãe; o *guru* é Deus. Por isso, deve ele ser servido por todos em atos, palavras e pensamentos.

Boa parte do contato entre mestre e discípulo seguia normas formais estritas. O discípulo tinha de cumprir os rituais diários do "pedir esmolas" (*bhiksha*)[11] e da oferenda cerimonial ao *guru* de bastões de combustível para o fogo sagrado. Tinha, ainda, de permanecer com o mestre até completar seus estudos. Aqueles que, à semelhança de tantos ocidentais, ficavam vagando de lugar em lugar, eram chamados depreciativamente de "corvos num lugar sagrado" (*tîrtha-kâka*).[12]

Depois do estudo mesmo da tradição sagrada, o maior dever do discípulo era o de levar uma vida casta (*brahmacarya*) — daí o nome genérico de *brahmacârin* que se dá aos estudantes. O termo significa literalmente "aquele cuja conduta é brâhmica", isto é, aquele que se conduz de acordo com as regras estabelecidas para os sacerdotes (*brahma = brâhmana*), ou cuja conduta é uma imagem da condição do Absoluto (*brahman*), que é assexual. A castidade era considerada *sine qua non* para a boa vida moral e para o cultivo da força vital (*prâna*) no corpo-mente, colaborando assim para a concentração, a memória e a boa saúde. O relacionamento institucionalizado entre mestre e discípulo é chamado *guru-kula*, ou sistema da "casa do mestre". É explicado e justificado no antigo *Taittirîya-Upanishad* (3.1.1), um dos mais antigos textos desse gênero, da seguinte maneira:

> O *guru* é a primeira letra [do alfabeto]. O discípulo é a última letra. O Conhecimento é o ponto de encontro. A instrução é o elo.

Feliz o discípulo que encontrava um mestre que, além de ser versado nas escrituras sagradas, havia também realizado o conteúdo esotérico destas. Disso nasceu a identificação do *guru* com a autoridade das escrituras. Passou-se a atribuir um poder revelatório e libertador tanto às escrituras quanto ao mestre, o qual é visto pela tradição como uma manifestação imediata da Verdade viva que é apenas indicada nos textos sagrados. O antigo sistema védico do *guru-kula* continuou sendo o modelo tradicional de educação na Índia.

Os *Upanishads*, obras esotéricas do Vedânta não-dualista, preservaram exemplos de alguns dos relacionamentos mais profundos entre mestre e discípulo, nos quais não se buscava apenas o conhecimento racional, mas também a excelência da sabedoria e da realização de Deus. O mestre iluminado, tendo cumprido e realizado em si a revelação das escrituras, tem o dom específico de preparar os outros para a mesma realização. Um dos relacionamentos mais tocantes foi o do grande sábio Yâjnavalkya (c. 1500 a.C.) com sua esposa Maitreyî. Os ensinamentos dele são conservados no *Brihad-Âranyaka-Upanishad* (p. ex., 2.4.1 *et seq.*; 4.5.1 *et seq.*). Tinha ele duas esposas, mas ao passo que Kâtyâyanî "só possuía o conhecimento próprio das mulheres" (4.5.1), Maitreyî tinha uma sede profunda do conhecimento espiritual e queria conhecer o caminho da imortalidade. Antes de renunciar ao mundo, Yâjnavalkya instruiu Maitreyî nos segredos do Yoga dos *Upanishads*. Disse-lhe:

> Em verdade, não é por amor ao marido que o marido é amado, mas por amor ao Si Mesmo (*âtman*). Em verdade, não é por amor à esposa que a esposa é amada, mas por amor ao Si Mesmo. Em verdade, não é por amor aos filhos que os filhos são amados, mas por amor ao Si Mesmo. Em verdade, não é por amor à riqueza que a riqueza é amada, mas por amor ao Si Mesmo... Em verdade, ó Maitreyî, é o Si Mesmo que deve ser visto, ouvido, considerado e contemplado. Em verdade, pela visão, audição, consideração e conhecimento do Si Mesmo, todas essas coisas são conhecidas. (2.4.5)

Yâjnavalkya instruiu Maitreyî longamente e ela por fim admitiu estar desconcertada com suas palavras, ao que o sábio replicou:

> É certo que não estou falando nada de desconcertante. Isto é suficiente para o conhecimento. (2.4.13)

Representação moderna de Yâjnavalkya

Muito tempo depois, o *Shiva-Samhitâ* (3.11) afirmava:

> [Só] o conhecimento transmitido oralmente pelo mestre é produtivo; tudo o mais é estéril, é fraco e causa muita aflição.

गुरु । आचार्य । उपाध्याय ॥

Guru, âcârya, upâdhyâya

O Hinduísmo distingue entre diversos tipos de mestres, que idealmente pertencem todos à casta dos *brâhmanas*: o *guru* ("pesado"), o *âcârya* ("preceptor", que realiza a cerimônia de investidura — *upanâyana* — do cordão sagrado que é usado por todos os "nascidos duas vezes", e que também transmite ao estudante as normas apropriadas de conduta, ou *âcâra*), o *upâdhyâya* ("tutor", que ensina uma parte dos textos sagrados em troca de pagamento), o *adhvanka* ("mentor", de *adhvan*, que significa "estrada" ou "viagem"), o *prâdhyâpaka* ("instrutor experiente", que pode instruir outros instrutores), o *prâcârya* ("preceptor sênior"), o *râja-guru* ("mestre real") e o *loka-guru* ("mestre do mundo") — todos os quais têm uma função de ensino e um *status* espiritual determinados. Existe até um termo genérico que designa os diversos tipos de mestre: *pravaktri*, ou "comunicador".

O mestre realizado em Deus transmite o "conhecimento divino" (*divya-jnâna*), como diz o *Yoga-Shikhâ-Upanishad* (5.53). Trata-se de um conhecimento que nasce da iluminação e atrai à iluminação. O *Advaya-Târaka-Upanishad* (16) dá uma explicação esotérica da palavra *guru* fazendo-a derivar das sílabas *gu* (com o sentido de "escuridão") e *ru* (com o sentido de "o que dissipa"). Portanto, o *guru* é aquele que dissipa as trevas espirituais do discípulo.

Dentre todos os mestres, os adeptos realizados em Deus têm ainda hoje um lugar especial na sociedade hindu, pois só eles são capazes de iniciar o caminhante espiritual no supremo "conhecimento do Absoluto" (*brahma-vidyâ*). Só eles são *sad-gurus* — "mestres do Real" ou "verdadeiros mestres". No caso, a palavra sânscrita *sat* (modificada para *sad* por motivo de eufonia) significa tanto "real" quanto "verdadeiro". Esses mestres são célebres como fortes agentes da graça. É como afirma o *Shiva-Samhitâ* (3.14): "Pela graça do mestre, obtém-se tudo o que há de auspicioso." E o *Hatha-Yoga-Pradîpikâ* (4.9) afirma que, sem a compaixão (*karunâ*) de um verdadeiro mestre, é muito difícil alcançar o estado de espontaneidade transcendente (*sahaja*).

Devido à sua realização espiritual, o *guru* é considerado uma encarnação (*vigraha*) da própria Divindade. "O *guru* somente é Hari [=Vishnu] encarnado", proclama o *Brahma-Vidyâ-Upanishad* (31). O mestre não é *uma* divindade específica, mas a Divindade total, chamada aqui de Hari. Não se deve compreender mal essa "deificação" do mestre realizado em Deus. Ele não é Deus. Ele não é Deus num sentido exclusivo; antes, é coessencial com a Realidade transcendente. Isto significa que ab-rogou em si mesmo a identificação errônea que o comum dos mortais faz com um corpo e uma mente particulares, e subsiste na pureza da Identidade transcendente de todos os seres e coisas. Não há vestígio de egoidade no ser verdadeiramente iluminado, pois nele o ego foi substituído pelo Si Mesmo. O corpo, a mente e a personalidade continuam existindo pelo tempo que lhes foi concedido, mas o ser iluminado já não se envolve mais no seu automatismo. O indivíduo não-iluminado, pelo contrário, acredita ser uma "entidade" particular, uma consciência individuada que de algum modo habita dentro de um corpo e está associada com — ou até mesmo se deixa mover por — um particular complexo de personalidade. É essa ilusão fatal que se desfaz, por ação da graça, no momento da iluminação.

No *Kula-Arnava-Tantra*, o deus Shiva, falando com sua divina esposa Devî, faz a seguinte comparação entre os mestres realizados e os professores comuns:

> Existem muitos *gurus*, como lâmpadas que ardem em diversas casas; mas difícil de encontrar, ó Devî, é o *guru* que ilumina todas as coisas como o sol. (13.104)

> Existem muitos *gurus* que conhecem a fundo os *Vedas* [o conhecimento sagrado revelado] e os *Shâstras* [tratados]; mas difícil de encontrar, ó Devî, é o *guru* que chegou à Verdade suprema. (13.105)

> Existem muitos *gurus* sobre a Terra que dão outras coisas que não o Si Mesmo; mas difícil de encontrar em todos os mundos, ó Devî, é o *guru* que revela o Si Mesmo. (13.106)

Muitos são os *gurus* que roubam o discípulo de sua riqueza, mas raro é o *guru* que elimina as aflições do discípulo. (13.108)

É um [verdadeiro] *guru* aquele através de cujo contato flui a suprema Bem-Aventurança (*ânanda*). Só a esse, e a nenhum outro, deve o homem de inteligência escolher como seu *guru*. (13.110)

No mesmo capítulo, o *Kula-Arnava-Tantra* (13.126 *et seq.*) também fala de seis tipos de *guru* que são classificados de acordo com a sua função:

1. *preraka* — o "impulsor" que estimula o interesse no futuro devoto, levando-o à iniciação (também chamado *codaka* no *Brahma-Vidyâ-Upanishad* 51)

2. *sûcaka* — o "indicador", que identifica a forma de disciplina espiritual (*sâdhana*) para a qual o iniciado é qualificado

3. *vâcaka* — o "explicador", que expõe o processo espiritual e o seu objetivo

4. *darshaka* — o "revelador", que mostra os detalhes do processo

5. *shikshaka* — o "instrutor", que passa a instrução da disciplina espiritual de fato

6. *bodhaka* — o "iluminador", que, segundo o texto, "acende no discípulo a lâmpada do conhecimento mental e espiritual".

Existem muitos outros tipos funcionais de *gurus* e, na sua tradução do *Kula-Arnava-Tantra*, o estudioso do Yoga M. P. Pandit chega a mencionar doze[13]. Mas é sempre o mestre realizado em Deus que as escrituras exaltam acima de todos os outros.

TEXTO ORIGINAL 1

Dakshinamûrti-Stotra

O *Dakshinamûrti-Stotra* ("Hino a Dakshinamûrti") é com toda probabilidade uma obra autêntica de Shankara, o intérprete maior do Advaita Vedânta. O hino, que reflete o lado devocional desse gigante do conhecimento, é dedicado a Dakshinamûrti sob a forma do mestre de Shankara. Dakshinamûrti ("Voltado para o Sul") é um dos nomes do deus Shiva. Esse nome curioso é explicado tradicionalmente pela lenda de que Shiva sempre se sentava voltado para o sul quando ensinava os grandes mestres de antigamente (os quais, evidentemente, sentavam-se voltados para o norte). Como nos informa a historiadora da arte Stella Kramrisch, tanto nos templos dos adoradores de Shiva quanto nos de Vishnu, no sul da Índia, a imagem iconográfica de Dakshinamûrti fica entronizada num nicho na parede sul do santuário principal.[14]

O interessante é que a palavra *dakshina* significa "sul" e também "dádiva". Assim, o nome faz também um jogo com a dádiva de conhecimento esotérico ou gnose suprema conferida por Dakshinamûrti. Esta oração em forma de poesia resume perfeitamente o ideal tradicional de reconhecer (e adorar) a Divindade no mestre realizado em Deus.

Aquele que vê contido dentro de si mesmo, como num sonho, o universo que se mostra como externo pela [atividade da] ilusão (*mâyâ*), e que testemunha o Seu próprio Si Mesmo imutável no momento do Despertar — a Ele, o abençoado Dakshinamûrti, sob a forma do [meu] abençoado mestre, [presto] esta homenagem. (1)

Aquele que, à semelhança de um grande *yogin* ou de um mago, faz surgir por sua própria vontade este universo, o qual [na realidade] é sem-forma como o germe de uma semente mas em seguida toma forma através da ilusão e se diferencia através da diversidade do espaço e do tempo — a Ele, o abençoado Dakshinamûrti, sob a forma do [meu] abençoado mestre, [presto] esta homenagem. (2)

Aquele cuja manifestação, que tem a essência da Realidade (*sat*), aparece como o objeto de noções da não-realidade (*asat*); que ilumina diretamente os que recorreram a máximas védicas como "Tu és Isto" (*tat tvam asi*); e cuja percepção direta impede o retorno ao oceano da existência [condicionada] — a Ele, o abençoado Dakshinamûrti, sob a forma do [meu] abençoado mestre, [presto] esta homenagem. (3)

Dakshinamûrti

Aquele cuja sabedoria vibra do lado de fora, [mediada] pelos olhos e pelos outros portais dos sentidos, à semelhança da luz brilhante de uma grande lâmpada posta no bojo de uma urna com diferentes buracos — conheço Aquele no rastro de cujo esplendor brilha todo este universo. A Ele, o abençoado Dakshinamûrti, sob a forma do [meu] abençoado mestre, [presto] esta homenagem. (4)

Aquele que destrói o grande engano (*vyâmoha*) criado pelo jogo do poder da ilusão (*mâyâ*) daqueles que se consideram o corpo, ou a força vital (*prâna*), ou os sentidos, ou a caprichosa mente, ou o vazio; ou que por erro declaram sem hesitar que são uma mulher, [um homem], uma criança, um cego ou um estúpido — a Ele, o abençoado Dakshinamûrti, sob a forma do [meu] abençoado mestre, [presto] esta homenagem. (5)

O Varão (*pumâms*)[15] que, através do recolhimento dos sentidos que se assemelha a um eclipse do sol ou da lua, [entra em] sono profundo e assim se torna o puro Ser, mas que, devido à coberta da ilusão, ao acordar se lembra [apenas] de ter dormido — a Ele, o abençoado Dakshinamûrti, sob a forma do [meu] abençoado mestre, [presto] esta homenagem. (6)

Aquele que, através de gestos auspiciosos (*mudrâ*), revela aos Seus adoradores o Seu próprio Si Mesmo, que se manifesta interiormente como o "Eu" passado e presente, em todos os estados [de consciência], como a infância ou a vigília — a Ele, o abençoado Dakshinamûrti, sob a forma do [meu] abençoado mestre, [presto] esta homenagem. (7)

O Homem (*purusha*)[16] que, arrastado pela ilusão, vê no sonho ou [no estado de] vigília o universo diferenciado pela relacionamento entre possuidor e possuído, ou mestre e discípulo, ou pai e filho, etc. — a Ele, o abençoado Dakshinamûrti, sob a forma do [meu] abençoado mestre, [presto] esta homenagem. (8)

Aquele cuja forma óctupla — terra, água, fogo, ar, éter, sol, lua e homem — se manifesta como este [universo], que consiste de [coisas] móveis e imóveis, e além do qual supremo Senhor nada existe para aqueles que refletem [profundamente sobre este assunto] — a Ele, o abençoado Dakshinamûrti, sob a forma do [meu] abençoado mestre, [presto] esta homenagem. (9)

Uma vez que a "Omniipseidade" (*sarva-âtmatva*)[17] foi evidenciada neste hino, aquele que o ouvir, que meditar e contemplar o seu significado, e que o recitar, realizará a "soberania" (*îshvaratva*) associada ao grande esplendor da Omniipseidade, bem como o "domínio" (*aishvarya*) ilimitado que se manifesta oito vezes [sob a forma dos grandes poderes mágicos].[18] (10)

Prostro-me perante o Deus Dakshinamûrti, o Senhor, o mestre dos três mundos, que elimina com destreza (*daksha*)[19] o sofrimento do nascimento e da morte e que, sentado sobre o chão ao pé da figueira, confere rapidamente a sabedoria a toda uma multidão de sábios. (11)

Ó maravilha! Os discípulos ao pé da figueira são idosos. O mestre é jovem. O silêncio do mestre é a instrução que destruiu as dúvidas dos discípulos. (12)

Om. Homenagem ao conteúdo [oculto] do *pranava*.[20] Homenagem a Dakshinamûrti, tranqüilo e imaculado, encarnação única da pura sabedoria. (13)

> Homenagem a Dakshinamûrti, tesouro de todo o conhecimento, mestre de todos os mundos e médico daqueles que são afligidos pela existência [condicionada]. (14)
>
> Adoro o jovem Dakshinamûrti, Senhor dos preceptores, que confere a verdade do Absoluto através da instrução do silêncio, que é rodeado por uma multidão de videntes idosos dedicados [à realização do] Absoluto, cuja mão faz o gesto de [conceder a] Consciência,[21] cuja forma é a da Infinita Bem-Aventurança, cujo deleite é o Si Mesmo, cuja fala é contente. (15)

V. A APRENDIZAGEM ALÉM DO EGO — O DISCÍPULO

Tradicionalmente, quando uma pessoa — geralmente um homem — se decidia a abraçar com seriedade a vida espiritual, aproximava-se de um mestre de Yoga "com combustível nas mãos", na esperança de ser aceito por ele. Os bastões combustíveis que apresentava cerimonialmente ao seu possível mestre eram um sinal exterior da sua disposição interior a deixar-se guiar pelo *guru*, a ser consumido no fogo da prática espiritual. O Yoga, ou o processo espiritual em geral, sempre foi comparado a um fogo purificatório que consome a personalidade egóica até deixar somente a Identidade transcendental. Por isso, só indivíduos temerários aproximavam-se de um adepto sem antes preparar-se — e normalmente eram rejeitados, mas não sem receber antes algumas lições úteis acerca da auto-transcendência, do amor, da obediência, do desapego e da humildade.

Quando um aspirante se apresentava a um mestre de Yoga, era cuidadosamente examinado pelo mestre, que buscava ver nele os sinais da maturidade emocional e espiritual. O conhecimento esotérico não deve jamais ser transmitido a um indivíduo desqualificado, sob pena de fazer-lhe mal ou de ser mal usado por ele, fazendo mal a outras pessoas. O discipulado espiritual é sempre exigente e, em última análise, é uma questão de vida e morte. Como se lê no *Mahâbhârata* (12.300.50):

> O grande caminho dos sábios e sacerdotes é um caminho árduo. Não há quem o trilhe com desenvoltura, ó touro dos Bhârata! Assemelha-se ele a uma selva terrível povoada de enormes serpentes, repleta de abismos, destituída de água, cheia de espinhos e quase inacessível.

O que entra em jogo no processo espiritual é a própria personalidade egóica condicionada, que luta desesperadamente para sobreviver mas que precisa morrer para que o Si Mesmo transcendente possa brilhar. A vida espiritual exige um renascimento tão radical quanto a transformação da lagarta em borboleta. Essa transmutação não ocorre sem grandes sacrifícios interiores, e nem todos os aspirantes são capazes de levar o processo a cabo. Alguns chegam até a perder-se no caminho, sucumbindo à loucura ou a uma doença fatal.

Sendo o caminho espiritual semelhante ao fio de uma navalha, o mestre responsável jamais aceitará como discípulo um indivíduo despreparado. Antes, há de aplicar-lhe certos critérios de competência (*adhikâra*), tanto critérios tradicionais quanto critérios determinados pelo bom senso. Não obstante, é possível que um mestre decida assumir um aspirante despreparado se detectar nele um certo potencial espiritual. É certo que esse discípulo só há de receber ensinamentos esotéricos até que o serviço e o estudo o purifiquem das fraquezas pessoais.

शिष्य ॥
Shishya

É significativo que a palavra que significa "estudante" na língua hindi seja *chela*, que também significa "servo". O equivalente em sânscrito é *shishya*, derivada da raiz verbal *shâs*, que tem o sentido de "instruir", mas também o de "castigar" ou "repreender". A mesma raiz se encontra nas palavras *shâsa* ("comando"), *shâsaka* ("instrutor"), *shâsana* ("instrução" ou "repreensão"), *shâstra* ("preceito" ou "tratado"), *shâstrin* ("erudito"), *shishtatâ* ("erudição") e *shishyatâ* ("discipulado"). O duplo significado de "instrução" e "castigo" ou "repreensão" merece um comentário. A educação moderna dá ênfase às recompensas, e não aos castigos, como estímulos ao aprendizado, e já é evidente que essa estratégia produziu seus próprios problemas. As crianças de hoje exigem recompensas e não têm respeito pela autoridade. Os educadores antigos, porém, recorriam às reprimendas e, se necessário, até aos castigos físicos para corrigir o comportamento de um aluno. É claro que o autoritarismo sempre pode ser mal utilizado, mas a educação democrática e não-autoritária também pode ser mal utilizada — pelos alunos. Embora o sistema educacional punitivo não atenda à ética da não-violência proposta pelo Yoga, a autoridade e o respeito pela autoridade têm o seu lugar e o seu papel no ensino.

O *Shiva-Samhitâ* (5.17 *et seq.*) distingue quatro tipos de aspirantes, classificando-os de acordo com a intensidade da sua dedicação. O praticante fraco (*mridu*) é caracterizado como apático, obtuso, volúvel, tímido, doente, dependente, bronco, mal-educado e preguiçoso. Tal praticante só é apto para o Mantra-Yoga, que consiste na repetição meditativa de uma frase ou sílaba sagrada que é transmitida e "potencializada" pelo mestre.

O praticante medíocre (*madhya*), declarado capaz de praticar o Laya-Yoga — o caminho da concentração meditativa e do trabalho energético sutil —, é considerado dotado de equanimidade, paciência, desejo de virtude, fala gentil e da tendência de tomar o caminho do meio em todas as suas atividades. O praticante excepcional (*adhimâtra*), qualificado para a prática do Hatha-Yoga, deve demonstrar as seguintes qualidades: firme capacidade de compreensão, aptidão à concentração meditativa (*laya*), autoconfiança, generosidade, coragem, vigor, fidelidade, disposição a venerar os pés de lótus do mestre (tanto literal quanto figurativamente) e gosto na prática do Yoga.

Para o praticante extraordinário (*adhimâtratama*), que pode praticar todas as formas de Yoga, o *Shiva-Samhitâ* arrola não menos do que trinta e uma qualidades: grande energia, entusiasmo, charme, heroísmo, conhecimento das escrituras, gosto pela prática, consciência clara do próprio estado, asseio, juventude, moderação no comer, controle sobre os sentidos, destemor, pureza, habilidade, generosidade, disposição a fazer-se um refúgio para todas as pessoas, excelente potencial de desenvolvimento, estabilidade, prudência, disposição a fazer tudo o que for desejado (pelo mestre), paciência, boas maneiras, observância da lei (*dharma*), capacidade de guardar para si os dissabores da prática, fala gentil, fé nas escrituras, disposição para adorar Deus e o *guru* (como encarnação da Divindade), conhecimento dos votos característicos do seu nível de prática e, por último, a prática de todos os tipos de Yoga.

Depois que a pessoa foi aceita por um mestre, pode ter a certeza de que será posta várias vezes à prova. Existem até prescrições tradicionais para essas provas, muito embora o mestre avançado ou realizado no Si Mesmo provavelmente não vá precisar de diretriz exterior alguma para avaliar a seriedade do discípulo quanto à vida espiritual. A essa altura, é possível que o discípulo vá morar com o mestre ou perto dele, servindo-o e auxiliando-o constantemente. Tal discípulo é conhecido como *antevâsin*, isto é, "aquele que mora nas proximidades". Na companhia de um mestre realizado em Deus, o praticante fica continuamente em contato com o corpo e a mente espiritualizados do santo, e o seu próprio ser físico e psíquico vai sendo aos poucos transformado como que por "contágio". Em linguagem moderna, esse processo pode ser compreendido como uma forma de atração rítmica, na qual a vibração mais rápida do *guru* vai aos poucos acelerando a vibração do discípulo.

Para que esse processo espontâneo seja verdadeiramente eficaz, o discípulo precisa cooperar conscientemente com o *guru*, e isso se realiza quando ele faz do *guru* o foco da sua atenção. É esse o grande princípio do *sat-sanga*. A palavra significa literalmente "companhia do Verdadeiro" ou "relacionamento com o Real". *Sat-sanga* é o meio supremo de libertação no *guru-yoga*. E como o *guru* é considerado essencial para a prática do Yoga desde os tempos antigos, *sat-sanga* está no coração de todas as escolas de Yoga. Não obstante, seria inexato dizer que todos os Yogas são *guru-yoga*, pois nem todas as escolas fazem da concentração da atenção no mestre uma prática central, embora todas exijam um respeito perfeito pelo mestre.

Na prática, o aspirante deve passar do estágio de aluno ao de discípulo e, nas escolas que fazem do *guru-yoga* uma norma, ao de "devoto" (*bhakta*). No nível de aluno, o aspirante ainda tem um entendimento esotérico de quem é o mestre e um relacionamento esotérico com ele. O aluno se sente inspirado ao ouvir os discursos do mestre, mas ainda não assumiu a sério a vida espiritual e não é estável na disposição de entregar-se ao processo do Yoga; a vida mundana ainda exerce sobre ele uma forte atração. O discípulo, em contraposição, é mais sensível ao relacionamento esotérico que existe entre ele e o *guru* compreendendo a existência de um elo psicoespiritual contínuo que o liga ao *guru* e que deve ser respeitado e cultivado. O devoto, por fim, *percebe* e *sente* que o *guru* não é uma personalidade humana, mas uma realidade espiritual, e por isso tende naturalmente a assumir a atitude de devoção que constitui por si um poderosíssimo canal de ligação entre ele e o *guru*. É essa a essência do *guru-yoga*. Desnecessário dizer que nem todas as escolas que pregam a devoção ao mestre chamam o discípulo maduro de "devoto".

Para entrar num relacionamento consciente com o Real sob a forma de um mestre, é preciso mais do que simplesmente prestar atenção ao *guru*, segundo o sentido convencional dessa expressão. O que as escrituras pedem é devoção e amor pelo mestre adepto. Por isso, no *Mandala-Brâhmana-Upanishad* (1.1.4), composto talvez no século XIV d.C., o *guru-bhakti* ou "devoção ao mestre" é arrolado como um dos elementos do código moral (*niyama*) nônuplo dos *yogins*. E o *Yoga-Shikhâ-Upanishad* (5.53), que é mais ou menos da mesma época, declara:

> Não há, nos três mundos, ninguém maior do que o *guru*. É ele quem concede o "conhecimento divino" (*divya-jnâna*) e deve [portanto] ser adorado com suprema devoção.

Do mesmo modo, o *Tejo-Bindu-Upanishad* (6.109) considera a devoção ao mestre indispensável para o aspirante sério. E, de acordo com o *Brahma-Vidyâ-Upanishad* (30), a devoção ao mestre deve ser praticada sempre, pois o mestre e a Divindade são a mesma coisa. A equivalência entre a adoração ao *guru* e a adoração à Divindade é sublinhada no *Shiva-Purâna* (1.18.95) e em vários outros textos em sânscrito — numerosos demais para mencionar aqui.

Entretanto, existem pelo menos dois textos exclusivamente dedicados ao tema da devoção pelo mestre espiritual. O primeiro pertence à tradição do Hinduísmo. É o *Guru-Gîtâ*, conhecidíssimo na Índia como composição independente, mas que pertence à parte tardia do grande *Skanda-Purâna*.[22] Compreende 352 versículos poéticos que tomam a forma de um diálogo didático entre o deus Shiva e sua divina esposa Umâ (ou Pârvatî). O segundo é um dos mais conhecidos textos budistas — o *Guru-Panca-Shikhâ* de Ashvaghosha, que só chegou a nós numa tradução tibetana.[23] Ashvaghosha (c. 80 d.C.) foi um poeta célebre e mestre eminente do Budismo Mahâyâna, que ganhou fama graças à sua pitoresca biografia de Gautama Buda, *Buddha-Carita* ("A Conduta do Buda"), e a um tratado filosófico chamado *Shraddhâ-Utpâda-Shâstra* ("Tratado sobre o Despertar da Fé"), cujo original em sânscrito parece ter sido perdido, mas que continua sendo estudado em língua chinesa.[24]

Durante o período de *antevâsin*, o devoto descobre toda a potência do amor mútuo que existe entre ele e o mestre adepto, criando em si uma confiança profunda no *guru* e uma fé no processo espiritual propriamente dito. O serviço (*sevâ, sevanâ*) prestado pelo discípulo vai se tornando mais árduo à medida que aumenta a sua capacidade de assumir responsabilidades. Segundo o *Kula-Arnava-Tantra* (12.64), esse serviço (o texto usa, na verdade, a palavra *shûshrushâ*, que significa "obediência") tem quatro aspectos: serviço prestado com o próprio ser corpóreo (*âtman*), por meios materiais (*artha*), pelo respeito (*mana*) e pela boa disposição (*sadbhâva*). É explícito que o serviço é prestado para o bem do devoto, e não do mestre.

Enquanto isso, o *guru* acompanha constantemente o progresso do discípulo, esperando o momento apropriado para a transmissão da iniciação (*dîkshâ*). No momento em que o discípulo se mostra preparado, o *guru* começa a transmitir-lhe os segredos de sua linhagem esotérica. Só o discípulo plenamente qualificado, chamado *adhikârin*, é apto a receber a iniciação espiritual formal. Só o adepto plenamente iluminado é capaz de transmitir com poder essa iniciação, de modo que a vida do discípulo seja misteriosamente guiada rumo à realização do "projeto Atman" — a aspiração à realização de Deus ou do Supremo Si Mesmo.

Ashvaghosha
(de uma xilogravura)

VI. O NASCIMENTO DE UMA NOVA IDENTIDADE — A INICIAÇÃO

Segundo o *Kula-Arnava-Tantra* (10.1), é impossível chegar à iluminação, ou libertação, sem haver recebido a iniciação (*dîkshâ, abhisheka*), e não há verdadeira iniciação que não seja a transmitida por um mestre qualificado.

दीक्षा । अभिषेक ॥

Dîkshâ, abhisheka

No contexto da antropologia, o termo "iniciação" designa a passagem de uma pessoa para um novo *status* ou grau social, em geral a entrada num grupo privilegiado, como a sociedade adulta ou uma sociedade secreta. Essa iniciação é freqüentemente assinalada por cerimônias obrigatórias especiais nas quais o iniciado é submetido a provas de coragem — que vão da reclusão à mutilação, passando pela observância de certos votos. Muitas vezes, o processo iniciático é simbolizado pela imagem da morte e do subseqüente renascimento do iniciado. É verdade que esses aspectos formais da iniciação tribal podem ter alguma relação com a iniciação yogue, mas o traço essencial de *dîkshâ* é algo muito mais profundo.

A *dîkshâ* yogue não é a admissão a um novo *status* social, mas sim, antes de mais nada, uma forma de transmissão espiritual (*sancâra*) na qual as condições corpóreas, mentais e espirituais do discípulo são modificadas mediante a transferência da "energia" ou "consciência" espiritual do adepto. O significado primeiro de *dîkshâ* é o de "santificação". Essa acepção se reflete no sinônimo *abhisheka*, que significa "aspersão" e se refere ao ato cerimonial de aspergir água consagrada sobre o devoto — uma espécie de batismo. Por meio da iniciação, que pode ocorrer de maneira informal ou num contexto mais ritualizado, o processo espiritual é despertado ou ampliado no praticante. Trata-se sempre de uma transmissão direta de poder através da qual o mestre efetua no discípulo uma mudança de consciência, uma conversa, ou *metanoia*. É um momento de conversão da mundanalidade ordinária para a vida sagrada, que altera o estado de ser do novo iniciado. A partir daí, o esforço espiritual do discípulo adquire nova profundidade. O *Kriyâ-Samgraha-Panjikâ* ("Pequeno Compêndio sobre a Ação"), texto tântrico budista, afirma o seguinte:

> O *yogin* que aspira à qualidade de yogue (*yogitva*) mas não foi iniciado [é semelhante a um homem que] cerra o punho para o céu e bebe a água de uma miragem.[25]

A iniciação cria um vínculo especial entre o *guru* e o devoto — um elo espiritual que representa uma responsabilidade excepcional para o mestre e um duro desafio para o praticante. Através da iniciação, o aspirante passa a participar plenamente da linhagem (*paramparâ*) do seu mestre, a qual é compreendida como uma cadeia de poder que transcende o mundo do espaço e do tempo, na medida em que permanece mesmo após a morte de mestre e discípulo. O ingresso nessa cadeia tem de ser merecido, adquirido à custa de uma dedicação plena ao caminho espiritual, a qual é uma espécie de renúncia ao próprio ego. Isso foi evidenciado pelo famoso mestre tibetano Chögyam Trungpa:

> Sem a abhisheka, nossas tentativas de realizar a espiritualidade não resultam numa renúncia autêntica, mas num gigantesco aglomerado pseudoespiritual. Nós colecionamos modelos diferentes de comportamento, maneiras diferentes de falar, de vestir e de pensar, todo um conjunto de maneiras diferentes de agir. E tudo isso não passa de um amontoado de coisas que tentamos impingir a nós mesmos. Abhisheka, a verdadeira iniciação, nasce da renúncia e da entrega. Nós nos abrimos à situação tal e qual ela é e então entramos em verdadeira comunicação com o mestre. De qualquer modo, o guru já está ao nosso lado num estado de abertura; e se nós nos abrimos, nos dispomos a renunciar a tudo o que acumulamos, a iniciação acontece.[26]

Portanto, é a abertura emocional do discípulo que constitui a base da transmissão espiritual. Ele precisa se tornar como um vaso vazio para ser enchido pelo dom da transmissão do mestre. De acordo com a tradição tibetana, o vaso pode ser imprestável porque está sujo (cheio de confusões emocionais e mentais), virado de cabeça para baixo (inacessível à instrução) ou furado (incapaz de reter a sabedoria transmitida). Os mestres são admoestados a não desperdiçar sua preciosa doutrina (*dharma*) com discípulos que se assemelham a vasos imprestáveis.

O que é que passa do mestre para o discípulo durante a iniciação? O termo tântrico *shakti-pâta*, que significa literalmente "descida do poder", resume a ocorrência central da iniciação. *Shakti-pâta* é o ato e o efeito da descida de uma poderosa corrente energética para o corpo, que geralmente entra neste pelo topo da cabeça ou pela parte superior do tórax e chega até a região pélvica (na qual se localiza um importante centro psicoespiritual, o *mûlâdhâra cakra*) ou, às vezes, até os pés.

Em virtude de sua iluminação, ou pelo menos do seu alto grau de realização espiritual, os mestres adeptos se tornam focos de energia psicoespiritual concentrada. Se o corpo e a mente comuns são sistemas de baixa energia, o corpo e a mente do adepto assemelham-se a um fortíssimo sinal de rádio. Isto não é uma simples metáfora; é um fato sensível reconhecido por muitas tradições esotéricas. Mesmo nas obras de Platão, há uma passagem notável na qual se registra uma conversa entre Sócrates e seu discípulo Aristides. Este confessa a Sócrates que o seu entendimento filosófico aumenta toda vez que ele conversa com o grande filósofo, e que o efeito se faz mais pronunciado quando ele senta perto de Sócrates ou encosta nele.

No caso de Aristides, era a intuição intelectual que era aprofundada pela mera proximidade daquele grande santo e amigo da sabedoria, Sócrates. No caso do iniciado yogue, a transmissão que ocorre é diferente. O iniciado é posto em contato com a dimensão secreta da existência: descobre que o cosmos material manifesto, e inclusive o seu próprio corpo, é um grande mar de energia psicoespiritual. Em outras palavras, o iniciado começa a compreender e a sentir na própria carne a realidade mesma que está por trás dos modelos matemáticos da moderna física quântica. Seu corpo, sua mente e o universo inteiro se revelam como configurações indefiníveis de luz e energia, saturadas de superconsciência.

De acordo com o *Kula-Arnava-Tantra* (14.39), existem sete tipos de iniciação:

1. *Kriyâ-dîkshâ* — iniciação por meios rituais. Diz-se que pode assumir oito formas dependendo do tipo de objeto ritual utilizado: a gamela de fogo, o jarro de água, etc.

2. *Varna-dîkshâ* — iniciação por meio do alfabeto, em três versões, segundo o alfabeto utilizado tenha 42, 50 ou 62 letras. O mestre visualiza as letras do alfabeto sânscrito no corpo do aspirante e depois aos poucos as dissolve novamente, até levar o discípulo ao estado de união extática com a Divindade. A visualização não é a comum imaginação mental, mas um instrumento poderoso que, no nível da energia, chega a criar objetos que são perceptíveis nos meios yogues.

3. *Kalâ-dîkshâ* — iniciação através de *kalâ*, que é uma emanação especial, uma forma sutil de energia, que o mestre projeta no corpo do aspirante por meio da visualização. Essa energia recebe diferentes nomes de acordo com a sua localização em diversas regiões do corpo. Assim, é chamada *nivritti* ("cessação") das solas dos pés até os joelhos, *pratishthâ* ("fundamento") dos joelhos ao umbigo, *vidyâ* ("conhecimento") do umbigo ao pescoço, *shânti* ("paz") do pescoço à testa e *shânti-atîta* ("que transcende a paz", escreve-se *shântyatîta*) da testa ao topo da cabeça.[27] Depois o mestre visualiza essas energias dissolvendo-se aos poucos, junto com a consciência do discípulo, até a mente deste chegar ao ponto zero do próprio mundo manifesto, ponto no qual ela passa imediatamente para o estado transcendental.

4. *Sparsha-dîkshâ* — iniciação através do toque (*sparsha*), que envolve um contato físico entre o mestre e o discípulo.

5. *Vag-dîkshâ* — iniciação através de uma palavra mântrica (*vâc*), que ocorre quando o mestre, com a atenção firmemente concentrada em Deus, pronuncia um *mantra* ou um versículo das sagradas escrituras.

6. *Drig-dîkshâ* — iniciação através do olhar (*drik*), que o mestre transmite quando olha para o próprio ser profundo do discípulo.

7. *Mânasa-dîkshâ* — iniciação através do simples pensamento, que envolve a projeção de energia e consciência por meios telepáticos.

Conhecem-se também outras classificações, mas todas elas são muito semelhantes.[28] O que todas têm em comum é a atividade transformadora que ocorre por graça do Poder (*shakti*) divino. O fato de o iniciado vir a realizar a Realidade suprema imediatamente ou aos poucos vai depender da sua preparação e da sua capacidade.

Quando o discípulo sente instantaneamente a alegria da Realidade por meio de um simples olhar, palavra ou toque do *guru*, isto se chama *shâmbhavî-dîkshâ*.[29] A palavra *shâmbhavî* significa "pertencente a Shambhu", e Shambhu ("O Benevolente") é uma forma de Shiva, o Ser Supremo reconhecido por muitas escolas de Tantra. A iniciação pelo toque é comparada à lenta ação de maternidade de um pássaro, que dá aos filhotes o calor de suas asas. A iniciação pelo olhar é equiparada à ação de maternidade de um peixe, que protege os seus rebentos com seus olhos vigilantes. A iniciação pela mente, por fim, é dita semelhante à ação de maternidade de uma tartaruga, que simplesmente pensa em seus filhotes — comparação que tem muito mais sentido para o praticante de Yoga do que para o biólogo.

Essa espécie de iniciação instantânea costuma ser contraposta à *shâktikâ-dîkshâ*, por um lado, e à *ânavî-dîkshâ*, por outro. Na primeira, o mestre ativa por meios esotéricos a capacidade (*shakti*) inata do discípulo para a realização de Deus, de modo que, ao cabo de um certo período, a iluminação é atingida espontaneamente. A segunda envolve instruções espirituais, entre as quais a transmissão de um *mantra*, palavra ou frase sagrada que o iniciado depois recita segundo as indicações do mestre. Assim, tanto a *shâmbhavî-dîkshâ* quanto a *shâktikâ-dîkshâ* são iniciações que conduzem espontaneamente à realização, mas ao passo que uma é instantânea, a outra representa uma reação retardada, devido ao efeito gradual da *shakti* que foi despertada. Só a *ânavî-dîkshâ* exige um esforço de aplicação por parte do discípulo. Ele recebe a força do mestre, mas tem de cooperar com as energias psicoespirituais que foram postas em movimento nele através do processo esotérico da iniciação. A palavra *ânavî* significa "pertencente a *anu*", e *anu* ("átomo") é um dos nomes da psique individual em algumas escolas de Tantra.

Muitos outros fatos intrigantes acerca dos aspectos cerimoniais de *dîkshâ* são mencionados no *Mahâ-nirvâna-Tantra* (capítulo 10), texto mais ou menos recente que é tido em grande estima pelos praticantes do Tantra-Yoga.[30]

Quer a iniciação ocorra por meios yogues, quer pela mera presença de um adepto iluminado, ela sempre aumenta a intuição natural que o discípulo tem da Realidade, provocando assim uma crise de consciência: através da capacidade intensificada de "sentir" o Estado de transcendência, o iniciado compreende de maneira mais profunda os mecanismos pelos quais perpetua o estado de não-iluminação. Sente na carne o dilema e o sofrimento fundamentais da existência ordinária, percebendo de que maneira tudo o que ele faz, pensa e sente é regido pelo princípio da separação egóica.

Sofrendo o impacto da transmissão espontânea do adepto realizado em Deus, o praticante passa por sucessivas crises espirituais e vai despertando cada vez mais rara a verdade sublime de que ele mesmo é, desde já, livre, iluminado e feliz. À medida que esse reconhecimento cresce no discípulo, ele percebe que os seus impulsos, motivações e obsessões egóicas vão se tornando cada vez mais obsoletos. Desse modo, a graça (*prasâda*) do mestre vai atraindo o iniciado, pouco a pouco, para uma disposição radicalmente diferente — a disposição à iluminação.[31] É só por esse motivo que a iniciação, ou *dîkshâ*, tem um lugar de tanto destaque nas escolas esotéricas da Índia.

> *Dîkshâ*, em verdade, liberta [o aspirante] dos enormes grilhões que impedem [a realização d']a Morada suprema, e conduz [ele] para cima, rumo ao Reino de Shiva.[32]

VII. A SABEDORIA DA LOUCURA E OS ADEPTOS LOUCOS

No Tibete existe uma tradição que leva o nome de "louca sabedoria", ou "sabedoria da loucura". O fenômeno designado por essa expressão se faz presente em todas as grandes religiões do mundo, embora quase nunca seja reconhecido como expressão válida da vida espiritual pela ortodoxia religiosa ou pelo sistema secular. A sabedoria da loucura é um modo singu-

Shiva e Pârvatî, com o rio Gangâ (Ganges) saindo do topo da cabeça de Shiva

lar de ensinar que se vale de meios aparentemente irreligiosos ou antiespirituais para despertar a personalidade egóica convencional do sono espiritual em que vive mergulhada.

Os meios não-convencionais empregados pelos adeptos que optam por esse jeito arriscado de pregar parecem loucos ou insanos aos olhos das pessoas comuns, que quase nunca enxergam o que está além das aparências. Os métodos da sabedoria da loucura são feitos para chocar, mas sua intenção é sempre benigna: demonstrar ao mundano comum (*samsârin*) a "loucura" da sua existência vil, a qual, do ponto de vista da iluminação, é uma existência que se funda numa tremenda ilusão. Essa ilusão é o arraigadíssimo pressuposto de que o indivíduo é uma entidade egóica limitada pela pele que recobre o corpo humano, e não a Ipseidade Absoluta do *âtman* ou natureza búdica. A sabedoria da loucura é uma decorrência lógica das intuições profundas da vida espiritual em geral, e está sempre no âmago do relacionamento entre mestre e discípulo — relacionamento que tem a função expressa de destruir a ilusão egóica do discípulo.

Compreende-se que a mensagem e as estratégias da sabedoria da loucura sejam ofensivas tanto para o *establishment* mundano em geral quanto para o *establishment* religioso convencional. É por isso que, na maioria das vezes, os adeptos loucos eram "suprimidos". Isso não acontecia, porém, no Tibete e na Índia tradicionais, onde o "louco santo" ou "doido divino" era reconhecido como figura legítima no âmbito da aspiração e da realização espiritual. Desse modo, o "louco santo" (tibetano: *lama myonpa*) foi venerado no decorrer de toda a história do Tibete. O mesmo se pode dizer do *avadhûta* indiano, o qual, como dá a entender o seu próprio nome, "lançou fora" todas as preocupações e padrões convencionais em sua embriaguez extática.

O equivalente cristão do louco santo do Tibete e do *avadhûta* indiano é o "louco por Cristo" ou "louco em Cristo". Porém, já faz muito tempo que a predominante facção exteriorizada entre os clérigos e entre os leigos relegou ao esquecimento a figura não-ortodoxa do "louco" (grego: *salos*). O cristão de hoje não sabe praticamente nada a respeito de "santos idiotas" tão notáveis quanto São Simão, Santo Isaac Zatvornik, São Basílio e Santa Isadora, sendo esta uma das poucas mulheres loucas em Cristo. Foi o apóstolo Paulo o primeiro a usar a expressão "louco por causa de Cristo", em I Coríntios 4:10. Ele falava da sabedoria de Deus que parece loucura aos olhos do mundo e da sabedoria do mundo que se funda sobre o orgulho. Quando Marcos, o Doido, monge do deserto do século VI d.C., chegou à cidade para fazer penitência pelos seus pecados, o povo considerou-o demente. Mas o Abade Daniel da Cítia reconheceu instantaneamente a sua grande santidade e repreendeu o povo em alta voz pela loucura de não perceber que Marcos era o único homem são em toda aquela cidade.

São Simão, outro louco em Cristo do século VI, era um hábil simulador da loucura. Certa vez ele encontrou um cachorro morto num monte de esterco. Amarrou a corda que lhe servia de cinto à perna do cachorro e arrastou o cadáver atrás de si por toda a cidade. As pessoas ficaram escandalizadas e não perceberam que o cachorro morto arrastado pelo monge doido era um símbolo do excesso de bagagem que elas mesmas levavam consigo — o ego, a mente convencional, destituída de amor e sabedoria. No dia seguinte, São Simão entrou na igreja local e, no início da liturgia dominical, começou a atirar nozes sobre a congregação. Antes de morrer, o santo confidenciou ao seu amigo mais íntimo que todo o seu comportamento excêntrico não fora senão uma expressão da sua suprema indiferença (grego: *apatheia*; sânscrito: *vairâgya*) pelas coisas do mundo. Seu objetivo era o de denunciar a hipocrisia e o orgulho.

O santo louco, que na sua divina embriaguez rompe destemidamente com os costumes de sua época, apareceu também no Islam entre os mestres do Sufismo e no Judaísmo entre os místicos hassídicos. Esses loucos santos representam um largo espectro de realização espiritual e abarcam desde o religioso excêntrico até o adepto iluminado. O denominador comum entre todos eles é que, em seu estilo de vida, ou ao menos em sua conduta excêntrica ocasional, eles invertem ou contrapõem-se aos padrões e convenções da sociedade.

Swami Akkulkot, um avadhûta *de nossos dias*

CAPÍTULO 1 — ELEMENTOS BÁSICOS ॐ

As manifestações mais antigas da sabedoria da loucura são as tradições do *lama myonpa* tibetano e do *avadhûta* indiano. Os tibetanos distinguem diversos tipos de loucura, entre as quais se inclui o que podemos chamar de neurose religiosa (tibetano: *chos-myon*), com sintomas sociopatas e paranóides. Essas loucuras são cuidadosamente separadas da loucura santa. Algumas das características da loucura santa não são de todo diferentes dos sintomas da loucura comum e religiosa. Não obstante, sua natureza e suas causas são completamente diferentes. O comportamento excêntrico do adepto louco não é expressão direta de uma psicopatologia pessoal qualquer, mas do seu grau espiritual e do seu profundo desejo de iluminar seus irmãos humanos.

Na expressão do Budismo Mahâyâna, a sabedoria da loucura é a realização existencial da percepção de que o mundo fenomênico (*samsâra*) e a Realidade transcendente (*nirvâna*) são coessenciais. Do ponto de vista da mente não-iluminada, que opera com base numa separação radical entre o sujeito e o objeto, a iluminação perfeita é um estado paradoxal. O adepto iluminado existe em identidade com o supremo Ser-Consciência, que está além do espaço e do tempo, mas parece animar um corpo e uma mente determinados no espaço e no tempo. Segundo a doutrina não-dualista do Advaita Vedânta, a iluminação é a realização de dois axiomas fundamentais: o de que o ser mais íntimo (*adhyâtman*) é idêntico ao Si Mesmo transcendente (*parama-âtman*), e o de que o Fundamento último (*brahman*) é idêntico ao cosmos em todos os seus níveis de manifestação, inclusive o eu individual.

Portanto, o adepto iluminado vive em identidade profunda com a Totalidade da existência, a qual, a partir do ponto de vista estreito da personalidade finita, é um verdadeiro caos. Embora essa seja a "experiência" imediata de todos os mestres iluminados que levam uma vida consumadamente espontânea (*sahaja*), existem aqueles cuja aparência e conduta refletem mais diretamente a divina loucura. São eles os adeptos loucos que não se preocupam em fazer sentido e que, para instruir os outros, desconsideram as expectativas, normas e obrigações convencionais.

Eles tomam a liberdade de rejeitar as condutas costumeiras e de agir de forma subversiva, criticando e ridicularizando o *establishment* religioso e mundano, vestindo-se de maneira excêntrica ou mesmo circulando sem roupa alguma, ignorando as amenidades do trato social, zombando das estreitíssimas preocupações dos eruditos e escolásticos, praguejando, usando linguagem obscena, cantando, dançando, usando substâncias estimulantes e intoxicantes (como o álcool) e dedicando-se ao sexo. Eles encarnam os princípios esotéricos do Tantra, de que a libertação (*mukti*) é coessencial ao prazer (*bhukti*); de que a Realidade transcende as categorias da transcendência e da imanência; de que o espiritual não é intrinsecamente separado do mundo.

Com sua conduta selvagem e excêntrica, os adeptos loucos estão sempre pondo em cheque as limitações que os indivíduos não-iluminados têm como certas, e desse modo fazem-nos defrontar com a realidade nua da existência: a de que a vida é louca e imprevisível, exceto pelo fato inelutável de que o período que passamos mergulhados no caos da manifestação é sempre muito breve. Os santos loucos são um lembrete perpétuo de que toda a civilização humana não passa de uma tentativa de negar a inevitabilidade da morte, a qual torna vãos até mesmo os mais nobres esforços em prol da criação de uma ordem simbólica a partir dessa plasticidade infinita que é a vida.

Ao contrário da sabedoria convencional, que tem o objetivo de criar uma ordem ou harmonia superior, a sabedoria da loucura tem sobretudo a função de dilacerar o entusiasmo modelador da humanidade, a aspiração humana à criação de uma ordem, de uma estrutura, de um sentido. A sabedoria da loucura é uma iconoclasia esclarecida. O que ela despedaça, em última análise, é o universo egocêntrico e o criador desse universo — a sensação subjetiva de ser uma entidade isolada, o ego. Portanto, como explica o meu livro *Holy Madness*, a sabedoria da loucura é uma terapia de choque espiritual.

É preciso distinguir cuidadosamente a "naturalidade" do adepto enlouquecido da mera impulsividade da criança e da instabilidade emocional do adulto; do mesmo modo, é preciso distingui-la daquela espécie de espontaneidade erudita que é o objetivo de várias terapias humanistas. A espontaneidade iluminada (*sahaja*) é muito mais do que uma intensificação da consciência ou uma integração do corpo e da mente enquadrada num contexto de psico-higiene. O adepto realizado não é apenas um ego especialmente bem-sucedido. A espontaneidade dele é absolutamente pura e coincide com o próprio processo da manifestação universal. Ele *é* o Todo, e todas as ações dele nascem desse Todo.

Na tradição tibetana, o mais conhecido dos adeptos loucos foi sem dúvida Milarepa (1040-1123 d.C.; escreve-se Milaraspa), *yogin*, poeta extraordinário e

Milarepa

herói popular do Tibete. Os dificílimos anos de discipulado que passou sob a direção de Marpa, "o Tradutor", exemplificam as tribulações que servem para "moer" o ego e que caracterizam todo o discipulado espiritual autêntico. Quem não se comove com a tradicional biografia tibetana de Milarepa, na qual o vemos reconstruir várias vezes a mesma torre, combatendo a dor, a exaustão, a raiva perante a inutilidade de seus esforços, as dúvidas acerca de seu *guru* e o desespero espiritual? Milarepa já era um bruxo e um milagreiro consumado quando encontrou seu mestre, e pela graça e pela hábil orientação deste tornou-se também um adepto plenamente realizado.

Vestindo apenas uma túnica de algodão branco, ele viajava pelo território de fronteira entre o Tibete e o Nepal, ensinando por meio de seus poemas e cânticos didáticos. Vez por outra andava sem roupas, e numa de suas canções observa que não conhece a vergonha, uma vez que seus órgãos genitais são tão naturais quanto qualquer outra coisa. Seu temperamento de louco-sábio se evidencia no fato de que, embora levasse a vida de um asceta mendicante, é comprovado que iniciou várias devotas suas nos segredos da sexualidade esotérica. Para a mente comum, sexo e espiritualidade são duas coisas que não se misturam. O Tantra, como veremos no Capítulo 17, contradiz essa idéia popular.

Marpa (1012-1097 d.C.), fundador da ordem Kagyupa do Budismo Vajrayâna, também era um mestre louco-sábio. Generoso e bem-humorado, costumava fingir um forte rancor contra Milarepa para provocar no discípulo amado a crise espiritual que, só ela, poderia conduzi-lo à libertação. Além da esposa principal, tinha também oito concubinas tântricas.

O mais exagerado e extravagante dos adeptos loucas do Tibete foi, sem dúvida alguma, Drukpa Kunleg (1455-1570 d.C.), que, à semelhança de tantos outros loucos santos, começou sua carreira espiritual como

Marpa (de uma xilogravura)

Drukpa Kunleg, adepto louco

monge, mas ao atingir a iluminação abraçou a vida de mendicante. Sua biografia tibetana, que é composta em grande medida de relatos simbólicos e legendários, afirma que ele iniciou pelo menos cinco mil mulheres nos segredos sexuais do Tantra. Seu biógrafo o apresenta como um grande apreciador do *chung*, a cerveja tibetana, e como um piadista consumado, um crítico destemido e bem-humorado dos monges do seu tempo e da sociedade em geral.

Na Índia, a tradição da sabedoria da loucura gira sobretudo em torno da figura do *avadhûta*. A palavra sânscrita *avadhûta* tem o significado literal de "enjeitado" ou "proscrito" e se refere à pessoa que deixou de lado todos os cuidados e preocupações que pesam sobre os ombros do comum dos mortais. O *avadhûta* é um tipo extremo do abnegado (*samnyâsin*), um "cisne supremo" (*parama-hamsa*) que, como indica esse título, vaga livremente de lugar em lugar como um belo cisne (*hamsa*), confiando somente em Deus e dependendo somente d'Ele. O nome *avadhûta* entrou em voga já na era cristã, que assistiu à ascensão do Tantra sob a forma de tradições como o Budismo Sahajayâna, o Kaulismo hindu e o Nathismo, seguidos depois pelo Hatha-Yoga.

É possível que uma das referências mais antigas ao *avadhûta* seja a que se encontra no *Mahanirvâna-Tantra* (8.11). Esse tratado afirma que a vida "louca" do *avadhûta* é para o *kali-yuga* — a atual "era de trevas" — o que a vida do *samnyâsin* era para a época precedente, na qual a fibra moral do ser humano ainda era relativamente forte. O *kali-yuga* exige um meio mais drástico para despertar as pessoas, presas que estão de uma grande insensibilidade pela dimensão sagrada. É por isso que agora a "terapia de choque" da sabedoria da loucura é preferível ao exemplo silencioso do *samnyâsin*, o asceta que renuncia ao mundo.

O *Mahanirvâna-Tantra* associa expressamente o *avadhûta* ao Shaivismo, a tradição religiosa e espiritual que tem como centro o deus Shiva. O texto (14.140 *e seg.*) menciona quatro classes de *avadhûtas*. O *shaiva-avadhûta* recebeu a plenitude da iniciação tântrica, ao passo que o *brahma-avadhûta* recita o *brahma-mantra* "Om, o Ser-Consciência Único, o Absoluto" (*om saccid-ekam brahma*). Ambas as categorias dividem-se em imperfeitos — os "viajantes" ou "vagantes" (*parivraj*) — e os que chegaram à perfeição — os "cisnes supremos".

Um dos mais antigos textos sobre o Hatha-Yoga, o *Siddha-Siddhânta-Paddhati*, tem muitos versículos que descrevem o *avadhûta*. Um deles (6.20), em particular, menciona a capacidade camaleônica que esse ser tem de assumir qualquer personalidade ou representar qualquer papel na vida. Afirma que ele se comporta às vezes como um mundano ou mesmo como um rei, e às vezes como um asceta nu. O nome *avadhûta*, mais do que qualquer outro, passou a ser associado à conduta aparentemente insana de alguns *parama-hamsas* que representam a inversão das normas sociais — conduta característica do seu estilo de vida espontâneo. No *Avadhûta-Gîtâ*, obra medieval que exalta o adepto enlouquecido, o *avadhûta* é apresentado como um herói espiritual que está além do bem e do mal, além do elogio e da censura, além mesmo de quaisquer categorias que a mente seja capaz de construir. Um dos versículos (7.9) descreve da seguinte maneira esse estado transcendente:

> Na qualidade de um *yogin* que não está nem na "união" (*yoga*) nem na "separação" (*viyoga*), e na qualidade de um "apreciador" (*bhogin*) que não sente nem apreciação nem não-apreciação — assim ele vaga ao seu bel-prazer, cheio da Bem-Aventurança espontânea [que é própria do seu] espírito.

O mesmo texto (8.6-9) explica o nome *avadhûta* como segue:

> O significado da letra *a* é que [o *avadhûta*] habita eternamente na "Bem-Aventurança" (*ânanda*), livre dos grilhões da esperança e puro no princípio, no meio e no fim.

> O significado da sílaba *va* é que ele habita [sempre] no presente e que na sua fala não há culpa alguma; [aplica-se àquele] que venceu o desejo (*vâsanâ*).

> O significado da sílaba *dhû* é que ele não leva mais sobre si o fardo da [prática da] concentração e da meditação, que os seus membros estão escuros de poeira, que a sua mente é pura e que ele está livre de todas as doenças.

> O significado da sílaba *ta* é que ele está livre da escuridão (*tamas*) [espiritual] e do sentido do eu (*ahamkâra*); que é destituído de pensamentos e objetivos, com a mente firmemente fixa na Realidade (*tattva*).[34]

O texto inteiro, que provavelmente foi composto nos séculos XV ou XVI d.C., foi escrito a partir de um elevado ponto de vista não-dualista. Assemelha-se ao *Ashtâvakra-Gîtâ* ("Cântico de Ashtâvakra"), o qual, por sinal, também é conhecido como *Avadhûta-Anubhûti* ("A Realização do Adepto Louco") e cuja data suposta de composição é o final do século XV d.C.[35] Ambos os textos são transbordamentos do êxtase e celebram a mais elevada forma de realização não-dualista.

O *Avadhûta-Gîtâ* é atribuído a Dattâtreya, mestre espiritual semilegendário que foi elevado à categoria de divindade.[36] A história do sábio Dattâtreya está contada no *Mârkandeya-Purâna* (capítulo 16), numa seção que se supõe ter sido escrita no século IV d.C. A seção descreve o nascimento milagroso de um dos grandes mestres da sabedoria da loucura na Índia.

De acordo com esse relato, um brâmane chamado Kaushika levava vida dissipada e perdeu tanto a saúde quanto a riqueza em decorrência da sua paixão por uma cortesã. Sua esposa Shândilî, porém, era-lhe perfeitamente fiel. Certa noite, ela chegou até a levar o marido, doente, à casa da cortesã. No caminho, carregando o marido nos ombros, Shândilî tropeçou por acidente no sábio Mândavya, que estava deitado semimorto no meio da estrada. Mândavya, temido pela força de suas maldições, condenou de imediato o casal a morrer ao nascer do sol. A casta mulher rezou com todas as suas forças e pediu ao sol que não nascesse para que seu marido pudesse continuar vivo. Sua prece, feita com um coração puro, foi atendida. Todas as divindades entraram em alvoroço e pediram a ajuda de Anushuyâ, esposa do famoso sábio Atri, para convencer Shândilî a permitir que a ordem universal se restabelecesse. Anushuyâ, que era outro exemplo de virtude feminina, conseguiu dobrar Shândilî, sob a condição de que a vida de Kaushika fosse poupada quando o sol nascesse.

Para agradecer pela sua oportuna intercessão, os deuses concederam um pedido a Anushuyâ. Ela pediu pela libertação sua e do marido e rogou também que as principais divindades — Brahma, Vishnu e Shiva — nascessem como seus filhos. Depois de algum tempo, quando Anushuyâ se prostrava perante o marido, uma luz saiu dos olhos de Atri e fecundou a mulher, gerando nela os divinos filhos Soma, Durvâsa e Datta — encarnações parciais de Brahma, Shiva e Vishnu respectivamente.

Outros *Purânas* (enciclopédias populares) contam histórias diferentes a respeito de Dattâtreya, mas todas envolvem a figura de Atri — donde o nome Dattâtreya, "Datta, filho de Atri". Certos incidentes da vida de Dattâtreya deixam claro que ele era um personagem bem pouco convencional. Diz-se, por exemplo, que certa vez ele mergulhou num lago do qual só saiu muitos anos depois na companhia de uma jovem. Conscientes do perfeito desapego de Dattâtreya, seus discípulos não deram a menor importância ao acontecido nem pensaram mal do mestre. A fim de pôr à prova a fé que eles tinham nele, Dattâtreya começou então a beber vinho junto com a jovem, mas nem por isso os devotos se deixaram perturbar.

Além disso, vários *Purânas*, o *Mârkandeya-Purâna* inclusive (capítulos 30 a 40), afirmam que Dattâtreya ensinava o Yoga de oito membros (*ashta-anga-yoga*) de Patanjali, que prega uma vida ascética. Portanto, Dattâtreya é associado tanto à ascese quanto a situações que envolvem o sexo e o álcool — os dois elementos principais dos rituais tântricos.[37]

Dattâtreya é o arquétipo do santo louco. Não se sabe como ele passou do *status* de sábio semitântrico ao de divindade propriamente dita. Não obstante, tanto o sábio quanto a divindade são intimamente associados ao Avadhutismo. Embora a mitologia afirme que o sábio

© James Rhea

Dattâtreya

Dattâtreya é uma encarnação de Vishnu, o nome dele está igualmente ligado à esfera cultural de Shiva, o Senhor dos *yogins* e ascetas. Parece que esse grande herói espiritual foi, tanto para a tradição Vaishnava quanto para a Shaiva, um símbolo do ser realizado em Deus, cujo estado transcende todas as crenças e costumes.

Por isso, não é de surpreender que se atribua a Dattâtreya a autoria do *Jivan-Mukta-Gîtâ* ("Cântico da Libertação em Vida"), pequeno tratado de vinte e três versículos que exalta o *jîvan-mukta*, o adepto que chegou à libertação ainda na condição corpórea. Atribui-se a ele, do mesmo modo, o *Tripura-Rahasya* ("Doutrina Secreta de Tripura"). Levando-se em conta o fato de que esse texto versa sobre o estado supremo da espontaneidade iluminada (*sahaja*), que transcende a mente, essa atribuição parece perfeitamente apropriada.

A sabedoria da loucura se faz presente com diversa intensidade na maioria das escolas de Yoga, pois a tarefa que cabe ao *guru* é a de destruir a ilusão do discípulo de ser um ente isolado e fechado em si. A maioria dos mestres, especialmente dos que chegaram à plenitude da iluminação, recorrem vez por outra a uma forma de conduta não-convencional para penetrar na armadura protetiva do discípulo. Poucos, porém, tendem a adotar irrestritamente o método de ensino da sabedoria da loucura, como fizeram, por exemplo, Marpa e Drukpa Kunleg. Hoje em dia, as fronteiras egóicas dos indivíduos são bem mais marcadas do que no passado, de modo que os métodos da sabedoria da loucura passam a impressão subjetiva de perturbar e invadir a integridade pessoal do discípulo. É por isso que poucos mestres se dispõem a ensinar segundo o estilo da louca sabedoria. Resta ainda a questão mais geral de saber se esse antigo modo de ensinar continua sendo útil e moralmente justificável nos dias de hoje.[38]

Este breve resumo da dimensão louco-sábio da espiritualidade hindu e budista fecha o Capítulo 1, que expõe e explica as categorias fundamentais envolvidas no processo espiritual do Yoga. O capítulo seguinte apresenta as principais escolas ou abordagens que integram a tradição yogue.

TEXTO ORIGINAL 2
Siddha-Siddhânta-Paddhati (Trechos Escolhidos)

O *Siddha-Siddhânta-Paddhati* ("Pegadas da Doutrina dos Adeptos"), considerado um dos textos mais antigos do Nathismo, compreende seis capítulos. O capítulo final define e faz o elogio do *avadhûta*, que é distinguido dos tipos espirituais peculiares a outras tradições que não a da ordem Nâtha. Os primeiros vinte e um versículos, traduzidos aqui, são especialmente interessantes. Como a maioria dos textos do Hatha-Yoga, também este foi deliberadamente escrito num sânscrito deficiente, o que às vezes dificulta a identificação do sentido preciso de um versículo. Os versículos seguintes são do sexto capítulo.

Faz-se agora a descrição do *avadhûta-yogin*. Dize-me, pois, quem é este que é chamado *avadhûta-yogin*? O *avadhûta* é o que lança fora todas as modificações (*vikâra*) da Natureza. O *yogin* é o que tem a "união" (*yoga*). *Dhûta* é [derivado de] *dhû* [que significa "sacudir, tremer"], como num tremor, isto é, tem o significado de "tremor". O tremor [ocorre quando] a mente se envolve com os objetos dos sentidos, como os corpos ou os [estados] corpóreos. Tendo agarrado [esses objetos dos sentidos] e tendo depois se afastado deles, a mente, absorvida na glória do seu próprio "Domínio" (*dhâman*), se isenta dos fenômenos e se liberta das diversas "moradas" (*nidhâna*) [isto é, dos objetos dos sentidos], que têm um princípio, um meio e um fim. (1)

O som *ya* é a sílaba-semente (*bîja*) do [elemento] vento; o som *ra* é a sílaba-semente do [elemento] fogo. Indistinguível de ambos é o som *om*, o qual é louvado como a forma da Consciência. (2)

Assim, ele é claramente denominado: Aquele que raspou a cabeça mediante o corte dos multíplices[39] laços do sofrimento (*klesha*), aquele que está liberto de todos os estados — ele é intitulado um *avadhûta*. (3)

O *yogin* que leva em seu corpo os adornos da esplendorosa lembrança da [realidade] inata e para quem [o poder serpentino ou *kundalinî-shakti*] subiu desde a "base" [isto é, o *mûlâdhâra-cakra* na base da coluna vertebral] — ele é denominado um *avadhûta*. (4)

[O *yogin* que] está firmemente plantado no centro do mundo, livre de todo "tremor" [isto é, livre de todo apego aos objetos dos sentidos], que tem por tanga e por bastão (*kharpara*) a indiferença à tristeza (*adainya*) — ele é denominado um *avadhûta*. (5)

[O *yogin*] por cuja obra a doutrina (*siddhânta*) é preservada como na convergência dos sons *sham* [que significa] alegria, e *kham* [que simboliza] o supremo Absoluto, na palavra *shamkha* [que significa "concha"] — ele é denominado um *avadhûta*. (6)

Aquele cujo limite [não] é [outro senão] a suprema Consciência; que tem por sandálias o conhecimento do [supremo] Objeto, que tem o grande voto pela pele de antílope [sobre a qual se senta] — ele é denominado um *avadhûta*. (7)

Aquele que tem por cinto a abstenção (*nivritti*) perpétua, que tem a própria Essência (*sva-svarûpa*) por assento almofadado, [e que pratica] a abstenção das seis modificações[40] da Natureza — ele é denominado um *avadhûta*. (8)

Aquele que tem, em verdade, a Luz da Consciência e a suprema Bem-Aventurança por seu par de brincos, e que pôs fim à invocação (*japa*) feita com um rosário (*mala*) — ele é denominado um *avadhûta*. (9)

Aquele que tem a estabilidade por bengala, o Espaço supremo (*para-âkâsha*)[41] por bastão e o poder inato (*nija-shakti*) por descanso de braço (*yoga-patta*)[42] — ele é denominado um *avadhûta*. (10)

Aquele que é em si mesmo diferença e identidade [entre o mundo e a Divindade]; aquele para quem a esmola é o prazer do gosto das seis essências (*rasa*)[43]; aquele cujo adultério é a condição de estar preenchido daquela [Realidade suprema] — ele é denominado um *avadhûta*. (11)

Aquele que penetra com seu ser interior no Impensável, na remota Região íntima, que tem por roupa de baixo esse mesmo Lugar — ele é denominado um *avadhûta*. (12)

Aquele que [tem o desejo de] assimilar o seu próprio corpo imortal ao Infinito, ao Imortal; que, só ele, pode beber deste [elixir da imortalidade] — ele é denominado um *avadhûta*. (13)

Aquele que devora a *vajrî*,[44] a qual é cheia das máculas do desejo e forte como um raio (*vajra*) [que não é outra coisa senão a] ignorância (*avidyâ*) — ele é denominado um *avadhûta*. (14)

Aquele que sempre se volta plenamente para o próprio centro de si mesmo e vê o mundo com equanimidade (*samatva*) — ele é denominado um *avadhûta*. (15)

Aquele que compreende a si mesmo e habita sozinho em seu próprio Si Mesmo; que está plenamente firmado no não-esforço (*anutthâna*) — ele é denominado um *avadhûta*. (16)

Aquele que é hábil [na arte do] supremo repouso e é dotado dos fundamentos do não-esforço (*anutthâ*); e que conhece o princípio formado de Consciência e contentamento (*dhriti*) — ele é denominado um *avadhûta*. (17)

Aquele que consome [os mundos] manifesto (*vyakta*) e não-manifesto (*avyakta*) e devora completamente toda a manifestação (*vyakta*) [da Natureza], permanecendo [firme] em seu ser interior [possuindo] a Verdade dentro de si — ele é denominado um *avadhûta*. (18)

Aquele que está firme e estável na própria luminosidade, que é [aquele] brilho da natureza do Esplendor (*avabhâsa*) [absoluto], que se deleita no mundo através de brincadeiras (*lîlâ*) — ele é denominado um *avadhûta*. (19)

Aquele que às vezes goza [dos objetos dos sentidos], às vezes é um asceta, às vezes anda nu ou assemelha-se a um demônio, às vezes é um rei, às vezes uma [pessoa] bem-educada — ele é denominado um *avadhûta*. (20)

Aquele cuja essência é idêntica ao [Si Mesmo] Mais Interno enquanto desempenha assim diferentes papéis (*samketa*) em público, aquele que penetra diretamente o Real em sua visão essencial de todos os pontos de vista doutrinais — ele é denominado um *avadhûta-yogin*. É ele um verdadeiro mestre (*sad-guru*). Por criar uma [grande] síntese (*samanvaya*) em sua visão essencial de todos os pontos de vista — ele é um *avadhûta-yogin*. (21)

"No yoga... é possível que muitos tomem um determinado caminho como meio para a auto-realização e outros, por seu lado, tomem outro caminho, mas eu afirmo que não há absolutamente nenhuma diferença entre as diversas práticas do yoga."

— B. K. S. Iyengar, *The Tree of Yoga*, p. 15

Capítulo 2
A RODA DO YOGA

1. VISÃO GERAL

Em sua mais antiga forma conhecida, o Yoga parece ter sido a prática da introspecção disciplinada, ou da concentração meditativa, associada aos rituais de sacrifício. É sob essa forma que o Yoga se nos apresenta nos quatro *Vedas*, os primeiros e os mais preciosos textos sagrados do Hinduísmo. Essas quatro coletâneas de hinos contêm o conhecimento revelado, ou "sobre-humano" (*atimânusha*), da civilização arcaica da Índia, na qual se fala o sânscrito. Essa civilização é chamada de civilização védica ou, em tempos mais recentes, civilização do Indo e do Sarasvatî. Os ritos dos sacerdotes védicos tinham de ser cumpridos com perfeita exatidão e exigiam do sacrificante a máxima concentração; por isso, os depositários do conhecimento sagrado tinham de submeter-se a uma disciplina mental rigorosa. Foi essa uma das raízes do Yoga posterior, raiz essa que, cerca de dois mil anos mais tarde, deu origem à tecnologia da consciência que caracteriza os *Upanishads*, os ensinamentos esotéricos daqueles que fizeram da meditação o meio principal para a obtenção da iluminação.

No decorrer de muitos séculos, esse Yoga dos *Upanishads* deu origem a um conjunto imenso de práticas, unidas a explicações mais ou menos elaboradas acerca da transcendência da condição humana. O legado yogue foi passando de mestre a discípulo por transmissão oral. O termo sânscrito que designa essa transmissão do conhecimento esotérico é *paramparâ*, que sig-

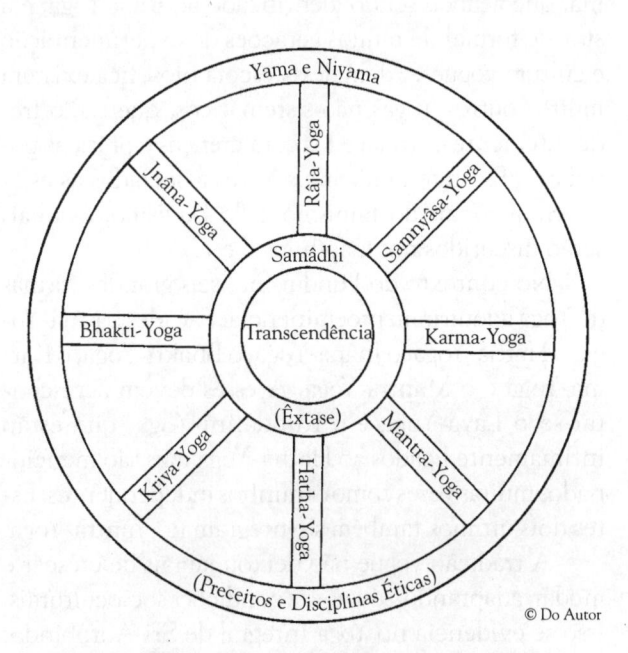

A roda do Yoga — vários caminhos para a iluminação

nifica literalmente "um após o outro" ou "sucessão". Com o tempo, muitas coisas foram acrescentadas e muitas outras foram descartadas ou modificadas. Logo surgiram numerosas escolas que representavam tradições diferentes, dentro das quais foram ocorrendo novas cisões e reformas.

Isso significa que o Yoga não é, de modo algum, um todo homogêneo. A doutrina e a prática variam de escola para escola ou de mestre para mestre, e as diferenças são tão grandes que às vezes, entre duas correntes, não se pode encontrar um denominador comum. Portanto, quando falamos do Yoga, estamos falando de uma multiplicidade de caminhos e tendências dotadas de estruturas teóricas contrastantes e às vezes até metas divergentes, embora todos sejam meios de libertação. O ideal do Râja-Yoga, por exemplo, é a percepção e a realização da nossa verdadeira Identidade com o Si Mesmo transcendente (*purusha*) que permanece eternamente destacado da roda da Natureza, ao passo que o ideal afirmado pelo Hatha-Yoga é a criação de um corpo imortal que permita um domínio total sobre a Natureza. Para dar outro exemplo, algumas escolas pregam o cultivo dos poderes paranormais (*siddhi*), ao passo que outras consideram-nos obstáculos ao caminho e exortam os praticantes a desconsiderá-los por completo.

Do ponto de vista histórico, a mais significativa dentre todas as escolas de Yoga é o sistema clássico de Patanjali, que também é chamado de o "ponto de vista do Yoga" (*yoga-darshana*) por excelência. Esse sistema, que acabou sendo identificado ao Râja-Yoga, é a síntese formal de muitas gerações de experimentação e cultura yogues. Além dessa escola filosófica existem muitos outros Yogas não-sistemáticos, que estão freqüentemente entrelaçados com crenças e práticas populares. Existem também os Yogas associados às esferas tradicionais do Jainismo e do Budismo, os quais serão discutidos nos Capítulos 6 e 7.

No contexto do Hinduísmo, seis grandes formas de Yoga adquiriram proeminência. São eles o Râja-Yoga, o Hatha-Yoga, o Jnâna-Yoga, o Bhakti-Yoga, o Karma-Yoga e o Mantra-Yoga. A esses devem acrescentar-se o Laya-Yoga e o Kundalinî-Yoga, que estão intimamente ligados ao Hatha-Yoga mas são mencionados muitas vezes como caminhos independentes. Estes dois últimos também se integram no Tantra-Yoga.

A tradição yogue não deixou jamais de crescer e mudar, adaptando-se a novas condições socioculturais. Isso se evidencia no Yoga Integral de Sri Aurobindo, uma abordagem moderna e singular que se baseia no Yoga tradicional mas vai além dele, por pregar uma síntese evolucionista.

Além disso, encontramos nos textos em sânscrito diversas palavras compostas que terminam em -*yoga*. Em sua maioria, elas não designam escolas independentes. Antes, a palavra *yoga* tem aí o sentido genérico de "prática" ou "esforço disciplinado". O composto *buddhi-yoga*, por exemplo, significa a "prática do discernimento", e *samnyâsa-yoga* denota a "prática da renúncia ou da ascese". Casos semelhantes são os de *dhyâna-yoga* ("prática da meditação"), *samâdhi-yoga* ("prática do êxtase") e *guru-yoga* ("prática que tem por foco o mestre espiritual"). Há outras palavras compostas que representam tendências mais específicas, como *nâda-yoga* ("Yoga do som interior"), *kriyâ-yoga* ("Yoga da ação ritual"), o *asparsha-yoga* ("Yoga intangível") preconizado pelo Vedânta, e daí em diante. Este último Yoga, que é o tema do *Mândûkya-Kârikâ*, tem esse nome porque consiste na contemplação direta do Absoluto intangível, que é o fundamento perene de toda a existência.

Se compararmos o Yoga a uma roda de muitos raios, os raios representam as diversas escolas ou movimentos do Yoga; o aro simboliza as exigências morais comuns a todos os tipos de Yoga; e o cubo figura a experiência do êxtase, pela qual o praticante de Yoga transcende não só a sua própria consciência limitada como também a existência cósmica como um todo. Todas as formas autênticas de Yoga são caminhos que levam a um único centro, a Realidade transcendente, que pode ser definida de modos diferentes pelas diversas escolas.

Existem também aqueles *yogins* que aspiram à realização de estados de consciência inferiores à transcendência última, ou que não buscam a iluminação, mas sim a aquisição de poderes paranormais. A tendência e os ensinamentos deles não são psicoespirituais, no sentido que aqui damos a esse termo, mas sim mágicos. O elemento mágico está presente com força na tradição arcaica do ascetismo (*tapas*) e também no Tantra, ambos os quais serão detalhados mais adiante. O *yogin* sempre foi encarado como um mago dotado de capacidades especiais, sobretudo do poder de abençoar e amaldiçoar com eficácia. Os estudiosos modernos tendem a desconsiderar a dimensão mágica do Yoga, mas ela é uma parte inalienável da experiência yogue. Se não, por que motivo Patanjali dedicaria todo um capítulo do seu *Yoga-Sûtra* à questão dos poderes paranormais (*siddhi*)? É muito importante, porém, não perder jamais de vista a distinção entre os objetivos mágicos e a grande obra da transformação espiritual, que vai além da aquisição de experiências e capacidades paranormais, assim como também vai além dos meros estados místicos de consciência. A meta de toda espiritualidade autêntica é a Realização de Deus, do Supremo Si Mesmo, fundada sobre a autotranscendência.

II. RÂJA-YOGA — O YOGA RESPLANDECENTE DOS REIS DO ESPÍRITO

O nome *râja-yoga*, que significa "Yoga real", foi cunhado em época relativamente tardia e só entrou em voga no século XVI d.C. Refere-se especificamente ao sistema de Yoga de Patanjali, criado no século II d.C., e é usado na maioria das vezes para distinguir do Hatha-Yoga, o caminho óctuplo de introversão meditativa preconizado por Patanjali. Segundo o *Yoga-Râja-Upanishad* (1-2),[1] uma obra tardia, existem quatro tipos de Yoga — a saber, o Mantra-Yoga, o Laya-Yoga, o Hatha-Yoga e o Râja-Yoga. O texto afirma ainda que os quatro tipos incluem as práticas bem conhecidas de postura, controle da respiração (chamado aí *prâna-samrodha*), meditação e êxtase.

राजयोग ||
Râja-yoga

A idéia que está por trás da denominação *râja-yoga* é a de que este tipo de Yoga é superior ao Hatha-Yoga. Este último é considerado próprio para aqueles que não conseguem dedicar-se exclusivamente ao sagrado ordálio da renúncia e da prática da meditação. Em outras palavras, o Râja-Yoga se define a si mesmo como o Yoga próprio dos verdadeiros heróis do controle da mente. Porém, não podemos deixar de observar que essa idéia não corresponde exatamente aos fatos. Isso porque também o Hatha-Yoga engloba uma prática meditativa intensa e pode ser uma provação tão grande quanto o Râja-Yoga. Infelizmente, tanto na Índia quanto no Ocidente, os praticantes do Hatha-Yoga nem sempre respeitam as metas espirituais ou mesmo os fundamentos morais desse caminho, e muitas vezes tendem a fazer do Hatha-Yoga uma espécie de simples ginástica ou processo de modelagem corporal.

É possível encontrar outras explicações para o nome *râja-yoga*. Ele pode referir-se ao fato de o Yoga de Patanjali ter sido praticado por reis, em especial pelo rei Bhoja, que viveu no século X e chegou até a escrever um famoso comentário sobre o *Yoga-Sûtra*. Passando a um nível mais esotérico de explicação, podemos ver na palavra *râja* uma referência oculta ao Si Mesmo transcendente, que é o rei ou soberano supremo do corpo e da mente. Além disso, o Si Mesmo é tradicionalmente qualificado como "luminoso" ou "resplandecente" (*râjate*) — adjetivo derivado da mesma raiz que deu a palavra *râja*. Ou é possível que o termo *râja* se refira ao "Senhor" (*îshvara*), ou Deus, que é reconhecido por Patanjali como um Ser especial dentre o número incontável de Seres transcendentais.

Por fim, o *Yoga-Shikhâ-Upanishad* (1-136-138), que talvez tenha sido escrito no século XIV ou no século XV d.C., nos dá uma interpretação totalmente esotérica (tântrica):

> No meio do períneo (*yoni*), o grande lugar, reside a *rajas* bem oculta, o princípio da Deusa, que se assemelha [na cor vermelha às flores] *jâpa* e *bandhukâ*. O Râja-Yoga recebe esse nome em virtude da união (*yoga*) entre *rajas* e o sêmen (*retas*). Tendo adquirido através do Râja-Yoga os [diversos poderes paranormais] tais como o de miniaturização, [o *yogin*] se torna resplandecente (*râjate*).

O princípio vermelho chamado *rajas* na citação acima é identificado às vezes ao sangue da menstruação, às vezes às secreções hormonais das mulheres, às vezes ao óvulo. É esta última interpretação a que faz mais sentido do ponto de vista simbólico, pois a união do sêmen e do óvulo gera um novo ser — neste caso, metaforicamente, o estado de iluminação. Mas as secreções hormonais também têm o seu papel neste Yoga, como o têm no Taoísmo. Do ponto de vista metafísico, *rajas* e *retas* são respectivamente os princípios energéticos feminino e masculino. Afirma-se que a harmonização (*samarasa*) entre um e outro gera o salto para o êxtase não-qualificado. Mas essa explicação esotérica pertence ao simbolismo tântrico, e não à escola filosófica de Patanjali.

O Râja-Yoga, ou Yoga Clássico, será tratado em detalhes nos Capítulos 9 e 10. Desde que foi criado, nos primeiros séculos da Era Cristã — alguns estudiosos, porém, afirmam que Patanjali viveu no período pré-cristão —, o Râja-Yoga firmou-se como uma das escolas mais influentes da tradição yogue. Constitui ele o caminho direto para a meditação e a contemplação. Como afirma um entusiasmado Swami Vivekananda, "Râja-Yoga é a ciência da religião, o fundamento lógico de toda adoração, de toda oração, de todas as formas, cerimônias e milagres".² Acrescenta ele que a meta do Râja-Yoga é ensinar "como concentrar a mente, depois como descobrir os recantos mais secretos da mente, depois como fazer uma generalização do que aí foi encontrado e chegar a partir disso às nossas próprias conclusões".³ No fim, essa busca meditativa tem o objetivo de conduzir à descoberta da Realidade transcendente que está além do pensamento e das imagens, além da adoração e da prece, além dos ritos e da magia.

III. HATHA-YOGA — O CULTIVO DE UM CORPO DE DIAMANTE

O "Yoga vigoroso", ou Hatha-Yoga, é um produto da época medieval. Seu objetivo supremo é idêntico ao de todas as formas autênticas de Yoga: transcender a consciência egóica (ou, para empregar um neologismo, egotrópica) e realizar o Si Mesmo, a Realidade divina. Entretanto, a tecnologia psicoespiritual do Hatha-Yoga gira especialmente em torno do desenvolvimento do potencial do corpo, para que este seja capaz de suportar a força e o peso da realização transcendente. Em geral, nós achamos que os estados de êxtase, como o *samâdhi*, são realidades puramente mentais, mas isso não é verdade. Os estados místicos de consciência podem ter um efeito profundo sobre o sistema nervoso e o corpo em geral. Afinal de contas, a experiência da união extática ocorre com pessoas que ainda têm corpo. O *hatha-yogin*, portanto, trabalha para fortalecer o corpo — para deixá-lo bem "assado", como dizem os textos.

O mais importante é que a própria iluminação é algo que acontece com o corpo inteiro. Em nenhum lugar isso é evidenciado com tanta clareza, quanto nos escritos de nosso contemporâneo Da Free John (Adi Da), que afirma:

> A Iluminação do Homem é a Iluminação do corpo-mente por inteiro. É uma Iluminação literal, até mesmo corpórea, ou uma Trans-

ladação de todo o corpo-mente do indivíduo para o Esplendor, a Força, o Amor ou a Luz absolutos que são anteriores e superiores a todas as velocidades de luz manifesta ou invisível e a todas as formas ou seres que circulam na luz manifesta, quer sutis, quer grosseiros.⁴

Assim, as disciplinas do Hatha-Yoga foram criadas para facultar a manifestação da Realidade suprema no corpo e na mente humanos e finitos. Neste ponto, o Hatha-Yoga expressa o ideal do Tantra, que é o de viver no mundo a partir da plenitude da realização do Si Mesmo, e não o de fugir da vida para chegar à iluminação. O Hatha-Yoga é uma das doutrinas integrais, como explicamos na Introdução.

O praticante de Hatha-Yoga quer construir um "corpo divino" (*divya-sharîra*) ou "corpo adamantino" (*vajra-deha*) para si mesmo, o que lhe garantiria a imortalidade nos mundos manifestos. Não se interessa em obter a iluminação mediante o prolongado descuido

हठयोग ||

Hatha-yoga

T. S. Krishnamacharya, o maior expoente do Hatha-Yoga nos tempos modernos

do corpo físico. Quer tudo: a realização do Si Mesmo e um corpo transmutado no qual possa gozar do universo manifesto nas suas diversas dimensões. Quem não sentiria esse mesmo desejo? Porém, como seria até de se esperar, muitos praticantes de Hatha-Yoga sacrificam as suas aspirações espirituais mais elevadas e se contentam com objetivos menores, talvez objetivos mágicos postos a serviço da personalidade egóica. A magia, como a exotecnologia, é um meio de manipulação das forças da Natureza, ao passo que a espiritualidade só diz respeito à transcendência da personalidade egóica manipuladora.

O narcisismo, que é o egocentrismo voltado para o corpo, é tão perigoso para os *hatha-yogins* quanto é para os que praticam a musculação. Todas as tradições espirituais exigem uma vontade forte, mas essa vontade não pode jamais tomar o lugar da renúncia e do discernimento. Acontece que vez por outra os *hatha-yogins*, como outros praticantes de Yoga, não transcendem o ego, mas o estufam. Isso levou alguns estudiosos a caracterizar o Hatha-Yoga como uma escola decadente. O sanscritista alemão J. W. Hauer, por exemplo, emitiu um juízo bastante severo:

> Produto típico do período de declínio da mentalidade indiana, a qual, apesar de tudo o que se afirma em contrário, está muito longe de ser aquela aspiração inelutável e sincera pela iluminação plena, pela libertação da alma e pela experiência da Realidade suprema... o Hathayoga tem um forte elemento de grosseiro sugestionamento e está intimamente ligado à magia e à sexualidade.[5]

Essa condenação certamente se aplica às versões vulgarizadas do Hatha-Yoga que se praticam na Índia, mas é totalmente injustificável se aplicada à doutrina e aos mestres autênticos dessa tradição.

É uma exigência do verdadeiro Hatha-Yoga que ele seja compreendido como uma tecnologia psicoespiritual posta a serviço da realização transcendente. No *Hatha-Yoga-Pradîpikâ* (4.102), o mais popular manual dessa escola, esse fato é expresso da seguinte maneira:

> Todas os meios do Hatha[-Yoga] têm como fim a [aquisição da] perfeição no Râja-Yoga. A pessoa que se firmou no Râja-Yoga vence a morte.

O que esse versículo nos dá a entender é que o Hatha-Yoga e o Râja-Yoga devem ser vistos como complementares, e que o desejo de vencer a morte só pode concretizar-se na realização do Si Mesmo. Isso porque só o Si Mesmo transcendente é imortal. Até mesmo um corpo "divino", especialmente manufaturado e composto de matéria sutil ou energia, terá de desintegrar-se mais cedo ou mais tarde, uma vez que todos os produtos da Natureza estão sujeitos à lei da mudança ou da entropia.

O Hatha-Yoga nos faz lembrar das muitas terapias somatocêntricas que surgiram há pouco tempo no mundo ocidental e que nos chamaram a atenção para a dimensão subjetiva ou energética da existência corpórea. Entretanto, ainda há muito o que aprender acerca das descobertas que há muitos séculos os *yogins* fizeram no campo da anatomia esotérica ou sutil. Em específico, o fenômeno do poder serpentino (*kundalinî-shakti*), a força psicoespiritual que permanece adormecida no corpo-mente não-iluminado, ainda é muito malcompreendida. Não obstante, como explicaremos no Capítulo 17, que trata do Tantra-Yoga, ele é crucial para o trabalho interno do praticante de Hatha-Yoga e para a percepção e a intuição que ele tem de certas dimensões da existência que só agora estão começando, mal-e-mal, a despertar o interesse da ciência moderna. A doutrina metafísica e o caminho prático do Hatha-Yoga serão tratados em detalhe no Capítulo 18.

IV. JNÂNA-YOGA — A VISÃO DO OLHO DA SABEDORIA

A palavra *jnâna* significa "conhecimento", "intuição" ou "sabedoria", e no contexto espiritual significa especificamente aquilo que os gregos chamavam de *gnosis*, um tipo especial de conhecimento ou intuição libertadora. Com efeito, os termos *jnâna* e *gnosis* têm em comum, sob o ponto de vista etimológico, a raiz indo-européia *gno*, que significa "conhecer" ou *co-gnoscere*. O Jnâna-Yoga praticamente não se distingue do caminho espiritual do Vedânta, a tradição hindu do não-dualismo.

ज्ञानयोग ॥

Jnâna-yoga

É o caminho de realização do Si Mesmo através do exercício da compreensão gnóstica, ou, melhor dizendo, é a sabedoria associada ao discernimento entre o Real e o irreal, ou entre o Real e o ilusório.

O termo *jnâna-yoga* aparece pela primeira vez no *Bhagavad-Gîtâ* (3.3), quando Krishna declara:

> Em tempos antigos, ó Inocente [Príncipe Arjuna], promulguei neste mundo um dúplice modo de vida — o Jnâna-Yoga para os *sâmkhyas* e o Karma-Yoga para os *yogins*.

O Karma-Yoga, como veremos em breve, é o Yoga da ação desinteressada, e é aqui prescrito para os *yogins*. Os *sâmkhyas* são os seguidores da tradição Sâmkhya, outrora muito influente, que é o caminho contemplativo que prega o discernimento entre os produtos da Natureza e o Si Mesmo transcendente, até a realização deste Si Mesmo (*purusha*) no momento da libertação. A tradição Sâmkhya, que sempre foi intimamente ligada ao Yoga, será discutida no Capítulo 3, na seção intitulada "O Yoga e a Filosofia Hindu".

Vyâsa, o suposto autor do *Bhagavad-Gîtâ*, procurou fechar a brecha existente entre as duas tradições. No texto, o Senhor Krishna rejeita a idéia de que o Yoga e o Sâmkhya sejam caminhos completamente separados:

> "O Sâmkhya e o Yoga são diferentes" — eis o que dizem os simplórios, e não os cientes. Quando se recorre adequadamente a um deles [ou ao outro], obtêm-se o fruto de ambos. (5.4)

> O estado obtido pelos *sâmkhyas* também é alcançado pelos *yogins*. Aquele que vê o Sâmkhya e o Yoga como uma só coisa, vê realmente. (5.5)

O contexto deixa muito claro que Krishna, o divino mestre de Arjuna, identifica o Jnâna-Yoga ao Buddhi-Yoga. Na minha tradução do *Bhagavad-Gîtâ*, traduzi o termo *buddhi* por "faculdade da sabedoria". Significa a razão iluminada. O Buddhi-Yoga é o caminho de realização do Si Mesmo que aplica a sabedoria discriminativa, ou o conhecimento intuitivo superior,

Swami Vivekananda, um grande jnâna-yogin

Buddhi-yoga

a todas as situações e estados da vida. Por isso, ela anda de mãos dadas com o Karma-Yoga. Nas palavras do Senhor Krishna:

> Entregando em pensamento todas as ações a Mim, atento a Mim, recorrendo ao Buddhi-Yoga, tem a Mim constantemente na consciência (*mac-citta*).[6] (18.57)

> Tendo a Mim constantemente na consciência, transcenderás todos os obstáculos por Minha graça. Mas se por egocentrismo (*ahamkâra*) não quiseres ouvir, sem dúvida perecerás! (18.58)

É claro que o "ter a Mim constantemente na consciência" de que aqui se fala não é uma forma de egocentrismo, mas sim a prática de voltar a atenção para a Divindade. O "Mim", portanto, não é a personalidade humana, mas o próprio Deus Krishna. (N. do T.: no inglês, o termo *mac-citta* é traduzido por "Me-minded" ou "Me-miñdedness", mas não foi possível verter essa expressão — mais próxima do original sânscrito — literalmente para o português. De qualquer modo, explica-se que o leitor de língua inglesa possa confundir o "Me" em questão com a individualidade humana, sendo que na verdade o termo significa a Pessoa divina.)

Ao contrário do Râja-Yoga, que se baseia numa metafísica dualista (*dvaita*) que distingue entre os muitos Seres transcendentais e a Natureza, a metafísica do Jnâna-Yoga é estritamente não-dualista (*advaita*). Como já se disse, trata-se do caminho por excelência da tradição vedântica. É o caminho ensinado nos *Upanishads*, conhecido também como "via da sabedoria" (*jnâna-mârga*). Na opinião de um estudioso, o Jnâna-yoga

> é fundamentalmente diferente de todas as outras formas e tem um lugar perfeitamente único em toda a história do mundo. Ele não é a adoração de Deus como um objeto diferente do si mesmo da pessoa, nem é uma disciplina que leve à realização de qualquer outra coisa que não o si mesmo. Pode ser chamada de *âtma-upâsana* (a adoração de Deus como o nosso Si Mesmo mais íntimo).[7]

Pode-se dizer que o praticante do Jnâna-Yoga, chamado *jnânin*, faz da força de vontade (*icchâ*) e da razão inspirada (*buddhi*) os dois princípios orientadores pelos quais a iluminação pode ser alcançada. Nas palavras do livro dos Provérbios (4:7), "a sabedoria é o fundamento". E continua esse livro da Bíblia:

> Exalta-a [i.e., a Dama Sabedoria] e ela te exaltará; glorificado serás por ela, se a abraçares. (4:8)

> Ela fará sobre a tua cabeça adornos graciosos; cobrir-te-á com uma coroa de glória. (4:9)

> Agarra-te bem à disciplina, não a largues; guarda-a, porque ela é a tua vida. (4:13)

Na tradição de sabedoria do Oriente Próximo, à qual pertencem os Provérbios, a sabedoria permite que a pessoa distinga entre o certo e o errado, entre o bem e a maldade, para seguir o caminho da justiça. A palavra hebraica *hokma* ("sabedoria"), correspondente à grega *sophia*, tem o sentido de conservação da ordem, do equilíbrio e da harmonia. Assim também *jnâna*, que apóia o *dharma* — sendo o *dharma* um dos conceitos mais importantes do Hinduísmo. Segundo o *Bhagavad-Gîtâ* (4.7), o Senhor Krishna assume novas encarnações para restabelecer o *dharma* no mundo sempre que a ordem cósmica se vê ameaçada pela ignorância e pelo orgulho humanos.

O *Tripura-Rahasya* (19.16 *et seq.*), tratado tardio mas importante sobre o Jnâna-Yoga, proveniente da escola Shâkta, classifica os aspirantes a *jnânis* em três tipos determinados pela disposição psíquica (*vâsanâ*) neles predominante. O primeiro tipo sofre do defeito do orgulho, que impede a perfeita compreensão da doutrina da não-dualidade. O segundo tipo sofre da "atividade" (*karma*), isto é, da ilusão de ser um sujeito agente, uma personalidade egóica que age no mundo, o que lhe impede de ter a equanimidade e a lucidez que constituem o fundamento da verdadeira sabedoria. O terceiro tipo, que é também o mais comum, sofre do "monstro" dos desejos — isto é, de motivações que se opõem à aspiração pela libertação. As pessoas deste tipo perdem-se, por exemplo, na sede de poder, no desejo de fama ou na busca desenfreada de satisfação sexual.

O tipo orgulhoso do *jnâna-yogin* pode vencer o seu defeito mediante o cultivo da confiança na doutrina e no mestre. O tipo que se vê como o agente das ações precisa simplesmente de graça. O terceiro tipo, o tipo impulsivo, precisa fazer um esforço dedicado para cultivar o desapego e o discernimento, e o faz através do estudo, da adoração e do constante convívio com a presença iluminada dos sábios. A maioria dos praticantes do Jnâna-Yoga se incluem no terceiro grupo: aqueles que ainda se defrontam com desejos e motivações que se contrapõem à aspiração pela emancipação definitiva. Esforçam-se para discernir entre o Real e o ilusório e para afirmar o Real em tudo o que fazem, dizem e pensam.

O *Tripura Rahasya* (19.35) afirma ainda que o fator mais importante para o sucesso é a aspiração pela emancipação. O estudo filosófico por si só é comparado ao ato de "vestir um cadáver". Só ganha vida pelo desejo de libertação, e esse desejo precisa ser um sentimento profundo, e não baseado num fascínio ocasional ou numa mania de grandeza. Acima de tudo, para dar frutos, o desejo da realização do Si Mesmo tem de traduzir-se numa prática cotidiana coerente.

O Jnâna-Yoga pode apresentar-se sob diferentes formas nos diferentes indivíduos, dependendo dos esforços e da personalidade destes; entretanto, como o autor do *Tripura Rahasya* (19.71) acrescenta logo em seguida, essas diferenças não querem dizer que a própria sabedoria seja múltipla. Muito pelo contrário, *jnâna* não admite, em si mesmo, distinção alguma; *jnâna* não é outra coisa senão a própria Realidade transcendente.

Esse maravilhoso texto sânscrito fala em seguida daqueles *jnânins* que estão libertos muito embora continuem existindo na forma corpórea. Esses grandes seres, chamados *jîvan-muktas* ("libertos em vida"), não são afetados de maneira alguma por quaisquer disposições e desejos que possam surgir-lhes na personalidade condicionada. Uma segunda categoria é formada pelos praticantes avançados de Jnâna-Yoga, que estão tão concentrados na sagrada obra da autotranscendência que, na sua simplicidade mental, parecem não ter mente alguma. São eles os sábios ilustres. Essa "ausência de mente" (*amanaskatâ*) manifesta-se numa qualidade de infância que é o reflexo da extrema simplicidade desses seres. Eles não têm cuidados nem preocupações, nem têm interesse por adquirir conhecimento ou mostrar-se inteligentes. A mente só lhes é útil na medida em que lhes permite lidar com os aspectos práticos da vida. Vai sendo aos poucos substituída por uma espontaneidade impecável em todas as circunstâncias, sem a mediação dos circuitos cérebro-mentais.

O caminho do Jnâna-Yoga, que já foi qualificado como "uma via reta, mas íngreme",[8] foi delineado de modo conciso e elegante por Sadânanda em seu *Vedânta-Sâra* (15 *et seq.*), texto do século XV. Sadânanda enumera quatro meios (*sâdhana*) principais para a emancipação:

1. Discernimento (*viveka*) entre o permanente e o transitório; isto é, a prática constante de ver o mundo tal como ele é — uma esfera finita e mutável que, mesmo na melhor das hipóteses, não deve ser confundida jamais com a Bem-Aventurança transcendente.

2. Renúncia (*virâga*) ao gozo do fruto (*phala*) das ações; é este o elevado ideal do Karma-Yoga, que exorta seus praticantes a dedicar-se a boas obras sem esperar por elas nenhuma recompensa.

3. As "seis perfeições" (*shat-sampatti*), especificadas abaixo.

4. O desejo de libertação (*mumukshutva*); isto é, o cultivo da aspiração espiritual. No Budismo Mahâyâna, o desejo de libertação é cultivado em vista do benefício de todos os outros seres e é conhecido pelo nome de "mente da iluminação" (*bodhi-citta*).

As seis perfeições são:

1. Tranqüilidade (*shama*), ou a arte de permanecer calmo mesmo diante das adversidades.

2. Controle dos sentidos (*dama*), que estão sempre à procura de novos estímulos.

3. "Interrupção" (*uparati*), o abster-se de ações que não dizem respeito nem à conservação do corpo nem à busca da iluminação.

4. Resignação (*titikshâ*), entendida especificamente como a capacidade estóica de não se deixar abalar pelo jogo dos opostos (*dvandva*) na Natureza, como o calor e o frio, o prazer e a dor, os elogios e as recriminações.

5. Concentração mental (*samâdhâna*), a disciplina de manter a mente voltada para um só objeto em todas as situações, mas especificamente durante os períodos de instrução formal.

6. Fé (*shraddhâ*), uma aceitação "cardíaca", profundamente inspirada, da Realidade sagrada e transcendente. A fé, que é elemento fundamental de todas as formas de espiritualidade, não deve ser confundida com a simples crença, que só opera no nível da mente.

Alguns textos propõem um caminho tríplice. Exemplo disso é o brilhante comentário de Shankara sobre o *Brahma-Sûtra* (1.1.4). Ao lado dos *Upanishads* e do *Bhagavad-Gîtâ*, o *Brahma-Sûtra* é considerado um dos pilares filosóficos da tradição vedântica. Esse caminho tríplice é composto dos seguintes meios: a audição (*shravana*), ou tomada de contato com a doutrina sagrada; a meditação (*manana*) do conteúdo dessa doutrina; e a contemplação (*nididhyâsana*) da verdade, que é o Si Mesmo (*âtman*).[9]

O Jnâna-Yoga, portanto, é o cultivo disciplinado do olho da sabedoria (*jnâna-cakshus*), o qual é o único meio capaz de nos conduzir, nas palavras de uma antiga prece sânscrita, "do irreal ao Real".[10]

TEXTO ORIGINAL 3

Amrita-Bindu-Upanishad

Segundo a tradição, o *Amrita-Bindu-Upanishad* (escreve-se *Amritabindûpanishad*) é o vigésimo na lista clássica de 108 *Upanishads*. O título significa "Doutrina Secreta da Semente da Imortalidade". O termo *bindu* (lit. "ponto"), traduzido aqui por "semente", tem uma série de conotações esotéricas. No caso, ele provavelmente significa a própria mente (*manas*), que é a semente ou fonte quer da libertação, quer da escravidão. Esse uso da palavra também se encontra no *Yoga-Kundalinî-Upanishad* (3.5). A idéia subjacente está muito bem expressa no *Viveka-Cûdâmani* ("Jóia do Brasão do Discernimento"), atribuído a Shankara, o grande preceptor do Vedânta:

A mente cria continuamente todos os objetos apreendidos pela pessoa como ásperos ou muito lisos, [tais como] as diferenças de corpo, riqueza, classe ou condição social, e as [diversas] qualidades, ações, razões e frutos [dessas ações]. (177)

A mente ilude a forma livre da Consciência [pura, isto é, o Si Mesmo] e a prende com os grilhões do corpo, dos órgãos e da respiração, pondo-a assim a vagar perpetuamente na experiência — imposta por ela mesma — dos frutos [das suas ações], na qualidade de "eu" e "meu". (178)

Daí que os sábios que conhecem a verdade afirmem que a mente é ignorância, pela qual, e só por ela, o mundo é movido como as nuvens pelo vento. (180)

[Portanto], aquele que busca a libertação deve dedicar-se com diligência à purificação da mente. Quando esta está purificada, a libertação é como um fruto nas mãos dele. (181)

O ponto de vista do *Amrita-Bindu-Upanishad* é muito semelhante. Também ele afirma que a mente é a origem quer da escravidão, quer da liberdade espiritual. A mente anuviada é permanentemente inquieta, agitada, insatisfeita e iludida, obscurecendo assim a identidade real do indivíduo como o Si Mesmo transcendente. Através de um árduo trabalho interior, e sobretudo da meditação, a mente pode ser limpa dessas impurezas. Quando o aspirante obtém finalmente, nas palavras de Lorde Byron, "u'a mente em paz com o quanto há debaixo dela", a consciência passa a funcionar como um espelho perfeitamente polido no qual se reflete todo o esplendor da pura Consciência do Si Mesmo. Diz-se que a mente perfeitamente controlada é "não-existente" ou está "destruída", pois perdeu seu modo característico de criar a irrealidade ou a ilusão (*mâyâ*). Entretanto, a "não-mente" do ser iluminado não significa que ele seja inconsciente ou desatento. Pelo contrário, sua mente é eclipsada pela superconsciência do Si Mesmo transcendente.

Afirma-se que a mente é dúplice: pura e impura. A [mente] impura [é movida pelo] desejo e [pela] volição; a [mente] pura é sem desejos. (1)

Só a mente é a causa da escravidão e da libertação (*moksha*) dos seres humanos. Ligada aos objetos, [conduz] à escravidão; liberta dos objetos, afirma-se que [conduz] à emancipação (*mukti*). (2)

A mente deve ser sempre esvaziada de todos os objetos pelo que busca a libertação, pois a libertação da mente vazia de objetos é desejável. (3)

Quando a mente, livre do contato com os objetos e confinada no coração, atinge o não-ser (*abhâva*), é esse o Estado supremo. (4)

[A mente] deve ser controlada até encontrar, no coração, a destruição. Isto é gnose (*jnâna*); isto é contemplação (*dhyâna*). Tudo o mais é especulação difusa. (5)

[O Absoluto] não é nem concebível nem inconcebível; não é concebível e [no entanto] é concebível. [Quando a pessoa está] liberta dos pontos de vista parciais, o Absoluto (*brahman*) é alcançado. (6)

Deve-se associar o Yoga ao som (*svara*). Deve-se realizar o Supremo na qualidade do sem-som (*asvara*). Através da realização do sem-som, não [pode haver] não-ser (*abhâva*). O Ser é desejável. (7)

É este, em verdade, o Absoluto sem partes, [o qual é] sem forma e sem mácula. Pelo conhecimento de que "Eu sou o Absoluto", o Absoluto é certamente alcançado. (8)

Ele é sem forma, infinito, sem causa, sem precedente, sem medida e sem princípio. Por este conhecimento, o sábio é libertado. (9)

Não há nem dissolução nem composição, nem o escravo nem aquele que realiza (*sâdhaka*), nem o que busca a libertação nem o liberto. É esta a verdade suprema. (10)

O Si Mesmo deve ser concebido como único e o mesmo durante a vigília, o sonho e o sono profundo. Não há renascimento para aquele que transcendeu os três estados [de vigília, sonho e sono profundo]. (11)

O Si Mesmo Elemental (*bhûta-âtman*)[11] que reside em todos os seres é um só. [É visto] como uno e múltiplo, à semelhança [do reflexo] da lua na água. (12)

Assim como o espaço (*âkâsha*) encerrado num jarro [não muda de lugar] quando o jarro é movido, ou assim como esse espaço não é [afetado] quando o jarro é destruído — assim também, o espírito da vida (*jîva*) assemelha-se ao espaço. (13)

À semelhança do jarro, [o ser individual] assume diversas formas que se desintegram continuamente. Quando ele se desintegra, não é mais conhecido, e no entanto é conhecido eternamente [como o Si Mesmo]. (14)

Aquele que está rodeado da ilusão da palavra, [obcecado] pela escuridão, não chega à Fonte da Abundância (*pushkara*).[12] Quando a escuridão se dissipa, ele contempla, em verdade, somente a Unidade (*ekatva*). (15)

O som imperecível (*akshara*) [i.e., a sagrada sílaba *om*] é o supremo Absoluto (*para-brahman*). Quando isso por sua vez diminui, o que [resta] é o Imperecível [em si mesmo]. Se o conhecedor tem o desejo da paz do Si Mesmo, deve contemplar esse Imperecível (*akshara*). (16)

As duas [formas de] conhecimento (*vidyâ*) a serem conhecidas são o Absoluto Sonoro (*shabda-brahman*) e aquilo que o transcende. Aquele que conhece o Absoluto Sonoro chega ao Absoluto supremo. (17)

O sábio que, depois de estudar os livros, concentra-se naquele [Absoluto] através da sabedoria (*jnâna*) e do conhecimento distintivo (*vijnâna*), deve desfazer-se de todos os livros, assim como [a pessoa] que busca o trigo [se desfaz] da palha. (18)

As vacas de várias cores só dão leite de uma única cor — assim, ele concebe a gnose como o leite, e os [diversos] sinais (*lingin*) como vacas. (19)

O conhecimento distintivo (*vijnâna*) está oculto em todos os seres como a manteiga no leite. Usando a mente como uma batedeira de manteiga, [todo] o ser deve bater constantemente [para produzir esse conhecimento] dentro da mente. (20)

Empregando-se o olho da sabedoria (*jnâna-netra*), deve-se extrair o Supremo como o fogo [é extraído da madeira por fricção], com a recordação de que "Eu sou aquele Absoluto sem partes, imóvel e tranqüilo". (21)

Aquele que, embora resida nos seres, é a morada de todos os seres e favorece todos [os seres] — Eu sou esse Vâsudeva.[13] (22)

V. BHAKTI-YOGA — O PODER TRANSCENDENTE DO AMOR

O Râja-Yoga e o Jnâna-Yoga almejam à realização do Si Mesmo sobretudo através da transcendência e da transformação da mente, ao passo que o Hatha-Yoga busca o mesmo objetivo através da transmutação do corpo. No Bhakti-Yoga, é a força emocional do ser humano que é purificada e canalizada para Deus. Em sua disciplina de autotranscendência extática, os *bhakti-yogins* — ou *bhaktas* ("devotos") — tendem a ser mais expressivos do que o típico *jnânin* ou *râja-yogin*. Os adeptos do Bhakti-Yoga não se envergonham, por exemplo, de derramar lágrimas de desejo pela Divindade. Nesse caminho, a Realidade transcendente é concebida, em geral, como uma Pessoa suprema, e não como um Absoluto impessoal. Muitos seguidores dessa via preferem até encarar a Divindade como um Outro. Não falam de uma identificação total com Deus, como no Jnâna-Yoga, mas de uma comunhão e uma fusão parcial com Ele. Essa tendência dualista se exprime de modo muito belo num dos cânticos devocionais de Tukârâma:

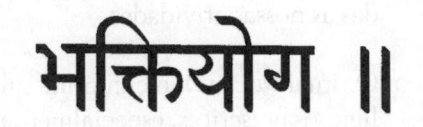

भक्तियोग ॥

Bhakti-yoga

Pode a água beber a si mesma?
Pode a árvore comer do seu próprio fruto?
O adorador de Deus deve permanecer distinto d'Ele.
Só assim virá ele a conhecer o bem-aventurado amor de Deus.
Se afirmasse, porém, que Deus e ele são um só,
Esse amor e essa alegria desapareceriam num instante.

Tukârâma, santo do século XVII acerca do qual mais se falará no Capítulo 12, foi um dos grandes representantes do *bhakti-mârga*, ou "via do amor/devoção".

O termo *bhakti*, derivado da raiz *bhaj* ("compartilhar" ou "participar de"), é geralmente traduzido por "devoção" ou "amor". O Bhakti-Yoga é, portanto, o Yoga da dedicação amorosa à Pessoa divina e da participação no amor dessa Pessoa. É a via do coração entendido como força volitiva ou emocional. Shândilya, autor do *Bhakti-Sûtra* (1.2), define o *bhakti* como "o apego supremo ao Senhor". É o único tipo de apego que não reforça a personalidade egóica e o destino desta. O apego ocorre quando a pessoa volta a sua atenção para determinada coisa e reveste essa atenção de uma grande energia emocional. Quando confessamos que somos apegados a esta ou àquela pessoa, queremos dizer que gostamos de estar na companhia delas ou mesmo somente de pensar nelas, e que nos entristecemos com a simples idéia de perdê-las ou nos separarmos delas. A perda de pessoas, animais ou mesmo objetos inanimados que nos são queridos parece diminuir o nosso próprio ser.

É esse apego amoroso (*âsakti*) energizado que os *bhakti-yogins* empregam conscientemente na sua busca de comunhão ou união com a Divindade. Às vezes, quando perdemos o contato emocional com o próprio Fundamento da existência, nós também nos sentimos diminuídos no nosso ser. Inclusive, os mestres do Bhakti-Yoga afirmam que toda a confusão e a infelicidade que vigoram no mundo são decorrentes do fato de estarmos separados de Deus. Foi isso, sem dúvida, que

Shândilya

Santo Agostinho intuiu quando exclamou: "Nosso coração está inquieto enquanto não repousa em Ti!"[14]

No Bhakti-Yoga, o praticante é sempre o devoto (*bhakta*), o amante, e Deus é sempre o Bem-Amado. Existem diversos graus de devoção, e o *Bhâgavata-Purâna*, composto no século IX d.C., delineia nove estágios. Jîva Gosvâmin, que viveu no século XVI e foi o grande preceptor do Vaishnavismo Gaudîya, formalizou da seguinte maneira esses estágios em suas *Shat-Sandarbha* ("Seis Composições"):[15]

1. A audição (*shravana*) dos nomes da Pessoa divina. Cada um dentre as centenas de nomes sublinha uma qualidade específica de Deus, e a escuta desses nomes cria uma atitude devocional no ouvinte receptivo.

2. O cantar (*kîrtana*) de canções de louvor e glória ao Senhor. Em geral, essas canções têm uma melodia simples e são acompanhadas por instrumentos musicais. Também neste caso, o cantar é uma forma de recordação meditativa de Deus e pode levar ao êxtase.

3. A recordação (*smarana*) de Deus, a lembrança meditativa amorosa dos atributos da Pessoa divina ou de uma das suas encarnações humanas — o belo vaqueiro Krishna, por exemplo.

4. O "serviço aos pés (*pâda-sevana*) do Senhor", que faz parte da adoração cerimonial. A tradição considera os pés como um foco específico de graça e poder (*shakti*) espiritual e mágico. No caso de quem tem um mestre humano, a abnegação e a entrega do discípulo muitas vezes se expressam pelo ato de prostração perante os pés do *guru*. No caso, o serviço aos pés do Senhor é compreendido de maneira metafórica como uma adesão interior à Divindade em todas as nossas atividades.

5. O ritual (*arcanâ*), o cumprimento dos ritos religiosos prescritos, especialmente os que giram em torno da cerimônia que se realiza cotidia-

namente no altar doméstico onde encontra-se instalada a imagem da divindade escolhida (*ishta-devatâ*) pela pessoa.

6. A prostração (*vandana*) perante a imagem de Deus.

7. A "devoção servil" (*dâsya*)[16] a Deus, que se expressa no anseio intenso do devoto pela companhia do Senhor.

8. Um sentimento de amizade (*sâkhya*) com a Divindade, que é uma forma mais íntima e mais mística de se ligar a Deus.

9. A "oferta de si mesmo" (*âtma-nivedana*) ou autotranscendência extática, através da qual o adorador entra no corpo imortal da divina Pessoa.

Esses nove estágios também são explicados de modo muito claro no *Bhakti-Rasa-Amrita-Sindhu* ("Oceano da Essência Imortal da Devoção") de Rûpa Gosvâmin.[17] Eles fazem parte de uma escada de contínua ascensão que conduz a uma devoção cada vez mais fervorosa e, por fim, à união com a Divindade. O que apóia esse processo é a virtude da fé (*shraddhâ*), e isto vale para todas as formas tradicionais de Yoga. No *Yoga-Bhâshya* de Vyâsa (1.20), a fé é comparada a uma mãe bondosa e protetora. Como já dissemos, a fé é diferente da crença. Ao passo que esta última tem a natureza de uma opinião, a fé é uma confiança profunda na Realidade espiritual e no processo yogue que a Ela conduz. A fé já é realçada no antiquíssimo *Rig-Veda*:

> Com a fé acende-se o fogo [sacrificial]. Com a fé oferece-se a oblação. Com a fala glorifico a [deusa] Fé [que está assentada] sobre a cabeça de Bhaga. (10.151.1)

> Invocamos a fé ao amanhecer, a fé ao meio-dia, a fé ao anoitecer. Ó Fé, firma a fé dentro de nós. (10.151.5)

Surpreendentemente, o *Bhâgavata-Purâna* (7.1.-30) reconhece o poder libertador de outras emoções que o amor — emoções como o medo, o desejo sexual e até mesmo o ódio — desde que o objeto dessas emoções seja a Divindade. O segredo que está por trás disso é bastante simples: para temer a Deus (como fez Kamsa), odiar Deus (como fez Shishupâla) ou aproximar-se do Senhor com um amor sexual ardente (como fizeram as pastoras de vacas de Vrindavâna com o Deus-homem Krishna), é preciso que a pessoa concentre a sua atenção na Divindade. Essa concentração cria uma ponte pela qual a graça eterna pode passar, entrar e transformar a vida daquela pessoa, a ponto de levá-la à iluminação se a emoção for intensa o suficiente. Portanto, o conteúdo da emoção é menos importante do que o seu objeto. O *Vishnu-Purâna* conta a história do Rei Shishupâla, que odiava Deus — sob a forma de Vishnu — tão intensamente que pensava sobre Ele constantemente, e, nesse processo, chegou à iluminação. Essa prática espiritual involuntária leva o nome de *dvesha-yoga*, que significa "Yoga do ódio".

No caminho do Bhakti-Yoga, o devoto sente pelo Senhor uma paixão (*rati*) cada vez maior, que o ajuda a derrubar as sucessivas barreiras que separam a personalidade humana da Pessoa divina. Esse amor crescente culmina numa visão de um cosmos penetrado, impregnado e sustentado pelo Senhor. Foi uma visão desse tipo que se impôs de maneira irresistível e deixou estupefato o príncipe Arjuna, como se conta no famoso Capítulo 11 do *Bhagavad-Gîtâ*. Ao testemunhar o divino esplendor do Senhor Krishna, Arjuna exclamou:

> Ó Deus, no teu Corpo contemplo as divindades e todas as espécies de seres, o Senhor Brahma sentado sobre o trono de lótus e todos os videntes e divinas serpentes! (11.15)

> Em todo lugar contemplo a Ti [que és] de Forma infinita, dotado de muitos braços, ventres, bocas e olhos. Não vejo fim, meio nem início em Ti, ó Senhor de Tudo, Omniforme! (11.16)

> Contemplo-Te com o diadema, a maça e o disco — um volume esplendoroso, rodeado de chamas. És difícil de ver, pois és imensurável, em tudo um clarão brilhante de fogo solar. (11.17)

> Contemplando essa grande Forma tua, com suas muitas bocas e olhos, seus muitos braços, coxas, pés e abdômens e suas presas formidáveis, ó [Krishna] dos braços fortes, tremem os mundos e também eu. (11.23)

Lançando chamas pelas bocas, Tu abrasas e devoras por inteiro todos os mundos. Preenchendo o universo todo com o teu clarão, resplandecem os teus raios terríveis, ó Vishnu. (11.30)

Dize-me quem és, ó Tu de Forma terrível. Saudações a Ti! Ó Deus primeiro, tem piedade! Quero conhecer-Te [como eras] antes [na tua forma humana], pois não compreendo a tua Criatividade (*pravritti*). (11.31)

O momento final de realização, quando o devoto se funde à Divindade, é qualificado pelo *Bhagavad-Gîtâ* como uma suprema participação amorosa (*para-bhakti*). Antes disso, a devoção exige que Deus seja visto como um Outro que possa ser adorado nos cânticos, na ação ritual e na meditação. Depois, porém, a Divindade e o devoto se fundem inseparavelmente no amor, embora a maioria das escolas de Bhakti-Yoga asseverem categoricamente que essa fusão mística não é uma identificação total com Deus. A Divindade se mostra como infinitamente mais ampla que o devoto, o qual se afigura mais como uma célula consciente dentro do corpo incomensurável de Deus.

Em seu *Bhakti-Sûtra*, o sábio Nârada distingue entre um tipo primário e um tipo secundário de devoção. Este último é maculado por objetivos pessoais ou motivos escusos, como os desejos de ser protegido pelo Senhor e de receber a ajuda d'Ele nos assuntos mundanos. Pode expressar-se de muitas maneiras diferentes. Dependendo de qual seja a qualidade nele predominante dentre as três qualidades (*guna*) da Natureza, o amor do devoto pela Divindade pode ser mais ou menos egocêntrico e mais ou menos ativo.[18] Em contraposição, a devoção primária é uma entrega total a Deus, uma devoção pura e perfeitamente destituída de motivações egoístas. Como afirma Nârada no *Bhakti-Sûtra* (5), o verdadeiro devoto "não vê senão o amor, não ouve senão o amor, não fala senão de amor e não pensa senão no amor". O grande estudioso Surendranath Dasgupta caracteriza da seguinte maneira a pessoa que chegou a esse grau avançado da vida espiritual:

> Essa pessoa está tão apegada a Deus que não há nada mais que lhe chame a atenção; sem nenhum esforço da sua parte, os outros apegos e tendências perdem o domínio que tinham sobre ela. Sua paixão por Deus é tão grande que consome toda a sua paixão terrena...
>
> O *bhakta* que está repleto de uma tal paixão não a sente somente como um rio subterrâneo de alegria que lhe banhe apenas, no íntimo, as profundezas do coração; sente-a antes como uma torrente que transborda das cavernas do coração e chega a todos os seus sentidos. Através dos sentidos ele a realiza como que sob a forma de um deleite sensual; com o coração e a alma ele a sente como uma embriaguez espiritual de alegria. O amor de Deus deixa tal pessoa fora de si. Ela canta, ri, dança e chora. Já não é um ser deste mundo.[19]

O Bhakti-Yoga é mencionado muitas vezes como o exemplo típico de uma doutrina dualista, mas nem todas as escolas deste ramo do Yoga são caracterizadas pelo dualismo. Muito embora todos os devotos, no princípio, se relacionem com um Deus pessoal encarado como um ser separado, a meta última de algumas escolas é uma fusão tal com a Divindade que leve o devoto a esquecer-se completamente do próprio ser: o Senhor é percebido então como a única Realidade, e essa percepção anula a ilusão da personalidade egóica e leva o praticante a transcender, portanto, a idéia de ser uma entidade isolada ou um devoto separado do Objeto de sua devoção.

© James Rhea

Nârada

A História do Ideal Bháktico

A atitude devocional na Índia tem uma história fascinante que nós não conhecemos senão de modo imperfeito. São poucos os hinos nos *Vedas* que revelam um relacionamento emocional apaixonado com a divindade invocada. O imaginário das invocações védicas é majestoso mas também distante, e não o *pathos* emocional que caracteriza a literatura bháktica do período medieval. Não obstante, o devocionalismo não deixa de marcar presença nos hinos védicos.

Assim, o hino de abertura do *Rig-Veda* é um louvor ao deus Agni, que é considerado "digno de ser louvado pelos videntes do passado e do presente" (1.2) e a quem se pede que se torne tão facilmente acessível "quanto um pai é para o filho" (1.9). O hino 8.14.10 fala do louvor a Indra, louvor esse que avança "como enérgicas ondas de água". No hino 1.171.1, o sábio Agastya assim se dirige a Indra e aos Maruts: "A vós venho com esta homenagem, e com um hino imploro a bondade do Poderoso." Os hinos védicos são cheios de alusões mitológicas, metáforas poéticas e pedidos, além de exigências. Acima de tudo, os videntes pediam a imortalidade (*amrita*) na companhia das divindades.

Lembremo-nos aqui que a palavra *ric*, modificada para *rig* no composto *Rig-Veda* por razão de eufonia, significa "louvor". Esse fato por si só reflete a atitude devocional fundamental dos antigos videntes e sacerdotes védicos. Os hinos védicos são invocações de vários poderes superiores e são também louvores reverenciais; neles encontramos as mais antigas raízes históricas do Bhakti-Yoga.

Entretanto, a atitude devocional védica fazia parte de uma religião sacrificial elaborada que, no decorrer do tempo, foi se tornando cada vez mais complexa e exigente. Já na época dos *Brâhmanas* — textos que explicam os rituais e alusões mitológicas védicos — o rigoroso ritualismo sacrificial parecia ter sufocado o elemento devocional. O cumprimento exato dos diversos ritos, a propiciação das divindades e a obtenção da participação destas nas tarefas sacrificiais haviam se tornado mais importantes do que a devoção pessoal por Deus. É possível que as exigências infindas do ritualismo tenham feito com que muitos sacerdotes se sentissem movidos mais pela idéia de dever do que por um coração transbordante de aspiração ou gratidão espiritual.

Como seria de se esperar, a tradição monoteísta Pancarâtra logo passou a atrair um número cada vez maior de pessoas que achavam o panteão védico muito pouco convincente, ou o absoluto impessoal (*brahman*) dos teólogos ortodoxos muito abstrato, ou que simplesmente não se sentiam emocionalmente satisfeitas com o ritualismo sacrificial dos brâmanes. A tradição Pancarâtra dirigia-se aos que ansiavam por uma intimidade pessoal com Deus, e o culto deles girava em torno do deus Vasudeva-Nârâyana-Vishnu. Já o *Shata-Patha-Brâhmana* (13.6.1) menciona um sacrifício *pancarâtra* oferecido ao deus Nârâyana, e o *Mahâbhârata* (12.335) afirma que o sábio Nara era um devoto de Nârâyana e hospedou em sua casa muitos sábios versados na doutrina do Pancarâtra.[20] Isso significa que essa tradição originou-se muito tempo antes da época do Buda e floresceu à margem da sociedade índica antiga. É certo que o Pancarâtra nunca foi visto com bons olhos pelos sacerdotes védicos, mas deixou a sua marca na tradição ortodoxa.

Em grande medida, foi devido ao sucesso dessa tradição religiosa e espiritual — resumida e exaltada na popularidade imensa do *Bhagavad-Gîtâ* e do *Bhâgavata-Purâna* — que o Hinduísmo se tornou aquilo que é hoje em dia: uma cultura religiosa, uma cultura dos templos, das imagens sagradas e dos ritos devocionais de adoração. A tradição Pancarâtra, chamada às vezes de Bhagavatismo, teve também o seu papel no desenvolvimento do Yoga pós-védico. Introduziu a teoria e a prática do *bhakti* num caminho de realização que, no geral, era "cefálico" ou seco demais.

Embora a via do *bhakti* fosse, na origem, associada mais de perto ao culto religioso do deus Vishnu, a palavra *bhakti* é usada em seu sentido técnico num texto muito antigo dedicado ao deus Shiva. Trata-se do *Shvetâshvatara-Upanishad* (6.23), obra de forte conteúdo monoteísta cuja composição costuma se situar no século III ou IV a.C., mas que se encaixa com mais

Reproduzido de *The Gods of India*
Nârâyana

probabilidade na época pré-budista. O texto apresenta o duplo conceito de amor por Deus e amor pelo mestre espiritual, que deve ser amado como se ama a Deus, uma vez que é a própria encarnação ou manifestação d'Ele.

A fim de melhor compreender a evolução do caminho bháktico, precisamos saber que a doutrina monoteísta se desenvolveu em grande medida, embora não exclusivamente, dentro de duas esferas religiosas, a do Vaishnavismo (derivada sobretudo da tradição Pancarâtra) e a do Shaivismo. Os vaishnavas adoram o deus Vishnu — muitas vezes sob a forma de Krishna, sua encarnação — e os shaivas dedicam a vida ao Senhor Shiva. Tanto Vishnu quanto Shiva são mencionados no *Rig-Veda*, e nos é lícito supor que tiveram adoradores desde os tempos mais antigos. Entretanto, o Vaishnavismo e o Shaivismo só se manifestaram como movimentos religiosos plenamente constituídos na segunda metade do primeiro milênio a.C. Entre as primeiras correntes do movimento shaiva podemos listar os Pâshupatas, os Kâpâlikas e os Kâlâmukhas, dos quais falaremos no Capítulo 11.

Um terceiro aspecto significativo do desenvolvimento religioso é o Shaktismo, que também lança as suas raízes no *Rig-Veda*. Centra-se ele na adoração da Divindade sob o seu aspecto feminino, sob o aspecto da energia — ou Shakti — de Deus. Também neste movimento o *bhakti* desempenha importante papel no contexto da adoração ritual à Deusa, seja esta Mahâdevî, Kâlî, Durgâ, Pârvatî, Annapûrnâ, Cândî, Sâtî ou qualquer outra das divindades femininas do Hinduísmo. Nos primeiros séculos da Era Cristã, o Shaktismo se fundiu bastante com o Tantra, mas não chegou a perder por completo a sua identidade independente.

O *Bhaghavad-Gîtâ*, texto vaishnava composto talvez no século VI a.C., usa largamente a palavra *bhakti*, que significa a relação adequada entre o praticante da espiritualidade e a Divindade (sob a forma do Senhor Krishna). Notavelmente, porém, nessa obra, *bhakti* não se refere somente ao caminho da devoção, mas também à própria meta da libertação. Para o Senhor Krishna, *bhakti* é o alfa e o ômega da vida espiritual. O Vaishnavismo foi se tornando cada vez mais popular nos primeiros séculos da Era Cristã, conquistando um grande número de fiéis tanto no sul quanto no norte da Índia.

O Senhor Krishna, amado e amante de todas as criaturas

Na época medieval, a comunidade shaiva criou um equivalente do popularíssimo *Bhagavad-Gîtâ*: o *Îshvara-Gîtâ*, inserido na segunda parte do *Kûrma-Purâna* (Capítulo 11). Essa composição poética, cuja data de criação se supõe ser um pouco posterior à do *Bhâgavata-Purâna* (c. 900 d.C.), se encaixa numa era em que o caminho bháktico se ampliou até assumir as proporções de um movimento cultural que tomou toda a península indiana. Coisa comparável aconteceu na Europa medieval nos séculos XIII e XIV, quando milhares de mulheres cristãs descobriram o poder do coração no misticismo do amor a Jesus.

O ideal do *bhakti* foi recebido com um entusiasmo especial no sul da Índia, onde o caminho da devoção foi desenvolvido tanto pela comunidade shaiva quanto pela vaishnava. Milhares de textos escritos em sânscrito e em tâmil e exaltando as virtudes da devoção sob as suas diversas formas foram criados nos mil anos que se passaram entre 200 a.C. e 800 d.C.

Entre os devotos de Shiva de Tamilnadu (sul da Índia), que criaram o sistema teológico chamado Shaiva-Siddhânta, o *bhakti* já tinha um papel importante em séculos anteriores à Era Cristã. Assim, no maravilhoso *Tiru-Mantiram* ("Palavras Sagradas") de Tirumûlâr (que se supõe ter vivido em algum momento entre 200 a.C. e 100 d.C., mas que provavelmente viveu por volta de 700 d.C.), os termos tâmiles *patti* e *anpu* são mencionados explicitamente; ambos são sinônimos do sânscrito *bhakti*. A obra de Tirumûlâr é o décimo livro do *Tiru-Murai*, que já foi chamado o equivalente tâmil-shaiva dos *Vedas* do norte da Índia. Essa compilação foi feita numa data bastante tardia (o século XI d.C.) por Nambiyândâr Nambi. (Os vaishnavas do sul da Índia também afirmam ter um "Veda" próprio: o *Tiru-Vâymoli*, que será apresentado daqui a pouco.) O *Tiru-Murukâr-Ruppatai* de Nakkîrar, composição poética que integra o décimo primeiro livro do *Tiru-Murai*, fala da busca do *bhakta* pela libertação aos pés do deus Murukan (ou Muruga).

Entre a minoria vaishnava do sul da Índia, o ideal bháktico e a adoração do deus Vishnu foram promovidos sobretudo pelos Âlvârs, um grupo de doze santos *bhaktas* (dos quais só um era mulher). Cantaram eles os seus cânticos de louvor nos séculos VII ou VIII d.C., muito embora a tradição os situe num período tão remoto quanto o compreendido entre 4203 e 2706 a.C. Os ramos setentrionais do Vaishnavismo e do Shaivismo popularizaram também a atitude bháktica, cada qual à sua maneira.

Aos Âlvârs seguiram-se os chamados Âcâryas ("Preceptores"), que procuraram sistematizar a teologia monoteísta do Vaishnavismo. O maior dentre eles foi Râmânuja (1017-1137 d.C.), brâmane do sul. Foi ele o principal expositor do Vishishta-Advaita, ou "Não-Dualismo Qualificado". Sua contribuição para o Hinduísmo foi tão grande quanto a de Shankara, pois o que Râmânuja fez foi estabelecer uma coerência lógica entre a doutrina vedântica do não-dualismo e a idéia de um Ser divino suprapessoal. Conseguiu integrar as tradições setentrional e meridional do Vaishnavismo, fortalecendo muito o culto religioso de Vishnu e preparando a cena para o surgimento do *bhakti-mârga*, ou "via da devoção", no período medieval.

Râmânuja propôs um Yoga radicalmente diferente do sistema de Patanjali, na medida em que atribuía ao cultivo do *bhakti* uma precedência à meditação. Para Râmânuja, a devoção não era apenas o meio por excelência para atingir-se a libertação; era também a meta de todo o esforço espiritual. De acordo com essa escola, a prática espiritual não tem fim.

A história do *bhakti* é vasta e complexa, e os estudos modernos estão ainda num estágio perfeitamente rudimentar. Em particular, as tradições do sul da Índia não têm recebido a atenção que mereciam. O que fica claro, porém, é que a Índia não foi somente a pátria de uma legião de místicos que abandonaram o mundo, mas pode também orgulhar-se de ter tido muitas gerações de milhares e milhares de aspirantes e seres realizados que se embriagaram de amor.

Os mestres do Bhakti-Yoga exaltam o *bhakti* como a via mais fácil dentre as que conduzem à emancipação. A devoção amorosa ao Senhor dá seus frutos sem demora quando é constante, inabalável e desinteressada. As *gopîs*, pastoras de vacas da história de Krishna, simbolizam perfeitamente essa atitude. Na sua paixão ardente pelo Deus-homem, esqueceram-se de tudo — dos maridos, dos filhos, da família, dos amigos e dos deveres cotidianos. Estavam simplesmente embriagadas de amor, e foi esse amor que as aproximou da divina essência do belíssimo jovem Krishna, que era na realidade Deus encarnado.

Nos Capítulos 11 e 12 voltaremos às comunidades Shaiva e Vaishnava e às suas práticas devocionais.

TEXTO ORIGINAL 4

O Bhakti-Sûtra de Nârada

O *Bhakti-Sûtra* do sábio Nârada é um dos dois Sûtras que apresentam a via do *bhakti*. Esta obra, muito popular, foi provavelmente composta por volta do ano 1000 d.C. Portanto, é um pouco posterior ao *Bhakti-Sûtra* de Shândilya, que é mais técnico e menos claro. O texto de Nârada consiste em oitenta e quatro aforismos distribuídos em cinco capítulos. Ao contrário do *Bhagavad-Gîtâ*, não procura integrar e reconciliar as vias da devoção, da ação e do conhecimento. Antes, situa o *bhakti* acima de todos os outros caminhos.

Livro I

Agora, pois, explanaremos o amor (*bhakti*). (1)

Neste [livro de aforismos, afirma-se que] esse [amor tem] a essência do amor supremo (*para-prema*). (2)

E [tem] a quintessência da imortalidade. (3)

Tendo-o obtido, o homem se torna perfeito, se torna imortal, se torna plenamente satisfeito. (4)

Tendo-o alcançado, ele não deseja nada, não sofre, não odeia, não se alegra e não se entrega irrefreadamente à ação. (5)

Tendo-o conhecido, ele fica embriagado, fica imobilizado [no êxtase], fica feliz no Si Mesmo. (6)

Ele [isto é, o amor] não tem a natureza do desejo, pois sua essência é a restrição (*nirodha*).[21] (7)

A restrição, porém, é a entrega de [todas] as atividades mundanas e religiosas [a Deus]. (8)

Nisto [isto é, nessa entrega] há a "não-alteridade" e a indiferença a [tudo o que é] antagônico a esse [amor]. (9)

A "não-alteridade" (*ananyatâ*) é a renúncia a [todos os] outros refúgios. (10)

A indiferença (*udâsînatâ*) às [coisas] mundanas e religiosas antagônicas a esse [amor] é o cumprimento [de ações] conformes a esse [amor]. (11)

Que se preste atenção à doutrina [mesmo] após a [obtenção da] firmeza de convicção. (12)

Caso contrário, [sempre haverá] a possibilidade de decair [da graça]. (13)

Portanto, [deve-se prestar atenção] também às [atividades] mundanas, tais como a atividade de comer, até o fim da conservação do corpo [devido à morte natural]. (14)

As características desse [amor] são descritas de diferentes maneiras em virtude das diferenças de opinião. (15)

Pârâsharya [afirma que o amor é] a devoção ao culto de adoração, etc. (16)

Garga [assevera que o amor é a devoção] às histórias sagradas (kathâ), etc. (17)

Shândilya [declara que o amor é o quanto] não é antagônico à alegria [primordial] do Si Mesmo. (18)

Nârada, por sua vez, [afirma convicto que o amor existe quando] toda a conduta é consagrada a Ele, [e é também o sentimento de] extrema agitação quando Ele é esquecido. (19)

Há [vários exemplos] disto. (20)

Como [o amor] das pastoras de vacas de Vraja. (21)

E também, no que diz respeito a isto, a afirmação [de que as pastoras] se haviam esquecido do conhecimento da glória [de Deus, e portanto só amaram o Deus-homem Krishna por razões terrenas] não é [verdadeira]. (22)

Sem esse [conhecimento da glória de Deus, elas teriam sido] semelhantes às adúlteras. (23)

Numa tal [paixão adúltera], a felicidade não é a felicidade [própria] desta [glória]. (24)

Livro II

Este [amor] é superior até mesmo à ação ritual (karma), ao conhecimento (jnâna) e às [formas convencionais do] Yoga. (25)

[Isto] porque a essência [do amor] é o fruto [de todos esses caminhos]. (26)

Além disso, [o amor é superior a qualquer outro caminho] em virtude do desgosto que o Senhor tem pela presunção e do gosto que tem pela [disposição de] humildade (dainya) [do devoto]. (27)

De acordo com alguns, o conhecimento somente é o meio para este [amor]. (28)

De acordo com outros, os vários [meios] são interdependentes. (29)

Brahmakumâra [isto é, Nârada, afirma que o amor tem] a essência do seu próprio fruto. (30)

[Isto] porque tem-se o exemplo do rei, da casa, da comida, etc.[22] (31)

Nem por esse [reconhecimento da sua verdadeira ascendência] o rei fica satisfeito, nem [há nenhuma outra satisfação além de] matar a fome. (32)

Portanto, só este [amor] deve ser abraçado pelos que buscam a libertação. (33)

Livro III

Os mestres exaltam [os seguintes] meios para [realizá-]lo. (34)

Este [amor], porém, [se realiza] mediante a renúncia aos objetos e mediante a renúncia ao apego. (35)

[Realiza-se] mediante a dedicação constante. (36)

[Realiza-se ainda] através do cantar e do ouvir os atributos do Senhor, mesmo em [meio às atividades] mundanas. (37)

[Realiza-se] sobretudo através da graça de um grande ser, ou através de uma [mera] partícula da graça do Senhor. (38)

Mas o contato com um grande ser é difícil de se obter, [embora a sua bênção seja] incompreensível e infalível. (39)

Mesmo assim, [o amor] só pode ser realizado pela graça destes. (40)

[Isto] porque não há diferença entre Ele e as Suas criaturas. (41)

Só este [amor] deve ser buscado. Só este deve ser buscado. (42)

Deve-se evitar a todo custo as más companhias. (43)

[Deve-se evitar as más companhias] porque elas dão origem ao desejo, à ira, à ilusão, à confusão da memória e à perda da sabedoria. (44)

Embora essas coisas surjam como [simples] ondas, tornam-se um grande oceano devido ao apego (*sanga*). (45)

Quem atravessa, quem atravessa em verdade [o oceano da] ilusão (*mâyâ*)? Aquele que renuncia ao apego, que tem comércio com a grande experiência [do êxtase amoroso] livre [da idéia] de "meu"... (46)

...que freqüenta os lugares solitários, que erradica a escravidão ao mundo e assim se liberta das três qualidades [da Natureza] e lança fora [toda idéia de] aquisição ou acumulação... (47)

...que renuncia ao fruto das ações, renuncia [até mesmo] às ações e assim se torna sem opostos (*nirdvandva*)... (48)

...que renuncia até mesmo [às ações rituais prescritas] nos *Vedas* e chega à condição de um imperturbável anseio [por Deus]... (49)

— ele atravessa, ele em verdade atravessa, ele [até mesmo] salva o mundo. (50)

Livro IV

A essência do amor é indescritível. (51)

Como o paladar de um mudo. (52)

[O amor] sempre se manifesta num receptáculo [digno]. (53)

[O amor] é destituído das qualidades [da Natureza], destituído de desejo, sempre crescente, sem quebras nem emendas, extremamente sutil e coessencial à experiência transcendental (*anubhava*). (54)

Tendo realizado este [amor], ele não vê senão o amor, não ouve senão o amor, [não fala senão de amor] e não pensa senão no amor. (55)

[O amor] secundário é tríplice, em virtude das distinções das qualidades [da Natureza] ou em virtude das distinções de se estar sofrendo, etc. (56)

Dentre elas [as qualidades da Natureza: *sattva, rajas, tamas*], as precedentes são [mais favoráveis] ao bem do que as subseqüentes.[23] (57)

Em [comparação com este] amor [secundário], o outro [isto é, o amor supremo] é mais facilmente realizável. (58)

[É mais facilmente realizável] porque é independente de outras provas e é evidente por si mesmo. (59)

[E também] porque [o amor supremo tem] a essência da paz e a essência da suprema bem-aventurança (*parama-ânanda*). (60)

Caso haja carências neste mundo, não se deve alimentar a inquietação, pois deve-se entregar-se a si mesmo em [todas as atividades] mundanas e religiosas. (61)

Quando se atinge esse [amor supremo], não se devem abandonar as atividades mundanas, mas renunciar aos frutos [das ações] e [cultivar diligentemente] os meios para tal. (62)

Não se deve imitar a conduta das mulheres, dos ricos e dos ateus.[24] (63)

Deve-se renegar a hipocrisia, a presunção, etc. (64)

A consagração da conduta a Ele, [inclusive] do desejo, da ira, do orgulho, etc. — todas essas coisas devem ser direcionadas a Ele somente. (65)

Deve-se praticar o amor que consiste na devoção constante, como a de um servo; na devoção constante, como a de uma esposa; precedida esta pela dissipação dos três tipos [de reatividade, mencionados no aforismo anterior]; deve-se praticar somente o amor. (66)

Livro V

Os devotos radicais (*ekântin*) são os maiores. (67)

Conversando uns com os outros com a voz embargada e lágrimas de êxtase, eles purificam suas famílias e a terra [inteira]. (68)

São eles que consagram os lugares sagrados (*tîrtha*); que dão justiça às boas ações; que dotam as escrituras sagradas do seu verdadeiro significado. (69)

Estão impregnados d'Ele. (70)

Os antepassados alegram-se, os deuses dançam e esta terra obtém [no verdadeiro devoto] um protetor. (71)

Neles não há distinção de nascimento, conhecimento, beleza, família, riqueza, profissão, etc. (72)

Porque são d'Ele. (73)

Não se devem alimentar controvérsias. (74)

[Isto] porque há lugar para a diversidade, e em virtude da natureza translógica (*aniyatatva*) [de Deus]. (75)

Deve-se meditar nos textos sagrados que versam sobre o amor; devem-se praticar as ações que o despertam. (76)

Quando se "marca passo"— depois de se renunciar ao prazer, ao sofrimento, ao desejo, ao ganho, etc. —, não se deve desperdiçar nem sequer a metade de um instante. (77)

Devem-se cultivar hábitos como os da não-violência, da veracidade, da pureza, da generosidade, da fé (*âstikya*), etc. (78)

O [devoto] livre de cuidados deve adorar sempre ao Senhor com todo o seu ser. (79)

Quando Ele é louvado, manifesta-se sem demora aos devotos e leva-os a realizar [a Sua verdadeira natureza, que está além do espaço e do tempo]. (80)

Só o amor pela tripla verdade é maior; só o amor é maior. (81)

[O amor], embora simples, tem onze aspectos: [toma as formas] do apego (*âsakti*) cujo veículo é a glorificação dos atributos [de Deus]; do apego à Sua beleza; do apego cujo veículo é a adoração ritual; do apego cujo veículo é a recordação [dos Seus nomes]; do apego cujo veículo é o serviço; do apego cujo veículo é a amizade [com Ele]; do apego cujo veículo é o afeto [por Ele]; do apego de um amante; do apego da oferta de si mesmo; do apego da conformidade [com a Sua natureza suprema]; do apego quando se está separado do Supremo. (82)

É isto o que proclamam, em uníssono e a despeito do burburinho da multidão, os preceptores do amor: Kumâra, Vyâsa, Shuka, Shândilya, Garga, Vishnu, Kaundinya, Shesha, Uddhava, Âruni, Bali, Hanumat, Vibhîshana, etc. (83)

Aquele que confia e crê nesta auspiciosa explanação feita por Nârada torna-se um amante; alcança o Bem-Amado; alcança o Bem-Amado. (84)

VI. KARMA-YOGA — LIBERDADE NA AÇÃO

Existir é agir. Mesmo um objeto inanimado, como uma pedra, tem o seu movimento. E os elementos básicos da matéria, as partículas atômicas, não são na verdade elementos sólidos, mas configurações energéticas incrivelmente complexas e em perpétuo movimento. Portanto, o universo é uma enorme extensão vibratória. Nas palavras do filósofo Alfred North Whitehead, o mundo é um *processo*. É sobre essa intuição, por mais banal que pareça, que se ergue todo o edifício do Karma-Yoga.

कर्मयोग ॥
Karma-yoga

A palavra *karma* (ou *karman*), derivada da raiz *kri* ("fazer", "criar"), tem muitos significados. Pode ter o sentido de "ação", "obra", "produto", "esforço" e daí em diante. Portanto, o Karma-Yoga é literalmente o Yoga da ação. Mas, no caso, o termo *karma* significa um tipo específico de ação. A rigor, denota uma atitude interior perante a ação, atitude essa que é em si mesma uma forma de ação. Essa atitude é detalhada no *Bhagavad-Gîtâ*, o primeiro texto sagrado a pregar o Karma-Yoga.

Não é abstendo-se de agir que o homem goza da transcendência das ações, nem é somente pela renúncia que ele se aproxima da perfeição. (3.4)

Pois ninguém pode passar nem sequer um momento sem agir. Todos são obrigados a agir, mesmo sem o saber, pelas qualidades (*guna*) geradas pela Natureza. (3.5)

Aquele que contém os seus órgãos de ação mas, ao sentar-se, remói em sua mente os objetos dos sentidos, é chamado um hipócrita que se engana a si mesmo. (3.6)

Por isso, ó Arjuna, mais excelente é aquele que, controlando os sentidos com sua mente, dedica-se desapegado ao Karma-Yoga, empregando nele os seus órgãos de ação. (3.7)

Deves cumprir as ações que te cabem, pois a ação é superior à inação; nem os teus processos corporais (*yâtrâ*) podem ser cumpridos pela inação. (3.8)

Este mundo é escravizado pela ação, exceto quando tal ação é [feita como se fosse] um sacrifício. Com esse objetivo, ó filho de Kuntî, dedica-te à ação sem apegar-te a nada. (3.9)

Portanto, sempre realiza com desapego a ação apropriada (*kârya*), pois o homem que age com desapego alcança o Supremo. (3.19)

O deus Krishna, que comunica essa doutrina ao seu discípulo Arjuna, afirma então ser ele mesmo o modelo arquetípico da pessoa ativa:

Ó filho de Pritha, eu mesmo não tenho nada a fazer nos três mundos, nada a ganhar que eu já não tenha ganho — e, não obstante, dedico-me à ação. (3.22)

Pois, se eu não me dedicasse incansável e continuamente à ação, ó filho de Pritha, em todo lugar os homens seguiriam minhas pegadas [isto é, meu exemplo]. (3.23)

Se eu não agisse, estes mundos pereceriam e eu seria o autor do caos, destruindo [todas] as criaturas. (3.24)

Assim como os néscios agem apegados à ação, ó filho de Bharata, os sábios devem agir desapegados, desejando o bem do mundo. (3.25)

Em todo lugar as ações se cumprem por obra das qualidades (*guna*) da Natureza. [Não obstante, aquele cujo] si-mesmo é iludido pelo ego (*ahamkâra*) pensa: "Sou eu o agente." (3.27)

Mas, ó Braços-Fortes, aquele que conhece a Realidade [e compreende] a relação que existe entre as qualidades e a ação é desapegado e pensa: "As qualidades repousam sobre as qualidades." (3.28)

Cumprindo sempre todas as ações [que lhe cabem] e refugiando-se em Mim, ele atinge por Minha graça o Estado eterno e imutável. (18.56)

Entregando em pensamento todas as ações a Mim, atento a Mim, recorrendo ao Buddhi-Yoga, tem a Mim constantemente na consciência. (18.57)

Krishna, o divino Senhor em forma humana, diz-nos aqui que toda atividade surge espontaneamente em virtude da predeterminação da Natureza (*prakriti*). A idéia de que "eu faço isto ou aquilo" é uma ilusão, uma suposição fatal que nós sobrepomos habitualmente às coisas que na realidade acontecem. Isso significa que nem os nossos pensamentos são gerados por nós. Como todos os processos da Natureza, eles simplesmente surgem. Nós decidimos escrever um texto no computador, tocar piano, andar de bicicleta ou conversar com um amigo — mas, segundo Krishna (e as autoridades espirituais do Hinduísmo em geral), nenhuma dessas atividades é um efeito da personalidade egóica em relação à qual parecem estar se processando. Aliás, o próprio sentido do ego surge como uma das atividades espontâneas da Natureza, supondo ser ele mesmo o autor de certos atos e supondo depois sofrer as conseqüências desses atos.

O objetivo do Karma-Yoga é formulado como "liberdade em relação à ação". O termo sânscrito de que se trata é *naishkarmya*, que significa literalmente "não-ação". Esse sentido literal, porém, não é muito claro, pois não é à inatividade que o termo se refere. Antes, *naishkarmya-karma* corresponde à noção taoísta de *wu-wei*, ou inação na ação. Ou seja, o Karma-Yoga tem por objetivo a liberdade *na* ação, ou a transcendência das motivações egóicas. Quando a ilusão de que o ego é um sujeito agente é transcendida, o ser reconhece que todas as ações ocorrem espontaneamente. Sem a intromissão do ego, essa espontaneidade assume a forma de um fluxo suave. Por isso, os seres verdadeiramente iluminados demonstram uma economia e uma elegância de movimentos que em geral não se fazem presentes nos indivíduos não-iluminados. Por trás das ações do ser iluminado não há agente algum; ou poderíamos dizer que a Natureza mesma é o agente.

Uma vez que a vida é ação por definição, mesmo a aparente inação, de qualquer espécie que seja, deve ser compreendida como uma forma de ação. O princípio do Karma-Yoga tem uma aplicação universal. Isso significa que até mesmo os ascetas que seguem a tradição da *samnyâsa*, e que se abstêm formalmente de todas as atividades mundanas, ainda se acham presos à ação e presos *por* suas ações, a menos que sua fuga do mundo seja regida pelo espírito do Karma-Yoga.

Através do Karma-Yoga, toda ação se transforma num sacrifício, quer o *yogin* leve a vida de um pai de família, quer a vida de um asceta. A vítima desse sacrifício é, em última análise, o eu ou o ego. Enquanto o ego (*ahamkâra*) se afigura como o agente das ações ou inações, essas ações ou inações têm um poder aprisionador. Reforçam o ego e obstaculizam, com isso, a consecução. São a ação ou inação egóicas que geram karma.

A palavra *karma* entrou para a língua inglesa de uma vez por todas, e o dicionário *Webster's* define-a como "a força gerada pelas ações da pessoa, força essa que, segundo o Hinduísmo e o Budismo, perpetua a transmigração e, em suas conseqüências éticas, determina o destino da pessoa na encarnação seguinte". Essa definição está essencialmente correta. O karma não

Krishna

é somente a ação, mas também os resultados invisíveis desta, que moldam o destino da pessoa.

A idéia que está por trás é a de que nós somos o que somos em conseqüência do que fazemos, ou, antes, do *modo* pelo qual o fazemos. Em nossas ações, nós damos expressão ao ser que nós somos (ou que pensamos ser). Em outras palavras, exteriorizamos o nosso ser interior, de modo que as ações são um reflexo da nossa pessoa. Mas elas não são apenas um reflexo. Nossas ações e nosso ser são ligados por uma via de duas mãos. Cada ação tem efeitos sobre o nosso ser e determina a estrutura inteira da pessoa que tendemos a ser.

Simplificando, se a pessoa tende a ser bondosa e benigna, suas ações provavelmente serão da espécie que se costuma considerar boa ou benigna, e reforçarão, por sua vez, a bondade e a benignidade originais da pessoa. Por outro lado, se a pessoa tende a ser mesquinha e destrutiva, suas ações provavelmente serão da espécie que se costuma julgar mesquinha e destrutiva, e reforçarão, por sua vez, a maldade e a destrutividade originais do indivíduo.

As ações e inações têm as suas conseqüências imediatas e visíveis, quer sejam intencionais, quer não. Mas o efeito invisível que têm sobre a qualidade do nosso ser é igualmente importante, e é coisa que, no geral, o Ocidente desconhece por completo. A pessoa que contribui mensalmente para uma instituição de caridade obtém com isso várias vantagens, tais como um abatimento no imposto de renda — as conseqüências visíveis da ação —, mas também desencadeia forças invisíveis que moldam e transformam o seu ser e, com isso, todo o seu destino: cada um colhe o que semeou. A doutrina do karma evidencia que os gênios espirituais da Índia compreenderam isso com a máxima clareza.

O vínculo entre a ação e os seus efeitos reativos é concebido como uma lei inflexível, que já foi chamada de lei da causalidade moral. A lei do karma parece ser o único aspecto imutável do nosso mundo de constante mudança, o *samsâra*. Governa ela o cosmos inteiro, em seus indefinidos níveis, e só a Realidade transcendente em Si Mesma escapa a essa peculiar disposição.

Essa doutrina está intimamente ligada a uma outra crença, comum a todas as escolas do Hinduísmo, do Budismo e do Jainismo. Trata-se da idéia de que o ser humano é uma estrutura ou processo multidimensional que não deixa de existir abruptamente com a morte do corpo físico. As diversas tradições deram explicações várias acerca da continuidade póstuma dos seres, e as interpretações vão das muito ingênuas às inexplicavelmente complexas. De acordo com alguns, a consciência "sobrevivente" se reveste de um corpo não-material para ficar à espera de uma nova encarnação no plano material e num outro corpo físico, ou em algum dos planos supramateriais (ou "sutis") num corpo suprafísico. De acordo com outros, a consciência egóica não sobrevive à morte do corpo, de maneira que, a rigor, não existe uma entidade específica que transmigra, mas apenas uma continuidade de diversas forças "kármicas".

Todas as escolas concordam em que a mecânica do destino no mundo terrestre ou em qualquer outro nível da existência é controlada pela qualidade das ações da pessoa, ou melhor, pelas suas *intenções*. O Karma-Yoga é a arte e a ciência da ação e da intenção responsáveis e "karmo-conscientes". Seu objetivo imediato é impedir a acumulação de efeitos kármicos desfavoráveis e contrabalançar os efeitos do karma já existente.

O Karma-Yoga implica que a natureza humana seja como que virada do avesso, pois exige que cada ação seja realizada segundo uma disposição interior radicalmente diferente do nosso estado comum de espírito. Não nos exorta somente a assumir a responsabilidade pela ação correta (*kârya*), mas também a oferecer nossas obras e seus frutos (*phala*) à divina Pessoa. Essa oferta (*arpana*), porém, acarreta necessariamente uma oferta de si mesmo, ou seja, uma renúncia ao ego. Portanto, Karma-Yoga vai muito além do cumprimento dos nossos deveres. Vai além da moral convencional e envolve uma atitude espiritual profunda. Quando praticada com consciência, a disciplina "fácil" do Karma-Yoga se torna uma ardorosa disciplina de autotranscendência.

A ação praticada no espírito de renúncia ao ego tem efeitos invisíveis benignos. Melhora a qualidade intrínseca do nosso ser e faz de nós uma fonte de edificação espiritual para as outras pessoas. No *Bhagavad-Gîtâ*, o Senhor Krishna afirma que o *karma-yogin* trabalha para o bem do mundo. A expressão que ele usa na língua sânscrita é *loka-samgraha*, que significa literalmente "reunião do mundo" ou "congregação das pessoas". A idéia é a seguinte: a nossa integridade pessoal, fundamentada na renúncia ao ego, transforma ativamente o ambiente social e contribui para a integridade dele. Essa, porém, não é a meta última do *karma-yogin*; é apenas um efeito "colateral" da prática da inação na ação.

CAPÍTULO 2 — A RODA DO YOGA ॐ

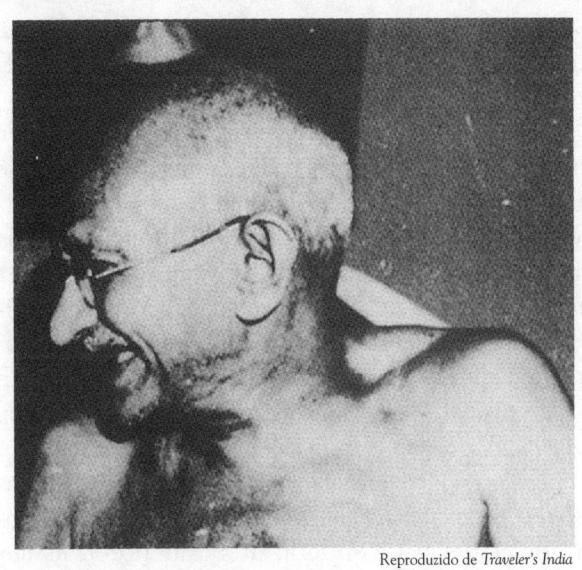

"Mahatma" Gandhi, um karma-yogin consumado
Reproduzido de *Traveler's India*

O "Mahatma" Gandhi foi, na Índia moderna, o mais perfeito exemplo de um *karma-yogin* em ação. Trabalhava incansavelmente para melhorar a si mesmo e para o bem da nação indiana. Ao pôr em prática o elevado ideal do Karma-Yoga, Gandhi teve de renunciar à sua vida, e o fez sem o mínimo rancor, com o nome de Deus — "Ram" — em seus lábios. Entregou-se ao seu destino, confiante em que nenhum dos seus esforços espirituais se perderia, como promete solenemente o Senhor Krishna no *Bhagavad-Gîtâ* — que Gandhi lia todos os dias. Gandhi cria na inevitabilidade ou inflexibilidade do karma, mas cria também na liberdade da vontade humana.

Deve-se observar aqui que a lei do karma não acarreta inevitavelmente o fatalismo, embora alguns indivíduos e escolas tenham adotado essa postura. Muito pelo contrário, é um clarim que nos chama à responsabilidade pelo nosso destino. Tal clarim soa em todas as tradições psicoespirituais da Índia, as quais, sendo doutrinas da libertação, insistem na liberdade da vontade: nós somos livres para voltarmo-nos à Realidade transcendente ou à existência condicionada sujeita à tirania do karma.

O eixo do Karma-Yoga é a idéia de que podemos transcender toda a necessidade kármica *na nossa consciência*. Ainda teremos de suportar certas conseqüências kármicas (tais como a doença, a pobreza e, como não poderia deixar de ser, a morte), mas essas conseqüências não devem determinar o nosso ser: em nossa essência nós somos livres, e o *yogin* que realizou a Si Mesmo tem a mais absoluta consciência dessa verdade. A ação pode melhorar a qualidade do nosso ser e do nosso destino, e é essa a idéia que está por trás da religiosidade convencional: a pessoa faz boas obras porque quer escapar dos terríveis golpes do mau karma e pretende, depois de deixar para trás o corpo físico, entrar num dos paraísos de delícias celestiais.

O Karma-Yoga, porém, almeja à transcendência de todos os destinos possíveis nos mundos condicionados do cosmos multinivelar. O *karma-yogin* aspira ao Incondicionado que está além do bem e do mal, além do prazer e da dor, além da transmigração e da necessidade kármica. Isso porque, quando o Si Mesmo é realizado, só há bem-aventurança, e o mecanismo da Natureza não pode tocar no verdadeiro ser de quem atingiu essa posição. O *yogin* realizado em Si pode ainda sofrer adversidades de todo tipo — Sri Ramana Maharshi, um dos maiores sábios da Índia moderna, que chegou reconhecidamente ao grau supremo da vida espiritual, morreu de câncer — , mas sabe com absoluta certeza que está infinitamente acima das qualidades que surgem e desaparecem na existência condicionada. O adepto iluminado é a Essência eterna que está por trás de todas as qualidades possíveis — quer desejáveis, quer não-desejáveis — que se fazem sentir sobre o corpo físico ou a personalidade a ele associada. Nisso reside o seu triunfo sobre o corpo, a mente e todos os outros aspectos finitos da natureza humana.

Do ponto de vista histórico, o Karma-Yoga pode ser encarado como uma resposta das forças conservadoras da Índia antiga ao crescente movimento social de abandono do mundo. Sob o ponto de vista espiritual, porém, é muito mais do que um meio-termo entre a vida convencional (quer religiosa, quer mundana) e a vida de um asceta das florestas ou de um andarilho mendicante. É uma doutrina integral que transcende tanto o mundanismo quanto o "espiritualismo". Isso quer dizer que o Bhagavad-Gîtâ, ao integrar e correlacionar o Karma-Yoga, o Bhakti-Yoga e o Jnâna-Yoga, representa uma verdadeira inovação.[25] Seus ensinamentos exerceram uma influência duradoura sobre muitas outras tradições hindus. Trataremos mais detalhadamente desse maravilhoso texto sagrado no Capítulo 8.

Outro texto que temos de mencionar no presente contexto é o *Yoga-Vâsishtha*, escrito mais de mil anos depois do diálogo entre Krishna e Arjuna. Embora pregue uma forma de não-dualismo tão radical que o mundo é considerado nela como totalmente ilusório, o texto vê com bons olhos uma atitude de afirmação da existência terrena. Isso porque, nele, o *yogin* é encorajado a participar plenamente da vida familiar e social. A sabedoria (*jnâna*) e a ação (*karma*) são comparadas às duas asas de um pássaro: ambas são necessárias para o vôo. Afirma-se que a libertação é atingida pelo desenvolvimento harmonioso de ambos os meios. Falaremos mais a esse respeito no Capítulo 14.

Doutrina semelhante se acha no *Tri-Shikhi-Brâhmana-Upanishad*, obra do fim do período medieval:

> Afirma-se que o Yoga tem dois aspectos: o Jnâna-Yoga e o Karma-Yoga. Ora pois, ó melhor dentre os brâmanes, escuta o Yoga da ação (*kriyâ-yoga*). A adesão da consciência (*citta*) concentrada a um objeto, ó melhor dentre os duas-vezes-nascidos [i.e., brâmanes], é a união (*samyoga*). É alcançada de dois modos: a adesão constante da mente (*manas*) à ação prescrita — uma vez que a ação é inevitável — é chamada Karma-Yoga. A adesão contínua da consciência ao supremo Objeto [isto é, ao Si Mesmo] deve ser chamada Jnâna-Yoga; é auspiciosa e propicia todas as realizações. Aquele cuja mente é imutável, muito embora [siga] o dúplice Yoga aqui prescrito, encaminha-se para o supremo Bem, cuja natureza é idêntica à da Libertação. (2.23-28)

O Karma-Yoga é o mais fundamentado de todos os caminhos yogues. Seu grande ideal da inação na ação (*naishkarmya-karma*) se aplica a todas as outras disciplinas espirituais e é tão cabível hoje quanto era há mais de dois mil anos, quando os sábios da Índia o formularam pela primeira vez.

VII. MANTRA-YOGA — O SOM COMO VEÍCULO DE TRANSCENDÊNCIA

O som é uma forma de vibração e como tal era conhecido pelos *yogins* da Índia antiga e medieval. De acordo com a teoria predominante da ciência dos sons sagrados — conhecida como *mantra-vidyâ* ou *mantra-shâstra* —, o universo existe num estado de vibração (*spanda* ou *spandana*). A descoberta de que os sons, e

मन्त्रयोग । मन्त्रविद्या । मन्त्रशास्त्र ॥

Mantra-yoga, mantra-vidyâ, mantra-shâstra

sobretudo os sons repetitivos, afetam a consciência, ocorreu há muito tempo, provavelmente na Idade da Pedra. Podemos supor com bastante fundamento que os rituais paleolíticos incorporavam alguma forma de canto e percussão simples, talvez com o uso de ossos de animais como baquetas de tambor. Não é de surpreender, portanto, que na época do florescimento da civilização védica na Índia, os sons (tanto sob a forma de falas e cantos rituais quanto sob a forma de música) já se houvessem tornado um meio bastante elaborado de expressão religiosa e transformação espiritual.

Os hinos dos *Vedas* são chamados pela tradição de *mantras*. A palavra *mantra* não tem equivalente exato em inglês ou português. É derivada da raiz *man* ("pensar" ou "estar atento"), que também se encontra nos termos *manman* ("ponderar atentamente"), *manas* ("mente"), *manisha* ("entendimento"), *manu* ("sábio" ou "homem"), *mana* ("zelo"), *manyu* ("estado de espírito" ou "intenção"), *mantu* ("soberano") e *manus* ("ser humano"). O sufixo *tra* em *mantra* sugere uma função instrumental. Entretanto, de acordo com uma explicação esotérica, ele vem da palavra *trâna*, que significa "ato de salvar". Portanto, o *mantra* é aquilo que salva a mente de si mesma, ou que conduz à salvação através da concentração da mente.

O *mantra* é uma expressão vocal sagrada, um som numinoso ou um som dotado de poder psicoespiritual. É um som que dá poder à mente, ou que recebe o seu poder da mente. É um veículo meditativo de transformação do corpo e da mente humanos, e supõe-se que tenha um poder mágico. Ernest Wood (ou Swami Sattwikagraganya), um dos primeiros ocidentais a praticar Yoga, escreveu:

> Pode-se dizer que todas as formas materiais — tanto as que impressionam os olhos quanto as que impressionam os ouvidos — comportam a presença e o poder de Deus. Tudo nos afeta de acordo com a sua forma. Se entrarmos, por exemplo, numa sala decorada principalmente com linhas retas, percebemos que ela nos estimula mentalmente; mas se entramos numa sala cheia de formas curvas e floreadas, vemos que ela nos move as emoções. Quando captamos um vislumbre da Divindade em qualquer uma dessas formas, chamamos a isso de beleza. A beleza é o poder de Deus que nos toca diretamente nas coisas materiais... Os mantras, portanto, são formas sonoras feitas para ser repeti-

das e deliberadamente criadas para ligar o homem com a Divindade, assistindo-o em suas aspirações emocionais e mentais. Toda boa poesia é uma espécie de mantra, pois transmite algo que vai além do significado imediato de suas palavras. Toda beleza nos afeta de modo mântrico, mas o poder dessas impressões muitas vezes se perde em virtude do excesso de variedade, da confusão e da rapidez da mudança.[26]

Abhinava Gupta, adepto e erudito do século X, explica em seu *Tantra-Âloka* (7. 3-5) a função dos *mantras* mediante a seguinte comparação: uma única roda d'água, girando indefinidamente com a força do rio corrente, pode transmitir movimento a toda uma série de mecanismos a ela ligados. Do mesmo modo, um único *mantra*, repetido muitas e muitas vezes, pode ativar as divindades (*devatâ*) a ele associadas, e torna-se então — sem que o praticante tenha de fazer nenhum esforço adicional — uma força auspiciosa para a transformação da consciência do praticante.

Esse fato parece ter sido perfeitamente compreendido já na era védica. Os hinos em sânscrito dos *Vedas*, "visualizados" por videntes altamente dotados, foram compostos em quinze métricas diferentes que deviam ser meticulosamente recitadas nos rituais e exigiam, portanto, um cuidadoso controle da respiração que garantisse a necessária precisão. É aí que podemos encontrar as origens da posterior técnica yogue do controle da respiração (*prânâyâma*) e também do Mantra-Yoga. Um dos quatro binários védicos, o *Sâma-Veda*, contém um grande número de hinos que eram cantados por sacerdotes especiais durante os grandes ritos sacrificiais; esses hinos, cantados até hoje, se parecem muito com o canto gregoriano medieval.

É fato bem conhecido que o ato de cantar com concentração e por um período prolongado pode produzir alterações na consciência. Quando se acrescenta esse efeito à ação "embriagante" do *soma*, a bebida usada nos rituais cotidianos, compreende-se sem dificuldade por que os videntes védicos eram especialistas em estados alterados de consciência. Não se sabe de que planta o suco *soma* era extraído. Algumas autoridades opinam que se tratava da *Asclepias acida*, ao passo que outras a identificam com o cogumelo agárico (*Amanita muscaria*),[27] mas esta última hipótese não parece compatível com as descrições védicas da planta e do método de extração da essência. Os próprios hinos deixam claro que o *soma* alterava a consciência, mas afirmam também, ao mesmo tempo, que o "verdadeiro" *soma* não era a planta espremida durante os ritos, mas o próprio néctar celeste da imortalidade. Segundo o *Rig-Veda* (10.85.3), "ninguém prova" desse *soma* oculto. Afirma-se que o *soma* superior é produzido pela "hábil concentração visionária". O *soma* físico é apenas um meio para desencadear a visão do *soma* divino.

As mais notáveis especulações acerca do som se encontram no hino rig-védico 1.164, que afirma que Vâc (idêntica ao latim *vox*, "voz" ou "fala"), uma divindade feminina, é a "mãe" dos *Vedas*. Afirma ainda que ela tem quatro "pés" (*pâda*), ou aspectos. Três destes estão além do alcance dos mortais, e só o quarto, associado à voz e à fala humanas, nos é conhecido. Somente os videntes (*rishi*) sabem conhecer Vâc em suas dimensões secretas. Um outro hino (10.71.4) se lamenta por aqueles que vêem e ouvem sem ver e ouvir Vâc.

Outros hinos ainda relacionam Vâc com as vacas sagradas (*vâcas*), que são louvadas como "as que têm a voz auspiciosa". Alguns especialistas desconfiam que o mugir das vacas era associado à sua sílaba sagrada *om*, que é o som primordial do cosmos. É bem possível que essa associação tenha sido feita, mas a suposição de que o som produzido por um animal — por mais que os povos védicos apreciassem esse animal — possa ter dado origem às especulações metafísicas associadas à sílaba sagrada parece um pouco forçada. De qualquer modo, é nesses hinos arcaicos que encontramos os fundamentos evidentes do Mantra-Yoga de épocas posteriores.

Considerado isoladamente, o som mais importante nos cânticos rituais védicos era o monossílabo *om*, que é até hoje, no Hinduísmo, o fonema sagrado mais venerado e amplamente aceito. Encontra-se até mesmo no Budismo tântrico (como, por exemplo, na fórmula mântrica tibetana *om mani padme hûm*, "Om, a

Vaca sagrada

jóia no lotus, *hûm*"). Afirma-se que a sílaba *om*, a qual contém "toda uma filosofia que nem em muitos volumes escritos se poderia expor",[28] é ou expressa a pulsação do próprio cosmos. Não foi pela especulação racional, mas pela prática meditativa que os videntes e sábios da era védica chegaram à concepção de um som universal, um som que ressoa eternamente no universo, e que eles concebiam como a própria origem do mundo criado. Os videntes védicos ouviram interiormente esse som nos seus momentos de meditação mais profunda, quando conseguiam abster-se de ouvir todos os sons externos.

O falecido Agehananda Bharati, swami ocidental e professor de antropologia, fez a importantíssima observação de que um *mantra* só é um *mantra* quando foi transmitido por um mestre a um discípulo durante um rito de iniciação.[29] Portanto, a sílaba sagrada *om* não é um *mantra* para os não-iniciados. É só a iniciação que lhe confere o seu poder mântrico. O *Mantra-Yoga-Samhitâ* (1.5), produto talvez do século XVIII d.C., reconhece esse fato quando afirma:

> A iniciação (*dîkshâ*) é a raiz de toda inovação (*japa*);[30] do mesmo modo, a iniciação é a raiz da ascese; a iniciação transmitida por um verdadeiro mestre realiza todas as coisas.

Os *mantras*, que podem ser compostos de um único som ou de uma série de sons, podem ser usados para muitos fins diferentes. Não há dúvida de que, na origem, eles eram usados para manter à distância as forças ou acontecimentos indesejáveis e para atrair os que eram considerados desejáveis, e ainda é essa a sua principal aplicação. Em outras palavras, os *mantras* são usados como fórmulas mágicas. Mas também são empregados, no contexto espiritual, como fórmulas de poder, que concorrem com o aspirante para a sua busca de identificação com a Realidade transcendente. Assim, um *mantra* vedântico como *aham brahma-asmi*,[31] "Eu sou o Absoluto", é uma poderosa afirmação da nossa identidade fundamental com o Si Mesmo (*âtman*), que é também o Fundamento do mundo objetivo.

Os primórdios do Mantra-Yoga, como já vimos, situam-se na remota era védica. O Mantra-Yoga propriamente dito, porém, é um produto das mesmas forças filosóficas e culturais que deram origem ao Tantra na Índia medieval. Aliás, o Mantra-Yoga é um dos principais aspectos da via tântrica e é objeto de numerosas obras escritas que pertencem a essa corrente espiritual. Por isso, seus fundamentos metafísicos ou esotéricos serão discutidos no Capítulo 17.

Existem também vários textos que tratam especificamente do Mantra-Yoga, em particular o tratado enciclopédico *Mantra-Mahodadhi* ("Oceano dos *Mantras*"), escrito por Mahîdhara em fins do século XIX. Esse texto vem acompanhado de um comentário escrito pelo mesmo autor e intitulado *Naukâ* ("Barco"). Existem também outras obras populares e bastante recentes, como o *Mantra-Mahârnava* ("Grande Oceano dos *Mantras*"), o *Mantra-Mukta-Âvalî* ("Tratado Independente sobre os *Mantras*"), o *Mantra-Kaumudî* ("A Luz da Lua sobre os *Mantras*"), o *Tattva-Ânanda-Tarangînî* ("Rio da Bem-Aventurança da Realidade"), escrito pelo adepto Pûrnânanda no século XVI, e o *Mantra-Yoga-Samhitâ* ("Compêndio de Mantra-Yoga"), escrito no século XVII ou XVIII. A esses devem-se acrescentar vários dicionários que procuram explicar o sentido esotérico dos *mantras* — com resultados um pouco duvidosos, visto que essas obras de referência freqüentemente contradizem umas às outras. Desses textos, só o *Mantra-Mahodadhi* e o *Mantra-Yoga-Samhitâ* foram traduzidos para o inglês.

De acordo com este último texto, o Mantra-Yoga tem dezesseis partes:

1. A devoção (*bhakti*), que tem três formas: (a) as devoções prescritas (*vaidhi-bhakti*); (b) a devoção mesclada ao apego (*râga-âtmika-bhakti*) — isto é, a devoção maculada por motivações egóicas; e (c) a devoção suprema (*para-bhakti*), que é fonte da máxima bem-aventurança.

2. A purificação (*shuddhi*), que se distingue pelos quatro fatores seguintes: corpo, mente, orientação e local. Sua prática consiste em: (a) purificar o corpo; (b) purificar a mente (através da fé, do estudo e do cultivo de diversas virtudes); (c) voltar-se para a direção correta durante a recitação; (d) praticar a recitação num local especialmente consagrado.

3. A postura (*âsana*), que tem a função de estabilizar o corpo durante a recitação; compreende duas formas principais, a *svastika-âsana* e a posição do lótus (*padma-âsana*),[32] ambas as quais estão ilustradas no Capítulo 18.

4. O "serviço aos cinco membros" (*panca-anga-sevana*), o ritual diário de recitar o *Bhagavad-*

Gîtâ ("Cântico do Senhor") e o *Sahasra-Nâma* ("Os Mil Nomes") e de cantar cânticos de louvor (*stava*), proteção (*kavaca*) e abertura do coração (*hridaya*). Essas cinco coisas são concebidas como os "membros" da Divindade; a prática delas é vista como um poderoso instrumento que nos ajuda a dedicar atenção e energia à Divindade e a assimilarmo-nos a Ela.

5. A conduta (*âcara*), que é de três espécies: divina (*divya*), que está além da ascese e da atividade mundana; "da mão esquerda" (*vâma*), que envolve a atividade mundana; e "da mão direita" (*dakshina*), que envolve a renúncia e a ascese.

6. A concentração (*dhâranâ*) num objeto externo ou interno.

7. O "serviço ao espaço divino" (*divya-desha-sevana*), compreendendo dezesseis práticas que convertem um determinado local num espaço consagrado.

8. O "ritual da respiração" (*prâna-kriyâ*), dito único mas acompanhado de diversas práticas subordinadas, tais como as diversas formas de localizar (*nyâsa*) a força vital nas diversas partes do corpo.

9. O gesto ou "selo" (*mudrâ*), que assume numerosas formas. Esses gestos das mãos são usados para concentrar a mente. Serão descritos de forma mais detalhada na Capítulo 17.

10. A "satisfação" (*tarpana*), que é a prática de oferecer libações de água às divindades para agradá-las e garantir a disposição favorável delas em relação ao *yogin*.

11. A invocação (*havana*) da Divindade por meio de *mantras*.

12. As ofertas (*bali*) de frutas, etc., à Divindade. Afirma-se que a melhor oferta é a oferta de si mesmo.

13. O sacrifício (*yâga*),[33] que pode ser externo ou interno; o interno é considerado superior.

14. A recitação (*japa*), que pode ser de três tipos: mental (*mânasa*), silenciosa (*upâmshu*) ou em voz alta (*vâcika*).

15. A meditação (*dhyâna*), que é tão múltipla quanto é grande a variedade de objetos possíveis de contemplação.

16. O êxtase (*samâdhi*), conhecido também como "grande estado" (*mahâ-bhâva*), no qual a mente se dissolve em Deus ou na Divindade escolhida como manifestação do Ser absoluto.

Esse resumo dos dezesseis aspectos do Mantra-Yoga deixa claro que, nessa escola, os rituais têm um papel fundamental, e esse fato reflete bem a tendência geral do Tantra. Nesta nossa época, em que os *mantras* são divulgados e vendidos a granel, talvez convenha lembrar que eles se originaram num contexto sagrado. No decorrer das eras, o Mantra-Yoga sempre foi apresentado como o mais fácil das vias de Realização. O que pode ser mais simples do que recitar um *mantra*? No entanto, é evidente que este Yoga é, em última análise, tão difícil quanto qualquer outro. A repetição mecânica de um *mantra*, especialmente por parte de um não-iniciado, não conduzirá jamais à iluminação ou à felicidade. Paradoxalmente, é preciso uma atenção intensa para transcender o jogo das atenções e realizar o supremo Ser-Consciência-Bem-Aventurança. O Mantra-Yoga exige o mesmo auto-sacrifício que todas as outras formas de Yoga.

VIII. LAYA-YOGA — A DISSOLUÇÃO DO UNIVERSO

O Laya-Yoga gira em torno da "dissolução" (*laya*) ou da "ocupação total" da mente na meditação. A palavra *laya* é derivada da raiz verbal *lî*, que significa "dissolver-se" ou "sumir", mas também "aderir" e "permanecer preso". Essa dupla conotação da raiz *lî* está presente na palavra *laya*. Os *laya-yogins* buscam *dissolver-se* na meditação mediante a *adesão* única e exclusiva ao Si Mesmo transcendental. Buscam transcender todos os vestígios da memória e todas as experiências sensoriais mediante a dissolução do microcosmo, da mente, no transcendente Ser-

Laya-yoga

Consciência-Bem-Aventurança. Seu objetivo é o de desmontar aos poucos o seu universo interno por meio da contemplação intensa até que só reste a única Realidade transcendente, o Si Mesmo.

Há muito tempo que o processo espiritual é compreendido como uma reabsorção gradual dos aspectos "posteriores" da evolução psicocosmológica pelos aspectos "anteriores" — isto é, como um retorno da Multiplicidade à Unidade mediante uma simplificação progressiva da psique, isto é, da mente. O *Katha-Upanishad* (1.3.13), por exemplo, afirma que é necessário controlar a "fala" na mente (*manas*), a mente nas faculdades cognitivas (*jnâna-âtman*), as faculdades cognitivas (isto é, o conhecimento derivado dos sentidos) no "grande" (*mahân*) e o grande (isto é, o intelecto superior, ou *buddhi*) no supremo Si Mesmo. Do mesmo modo, o *Prashna-Upanishad* (4.8) afirma que os vários princípios da existência, tais como os elementos materiais, os elementos sutis, os sentidos, a mente, o intelecto superior, o sentido do ego, a consciência (*citta*) e a força vital, precisam ser reconhecidos como produtos ou aspectos do supremo Si Mesmo.

O Laya-Yoga é um ataque direto contra a ilusão da individualidade. É como explicou Shyam Sundar Goswami, que escreveu o livro definitivo sobre este tema:

> Layayoga é aquela forma de yoga na qual o yoga mesmo, que é o samâdhi, é atingido por meio de laya. Laya é a concentração profunda que provoca, etapa por etapa, a absorção dos princípios cósmicos pelo aspecto espiritual do supremo Poder-Consciência. É o processo de absorção dos princípios cósmicos na concentração profunda, libertando desse modo a consciência de tudo o que não é espiritual, das coisas que contêm o divino poder luminoso e espiralado, chamado kundalinî.[34]

Parece que já na época medieval o trabalho espiritual do *laya-yogin* não era bem compreendido. Isso se evidencia no seguinte versículo do *Hatha-Yoga-Pradîpikâ* (4.34), um dos manuais básicos de Hatha-Yoga:

> Eles dizem "absorção, absorção", mas qual é o caráter da absorção? A absorção é a deslembrança dos objetos que vem como conseqüência do não-surgimento das impressões previamente [adquiridas] (vâsanâ).

A "deslembrança dos objetos" não é um lapso temporário de memória, mas o estado de êxtase sem objeto ou transconceitual, que no Vedânta se chama *nirvikalpa-samâdhi*. Esse estado corresponde aproximadamente ao *asamprajnâta-samâdhi* do Yoga Clássico. Na doutrina yogue, a memória é explicada como uma rede de impressões subliminares (*vâsanâ*). Estas assemelham-se ao aroma que permanece no nariz depois de aspirarmos o perfume de uma bela flor, mas são muito menos benignas, pois nos mantêm aprisionados no mundo da mutabilidade. Por serem forças altamente dinâmicas, que continuamente dão origem à atividade mental, também são conhecidas como "ativadoras" (*samskâra*). No estado extático mais elevado, essas forças subliminares são neutralizadas e a mente fica preparada para a sua própria dissolução (isto é, transcendência) no estado de iluminação.

Os *laya-yogins* dedicam-se a transcender essas configurações kármicas dentro de sua própria mente até dissolver por completo o seu cosmos interior. Nesse empenho, eles se valem de muitas práticas e conceitos do Tantra-Yoga que se encontram também no Hatha-Yoga; valem-se, em específico, do mode-

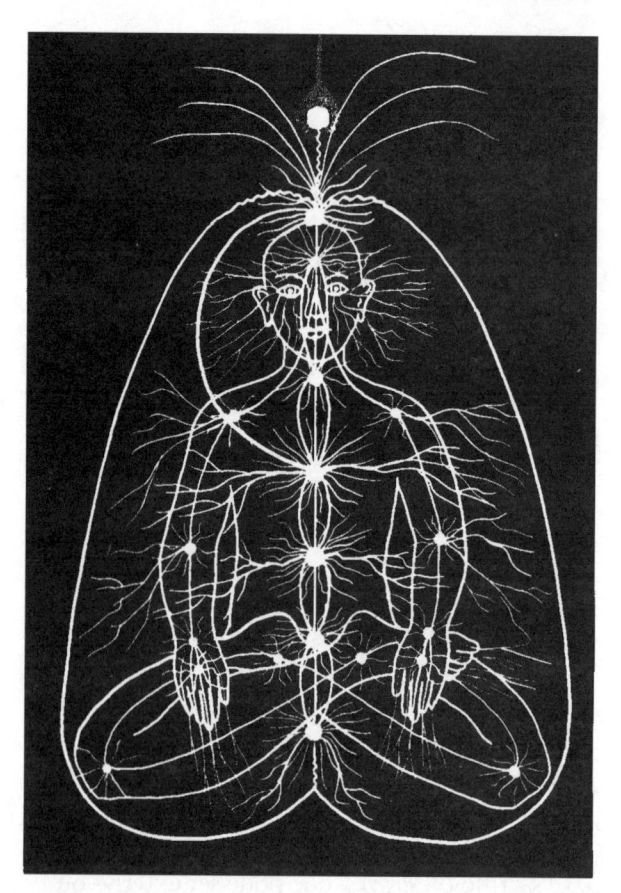

© Do Autor

Os canais ou correntes luminosas do corpo sutil

lo do corpo sutil (*sûkshma-sharîra*) com seus centros psicoenergéticos (*cakra*) e suas correntes ou canais (*nâdî*).

Além disso, no próprio coração do Laya-Yoga está a importantíssima noção de *kundalinî-shakti*, o poder serpentino, que representa a força vital universal tal como se manifesta no corpo humano. O despertar e a manipulação dessa tremenda força também constituem o principal objetivo do *hatha-yogin*. Com efeito, o Laya-Yoga pode ser compreendido como a fase superior, meditativa, do Hatha-Yoga.

À medida que a força *kundalinî* desperta e sobe desde o centro psicoenergético da base da coluna até o do topo da cabeça, ela absorve um tanto da energia vital dos membros e do tronco. Esse fato se explica esotericamente como a reabsorção dos cinco elementos materiais (*bhûta*) pelos seus homólogos sutis. A temperatura do corpo cai sensivelmente nos membros e no tronco, ao passo que o topo da cabeça parece queimar e se afigura quente até mesmo para um observador que o toque com a mão. A fisiologia desse processo ainda não foi compreendida. Subjetivamente, porém, os *yogins* sentem uma progressiva dissolução do seu estado ordinário de ser até identificar-se novamente com o Si Mesmo (*âtman*) eterno que não conhece limites nem corporais nem mentais. Além disso, no clímax da dissolução microcósmica, a respiração pára automaticamente ou se torna imperceptível. A esse fenômeno se chama "retenção absoluta" (*kevala-kumbhaka*).

O processo de absorção é comum a todas as formas meditativas de Yoga, e consiste num afastamento progressivo em relação ao mundo exterior e numa unificação cada vez maior do ambiente interior. Entretanto, no Laya-Yoga os praticantes prestam especial atenção ao aspecto psicoenergético desse processo. O significado destas coisas ficará claro depois da leitura dos Capítulos 17 e 18.

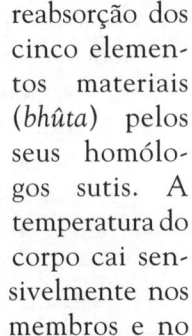

Representação pictórica do poder da serpente

IX. YOGA INTEGRAL — UMA SÍNTESE MODERNA

Todas as escolas de Yoga descritas até agora são criações da Índia pré-moderna. Com o Yoga Integral de Sri Aurobindo, entramos na modernidade. Esse Yoga é a prova viva de que a tradição yogue, que sempre primou pela capacidade de adaptação, continua a desenvolver-se e a reagir às mudanças das condições culturais. O Yoga Integral é a mais destacada tentativa de reformular o Yoga de acordo com as necessidades e as capacidades do homem moderno.

Pûrna-yoga

Embora fizesse questão de preservar a continuidade da tradição yogue, Sri Aurobindo ansiava por adaptar o Yoga ao contexto singular do mundo ocidentalizado de hoje em dia. Para fazê-lo, não se baseou somente na sua educação ocidental, mas também na profundidade da sua experiência e das suas experimentações com a vida espiritual. Juntava na sua pessoa as raras qualidades de um filósofo original, por um lado, e de um místico e um sábio, por outro.

Aurobindo via em todas as formas passadas de Yoga uma tentativa de transcender o envolvimento do ser humano comum com o mundo externo, tentativa essa que tomava a forma da renúncia, do ascetismo, da meditação, do controle da respiração e de um sem-número de outros meios yogues. Como expliquei na Introdução, muitas escolas de Yoga esposam uma atitude que, por conveniência, podemos chamar de "verticalismo": são caminhos que conduzem à Realidade transcendente, ao Espírito, ao Si Mesmo ou à Essência Divina, concebida esta como separada, de algum modo, do mundo material. Todos os Yogas verticalistas procuram ascender para além da vida convencional por meio de uma elevação da atenção.

Na magnífica obra *The Life Divine*, Aurobindo diz que os Yogas anteriores eram caracterizados pela "renúncia do asceta".[35] Essa renúncia consiste numa subestimação do mundo material por parte do asceta, determinada pela força do contato deste com as dimensões supramundanas da existência, e em especial com o domínio resplandecente do próprio Espírito. Essa atitude negativa em relação ao mundo se resume na doutrina vedântica da ilusão, conhecida como *mâyâ-vâda*.

Sri Aurobindo, pai do Yoga Integral, em sua juventude

O termo *mâyâ* refere-se à irrealidade do universo manifesto — noção que, no geral, foi interpretada como uma afirmação do caráter ilusório do próprio cosmos. Além disso, esse axioma metafísico foi muitas vezes associado à idéia de que a existência neste mundo é cheia de sofrimento, dor, pesar e tristeza, e por isso se afigura como perfeitamente inútil. Em conseqüência, os filósofos e sábios verticalistas recomendaram vários caminhos que envolvem uma ou outra forma de renúncia externa.

Por outro lado, o Yoga Integral — chamado *pûrna-yoga* em sânscrito — tem a finalidade explícita de fazer descer a "consciência divina" para o corpo e a mente humanos e para a vida comum. Busca superar o paradigma tradicional que opõe o Espírito à matéria, paradigma esse que, segundo Aurobindo, surgiu junto com o Budismo há uns 2.500 anos. Aurobindo admitiu que os filósofos e sábios da Índia empenharam-se periodicamente para derrubar esse influente paradigma, mas observou por fim que "todos viveram à sombra da Grande Renúncia e, para todos, o fim último da vida é a tanga do asceta".[36] Eis uma citação mais completa das observações inteligentes e eloqüentes de Aurobindo:

A concepção geral da existência caracterizou-se sempre pela teoria budista da cadeia do karma e pela conseqüente oposição entre escravidão e libertação: escravidão mediante o nascimento e libertação mediante o fim dos nascimentos. Assim congregaram-se todas as vozes num grande uníssono, afirmando que nosso reino dos céus não está neste mundo, mas além dele, quer nas alegrias do eterno Vrindavan, quer na altíssima beatitude do Brahmaloka; além de todas as manifestações num inefável Nirvana ou num estado onde toda existência separativa se desfaz perante a unidade indistinta da indefinível Existência. E no decorrer de muitos séculos, um grande exército de brilhantes testemunhas, santos e mestres, nomes sagrados para a memória da Índia e vultos dominantes da imaginação indiana, deram todos o mesmo testemunho e acenaram sempre com o mesmo apelo elevado e distante: a renúncia como única via para o conhecimento, a aceitação da vida terrena como o ato dos ignorantes, o fim dos nascimentos como o único uso correto do nascimento humano, o chamado do Espírito, a fuga perante a Matéria.[37]

É certo que Aurobindo não negou o valor do ascetismo, mas procurou situá-lo no lugar que lhe cabe dentro do contexto de uma espiritualidade integral. Afirmou que os antigos pensadores e sábios hindus levavam muito a sério o axioma vedântico de que só há uma única Realidade, mas não davam o devido valor ao axioma correlato de que "tudo isto é Brahman". Em outras palavras, ignoravam a presença da Divindade não-dual no mundo em que vivemos; ignoravam que não há distinção alguma entre a Divindade e o mundo.

A crítica que Aurobindo faz da metafísica e do Yoga tradicionais do Hinduísmo está essencialmente correta, embora ele tenha preferido ignorar aqueles esforços esporádicos que, como o Sahajayâna ("Veículo da Espontaneidade"), tinham evidentemente por objetivo uma visão de mundo e uma ética mais integradas. Sob esse ponto de vista, pode-se dizer que o ideal do *sahaja* ("espontaneidade") é uma tentativa de superar as limitações do verticalismo tradicional. É verdade, porém, que mesmo algumas escolas do Sahajayâna contêm um forte elemento ascético; e não se pode dizer de modo algum que elas esposem uma ética de afirmação do mundo baseada na evolução, como faz o Yoga Integral.

O "Yoga supramental" de Aurobindo gira em torno da transformação da vida terrestre. Ele queria ver o paraíso na Terra — uma existência totalmente transmutada, mas neste mundo. Escreveu:

> A diferença fundamental está na doutrina da existência de uma Verdade divina dinâmica que pode descer para este mundo de Ignorância, criar nele uma nova consciência da Verdade e divinizar a Vida. Os antigos Yogas vão direto da mente para a Divindade absoluta e vêem toda a existência dinâmica como Ignorância, Ilusão ou Lila; quando se entra na Verdade Divina estática e imutável, dizem eles, escapa-se da existência cósmica... Meu objetivo é o de realizar e também manifestar a Divindade no mundo, trazendo cá para baixo, para esse fim, um Poder que ainda não se manifestou — como a Supermente.[38]

Sri Aurobindo

O que é a Supermente? É aquilo que Aurobindo chama de Consciência da Ordem — *rita-cit* em sânscrito — por trás da mente ordinária. É "o verdadeiro agente criador da Existência universal".[39] É o vínculo dinâmico entre o eterno Ser-Consciência-Bem-Aventurança e o cosmos condicionado. A Supermente é a criadora do mundo, pois é o princípio absoluto da vontade e do conhecimento; organiza-se nas estruturas das dimensões sutil e grosseira (isto é, as dimensões manifestas) da existência.

Segundo Aurobindo, a Supermente é o motor da evolução, que ele compreende como um progresso contínuo rumo a formas de consciência cada vez mais elevadas. Como tal, é ela também a responsável pela manifestação do cérebro e da mente humanos. A mente tem a tendência inata de ir além de si mesma e captar o Todo maior. No entanto, como nos comprovam com a máxima evidência as histórias da filosofia e da ciência, ela está destinada a não alcançar esse seu objetivo. Tudo o que a mente humana pode fazer é admitir as suas limitações intrínsecas e abrir-se para a realidade superior que é a Supermente. Mas essa abertura sempre se reflete subjetivamente como a morte da personalidade egóica limitada pela mente — e essa experiência é terrível para o indivíduo espiritualmente imaturo. Em suas obras, Aurobindo descreve o que ele mesmo sentiu no interior com a descida da Supermente e a conseqüente anulação da mente:

> ... alcançar o Nirvana foi o primeiro resultado radical do meu próprio Yoga. Lançou-me ele de repente num estado situado acima do pensamento, no qual o pensamento não existia; um estado que não era sustentado por nenhum movimento vital ou mental. Não havia ego nem mundo exterior — apenas que, quando o olhar se voltava para fora através dos sentidos imóveis, algo percebia ou criava sobre o seu mais absoluto silêncio um mundo de formas vazias, sombras materializadas sem substância real. Não havia nem Um nem muitos, tão-só absolutamente Aquilo, sem traços distintivos, sem relações, puro, indescritível, impensável, absoluto e, não obstante, sumamente real, o único real. ... permaneci nesse Nirvana dia e noite, até que ele começou a admitir em si outras coisas ou a modificar-se mesmo que minimamente; e o coração íntimo da experiência, uma memória constante dela e do seu poder de voltar a

se impor permaneceram até que por fim começaram a dissolver-se numa Superconsciência maior vinda de cima. Enquanto isso, porém, realização acrescentou-se à realização e veio fundir-se à experiência original. Num estágio incipiente, a visão de um mundo ilusório deu lugar à percepção de que a ilusão não passa de um pequeno fenômeno superficial que tem por trás de si uma imensa Realidade Divina, por cima de si uma suprema Realidade Divina e, no coração de todas as coisas que a princípio só pareciam figuras ou sombras cinemáticas, uma intensíssima Realidade Divina.[40]

Aurobindo considerava o ser humano transformado pela Supermente como o auge da evolução. A Natureza, que é uma forma de Deus, esforça-se para produzir o ser verdadeiramente espiritual, que vai além do "homem vital" e do "homem mental". Esse evolucionismo yogue não é muito bem compreendido na Índia e, mesmo entre os que buscam a espiritualidade no Ocidente, a obra de Aurobindo não é tão conhecida quanto deveria ser. Mas o Yoga Integral é uma força espiritual viva que, nas palavras do filósofo Haridas Chaudhuri, "continua fertilizando o solo espiritual do nosso mundo".[41]

No nível prático, o Yoga Integral se baseia na ação sincronizada da aspiração pessoal, que vem "de baixo", e da graça divina, que vem "de cima". A essência da aspiração, porém, é a entrega de si mesmo, e essa entrega tem de ser completa para que a graça possa realizar a sua obra de transformação. Aurobindo contrapunha esse caminho ao esforço pessoal áspero que caracteriza o caminho do ascetismo (*tapasya*).

O Yoga Integral não prescreve nenhuma técnica, uma vez que a transformação interna é realizada pelo próprio Poder divino. Não há rituais, mantras, posturas ou exercícios de respiração obrigatórios. O aspirante deve tão-somente abrir-se àquele Poder superior, que Sri Aurobindo identificava com a Mãe. Essa abertura e essa invocação da presença da mãe são compreendidas como uma forma de prece ou de meditação. Aurobindo aconselhava os praticantes a concentrar a atenção no coração, que desde a mais remota antigüidade é considerado o portal que leva a Deus. A fé, ou certeza interior, é considerada uma das chaves do crescimento espiritual. Os outros aspectos importantes da prática do Yoga Integral são a castidade (*brahmacarya*), a veracidade (*satya*) e uma permanente disposição calma (*prashânti*).

Para Aurobindo, a Mãe não era um princípio abstrato ou uma divindade transmundana, mas a força da graça encarnada na própria esposa com a qual ficou casado a vida inteira. Ele compreendia a si mesmo como a Consciência e a ela como a Shakti ou Poder divino manifestos na forma física.

"O Yoga não é uma religião, mas uma espiritualidade. Como tal, exerceu sua influência sobre todo o desenvolvimento religioso e espiritual da Índia."

— Thomas Berry, *Religions of India*, p. 75

Capítulo 3
O YOGA E AS OUTRAS TRADIÇÕES DO HINDUÍSMO

I. RESUMO DA HISTÓRIA CULTURAL DA ÍNDIA

O subcontinente indiano é a pátria de milhares de cultos locais que já foram chamados de "animistas" e "politeístas" e cuja diversidade é tão grande quanto a das culturas xamânicas do continente africano. Mas a Índia também gerou quatro tradições espirituais que se contam entre as grandes religiões do mundo — o Hinduísmo, o Budismo, o Jainismo e o Sikhismo. Portanto, nenhum outro lugar deu à espiritualidade mundial uma contribuição tão grande quanto a Índia. Mais do que qualquer outro povo, os indianos deram mostras de uma incrível versatilidade espiritual, que inspirou muitas outras nações e deu, neste nosso século XX, uma ajuda muito necessária à civilização ocidental, tão deficiente no que se refere às coisas do Espírito.

Há muitos séculos que a tradição predominante no subcontinente indiano é o Hinduísmo,

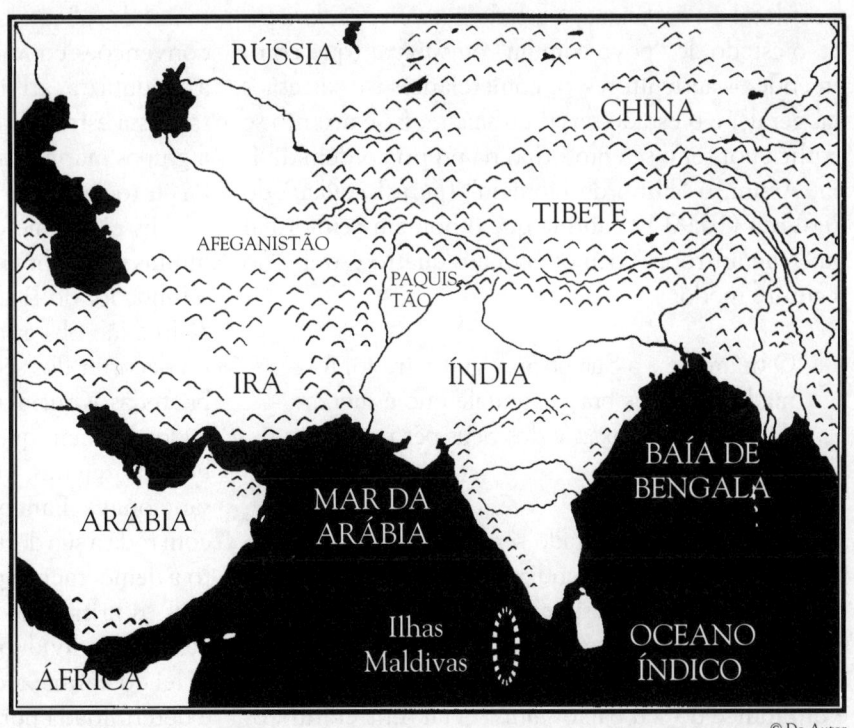

Mapa da Índia (Bharatavarsha) e dos países circundantes

o qual conta hoje com mais de 780 milhões de seguidores no mundo inteiro. Na Índia, que tem hoje uma população de cerca de 900 milhões de pessoas, estima-se que haja cerca de 750 milhões de hindus. Sob o ponto de vista quantitativo, o segundo grupo religioso é o dos muçulmanos, que são cerca de 100 milhões, seguidos por mais ou menos 25 milhões de cristãos e 20 milhões de sikhs. Os budistas são uma minoria na Índia, mas têm forte representação no Sri Lanka (antigo Ceilão), no Tibete e no Sudeste Asiático.

O termo "Hinduísmo" é ambíguo. Às vezes se refere à cultura global de todos os habitantes da península, com exceção daqueles que se vinculam a religiões claramente definidas como o Budismo, o Islam e o Cristianismo. Sob um ponto de vista mais específico, o nome se aplica às varias tradições que têm um vínculo histórico e ideológico com a antiga cultura védica de seis mil anos atrás e que assumiram a sua forma característica nos primórdios do primeiro milênio d.C. Neste livro, o termo "Hinduísmo" é tomado no sentido lato.

O Hinduísmo é mais do que uma religião. À semelhança das outras grandes religiões do mundo, é toda uma cultura datada de um estilo de vida próprio; é além disso, caracterizado por uma estrutura social singular: o sistema de castas. Há milhares de anos que a sociedade hindu se organiza em quatro estados sociais (*varna*), erroneamente chamados de castas: o estado sacerdotal ou *brâhmana*, o estado guerreiro ou *kshatriya*, o estado do "povo comum" ou *vaishya* (que compreende os agricultores, os comerciantes e os artesãos em geral); e o estado servil ou *shûdra*. Esse arranjo se explica por ter o seu protótipo na própria ordem divina. Assim, o "Hino do Homem" (*purusha-sûkta*) do *Rig-Veda* (10.90.12) afirma que o homem primordial ou "macrântropos" deu origem aos quatro estados do seguinte modo:

> O brâmane é a Sua boca; o guerreiro foi formado dos Seus braços; aquele que é mercador é as Suas coxas; e dos Seus pés nasceu o servo.

Os membros do estado servil foram sistematicamente excluídos do aprendizado das escrituras sagradas e vieram por fim a ser considerados proscritos. Os pés são simbolicamente "sujos", e a correlação dos *shûdras* com os membros inferiores da Homem Cósmico é um índice do seu baixo *status* social. Entretanto, os pés são uma parte inalienável do ser humano na plenitude das suas funções, e do mesmo modo o estado servil é importante para o bem-estar da sociedade. Não obstante, do ponto de vista védico, os *shûdras* são karmicamente pré-ordenados aos trabalhos servis e não ao trabalho intelectual, ao comando e aos trabalhos criativos, porque a consciência deles tem um matiz (*varna*) mais escuro. Muitas vezes já se supôs, erroneamente, que o termo *varna* ("cor") se refere à cor da pele e que os quatro estados eram definidos e separados por barreiras étnicas. A realidade é que os quatro estados conformam o corpo social dos arianos védicos, os quais, a julgar pelo *Rig-Veda*, prestavam mais atenção à cor da alma do que às características raciais.

Só os três estados superiores são considerados "nascidos duas vezes" (*dvija*), isto é, "renascidos" através da correta iniciação na tradição védica. Isso ocorria tradicionalmente às idades de oito, onze e doze anos para os meninos e meninas dos estados sacerdotal, militar e agrícola/mercantil, respectivamente. Eles passavam então pelo rito da investidura (*upanayana*) na qual recebiam um cordão sagrado (*yajna-upavîta*; escreve-se *yajnopavîta*)[1] que era usado permanentemente sobre o ombro esquerdo, passando em diagonal sobre o peito.

A permissão do casamento entre membros dos diversos estados levou à criação de muitas subdivisões sociais, as quais são propriamente chamadas castas (*jâti*). Estas, por sua vez, geraram um número cada vez maior de subcastas. Essa hierarquia social é regida por convenções complexas que regulam cuidadosamente a conduta e as atividades dos membros das diversas castas. Essa estratificação não pôde deixar de dar origem a grupos marginais que foram chamados de sem-casta ou "intocáveis".

Esse enorme edifício social foi posto em cheque muitas vezes por visionários e reformadores. Gautama, o fundador do Budismo, foi um dos primeiros a rejeitá-lo. Não obstante, o sistema de castas permaneceu no decorrer dos séculos e exerceu forte influência sobre todas as outras tradições do subcontinente. Os inovadores sociais que rejeitavam o sistema tinham também de rejeitar, em geral, a revelação védica que o sancionava. Para o hindu piedoso, o sistema de castas, com toda a sua desigualdade social, é tão natural quanto a democracia é para nós. Assim como nós justificamos os princípios democráticos com a afirmação do valor do indivíduo, o sistema de castas se justifica pela lei do karma: a condição de cada pessoa nesta vida é determinada por seus quereres e ações passadas. Os brâmanes são brâmanes porque praticaram a virtude e seguiram a vida espiritual em vidas passadas. Os intocáveis são intocáveis porque não tiveram, no passado, motivação suficiente para aspirar a uma vida superior, ou talvez porque tenham cometidos atos muito maus.

O sistema de castas pode até chocar a nossa sensibilidade ocidental e moderna, mas não faz muito tempo que os nossos antepassados apoiavam valores e opiniões muito semelhantes aos dos hindus tradicionais. Foi só com o surgimento de um individualismo radical durante a Renascença que a antiga ordem social, marcadamente hierárquica, passou a ser questionada e posta em cheque até ser, por fim, abolida. O fato, porém, é que mesmo a assim chamada sociedade igualitária moderna não está nem um pouco livre da estratificação social, com uma elite ultra-abastada no topo da pirâmide e, na base, uma multidão sem fim de miseráveis.

A rigidez do sistema de castas foi sempre equilibrada por uma forte tendência à flexibilidade ideológica. Assim, o Hinduísmo deu mostras de uma incrível capacidade de assimilar dentro de si até as coisas mais radicalmente opostas. Numa extremidade do espectro, por exemplo, encontramos a escola do não-dualismo radical de Shankara; na outra extremidade, o rígido dualismo do Sâmkhya clássico, o qual, apesar do seu ateísmo, ainda é contado como um dos seis principais sistemas filosóficos (*darshana*, "pontos de vista") do Hinduísmo. Outro exemplo desse extremo contraste entre posições filosóficas diversas é a presença, por um lado, da atitude "fria" e contemplativa do Jnâna-Yoga dos *Upanishads*, e, por outro, do emocionalismo fervoroso de algumas escolas monoteístas de Bhakti-Yoga. A via da devoção (*bhakti-mârga*) da época medieval é fortemente sincrética e incorporou, entre outras coisas, certos elementos do Sufismo muçulmano. Exemplo típico desse espírito englobante do Hinduísmo é o *Allah-Upanishad*, obra tardia que foi escrita sob a influência muçulmana.

O poder de absorção e assimilação do Hinduísmo é tamanho que até uma tradição religiosa tão nitidamente definida quanto o Cristianismo foi seduzida pelos seus encantos e, nos séculos XVI e XVII, teve de ser resgatada da "hinduização" total pelos missionários jesuítas. Às vezes a tendência englobante do Hinduísmo é erroneamente interpretada como uma espécie de tolerância universal; isso simplesmente não é verdade. A história da Índia assistiu a vários casos de intolerância entre as diversas facções do Hinduísmo, e podemos citar a título de exemplo a prolongada tensão que existe entre os Vaishnavas e os Shaivas.

A melhor maneira de compreender o Hinduísmo é considerá-lo um processo sociocultural complexo que se desenrolou na dinâmica entre a continuidade e a descontinuidade, entre a persistência de formas antigas e a assimilação de novas expressões da vida cultural e religiosa. Assim, a partir de um determinado ponto de vista, pode-se dizer que o Hinduísmo começou com a civilização védica (talvez numa época tão remota quanto o 5º milênio a.C.). A partir de outro ponto de vista, existem certas diferenças muito importantes entre a cultura sagrada védica e o Hinduísmo tal e qual o conhecemos hoje. Mas, no todo, a continuidade é surpreendente e se afigura muito mais significativa do que as mudanças introduzidas no decurso da história.

Até há pouquíssimo tempo, a maioria dos estudiosos ocidentais e indianos tendiam a enfatizar a descontinuidade como fator da evolução cultural da Índia. Afirmavam, em particular, a ocorrência de um embate entre a civilização do Vale do Indo e a cultura "ariana" védica, que imaginavam ter-se originado fora da Índia. Entretanto, essa antiga e persistente teoria da invasão ariana tem sido resolutamente posta em cheque. Um número cada vez maior de estudiosos, tanto na Índia quanto no Ocidente, passou a encarar esse modelo histórico como uma espécie de mito científico, construído sem o apoio de provas suficientes e culpado de influenciar adversamente a compreensão que temos da história e da cultura da Índia antiga. Essa importante mudança de opinião por parte dos estudiosos está documentada no livro *In Search of the Cradle of Civilization* ("Em Busca do Berço da Civilização").[2]

Todos os indícios nos dão a entender que os arianos, que falavam o sânscrito e compuseram os *Vedas*, não eram nômades primitivos que vieram de fora da Índia e trouxeram morte e destruição à população nativa. Antes, os dados disponíveis mostram que eles eram verdadeiros filhos do solo indiano. Além disso, temos bons motivos para supor que a civilização védica, tal como se reflete no *Rig-Veda* e nos três outros *Samhitâs* védicos, era idêntica — em grande medida, senão completamente — à chamada civilização do Indo. Falaremos mais sobre este assunto no Capítulo 4.

À luz desses novos entendimentos, o desenvolvimento histórico da Índia hindu pode ser dividido por conveniência em nove períodos, que se expressam em estilos culturais distintos. A cronologia que apresentaremos a seguir não é segura e a periodização é até certo ponto arbitrária, visto que a história é antes de mais nada um processo contínuo. Admitimos que a datação dos primeiros quatro períodos históricos é especulativa, mas a cronologia padronizada dos livros escolares e universitários também o é. Não há dúvida de que os *Vedas* devem ser considerados frutos de uma época muito anterior ao marco referencial do ano 1900 a.C., acerca do qual nos explicaremos em breve. Não sabemos com certeza o quão anterior é essa época, mas certas referências astronômicas que constam dos próprios *Vedas*, associadas às genealogias dinásticas dos *Purânas* e às listas de sábios dos *Brâhmanas* e *Upanishads*, pesam em favor de uma data pelo menos dois mil anos anterior a 1200 a.C., que é a época evidentemente errônea na qual se costuma situar a composição do *Rig-Veda*. Assim como os *Vedas* devem ser situados numa data mais antiga, assim também a data de composição dos *Brâhmanas* originais deve ser recuada no tempo, por razões semelhantes, até antes de 1900 a.C. Do mesmo modo, os mais antigos entre os *Upanishads* — que em geral se supõe terem sido criados pouco tempo antes da vida do Buda — devem, à luz de todos esses fatos, ser situados numa data muito anterior.

Sítios arqueológicos da civilização do Indo-Sarasvatî

1. Era Pré-Védica (6500 — 4500 a.C.)

Há pouco tempo, escavações arqueológicas realizadas no Baluquistão Oriental (Paquistão) trouxeram à luz uma cidade do tamanho do Stanford, na Califórnia, datada de meados do sétimo milênio a.C. Essa antiga cidade neolítica, chamada de Mehrgarh pelos arqueólogos, prefigurou de diversas maneiras a civilização urbana que depois se constituiu ao longo dos dois grandes rios da Índia norte-ocidental: o Indo e, a leste dele, o Sarasvatî, já seco.

Estima-se que a população de Mehrgarh fosse de cerca de 20.000 pessoas, um número enorme para aquela época. Além de ter sido um grande centro de importação e exportação de mercadorias, a cidade parece ter sido também um centro de criação e inovação tecnológica. Os diligentes habitantes de Mehrgarh já cultivavam o algodão em primórdios do quinto milênio a.C. e já produziam grandes quantidades de objetos cerâmicos de excelente qualidade no quarto milênio a.C. Estatuetas de terracota datadas de c. 2600 a.C. dão mostras de uma maravilhosa continuidade estilística com a arte da civilização do Indo-Sarasvatî e também do Hinduísmo posterior.

2. Era Védica (4500 — 2500 a.C.)

Este período se define pela criação e pela proeminência cultural da tradição de sabedoria que consubstanciou-se nos hinos dos quatro *Vedas*. Certas referências astronômicas que constam do *Rig-Veda* dão a entender que a maior parte dos hinos foi composta no quarto milênio a.C., e que alguns deles talvez datem até do quinto milênio a.C. O máximo limite posterior do período védico é determinado por uma grande catástrofe natural: o completo esgotamento do grande rio Sarasvatî, aparentemente determinado por modificações climáticas e tectônicas ocorridas no decurso de várias centenas de anos. Parece que, por volta de 3100 a.C., o rio Yamunâ mudou de curso e deixou de verter suas águas no Sarasvatî; tornou-se, em vez disso, tributário do Ganges. Por volta de 2300 a.C., o Sutlej, que era o maior afluente do Sarasvatî, também passou a desaguar no Ganges. Já em 1900 a.C., o Sarasvatî, que já tinha sido a maior corrente de água da Índia setentrional, havia secado completamente. Logo os numerosos assentamentos que se erguiam ao longo de suas margens foram abandonados e por fim foram cobertos pelas areias do grande Deserto de Thar.

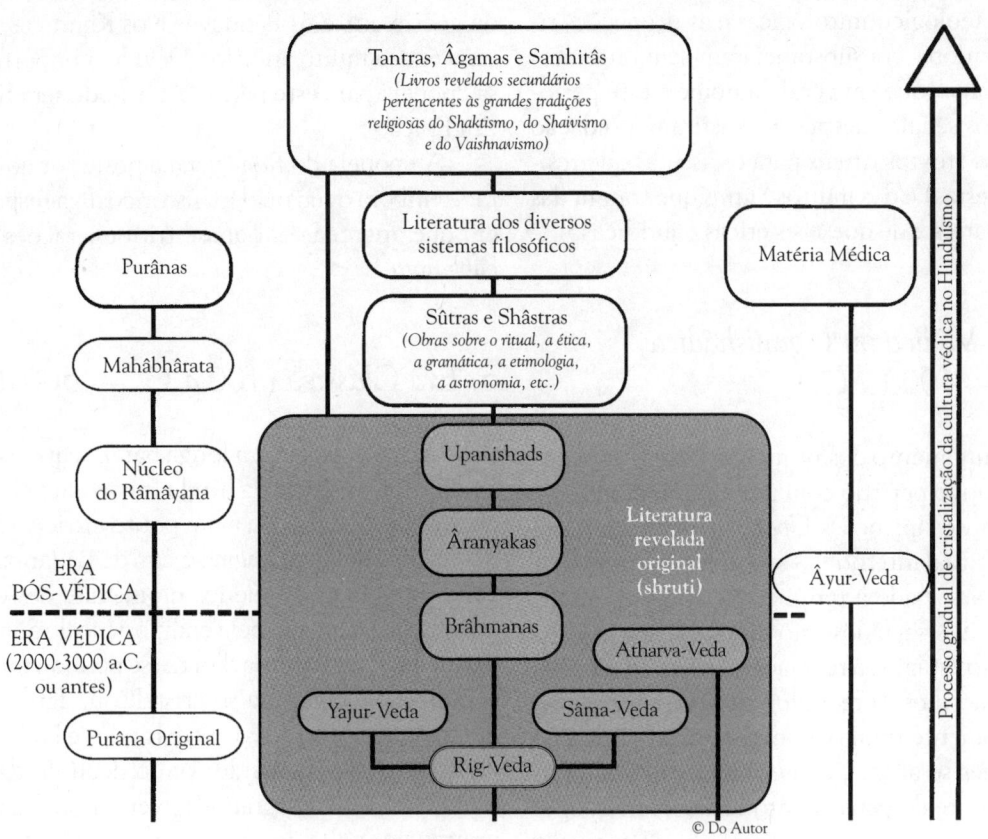

A literatura sagrada do Hinduísmo

Tantras, Âgamas e Samhitâs
(Livros revelados secundários pertencentes às grandes tradições religiosas do Shaktismo, do Shaivismo e do Vaishnavismo)

- Literatura dos diversos sistemas filosóficos
- Sûtras e Shâstras (Obras sobre o ritual, a ética, a gramática, a etimologia, a astronomia, etc.)
- Matéria Médica

Literatura revelada original (shruti):
- Upanishads
- Âranyakas
- Brâhmanas
- Atharva-Veda
- Yajur-Veda
- Sâma-Veda
- Rig-Veda
- Âyur-Veda

ERA PÓS-VÉDICA
- Purânas
- Mahâbhârata
- Núcleo do Râmâyana

ERA VÉDICA (2000-3000 a.C. ou antes)
- Purâna Original

Processo gradual de cristalização da cultura védica no Hinduísmo

---

Dada a antiguidade dos hinos védicos e o fato de que os arianos que falavam sânscrito não eram invasores estrangeiros, só há uma conclusão a que podemos chegar: os povos védicos estavam presentes na Índia concomitantemente à chamada civilização do Indo. Mais ainda: os vestígios arqueológicos deixados por essa civilização não se opõem de modo algum ao universo cultural retratado nos hinos védicos. Somos obrigados a concluir daí que os habitantes de Harappa e de Mohenjo-Daro, bem como das centenas de outras cidades que se erguiam nos vales do Indo e do Sarasvatî, por um lado, e os arianos védicos, por outro, eram um único e o mesmo povo.

Além disso, como já se demonstrou, a matemática védica influenciou a matemática da Babilônia, o que significa que o núcleo dos *Shulba-Sûtras*, que contém a teoria matemática védica, já devia existir por volta de 1800 a.C. Como os *Sûtras* são considerados posteriores aos *Brâhmanas*, a data de composição dos *Vedas* pode ser recuada para o terceiro milênio a.C., a fim de permitir um tempo suficiente para que ocorressem esses desenvolvimentos. De acordo com alguns estudiosos, o *fim* da Era Védica (incluindo-se nesta os *Brâhmanas* e os *Upanishads*) foi marcado pela famosa guerra que consta do *Mahâbhârata* e que a tradição data de 3102 a.C.³ Isso coincide com o início do *kali-yuga*, a era de trevas da qual falam os *Purânas* posteriores, os *Tantras* e outros textos. É possível, porém, que essa data seja recuada demais; mais provável é que a guerra e a redação final dos quatro hinários védicos tenham ocorrido por volta de 1500 a.C.

3. Era Brahmânica (2500 — 1500 a.C.)

Com o colapso dos assentamentos que se erguiam às margens do Indo e do Sarasvatî, o centro da civilização védica deslocou-se para o leste, para as férteis margens do Rio Ganges (Gangâ) e dos seus afluentes. Como seria de se esperar, as condições ambientais das novas áreas de assentamento provocaram mudanças no sistema social, que foi se tornando cada vez mais complexo. Neste período, a classe sacerdotal transformou-se numa elite profissional, altamente especializada que logo dominou a cultura e a religião védicas. As especulações teológico-mitológicas e as ocupações rituais dos sacerdotes consubstanciaram-se na literatura dos *Brâhmanas*, que em geral dá nome a este período. Os últimos séculos desta era assistiram à redação dos *Âranyakas* (textos rituais para os ascetas que residiam nas florestas) e dos muitos *Sûtras* que tratam das ciências, das artes e de questões éticas e jurídicas.

4. Era Pós-Védica ou Upanishádica (1500 — 1000 a.C.)

Com o surgimento dos primeiros *Upanishads*, entramos num novo período com um sabor metafísico e cultural bastante típico. Os *Upanishads* introduziram o ideal de um ritual interno — "sacrifício interior" (*antar-yajna*) — associado à renúncia às coisas do mundo. Nesses textos sagrados anônimos — que constituem o terceiro estágio da revelação (*shruti*) védica —, vemos os primórdios da tecnologia psicoespiritual indiana propriamente dita. Não obstante, ao contrário do que às vezes se afirma, os *Upanishads* não se afastam radicalmente do pensamento védico; antes, apenas explicam e manifestam as coisas que os *Vedas* afirmam de maneira velada ou sintética. A conclusão da Era Pós-Védica coincide com o surgimento do Budismo e do Jainismo, duas tradições não-védicas.

5. Era Pré-Clássica ou Épica (1000 — 100 a.C.)

Durante o quinto período deste esquema cronológico, o pensamento metafísico e ético entrou em efervescência na Índia. Atingiu um grau de complexidade que permitiu um fértil confronto entre as diversas escolas religiosas e filosóficas. Ao mesmo tempo, vemos nessa época uma saudável tendência à integração dos muitos caminhos psicoespirituais, especialmente das duas grandes correntes que eram a renúncia ao mundo (*samnyâsa*), por um lado, e a aceitação das obrigações sociais (*dharma*), por outro. Foi nesse campo que ocorrem o desenvolvimento pré-clássico do Yoga e do Sâmkhya. O melhor exemplo desse espírito sintético e integrador são as doutrinas contidas no *Mahâbhârata*, do qual faz parte a mais antiga obra completa sobre Yoga, o *Bhagavad-Gîtâ*. Foi neste período que o gigantesco *Mahâbhârata*, tal como o conhecemos, foi criado, embora o seu núcleo que conta a gran- de guerra entre os Pândavas e os Kauravas, venha de uma época muito anterior. Devido à importância dessa epopéia para este período, ele pode ser chamado de Era Épica.

A epopéia do *Râmâyana* é posterior ao *Mahâbhârata*, embora o seu núcleo histórico diga respeito a uma era que antecede em quase trinta gerações a do *Mahâbhârata*.

6. Era Clássica (100 a.C. — 500 d.C.)

Durante esta era, a longa batalha que as seis escolas clássicas da filosofia hindu travavam pela supremacia intelectual chegou a um ponto crítico. O *Yoga-Sûtra* de Patanjali e o *Brahma-Sûtra* de Bâdarâyana foram compostos mais ou menos na metade desse período, cujo fim foi marcado pela composição do *Sâmkhya-Kârikâ* de Îshvara Krishna. Foi nesse período também que o Budismo Mahâyâna se cristalizou, dando origem a um diálogo muito ativo entre hindus e budistas. O fim da Era Clássica coincide com o declínio da Dinastia Gupta, cujo último grande governante, Skandagupta, morreu por volta de 455 d.C. Sob os Guptas, cujo reinado teve início em 320 d.C., as artes e ciências floresceram extraordinariamente. Embora os reis fossem adeptos fervorosos do Vaishnavismo, exerciam a tolerância para com as outras religiões, o que permitiu que o Budismo, em especial, florescesse e deixasse a sua marca na cultura da Índia. O peregrino chinês Fa-Hien ficou muitíssimo impressionado com o país e seus habitantes. Em seu escritos, fala de cidades prósperas e da existência de varias instituições de caridade, bem como de hospedarias para os viajantes ao longo das estradas.

7. Era Tântrica / Purânica (500 — 1300 d.C.)

Em meados do primeiro milênio d.C., ou talvez um pouco antes, testemunhamos o início da grande revolução cultural do Tantra, ou Tantrismo. Essa tradição, cuja extraordinária psicotecnologia será discutida no Capítulo 17, representa o impressionante resultado de muitos séculos de esforço em prol da criação de uma grande síntese filosófica e espiritual a partir das diversas escolas divergentes que existiam na época. Em específico, o Tantra pode ser considerado uma integração das idéias e ideais metafísicos mais elevados com as crenças e práticas populares (rurais). O Tantra apresentava-se ainda como o evangelho da era das trevas (kali-yuga). Na virada do primeiro milênio d.C., as doutrinas tântricas já haviam tomado todo o subcontinente indiano, influenciando e transformando igualmente a vida espiritual dos hindus, dos budistas e dos jainas.

Por um lado, o Tantra simplesmente deu continuidade ao processo milenar de amálgama e síntese; por outro, foi uma autêntica inovação. Embora não tenha acrescentado muita coisa ao repertório filosófico da Índia, teve uma importância enorme no nível das práticas espirituais. Fomentou um estilo de vida espiritual que se contrapunha radicalmente a tudo o que até então foi considerado legítimo nos contextos do Hinduísmo, do Budismo e do Jainismo. Em particular, deu legitimidade filosófica ao princípio psicocósmico feminino (chamado *shakti*), que já era reconhecido havia muito tempo nos cultos locais a divindades femininas.

Esta era também pode ser chamada de Era Purânica, pois foi nesta época que as grandes compilações enciclopédicas chamadas *Purânas* foram criadas com base em tradições purânicas muito mais antigas (datadas da era védica). No seu âmago, os *Purânas* constituem uma história sagrada em torno da qual se teceu uma teia de conhecimentos filosóficos, mitológicos e rituais. Muitas dessas obras evidenciam uma influência do Tantra e contêm informações preciosas sobre o Yoga.

8. Era Sectária (1300 — 1700 d.C.)

A redescoberta do princípio feminino na filosofia e na prática de Yoga por parte do movimento tântrico abriu caminho para a fase seguinte da história cultural indiana: o movimento bháktico. Esse movimento de devoção religiosa fez culminar as aspirações monoteístas das grandes comunidades sectárias, em especial os Vaishnavas e os Shaivas; daí o nome de Era Sectária. Ao incluir a dimensão emocional no processo psicoespiritual, o movimento devocional — ou *bhakti-mârga* — completou a síntese pan-indiana que tivera seu início na Era Pré-Clássica ou Épica.

9. Era Moderna (1700 — Época Atual)

A efervescência provocada pelo sincretismo do movimento bháktico foi seguida pelo colapso do império mogul no primeiro quartel do século XVII e pela presença política cada vez maior das nações européias na Índia, que culminou com o ato da Rainha Vitória intitular-se Imperatriz da Índia em 1880. A rainha era fascinada pela espiritualidade hindu e recebia de bom grado os *yogins* e outras pessoas espirituais que iam visitá-la. Depois da fundação da Companhia das Índias Orientais no ano de 1600, em Londres, e da Companhia Holandesa das Índias dois anos depois, o imperialismo profano ocidental fez sentir a sua mão cada vez mais pesada sobre as antiquíssimas tradições religiosas da Índia. O resultado disso foi uma destruição progressiva do sistema de valores natural da Índia, mediante a introdução de um sistema educacional ocidentalizado (voltado para a ciência e essencialmente materialista) e da monstruosa tecnologia moderna. Isso nos faz lembrar do seguinte comentário de Carl Gustav Jung:

> A invasão européia do Oriente foi um ato de violência em grande escala e impôs sobre nós o dever — *noblesse oblige* — de compreender a mentalidade oriental. Talvez isso seja ainda mais necessário do que nos parece atualmente.[4]

O gênio criativo da Índia, porém, não se curvou passivamente a esses acontecimentos. Um promissor renascimento espiritual criou pela primeira vez na história um espírito missionário entre os hindus: desde que a figura majestosa de Swami Vivekananda apareceu perante o Parlamento das Religiões no ano de 1893, em Chicago, constatamos um fluxo constante da sabedoria hindu — especialmente sob as formas do Yoga e do Vedânta — para os países da Europa e das Américas. Jung, com a perspicácia que o caracterizava, observou:

> Ainda não nos ocorreu o pensamento de que, enquanto estamos predominando sobre o Oriente pelo exterior, é possível que ele esteja estreitando suas amarras sobre nós no interior.[5]

Teríamos ainda muitas coisas a dizer acerca da moderna ressurreição da tradição hindu e dos seus efeitos sobre o Ocidente, mas esse tema está fora do âmbito deste livro.

As divisões do tempo esboçadas acima não passam de uma aproximação, e é preciso dar uma certa folga às datas. Sabe-se que a cronologia da Índia é toda conjectural até o século XIX. Os historiógrafos hindus quase nunca se dedicaram a registrar datas propriamente ditas e tendiam a fundir os fatos históricos com a mitologia, o simbolismo e as ideologias. Os estudiosos ocidentais já fizeram inúmeras observações acerca do caráter "atemporal" da consciência e da cultura hindus. Não obstante, essa idéia acabou se tornando uma espécie de ponto cego, pois nos impediu de estudar a sério as informações cronológicas contidas nos textos hindus, especialmente nos *Purânas*.[6]

Além de identificarmos e distinguirmos as diversas tradições religiosas e espirituais e os diversos períodos históricos, podemos fazer ainda outra distinção útil entre as tendências fundamentais do ascetismo (*tapas*), da renúncia (*samnyâsa*) e do misticismo (*yoga*) no sentido mais geral do termo. Essas três tendências abarcam todas as escolas religiosas e filosóficas da Índia. Nas seções que vêm a seguir, deixaremos claras as diferenças e semelhanças entre essas grandes atitudes.

Asceta hindu contemporâneo

II. O BRILHO DO PODER PSÍQUICO — O YOGA E O ASCETISMO

Muito antes de a palavra *yoga* adquirir o seu sentido costumeiro de "espiritualidade" ou "disciplina espiritual", os sábios da Índia já haviam desenvolvido todo um conjunto de conhecimentos e técnicas que tinham por objetivo a transformação e a transcendência da consciência ordinária. Esse conjunto de doutrinas e métodos formou a matriz a partir da qual constituiu-se esse fenômeno complexo que depois foi chamado de Yoga. Em certo sentido, o Yoga pode ser compreendido como um ascetismo interiorizado. Ao passo que o asceta de épocas mais antigas postava-se imóvel sob o sol abrasador a fim de propiciar uma divindade, o trabalho do *yogin* ou da *yoginî* ocorre primordialmente dentro do laboratório da sua própria consciência.

Tapas

Exemplo típico do asceta foi o rei e sábio Bhagîratha, cujas façanhas estão relatadas no *Mahâbhârata*. Em tempos antigos, durante uma longa seca, ele resolveu passar mil anos ereto sobre uma perna só e outros mil anos com os braços erguidos. Assim convenceu os deuses a atender-lhe o pedido de que o celeste rio Ganges (Gangâ) libertasse suas águas para inundar e regenerar a terra seca. A torrente que jorrou do rio celeste foi tão grande que o deus Shiva teve de deter-lhe a força deixando que a água caísse sobre a sua cabeça. A água correu por seus longos cabelos emaranhados e formou a bacia do rio Ganges (Gangâ), na Índia setentrional.

Na Índia, o termo mais antigo (que designava as práticas semelhantes às do Yoga era *tapas*. Essa antiga palavra sânscrita significa literalmente "calor". É derivada da raiz verbal *tap*, que significa "abrasar" ou "brilhar". O termo é usado muitas vezes no *Rig-Veda* para descrever a qualidade intrínseca e a obra do disco solar (ou do deus correspondente, Sûrya) e do fogo sacrificial (ou do deus correspondente, Agni). Esses textos deixam implícito que o calor do sol o do fogo é doloroso e opressor em sua intensidade abrasadora. Vemos aí a raiz do uso metafórico que depois se deu à palavra *tapas*, que passou a significar o calor da alma sob a forma da raiva e da agressividade mas também do fervor, do zelo e da dedicação ardorosa.

Assim, a palavra *tapas* passou a designar o esforço religioso ou espiritual, a disciplina que o homem impõe a si mesmo sob a forma de práticas ascéticas. Por isso, *tapas* é freqüentemente traduzido por "ascese" ou "ascetismo". Os hinos mais antigos do *Rig-Veda* ainda se referem a *tapas* em suas conotações naturalistas ou psicológicas. Mas o livro décimo, que se imagina ter sido composto na fase conclusiva da Era Védica, traz muitas referências ao significado espiritual do termo.

Um dos mais belos hinos do *Rig-Veda* (10.129), uma antiga ode filosófica sobre o tema da criação, afirma que os mundos manifestos foram produzidos em virtude do excessivo aquecimento (*tapas*) que o Ser primordial infligiu a si mesmo.[7] Esse exercitar-se, esse auto-sacrifício do Ser incomensurável que já era antes do espaço e do tempo é o grande arquétipo da prática espiritual em geral. O mencionado "Hino da Criação" e muitos outros hinos deixam claro que os videntes e sábios védicos já sabiam disso.

O *Rig-Veda* registra a época em que *tapas* passou a ser um meio religioso para a criação de um calor interior ou daquela espécie de tensão criativa que gera estados extáticos, visões das divindades e até a transcendência da própria consciência dependente dos objetos. O sacrifício ritual (*yajna*) védico exigia uma concentração tremenda, pois o seu perfeito cumprimento dependia da correta pronúncia e entonação das preces e da realização precisa da cerimônia. É fácil imaginar que os ritos védicos tenham dado origem não só a todo um misticismo sacrificial, mas também a práticas ascéticas destinadas a preparar o sacrificante para o ritual. O *Rig-Vidhâna* (1.8) de Shaunaka, texto de magia mântrica escrito ainda na Era Épica, recomenda que todos os nascidos duas vezes pratiquem *tapas*, estudem os *Vedas* e cultivem a compaixão por todos os seres.[8]

Entretanto, o asceta (*tapasvin*) típico da Era Védica não é o pai de família que cumpre os sacrifícios, nem mesmo o sublime vidente (*rishi*), mas o *muni* extático. O *muni* faz parte do que podemos chamar de a contracultura védica, formada por indivíduos e grupos religiosos (como os Vrâtyas) que davam livre curso às suas aspirações sagradas às margens da sociedade védica. O *muni* já foi considerado muitas vezes como o protótipo do *yogin* de épocas posteriores. Totalmente entregue ao êxtase, ele assemelha-se a um louco. Muitos elementos do seu estilo de vida prefiguram a conduta anticonvencional do *avadhûta*, homenageado no

Reproduzido de *Hindu Religion, Customs and Manners*

Ascetas hindu e jaina

Avadhûta-Gîtâ e em outras obras escritas em sânscrito na época medieval.

A tradição de *tapas* continuou existindo de modo independente e paralelamente ao Yoga. Esse desenvolvimento paralelo está documentado na epopéia *Mahâbhârata*, por exemplo, que relata muitas histórias de *tapasvins* famosos como Vyâsa, Vishvâmitra, Vashishtha, Cyavana, Bharadvâja, Bhrigu e Uttanka. Aliás, muitas partes da epopéia dão mais saliência a *tapas* do que ao Yoga, o que é sinal da antigüidade dessas passagens.

A prática de *tapas* geralmente envolve a observância da castidade (*brahmacarya*) e o domínio sobre os sentidos (*indriya-jaya*). Afirma-se que a frustração das tendências naturais do corpo e da mente gera uma luminosidade psicofísica (*tejas*), uma irradiação visível (*jyotis*), grande força (*bala*) e grande vitalidade (*vîrya*). Outro termo que se liga de perto ao ascetismo desde a época védica é *ojas* (aparentemente relacionado ao latim *augustus*, "majestoso"), que significa uma espécie determinada de energia sagrada que preenche todo o corpo e a mente. Essa energia é gerada especialmente pela prática da castidade, em decorrência da sublimação da energia sexual. É tão potente que, segundo se diz, através dela o asceta é capaz de influenciar e mudar o próprio destino e o destino das outras pessoas. Segundo o *Atharva-Veda* (11.5-19), os próprios deuses chegaram à imortalidade através da prática da castidade e da ascese.

Tapas é sempre associada à aquisição de poderes paranormais (*siddhi*), que muitas vezes se tornam uma pedra de tropeço para o asceta insensato que abusa das suas extraordinárias capacidades. A tradição de *tapas*, tanto na Era Védica quanto na Era Épica, desenvolveu-se no contexto de uma visão mágica do mundo, de acordo com a qual o cosmos é repleto de fontes individualizadas de poderes paranormais. Assim, nos relatos, os *tapasvins* ou *tâpasas* sempre aparecem combatendo os maus espíritos ou lutando contra as próprias divindades para obter delas um favor. Na maioria das vezes os ascetas acabam vitoriosos, e sua formidável potência só diminui em virtude do orgulho ou do desregramento sexual. Até hoje, os aldeões da Índia concebem os praticantes de *tapas* como magos poderosíssimos, capazes de fazer qualquer coisa — ler a mente das pessoas, prever o futuro e até fazer parar o curso do sol.

O Yoga espiritualizou a antiga tradição de *tapas*, dando mais ênfase à autotranscendência do que à aquisição de poderes mágicos. Ao mesmo tempo, os *yogins* adotaram e adaptaram muitas técnicas e práticas da tradição ascética mais antiga. A castidade continuou sendo um elemento essencial da prática, como nos deixa claro o caminho óctuplo delineado no *Yoga-Sûtra*. Nessa obra, Patanjali afirma (2.38) que o *yogin* firmado na castidade adquire grande vigor (*vîrya*). Além disso, inclui (2.32) *tapas* entre as cinco observâncias ou mandamentos negativos (*niyama*) e declara (2.43) que o corpo e seus sentidos chegam à perfeição através da ascese. Não há dúvida de que, nesse caso, *tapas* é relegada à categoria de uma prática preparatória. Os elementos centrais do Yoga são a meditação e a forma mais intensa desta, a transcendência extática (*samâdhi*).

A tradição de *tapas* floresceu paralelamente à das escolas de Yoga por muitos séculos — aliás, até hoje em dia. A hagiografia *Maharaj*[9] conta a incrível história de um santo *tapasvin* moderno, que teria vivido até os 185 anos. O herói da história, chamado Tapasviji Maharaj, nasceu por volta de 1820 numa família nobre mas, aos cinqüenta e tantos anos, deixou tudo para trás e vestiu a tanga do asceta. Já era largamente conhecido em vida como grande asceta e taumaturgo. Deu impressionantes mostras de resistência, vencendo tanto a dor quanto o tédio. Passou três anos de pé sobre uma perna só e com um dos braços levantado para o alto; passou outros vinte e quatro anos sem deitar-se sequer uma vez e andando muitos quilômetros por dia. Na década de 1960, esse santo chamou muito a atenção nos Estados Unidos em virtude da sua grande longevidade, que ele atribuía ao fato de ter feito por três vezes o *kâya-kalpa*, o tratamento rejuvenescedor conhecido pela medicina indiana. O sucesso desse tratamento depende em grande medida da força do indivíduo, que deve ser capaz de suportar longos períodos de isolamento quase absoluto. Só um meditante tão hábil e capaz quanto Tapasviji Maharaj poderia se pôr à altura das penitências exigidas. Não há dúvida de que a medicina ocidental tem muito o que aprender com os *tapasvins* da Índia antiga e moderna.

III. A FELICIDADE NO DESPOJAMENTO — O YOGA E O CAMINHO DA RENÚNCIA

Como já vimos, *tapas* representa uma espécie de espiritualidade mais ligada à magia e ao xamanismo. Ao contrário do Yoga, que se volta sobretudo para a aquisição de estados de êxtase e para a autotranscendência, a tecnologia de *tapas* tem como finalidade a aquisição de uma grande força interior, de visões e outras experiências semelhantes e de poderes mágicos. O cultivo da força de vontade é fundamental para esse caminho. O Yoga, por seu lado, dá ao crescimento

संन्यास ॥

Samnyâsa

psicoespiritual uma orientação mais sutil. Admite, por exemplo, a necessidade de transcender a vontade, que é uma manifestação da personalidade egóica.

Não obstante, muitas facetas de *tapas* acabaram entrando para a tradição yogue, e a imagem que o povo faz do *yogin* ou da *yoginî* é a de um asceta taumaturgo. Mas o Yoga está mais próximo, em espírito, de uma outra tradição: a tradição da renúncia (*samnyâsa*) à vida mundana, que foi proposta pela primeira vez como um ideal digno na Era Pós-Védica. De repente — ou pelo menos assim parece —, um número cada vez maior de pais de família passou a sair das cidades e aldeias para passar o resto da vida nas matas e florestas. Em sua maioria iam sozinhos, mas às vezes levavam consigo a esposa.

CAPÍTULO 3 — O YOGA E AS OUTRAS TRADIÇÕES DO HINDUÍSMO

Samnyâsins hindus

© Marshall Govindan

Os que fazem isso são chamados *samnyâsins*, praticantes da *samnyâsa*. A palavra *samnyâsa* é composta pelos prefixos *sam* (que expressa a idéia de "união"; equivale ao grego *syn-* e ao latim *com-*) e *ni* (que significa "para baixo") ligados à raiz verbal *as* (que significa "lançar" ou "atirar"). Portanto, significa o "lançar fora" ou "deixar de lado" todas as preocupações e apegos mundanos.

Embora a renúncia possa ser identificada com um estilo de vida, não é algo que se possa praticar especificamente, como a ascese ou a meditação. É antes de mais nada uma *atitude* fundamental perante a vida. Por isso, podemos dizer que a tradição da renúncia é contratecnológica: tem o objetivo de deixar tudo para trás, inclusive, quando é praticada corretamente, todos os métodos de busca. O indólogo alemão Joachim Friedrich Sprockhoff explicou corretamente a renúncia como "um fenômeno à margem da vida"[10] e comparou-a a outras experiências limítrofes, como a doença fatal ou a velhice.

A renúncia é uma resposta do homem à percepção de que a existência humana e a existência cósmica em geral são moralmente inferiores ou mesmo completamente ilusórias. Tanto num caso como no outro, aquele que renuncia procura realizar um estado de ser mais elevado, o qual é identificado à realidade mesma. Conforme o mundo seja encarado como ilusório ou como simplesmente indigno segundo a moral (mas tendo, ainda assim, as suas raízes em Deus), a renúncia pode se manifestar de duas maneiras principais. Por um lado temos o que se pode chamar de renúncia literal; por outro, temos a renúncia simbólica. No primeiro caso, a renúncia é compreendida pura e simplesmente como o deixar para trás a vida ordinária: aquele que renuncia se desfaz de tudo — da esposa, dos filhos, da propriedade, do trabalho, da respeitabilidade social, das ambições mundanas e de toda e qualquer preocupação em relação ao futuro. No segundo caso, a renúncia é compreendida metaforicamente como uma atitude que, antes de mais nada, é interior: o abandono voluntário de todos os apegos e, em última análise, do próprio ego.

Ambas as atitudes tiveram quem as defendesse no decorrer da longa história da espiritualidade indiana. É no *Bhagavad-Gîtâ* (3.3 *et seq.*) que encontramos o primeiro registro de uma tentativa de conciliar as duas vias. O Deus-homem Krishna ensina ao príncipe Arjuna a distinção entre a renúncia exterior e a renúncia interior, dando clara preferência a esta última. Para esclarecer Arjuna, que estava confuso quanto à diferença entre a renúncia à ação em geral e a renúncia *nas* ações, Krishna explicou que, em épocas antigas, pregava ambos os caminhos. Um deles é o caminho da *samnyâsa*, que Krishna identifica ao Yoga de Sabedoria (*jnâna-yoga*); o outro é o Yoga da Ação (*karma-yoga*). Sublinhou ele que ambos conduzem à meta suprema, mas que o Yoga da Ação é mais excelente. Disse:

> Aquele que não odeia nem deseja será conhecido para sempre como um dos que renunciam. (5.3a)

> Mas a renúncia, ó [Arjuna] dos braços fortes, é difícil de realizar-se sem o Yoga. O sábio (*muni*) jungido no Yoga aproxima-se do Absoluto sem demora. (5.6)

> Jungido no Yoga, com o eu purificado, com o eu subjugado, com os sentidos perfeitamente vencidos — aquele cujo eu se tornou o Eu de todos os seres não se macula, muito embora se entregue à ação. (5.7)

> "Não faço absolutamente nada" — assim reflete o jungido, o conhecedor da Realidade, [ao mesmo tempo em que está] vendo, ouvindo, tocando, cheirando, comendo, andando, dormindo, respirando, falando, evacuando, pegando, abrindo e fechando [os olhos] e pensando: "Os sentidos residem nos objetos dos sentidos." (5.8-9)

> Aquele que age, atribuindo [todas] as ações ao Absoluto e lançando fora o apego (*sanga*), não maculado pelo pecado (*pâpa*), assim como a folha do lótus [não é maculada] pela água. (5.10)

Compreende-se que a interpretação simbólica da renúncia tenha sido defendida pelas autoridades ortodoxas do Hinduísmo, que se preocupavam com o crescente movimento de renúncia ao mundo. Se fossem somente os mais velhos a sentir-se atraídos pela vida eremítica das florestas e cavernas, os sacerdotes não teriam com que se preocupar. Mas o ideal de fugir do mundo também empolgava fortemente a população de meia-idade e até os jovens (em sua maioria homens). A renúncia dessas pessoas deixava famílias, campos e até reinos abandonados, segundo os relatos. Não compreendemos muito bem os motivos socioculturais dessa tendência; alguns estudiosos puseram a culpa no clima quente e seco da península, mas essa idéia me parece absolutamente reducionista.

Do ponto de vista psico-histórico, o ideal da renúncia literal reflete o que chamei em outro lugar[11] de tendência "mítica" (ou verticalista) do Yoga. Em contraposição, o ideal de uma *samnyâsa* positiva em relação à vida reflete uma atitude mais integral. O Yoga mítico se funda sobre uma ruptura radical e abrupta com o universo convencional: ou a pessoa se abstém de todas as atividades e pensamentos mundanos e passa a dedicar a vida à contemplação da Realidade supramundana, ou se entrega à vida ordinária e colhe os duvidosos frutos de uma existência presa à terra. Para o praticante do Yoga mítico, não há estado intermediário. Ele é obrigado a fazer uma escolha entre o Si Mesmo transcendente e o eu condicionado, entre Deus e o mundo, entre a felicidade permanente e o sofrimento cotidiano. A idéia contrastante de que o cosmos finito é uma manifestação da Divindade, e portanto não pode ser apenas um vale de lágrimas, mas também um mundo de alegria, deriva da percepção mais integral do mundo que caracteriza o Tantrismo, o Sahajayâna e especialmente o Yoga Integral de Sri Aurobindo.

O *Maitrâyanîya-Upanishad* (1.2 *et seq.*), obra que segue a tradição do Yoga mítico e pertence aos séculos que antecederam o início da Era Cristã, afirma que o rei Brihadratha sofria de um excessivo tédio existencial. Trata-se de um sentimento que, vez por outra, deve ter acometido milhares de outros ascetas. Disse o rei:

> Neste corpo fétido e sem centro, que não passa de um conglomerado de ossos, pele, músculos, medula, carne, sêmen, sangue, muco, lágrimas, reuma, fezes, urina, vento, bile e fleuma — de que vale o gozo dos desejos? Neste corpo afligido pela luxúria, pela ira, pela cobiça, pela ilusão, pelo medo, pelo desânimo, pelo ciúme, pelo afastamento em relação às coisas queridas e a proximidade das não-queridas, pela fome, pela sede, pela velhice, pela morte, pela doença, pelo sofrimento e outras coisas tais — de que vale o gozo dos desejos?

> Vemos que tudo isto perece, à semelhança dos mosquitos, pernilongos e outros que tais, à semelhança da erva e das árvores que crescem e fenecem. Com efeito, o que será dessas coisas? Há grandes homens, grandes guerreiros, alguns dos quais governam impérios, como Sudyumna, Bhuridyumna... e reis como Marutta, Bharata e outros, que, perante

CAPÍTULO 3 — O YOGA E AS OUTRAS TRADIÇÕES DO HINDUÍSMO

o olhar de todos os seus familiares, deram de mão à sua grande riqueza e passaram deste mundo para o outro.

É certo que, às vezes, o abandono radical da existência comum punha em risco o tecido social e a ordem estabelecida. Por isso, os legisladores hindus desencorajaram o que chamavam de renúncia prematura e propuseram, em vez disso, o ideal social dos estágios de vida (*âshrama*) — o estágio do estudante (*brahmacarya*), o do pai de família (*gârhastya*), o do habitante das florestas (*vâna-prasthya*) e por fim o da renúncia total. Nessa nova estrutura hierárquica, a renúncia era totalmente permitida, mas só depois de a pessoa cumprir as suas obrigações de pai ou mãe de família (*grihastha*, de *griha*, "casa", e *sthâ*, "morar").

Distinguem-se dois níveis de renúncia. O primeiro, chamado *vâna-prasthya* ("habitar nas florestas"), é o estágio do eremita que pratica uma espécie de ritualismo esotérico na solidão das florestas. Esse eremita é chamado "habitante da floresta" (*vâna-prastha*). O segundo estágio, chamado *samnyâsa*, consiste em deixar para trás até mesmo a existência sedentária e o ritualismo sacrificial do habitante da floresta em favor de uma vida de constante peregrinação. Esses dois estilos de vida prefiguram o moderno costume da aposentadoria; mas, ao transformar o entardecer da vida da pessoa numa oportunidade sagrada, a ortodoxia hindu garantia aos idosos — ao menos na teoria — uma dignidade que lhes é negada pela nossa sociedade ocidental moderna.

A tradição da renúncia tem-se afigurado uma característica tão persistente da espiritualidade indiana quanto a tradição do ascetismo. Muitas vezes as duas se sobrepuseram. Embora a palavra *samnyâsa* apareça pela primeira vez no *Mundaka-Upanishad* (3.2.6), que normalmente é datado dos séculos II ou III a.C. mas pode ser ainda anterior, a idéia e o ideal correspondentes são muito mais antigos. Assim, o *Brihad-Âranyaka-Upanishad* (4.4.22), tido como a obra mais antiga do gênero upanishádico, fala do *pravrâjin*, da pessoa que "foi além" (*pra* + *vraj*, "vagar"), isto é, que deixou para trás a casa e a família e se dedica tão-somente à realização do Si Mesmo. Numa passagem memorável, Yâjnavalkya, o maior mestre da sabedoria upanishádica, instrui um discípulo da seguinte maneira:

> Aquilo que está além da fome e da sede, do sofrimento e da ilusão, da velhice e da morte [é a Realidade transcendente]: os brâmanes que A conhecem como o próprio Si Mesmo superam o desejo de filhos, o desejo de riquezas, o desejo dos mundos, e levam a vida de um mendicante. O desejo de filhos é o desejo de riquezas e o desejo de riquezas é o desejo dos mundos; assim, ambos não passam de desejos. Que o brâmane, portanto, desista dos estudos e queira viver [em inocência] como uma criança. Quando ele desiste tanto dos estudos quanto da qualidade de infância, torna-se um sábio (*muni*). Quando desiste tanto da sabedoria (*mauna*)[12] quanto da não-sabedoria (*amauna*), torna-se um [verdadeiro] brâmane. (3.5.1)

Portanto, Yâjnavalkya caracteriza a renúncia como a transcendência do apego a todos os desejos concebíveis, inclusive ao próprio desejo da renúncia. Em outra parte do mesmo texto (3.8.10), ele exprime suas dúvidas acerca da utilidade do ascetismo (*tapas*). Afirma que nem mil anos de penitência valem alguma coisa para aquele que não teve antes uma intuição do Absoluto. Enuncia-se aí um dos paradoxos perenes da vida espiritual: nós só buscamos aquilo que, de certa forma, nós já encontramos. Em outras palavras, para realizar o Si Mesmo, nossa mais íntima realidade, basta-nos ficar em perfeita imobilidade e recordar.

Embora a ortodoxia hindu garantisse a liberdade daqueles que sentiam uma vontade irresistível de "cair fora", a renúncia, na melhor das hipóteses, era algo tolerado, mas jamais encorajado. Em certos ambientes, a renúncia era ilegal. O *Mahâbhârata* (12.10.17 *et seq.*), por exemplo, conta a historia de Yudhishthira, que, fatigado pela brutalidade da grande guerra dos Bharata, sentiu-se movido a viver como eremita nas florestas. Seu mestre Bhîshma lembrou-o, como Krishna havia lembrado Arjuna, de que a renúncia era imprópria para o guerreiro. Além disso, Bhîshma emite a cínica opinião (que sem dúvida tem base na realidade) de que só os que sofreram os golpes do azar adotam um tal estilo de vida.

O fato de que nem todos os renunciantes eram da mesma espécie se evidencia para quem lê os diversos textos em sânscrito que tratam da renúncia, especialmente os chamados *Samnyâsa-Upanishads*. O *Jâbala-Upanishad*, datado de cerca de 300 a.C. e sendo portanto uma das obras mais antigas desse gênero, distingue entre os renunciantes que conservam aceso o fogo sagrado e os que não o conservam — isto é, entre aqueles que, na vida eremítica, continuam a praticar os rituais védicos e os que, buscando a Deus, deixam tudo para trás. Essa obra exalta o *paramahamsa* ("grande cisne") que vaga pela vida sem se deixar afetar por nenhum dos seus problemas, afirmando ser ele o maior dentre os *samnyâsins*. Uns seiscentos anos depois, o *Vaikhânasa-Smârta-Sûtra* (Capítulo 8) nos dá um quadro mais detalhado. Menciona quatro tipos de anacoretas da floresta e quatro tipos de ascetas andarilhos. Os que moram na floresta podem se casar, ao passo que os andarilhos têm de viver sozinhos, sem buscar nada exceto a realização do Si Mesmo.

Lista quase idêntica se encontra no *Âshrama-Upanishad* (c. 300 d.C.). Esse texto menciona quatro tipos de eremitas das florestas:

1. Os vaikhânasas, que cumprem o tradicional ritual do fogo (*agni-hotra*) e vivem dos legumes e cereais silvestres que conseguem encontrar na floresta onde residem. O nome *vaikhânasa* é derivado do prefixo *vi* ("dis-") e da palavra *khâna* ("alimento"). É uma referência à disciplina alimentar adotada por esses renunciantes.

2. Os audumbaras, que se alimentam de cereais e frutas silvestres, especialmente de figos (*udumbara*).

3. Os vâlakhilyas, cujo nome vem de usarem os cabelos (*khilya*) em coque (*vâla*), comem tão pouco quanto os demais *samnyâsins*, mas só coletam alimentos durante oito meses por ano; os outros quatro meses, passam quase em jejum. Essa prática ascética é chamada *catur-mâsya* ("quatro meses").

4. Os phenapas, cujo nome significa literalmente "bebedores de espuma". É possível que essa curiosa designação venha da prática de beber o orvalho que se junta nas folhas ao amanhecer. A alimentação deles é bem reduzida e consiste principalmente em certos tipos de frutas. Ao contrário dos outros eremitas, os phenapas não têm morada fixa.

> "Jejuar é melhor do que só comer à noite. A comida que se obtém sem pedir é melhor do que o jejum. A comida esmolada é melhor do que a que se obtém sem pedir. Portanto, [aquele que pratica a renúncia] deve alimentar-se do fruto da esmola."
>
> — *Brihat-Samnyâsa-Upanishad*, 265

Os renunciantes andarilhos (*parivrajaka*) se dividem nas seguintes quatro categorias:

1. Kuticakas: o nome se refere ao fato de usarem coque, mas tem também outras conotações. A palavra *kuti* pode significar "casa" ou "lar" e também "relação sexual", ao passo que a raiz *caka* significa "tremer". Portanto, o *kuticaka* é aquele que treme ao pensar na vida do pai de família, especialmente nas seduções do relacionamento sexual; isto é, é um adepto da castidade. Vaga de lugar para lugar vestindo uma tanga e levando consigo o bastão e a vasilha d'água do andarilho. Pratica a meditação através da repetição de sílabas ou cantos sagrados (*mantra*).

2. Bahûdakas: o estilo de vida destes é tão simples quanto o dos Kuticakas. Vivem de oito bocados de alimento por dia, os quais vão buscar em diferentes lugares, "como as abelhas". O nome significa literalmente "água em abundância" (*bahu*, "muita"; *udaka*, "água") e se refere ao fato de estes ascetas freqüentarem locais sagrados que ficam perto dos rios.

3. Hamsas: estes ascetas itinerantes recebem este nome porque são semelhantes aos "cisnes". (A rigor, a palavra *hamsa* designa o macho do ganso selvagem da Índia.) Eles nem sequer pedem esmola para comer, mas vivem de tudo o que as vacas dão, inclusive da urina e do estrume.

4. Paramahamsas: o modo de vida destes "cisnes supremos" é ainda mais espartano. Diz-se que eles cobrem o corpo inteiro de cinzas em sinal de terem abandonado por completo a existência convencional. Os diversos textos lhes prescrevem rituais igualmente diversos, como usar uma única tanga ou carregar um bastão de bambu. O fato mais importante acerca dos *paramahamsas*, porém, é que eles são sempre seres plenamente realizados. De acordo com alguns textos, como o *Vaikhânasa-Smârta-Sûtra*, os *paramahamsas* andam nus e freqüentam os cemi-

térios. Esse estranho costume prefigura os rituais de "mão esquerda" do Tantra, acerca dos quais falaremos no Capítulo 17.

O *Nârada-Parivrâjaka-Upanishad* (c. de 1200 d.C.) acrescenta duas outras categorias ao esquema delineado acima — os *turîyâtitas* e os *avadhûtas*. Ambos são adeptos realizados. Os primeiros, cujo nome significa "os que transcendem o Quarto", vivem do pouco de comida que lhes é colocada diretamente na boca — prática que se chama "cara de vaca" (*go-mukha*). Os *avadhûtas* também dependem da caridade alheia. A diferença mais marcante entre as duas categorias é que os *avadhûtas* andam nus, dando mostras de que, no êxtase, se esquecem de todas as dualidades: só existe a Única Realidade, que não tem sexo. Tudo o mais, como dá a entender o próprio nome *avadhûta*, foi "lançado fora".

Como podemos ver, o termo "renúncia" abrange uma ampla gama de estilos de vida — desde o do pai de família que se entrega a uma renúncia simbólica ou interior, passando pelo do eremita da floresta que continua a observar certas prescrições rituais, até o do andarilho nu cujo modo de vida pode ser qualificado como uma espécie de anarquia sagrada. Alguns renunciantes praticam uma ou outra forma de Yoga, ao passo que outros simplesmente contemplam o mistério do Si Mesmo sem a ajuda de nenhum meio externo. Todos esses diferentes tipos contribuíram, no decorrer dos milênios, para a rica tapeçaria da espiritualidade indiana.

IV. O YOGA E A FILOSOFIA HINDU

No Hinduísmo, a distinção entre filosofia e religião não é tão nítida quanto na civilização ocidental contemporânea. O sânscrito, que é a língua sagrada do Hinduísmo, não tem equivalentes imediatos para os termos "filosofia" e "religião". O termo que mais se aproxima de "filosofia" é *ânvîkshikî-vidyâ* ("ciência do exame"). O termo correlato *tarka-shâstra* ("disciplina do raciocínio") só se aplica, em geral, à escola Nyâya, que trata de lógica e dialética. Os pânditas modernos usam a expressão *tattva-vidyâ-shâstra* ("disciplina de conhecimento da realidade") como equivalente do que nós chamamos de "investigação filosófica".

O conceito de "religião" está contido no termo sânscrito *dharma*, que significa "lei" ou "norma" (e tem muitas outras conotações). A religião hindu é chama-

सनातनधर्म ॥
Sanâtana-dharma

da *sanâtana-dharma* ("lei eterna"), que corresponde à noção ocidental de *philosophia perennis*.

Para o hindu, a filosofia não é um conhecimento puramente abstrato, mas uma metafísica que tem conseqüências morais. Em outras palavras, cada qual deve aplicar à vida cotidiana suas conclusões teóricas a respeito da realidade. Desse modo, a filosofia é sempre encarada como um modo de vida; ninguém a trata como um inconseqüente exercício do pensamento racional. E mais ainda, a filosofia hindu (e a filosofia indiana como um todo) tem uma tendência nitidamente espiritual. À exceção da escola materialista, chamada de Lokâyata ou Cârvâka, todas as escolas filosóficas reconhecem a existência de uma Realidade transcendente e concordam em que o bem-estar espiritual do indivíduo depende do modo pelo qual ele se relaciona com essa Realidade. Portanto, a filosofia hindu está mais próxima do espírito da antiga *philosophia* grega ("amor da sabedoria") do que da atual disciplina acadêmica de análise conceitual, que leva o nome de filosofia mas não se preocupa nem um pouco em buscar uma sabedoria que dê sentido à vida.

A filosofia hindu compreende os mesmos campos de investigação racional que têm ocupado os filósofos ocidentais desde a época de Sócrates, Platão e Aristóteles — a saber, a ontologia (que trata das categorias da existência), a epistemologia (que trata dos processos de conhecimento mediante os quais chegamos a conhecer o que há "na realidade") a lógica (que define as regras ao pensamento racional), a ética (que examina criticamente os fundamentos filosóficos da ação) e a estética (que procura compreender a beleza). Entretanto, à semelhança da filosofia cristã, por exemplo, a filosofia hindu atribui grandíssima importância ao destino espiritual último da humanidade. Por isso, muitas vezes se chama a si mesma de *âtma-vidyâ* ("ciência do Si Mesmo") ou *âdhyâtmika-vidyâ* ("ciência espiritual").

As primeiras especulações e intuições filosóficas do Hinduísmo estão no antiquíssimo *Rig-Veda*, mas os sistemas maduros e autocríticos parecem só ter surgido logo após a constituição do Budismo, no século

VI a. C. A tradição reconhece seis sistemas, que são chamados "visões" ou "pontos de vista" (*darshana*, da raiz verbal *drish*, "ver"). Essa denominação nos chama a atenção para dois pontos importantes da filosofia hindu: em primeiro lugar, os sistemas não são meros produtos do pensamento racional, mas também de processos visionários e intuitivos; em segundo lugar, os sistemas são perspectivas particulares que se debruçam sobre a mesma verdade, o que é, pelo menos em princípio, uma garantia de tolerância. E essa Verdade única é a que vem sendo transmitida oralmente (e por meio da iniciação esotérica) como a Realidade suprema ou transcendente, quer seja esta chamada Deus (*îsh*, *îsha*, *îshvara*, todas as quais significam "soberano"), Si Mesmo (*âtman*, *purusha*) ou o Absoluto (*brahman*).

A tradição é um elemento fundamental da filosofia hindu, e tradição significa, no caso, a revelação (*shruti*) védica, em particular o *Rig-Veda*. A fim de estabelecer suas escolas no âmbito da ortodoxia, os filósofos hindus tiveram de submeter-se, pelo menos "de boca", à antiga herança védica. As seis principais escolas que a ortodoxia hindu reconhece como pontos de vista válidos no contexto da revelação védica são as seguintes: o Pûrva-Mîmâmsâ (que apresenta uma filosofia do ritualismo sacrificial), o Uttara-Mîmâmsâ ou Vedânta (que é a metafísica não-dualista exposta especialmente nos *Upanishads*), o Sâmkhya (cuja principal contribuição é a enumeração das categorias da existência, ou *tattvas*), o Yoga (que no caso se refere especificamente à escola filosófica de Patanjali, autor do *Yoga-Sûtra*), o Vaisheshika (que, à semelhança do Sâmkhya, também é uma tentativa de conhecer as categorias da existência, posto que por outro ângulo) e o Nyâya (que é antes de mais nada uma teoria da lógica e da argumentação). Vou descrever rapidamente cada uma das escolas e salientar suas relações com a tradição yogue.

Pûrva-Mîmâmsâ

A escola do Pûrva-Mîmâmsâ ("Investigação Anterior") é assim chamada porque interpreta as duas porções "anteriores" da revelação védica: os próprios hinários védicos e os textos *Brâhmana*, que desenvolvem e explicam os sacrifícios rituais. Contrapõe-se ao Uttara-Mîmâmsâ ("Investigação Posterior"), representado pela doutrina não-dualista dos *Upanishads*. A forma definitiva de escola Pûrva-Mîmâmsâ foi dada pelo *Mîmâmsâ-Sûtra* de Jaimini (c. de 200-300 a.C.), que expõe a arte e a ciência da ação moral de acordo com o ritualismo védico. Seu ponto focal é o conceito de *dharma* ou virtude, na medida em que esta afeta o destino religioso ou espiritual do indivíduo. A explicação e a definição das aplicações temporais do *dharma* ficam a cargo das autoridades em matéria de ética (*dharma-shâstra*). Já houve vários Jaiminis famosos, e deve-se distinguir especialmente entre o autor do *Sûtra* e o sábio que era discípulo de Vyâsa na época da guerra dos Bhârata.

Os partidários do Mîmâmsâ, ou *mîmâmsâkas*, compreendem a ação ética como uma extraordinária força invisível que determina as aparências do mundo: o ser humano é intrinsecamente ativo, e a ação determina a qualidade da existência humana tanto nesta encarnação quanto nas encarnações futuras. As boas ações (ou seja, as que concordam com o código moral védico, concebido como um espelho da própria ordem universal) geram circunstâncias positivas de vida, ao passo que as más ações (as que contradizem o código moral védico) geram circunstâncias negativas.

O objetivo da vida moral sólida é o melhoramento da qualidade da existência da pessoa no presente, depois da morte e nas futuras encarnações. Como o indivíduo tem a vontade livre, pode acumular resultados positivos e até anular os resultados negativos já existentes, tudo isso por meio das boas ações. A liberdade da vontade é garantida pelo fato de que o Si Mesmo essencial é transcendente e eterno. Ao contrário do Vedânta, a escola Mîmâmsâ postula uma multiplicidade de Si Mesmos essenciais (*âtman*). Esses princípios de ser são considerados intrinsecamente inconscientes e só adquirem consciência quando se unem a uma mente e a um corpo. A consciência, portanto, é sempre consciência-do-eu (*aham-dhî*), segundo os partidários do Mîmâmsâ. Não há um Deus que presida aos muitos Seres eternos e onipresentes; não obstante, a partir do século XV, alguns representantes desta escola começaram a crer num Deus Criador.

Os antigos *mîmâmsâkas*, para quem o Si Mesmo não era nem consciente nem feliz, opunham-se naturalmente ao ideal de libertação preconizado por outras escolas. Esse princípio, porém, foi rejeitado pelo filósofo Kumârila Bhatta e por seu discípulo Prabhâkara, que viveram no século VIII. Ambos ensinaram que o abster-se das ações proibidas ou meramente optativas e o cumprimento rigoroso das ações prescritas levam automaticamente à dissociação entre o Si Mesmo e o corpo-mente — isto é, à libertação. Para eles, o Si Mesmo era a consciência, mas nem um nem o outro chegaram a tirar todas as conseqüências metafísicas dessa afirmação.

A prática de exercícios yogues não tem lugar no Mîmâmsâ, que exalta o ideal do dever pelo dever. Sarvepalli Radhakrishnan, ex-presidente da Índia e grande acadêmico, afirmou acerca dessa escola de pensamento que, "enquanto visão filosófica do universo, ela é espantosamente incompleta... Não há quase nada nessa religião que nos toque o coração e o faça brilhar e abrasar-se".[13] Entretanto, o Pûrva-Mîmâmsâ foi uma das forças culturais com que a tradição yogue teve de se deparar, e por isso deve ser levado em conta aqui.

Esse sistema de pensamento mal pode ser chamado de filosófico pelos padrões do Ocidente, embora o Pûrva Mîmâmsâ tenha contribuído muito para o desenvolvimento da lógica e da dialética. Além de Jaimini, Kumârila e Prabhâkara, o mais destacado pensador dessa escola — a qual, aliás, se destaca pela quantidade de seus textos — foi Mandana Mishra (século IX d.C.), que mais tarde se converteu para o Advaita Vedânta de Shankara e tomou o nome de Sureshvara.

A historia do animadíssimo encontro entre Shankara e Mandana Mishra está relatada no *Shankara-Dig-Vijaya*, biografia inautêntica de Shankara escrita no século XIV. De acordo com a lenda, o jovem Shankara, que havia abraçado a vida de *samnyâsin*, bateu à porta da mansão de Mandana Mishra quando o grande defensor do ritualismo védico se preparava para dar início a uma de suas cerimônias. Mandana Mishra aborreceu-se com Shankara, que não armava os cabelos em coque como mandava a tradição nem envergava o cordão sagrado por sobre o ombro esquerdo. Depois de dirigir-lhe muitos comentários ofensivos, que Shankara ouviu com calma e com um sorriso no rosto, Mandana Mishra, orgulhoso dos seus conhecimentos, desafiou-o para um debate. Como era costume naquela época, ambos concordaram em que o perdedor adotaria o estilo de vida do vencedor.

Esse combate do conhecimento e agudeza de espírito durou vários dias e atraiu grandes multidões de sábios e estudiosos. A esposa de Mandana Mishra, Ubhayâ Bhâratî (que não era outra senão a própria Sarasvatî, deusa do conhecimento, disfarçada), foi nomeada juíza e mediadora. Logo proclamou a derrota do marido, mas acrescentou em seguida que Shankara só havia derrotado uma metade; para que obtivesse uma vitória verdadeira, teria de derrotá-la também. Astuciosamente, desafiou o jovem monge para um debate sobre a sexualidade.

Sem perder a serenidade, Shankara pediu um adiamento para que pudesse adquirir experiência nesse campo do conhecimento. Por acaso, o soberano de um reino próximo havia morrido naquele dia, e Shankara, sem perder tempo, usou seus poderes yogues para entrar no cadáver e reanimá-lo. Em meio às demonstrações de alegria dos parentes do rei, voltou ao palácio. Lá, segundo o espírito do Tantra, explorou e desfrutou por algum tempo dos deleites do amor sexual com as esposas e concubinas do rei morto. Segundo a lenda, essa nova vida o seduziu a tal ponto que seus discípulos tiveram de introduzir-se furtivamente no palácio para lembrá-lo de voltar à vida anterior de asceta.

Voltando à sua verdadeira identidade, Shankara deixou rapidamente o corpo do rei e retomou o debate com a esposa de Mandana Mishra. Como seria de se esperar, venceu. Mandana Mishra declarou-se discípulo de Shankara e sua esposa Ubhayâ Bhâratî revelou sua verdadeira identidade. A vitória de Shankara é normalmente interpretada como uma vitória da metafísica não-dualista sobre a filosofia mais simplista do Pûrva-Mîmâmsâ. Pode até ser, mas foi, antes de mais nada, um triunfo da experiência prática do yogue sobre o intelectualismo teórico.

Uttara-Mîmâmsâ

A multifacetada escola do Uttara-Mîmânsâ ("Investigação Posterior"), também chamada Vedânta ("Fim dos Vedas"), recebeu seu nome do fato de ter evoluído a partir da interpretação das duas porções "posteriores" da revelação védica: os *Âranyakas* (tratados compostos por eremitas da floresta) e os *Upanishads* (textos gnósticos e esotéricos compostos por sábios inspirados). Tanto os *Âranyakas* quanto os *Upanishads* representam uma reinterpretação metafórica da antiga herança védica: pregam uma interiorização dos rituais arcaicos, interiorização essa que assume a forma de meditação. Foi a doutrina dos *Upanishads*, em específico, que deu origem a toda tecnologia da consciência associada à tradição vedântica.

A bibliografia da escola Uttara-Mîmâmsâ ou Vedânta compreende os *Upanishads* (que são mais de duzentos em número), o *Bhagavad-Gîtâ* (que tem o *status* sagrado de um *Upanishad* e pode ter sido posto por escrito entre 600 e 500 a.C.) e o *Vedânta-* ou *Brahma-*

Sûtra de Bâdarâyana (c. de 200 d.C.), que sistematiza os ensinamentos contraditórios dos *Upanishads* e do *Bhagavad-Gîtâ*.

O Vedanta é a metafísica por excelência. Todas as suas diversas subescolas ensinam uma ou outra forma de não-dualismo, doutrina de acordo com a qual a Realidade é um todo único e homogêneo. A idéia fundamental do não-dualismo vedântico se exprime nos seguintes versículos do *Naishkarmya-Siddhi* ("Perfeição da Transcendência da Ação"), escrito por Sureshvara (o que antes chamava-se Mandana Mishra):

> O não-reconhecimento da Ipseidade singular [de todas as coisas] é a ignorância (*avidyâ*) [espiritual]. O fundamento dessa [ignorância] é a experiência do próprio eu. É a semente do mundo mutável. A destruição dessa [ignorância espiritual] é a libertação (*mukti*) do ser. (1.7)

> O fogo do reto conhecimento (*jnâna*) que sobe das radiantes palavras dos Vedas queima a ilusão [da existência] de um eu [independente]. A ação não [elimina a ignorância], pois não é incompatível [com a ignorância]. (1.80)

> Como a ação nasce da ignorância, ela não elimina a ilusão. [Só] o reto conhecimento [pode eliminar a ignorância], pois é o oposto dela, assim como o sol é [o oposto] da escuridão. (1.35)

> Ao confundir um toco de árvore com um salteador, a pessoa sente medo e foge. Do mesmo modo, a pessoa iludida sobrepõe o Si Mesmo ao *buddhi* [isto é, ao intelecto universal] e aos outros [aspectos da personalidade humana] e então age [baseada nessa visão errônea]. (1.60)

O Advaita Vedânta virou de cabeça para baixo o antigo ritualismo védico. É um evangelho da gnose: não do conhecimento factual ou intelectual, mas da intuição libertadora da Realidade transcendente.

Os dois maiores expoentes do Vedânta foram Shankara (c. 788-820 d.C.)[14] e Râmânuja (1017-1127 d.C.) O primeiro conseguiu construir um sistema filosófico coerente a partir da doutrina dos *Upanishads* e foi o maior responsável pela sobrevivência do Hinduísmo e pela impossibilidade de permanência do Budismo na Índia. Râmânuja, por sua vez, resgatou a tradição do Advaita Vedânta quando ela se via ameaçada de perder-se num escolasticismo estéril. Sua idéia de que a Divindade não transcende, mas sim gera todas as qualidades, alimentou a tendência popular a dar uma expressão mais devocional à espiritualidade hindu. Tanto Shankara quanto Râmânuja, bem como muitos outros mestres do Vedânta, tiveram fortes vínculos com a tradição yogue. Falaremos mais a esse respeito na Capítulo 12.

Sâmkhya

A tradição do Sâmkhya ("Enumeração"), que compreende muitas escolas diferentes, tem como objetivo primeiro a enumeração e a descrição das principais categorias da existência. Esse estudo seria chamado, no Ocidente, de "ontologia" ou "ciência do ser". O Sâmkhya e o Yoga são muito parecidos no que diz respeito à doutrina metafísica; com efeito, na época pré-clássica, ambos constituíam uma só tradição. Mas ao passo que os seguidores do Sâmkhya usam o discer-

© James Rhea

Kapila, fundador da tradição do Sâmkhya

nimento (*viveka*) e a renúncia como principais meios de salvação, os *yogins* valem-se principalmente da prática concomitante da renúncia e da meditação. O Sâmkhya já foi caracterizado muitas vezes como o aspecto teórico da prática do Yoga, mas esse ponto de vista é incorreto. Cada uma dessas tradições tem a sua própria doutrina e o seu próprio método. Por dar maior ênfase ao conhecimento discriminativo do que à meditação, o Sâmkhya de épocas recentes caiu no intelectualismo, ao passo que o Yoga sempre correu o perigo de transformar-se numa simples psicotecnologia da magia.

Depois do Vedânta, a filosofia do Sâmkhya tem sido o sistema de pensamento mais influente no contexto do Hinduísmo, e Shankara o via como o seu principal adversário. Afirma-se que Sâmkhya foi criado pelo sábio Kapila, a quem se atribui a autoria do *Sâmkhya-Sûtra*. Embora um mestre chamado Kapila provavelmente tenha vivido na época védica, alguns estudiosos afirmam que o *Sâmkhya-Sûtra* só foi com-

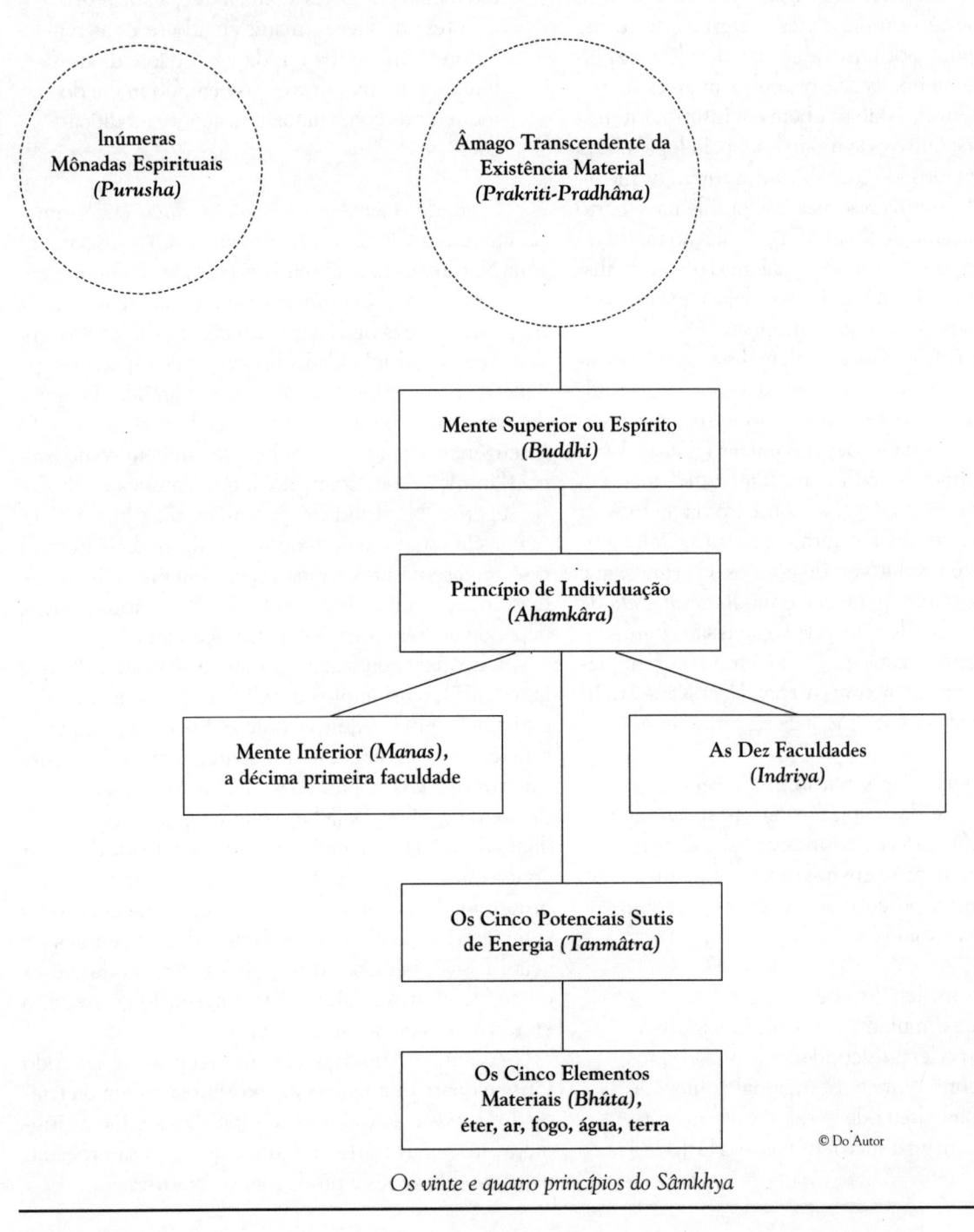

```
       Inúmeras                  Âmago Transcendente da
  Mônadas Espirituais               Existência Material
      (Purusha)                    (Prakriti-Pradhâna)
                                           |
                                Mente Superior ou Espírito
                                        (Buddhi)
                                           |
                                 Princípio de Individuação
                                        (Ahamkâra)
                                        /        \
                          Mente Inferior (Manas),   As Dez Faculdades
                         a décima primeira faculdade     (Indriya)

                                Os Cinco Potenciais Sutis
                                   de Energia (Tanmâtra)

                                  Os Cinco Elementos
                                  Materiais (Bhûta),
                                 éter, ar, fogo, água, terra
```

Os vinte e quatro princípios do Sâmkhya

posto numa época tão tardia quanto os séculos XIV ou XV d.C.

No contexto dos seis *darshanas*, o Sâmkhya é a escola de Îshvara Krishna (c. de 350 d.C.), autor do *Sâmkhya-Kârikâ*. Contrapondo-se de modo surpreendente ao Vedânta e às modalidades anteriores da própria escola Sâmkhya, mencionadas na epopéia *Mahâbhârata*, Îshvara Krishna pregou que a realidade não é única, mas múltipla. De um lado temos as inúmeras formas da Natureza (*prakriti*), mutáveis e inconscientes, e do outro os inúmeros Seres transcendentais (*purusha*), que são onipresentes e eternos, feitos de Consciência pura. Sob um exame mais detido, esse pluralismo se afigura ilógico. Se os inumeráveis Seres são todos onipresentes, estão também em infinita interseção uns com os outros, de modo que, pela lógica, têm de ser considerados idênticos. Muitos foram os filósofos que se dedicaram a resolver esse problema; é certo que o não-dualismo de Shankara é a solução mais elegante do ponto de vista intelectual, mas o não-dualismo qualificado de Râmânuja talvez seja a que mais satisfaça tanto a razão quanto a intuição.

Îshvara Krishna ensinou, além disso, que a Natureza (*prakriti*) é um grande complexo ou estrutura multidimensional criado pela interação entre três forças fundamentais, as qualidades dinâmicas (*guna*). A palavra *guna* significa literalmente "filamento", mas tem muitas outras conotações. No contexto da metafísica do Yoga e do Sâmkhya, o termo denota os "elementos" supremos e irredutíveis do cosmos. Os *gunas*, que são três, se assemelham de certo modo aos *quanta* de energia da física moderna. Os três *gunas* são chamados *sattva*, *rajas* e *tamas*. Estão por trás de todos os fenômenos materiais e psicomentais. O *Sâmkhya-Kârikâ* delineia seus respectivos atributos da seguinte maneira:

> Os três *gunas* têm a natureza da alegria, da não-alegria e da tristeza, e têm [respectivamente] a função de iluminar, ativar e restringir. Sobrepujam-se uns aos outros e são interdependentes, produtivos e cooperativos em suas atividades. (12)

> *Sattva* é considerado ascendente e iluminante. *Rajas* é estimulante e móvel. *Tamas* é inerte e tem o poder de esconder. A atividade [dos *gunas*] é consciente e intencional como a de uma lâmpada [feita de várias partes que juntas produzem um único fenômeno, a luz]. (13)

Os *gunas* são a Natureza, assim como os átomos são matéria-energia. Juntos, eles são responsáveis pela imensa variedade das formas naturais em todos os níveis da existência que não o dos Seres transcendentes, que são uma Consciência não-qualificada. O sanscritista alemão Max Müller fez esta observação acerca dos *gunas*:

> A melhor maneira de explicá-los é pela comparação com a idéia de dois opostos e do termo médio entre eles, como a tese, a antítese o a síntese de Hegel, manifestando-se estas na natureza através da luz, da escuridão e da neblina; na moral, através do bem, do mal e do indiferente, com muitas aplicações e modificações.[15]

Segundo o *Sâmkhya-Kârikâ*, os *gunas* encontram-se num estado de equilíbrio na dimensão transcendente da Natureza, chamada *prakriti-pradhâna* ("Fundamento da Natureza"). O primeiro produto que se manifesta no processo de evolução que vai dessa matriz transcendente até a multiplicidade das formas do espaço-tempo é *mahat*, que significa literalmente "o grande" ou grande princípio. Ele tem a natureza da luminosidade e da inteligência e por isso é conhecido também como *buddhi* ("intuição" ou "cognição"), que significa a sabedoria superior. Na realidade, porém, *mahat* é inconsciente em si mesmo (como todos os produtos da Natureza) e só representa uma forma especialmente refinada de existência cósmica. Para ter a sua "luz" de inteligência, depende do Ser-Consciência transcendente.

É do *mahat* ou *buddhi* que surge *ahamkâra* ("o que faz o 'eu'"), o princípio da individuação, que introduz a distinção entre sujeito e objeto. Essa categoria existencial, por sua vez, causa o aparecimento da mente inferior (*manas*), das cinco faculdades de sensação (audição, tato, visão, paladar e olfato) e das cinco faculdades de ação (fala, locomoção, a capacidade de pegar com as mãos, reprodução e excreção). Além disso, o princípio *ahamkâra* dá origem às cinco essências sutis (*tanmâtra*) que subjazem às faculdades de sensação e ação. Essas essências sutis, por sua vez, produzem os cinco elementos (*bhûta*) da manifestação grosseira: o éter, o ar, o fogo, a água e a terra.

Assim, o Sâmkhya clássico reconhece ao todo vinte e quatro categorias da existência. Além da tríade dos *gunas* e de todos os seus produtos estão as inúmeras mônadas transcendentes, que não são tocadas pelas modificações e produções da Natureza.

Todo esse processo de produção é desencadeado pela proximidade dos Seres transcendentes (*purusha*) em relação à matriz transcendente da Natureza. Além disso, o processo só existe em vista da libertação desses Seres, que, de um modo tão misterioso quanto errôneo, se identificam com um corpo e uma mente particulares, e não com o seu estado intrínseco de Consciência pura.

O objetivo do evolucionismo psicocosmológico da tradição do Sâmkhya não é tanto o de explicar o mundo quanto o de ajudar a transcendê-lo. Trata-se de uma estrutura prática para aqueles que aspiram à realização do Si Mesmo e, no decurso da sua prática de meditação, deparam com os diversos níveis ou categorias da existência.

Yoga

No contexto das seis escolas da filosofia hindu, o Yoga significa especificamente a escola de Patanjali, autor do *Yoga-Sûtra*. Essa escola, muitas vezes chamada de Yoga Clássico, é considerada prima-irmã do Sâmkhya de Îshvara Krishna. Ambas se caracterizam pela filosofia dualista, pregando que os Seres ou Si Mesmos transcendentes (*purusha*) são radicalmente separados da Natureza (*prakriti*); e que esses Seres são eternamente imutáveis, ao passo que a Natureza encontra-se em perpétua transformação e, por isso, não pode conduzir à felicidade duradoura. Não precisamos entrar em mais detalhes aqui, pois a escola de Patanjali será discutida extensamente na Parte Três.

Vaisheshika

A escola do Vaisheshika ("Distincionismo") trata das distinções (*vishesha*) entre as coisas. Prega que a libertação é alcançada mediante um entendimento profundo das seis categorias primárias da existência:

1. Substância (*dravya*), que tem nove aspectos: terra, água, fogo, ar, éter, tempo, espaço, mente (*manas*) e o Si Mesmo (*âtman*)

2. qualidade (*guna*), que se divide em vinte e três tipos, entre os quais a cor, as percepções sensoriais, a magnitude, etc.

3. ação (*karma*)

4. o universal (*sâmânya* ou *jâti*)

5. o particular (*vishesha*)

6. a inerência (*samâvaya*), que se refere ao relacionamento lógico necessário que existe entre o todo e a parte, a substância e suas qualidades, etc.

A escola Vaisheshika foi fundada por Kanâda, autor do *Vaisheshika-Sûtra*, que viveu por volta de 500 ou 600 a.C. O nome Kanâda parece ser antes um apelido, pois tem o significado literal de "comedor de partículas". Refere-se supostamente ao tipo de filosofia que ele criou, embora algumas autoridades do Hinduísmo digam também que o nome imortaliza o fato de Kanâda ter sido um grande asceta que só comia partículas (*kana*) de trigo. Talvez ambas as interpretações estejam corretas.

As origens da escola de pensamento de Kanâda são bastante obscuras. Alguns estudiosos compreendem o Vaisheshika como um produto do Pûrva-Mîmâmsâ, outros vêem nele um desenvolvimento da tradição materialista e outros ainda aventaram a hipótese de a escola ter as suas raízes mais antigas num ramo cismático do Jainismo. Tanto no que diz respeito à tendência geral quanto no que se refere à metafísica, o Vaisheshika é muito semelhante ao Nyâya, com o qual é tradicionalmente agrupado. Essas duas escolas, quando juntas, constituem o que mais se aproxima daquilo que nós, no Ocidente, compreendemos por filosofia. Deram uma contribuição duradoura ao pensamento indiano, mas não conservaram lugar de proeminência nesse contexto. A escola Vaisheshika está praticamente extinta, ao passo que a Nyâya só tem uns poucos representantes, principalmente na região de Bengala.

Nyâya

A escola Nyâya ("Regra") foi fundada por Akshapâda Gautama (c. de 500 a.C.), que viveu numa época marcada por grandes controvérsias entre a religião védica e certos fenômenos heterodoxos como o Budismo e o Jainismo — uma época em que os debates e o pensamento crítico estavam, como na Grécia clássica, no seu auge. O Nyâya foi um dos primeiros esforços em prol da formação de regras válidas para a lógica e para a arte da retórica.

Akshapâda é um apelido que nos dá a entender que Gautama tinha o hábito de olhar para os próprios pés (quando imerso em seus pensamentos, ou a fim de purificar o chão ao caminhar). Atribui-se-lhe a autoria do *Nyâya-Sûtra*, ao qual se fizeram muitos comentários. O mais antigo comentário ainda existente é o de Vâtsyâyana Pakshilasvâmin (c. de 400 a.C.), escrito numa época em que o Budismo ainda era forte na Índia. Outro comentário importante é o *Nyâya-Vârttika* de Bharadvâja ou Uddyotakara, objeto por sua vez de um excelente subcomentário de Vâcaspati Mishra, que também escreveu sobre o Yoga. O Nyâya chegou ao auge por volta de 1200 d.C., que marca o início do chamado Nava-Nyâya (ou "Novo Nyâya").

Akshapâda Gautama partiu da idéia de que, para viver corretamente e dedicar-nos à busca de objetivos válidos, temos de saber, antes de mais nada, o que é o conhecimento verdadeiro. Fiel à tendência indiana à classificação, ele elaborou dezesseis categorias cujo conhecimento é dito essencial para quem quer conhecer a verdade. Essas categorias vão desde os meios pelos quais se pode adquirir um conhecimento válido (*pramâna*) até a natureza da dúvida, passando pela diferença entre um verdadeiro debate e uma briga de palavras. Não é este o lugar adequado para examinarmos mais de perto essas categorias. O que nos importa agora é a metafísica da escola Nyâya.

Os seguidores do Nyâya afirmam a existência de inúmeros Sujeitos transcendentes, ou Si Mesmos (*âtman*). Cada Si Mesmo infinito é o agente último que está por trás da mente humana, e cada Si Mesmo goza e sofre os frutos de seus atos no mundo finito. Deus é considerado um *âtman* especial, como no Yoga Clássico, e é o único dotado de consciência. Apesar de os Si Mesmos dos seres humanos serem todos considerados inconscientes, como na escola Mîmâmsâ, os filósofos do Nyâya propuseram a libertação (*apavarga*) como o mais nobre fim da vida humana. É óbvio que seus adversários não deixaram de observar quão indesejável seria uma libertação que redundasse numa existência pétrea, não-senciente. Mas os próprios partidários do Nyâya não se deixavam convencer pela metafísica de sua escola; sabemos disso porque todos foram buscar refúgio espiritual na doutrina religiosa do Shaivismo.

Há vários pontos de contato entre o Nyâya e o Yoga. Segundo o *Nyâya-Sûtra* (Capítulo 4), o Yoga é aquele estado em que a mente está em contato com o Si Mesmo somente, e que acarreta a título de conseqüências o equilíbrio mental e a insensibilidade à dor corpórea. Ao discutir as várias formas de percepção, Vâtsyâyana Pakshilasvâmin observou que os *yogins* são capazes de perceber o que acontece a distância e até mesmo os acontecimentos futuros, e que essa capacidade pode ser cultivada pela prática regular da concentração meditativa. A libertação é chamada *apavarga*, e esse termo se encontra também no *Yoga-Sûtra* (2.18), onde é contraposto à idéia das experiências mundanas (*bhoga*).

Outro paralelo curioso: tanto o Nyâya quanto o Yoga Clássico pregam a doutrina do *sphota*. Esse termo se refere à relação eterna que existe entre uma palavra e o seu som. A idéia é a seguinte: as letras y, o, g e a, ou mesmo toda a palavra *yoga*, por exemplo, não explicam o conhecimento que temos do objeto real chamado "Yoga". Além e acima dessas letras ou sons existe um conceito eterno, a essência do objeto. Quando ouvimos a seqüência de sons, essa essência eterna "prorrompe" (*sphuta*) ou revela-se espontaneamente à nossa mente, levando à compreensão do objeto denotado.

O último ponto de contato é que o partidário do Nyâya também é chamado *yauga*, isto é, "alguém que tem a ver com o Yoga". Não sabemos o que está por trás dessa denominação.

A divisão da filosofia hindu em seis escolas é um pouco artificial. Há muitas outras escolas — especialmente as que se ligaram a certos movimentos sectários — que, numa época ou outra, exerceram uma influência importante sobre o desenvolvimento do pensamento indiano. Algumas dessas escolas serão tratadas em capítulos posteriores. O que temos de manter sempre em mente é que o Yoga influenciou a maioria desses caminhos e tradições, embora tenha feito mais na qualidade de um conjunto informal de idéias, crenças e práticas do que na forma do sistema filosófico (*darshana*) formulado por Patanjali.

V. O YOGA, O ÂYUR-VEDA E A MEDICINA DOS SIDDHAS

Âyur-Veda ("Ciência da Vida") — que em inglês se escreve normalmente como uma única palavra, *âyurveda* — é o nome que se dá ao sistema de medicina criado e desenvolvido na Índia. O Âyur-Veda é, em essência, uma medicina naturopática que dá ênfase à prevenção mas também possui um vasto repertório de métodos curativos. Na Índia, é praticado lado a lado com a medicina moderna e é apresentado como um modo de vida para os que almejam gozar de boa saúde e longevidade. Embora o Âyur-Veda não possa ser considerado uma tradição filosófica, fundamenta-se sobre a metafísica hindu. A tradição o considera um conjunto de conhecimentos suplementares ao *Atharva-Veda*. É neste livro sagrado que encontramos as mais antigas especulações registradas acerca de anatomia e de medicina preventiva e curativa. Em virtude da sua importância cultural, o Âyur-Veda já foi muitas vezes considerado como um quinto ramo, ou "coletânea", da herança védica.

Afirma-se que, na origem, o conjunto de conhecimentos âyur-védicos perfazia cerca de 100.000 versículos dispostos num livro de mais de mil capítulos. É certo que se praticava a medicina nos primórdios da Era Védica, mas nenhuma obra dessas proporções chegou às nossas mãos. Os mais antigos textos médicos de amplitude enciclopédica são o *Sushruta-Samhitâ* e o *Caraka-Samhitâ*. Nas suas partes mais antigas, o primeiro desses dois data de antes da época do Buda, mas só assumiu a sua forma atual nos primeiros séculos da Era Cristã. O *Mahâbhârata* (1.4.55) se lembra de Sushruta como neto do rei Gâdhi e filho do sábio Vishvâmitra; isto, de acordo com a cronologia revista adotada por este livro, o situaria mais ou menos sessenta e duas gerações antes da guerra dos Bhârata, isto é, por volta do ano 3000 a.C. O nome Sushruta significa literalmente "bem ouvido" e se refere ao fato de ser ele particularmente capaz de receber e reter os conhecimentos transmitidos. Ninguém sabe o quanto o atual *Sushruta-Samhitâ* conserva do conhecimento médico original. O que sabemos, porém, a partir de certos hinos do *Rig-Veda* e do *Atharva-Veda*, é que havia excelentes médicos na Era Védica.

O segundo compêndio de medicina, que também foi revisto muitas vezes, provavelmente recebeu a sua forma final por volta de 800 d.C. Entretanto, é provável que o seu suposto autor, Caraka, tenha vivido muitos séculos antes disso, uma vez que, segundo a tradição, ele foi o médico da corte do rei Kanishka (78-120 d.C.). O nome "Caraka" nos lembra que os antigos médicos — embora talvez não seja esse o caso do próprio Caraka — costumavam viajar (*cara*) de região em região oferecendo os seus serviços.

À semelhança do Yoga Clássico, que tem oito "membros", o sistema âyur-védico de medicina — de acordo com o *Sushruta-Samhitâ* (1.1.5-9) se divide em oito ramos, (1) cirurgia; (2) tratamento de males da cabeça e do pescoço; (3) tratamento de males físicos do tronco, dos braços e das pernas; (4) tratamento das doenças de infância; (5) processos de combate às más influências ocultas; (6) toxicologia; (7) processos de rejuvenescimento do corpo, chamados *rasâyana*; e (8) técnicas de revitalização sexual (*vâjikarana*).

A semelhança formal que existe entre o Âyur-Veda e o Yoga óctuplo de Patanjali, sempre salientada pelas autoridades hindus, é mera coincidência, embora algumas autoridades tradicionais tenham dado atenção a esse paralelo. Não obstante, o Yoga e o Âyur-Veda têm em comum várias técnicas e conceitos. Antes de mais nada, a maioria dos autores e compiladores dos compêndios de medicina acima mencionados eram partidários da tradição filosófica do Yoga e do Sâmkhya. Assim, certo trecho do *Sushruta-Samhitâ* parece ter sido retocado à luz do sistema dualista de Îshvara Krishna, exposto no seu *Sâmkhya-Kârikâ*. O *Caraka-Samhitâ*, por outro lado, contém ecos da metafísica das epopéias ligadas ao Sâmkhya e ao Yoga. Deve-se tam-

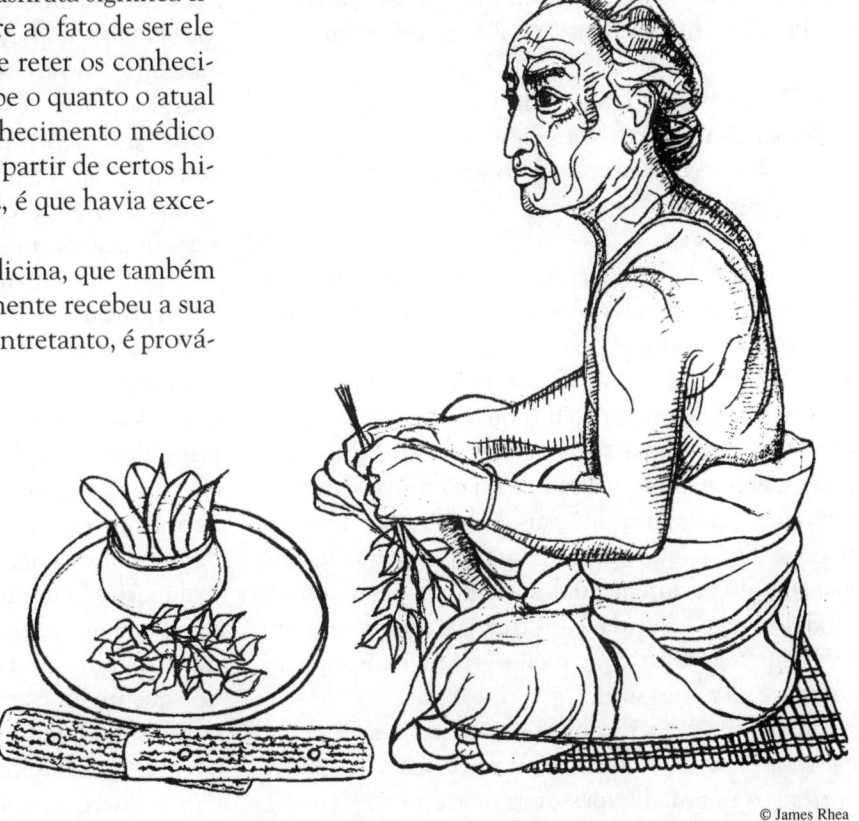

© James Rhea

Caraka

bém mencionar aqui que alguns dentre os antigos comentadores, escrevendo em sânscrito, afirmaram que o mesmo Patanjali que compôs o *Yoga-Sûtra* escreveu também um famoso tratado de gramática e um tratado de medicina.

Tanto o Âyur-Veda quanto o Yoga afirmam convictamente a unidade interativa que existe entre a mente e o corpo. As doenças físicas podem afetar adversamente a mente e o desequilíbrio mental pode produzir doenças de todo tipo. A idéia de vida saudável proposta pelo Âyur-Veda inclui as noções de uma vida feliz (*sukha*) e moralmente boa (*hita*). A vida feliz, pela definição âyur-védica, é a vida sã e vigorosa tanto física quanto mentalmente, além de seguir a moral e até mesmo a sabedoria. A íntima relação que existe entre a conduta ética e a felicidade também é posta em relevo pelos textos ligados ao Yoga.

As autoridades do Âyur-Veda recomendam o cultivo da tranqüilidade, do autoconhecimento e da prudência. Podemos dizer hoje que os médicos hindus incorporaram à sua teoria e à sua prática a idéia de auto-atualização (no sentido dado por Abraham Maslow).[16] Não é difícil perceber que uma vida como essa constituiria uma base sólida para a busca da realização do Si Mesmo (*âtma-jnâna*) compreendida como um valor espiritual. No livro *Ayurveda and the Mind*, David Frawley chega a ponto de afirmar o seguinte:

> O Ayurveda é o ramo curativo da ciência yogue. O Yoga, por sua vez, é o aspecto espiritual do Ayurveda. O Ayurveda é o ramo terapêutico do Yoga.[17]

A teoria das várias correntes vitais (*vâyu*) do corpo, que se originou na época do *Atharva-Veda*, é mais um dos fortes pontos de conexão que ligam o Âyur-Veda e o Yoga. Os médicos geralmente distinguem treze canais (*nâdî*) ao longo dos quais correm, por pressuposto, os diversos tipos de força vital (*prâna*), ao passo que os textos de Hatha-Yoga costumam mencionar quatorze canais principais. Muitas vezes, esses canais sao distinguidos dos dutos maiores (chamados *dhamanî*) que conduzem fluidos como o sangue, etc. O modelo âyur-védico da rede de canais é muito diferente do modelo tântrico, o qual se refere mais especificamente ao corpo sutil.

O Hatha-Yoga reconhece a importância de começar-se a praticar o controle da respiração na estação correta. A raiz médica desse costume está no Âyur-Veda, segundo o qual os humores corpóreos (*dosha*) sofrem mudanças de acordo com as estações. O conceito dos *doshas* também figura em vários textos de Yoga, tais como o *Yoga-Bhâshya* (1.30), do século V, que define a doença como um "desequilíbrio dos componentes (*dhâtu*) ou da atividade das secreções (*rasa*)". Vâcaspati Mishra, glosando esse texto no século IX, explica que os componentes são o ar (*vâta*), a bile (*pitta*) e a fleuma (*kapha*) — em outras palavras, os *doshas*. Ele está falando em linguagem médica.

Os *doshas* também são mencionados com freqüência nos textos de Hatha-Yoga, que querem assegurar o melhor funcionamento possível do corpo. A saúde é dita uma conseqüência do equilíbrio adequado entre os "componentes" do corpo.[18] Esses "componentes" estão espalhados pelo corpo inteiro, mas concentram-se mais em certos lugares. Assim, *vâta* predomina no sistema nervoso, no coração, no intestino grosso, nos pulmões, na bexiga e na pelve; *pitta* predomina no fígado, na vesícula biliar, no intestino delgado, nas glândulas endócrinas, no sangue e no suor; *kapha* predomina nas articulações, na boca, na cabeça e no pescoço, no estômago, na linfa e no tecido adiposo. *Vâta* tende a acumular-se abaixo do umbigo, *kapha* acima do diafragma e *pitta* entre o diafragma e o umbigo.

Além dos três *doshas*, o Âyur-Veda também admite a existência de sete tipos de tecido (*dhâtu*) e três substâncias impuras (*mala*). Os *dhâtus* são o plasma sangüíneo (*rasa*), o sangue (*rakta*), a carne (*mâmsa*), a gordura (*meda*), os ossos (*asthi*), a medula óssea (*majjan*) e o sêmen (*shukra*). Os *malas*, ou dejetos, são as fezes (*purîsha*), a urina (*mûtra*) e o suor (*sveda*). Esses componentes do corpo também são mencionados de vez em quando nos textos sobre Yoga.

Isso vale igualmente para as chamadas zonas vulneráveis ou sensíveis (*marman*), já mencionadas no *Rig-Veda* (6.75.18). Segundo o Âyur-Veda, existem 107 *marmans*, que são conexões vitais entre a carne e os músculos, os ossos, as articulações ou os tendões, ou entre duas veias. Um golpe bem dado em alguns desses *marmans* pode causar a morte, como sabem por seu conhecimento secreto os lutadores de certas artes marciais chinesas e japonesas. O *kalarippayattu*, arte marcial praticada no sul da Índia, reconhece de 160 a 220 desses pontos sensíveis no corpo. Segundo esse sistema, o corpo é constituído de três camadas: o corpo fluido (que inclui os tecidos e as substâncias impuras); o corpo sólido, feito dos músculos, tendões e *marmans*; e o corpo sutil feito dos canais e centros de acumulação de energia vital. Quando um *marman* é ferido, interrompe-se o fluxo do elemento vento, gerando-se assim problemas físicos graves que podem resultar na morte. Às vezes, um tapa vigoroso aplicado à área ferida pode desobstruir o fluxo da força vital e assim evitar o pior. Os *marmans* dependem do fluxo de *prâna* e, sem *prâna*, não existem *marmans*. O fluxo da força vital através desses pontos sensíveis é controlado pela lua. Doutrina semelhante é afirmada pela sexologia hindu antiga, que recomenda o estímulo de certas áreas sensíveis do corpo da mulher somente em determinados dias do mês lunar.[19]

Alguns textos de Yoga, como o *Shândilya-Upanishad* (1.8.1 *et seq.*), mencionam dezoito *marmans*; e, de acordo com o *Kshurikâ-Upanishad* (14), o *yogin* deve cortar esses pontos vitais fazendo uso da "lâmina afiada da mente". Em outras palavras, nesse caso, os *marmans* parecem ser compreendidos como bloqueios ao fluxo da força vital, bloqueios esses que só podem ser removidos pela concentração e pelo controle da respiração.

Outro conceito importante que o Yoga e o Âyur-Veda têm em comum é o de *ojas*, energia da vitalidade, já mencionado no *Atharva-Veda* (2.17.1). Ambos os sistemas procuram aumentar *ojas* (isto é, sua modalidade "inferior") de diversas maneiras. No Yoga, o método mais recomendado para o aumento da potência vital é a abstinência sexual. *Ojas* diminui com a idade e se reduz em decorrência da fome, da má alimentação, do excesso de trabalho, da raiva e da tristeza — todas as circunstâncias físicas e mentais que nos tiram o gosto pela vida. As condições opostas geram *ojas* e garantem assim a boa saúde. Quando *ojas* fica por muito tempo num nível baixo, a pessoa sofre de doenças degenerativas e envelhecimento prematuro.

Ojas está presente no corpo inteiro, mas se armazena especialmente no coração, que é também o *locus* físico da consciência. *Cakrapâni*, comentando o *Caraka-Samhitâ*, afirma que, embora haja no corpo meio punhado de "*ojas* inferior", há apenas oito gotas de "*ojas* superior" no coração. O menor desperdício dessa preciosíssima energia vital causa a morte, e a quantia perdida não pode ser substituída.

Além de tudo isso, o Hatha-Yoga e o Âyur-Veda partilham certas técnicas de purificação — em especial, a prática do vômito induzido (*vamana*) e da limpeza física (*dhauti*). Essas técnicas têm, entre outras coisas, um efeito salutar sobre o metabolismo corporal. O Âyur-Veda conhece ainda treze espécies de calor interno (*agni*); dentre elas, o calor digestivo (*jâthara-agni*) é mencionado muitas vezes pelas autoridades de Hatha-Yoga.

O bem-estar físico (*ârogya*) é, sem dúvida alguma, um dos pré-requisitos e metas intermediárias do Hatha-Yoga. Até mesmo Patanjali, em seu *Yoga-Sûtra* (3.46), diz que a "robustez adamantina" do corpo é um dos aspectos da perfeição corpórea (*kâya-sampad*). Noutro aforismo (2.43), Patanjali afirma que a perfeição do corpo e dos sentidos é uma decorrência da diminuição da quantidade de impurezas em virtude da ascese. Assevera, além disso (2.38), que a vitalidade (*vîrya*) é obtida através da castidade. No aforismo 1.30, inclui a doença (*vyâdhi*) entre as distrações (*vikshepa*) da mente que impedem o progresso no Yoga.

O *Shiva-Svarodaya*, texto yogue escrito há muitos séculos, promove o controle da respiração como meio por excelência para a consecução e conservação do bem-estar corpóreo e para a obtenção de poderes e conhecimentos ocultos, bem como da sabedoria e até mesmo da libertação. Num dos versículos (314), afirma que a técnica de *svarodaya* — de *svara* ("som [da respiração]") e *udaya* ("ascensão") — é uma ciência criada pelos *siddha-yogins*.

O *Sat-Karma-Samgraha* ("Compêndio dos Atos Bons"), texto yogue escrito por Cidghanânanda, discípulo de Gaganânanda da seita Nâtha, apresenta toda uma lista de práticas purificatórias. O objetivo delas é a prevenção ou a cura de todas as doenças que resultam quer do azar, quer do descuido na observância das regras dietéticas e outras, tais como as que se referem à localização e ao horário correto das práticas. Cidghanânanda recomenda ao *yogin* que, antes de mais nada, valha-se das posturas (*âsana*) e de medicamentos secretos para curar-se. Caso essas coisas não funcionem, deve então pôr em prática os preceitos revelados no texto.

Yogânanda Nâtha escreveu no século XVI um texto intitulado *Âyur-Veda-Sûtra* no qual reconhece explicitamente o vínculo que existe entre o Yoga e o Âyur-Veda, cita o *Yoga-Sûtra* de Pantajali e apresenta a boa dieta e o jejum como meios excelentes para a conservação e a recuperação da saúde. Os alimentos são classificados segundo o *guna* que neles predomina. Os *gunas* — *sattva, rajas* e *tamas* — também constam da doutrina médica do Âyur-Veda. O desequilíbrio dos componentes ou humores do corpo é um desequilíbrio dos *gunas*, e vice-versa. De certo modo, toda a existência finita resulta de um desequilíbrio dos *gunas*; é só no nível transcendente da Natureza (*prakriti-pradhâna*) que eles se encontram em perfeito equilíbrio. Às vezes, os três humores (*dosha*) são considerados como defeitos do corpo e os três *gunas* como imperfeições da

सत्त्व । रजस् । तमस् ॥

Sattva, rajas, tamas

mente. A correlação entre eles é a seguinte: vento — *sattva*; bile — *rajas*; fleuma — *tamas*.

Uma das práticas âyur-védicas que se liga de perto ao ideal hatha-yogue de criar um corpo imortal ou no mínimo longevo é a pratica de *kâya-kalpa*. Trata-se de um complexo rito de rejuvenescimento que exige um prolongado isolamento em lugar escuro, um controle rigoroso da alimentação e o uso de poções secretas. O santo Tapasviji Maharaj, que viveu na nossa época, parece ter se submetido a esse tratamento em diversas ocasiões; a cada vez, saía do seu isolamento numa cabana escura com a aparência e a sensação de completo rejuvenescimento.

O vínculo íntimo que liga o Âyur-Veda, o Yoga e a alquimia (*rasâyana*, de *rasa*, "essência" ou "mercúrio", e *ayana*, "caminho") se torna particularmente evidente na tradição dos Siddhas, que veio à luz na Índia setentrional na época medieval. Os partidários dessa importante tradição buscavam a imortalidade corpórea através de uma tecnologia psicofisiológica complexa chamada de *kâya-sâdhana*, ou "cultivo do corpo". Foi daí que nasceram as diversas escolas de Hatha-Yoga, as quais, sob um certo aspecto, podem quase ser consideradas o ramo preventivo da medicina hindu. Um fato interessante: um livro de medicina, escrito por um certo Vrinda, tem o título de *Siddha-Yoga*. Outro tratado, atribuído a Nâgârjuna, é intitulado *Yoga-Shataka* ("Centúria [de Versículos] sobre o Yoga").

A Índia meridional produziu um outro sistema médico independente que é comparável ao Âyur-Veda. Esse sistema é associado à tradição dos Siddhas, tal como se desenvolveu nas regiões de língua tâmil. Seu vínculo com a alquimia é ainda mais forte que o do Âyur-Veda, é o sistema do sul emprega um grande número de medicamentos derivados de vegetais e substâncias químicas. Os três principais instrumentos de diagnóstico e tratamento são a astrologia, os mantras e os medicamentos, chamados respectivamente, em língua tâmil, de *mani*, *mantiram* e *maruntu*. Empregam-se também posturas corporais (*âsana*) e o controle da respiração.

Esse sistema alternativo de medicina, que nos é quase desconhecido por falta de pesquisas, foi criado pelo lendário sábio Akattiyar (sânscrito: Agastya), a quem se atribui a autoria de mais de duzentos livros. É ele o primeiro dos dezoito *siddhas*, ou adeptos perfeitamente realizados, que são venerados na região sul da península indiana. Um antigo vidente chamado Agastya compôs vários hinos do *Rig-Veda*, e esta escritura sagrada (1.179) conservou até um diálogo entre ele e a sua esposa Lohâmudrâ. A tradição diz que ele era de pequena estatura; na iconografia, é representado como um anão. Há muito tempo que o seu nome é ligado à região sul da Índia, onde ele é tão venerado quanto Matsyendra Nâtha é no norte.

Teraiyar, tido pela tradição como um dos discípulos de Agastya, mas que pode ter vivido em época tão tardia quanto o século XV d.C., era um adepto e um médico de renome. Dos muitos livros que escreveu dois chegaram a nós: o *Cikamanivenpa* e o *Natikkottu* (sobre a arte do diagnóstico pela tomada do pulso). Resta também um fragmento do *Noyanukaviti* (sobre a higiene). Eis alguns versículos dessa obra:

> Não comeremos três vezes por dia, mas duas;
> não dormiremos durante o dia, mas somente
>   à noite;
> manteremos relações sexuais somente uma
>   vez por mês;

Agastya, o sábio anão

não beberemos água senão às refeições, embora tenhamos sede;

não comeremos a raiz bulbosa de nenhum vegetal, exceto do karanai;

não comeremos frutas verdes, exceto a tenra banana-da-terra; faremos uma breve caminhada após uma refeição amistosa;

o que, então, terá a morte a ver conosco?

Uma vez a cada seis meses, tomaremos um emético;

tomaremos um purgante uma vez a cada quatro meses;

uma vez a cada mês e meio, tomaremos naciyam;[20]

rasparemos a cabeça duas vezes a cada quinze dias;

a cada quatro dias, tomaremos banho e nos ungiremos com óleo;

aplicaremos colírio aos olhos a cada três dias;

jamais aspiraremos o aroma de flores e perfumes no meio da noite;

o que, então, terá a morte a ver conosco?[21]

O trecho citado acima deixa claro que os *siddhas* do sul da Índia estavam, como os do norte, muito interessados na longevidade, e aspiravam até a imortalidade num corpo transubstanciado. Falaremos algo mais acerca dessa doutrina nos Capítulos 17 e 18.

VI. O YOGA E A RELIGIÃO HINDU

O Yoga não é uma religião no sentido convencional, mas uma espiritualidade, um esoterismo, um misticismo. Não obstante, quando examinamos com atenção o Hinduísmo, o Budismo, o Jainismo e o Sikhismo, vemos que o Yoga, via de regra, não se vincula apenas às cosmologias, mas também às crenças e práticas religiosas dessas tradições. Esse fato se erigiu em obstáculo para muitos dentre os que praticam o Yoga no Ocidente, que nem dispõem de informações seguras acerca dessas tradições nem, muitas vezes, se sentem à vontade dentro da sua própria tradição religiosa, seja ela o Cristianismo, seja o Judaísmo. Em particular, esses praticantes se assustam com o grande número de divindades dos panteões hindu, budista e jainista, e ficam a se perguntar de que modo essas divindades se relacionam com a prática do Yoga propriamente dito e com a doutrina do não-dualismo (*advaita*) que caracteriza a maioria das formas de Yoga. Os estudantes de tendência monoteísta podem até sentir-se ameaçados de sucumbir ao politeísmo, que é considerado pecado na tradição judeu-cristã. Uma vez que este livro trata sobretudo do Yoga no Hinduísmo, proponho-me agora a fazer uma breve apresentação dos deuses e deusas dessa tradição, que são mencionados amiúde nos textos sobre Yoga, quer nos escritos em sânscrito, quer nos escritos em línguas populares. Os jainas, em sua maioria, conservaram as mesmas divindades, e muitas dentre elas também integram o enorme panteão budista.

As várias divindades são invocadas e adoradas como manifestações ou personificações da Realidade suprema, e, aos olhos de seus adoradores, *são*, cada uma delas, essa Realidade suprema. Os adoradores do deus Shiva, por exemplo, afirmam que Shiva é absolutamente transcendente, sem forma e sem qualidades (*nirguna*), mas, para poder adorá-lo, atribuem a esse Ser não-qualificado certas características ou qualidades (*guna*) antropomórficas, como a bondade, a beleza, o poder e a misericórdia. Em relação a Shiva, todas as outras divindades são consideradas seres elevados que residem nos diversos mundos (*loka*) celestiais. Na terminologia cristã, são arcanjos ou anjos. Entre os devotos de Vishnu, a situação é a inversa. Para eles, Vishnu é a Divindade suprema, e todas as outras divindades — Shiva inclusive — são meros *devas*, "seres luminosos", cujo *status* é equivalente ao dos anjos nas tradições judaica, cristã e islâmica.

Desde a época mais antiga, as divindades eram consideradas sob três pontos de vista: o material (*âdhibhautika*), o psíquico (*âdhyâtmika*) e o espiritual (*âdhidaivika*). O deus védico Agni, por exemplo, significa o fogo do sacrifício propriamente dito, o fogo interior do sacrificante (relacionado ao poder da serpente, ou *kundalinî-shakti*) e o fogo divino, ou Luz Transcendente. Sempre que pensamos numa divindade, temos de ter em mente os três aspectos, que não podem ser separados, pois constituem uma só e a mesma Realidade. Até agora, a maioria dos estudiosos só levou em conta o primeiro aspecto, e isso fez com que considerassem (e às vezes desprezassem) a espiritualidade védica como mero "naturalismo". Um exame mais atento, porém, nos mostra que os videntes e sábios védicos eram profundos conhecedores do simbolismo e hábeis no uso da linguagem metafórica. A falha não está na comunicação simbólica deles, mas na nossa capacidade (ou incapacidade) de compreendê-la.

Agni

Reproduzido de *Hindu Religion, Customs and Manners*

Desde a Era Védica, os "teólogos" da Índia falam de trinta e três divindades, embora muitas mais sejam mencionadas nos textos sagrados e adoradas na prática. Falaremos agora apenas de um pequeno grupo de divindades especialmente associadas ao Yoga.

Comecemos com Shiva ("O Benigno"), já mencionado no *Rig-Veda* (1.114; 2.33). É ele o ponto focal do Shaivismo, isto é, da tradição shaiva de culto e teologia. É por excelência a divindade dos *yogins* e é muitas vezes representado como um *yogin*, de cabelos compridos e emaranhados, corpo coberto de cinzas e levando consigo uma guirlanda de crânios — sinais da mais perfeita renúncia. Nos seus cabelos está o crescente lunar, símbolo da visão e do conhecimento místicos. Seus três olhos são o sol, a lua e o fogo, e revelam-lhe todas as coisas do passado, do presente e do futuro. O olho central ou "terceiro olho", localizado na testa, está ligado ao fogo cósmico; um único olhar desse olho tem o poder de transformar em cinzas todo o universo. A serpente enrolada em torno de seu pescoço simboliza a misteriosa energia da *kundalinî*.

O rio Gangâ (Ganges) que jorra do topo da cabeça de Shiva é um símbolo da purificação perpétua, o meio que Shiva usa para conferir aos devotos a dádiva da libertação espiritual. A pele de tigre sobre a qual ele se senta representa o poder (*shakti*), e seus quatro braços expressam o perfeito e absoluto controle que ele tem sobre os quatro pontos cardeais. O tridente representa as três qualidades (*guna*) primárias da Natureza, a saber, *sattva*, *rajas* e *tamas*. O animal que lhe é associado é o touro Nandin ("Delicioso"), símbolo da energia sexual que Shiva dominou por completo. O leão que figura em muitas imagens desse deus representa a gula e a voracidade, também dominadas por Shiva.

Shiva é associado desde os primórdios a Rudra ("Uivador"), divindade especialmente ligada ao elemento ar e às diversas manifestações deste (isto é, o vento, a tempestade, o trovão e o raio, mas também a energia vital, a respiração, etc.). Mas Rudra também é compreendido como um grande médico, e essa mesma função medicinal é sugerida pelo nome "Shiva". No Hinduísmo tardio, Shiva tornou-se o aspecto destrutivo ou "transformador" da famosa "trindade" (*trimûrti*), cujos dois outros membros são Vishnu (que representa o princípio de conservação) e Brahma (que simboliza o princípio criador). Shiva, como tal, é muitas vezes chamado de Hara ("Eliminador"). Segundo as representações típicas, reside no Monte Kailâsa com sua divina esposa Pârvatî ("a que reside na montanha"). Muitos *Tantras* o apresentam como o primeiro mestre do conhecimento esotérico. Na qualidade de Realidade suprema, os shaivas invocam-no como Maheshvara ("Grande Senhor", de *mahâ*, "grande", e *îshvara*, "senhor"). Como aquele que concede a alegria e a serenidade, é chamado Shankara; como sede e fonte de todas as delícias, é denominado Shambhu. É chamado também pelos nomes de Pashupati ("Senhor dos animais"), Îshana ("Soberano") e, não menos importante, Mahâdeva ("Grande Deus").

Outro símbolo tipicamente associado a Shiva e que tem muitos outros aspectos é o *linga*. Essa palavra costuma ser traduzida por "falo", mas significa literalmente "sinal" e representa o princípio da criatividade considerado em si mesmo. O *linga* (que às vezes se escreve "lingam" em inglês) é o âmago criativo da existência cósmica (*prakriti*), indivisível e eficiente. O pólo que o complementa é o princípio feminino *yoni* ("útero", "fonte"). Juntos, esses dois princípios tecem a tapeçaria do espaço-tempo. Alguns shaivas — especialmente os Lingâyatas — usam o *shiva-linga* como

Shiva

Reproduzido de The Gods of India

amuleto; no ambiente tântrico, representações do *linga* feitas de pedra ou metal e colocadas em gamelas que representam *yoni* lembram os praticantes da natureza bipolar de toda a existência manifestada: o mundo é uma interação entre Shiva e Pârvatî (Shakti), ou entre Consciência e Energia.

Vishnu ("O Que Impregna Todas as Coisas") é o foco da adoração dos vaishnavas. O Vaishnavismo tem suas raízes nos tempos védicos, uma vez que Vishnu já é mencionado no *Rig-Veda* (p. ex. 1.23; 154; 8.12; 29). Dentre os seus outros nomes, os mais importantes são Hari ("Eliminador"), Nârâyâna ("Morada dos humanos") e Vâsudeva (Deus de [todas as] coisas"). Segundo a mitologia, entre os períodos sucessivos de recriação do mundo, Vishnu permanece em estado informe sobre a serpente cósmica Shesha (ou Ananta), que flutua no oceano infinito da existência não-manifesta.

Vishnu, como Shiva, é muitas vezes representado com quatro braços, que significam a sua onipresença e onipotência. Entre seus atributos incluem-se a concha (símbolo da criação), o disco (que representa o intelecto ou espírito universal), o lótus (que representa o universo), o arco e as flechas (que simbolizam o sentido do ego e os sentidos exteriores), a maça (que significa a força vital), o cacho de cabelos dourados que caem sobre o lado esquerdo do peito (que representa o âmago da Natureza), a carruagem (símbolo da mente como princípio da ação) e a cor preta ou azul-escura da pele (que sugere a extensão infinita do éter/espaço, o primeiro dos cinco elementos).

Afirma-se que Vishnu encarnou-se várias vezes para restabelecer a ordem moral (*dharma*) na Terra. Suas dez encarnações (*avatâra*, "descida") são as seguintes:

1. Matsya ("Peixe") encarnou-se com o propósito específico de salvar Manu Satyavrata, progenitor da raça humana, durante o dilúvio que inaugurou o presente ciclo da humanidade.

2. Kûrma ("Tartaruga") tomou forma a partir da infinitude de Vishnu para recuperar vários tesouros perdidos durante o dilúvio, especialmente o elixir da vida. Tanto as divindades (*deva* ou *sura*) quanto as contradivindades (*asura*) colaboraram para bater o oceano como se bate o leite para tirar manteiga, usando a serpente cósmica (Ananta) como corda e Mandara, a montanha cósmica, como vara de bater. Kûrma serviu como pivô para a vara. Com isso, todos os tesouros perdidos foram recuperados, restabelecendo-se assim a ordem e o equilíbrio universais.

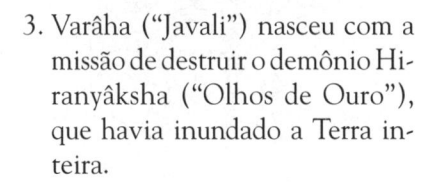

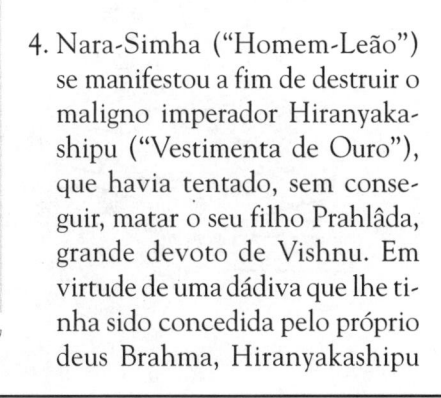

Shiva-linga
© *Hinduism Today*

3. Varâha ("Javali") nasceu com a missão de destruir o demônio Hiranyâksha ("Olhos de Ouro"), que havia inundado a Terra inteira.

4. Nara-Simha ("Homem-Leão") se manifestou a fim de destruir o maligno imperador Hiranyakashipu ("Vestimenta de Ouro"), que havia tentado, sem conseguir, matar o seu filho Prahlâda, grande devoto de Vishnu. Em virtude de uma dádiva que lhe tinha sido concedida pelo próprio deus Brahma, Hiranyakashipu

ॐ A TRADIÇÃO DO YOGA

não poderia ser morto nem de dia nem à noite, nem por um homem, um animal ou uma divindade, nem do lado de fora nem do lado de dentro das muralhas do seu palácio. Por isso, Nara-Simha surgiu no crepúsculo, sob a forma de um ser humano com cabeça de leão, e dentro de um pilar. Com suas garras dilacerou o corpo do rei e o destruiu.

5. Vamâna ("Anão") encarnou-se especificamente para vencer o demoníaco Bali, que havia usurpado o lugar das divindades e obtido o domínio sobre o universo. Vamâna pediu a Bali que lhe desse o quanto de terra lhe fosse possível transpor com três passos. Achando graça no pedido, o demônio imperador o atendeu. Vamâna deu dois passos e transpôs com eles toda a criação; com o terceiro passo, plantou o pé sobre a cabeça de Bali, empurrando-o para os mundos infernais. Como Bali tinha algumas virtudes, Vamâna concedeu-lhe o império sobre o mundo inferior. Os três passos de Vishnu são mencionados já no *Rig-Veda* (p. ex., 1.23.17-18, 20).

6. Parashu-Râma ("Râma com o Machado") foi uma encarnação guerreira. Destruiu vinte e uma vezes a casta guerreira, o que é indício de um forte conflito entre os *kshatriyas* e os brâmanes numa época recuada.

Reproduzido de *Hindu Religion, Customs and Manners*
Vishnu como Nara-Simha

7. Râma ("O Escuro" ou "O Agradável"), também chamado Râmacandra, foi o soberano justo e sábio de Ayodhyâ e um contemporâneo mais jovem de Parashu-Râma. A história de sua vida nos é relatada pela epopéia *Râmâyana*. Sua esposa Sîtâ ("Sulco [de arado]"), freqüentemente identificada à deusa Lakshmî ("Bom Sinal"), simboliza o princípio da fidelidade conjugal, do amor e da devoção. Foi raptada pelo rei-demônio Râvana, cujo reino talvez se localizasse no atual Sri Lanka (Ceilão), e resgatada pelo semideus Hanumat, de cabeça de macaco, que representa o princípio do serviço fiel.

8. Krishna ("O que Puxa") é o Deus-homem, cujos ensinamentos estão registrados no *Bhagavad-Gîtâ* e em muitas outras partes da epopéia *Mahâbhârata*. A morte de Krishna deu início ao *kali-yuga*, a era de trevas na qual ainda estamos e cuja duração total é calculada em alguns milhares de anos.

9. Buddha ("O Desperto") nasceu para desorientar os malfeitores e os demônios. Algumas autoridades não crêem que esse *avatâra* tenha sido Gautama, o Buda, mas é praticamente impossível duvidar de que era a ele que se referiam os brâmanes que formularam a doutrina das dez encarnações.

10. Kalki ("O Vil", "O Humilde") é o *avatâra* que ainda não veio. Vários *Purânas* o representam montado num cavalo branco e empunhando uma espada de fogo. Sua tarefa será a de destruir este mundo (*yuga*) e fundar a nova Era de Ouro, ou Era da Verdade (*satya-yuga*).

© James Rhea

Râma

CAPÍTULO 3 — O YOGA E AS OUTRAS TRADIÇÕES DO HINDUÍSMO 🕉

Vishnu como Matsya

Brahma é o mais abstrato dos deuses da trindade hindu, e por isso não chegou a empolgar a imaginação dos brâmanes. É simplesmente o Criador do mundo. É preciso distingui-lo cuidadosamente de *brahman*, que é o nome da Realidade transcendente não-dual. As pessoas que não se filiam às grandes comunidades religiosas, como as dos shaivas e vaishnavas, costumam ser chamadas de Smârtas, isto é, partidárias da *Smriti* (textos não-revelados, mas que decorrem diretamente das escrituras sagradas por dedução ou interpretação).

O deus Ganesha ("Senhor dos exércitos"), de cabeça de elefante, é intimamente ligado a Shiva. Ganesha é chamado também por muitos outros nomes, entre os quais Ganapati (que tem o mesmo sentido) e Vinâyaka ("Comandante").[22] Em 1995, Ganesha chegou às manchetes do *New York Times* e de vários outros grandes jornais do mundo inteiro em virtude do fenômeno que foi chamado de "milagre do leite" (*kshîra-camatkâra*). No dia 21 de setembro daquele ano, um hindu comum de Nova Delhi sonhou que Ganesha estava com vontade de tomar leite. Ao levantar-se de manhã, foi incontinenti para o templo mais próximo e, com a permissão do sacerdote, ofereceu à imagem do deus uma colherada de leite. Para surpresa sua e do sacerdote, o leite desapareceu. Em poucas horas, a notícia havia chegado a todo o país, e dezenas de milhões de hindus devotos dirigiram-se aos templos. Ao que parece, um número incontável de outras pessoas — inclusive alguns céticos estupefatos — testemunharam de novo o milagre em vários locais sagrados e em outros menos sagrados (como os "santinhos" de Gane-

Ganesha

Kâlî

sha colados no painel dos automóveis, por exemplo). Em vinte e quatro horas, o milagre acabou tão repentinamente quanto havia começado.

Seja qual for a nossa opinião acerca desse fenômeno, ele nos dá a oportunidade de comentar o simbolismo da oferenda do leite. Na remota era védica, costumava-se misturar leite ao fabuloso caldo de *soma* antes de vertê-lo no fogo sagrado para propiciar as divindades ou de o sacerdote bebê-lo para ver facilitada a sua comunhão com os seres celestes. Em épocas posteriores, o sacrifício do *soma* passou a ser compreendido e praticado tão-somente de maneira metafórica. O *soma* tornou-se o néctar da imortalidade gerado dentro do próprio corpo humano através da concentração intensa. O leite, enquanto produto da vaca sagrada, é cheio de associações simbólicas. Ganesha está particularmente ligado ao simbolismo da força vital (*prâna*) e da energia serpentina (*kundalinî*), a qual, quando sobe plenamente até atingir o centro psicoespiritual localizado no topo da cabeça, faz com que o elixir ambrosíaco irrigue todo o corpo do *yogin*.

Dentre as várias divindades femininas, temos de destacar Durgâ ("A que é difícil de atravessar"), que representa a energia cósmica de destruição, em particular a que destrói ou anula o ego (*ahamkâra*), o qual se interpõe no caminho do crescimento espiritual e da suprema libertação. Durgâ só é mãe protetora para os que seguem a via da autotranscendência; todos os demais são objeto da sua ira.

Kâlî, personificação da ira de Dûrga, faz parte de um grupo de dez grandes deusas chamadas "Grandes Sabedorias" (*mahâ-vidyâ*). As outras são Târâ, Tripurâ-Sundarî, Bhuvaneshvarî, Chinnamastâ, Bhairavî, Dhûmâvatî, Bagalâmukhî, Mâtangî e Kamalâ. Dentre elas, Chinnamastâ ("a de cabeça cortada") tem importância especial no Yoga. Em sua representação típica, essa deusa feroz aparece nua e envergando uma guirlanda de crânios ao redor do toco do pescoço, do qual jorram duas correntes de sangue. Segura a cabeça cortada na mão esquerda. Vários mitos procuram explicar o estranho estado dessa deusa, mas todos concordam em que ela cortou a própria cabeça para dar de comer a suas duas servas, chamadas Dâkinî e Varninî ou Jayâ e Vijayâ. Numa interpretação yogue, esse sacrifício primordial da Mãe divina representa o sacrifício das correntes da esquerda e da direita — *idâ* e *pingalâ* —, que têm de ser sacrificadas para permitir o livre fluxo da energia psicoespiritual pelo canal central (*su-

Tripurâ

shumnâ-nâdî*). A cabeça — símbolo da mente — tem de ser cortada, isto é, transcendida, para que a iluminação possa ser alcançada. Esse simbolismo yogue é sugerido por um outro nome da mesma deusa: Sushumnâsvara-Bhâsinî, que significa "A que brilha com o som do canal central".

O aspecto benigno do Supremo na sua forma feminina é destacado na deusa Lakshmî, cujo nome é derivado de *lakshman* ("sinal") e significa "Boa Sina" ou "Boa Fortuna". A deusa Lalitâ Tripurâ-Sundarî ("Linda Beleza da Tripla Cidade"), do sul da Índia, expressa o mesmo aspecto de Deus. Ela é descrita como benévola (*saumya*) e bela (*saundarya*), e não como terrível (*ugra*) e horrenda (*ghora*). Mas, como Lakshmî e Lalitâ são concebidas como expressões da Realidade suprema, também incluem necessariamente o aspecto destrutivo desta. Do nosso ponto de vista, que é extremamente limitado, Deus não é nem só positivo nem exclusivamente negativo, mas transcende todas essas categorias. O mais importante texto hindu que exalta a Divindade sob o seu aspecto feminino é o volumoso *Devî-Brâgavata*, correspondente shâkta do *Bhâgavata-Purâna* dos vaishnavas. O *Devî-Bhâgavata* foi datado de um período que vai do século VII ao século XII.[23] Nele, a grande Deusa é apresentada como a essência eterna do universo.

Parte II

O YOGA PRÉ-CLÁSSICO

"O Yoga está presente em toda parte — tanto nos textos escritos em sânscrito e em línguas populares quanto na tradição oral da Índia... A tal ponto isto é verdade que o Yoga se tornou por fim uma dimensão característica da espiritualidade indiana."

— Mircea Eliade, *Yoga: Immortality and Freedom*, p. 101

"Eu mesmo revelei este Yoga imutável a Vivasvat. Vivasvat comunicou-o a Manu e Manu anunciou-o a Ikshvâku. Transmitido assim de um a outro, os régios videntes o aprenderam."

— Bhagavad-Gîtâ (4.1-2)

Capítulo 4
O YOGA NOS TEMPOS ANTIGOS

I. A HISTÓRIA COMO MEIO DE AUTOCOMPREENSÃO

Já houve quem chamasse o Yoga de um fóssil vivo. É ele uma das primeiras manifestações da cultura indiana. Graças ao empenho missionário de diversos swamis hindus, ele entrou neste século numa nova fase de florescimento, tanto na Índia quanto em outros recantos do mundo. Hoje em dia, centenas de milhares de ocidentais praticam ativamente uma ou outra forma de Yoga, embora nem sempre tenham uma compreensão clara das metas e objetivos tradicionais desse caminho. Isso se deve em grande medida a um estado generalizado de desinformação acerca da rica contextura histórica do Yoga. Por isso, dedicaremos a Parte II deste livro a delinear os passos essenciais que o Yoga deu em sua longa e complexa evolução.

A história nos proporciona um contexto importantíssimo para a compreensão do mundo, e especialmente da cultura humana. Mais ainda, a história nos diz algo a respeito de nós mesmos, uma vez que nossas crenças e atitudes são determinadas em grande medida pela cultura na qual nos inserimos. Não é só a história pessoal que nos faz ser o que somos; é também a história coletiva de toda a civilização humana. É como observou o filósofo e psiquiatra alemão Karl Jaspers:

> Não há realidade mais essencial para a nossa autoconsciência do que a história. Ela nos faz descortinar os mais amplos horizontes da humanidade, nos transmite o conteúdo da tradição sobre a qual se ergue a nossa vida, evidencia-nos os critérios a partir dos quais o presente pode ser avaliado, liberta-nos do inconsciente grilhão que nos liga à nossa epoca e nos ensina a ver o ser humano em seus mais elevados potenciais e em suas mais perenes criações... A compreensão que temos das nossas experiências presentes aumenta quando vêmo-las refletidas no espelho da história.[1]

Sem uma compreensão suficiente do desenvolvimento histórico do Yoga, é difícil imaginar que nos seja possível apreciar devidamente os seus tesouros espirituais ou praticá-lo com sentido e com perfeita eficácia. O estudo histórico do Yoga nos faz vislumbrá-lo em quadro mais amplo do que o apresentado pelos livros mais populares sobre o tema.

Aprender sobre a evolução histórica do Yoga não é mero exercício acadêmico; na realidade, é algo que aumenta a compreensão que temos de nós mesmos e, nessa mesma medida, intensifica o nosso empenho em libertar-nos dos grilhões da personalidade egóica. Os capítulos seguintes vão revelar um pouco da glória da tradição yogue, que nos gerou uma quantidade imensa de conhecimentos acerca da condição humana. É claro que, por mais que nos alonguemos em centenas de páginas, ser-nos-á impossível revelar tudo o que os estudos trouxeram à luz. O fato é que, até agora, ninguém procurou integrar todos os dados disponíveis, tarefa que exigiria o domínio de diversas línguas (especialmente o sânscrito e o tâmil) e um conhecimento verdadeiramente enciclopédico. Portanto, ao escrever este livro, contento-me com o objetivo mais modesto de erguer uma simples estrutura preliminar para compreendermos o Yoga.

No capítulo anterior, vimos que a história do Hinduísmo pode ser oportunamente dividida em nove períodos que vão da Era Pré-Védica à Era Moderna, abarcando ao todo mais de 8.000 anos. Na leitura dos capítulos seguintes, será útil ter em mente esse esquema. Uma vez que as doutrinas e métodos yogues não são exclusivos do Hinduísmo e fazem parte também, por exemplo, do Budismo e do Jainismo, seria possível escrever diversas histórias diferentes. No entanto, dada a posição de preeminência que o Hinduísmo ocupa no desenvolvimento histórico da civilização da Índia, isso só nos traria complicações desnecessárias. Por isso, o desenvolvimento do Yoga será delineado a partir do ponto de vista hindu, embora eu tenha incluído no livro dois curtos capítulos sobre o Budismo e o Jainismo, que serão discutidos em ordem cronológica: primeiro o Jainismo, que surgiu logo após os mais antigos *Upanishads*, e depois o Budismo.

Antes de começar a expor panoramicamente a história do Yoga, quero apresentar em breves palavras uma perspectiva evolucionária que nos será útil: o modelo gebseriano das estruturas de consciência.

Jean Gebser
© Rudolf Hämmerli

História e Consciência

No seu mais pleno desenvolvimento, a tecnologia psicoespiritual do Yoga é um fruto da época que Karl Jaspers chamou de "Era Axial", o período decisivo que transcorreu mais ou menos na metade do primeiro milênio a.C. — a época de Lao Tsé e Confúcio na China, de Mahâvîra e Gautama na Índia e de Pitágoras, Sócrates, Platão e Aristóteles na Grécia.[2] Esses gênios, ao lado de inúmeros outros pioneiros daquela época, criaram um novo paradigma ou estilo de pensamento.

O significado dessa nova tendência no conjunto da história da civilização humana foi formulado de maneira brilhante pelo filósofo cultural suíço Jean Gebser.[3] Segundo ele, a humanidade passou por uma série de quatro estruturas de consciência, ou estilos de cognição, caracterizados da seguinte maneira:

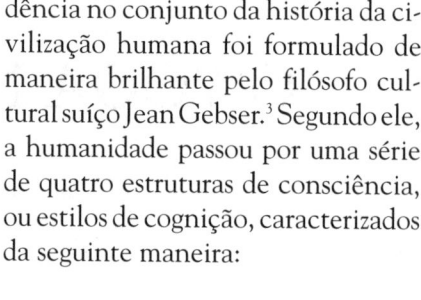

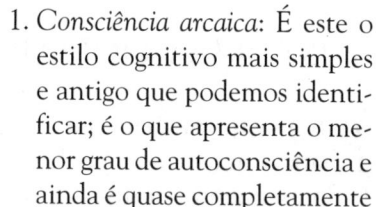

1. *Consciência arcaica*: É este o estilo cognitivo mais simples e antigo que podemos identificar; é o que apresenta o menor grau de autoconsciência e ainda é quase completamente baseado no instinto. Sob o ponto de vista histórico, remonta à época do *Australopithecus* e do *Homo habilis*. Hoje em dia, essa consciência se manifesta em nós, por exemplo, na aspiração à autotranscendência. É ativada também em alguns tipos de experiência extática (*samâdhi*) ou mesmo em certos estados alterados de consciência induzidos por drogas, nos quais a barreira que separa o sujeito dos objetos é temporariamente eliminada.

2. *Consciência mágica*: Nascida da consciência arcaica, a consciência mágica ainda é pré-egóica e mais ou menos difusa. Opera com base no princípio da identidade — tal como este se expressa no pensamento analógico —, que é uma reação "estomacal" (arquetípica) na qual elementos aparentemente desconexos são correlacionados num único todo. É possível que tenha sido este o tipo de consciência característico do *Homo erectus*, que supostamente viveu há mais

de um milhão e quinhentos mil anos. Ainda opera em nós hoje em dia quando ficamos fascinados ou sentimos simpatia por algo ou alguém. Manifesta-se negativamente em situações tão diversas quanto uma paixão cega ou a perda temporária do discernimento (ou, às vezes, da própria condição de ser humano) sob a influência hipnótica de uma grande multidão. A consciência mágica também se faz presente com força naqueles aspectos do Yoga que envolvem uma extrema concentração interior, que leva à perda da consciência do corpo. É evidente que também é ela a base cognitiva de todas as formas de magia simpática, a qual é um elemento presente em alguns caminhos yogues, especialmente nas escolas tântricas que dão ênfase ao cultivo dos poderes paranormais ou *siddhis*.

3. *Consciência mítica*: Representa um grau mais profundo de autoconsciência, correspondente, embora não idêntico, ao de uma criança. O pensamento não opera com base na identidade mágica nem na dualidade mental, mas no princípio de polaridade. Não se encadeia pelo cálculo, mas pelo símbolo; não pela hipótese, mas pelo mito; não pela abstração, mas pelo sentimento ou pela intuição. É muito possível que os Homens de Neanderthal e de Cro-Magnon tenham tido a consciência mítica. À semelhança das outras estruturas de consciência, também esta continua operativa até hoje e foi um dos principais fatores que determinaram a criação de um grande número de tradições sagradas, o Yoga inclusive. Nós ativamos a consciência mítica sempre que fechamos os olhos e mergulhamos na imaginação ou quando damos expressão poética aos nossos pensamentos mais profundamente sentidos. O elemento mítico é forte na maioria dos caminhos tradicionais de Yoga; por conveniência, esses caminhos podem ser agrupados sob o rótulo de Yoga Mítico, o qual se opõe a uma tendência mais integradora como a do Yoga Integral de Sri Aurobindo. O Yoga Mítico se pauta pelo lema verticalista: "para dentro, para cima e para fora". Tratei mais amplamente desse assunto em *Wholeness or Transcendence?*[4]

4. *Consciência mental*: Como o próprio nome dá a entender, este estilo cognitivo é dominado pela mente pensante e racional, que opera com base no princípio de dualidade ("ou isto ou aquilo"). A autoconsciência aqui é muito intensa, e o mundo se afigura dividido em sujeito e objeto. Desde o Renascimento europeu, é este o estilo cognitivo que tem dominado a nossa vida, chegando por fim a transformar-se numa força destrutiva. Hoje em dia, a consciência mental, que por natureza é equilibrada, tornou-se degenerada e caiu no que Gebser denomina modo racional.

A consciência mental em sua melhor forma foi a que determinou o *Yoga-Sûtra* de Patanjali ou os comentários de Vyâsa a respeito desse texto. Portanto, o Yoga não exclui de modo algum esse estilo cognitivo; mas todas as escolas tradicionais de Yoga pregam a transcendência da mente, tanto na sua forma inferior, *manas*, quanto na forma superior, *buddhi*. Sempre se considera que a verdade está além da mente e dos sentidos. A tendência que chamei de Yoga Místico muitas vezes retrata a mente como o arquiinimigo do processo espiritual. Essa idéia, porém, é uma limitação que não está presente nas formas mais integradas de Yoga. O trabalho intelectual não é necessariamente contrário ao progresso espiritual; não obstante, para que o Si Mesmo seja realizado, é absolutamente necessário transcender o mecanismo da mente e libertá-lo do peso do ego.

No magnífico *The Ever-Present Origin* e em vários outros livros, Gebser afirma que estamos testemunhando atualmente o surgimento de uma quinta estrutura de consciência, que ele chamou de consciência integral. Não é este o lugar adequado para dar uma descrição detalhada dessa nova modalidade da mente humana. Diremos apenas que, na opinião de Gebser, essa nova consciência é um antídoto contra a parcialidade da mentalidade exageradamente racional que caracterizou a decadência da consciência mental original. A consciência racional — para usar a terminologia de Gebser — é excessivamente egóica e praticamente opõe-se à Realidade espiritual. A consciência integral, ao contrário, transcende por natureza o ego e se abre ao que Gebser chamou de "A Origem", isto é, o Fundamento do Ser. O paralelo com a filosofia de Sri Aurobindo é óbvio, e Gebser admitiu que estava dentro do campo de influência espiritual desse grande sábio.

A tarefa que nos espera — individual e coletivamente — seria a de ajudar essa nova consciência integral a instalar-se em nós e na civilização humana como um todo. Só assim podemos ter a esperança de reequilibrar de novo as várias estruturas de consciência, deixando que cada uma delas se expresse de acordo com seus valores intrínsecos. Na minha opinião, a tradição yogue — bem como outras tradições espirituais — contém muitos elementos que, se forem aplicados com discernimento à nossa situação contemporânea, podem colaborar muito para essa difícil obra de integração.

II. DO XAMANISMO AO YOGA

Gautama Buda, os sábios dos *Upanishads* e outros heróis culturais dessa época e desse calibre surgiram nos primórdios da estrutura mental de consciência e ajudaram a fazê-la predominante. Portanto, a tecnologia psicoespiritual do Yoga é o produto da estrutura mental de consciência em seu alvorecer. Antes disso o que temos é o Proto-Yoga dos *Vedas*, apresentado sob uma espessa cobertura simbólica. Antes disso ainda temos a tecnologia extática do Xamanismo, que remonta à Idade da Pedra. Embora o Xamanismo tenha sido datado de cerca de 25000 a.C., provavelmente é muito mais antigo. Como sabemos por outros contextos, a ausência de artefatos não implica necessariamente a inexistência do sistema de crenças com o qual eles são associados.

O Xamanismo é a arte sagrada de mudar o próprio estado de consciência a fim de penetrar em outros domínios da realidade, nos quais habitam os espíritos. A palavra *shaman* ou xamã é de origem siberiana (Tungúsia) e denota aquele que tem experiência em viajar pelos mundos dos espíritos. Ao concentrar-se no som monótono de um tambor, de uma matraca ou de outro instrumento de percussão, ou senão pela ingestão de substâncias psicotrópicas (como o cogumelo agárico *Amanita muscaria*), os xamãs mudam radicalmente o seu campo de percepção a fim de comunicar-se com o mundo dos espíritos. Nisso, não são movidos pela curiosidade vã; antes, buscam obter poderes e conhecimentos essenciais para o bem-estar psíquico e corpóreo da comunidade à qual pertencem.

De acordo com algumas autoridades, entre as quais destaca-se Mircea Eliade, o Xamanismo é de origem siberiana. Outros vêem o Xamanismo como uma tradição de âmbito mundial que surgiu independentemente em diversas culturas. Pessoalmente, inclino-me a aceitar a primeira opinião, que associa o Xamanismo especificamente ao pano de fundo cultural da Sibéria e da Ásia Central. Segundo esse mesmo ponto de vista, o Yoga é um fenômeno essencialmente índico, e não se deve dar esse nome a tradições espirituais de outras culturas. Por isso, a rigor, não poderíamos falar de um Xamanismo africano, a menos que pudéssemos demonstrar que há na África uma tradição que descenda do Xamanismo siberiano, como é o caso, por exemplo, das tradições xamânicas dos esquimós e dos índios Hopi. Do mesmo modo, não devemos falar que existe um Yoga cristão, a menos que se trate de fato de um híbrido de Cristianismo com Hinduísmo. Em contextos outros que não o da espiritualidade siberiana ou de origem siberiana, podem-se usar termos como "feitiçaria", "bruxaria" ou "magia"; e as tradições semelhantes ao Yoga mas que não têm sua origem na Índia podem ser chamadas de "misticismo" ou "esoterismo espiritual".

Algumas autoridades opinam que o Yoga nasceu diretamente do Xamanismo, mas é difícil provar essa alegação. É verdade que o Yoga contém certos elementos xamânicos, mas absorveu também muitas outras doutrinas e práticas. Segundo Michael Harner, a transição do Xamanismo ao Yoga aconteceu na época em que surgiram no Oriente as primeiras cidades-estado e os xamãs passaram a ser perseguidos e mortos pelos representantes da religião oficial.[5] Para não serem encontrados, eles tiveram de parar de bater seus tambores e, obrigados pela situação, elaboraram métodos silenciosos de alteração da consciência. Foi assim, segundo a reconstituição que Harner faz da história antiga, que surgiu a tradição yogue.

A hipótese de Harner é até interessante, mas é muito mais provável que o enfraquecimento da tradição xamânica tenha sido determinado pela ascensão das cidades-estado e o concomitante colapso das comunidades tribais às quais os xamãs serviam. Para bem compreender esse colapso, podemos encará-lo como sinal de uma mudança de consciência que intensificou e individualizou mais a autopercepção

> "Em geral os xamãs ficam estimulados durante as viagens e às vezes dançam ou ficam extremamente agitados... No samadhi yogue, a calma chega a ser tão profunda que muitos processos mentais param de se desenrolar por algum tempo."
>
> — Roger Walsh, *The Spirit of Shamanism*, p. 229

do homem. Tudo isso está associado ao surgimento da estrutura de consciência mental.⁶

O xamã, quase sempre um homem, é um tecnólogo sagrado privilegiado que trabalha em prol da sua comunidade. Essa função é partilhada pelo brâmane (*brâhmana*), que cumpre os seus sacrifícios e demais rituais para o bem dos outros, quer sejam os espíritos dos seus ancestrais, quer a sua família imediata, quer toda a comunidade. O *yogin*, porém, é um tecnólogo sagrado que busca antes de mais nada a sua própria salvação. Via de regra, não busca dar nenhuma contribuição direta à sociedade. No máximo, ele se retira para não ter de participar do jogo social. Não obstante, tanto pela conduta exemplar quanto pela aura de benevolência, os *yogins* da Índia deram uma contribuição muitíssimo significativa, posto que indireta, não só à sociedade em que viviam como também à civilização humana como um todo.⁷ Até mesmo no Karma-Yoga, como já dissemos, o ideal de fazer bem ao mundo (*loka-samgraha*) tem como finalidade primeiro o progresso espiritual do próprio *yogin*. Só o ideal do *bodhisattva* do Budismo Mahâyâna tem a intenção explícita de melhorar o destino coletivo da humanidade. Mas, ao contrário do xamã, o *bodhisattva* cuida antes de mais nada do bem-estar *espiritual* do povo, não somente do seu bem-estar corpóreo e emocional e da sua prosperidade econômica. Até mesmo os praticantes do caminho do *bodhisattva* que são médicos compreendem o seu ministério de cura como um serviço espiritual que é prestado ao próximo: ajudando as pessoas a recuperar a saúde física e o equilíbrio emocional, esses médicos têm a esperança de criar nelas as condições mais propícias para a prática espiritual.

A hipótese que faz derivar o Yoga de um Xamanismo proibido pelo Estado é problemática, mas não há dúvida de que muitos aspectos e temas centrais do Xamanismo se encontram também no Yoga. Eliade, que foi um dos primeiros ocidentais a pesquisar tanto o Yoga quanto o Xamanismo, deu deste último a seguinte caracterização:

> Dentre os elementos que constituem o xamanismo e lhe são peculiares, temos de considerar estes como os mais importantes: (1) uma iniciação que compreende o desmembramento, a morte e a ressurreição simbólicas do candidato, e que implica, entre outras coisas, uma descida dele aos infernos e sua posterior ascensão aos céus; (2) a capacidade que o xamã tem de fazer viagens extáticas na qualidade de médico e psicopompo (ele sai em busca da alma do doente, roubada pelos demônios, captura-a e devolve-a ao corpo; conduz a alma do morto ao Hades, etc.); (3) o "domínio do fogo" (o xamã encosta no ferro aquecido ao vermelho, anda sobre brasas, etc., sem se queimar); (4) a capacidade do xamã de assumir a forma de diversos animais (voa como os pássaros, etc.) e de ficar invisível.⁸

O Yoga, como vimos no Capítulo 1, é uma tradição iniciática. É toda governada pela idéia da progressiva transcendência ("desmembramento") da personalidade egóica humana. Encontramos mais tarde o *Kshurikâ-Upanishad* ("Doutrina Secreta da Adaga"), obra que expõe o processo yogue como um "desmantelamento" gradual da consciência ordinária. Isso corresponde ao desmembramento associado ao "truque da corda" xamânico, que já foi explicado como uma espécie de hipnose coletiva. O xamã, levando na boca uma faca afiada, sobe pela corda atrás de um menino até ambos sumirem de vista. Depois de algum tempo, os membros cortados do menino caem lá de cima. O drama termina quando o menino é ressuscitado pelo xamã. Uma fotografia tirada durante o processo só revela o xamã sentado no chão, sozinho e talvez com um sorriso astuto nos lábios.

A introversão extática e a ascensão mística do *yogin* equivalem ao vôo extático do xamã, e a função de ensinar do *yogin* corresponde à função xamânica de guiar as almas. Além disso, muitos poderes xamânicos são reconhecidos pelo Yoga, que os chama de *siddhis* ("perfeições" ou "realizações"): entre eles conta-se o poder de invisibilidade, que também é atribuído aos xamãs. Por fim, o domínio que o xamã tem sobre o fogo — uma proeza exterior — tem o seu paralelo no domínio do *yogin* sobre o "fogo interior", especialmente sobre o calor psicofisiológico gerado quando da ascensão da força vital no Kundalinî-Yoga. É essa a base da prática tibetana chamada *tumo*, que permite que os seus praticantes fiquem sentados nus por muitas horas em meio à neve que cobre os picos do Himalaia.

Também uma das técnicas mais conhecidas do Yoga — o sentar-se de pernas cruzadas em alguma das diversas posturas yogues (*âsana*) — tem a sua prefiguração xamânica. No livro *Where the Spirits Ride the Wind*, a antropóloga norte-americana Felicitas Goodman examinou diversas posturas xamânicas que são usadas para provocar estados de êxtase ou viagens para fora do corpo.⁹ Parece que cada postura tem um efeito específico sobre a mente; Felicitas e seus alunos são capazes de entrar em diversos estados de consciência mediante o uso de determinadas posturas xamânicas.

No capítulo anterior apresentamos a tradição da ascese (*tapas*), precursora do Yoga, que apresenta muitas semelhanças impressionantes com o Xamanismo. Se os xamãs demonstram o seu domínio sobre o fogo pegando brasas ardentes nas mãos, os *tapasvins* destacam-se na arte do "auto-aquecimento" — disciplinando-se a ponto de fazer correr suor de todos os poros. Há uma antiga prática ascética (chamada *panca-agni* ou "cinco fogos"; escreve-se *pancâgni*) que consiste em ficar sentado no meio de quatro fogueiras em pleno verão, com o sol escaldante brilhando lá em cima. Em época recente, Swami Satyananda Saraswati da Escola de Yoga de Bihar praticou essa antiquíssima técnica por um longo período. Quer através da prolongada retenção da respiração, quer através da transformação do impulso sexual em energia vital (*ojas*), os *yogins* buscam do mesmo modo frustrar as tendências naturais do corpo-mente e criar assim uma pressão interior que se traduz em calor fisiológico. Eles se sentem como se estivessem consumindo-se em chamas. Então quando a experiência chega ao seu ponto máximo, ocorre uma radical mudança de estado e todo o ser deles fica iluminado. Eles descobrem que *são* essa luz, a qual não tem fonte, mas é ela mesma a fonte de todas as coisas.

O estado de iluminação é para o *yogin* o que a viagem mágica para outros mundos é para o xamã. Ambas as experiências se diferenciam radicalmente da realidade e da consciência convencionais. Ambas têm um profundo efeito transformador. No entanto, só o *yogin*, que viaja para dentro, descobre o quão inúteis são, no fim, todas as viagens, pois percebe que não há viagem que possa aproximá-lo ou afastá-lo da própria Realidade eterna e onipresente que é a meta da sua odisséia espiritual.

O xamã vive no ambiente dos mundos sutis da existência, os quais procura dominar. "A marca distintiva do êxtase xamânico", escreve o psiquiatra norte-americano Roger Walsh, "é a experiência do 'vôo da alma', ou da 'viagem', ou do 'sair do corpo'. Em outras palavras, quando estão em êxtase, os xamãs sentem que o seu ser inteiro, ou pelo menos a alma ou o espírito, está voando pelo espaço e viajando, quer para outros mundos, quer para rincões longínquos deste mundo."¹⁰ Os xamãs viajam para obter conhecimento ou poder, ou para efetuar mudanças no mundo material mediante a alteração das condições dos mundos sutis. A finalidade última do *yogin*, porém, é a de ir além dos níveis sutis da existência explorados pelo xamã e realizar o Ser transcendente, transdimensional e não-qualificado, que o *yogin* sabe ser a sua identidade mais profunda. Assim, ao passo que o xamã é um médico ou taumaturgo, o *yogin* é antes de mais nada um "transcendente". Mas, na subida espiritual que o conduz à Realidade Suprema, o *yogin* tende também a obter muitos conhecimentos acerca dos mundos sutis (*sûkshma-loka*). Isso explica por que muitos *yogins* deram mostras de ter capacidades extraordinárias e foram considerados pelo povo da Índia como taumaturgos e magos poderosíssimos. Do ponto de vista do Yoga, porém, as capacidades paranormais adquiridas por muitos adeptos são insignificantes ou mesmo rigorosamente nulas em comparação com a realização do Supremo Si Mesmo, ou iluminação.

III. O YOGA E A ENIGMÁTICA CIVILIZAÇÃO DO INDO-SARASVATÎ

Os Arianos Védicos: Uma Visão Nova e Revolucionária

O Yoga tal e qual o conhecemos hoje é o produto acumulado de muitos milênios. Seus primórdios se perdem na obscuridade da Índia pré-histórica. O *Bhagavad-Gîtâ* (4.3), cuja redação final deve ter ocorrido por volta de 500-600 a.C., chama com toda razão o Yoga de "arcaico" (*purâtana*).¹¹ Os estudiosos ocidentais em sua generalidade subestimaram a antigüidade do Yoga; até há pouco tempo, concordavam em vinculá-lo ao esoterismo dos *Upanishads*, que já chegaram a ser situados em época tão tardia quanto os séculos VI ou VII a.C., mas são, na verdade, muito mais antigos.

Estudos recentes demonstraram claramente que o Yoga, enquanto conjunto informal de doutrinas e métodos (que podemos, por conveniência, chamar de "Proto-Yoga"), já existia na época do *Rig-Veda*. E, o que é ainda mais importante, a própria data de composição do cânone védico foi recuada consideravelmente. O grosso do *Rig-Veda*, que é o mais importante dos quatro hinários védicos, foi composto muito tempo antes do ano 1900 a.C. A importância dessa data será discutida dentro em pouco.

Várias gerações de estudiosos ocidentais aderiram ao chamado "modelo da invasão ariana", que foi refutado pelos novos conhecimentos adquiridos. De acordo com esse modelo obsoleto, as tribos védicas que falavam o sânscrito invadiram a Índia entre 1500 e 1200 a.C., levando morte e destruição à população nativa (supostamente dravídica). Essa hipótese, defendida especialmente pelo famoso orientalista alemão Max Müller, adquiriu em pouco tempo o *status* de um dogma popular que permanece forte mesmo em face de uma grande quantidade de indícios contrários.

A teoria da invasão ariana foi posta em cheque pela primeira vez em 1921, quando as antigas cidades de Harappa e Mohenjo-Daro foram descobertas por arqueólogos nas margens do rio Indo, no Paquistão. Entretanto, em vez de pôr em questão as suas teorias acerca da origem dos arianos védicos, a maioria dos pesquisadores limitou-se a empurrar para trás em algumas centenas de anos a suposta data da invasão, a fim de levar em conta os registros arqueológicos. Influenciados pelo pressuposto invasionista, deram uma interpretação forçada a certas descobertas arqueológicas, como os aparentes sinais de violência encontrados em alguns estratos de Mohenjo-Daro. De lá para cá, a grande maioria dos arqueólogos abandonou essa explicação específica, mas muitos estudiosos da Índia continuam a acreditar nas interpretações obsoletas.

Isso acontece porque a alternativa, que nos é praticamente imposta pelos fatos considerados em si, exigiria uma reformulação total da compreensão que temos dos primórdios da civilização índica: em outras palavras, a invasão da Índia pelos arianos nunca aconteceu! Antes, esse povo já estava estabelecido na Índia havia muito tempo. Os inúmeros indícios que refutam o modelo da invasão ariana foram apresentados e detalhadamente discutidos no livro *In Search of the Cradle of Civilization*.[12] Por isso, não nos será necessário rever agora todos os fatos, e contentar-nos-emos com apresentar um panorama geral.

Os arianos védicos falavam uma língua da família indo-européia e sem dúvida partilhavam muitas características étnicas com os povos dessa família. São aparentados com os celtas, os persas, os godos e diversos outros grupos lingüístico-culturais que já não existem. São também primos distantes daqueles cuja língua materna é o inglês, o francês, o alemão, o espanhol, o português, o russo e uma quantidade imensa de outras línguas que se originaram na Eurásia.

Todos os povos que falam línguas indo-européias são considerados descendentes dos proto-indo-europeus, que se supõe terem existido em época tão recuada quanto o sétimo milênio a.C. Os estudiosos não chegaram a um acordo acerca de onde vivia esse povo, cujo país é situado, em geral, em algum lugar da Ásia Central ou da Europa Oriental. De acordo com Colin Renfrew, famoso lingüista, o lar original dos proto-indo-europeus era a Anatólia (a atual Turquia), de onde depois se espalharam para o norte, o oeste e o leste.[13] De qualquer modo, considera-se muito provável que já houvesse comunidades de proto-indo-europeus estabelecidas na Eurásia por volta de 4500 a.C. ou ainda antes. Depois disso, os vários dialetos cristalizaram-se em línguas autônomas, entre as quais o sânscrito védico.

De acordo com Renfrew e outros, em 3000 a.C. ou em época ainda anterior as línguas indo-européias e seus dialetos já eram faladas em toda a Europa; além disso, a presença indo-européia continuou forte na Anatólia, como prova a pujança do império hitita de 2200 a.C.

À luz desses fatos e de muitos outros, podemos descartar sem medo a idéia de que os arianos védicos chegaram à Índia numa data tão tardia quanto 1500 a.C. É muito possível que eles já residissem lá há vários milênios, desenvolvendo-se a partir de um ramo da comunidade proto-indo-européia que se instalara no subcontinente. É exatamente isso que nos é sugerido pelos indícios arqueológicos e pelo próprio *Rig-Veda*.

É muitíssimo significativo que, segundo nos revelam certos estudos de fotografia aérea, o rio mais exaltado pelo *Rig-Veda* — o Sarasvatî, que se situava a leste do Indo — tenha deixado de existir por volta de 1900 a.C. O catastrófico esgotamento desse grande rio, que pode ter sido causado por grandes movimentos teutônicos seguidos de mudanças climáticas e ambientais, ocorreu no decorrer de muitos séculos. Fez com que numerosas cidades e povoados fossem abandonados e todo o coração da civilização védica se deslocasse para o rio Ganges (Gangâ). Em outras palavras, o *Rig-Veda* deve ter sido composto antes do desaparecimento do Sarasvatî. Com efeito, certas referências astronômicas que constam desse antigo hinário remetem ao terceiro, ao quarto e até ao quinto milênio a.C., mas essas referências têm sido no geral ignoradas ou descartadas como invenções posteriores. Sabe-se, no entanto, que é muito difícil fazer cálculos astronômicos para o passado, e não há motivo algum que nos autorize a afirmar que as referências aos solstícios feitas pelo *Rig-Veda* e outros textos sagrados antigos sejam in-

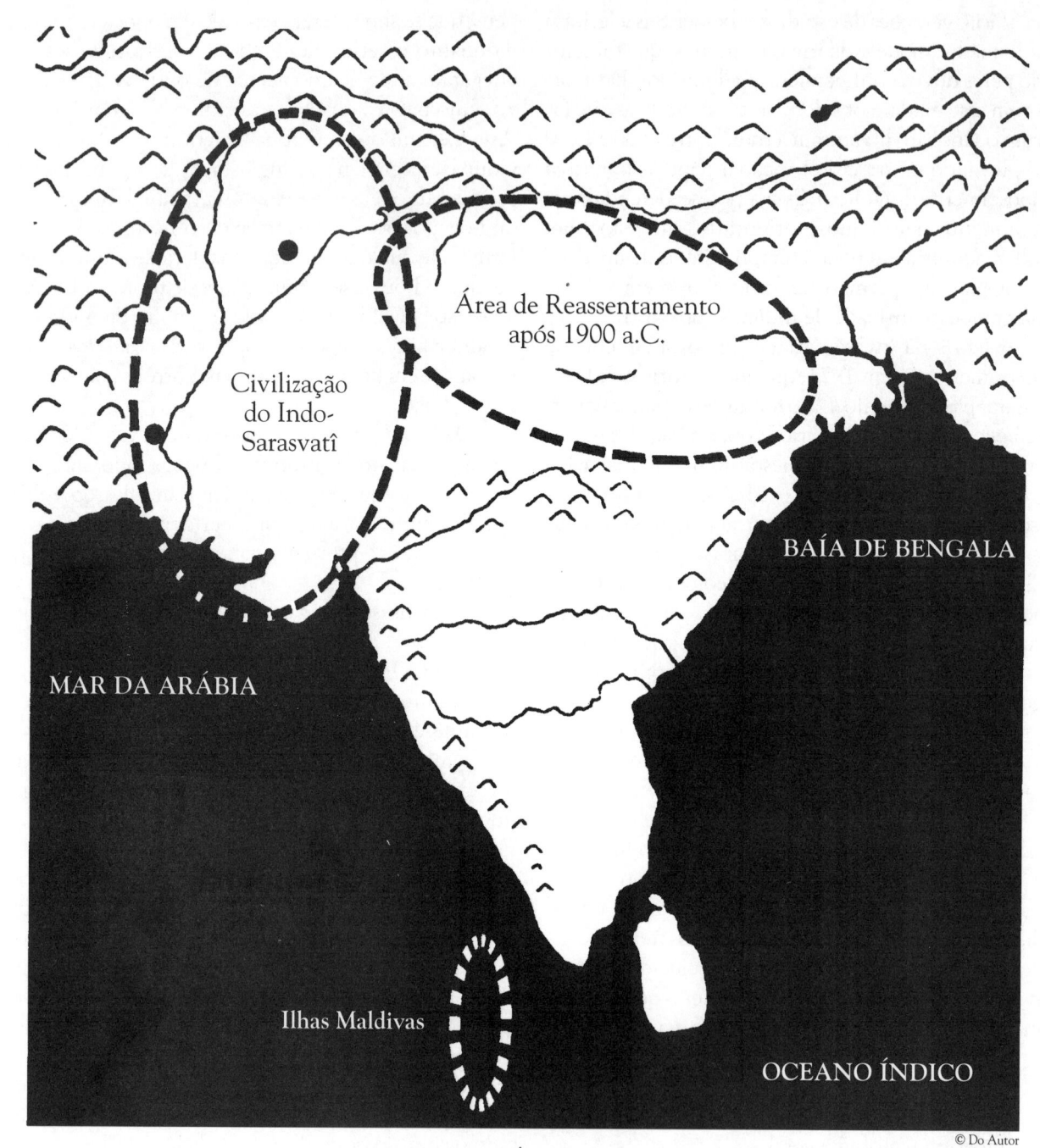

Mapa da Índia védica

terpolações posteriores, especialmente quando se considera que praticamente todos os estudiosos maravilham-se perante o altíssimo grau de fidelidade com que os hinários védicos têm sido transmitidos no decorrer dos milênios.

Outra descoberta muito importante é que a matemática dos babilônios (cerca de 1700 a.C.) foi profundamente influenciada pelos gênios matemáticos da Índia. Foi essa a conclusão a que chegou A. Seidenberg, historiador da matemática que não se destaca por uma particular preferência pela Índia.[14] Parece que a matemática indiana nasceu da cultura ritual dos brâmanes, e particularmente da necessidade de construir altares complexos que se relacionavam simbolicamente com a estrutura do macrocosmo. As noções matemáticas aparecem pela primeira vez nos *Brâhma-*

CAPÍTULO 4 — O YOGA NOS TEMPOS ANTIGOS 🕉

nas e são depois elaboradas e codificadas pelos *Shulba-Sûtras*.[15] Os primeiros *Brâhmanas* não podem datar de muito depois de 2000 a.C. Alguns pesquisadores datam-nos de 3000 a.C. e datam os *Vedas* de 4000-5000 a.C. ou épocas ainda anteriores. Neste livro, optei por supor a data de 2500 a.C. para os primeiros *Brâhmanas*.

Esses fatos levantam novamente a importante questão da relação que havia entre as tribos arianas que falavam o sânscrito e a chamada civilização do Indo, que floresceu mais ou menos entre 2800 a.C. e 1900 a.C. Deve-se observar aqui que a data de 2800 a.C. não é definitiva, uma vez que os estratos mais antigos de Mohenjo-Daro não foram ainda escavados por estarem permanentemente inundados. As fundações da cidade, que jazem debaixo de quase oito metros de lama, podem ser mais antigas em muitos séculos. Além disso, há mais de dois mil outros sítios arqueológicos ao longo do Indo e do Sarasvatî que ainda não foram explorados. É possível que algumas dessas cidades — a maioria das quais situa-se às margens do antigo Sarasvatî, e não do Indo — sejam ainda mais antigas. A cidade de Mehrgarh, no extremo noroeste da Índia, foi datada de 6500 a.C. e constitui assim o primeiro elo numa cadeia surpreendentemente contínua de expressão cultural.

É cada vez maior o número de pesquisadores que se prontificam a considerar essa grande civilização como uma criação dos próprios arianos védicos. Com efeito, não há nada nos próprios *Vedas* que contradiga essa suposição. As passagens que os estudiosos de gerações passadas sempre tomaram como prova de uma invasão violenta da Índia podem, com facilidade e um pouco mais de sensatez, ser interpretadas de outra maneira. As batalhas mencionadas em alguns hinos do *Rig-Veda* podem ser mitológicas e, se forem mesmo históricas, referem-se sem dúvida alguma a conflitos entre as diversas tribos arianas, e não à suposta conquista da população nativa pelos arianos védicos compreendidos como agressores estrangeiros.

Muitas vezes os estudiosos teceram comentários acerca da notável continuidade simbólica e cultural que liga a civilização do Indo-Sarasvatî ao Hinduísmo posterior. Se identificarmos os arianos védicos ao próprio povo que habitava as cidades e povoados do Indo e do Sarasvatî, essa continuidade há de afigurar-se perfeitamente inteligível. Eliminado o preconceito invasionista, torna-se fácil perceber que a tradição oral e escrita dos *Vedas* combina com os indícios arqueológicos. Já não temos de lidar com o mistério da existência de grandes cidades sem uma grande literatura e de uma grande herança literária sem a base material correspondente. As novas descobertas também revolucionam a nossa compreensão da história do Yoga.

Selo da civilização do Indo-Sarasvatî

A maior parte dos estudiosos contemporâneos concordam em que existem vestígios de um Proto-Yoga nas cidades do Indo. No passado, esse fato sempre era invocado como prova de que a tradição yogue não seria de origem védica, mas essa idéia é fruto da mais absoluta incompreensão da espiritualidade dos arianos védicos. Encontramos nos *Vedas* tantas noções proto-yogues quanto encontramos nos artefatos do Indo-Sarasvatî. Discutiremos mais adiante a natureza desse Proto-Yoga.

Ao que nos parece, as descobertas arqueológicas e os indícios literários encontrados nos *Vedas*, particularmente no *Rig-Veda*, são perfeitamente complementares. Juntos, eles nos permitem vislumbrar com bastante clareza aquela que parece ser a mais antiga civilização que teve até os dias de hoje uma existência *contínua* — desde a cultura neolítica da cidade de Mehrgarh, do sétimo milênio a.C., até o Hinduísmo moderno.

Selo da civilização do Indo-Sarasvatî

A TRADIÇÃO DO YOGA

Selo da civilização do Indo-Sarasvatî

Mas a civilização védica do Indo-Sarasvatî não é somente a mais antiga do planeta; era também a maior civilização da alta antigüidade, muito maior do que a Suméria, a Assíria e o Egito juntos. Pelo que sabemos (e os trabalhos arqueológicos ainda estão em estágio incipiente), no final do terceiro milênio a.C., essa civilização estendia-se por uma área de mais ou menos 750.000 quilômetros quadrados — uma área maior que a do Texas, o segundo maior Estado dos Estados Unidos.

O Esplendor das Cidades e Povoados do Indo

A gigantesca civilização do Indo-Sarasvatî (que é o nome que se deve dar, a rigor, à civilização do Indo) foi descoberta por acaso no começo da década de 1920, logo quando o mundo acadêmico já estava se acostumando com a reconfortante crença de que, depois da inesperada descoberta do império hitita, já se haviam encontrado todas as grandes civilizações do mundo antigo. A civilização do Indo-Sarasvatî surpreendeu até os mais imaginativos dentre os estudiosos modernos.

Até agora, só foram explorados uns 60 dos mais de 2.500 sítios arqueológicos conhecidos. Os maiores são Mohenjo-Daro, Harappa, Ganweriwala, Rakhigarhi, Kalibangan, Dholavira e a cidade portuária de Lothal (localizada na península de Kathiawar, perto da cidade de Ahmadabad, no Gujarate). As cidades mais impressionantes são Mohenjo-Daro, ao sul, e Harappa, 560 quilômetros ao norte. O rio Indo era a mais importante artéria de comunicação entre as duas. Mohenjo-Daro, a maior das duas metrópoles escavadas no vale do Indo, estendia-se por uma área de mais ou menos 2,5 quilômetros quadrados, espaço vital mais do

As ruínas de Mohenjo-Daro

Glifos do Indo-Sarasvatî

CAPÍTULO 4 — O YOGA NOS TEMPOS ANTIGOS ॐ

que suficiente para abrigar pelo menos 35.000 pessoas. Ambas as cidades apresentam um planejamento meticuloso e um alto grau de padronização, sinais de uma organização sociopolítica bastante complexa.

As escavações trouxeram à luz um sofisticado sistema de drenagem e esgoto e lugares específicos para o acúmulo de lixo, coisa que se supunha desconhecida na época pré-romana. Revelaram também um grande número de salas de banho, o que pode ser sinal da prática de abluções rituais semelhantes às do Hinduísmo moderno. Os edifícios de até três andares, em sua maioria sem janelas, eram feitos de tijolos cozidos no forno — um dos melhores materiais de construção que se conhece. O núcleo de ambas as cidades é uma cidadela enorme, de mais ou menos 400 metros por 200, construída sobre um monte artificial. A cidadela de Mohenjo-Daro tinha uma grande piscina (de 70 por 24 metros), salões de reunião, uma grande estrutura que se supõe ter sido de uso dos sacerdotes e um enorme celeiro (o armazenamento dos cereais cabia ao governo). Tanto o planejamento urbano quanto a padronização do tamanho e do peso dos tijolos são sinais da existência de uma autoridade central forte, que sem dúvida era de natureza sacerdotal.

Embora ainda não se tenha identificado com certeza nenhum templo, temos de supor que a religião desempenhava papel de enorme importância na vida daquele povo. Essa suposição é corroborada por certos objetos — como os selos de pedra-sabão — com desenhos que têm uma notável semelhança com os motivos religiosos do Hinduísmo posterior e concordam, além disso, com o simbolismo védico dos primeiros tempos. Ademais, os *Vedas* não fazem menção alguma a templos; o povo védico praticava a religião em casa, e só se reunia em público para os grandes acontecimentos oficiais que diziam respeito à sua tribo ou ao seu clã.

É difícil compreender por que os arqueólogos tanto relutam em afirmar que certos lugares eram votados especialmente a um uso ritual ou sagrado, pois a religião ocupava o lugar central em todas as outras culturas conhecidas daquele período. Aliás, escavações feitas há pouco tempo em Lothal e Kalibangan deixaram à mostra altares do fogo cuja estrutura concorda, em princípio, com as informações que temos a respeito dos altares do fogo védicos — descoberta cuja importância não deve ser subestimada.

Como seria de se esperar, os sete grandes rios que fertilizavam a civilização do Indo-Sarasvatî não estimularam somente a construção de navios como também o comércio marítimo com os impérios do Médio Oriente, como a Suméria, e talvez com países ainda mais distantes. A arte da marinharia também deixou as suas marcas no *Rig-Veda*, que por muito tempo foi encarado erroneamente como o produto de um povo iletrado e seminômade que vivia do pastoreio e enriquecia-se com o saque periódico das ricas cidades do Indo.

Os ambientes cosmopolitas de Mohenjo-Daro e Harappa, que por sinal têm o mesmo traçado de ruas, floresceram por mais ou menos 800 anos, e durante esse período quase não houve mudanças na tecnologia, na linguagem escrita e nos estilos artísticos. Esse fato induziu o arqueólogo britânico Stuart Piggott a observar:

> A civilização de Harappa demonstra uma espécie de eficiência terrível que nos faz lembrar das piores facetas de Roma; mas esse sistema meticulosamente controlado vai de par com um isolamento e uma estagnação que quase não têm paralelo nas civilizações conhecidas do Mundo Antigo.[16]

A continuidade, porém, não é necessariamente um sinal de estagnação. Pode também ser o contrário disso — um sinal de força. É possível que o povo do Indo-Sarasvatî se apoiasse sobre uma tradição espiritual tão profunda que lhes libertasse da necessidade de mudar para dar às sucessivas gerações o sentido e o conforto de que precisavam. É uma tradição espiritual desse calibre que se manifesta no *Rig-Veda*, que é o equivalente literário dos artefatos arqueológicos encontrados nas cidades do Indo e do Sarasvatî. Quando interpretamos à luz dos *Vedas* os artefatos culturais desenterrados pelos arqueólogos, compreendemos melhor tanto os objetos materiais quanto a produção literária.

Interessam-nos especialmente os numerosos selos de pedra-sabão — usados por comerciantes — que trazem fi-

Imagem em pedra-sabão de um sumo sacerdote ou de um nobre

O chamado "selo de pashupati"

guras de animais, vegetais e seres mitológicos que nos lembram do Hinduísmo posterior. Alguns dentre os mais de dois mil selos de terracota já encontrados mostram divindades com chifres sentadas à maneira dos *yogins*. Um selo em particular, o chamado "selo de *pashupati*", atraiu a atenção e empolgou a imaginação de arqueólogos e historiadores. Retrata ele uma divindade sentada num trono baixo e rodeada de quatro animais: um elefante, um tigre, um rinoceronte e um búfalo. Debaixo do trono há dois seres semelhantes a antílopes. Muitos já identificaram essa figura com o deus Shiva, arqui-*yogin* e senhor (*pati*) dos animais (*pashu*). É certo que algumas das interpretações apresentadas sucumbem a um exame mais atento, mas não pode haver dúvida de que a figura (quer seja masculina, quer feminina) representa um ser sagrado sentado numa postura ritual que ainda não foi identificada de forma conclusiva, mas que se assemelha à *bhadra-âsana* ou à *goraksha-âsana*.[17]

Existem também provas suficientes da existência, naquela época, de um culto da Deusa. Num dos selos há uma representação de uma mulher de cujo útero nasce uma planta, indícios das crenças e rituais da fertilidade que esperaríamos encontrar numa sociedade agrícola primitiva. Ao lado disso, temos objetos que nos lembram do símbolo gerador masculino (*linga*) e do símbolo gerador feminino (*yoni*) do Tantra de épocas posteriores. Os selos com a imagem da figueira, que é sagrada até hoje na Índia, ou de árvores em cujos ramos assenta-se uma figura humanóide, nos sugerem vínculos imediatos com os hinos dos *Vedas*. O mais importante é que tudo isso continua vivo no mundo religioso da Índia rural de hoje.

IV. SACRIFÍCIO E MEDITAÇÃO — O YOGA RITUAL DO RIG-VEDA

Por mais interessantes que sejam os artefatos da civilização do Indo-Sarasvatî, eles não são suficientes por si mesmos para provar de forma conclusiva a existência de alguma espécie de Yoga naquela época. Entretanto, tudo muda de figura quando interpretamos esses artefatos à luz dos hinos do *Rig-Veda*. Forma-se então a imagem de uma cultura altamente ritualizada que continha muitas idéias e práticas proto-yogues.

O famoso estudioso indiano Surendranath Dasgupta caracterizou a religião védica, com toda razão, como um "misticismo sacrificial".[18] Isso porque o sacrifício (*yajna*) estava no âmago das crenças e práticas religiosas da civilização do Indo-Sarasvatî. Distinguiam-se duas espécies de ritos sacrificiais: os sacrifícios domésticos, ou *griha*, e os sacrifícios públicos, ou *shrauta*. Os primeiros eram cerimônias particulares que só envolviam uma família e uma fogueira. Os segundos exigiam numerosos sacerdotes, três fogueiras e toda uma multidão de participantes silenciosos. Duravam vários dias; às vezes, semanas e até meses. Em certas ocasiões especiais, a tribo ou o povoado inteiro se congregava para participar de grandes sacrifícios, como o famoso *agni-shtoma* (sacrifício do fogo) e o *ashva-medha* (sacrifício do cavalo), o qual só era realizado de quando em quando para garantir a continuidade do reinado de um grande rei ou a prosperidade da tribo ou do país.

Cada casa dos "nascidos duas vezes" (*dvija*) — cada família das classes dos brâmanes, dos guerreiros e dos agricultores/artesãos/comerciantes — era obrigada a cumprir o sacrifício do fogo (*homa*) duas vezes por dia, ao nascer e ao pôr-do-sol. Esse sacrifício relativamente simples era celebrado pelo marido e a esposa juntos e era assistido pela família imediata e por quaisquer discípulos que lá residissem. A oferenda principal consistia em leite misturado com água, que era derramado no fogo. A cerimônia era acompanhada de recitações.

O objetivo interior dos diversos sacrifícios era sempre a recriação da ordem (*rita*) universal dentro do corpo do sacerdote sacrificante, do patrocinador do sa-

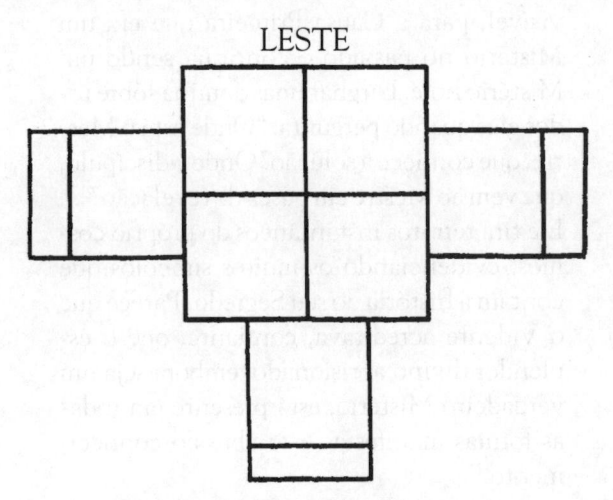

Altar do fogo védico na forma de um pássaro

crifício e dos espectadores. Exteriormente, o sacrifício tinha a função de propiciar uma determinada divindade. As divindades eram em sua maioria deuses masculinos, como Indra, Agni, Soma, Rudra e Savitri, mas há uns poucos hinos védicos dedicados a deusas, especialmente Vâc (Fala), Ushâ ou Ushas (Alvorada), Sarasvatî (o rio que levava esse nome e o seu análogo na ordem transcósmica) e Prithivî (Terra).

Como já observamos, parece que o povo védico não tinha templos, e os sacrifícios públicos eram realizados ao ar livre. A religiosidade deles caracterizava-se por um grande vigor e naturalidade; nas preces, eles rogavam por uma vida longa, saudável e próspera, em harmonia com a ordem cósmica. Mas os hinos védicos também deixam claro que havia pessoas de iniciação mais mística, que aspiravam à comunhão com o deus ou deusa da sua eleição ou mesmo à fusão com o Ser (*sat*) supremo, que não tem nome e, por não ser limitado por forma alguma, era também chamado de Não-Ser (*asat*), o que corresponde ao conceito posterior do Vazio (*shûnya*).

Os heróis espirituais do povo védico não eram os sacerdotes, embora fossem estes altamente estimados, mas sim os sábios ou "videntes" (*rishi*) que "viam" a verdade, que percebiam com o olho do coração a realidade oculta por trás da cortina de fumaça da existência manifestada. Muitos deles pertenciam à classe sacerdotal, mas alguns eram membros das três outras classes sociais. Eram eles os sábios iluminados cuja sabedoria promanou numa poesia rítmica e numa linguagem altamente simbólica: os impressionantes hinos dos *Vedas*. Esses videntes, que também eram chamados poetas (*kavi*), revelavam para o indivíduo comum e não-iluminado a realidade luminosa que brilha por trás de toda treva espiritual. Mostravam também o caminho que leva a esse Ser eterno, que é único (*eka*) e não-nascido (*aja*) mas recebe muitos nomes. Os videntes védicos recebiam suas visões sagradas como recompensa de um árduo trabalho — de muitas asceses e de uma profunda aspiração à iluminação espiritual. Viam-se a si mesmos como "filhos da luz" (*Rig-Veda* 9.38.5) e tinham o coração voltado para a realização da "luz celestial", ou do supremo Ser-Luz (*Rig-Veda* 10.36.3).

Os que não tinham pecado nem culpa garantiam para si uma existência feliz na outra vida. Os pecadores, porém, seriam lançados no escuro fosso do inferno, embora os hinos rig-védicos não falem muito sobre esse destino funesto. Como observou a acadêmica inglesa Jeanine Miller, os videntes védicos preferiam adotar um ponto de vista otimista. Escreveu ela também:

> Percebem-se duas tendências de pensamento: o desejo de viver na terra e um outro desejo, conseqüência do primeiro — o desejo de evitar a morte (muito embora a vida física e a imortalidade não sejam a mesma coisa). O desejo de não morrer seria, em última análise, o desejo de todos os mortais. Enquanto isso, o homem comum se contentava com uma vida plena, com cem anos de vitalidade, que era o objeto de muitas orações; portan-

A deusa védica Sarasvatî

to, a atitude geral se resume na idéia de uma coisa de cada vez: primeiro o gozo desta vida terrena, depois a recompensa celeste.[19]

Os 1.028 hinos do *Rig-Veda*, que perfazem 10.600 versículos, contêm numerosas passagens especialmente pertinentes ao estudo do Proto-Yoga védico.[20] Os seguintes hinos, em particular, merecem a cuidadosa atenção dos estudiosos do Yoga:

1.164: (=*Atharva-Veda* 9.9-10): Este hino, que compreende cinqüenta e dois versículos, é uma coletânea de profundos enigmas místicos. O sexto versículo, por exemplo, indaga acerca da natureza daquele Um que não é nascido e, no entanto, é a causa do universo manifestado. Os versículos 20-22 falam de dois pássaros pousados na mesma árvore. Um deles come do fruto da árvore, ao passo que o outro apenas olha. A árvore pode ser interpretada como um símbolo do mundo. O ser não-iluminado devora o fruto da árvore, impelido pelos desejos do ego. Já o ser iluminado, o sábio, abstém-se de agir movido pelo ego e apenas contempla, sem paixão alguma, as coisas que o rodeiam. A árvore também pode ser vista como um símbolo da árvore do conhecimento, de cujo fruto come o sábio, mas não o não-iniciado. Eis uma interpretação mais rigorosamente vedântica: o pássaro que olha é o Si Mesmo que está além do mundo da natureza e não se envolve nele; o outro é o ser dotado de alma e corpo e preso à existência condicionada. No versículo 46, encontramos palavras surpreendentes e muito freqüentemente citadas: o inominável Ser único recebe, dos sábios, diferentes nomes.

O autor ou "vidente" desse hino rig-védico é chamado Dîrghatamas ("Comprida Escuridão"). Foi ele, sem dúvida alguma, um dos pensadores ou visionários mais profundos daquele período. O estudioso indiano Vasudeva A. Agrawala, que escreveu um comentário detalhado do assim chamado *asya-vamiya-sûkta* (o hino 1.164), observou:

> Dîrghatamas é o tipo ideal de todos os homens de filosofia e de ciência que voltaram os olhos para a compreensão do mundo visível. A visão deles se volta para a origem invisível, para a Causa Primeira que era um Mistério no passado e continua sendo um Mistério hoje. Dîrghatamas domina sobre todos eles quando pergunta: "Onde está o Mestre, que conhece a solução? Onde o discípulo, que vem ao Mestre em busca de revelação?"... Ele tira retratos instantâneos do próprio cosmos, evidenciando os muitos símbolos que contam a história do seu Segredo. Parece que o Vidente acreditava, confiante, que o esplendor divino aprisionado, embora seja um verdadeiro Mistério, está presente em todas as formas manifestas e se abre ao conhecimento.[21]

3.31: Esta invocação do deus Indra, traduzida abaixo, contém muitos elementos fundamentais da metafísica védica.

3.38: Este hino, traduzido abaixo, nos fala da sagrada tarefa de construir hinos de louvor baseados numa visão, que era parte inalienável do Yoga védico dos *rishis*.

3.57: Este hino, traduzido abaixo, é um louvor da "Única Vaca", que proporciona em abundância o sustento espiritual de deuses e homens.

4.58: Este hino revela o simbolismo esotérico da *ghrita*, a manteiga semilíquida de leite de búfala usada no sacrifício do fogo. Afirma-se que a *ghrita* (versículo 5) flui do oceano do coração. Seus nomes secretos seriam "língua dos Deuses" ou "umbigo da imortalidade". No versículo 2, *soma* é comparado a "um búfalo de quatro chifres", com três pés, duas cabeças e sete braços. "O mundo inteiro", declara o versículo 11, "está estabelecido no teu esplendor (*dhâman*) dentro do oceano, dentro do coração, no período de duração da vida."

5.81: Este hino, traduzido abaixo, apresenta o Yoga Solar que teve papel tão preponderante na espiritualidade da civilização védica.

6.1: A espiritualidade védica não existiria sem o deus Agni, a sublime essência que está por trás do fogo sacrificial e conduz as oblações ao mundo divino. Este hino revela um pouco do profundo simbolismo que gira em torno de Agni e do ritual do fogo.

6.9: Esta bela invocação do deus Agni como Vaishvânara menciona-o como a "Luz imortal entre os mortais", "mais rápido do que a mente" e "estabelecido no coração".

8.48: Dedicado a Soma, deus do néctar da imortalidade, este hino tem muito a nos dizer acerca da espiritualidade védica. Há uma tradução a seguir, na seção de Texto Original.

10.61: Compreendendo vinte e sete versículos, este hino relativamente comprido está repleto de simbolismos védicos acerca do mistério do sol. Foi composto por Nâbhânedishtha, cujo nome significa "O que está mais próximo do umbigo". O umbigo é um dos nomes esotéricos do sol, como se evidencia no versículo 18. De acordo com uma lenda registrada no *Aitareya-Brâhmana* (5.14), este hino e o hino 10.62 (também composto por Nâbhânedishtha) ajudaram os Angirases a chegar ao Paraíso. No versículo 19, o grande vidente afirma a sua identidade com o sol, exclamando em êxtase: "Sou tudo isto, o nascido duas vezes, a primogênito da Ordem [cósmica]."

10.72: Eis um outro hino cosmogônico que trata do enigma da origem do universo. O terceiro e o quarto versículos mencionam o termo *uttânapâd*, "aquele cujos pés estão voltados para cima", um dos nomes da deusa Aditi ("Ilimitada"), que deu à luz o mundo. Essa peculiar expressão nos faz lembrar da postura *uttâna-carana* a que se refere a *Smriti* de Yâjnavalkya (3.198), um texto de ética e jurisprudência geralmente datado dos primeiros séculos da Era Cristã mas que contém, sem dúvida alguma, partes muito mais antigas. Essa postura é executada elevando-se as pernas, como na parada de ombros.

10.90: Dentre os vários hinos cosmogônicos que são importantes para o estudo do Yoga arcaico, na medida em que tratam não só da evolução do cosmos como também da gênese da psique humana, o *purusha-sûkta*, ou "Hino do Homem", é um dos mais impressionantes. O primeiro versículo afirma que o homem primordial (*purusha*) abarcou toda a criação e estendeu ainda dez dedos além dela. Isso parece significar que o Criador transcende a sua criação, que o mundo manifesto emana da Realidade transcendente mas não a limita de maneira alguma. O *Atharva-Veda* (15.6) traz uma versão mais elaborada desse hino.

10.121: O vidente deste hino viu o universo nascendo do Germe de Ouro (*hiranya-garbha*). Declara que o grande Ser único, cuja "sombra é a imortalidade", é o senhor do mundo e lançou os fundamentos do Céu e da Terra. Dos dez versículos deste hino, nove terminam com o refrão: "E a que Deus adoraremos com oblações?"

10.129: Chamado *nâsadîya-sûkta*, ou "Hino da Criação", este hino cosmogônico prefigura as especulações metafísicas da escola do Sâmkhya, que se ligava tão de perto ao Yoga. Damos a tradução abaixo.

10.136: Este hino, que também está traduzido para o português a seguir, é chamado *keshî-sûkta* ou "Hino do Cabelos-Longos". O *keshin*, "Cabelos-Longos", é um tipo especial de asceta não-védico em quem alguns estudiosos viram um precursor do *yogin* de épocas posteriores. De acordo com os comentadores que escreveram em sânscrito, cada versículo deste hino foi composto por um sábio diferente: Jûti, Vâtajûti, Viprajûti, Vrishânaka, Karikrata, Etasha e Rishyashringa.

10.177: Este hino bastante curto, traduzido abaixo, nos dá um belo vislumbre da prática espiritual védica da intuição visionária extática (*manishâ*).

À medida que começamos a compreender melhor a enigmática poesia dos *rishis*, passamos também a dar mais valor à complexidade da cultura espiritual deles. A pequena seleção de hinos rig-védicos apresentada na seção Texto Original 5 não nos dá senão uma visão rudimentar da espiritualidade védica e do seu Proto-Yoga. Podem-se encontrar mais informações em alguns dos livros de Sri Aurobindo e, numa época mais recente, de David Frawley.[22]

Miller estudou o *Rig-Veda* sob o aspecto da prática espiritual e concluiu que a disciplina da meditação (*dhyâna*), enquanto sustentáculo do Yoga, já existia no período rig-védico. Miller observa:

> Os bardos védicos eram *videntes* que *viram* o *Veda* e cantaram o que viram. No caso deles, a visão e o som, o ofício de vidente e o de cantor, estão intimamente ligados; esse vínculo das duas funções sensoriais constitui a base da oração védica.²³

O sânscrito védico tem duas palavras que designam a meditação orante: *brahman* e *dhî*. A primeira é derivada da raiz verbal *brih*, que significa "crescer" ou "expandir-se", ao passo que a segunda denota o pensamento intenso, a reflexão inspirada ou a visão meditativa. Miller descreve da seguinte maneira a meditação brâhmica:

> Esta é a essência do *brahman* védico — da magia védica: uma invocação e uma evocação, uma participação ativa no processo divino por meio da energia mental e da intuição espiritual, e não a mera recepção passiva de influências externas; a produção deliberada do fruto de uma profunda busca dentro da *psyche* e a formulação apropriada desse fruto; as próprias palavras que constituem a oração, agora concebida pela mente, não são outra coisa senão a forma que reveste a *inspiração-visão-ação*.²⁴

Segundo Miller, a prática meditativa dos tempos védicos apresentava três aspectos distintos mas coincidentes, que ela chama respectivamente de "meditação mântrica", "meditação visual" e "mergulho na mente e no coração". A "meditação mântrica" significa a concentração mental por meio do som, da palavra sagrada (*mantra*). A meditação visual se resume no conceito de *dhî* (que depois foi chamado *dhyâna*), no qual se vê uma determinada divindade. Por fim, o mergulho na mente e no coração é o estágio mais elevado da meditação, no qual o vidente, baseado no que Miller chama de um "pensamento-semente", explora os grandes mistérios psíquicos e cósmicos que levaram à composição dos notáveis hinos cosmogônicos, como o "Hino da Criação" (*Rig-Veda* 10.129).

A meditação, quando bem-sucedida, leva à iluminação, à descoberta da "Luz intemerata" (*Rig-Veda* 6.47.8). Desse modo, o sábio Atri, segundo um dos hinos rig-védicos (5.40.6), "encontrou o sol oculto pela escuridão" quando estava no quarto estágio da oração, que pode ser equiparado ao êxtase (*samâdhi*). Miller vê nisso "a culminação da busca védica pela verdade".²⁵ Admite que o *Rig-Veda* por si não esclarece o pleno significado desse quarto estágio, o qual ela correlaciona com uma das principais doutrinas posteriores do Vedânta: a doutrina contida especialmente no *Mândûkya-Upanishad*, que chama o Absoluto de Quarto (*turîya*).

Os estudos escrupulosos e sensíveis de Miller revelaram que o povo védico tinha uma prática espiritual de cuja profundidade ainda não suspeitávamos; revelaram também um mundo espetacular de símbolos e idéias que só podem ter provindo de um povo que amava tanto a introspecção e a contemplação quanto gostava dos prazeres terrenos. De certo modo, a obra mais recente de David Frawley complementa a de Jeanine Miller e nos ajuda do mesmo modo a descobrir a mais profunda dimensão espiritual dos *Vedas*.²⁶

Os hinos são expressões da insondável espiritualidade dos arianos védicos. Para compor um hino, era preciso vê-lo no estado de contemplação. A pessoa que o via era chamada *rishi*, vidente, em virtude dessa visão sagrada. Cumprindo os sacrifícios prescritos, o vidente de "mente jungida" (*mano-yuja*) "enviava" a sua visão (*dhî*) à Divindade. Frawley afirma que os videntes védicos "eram a própria encarnação do amor à verdade, de uma criatividade livre e aberta, de um grande ardor de vida e consciência".²⁷ E prossegue entusiasmado:

> Em sua estatura, assemelhavam-se a grandes montanhas; no movimento, equiparavam-se aos grandes rios. Suas faculdades de percepção abarcavam todos os domínios da existência cósmica. Sua força criativa manifestava-se em muitos mundos. Não obstante, eram tão humildes e prestimosos quanto a vaca, tão imparciais quanto o sol na distribuição dos seus benefícios... Foram os nossos pais espirituais, os fundadores da civilização; e, enquanto a civilização conservou os seus valores interiores e espirituais, a verdadeira harmonia reinou sobre a terra.²⁸

O Proto-Yoga dos *rishis* contém muitos elementos que depois vieram a caracterizar o Yoga de épocas posteriores: a concentração, a vigilância, a ascese, o controle da respiração (associado à recitação dos hinos sagrados durante os ritos), uma recitação determinada por regras tão rigorosas quanto detalhadas (prefigurando o Mantra-Yoga de épocas mais tardias), a invocação devocional (que floresceu em plenitude no Bhakti-Yoga medieval), a experiência visionária, a idéia de auto-sacrifício (ou de renúncia ao ego), o encontro imediato com uma Realidade maior do que a personalidade egóica e o contínuo enriquecimento da vida cotidiana por meio dos frutos desse encontro (augurando o Sahaja-Yoga).

Como os *Vedas* foram criados por videntes de extraordinária aptidão espiritual, são mais do que simples poesias e mais do que meros registros históricos. São palavras sagradas, testemunhos do potencial espiritual da espécie humana, e temos de lê-los como tal. Miller, Frawley e o próprio Sri Aurobindo, que foi um dos grandes poetas espirituais da Índia moderna, falaram em favor de uma interpretação espiritual dos hinos védicos. Aurobindo escreveu:

> O Veda possui toda a substância espiritual dos Upanishads, mas não conta com a fraseologia deles; trata-se de um conhecimento inspirado que não dispõe de suficientes termos intelectuais e filosóficos. Encontramos nele a língua de poetas e iluminados para quem toda a existência é real, vívida, sensível, até mesmo concreta, e não a língua dos pensadores e sistematizadores para quem as realidades da mente e da alma tornaram-se abstrações... Temos nele a antiga ciência psicológica e a arte da vida espiritual das quais os Upanishads são a decorrência filosófica.[29]

Aurobindo levou tão longe quanto possível a interpretação simbólica dos *Vedas*, e quem quer que leia esses textos sagrados sem preconceito há de concordar com ele. Dessa maneira, ele insistiu em que o tom aparentemente terra-a-terra de muitos hinos védicos, que rogam às divindades que nos concedam riquezas, saúde e vida longa, não deve ser compreendido de modo materialista. Muito pelo contrário, deve ser interpretado de maneira metafórica. A interpretação que Aurobindo dá aos *Vedas* é muito mais sólida do que a leitura literalista adotada por muitos estudiosos, para quem os *Vedas* não passam de poesias primitivas. Entretanto, podemos reconhecer a sabedoria espiritual, o elevado idealismo e a predominante tendência metafísica dos *rishis* védicos sem negar que eles também pediam coisas deste mundo. Nem tudo nos *Vedas* está escrito em código, embora pareça ser esse o caso de boa parte dos textos. Quanto a isto, Subhash Kak demonstrou que os hinos do *Rig-Veda* estão organizados de acordo com um princípio astronômico, o que evidencia o quanto a astronomia era importante para a vida ritual dos arianos védicos.[30] O mesmo código astronômico regia a construção dos altares do fogo, de cinco andares. Com isso, começamos a perceber que a visão de mundo védica era um todo coerente, baseado num grande número de correspondências entre o macrocosmo e o microcosmo.

Videntes e Adeptos do Êxtase

Os brâmanes de antigamente, à semelhança dos de hoje, constituíam o braço conservador da religião védica. Os *rishis*, pelo contrário, eram a força criativa que infundia constantemente no ritualismo védico o sangue vital da visão concreta das divindades e da realização do Ser Supremo. Numa época posterior, com o declínio da influência da cultura visionária dos *rishis*, que punham suas visões à prova debatendo verbalmente uns com os outros, o ritualismo bramânico enrijeceu-se rapidamente sob o tacão do conservadorismo sacerdotal.[31] Os sacrifícios tornaram-se mais importantes do que as visões e as realizações espirituais superiores. Perdeu-se de vista o sentido dos hinos védicos, a ponto de um antigo ritualista, chamado Kautsa, ser capaz de afirmar que "os *mantras* não têm sentido". Por *mantras* ele queria referir-se aos hinos sagrados, os quais, na opinião dele, estavam cheios de trechos ininteligíveis. Com sua atitude, ele prefigurou a de um grande número de estudiosos modernos, que não percebem o conteúdo espiritual por trás das definições lexicográficas das palavras do sânscrito védico.

Seja como for, os *Upanishads* deixam claro que o esoterismo místico continuou a manifestar-se aqui e ali, fora do contexto sacerdotal ortodoxo. Mesmo na época dos *rishis* havia pessoas co-

---

> "Veneráveis são os videntes. Sejam-lhes prestadas homenagens! Magna é a sua visão, magna a verdade que há no seu espírito!"
>
> — *Atharva-Veda*, 2.35.4

mo os *munis*, que buscavam a espiritualidade às margens da sociedade védica. Os *munis* eram adeptos dados ao êxtase que permaneciam próximos da herança xamânica. O "Hino do Cabelos-Longos" (*Rig-Veda* 10.136), traduzido abaixo, afirma que o *muni* viaja nos ventos e beneficia os outros seres humanos — dois temas tipicamente xamânicos. Na época dos *Upanishads*, a tradição sapiencial — que dava ênfase à autotranscendência extática e à realização do Si Mesmo — não era transmitida somente pelos brâmanes, mas também, muitas vezes, por membros da casta guerreira: reis como Ajâtashatru, Uddâlaka e o filho deste último, Shvetaketu. Não nos esqueçamos de que o *Bhagavad-Gîtâ*, classificado como um ensinamento esotérico (*upanishad*) no colofão que se segue aos seus dezoito capítulos, foi transmitido pelo Senhor Krishna ao príncipe Arjuna, filho do rei Pându. É claro que, ao alvorecer da Era Upanishádica, também havia grandes brâmanes — sobre os quais domina o sapientíssimo Yâjnavalkya — que ensinavam a doutrina secreta do sacrifício interior.

CAPÍTULO 4 — O YOGA NOS TEMPOS ANTIGOS

TEXTO ORIGINAL 5

Rig-Veda (Trechos Escolhidos)

A linguagem do *Rig-Veda* é mântrica, poética e, muitas vezes, alegórica e esotérica. Quem não compreender isso não poderá jamais captar a mensagem dos hinos védicos. As traduções que damos a seguir, de uns poucos dentre os 1.028 hinos do *Rig-Veda*, partem do pressuposto de que os bardos-videntes não eram meros "primitivos", mas mestres do uso da palavra e, além isso, profundos conhecedores da arte da autotranscendência extática através dos ritos, da oração e dos sons.

Esses hinos, pertencentes à parte mais antiga da revelação védica, foram escolhidos por serem especialmente pertinentes à discussão sobre o Proto-Yoga dos tempos védicos. Eles nos transmitem uma idéia sumária da atitude védica perante as coisas sagradas e nos mostram também que os *rishis* haviam desenvolvido uma metafísica espiritual superior, prefigurando as doutrinas dos *Upanishads*, do *Bhagavad-Gîtâ* e de outros textos sânscritos fundamentais para o Vedânta e o Yoga vedântico.

Os hinos védicos são repletos de simbolismo e de mitologia, que eram os veículos escolhidos pelos *rishis* para a expressão das verdades espirituais mais profundas. Não obstante, nós não temos conhecimento suficiente da visão de mundo védica para sermos capazes de desvendar por completo o denso simbolismo e a linguagem metafórica dos hinos. Em última análise, mesmo que disponha de todo um arsenal de elucidações acadêmicas, o moderno estudioso dos Vedas tem de recorrer à sua intuição pessoal para tentar compreender os hinos.

3.31

O deus Indra, que está no próprio coração da espiritualidade védica, é invocado com freqüência no *Rig-Veda*. Tido normalmente como um deus das tempestades, Indra é na verdade um deus multiforme associado a diversos fenômenos — desde o trovão, o raio e a chuva até o céu sem nuvens, o fogo e o sol; é relacionado também ao ano. Neste hino, Indra é revelado como o ser divino que mata Vritra, o demônio da escuridão, e liberta as vacas aprisionadas. Para os povos védicos, a palavra *go* não significava apenas "vaca"; tinha também, entre outros, os sentidos de "água vivificante"; "raios de luz" e "palavra sagrada". Este hino pode ser lido ou interpretado de várias maneiras, e é muito possível que todos os sentidos possíveis estivessem presentes na mente do *rishi* que o compôs. Não

Indra

Reproduzido de *The Gods of India*

há dúvida quanto ao caráter intencional do jogo que se fez entre a experiência do clarear do dia e o momento da iluminação espiritual. Ambas as coisas são favorecidas pelo cumprimento do ritual sacrificial em homenagem a Indra, o destruidor da escuridão. Também aqui temos uma referência indireta ao Yoga Solar, o Yoga baseado na identificação com o brilho do grande ser celestial que os antigos chamavam de Sûrya.

Sri Aurobindo compreendia Indra com um símbolo da mente humana purificada e, logo, poderosa e capaz de nos libertar da servidão (isto é, da ignorância) e de fazer derramar-se sobre nós a beatitude da divina Luz. Assim libertos das limitações egóicas, recebemos grandes intuições espirituais que se traduzem em palavras inspiradas.

O condutor [i.e., o deus Agni, que leva a oblação aos mundos divinos] versado na lei veio, falando com devoção enquanto repreendia a filha de sua filha. Quando o pai se esforçou para verter-se em sua filha [isto é, a concha sacrificial], seu coração consentiu ansiosamente. (1)

O filho do corpo não deixou a herança [i.e., a manteiga do sacrifício] à irmã; fez do útero dela [i.e., a gamela que contém a concha do sacrifício] uma casa de abundância para o vencedor. Quando as mães [i.e., os pauzinhos de fazer fogo] dão à luz o condutor, um dos dois que fazem boas obras é o agente [i.e., o sacerdote] e o outro [i.e., o patrocinador do sacrifício] é o que lucra. (2)

Com sua língua tremulando, Agni nasceu para honrar os filhos [i.e., os sacerdotes da grande família de Angiras] do grande róseo [i.e., o céu ao amanhecer]. Grande foi o embrião, grande o nascimento e grande o crescimento, por meio do sacrifício, do Senhor [Indra] dos cavalos baios. (3)

Os conquistadores cercaram o desafiante; da escuridão produziram uma grande luz. As Deusas da Aurora reconheceram-no e vieram encontrá-lo; Indra tornou-se o único senhor das vacas. (4)

Os sábios [dentre os sacerdotes] abriram um caminho para os que estavam na caverna; os sete sacerdotes incitaram-nos a avançar com pensamentos vigorosos. Encontraram todas as veredas do caminho reto; o conhecedor entrou [na caverna], inclinando-se profundamente. (5)

Se Saramâ [i.e., a égua de Indra] encontrar a passagem na montanha, chegará ao fim da grande tarefa que encetou, de encontrar caminhos. O de pés velozes conduziu para fora a chefe das sílabas imortais [i.e., das vacas]; conhecedora do caminho, ela foi a primeira a responder ao chamado. (6)

O maior dos inspirados [i.e., Indra?] chegou, portando-se como um amigo. A montanha fez amadurecer o fruto [i.e., as vacas] de suas entranhas para o realizador de grandes feitos. O jovem herói, provando a própria generosidade, ganhou o favor dos jovens; e [o sábio] Angiras fez-se de imediato um cantor de louvores. (7)

Imagem desta e daquela criatura, ele conhece todos os nascidos. Postando-se na vanguarda, matou Shushna [i.e., o demônio da seca]. Conhecedor do caminho do céu, saiu à nossa frente em busca de vacas, cantando. O amigo livrou seus amigos da desonra. (8)

Com o coração ansioso por encontrar vacas, eles sentaram-se e abriram, com seus cantos, um caminho para a imortalidade. É este o lugar onde sentaram-se e que ainda hoje é muito usado, o meio lícito pelo qual quiseram ganhar os meses. (9)

Olhando ao redor, alegraram-se eles com tudo quanto possuíam enquanto tiravam o leite da antiga semente. Seus gritos aqueceram os dois mundos. Eles organizaram as crias, repartindo as vacas entre os homens. (10)

Em meio a canções, ele mesmo, Indra, o matador de Vritra, libertou as róseas vacas com suas crias e as oblações. Com movimentos longos, tirou da vaca o leite da doce manteiga, semelhante ao mel, que ela guardara para ele. (11)

Fizeram para ele um trono como o de um pai, pois seus grandes feitos fizeram-no merecedor de um grande trono brilhante. Com um pilar, ergueram e sustentaram seus pais [i.e., o céu e a terra]; sentando-se, elevaram bem para cima o mais fogoso. (12)

Quando Dhishanâ [i.e., a abóboda celeste?] determinou-se a esmagar o que atingira tal grandeza em um só dia e preenchera as duas metades do mundo, todos os poderes irresistíveis vieram a Indra, em quem se reúnem louvores sem máculas. (13)

Anseio pela tua amizade, pela tua poderosa ajuda. De muitas dádivas é merecedor o que matou Vritra. Grande é o seu louvor; viemos para merecer a bondade do soberano. Ó generoso Indra, sê bondoso para conosco, como nosso pastor. (14)

Conquistou muitas terras e muitas riquezas e repartiu os despojos entre os seus amigos. Radiante com seus homens, Indra gerou o sol, a aurora, o movimento [do sol?] e o fogo. (15)

Este amigo da casa reuniu num único canal até mesmo as águas amplamente dispersas que rebrilham em muitas cores, as águas melífluas purificadas por filhos inspirados. Correndo dia e noite, elas avançam sempre. (16)

Os dois vasos da abundância [i.e., o dia e a noite], escuros e merecedores de sacrifícios, acompanham Sûrya, com a concordância deste, quando os Teus amigos bem-amados e impetuosos achegam-se ao Teu esplendor para absorvê-lo neles. (17)

Ó matador de Vritra, sê o senhor de dádivas amáveis, o touro que vivifica as canções de louvor por todo o tempo da nossa vida. Vem a nós com graças bondosas e amigáveis, com a tua inestimável ajuda; vem depressa, ó Magnífico! (18)

À semelhança de Anginas, eu lhe faço as honras e me prostro diante dele, renovando para o mais antigo uma canção nascida há muito tempo. Confunde a multidão das mentiras iníquas e deixa-nos ganhar o sol, ó generoso Indra! (19)

As brumas que se haviam difundido [por obra de Vritra] tornaram-se transparentes; conduz-nos em segurança em meio delas. Tu, ó cocheiro nosso, tens de proteger-nos de todos os males. Depressa, bem depressa, ó Indra, faz-nos ganhar as nossas vacas. (20)

O Matador de Vritra, Senhor das Vacas, mostrou-nos vacas. Caminhou em meio às escuras [i.e., às forças da escuridão] com suas formas róseas. Revelando dádivas amáveis da maneira correta, abriu todos os seus portões. (21)

Para vencer esta batalha [espiritual] que promete prêmios aos vencedores, invocaremos o generoso Indra, másculo e forte, que ouve e dá auxílio no combate, que extermina os inimigos [i.e., as forças maléficas] e conquista riquezas [i.e., tesouros espirituais]. (22)

3.38

Elabora uma intuição (*manishâ*) como um carpinteiro, avançando como um corcel bem atrelado. Atento ao que há de mais digno[32] e desejável, pretendo contemplar os videntes-poetas (*kavi*) bem-inspirados (*sumedha*) [que estão nos mundos celestiais]. (1)

Indaga acerca da gloriosa estirpe dos videntes-poetas, [que,] firmes na mente e bondosos nas ações, criaram os Céus. Que estes louvores Vos alcancem, crescentes e rápidos como a mente. (2)

Compreendendo o que aqui [neste mundo] está oculto, eles ungiram os dois mundos [i.e., o Céu e a Terra] para o [seu] domínio — limitaram-nos pela medida, jungiram-nos um ao outro, amplos e extensos, e fixaram a região intermediária como um sustentáculo (*dhur*). (3)

Tudo o adornava [i.e., o deus Indra] em sua ascensão [na carruagem celeste]. Ele avança radiante pela própria luz e vestido de esplendor. Grande é o nome desse Asura, que faz chover (*vrisha*) [incontáveis benesses]. Multiforme, habita Ele entre os imortais. (4)

O Primordial, o ancião, o que faz chover [as bênçãos], gerou [as Águas]. São estas as chuvas abundantes, que trazem a cura. Ó netos que estais nos Céus, por vossas visões (*dhî*) adquiristes o domínio sobre os sacrifícios esplêndidos. (5)

Ó soberanos, vinde freqüentar e preencher os três sacrifícios esplêndidos. Vi em minha alma que os *gandharvas*, com os cabelos tremulando [ao vento], compareceram ao rito. (6)

Para o que faz chover [bênçãos incontáveis], eles tiram o doce [leite] da vaca de [muitos] nomes. Investidos de diversas espécies de poder (*asurya*), os construtores (*mâyin*) impuseram-Lhe uma forma (*rûpa*).[33] (7)

Ninguém há de separar o meu brilho dourado do de Savitri, no qual se refugiou. Pelo louvor Ele manifesta os dois mundos omniabrangentes [i.e., o Céu e a Terra] como uma mulher cuida do fruto das suas entranhas. (8)

Dentre os anciãos, vós, os dois [Maruts], promanais o poder que se alastra ao nosso redor como um divino bem-estar. Todos os construtores contemplam os muitos feitos d'Aquele que está imóvel e cuja língua está protegida. (9)

CAPÍTULO 4 — O YOGA NOS TEMPOS ANTIGOS ॐ

Para vencer essa batalha [espiritual] que promete prêmios aos vencedores, invocaremos o generoso Indra, másculo e forte, que ouve e dá auxílio no combate, que extermina os inimigos [i.e., as forças maléficas] e conquista riquezas [i.e., tesouros espirituais]. (10)

3.57

Este hino fala acerca da descoberta, por parte do *rishi*, da Vaca Única, da Fêmea cósmica, dona de um poder semelhante ao da Shakti do Hinduísmo posterior. Essa grande força do universo sustenta, como uma mãe, o peregrino espiritual. Nutre até mesmo os deuses, filhos da imortalidade, à cuja companhia o *rishi* aspira. Através de Agni, deus do fogo sacrificial, a aspiração espiritual do bardo-vidente é levada aos mundos superiores para garantir a visão ou a comunhão celestes desejadas.

Minha intuição (*manishâ*), aguda como um fio, descobriu a vaca (*dhenu*) que vaga sozinha e sem pastor, que concede de imediato o seu leite em abundância para o sustento; por isso, Indra e Agni a louvam. (1)

Indra e Pûshan, hábeis e vigorosos, tiraram com alegria o leite da [vaca] celeste cujo fluxo não cessa. Depois de todos os deuses encontrarem n'Ela o seu consolo, que eu também encontre graça (*sumnam*) diante d'Ela. (2)

As irmãs que desejam o Poder (*shakti*) do Touro Reprodutor (*vrisha*) vão apresentar-se a Ele com reverências e reconhecem n'Ele a semente (*garbha*). As vacas vêm pressurosas ter com o filho [i.e., Soma?] de muitas formas (*vapûmshi*). (3)

Glorifico o Céu e a Terra, finamente cinzelados, enquanto preparo as pedras para o sacrifício [por meio da] intuição (*manishâ*). Estas chamas tuas — visíveis e adoráveis — elevam-se com graças abundantes para a humanidade. (4)

Ó Agni, a tua língua de mel, sapientíssima, é dita a Larga [i.e., a terra] entre os deuses. Por meio dela, faz com que todos os adoráveis sentem-se aqui para beber o preparado de mel. (5)

Ó deus Agni, Conhecedor de [todos os] nascimentos, concede-nos Aquela que é para Ti como uma torrente de montanha, variegada e inexaurível — [Aquela que é] conhecimento (*pramati*), sabedoria (*sumati*), [pertencente a] todos os homens. (6)

5.81

O sol, enquanto manifestação visível da Luz transcendente, é uma das imagens centrais do Proto-Yoga védico. Este hino revela alguns elementos do Yoga Solar dos *rishis*. A realização espiritual é a iluminação do mundo interior da consciência pela Luz não-manifesta, que é o Ser Supremo.

Os sábios (*vipra*) do Sábio inspiradíssimo [i.e., Savitri] atrelam a mente; atrelam suas visões (*dhî*). Só o que é versado nas regras [do sacrifício] distribui os cargos de sacerdócio. Grande, em verdade, é o louvor devido ao deus Savitri. (1)

O vidente-poeta (*kavi*) liberta todas as formas e é fonte de graças para bípedes e quadrúpedes. Savitri, adorabilíssimo, iluminou os Céus e, após a passagem da Aurora, governa radiante (*rajati*) de vitalidade (*ojas*). (2)

Depois da passagem desse deus, seguem-se os outros deuses [para adquirir] a majestade com o vigor (*ojas*). Aquele que mediu as [regiões] telúricas com a sua grandeza é o esplendoroso deus Savitri. (3)

Tu cruzas as três esferas luminosas; ou senão, te fundes com os raios de Sûrya; ou senão, abarcas a Noite de ambos os lados; ou senão és Mitra, ó deus, em virtude das tuas qualidades (*dharma*) [benignas]. (4)

Tu reges sozinho a criação (*prasava*). És Pûshan, ó deus, em virtude dos teus movimentos. Governas radiante (*rajasi*) este mundo inteiro. [O sábio] Shyâvâshva ofereceu-te os seus louvores, ó Savitri. (5)

8.48

O ritualismo sacrificial védico seria inconcebível sem a misteriosa bebida chamada *soma*, exaltada neste hino. O suco da planta *soma*, filtrado e misturado com leite e água, é a oblação mais importante que se faz nos sacrifícios públicos (*shrauta*) especiais. Esse néctar é invocado aqui como Rei Soma, guardião do corpo, que concede aos seus adoradores a imortalidade na companhia dos deuses. É também chamado de Gota (*indu*), o que nos faz lembrar do "ponto seminal" (*bindu*) do Tantra-Yoga posterior.

Bebi o delicioso elixir da vida, ciente de que ele inspira bons pensamentos e uma alegria serena. Todos os deuses e imortais juntos o buscam, chamando-o de mel. (1)

E Tu, quando entras, tornas-Te ilimitado (*aditi*), e repelirás a ira das divindades. Exultante com a amizade de Indra, ó Gota, cria [para nós] riquezas, à semelhança de um corredor [i.e., um cavalo] que leva o seu fardo. (2)

Bebemos o Soma. Tornamo-nos imortais. Chegamos à Luz. Encontramos os Deuses. Que poder têm contra nós agora a inimizade e as injúrias dos mortais, ó Imortal? (3)

Quando Te tivermos bebido, ó Gota, pacifica o nosso coração. Ó célebre Soma, sê bondoso como um pai para com o filho, sê solícito como o amigo para com o amigo. Ó Soma, digno de louvores, dilata a nossa vida para que seja longa. (4)

Bebi estas [gotas] gloriosas que me dilatam. [Não obstante,] meus membros estão todos unidos como novilhos atrelados a um carro. Que eles impeçam meus pés de tropeçar e afugentem de mim a invalidez, em virtude de [eu ter bebido] a Gota. (5)

Inflama-me como um fogo aceso pela fricção. Torna-nos longevidentes. Torna-nos mais ricos, melhores. Pois quando estou embriagado de Ti, ó Soma, considero-me rico. Aproxima-Te e faz-nos prosperar! (6)

Impelidos por um espírito poderoso, possamos nós gozar de Ti como da riqueza [que se herda] de um pai. Ó Rei Soma, dilata a nossa vida como o sol [dilata] os dias da primavera. (7)

Ó Rei Soma, para o nosso bem, tem piedade de nós! Sabe que somos dedicados às Tuas leis (*vratya*). Ó Gota, a paixão e o entusiasmo acenderam-se. Não nos entregues aos caprichos do inimigo! (8)

Pois Tu, ó Soma, és o guardião do nosso corpo. Vigiando sobre os homens, repousaste em cada um dos membros. Se formos contra as Tuas leis, ó deus, sê misericordioso conosco como um bom amigo, [tornando-nos] melhores. (9)

Possa eu unir-me intimamente ao meu amigo compassivo para que Ele não me fira quando eu beber [a Gota]. Ó Senhor dos cavalos baios, em vista do Soma que reside em nós eu me aproximo de Indra para que nossa vida seja dilatada. (10)

A fraqueza e as doenças desapareceram. As forças da escuridão fugiram aterrorizadas. Soma elevou-se em nós, crescendo. Chegamos ao lugar onde a nossa vida se dilata. (11)

A Gota que bebemos penetrou-nos o coração, um imortal em meio aos mortais. Ó antepassados, possamos nós servir a esse Soma com oblações e habitar em Sua misericórdia e em Sua bondade. (12)

Em união concorde com os antepassados, ó Soma, preencheste o Céu e a Terra. Ó Gota, deixa-nos adorar com uma oblação. Torna-nos senhores de muitas riquezas. (13)

Ó Deuses protetores, falai por nós. Não nos deixeis ser dominados pelo sono ou pelas palavras injuriosas. Fazei que nós, sempre queridos de Soma, falemos como homens poderosos na reunião sacrificial. (14)

Ó Soma, concede-nos a força da vida por todos os lados. Ó Tu, que encontraste o Céu e vigias sobre os homens, entra em nós. Ó Gota, congrega os teus auxiliares e protege-nos pela frente e pelas costas. (15)

10.129

Costuma-se dizer que o "Hino da Criação" é um dos poucos hinos do *Rig-Veda* que assumem um ponto de vista propriamente filosófico; mas, embora manifeste uma investigação profunda acerca da natureza da existência, ele não é o único. Muito pelo contrário: depois de nos livrarmos da idéia preconcebida de que os hinos védicos não passam de uma "poesia primitiva", vemos que a atividade filosófica se manifesta profundamente em todos os textos védicos. Precisamos nos lembrar, porém, que a filosofia védica é multifacetada e inseparavelmente unida à espiritualidade védica. Por isso, temos de considerar que até mesmo as questões deste hino não se referem somente à origem do universo externo, mas também ao nosso mundo interior. A cosmogonia védica é uma psicocosmogonia — característica que se preservou nas tradições filosóficas posteriores do Yoga, do Sâmkhya e do Vedânta, as quais (cada qual a seu modo) postulam um Fundamento transcendental do qual se originam tanto a multidão das realidades objetivas quanto as mentes multiestruturadas que as percebem.

Então não havia a existência nem a não-existência. Não havia a região luminosa nem o espaço (*vyoman*) que está além. O que abarcava? Onde? Sob a proteção de quem? Qual a água que havia — profunda, insondável? (1)

Então não havia a morte nem a imortalidade. Não havia distinção entre a noite e o dia. Aquele Um respirava, sem ar, por si mesmo. Além d'Aquilo não havia mais nada. (2)

No princípio era a escuridão oculta pela escuridão. Tudo isto era água, sem distinção alguma. O Um que era coberto pelo abismo emergiu através do poder do calor-da-ascese (*tapas*). (3)

No princípio, o desejo — a primeira semente da mente — surgiu n'Aquilo. Os videntes-poetas, vasculhando o coração com sabedoria, encontraram o vínculo da existência na não-existência. (4)

O raio [de suas visões] abarcou [a existência e a não-existência]. Talvez houvesse um embaixo; talvez houvesse um acima. Havia os que davam o sêmen; havia potências; embaixo o esforço, acima o dar de si. (5)

Quem conhece a verdade? Quem haverá de determinar de onde veio esse nascimento, de onde veio essa criação? Os Deuses só surgiram depois, com a criação deste [mundo]. Quem, pois, sabe de onde ele veio? (6)

De onde veio esta criação? Criou ela a si mesma ou não? Aquele que a contempla do espaço mais elevado o sabe com certeza. Ou talvez não o saiba. (7)

10.136

O "Hino do Cabelos-Longos" (*keshî-sûkta*) nos dá um vislumbre do extático xamânico na época védica. O *keshin*, que, como o seu nome indica, tem os cabelos longos, exulta ao contemplar e participar de verdades que estão ocultas do comum dos mortais. Na mesma medida da sua "embriaguez em Deus" ou "entusiasmo" no sentido etimológico (*deva-ishita*; escreve-se *deveshita*), ele tem compaixão pelos outros seres.

A palavra *keshin* também se aplica ao sol, cujos "cabelos" são os raios luminosos que cruzam o espaço e chegam à terra. O sábio de cabelos longos é semelhante ao sol em sua natureza, e é possível que a sua aura radiante chegasse a ferir os olhos dos que tinham sensibilidade suficiente para enxergá-la.

Este hino tem várias afirmações e expressões obscuras. Para interpretá-las, segui no geral as opiniões de Jeanine Miller, embora apresente de vez em quando as minhas próprias opiniões e intuições, que divergem das dela. É possível que a "poeira castanha" da qual o *keshin* se reveste seja uma referência à prática hindu de passar pasta de sândalo em algumas partes do corpo, especialmente na testa. Segundo se diz, a importância dessa prática não é simplesmente ritual ou simbólica.

Segundo a interpretação corrente, "cingido de vento" significa "nu". É possível, porém, que essa expressão tenha um significado simbólico mais profundo. Outros versículos deste hino deixam claro que o *keshin* tem uma íntima relação com Vâyu, deus dos ventos ou da força vital. Interpretando o hino a partir do ponto de vista yogue, podemos extrair dessa expressão um sentido diferente: o *keshin* se armava com a respiração, isto é, praticava o controle da respiração. Isto explicaria a exclamação na primeira pessoa: "subimos montados sobre os ventos". Através da respiração controlada, o *keshin* entraria num outro estado de consciência (e na realidade correspondente).

Não conhecemos ao certo o sentido de "inflexível" (*kunamnamâ*) no último versículo (que é, por sinal, o único onde aparece esta palavra). Miller opina tratar-se do "aspecto grosseiro" do corpo-mente humanos, isto é, o veículo material que resiste à transformação psicoespiritual. No hino, o que se afirma é que o deus Vâyu "bateu" (como se bate o leite para fazer manteiga) e "golpeou" o "que está mal dobrado, ou mal flexionado" (*kunamnamâ*) para o *keshin*. Talvez nos seja possível ver nisso até mesmo uma referência arcaica à força psicoespiritual adormecida no corpo humano, que depois passou a ser chamada *kundalinî-shakti*.

Temos de nos lembrar aqui que, uns três mil anos depois disso, a deusa Kubjikâ era adorada em algumas escolas do Tantrismo. Segundo a mitologia, ela reside com seu esposo Shiva no topo do sagrado Monte Kailâsa, no Himalaia. A tradição tântrica faz uma íntima associação entre Kubjikâ e a *kundalinî*, que seria o corpo da deusa. A sílaba *ku* no nome Kubjikâ é tida como símbolo do elemento terra, o qual é tradicionalmente localizado no mais baixo dos centros psicoenergéticos, o *mûlâdhâra-cakra*, na base da coluna vertebral. É esse também o *locus* da potência serpentina enrolada sobre si mesma, a *kundalinî-shakti*.

A palavra sânscrita *kubjâ* significa literalmente "torta, vergada" ou "deformada". Parece ter sido este também o significado da palavra védica *kunamnamâ*. A deusa Kubjikâ, chamada também Vakreshvarî ("Princesa Deformada"), é representada às vezes como uma velha, além de ter duas outras formas — a de uma menina e a de uma jovem.[34] Será possível que estamos diante de uma tradição esotérica acerca da potência serpentina enrolada e oculta dentro do corpo humano — de uma tradição que remonta à época védica?

Um asceta do cabelos-longos

O cabelos-longos [suporta] o fogo; o cabelos-longos [suporta] o veneno; o cabelos-longos suporta o Céu e a Terra (*rodasî*) [tanto física quanto psiquicamente]; o cabelos-longos olha de frente para o Céu (*svar*); diz-se que o cabelos-longos é aquela Luz [transcendente]. (1)

Os sábios (*muni*) cingidos de vento revestiram-se de poeira (*mala*) castanha. Penetrados pelos deuses, pairam pelos caminhos do vento. (2)

Em exultação pelo nosso silêncio (*mauna*), subimos montados sobre os ventos. Contemplai, ó mortais, os nossos corpos [somente]. (3)

Através da região intermediária (*antariksha*) voa o sábio que ilumina todas as formas; por sua bondade, ele é chamado o amigo de todos os Deuses. (4)

O sábio embriagado de Deus é o corcel do vento, o amigo de Vâyu; reside em ambos os oceanos, o de cima e o de baixo. (5)

> Pelos caminhos das *apsarases* [espíritos mulheres], dos *gandharvas* [espíritos homens] e dos animais vaga o cabelos-longos, conhecedor dos pensamentos [mais ocultos], amigo fiel e bondoso, fonte de entusiasmo. (6)
>
> É para ele que Vâyu bateu e golpeou o "torto" (*kunamnamâ*), quando o cabelos-longos bebeu com Rudra da taça de veneno. (7)
>
> ### 10.177
>
> Com o coração (*hrid*), com a mente (*manas*), os sábios vêem o Alado (*patanga*) que leva em si a magia (*mâyâ*) de Asura. Os videntes-poetas (*kavi*) reconhecem [-No] dentro do oceano. Os sábios anseiam pela pegada dos [Seus] raios. (1)
>
> Com o coração, o Alado leva a Palavra (*vâc*) que o *gandharva* pronunciou dentro do útero. Os videntes-poetas protegem essa intuição (*manishâ*) que fulgura trovejante (*svarya*) no receptáculo (*pada*) da ordem (*rita*) [cósmica]. (2)
>
> Vi o Protetor que avança e recua incansavelmente pelos caminhos. Revestido de [forças] convergentes e divergentes, Ele gira no meio dos mundos.[35] (3)

V. ENCANTAMENTOS DA TRANSCENDÊNCIA — O YOGA MÁGICO DO ATHARVA-VEDA

O *Atharva-Veda* contém o conhecimento sagrado (*veda*) reunido e organizado por Atharvan, mago e sacerdote do fogo que provavelmente nasceu na região que hoje se chama Bihar. Enquanto coletânea, o *Atharva-Veda* é pelo menos alguns séculos mais novo que o *Rig-Veda*, embora boa parte do seu conteúdo seja provavelmente tão antiga quanto os mais antigos hinos do *Rig-Veda*. Não há dúvida de que o *Atharva-Veda* sempre foi amplamente usado, mas por muito tempo não foi tido como parte do cânone sagrado dos *Vedas*; mesmo depois de ser incorporado a este, nunca recebeu da casta sacerdotal ortodoxa o mesmo *status* do *Rig-Veda*, do *Yajur-Veda* e do *Sâma-Veda*.

O *Atharva-Veda* contém cerca de seis mil versículos e mil linhas em prosa, a maioria dos quais trata de encantamentos e magias destinados a promover a paz, a saúde, o amor e a prosperidade material e espiritual ou a atrair a desgraça e os desastres sobre os inimigos.

Eis alguns trechos que exemplificam o lado mágico desse hinário:

> Que tu me abraces como a trepadeira abraçou a árvore, inteiramente. Que tu me ames e não te afastes de mim.
>
> Assim como a águia, avançando em seu vôo, bate as asas na direção da terra, assim também eu bato a tua mente. Que tu me ames e não te afastes de mim.
>
> Assim como o sol cruza rapidamente [o espaço intermédio entre] o céu e a terra aqui, assim também faço eu na tua mente. Que tu me ames e não te afastes de mim. (6.8.1-3)

* * *

> Depois de atrelada a carruagem [da minha mente], apresentou-se a maldição de mil olhos que sai em busca do que me amaldiçoou, como o lobo [busca] a habitação do pastor.

Ó maldição, esquiva-te de nós como o fogo abrasador [esquiva-se] de um lago. Fere aqui o que nos amaldiçoou, como o raio do céu [fere] uma árvore.

Todo aquele que nos amaldiçoar sem amaldiçoar, e todo aquele que nos amaldiçoar amaldiçoando, a ele, definhado, eu lanço à morte, como [se lança] um osso a um cão. (6.37.1-3)

* * *

Noite após noite, nós Te trazemos, ó Agni, [esta oferenda] sem mistura, como a ração a um cavalo. Que nós, Teus próximos, não soframos o infortúnio, [mas] gozemos de abundantes riquezas e alimentos.

De Ti, que és bom, qualquer que seja a flecha [do destino] que esteja no ar, ela é Tua. Com ela, sê-nos misericordioso. Que nós, Teus próximos, não soframos o infortúnio, [mas] gozemos de abundantes riquezas e alimentos.

Entardecer após entardecer, Agni é o senhor da nossa casa. Amanhecer após amanhecer, é Ele quem concede as boas intenções. Que Tu sejas para nós o doador de todas as espécies de bem. Que nós, alimentando-Te, nos adornemos.

Amanhecer após amanhecer, Agni é o senhor da nossa casa. Entardecer após entardecer, é Ele quem concede as boas intenções. Que Tu sejas para nós o doador de todas as espécies de bem. Que nós, alimentando-Te, prosperemos por uma centena de invernos.

Que o alimento não me falte. Ao Senhor do Alimento, que se alimenta, a Agni [que é Rudra], prestem-se homenagens. (19.55.1-5)

O primeiro dos hinos citados acima é um encantamento de amor, o segundo é um conjuro contra as maldições e o terceiro é uma prece encantatória dirigida a Agni para obter-se a prosperidade. Essas orações e encantamentos dão uma idéia das coisas de que trata o "quarto" Veda.

Dentre as muitas passagens místicas do *Atharva-Veda*, a maioria das quais subtraem-se à plena compreensão, os seguintes hinos parecem implicar um conhecimento esotérico que poderia ser correlacionado ao Proto-Yoga e à tradição do Proto-Sâmkhya que a ele estava ligado.

2.1: Este hino fala do vidente Vena, do qual se diz que contemplou o segredo mais elevado, "onde tudo assume uma única forma".

4.1: Eis um outro hino enigmático que fala da Realização mística de Vena. Afirma que Vena descobriu o útero (*yoni*) do ser e do não-ser.

5.1: Este hino é propositadamente obscuro e sua gramática provavelmente está corrupta em muitas partes. Entretanto, a julgar pelos conceitos complexos de que trata, o vidente que o compôs conhecia uma profunda tradição mística.

7.5: Este *sûkta* fala do sacrifício interior, que se tornou o principal tema dos primeiros *Upanishads*. Começa com o versículo: "Pelo sacrifício, os deuses sacrificaram ao sacrifício." Isto é, os próprios deuses faziam sacrifícios, os quais não tinham outra finalidade que não a própria ação sacrificial, que é a doação de si mesmo. O sacrifício é descrito como o senhor dos próprios deuses, que então o ensinaram aos seres humanos.

8.9: Este hino cosmogônico, que exalta Virâj, propõe vários enigmas esotéricos. Virâj é o princípio criativo feminino (em outros hinos, é também o masculino) que, segundo o autor anônimo, pode ser visto por certas pessoas e não por outras. "Sem respirar, ela passa pela respiração dos que respiram."

8.10: O tema deste hino também é Virâj, da qual se diz que sobe do fogo do pai de família e de novo desce a ele. Afirma-se que o pai de família que conhece este segredo "sacrifica a sua casa" (*griha-medhin*).

9.1: Este hino cosmogônico deixa transparecer algo do segredo do "mel batido" (*madhu-kashâ*). Afirma que essa misteriosa substância nasceu dos elementos gerados pelos Deuses e contemplados pelos sábios. Do que nos é possível apreender deste texto difícil, parece que o mel batido corresponde à idéia mais tardia — encontrada especificamente no Tantra e no Hatha-Yoga — da ambrosia interior, do néctar da imortalidade que supostamente goteja de um lugar secreto situado perto do céu da boca. Os videntes védicos aspiravam a ganhar o mel, a sentir e contemplar o esplendor transcendental dentro do próprio corpo e da própria mente. A doutrina do mel (*madhu-vidyâ*) também se encontra no antigo *Brihad-Âranyaka-Upanishad* (2.5.14), do qual citaremos esta passagem:

> O Si Mesmo (*âtman*) é mel para todas as coisas, e todas as coisas são mel para este Si Mesmo. Essa Pessoa reluzente e imortal que está neste Si Mesmo, e, com referência a ela mesma, essa Pessoa reluzente e imortal que existe na qualidade do Si Mesmo — ela é somente este Si Mesmo, este Imortal, este Absoluto, este Todo.

10.7: Eis um hino místico que consiste numa série de questionamentos profundos e revela a doutrina secreta do Pilar Axial do Universo (*skambha*) que sustenta toda a criação: Em que parte d'Ele reside a ascese (*tapas*)? Em que parte d'Ele reside a Ordem [cósmica]? E os votos, em que parte? E a fé? Em que parte d'Ele localiza-se a verdade? Em que medida a Divindade penetrou na sua própria criação? Em que medida penetrou no passado? E no futuro?

Segundo o versículo 17, Deus, ou o Pilar Axial do Universo, é conhecido daqueles que conhecem a Realidade transcendente (*brahman*) dentro do próprio coração. O versículo 23 afirma que somente trinta e três divindades protegem o tesouro sagrado, isto é, Deus. Declara o versículo 27: "Somente os conhecedores de *brahman* conhecem essas trinta e três divindades." Isso é puro Vedânta. De acordo com o versículo 38, a Divindade que está no centro do mundo pode ser alcançada pela prática da ascese (*tapas*). O versículo 40 nos diz que todas as luzes estão no vidente que chegou a esse zênite espiritual. O versículo 15 menciona os *nâdîs* (canais ou "rios" da força vital), provando o quanto são antigas essas noções acerca do corpo sutil ou energético.

10.8: É um hino que dá a entender que o autor detinha um conhecimento oculto acerca da origem do cosmos. Ao mesmo tempo, expressa o maravilhamento perante a complexidade da criação. O Texto Original 6 é uma tradução dele.

11.4: Este *sûkta* exalta a força vital (*prâna*), da qual se diz que veste o homem como um pai vestiria o seu filho mais querido (versículo 11).

11.5: Aqui se fala do noviço (*brahmacarin*) recém-iniciado na tradição védica e se discute o simbolismo da iniciação e da subseqüente prática espiritual.

15.1-18: É este o famoso *Vrâtya-Khânda* ("Livro dos Vrâtyas"), do qual trataremos na próxima seção.

TEXTO ORIGINAL 6

Atharva-Veda (Trechos Escolhidos)

Do ponto de vista espiritual, o hino apresentado a seguir (10.8) é um dos mais significativos do *Atharva-Veda*. Parece estar intimamente ligado ao hino 10.7, que revela o conhecimento secreto acerca do Pilar Axial do Universo (*skambha*). Com o seu simbolismo profundo, que mal chegamos a compreender, este hino nos faz lembrar dos enigmas apresentados por Dîrghatamas no *Rig-Veda* (1.164).

Glorificado seja *brahman*, o primeiro, a quem unicamente pertence o Céu, que preside ao passado, ao futuro e a todas [as coisas]. (1)

Firmados pelo Pilar (*skambha*), o Céu e a Terra são separados. Todo este [universo], tudo quanto respira ou se fecha (*nimesha*), tem a sua essência (*âtmanvat*) no Pilar. (2)

Três [tipos de] criaturas foram adiante [pela transmigração], ao passo que outras entraram por inteiro no sol (*arka*).[36] O Grande permanece, medindo o céu. O Áureo [i.e., o sol] entrou nas [regiões] áureas.[37] (3)

Doze aros, uma roda (*cakra*), três cubos: quem compreendeu isto? Trezentos e sessenta raios e [o mesmo número de] pinos, presos com firmeza. (4)

Medita nisto atentamente, ó Savitri: seis pares de gêmeos [e] um que nasceu sozinho. Eles querem relacionar-se com o que nasceu sozinho.[38] (5)

É manifesto e no entanto está firmado no segredo (*guhâ*). Seu nome é "Ancião", "Grande Lugar". N'Ele se prende todo este [universo]. O quanto se move e respira está firmado [n'Ele]. (6)

A roda única gira com um único aro, com mil indestrutíveis (*akshara*),[39] levantando-se à frente [i.e., a leste] e deitando-se atrás [i.e., a oeste]. Com uma metade ela gerou o mundo inteiro, mas o que foi feito da sua [outra] metade? (7)

Um carro de cinco [cavalos] conduz o Primogênito,[40] com cavalos atrelados ao lado que o puxam [também]. O que não foi percorrido é invisível; não, porém, o que foi percorrido. O que está acima [do horizonte] é mais próximo; o que está abaixo [do horizonte] é mais longínquo. (8)

A boca do vaso fica a um lado e o seu fundo fica acima. Dentro dele reside a glória da forma universal. Lá se sentam em conselho os sete videntes[41] que são os protetores deste Grande. (9)

Pergunto-te acerca do louvor (*ric*) jungido (*yujyate*) na frente e atrás, jungido por todos os lados, e pelo qual o sacrifício (*yajna*) chega até o Oriente.[42] (10)

Aquilo que incita, voa, imobiliza-se, respira ou não respira, [Aquilo] fecha [os olhos] mas é, sustenta a terra e, sendo dotado da forma de todas as coisas, é Um. (11)

O infinito se estende em todas as direções; o infinito e o fim se juntam. O Guardião [i.e., o sol] do firmamento (*nâka*), que conhece o passado e o futuro, continua a mantê-los separados. (12)

Prajâpati [i.e., o Senhor das Criaturas] se move no útero (*garbha*) [cósmico]. Invisível, nasce Ele sob múltiplas formas. Com uma metade gerou o universo inteiro, mas qual o sinal luminoso que há da Sua outra metade?[43] (13)

Este Aguadeiro que leva a água num jarro,[44] todos O vêem com os olhos, mas nem todos [O] conhecem com a mente.[45] (14)

O grande Espírito (*yaksha*) no centro do universo reside bem longe em sua inteireza, e longe desaparece pela escassez — a Ele os senhores [do mundo] oferecem oblações. (15)

[O lugar] de onde o sol nasce e para onde vai ao se pôr, a este em verdade eu chamo de o Primeiro (*jyeshtha*). Nada é maior do que Isto! (16)

Aqueles que agora, antes[46] e no princípio, em todos os lugares, falam com autoridade acerca do *Veda*, falam todos tão-somente de Âditya [i.e., do sol], do segundo Agni e do tríplice cisne (*hamsa*).[47] (17)

O cisne de ouro, voando pelo céu, abarca com Suas asas uma jornada de mil dias. Tendo todos os deuses no seu peito, ele se move, supervisionando todos os mundos. (18)

Naquele em quem o Primeiro repousa, Ele brilha em cima pela verdade, olha para baixo pela oração (*brahman*) e, no mesmo plano, respira [sob a forma dos ventos] pela força vital (*prâna*). (19)

Aquele que conhece de fato os paus de bater que fazem acender a coisa (*vasu*) preciosa [i.e., o fogo], esse pode ter a pretensão de conhecer o Primeiro; deve conhecer o grande *brâhmana*. (20)

No princípio, Ele nasceu sem pés. No princípio, produziu o Céu (*svar*).[48] Tornando-se quadrúpede[49] e capaz de se alimentar, tomou para Si todo o alimento.[50] (21)

Aquele que adora o Deus (*deva*) eterno e supremo tornar-se-á capaz de comer e comerá muitas [espécies de] alimento. (22)

Eles O chamam de eterno; com efeito, Ele pode renovar-se até agora: dia e noite se regeneram a partir das formas um do outro. (23)

Cem, mil, uma miríade, cem milhões, [um número] incontável dos que são d'Ele próprio residem n'Ele. Consomem[51] o que é d'Ele enquanto ele apenas olha. É por isto que este Deus é tão radiante. (24)

O Um é mais fino que um fio de cabelo;[52] o Um nem sequer é visível. Daí que a divindade (*devatâ*) que é mais ampla [que este universo] me seja tão querida. (25)

Esta [divindade] bela e sem idade está na casa [i.e., no corpo] de um mortal. Aquele para quem [essa divindade] foi feita repousa imóvel; aquele que fez [essa divindade] envelheceu.[53] (26)

Tu és mulher. Tu és homem. Tu és menino ou menina. Tu, que és idoso, caminhas apoiado num bastão. Quando nasces, Tua face se volta para todos os lados.[54] (27)

Tu és o pai e também o filho deles. És o superior (*jyeshtha*) e também o inferior deles. O Deus único, que penetrou a mente, foi o primeiro a nascer e [no entanto] está dentro do útero [cósmico]. (28)

Do Todo (*pûrna*) Ele faz surgir o Todo. O Todo se manifesta como o Todo. Possamos nós conhecer também, agora, Aquilo a partir do qual ele se manifesta. (29)

Ela, a eterna, é desde toda a eternidade. Ela, a anciã, abarcou todas as coisas. A grande Deusa (*devî*), radiante ao amanhecer,[55] olha para todos num piscar [de olhos]. (30)

A divindade chamada Avi[56] permanece, envolvida pela ordem (*rita*) [cósmica]. Estas árvores douradas[57] tornam-se douradas em virtude da Sua forma. (31)

[Porque se está] próximo, não se pode abandonar [essa divindade; [embora se esteja] próximo, não se pode ver [facilmente essa divindade].[58] Eis a sabedoria (*kâvya*) do Deus. Ele não morreu [jamais], nem jamais envelhece. (32)

As palavras que a [divindade] auto-suficiente faz pronunciar falam [a verdade] tal como é.[59] Aonde quer que se dirijam e o falem, confessam o grande *brâhmana*. (33)

Aquilo em que Deuses e homens estão presos como os raios no cubo [da roda], aquilo em que [o mundo?] está colocado pelo poder da magia (*mâyâ*) [divina] — é isto que peço de Ti, ó Flor das Águas.[60] (34)

Aqueles que fazem o vento soprar, que produzem as cinco direções juntas, os Deuses que se quiseram superiores à oferenda sacrificial, os comandantes das águas — quem eram eles? (35)

Um deles habita nesta terra. Um deles tornou-se a região intermediária (*antariksha*) à volta toda. Aquele que dentre eles é o provedor dá o céu (*diva*). Alguns protegem todas as regiões. (36)

Aquele que é capaz de conhecer o fio (*sûtra*) esticado no qual estas criaturas estão tecidas, que é capaz de conhecer o fio do fio, este [em verdade] é capaz de conhecer o grande *brâhmana*. (37)

Eu conheço o fio esticado no qual estas criaturas estão tecidas. Do mesmo modo, conheço o fio do fio, que é o grande *brâhmana*. (38)

> Quando Agni passou abrasando o Céu e a Terra, consumindo tudo, quando as esposas [i.e., as chamas] de um único [esposo, i.e., o fogo] elevaram-se mais [do que todas as coisas], onde estava Mâtarîshvan?[61] (39)
>
> Mâtarîshvan havia mergulhado nas águas [primordiais quando] os deuses estavam nos oceanos. Grande, em verdade, era o medidor (*vimâna*) do céu. O purificador (*pavamâna*) entrou nas douradas.[62] (40)
>
> Como que mais alto que o *gâyatrî*, Ele foi à imortalidade (*amrita*). Os bons conhecedores cantam (*sâma*) pelo canto; onde viram eles o Não-Nascido (*aja*)?[63] (41)
>
> Protegendo e reunindo [todas] as coisas (*vasu*), o deus Savitri como que [possui] a qualidade da verdade (*satya*). Como Indra, Ele se põe [firme] na luta por riquezas [espirituais]. (42)
>
> O lótus de nove portas [i.e., o corpo humano com seus nove orifícios] coberto dos três filamentos (*guna*) [i.e., a pele, os pêlos e as unhas?] — o Espírito (*yaksha*) incorporado (*âtmanvat*) que está dentro dele, esse em verdade é conhecido pelos conhecedores de *brahman*. (43)
>
> Sem desejos, sábio, imortal, subsistente por si mesmo (*svayambhu*), satisfeito com a essência (*rasa*), sem nada que lhe falte — pelo conhecimento desse Si Mesmo (*âtman*) sábio, sem idade, sempre jovem, perde-se o medo da morte.[64] (44)

VI. AS MISTERIOSAS IRMANDADES DOS VRÂTYAS

A Índia antiga apresenta muitos enigmas para o historiador moderno. O mais intrigante desses enigmas talvez seja o da irmandade espiritual dos Vrâtyas. As coisas que deles se afirmam na literatura indiana são confusas e muitas vezes contraditórias, e o legado intelectual que deixaram parece ter sido suprimido e, numa medida que desconhecemos, distorcido pela ortodoxia pós-védica. Não admira que a maioria dos historiadores tenha se eximido de atacar de frente essa questão problemática. O único estudo extenso que já foi feito é o de Jakob Wilhelm Hauer (1927), pesquisador do Yoga de origem alemã, que nunca chegou a completar o segundo volume prometido. A importância dos Vrâtyas para o resumo que estamos apresentando reside no fato de que eles estiveram ligados à evolução do Yoga em seus primórdios e formam, inclusive, um elo essencial na cadeia de transmissão dos conhecimentos pertinentes ao Yoga.

O texto mais importante que talvez contenha um bom tanto da autêntica sabedoria dos Vrâtyas é o *Vrâtya-Khânda* (livro 15) do *Atharva-Veda*. Infelizmente, a grande maioria dos seus hinos mal nos são compreensíveis. Não obstante, existem alguns elementos de certeza que, quando considerados em seu conjunto, nos dão ao menos um vislumbre parcial do que foi essa comunidade. Os Vrâtyas constituíam uma das diversas comunidades que não pertenciam ao núcleo ortodoxo da sociedade védica e tinham, pelo contrário, o seu próprio conjunto de costumes e valores.[65] Vagavam pelo país, sobretudo pelo nordeste da Índia, em grupos (*vrâta*) unidos por um voto (também *vrâta*). Parece que alguns viajavam sozinhos e eram chamados *eka-vrâtyas*. A palavra *eka* significa "singular" ou "solitário".

Aos olhos dos seus primos ortodoxos, partidários da religião sacrificial védica, os Vrâtyas eram marginais desprezíveis que por mero acaso falavam a mesma língua que eles; eram seriíssimos candidatos à posição de vítimas dos sacrifícios humanos (*purusha-medha*) que podem ter sido realizados de fato nos primórdios do período védico. É essa a atitude que prevalece nos escritos dos primeiros *Sûtras*, como os *Grihya-Sûtras* e também os *Dharma-Sûtras* de Âpastamba, Baudhâyana e Yâjnavalkya. Não obstante, os Vrâtyas devem ter sido muito numerosos e influentes, pois numa época posterior os sacerdotes da ortodoxia ou *brâhmanas* (brâmanes em português) criaram ritos especiais mediante os quais um Vrâtya podia ser purificado e aceito no seio da sociedade védica. Parece que a maioria dos convertidos se estabelecia num lugar e assumia um ofício.

Os Vrâtyas freqüentavam especialmente o país de Mâgadha (o atual Bihar) no nordeste da Índia — a mesma terra onde surgiram duas grandes heresias (o Budismo e o Jainismo) e também, mais tarde, o Tantra. Parecem ter mantido também um relacionamento importante com a casta dos *kshatriyas*, ou guerreiros, que teve um papel de destaque na formação do pensamento upanishádico. Assim, de acordo com um hino do *Atharva-Veda* (15.8), o Vrâtya solitário (deificado) foi o originador da casta guerreira (*râjanya*). Com efeito, reis como Ajâtashatru e o riquíssimo Janaka contaram-se entre os primeiros a promover a doutrina do não-dualismo associada ao Vedânta dos *Upanishads*, e talvez não seja extravagante demais a idéia de que, em muitos casos, eles tenham sido inspirados diretamente pelos Vrâtyas. Destaquemos o exemplo do poderoso rei Prithu, que, segundo nos diz o *Jaimînîya-Upanishad-Brâhmana*, foi instruído acerca da sagrada sílaba *om* pelo vidente Vena, que é chamado o "divino Vrâtya".

Ao que parece, os Vrâtyas andavam em grupos de trinta e três e cada grupo tinha o seu próprio líder. Havia uma hierarquia entre os membros. Afirma-se que alguns haviam "aquietado o pênis" — isto é, dominado o impulso sexual. A expressão sânscrita antiga que designa essa virtude é *shamanica medhra*, o que nos faz lembrar do estado yóguico de *ûrdhva-retas*: a ascensão do sêmen naqueles que atingiram a perfeição da castidade. O interessante é que a expressão *ûrdhva-retas* também é empregada em referência ao deus Rudra, a quem os Vrâtyas adoravam conjuntamente com Vâyu, o deus dos ventos e do vôo extático.

> "Ele passou um ano em pé. Os deuses lhe disseram: 'Ó Vrâtya, por que estás de pé?' Ele disse: 'Que me tragam um assento.' Trouxeram então um assento para aquele Vrâtya. O verão e a primavera eram duas de suas pernas, o outono e as chuvas eram [as outras] duas."
>
> — *Atharva-Veda* 15.3.1-4

Os Vrâtyas usavam roupas simples amarradas na cintura, feitas de um tecido de bordas pretas ou vermelhas, e uma espécie de turbante vermelho. Usavam ornamentos de prata no pescoço ou no peito, andavam calçados de sandálias e levavam consigo um chicote e um pequeno arco, sem flechas. Estes fatos, coligados a alguns outros, nos dão a entender que os Vrâtyas organizavam-se em irmandades secretas, talvez de origem militar. Viajavam em carroças primitivas puxadas por um cavalo e uma mula; durante as suas cerimônias religiosas, as carroças serviam de altares de sacrifício. Cada grupo era acompanhado por um bardo profissional, chamado *mâgadha* ou *suta*, e por uma mulher denominada *pumshcalî* ("a que move o homem"). O bardo e a prostituta sagrada cumpriam o rito sexual na grande cerimônia do meio do verão chamada *mahâ-vrata* ("grande voto"), a qual também envolvia discussões e diálogos obscenos. Não há dúvida de que o bardo e a prostituta sagrada reproduziam a interação criativa que ocorre entre o Deus e a Deusa. Prefigurando a metafísica bipolar do Tantra posterior, os Vrâtyas representavam o deus Rudra ("Uivador" ou "Rugidor") acompanhado por uma divindade feminina que tocava tambor e nos faz lembrar da deusa Kâlî do Hinduísmo posterior.

Esse importante ritual (agrícola) da fertilidade incluía o uso de um balanço, do qual se dizia que era "um navio rumando para o céu". O líder balançava-se nesse mecanismo enquanto murmurava canções, mencionando os três tipos de força vital que, segundo a doutrina vrâtya, animam o corpo: *prâna*, *apâna* e *vyâna*.

Os Vrâtyas eram especialistas em magia e um tanto do conhecimento que tinham dessa ciência ficou registrado nos hinos do *Atharva-Veda*. Em virtude da natureza heterodoxa das crenças e práticas dos Vrâtyas, os sacerdotes védicos fizeram de tudo para obscurecer ou apagar na maior medida possível o conhecimento sagrado das irmandades; é até um milagre que o *Vrâtya-Khânda* tenha chegado a nós no estado em que chegou.[66]

Do ponto de vista yogue, a característica mais importante do conhecimento dos Vrâtyas é o fato de que eles aparentemente praticavam o *prânâyâma* e outros exercícios ascéticos. Detectamos nessas práticas uma das raízes longínquas do Yoga e do Tantra posteriores. Assim, o *Atharva-Veda* (15.15.2) afirma que os Vrâtyas conheciam sete *prânas*, sete *apânas* e sete *vyânas*, que são as diversas funções da energia vital que circula no corpo e correlacionam-se respectivamente com a inspiração, a expiração e a retenção do ar. Os três conjuntos de sete são analogicamente relacionados a muitas coisas diferentes, como se segue:

Os sete *prânas* são: (1) *agni* ou fogo, (2) *âditya* ou sol, (3) *candramâ* ou lua, (4) *pavamâna* ou vento, (5) *âp* ou "as águas", (6) *pashava* ou gado e (7) *prajâ* ou criaturas. Os sete *apânas* são: (1) *paurnamâsî* ou lua cheia, (2) *ashtakâ* ou dia do quarto crescente ou minguante, (3) *amâvâsyâ* ou dia da lua nova, (4) *shraddhâ* ou fé, (5) *dîkshâ* ou consagração, (6) *yajna* ou sacrifício e (7) *dakshinâ* ou dádiva sacrificial. Os sete *vyânas* são: (1) *bhûmi* ou terra, (2) *antariksha* ou "região intermediária", (3) *dyau* ou céu, (4) *nakshatra* ou constelações estelares, (5) *ritu* ou as estações, (6) *ârtava* ou "aquilo que diz respeito às estações" e (7) *samvatsara* ou o ano.

Essas associações mágicas psicocósmicas são características da mentalidade arcaica preservada nos Vedas.[67] O seguinte trecho do *Atharva-Veda* (15.1) é um outro exemplo típico desse estilo de pensamento analógico:

[Certa vez] havia um Vrâtya vagando. Ele despertou Prajâpati [o Senhor das Criaturas]. (1)

Ele, Prajâpati, viu ouro dentro de Si mesmo. Viu-o e manifestou-o. (2)

Esse [ouro] tornou-se o Um; tornou-se o que traz a marca sobre a testa (*lalâma*); tornou-se o Grande (*mahat*); tornou-se o Primeiro (*jyeshtha*); tornou-se o *brahman*; tornou-se o poder criativo (*tapas*); tornou-se a Verdade (*satya*); através disso Ele [se] manifestou. (3)

Ele cresceu; tornou-se o Grande (*mahân*); tornou-se o Grande Deus (*mahâ-deva*). (4)

Ele cercou [? *pari* + *ait*] a supremacia dos Deuses; tornou-se o soberano [deles]. (5)

Tornou-se o Único Vrâtya; tomou um arco; era o arco de Indra. (6)

Seu ventre era azul; suas costas, vermelhas. (7)

Com o [lado] azul [do arco], Ele cerca clãs hostis; com o [lado] vermelho, transpassa o odioso [inimigo]. Assim afirmam os conhecedores de *brahman*. (8)

É impossível dar um sentido racional rigoroso ao hino reproduzido acima. Seu autor existia numa outra estrutura de realidade: não na do raciocínio linear, mas na do pensamento mitopoéico. Gostava das equações e analogias místicas e, sem dúvida alguma, estava consciente de muitas verdades esotéricas que nós só conseguimos vislumbrar de modo difuso.

Em resumo, os Vrâtyas eram representantes destacados da contracultura da época védica e dos primórdios da era pós-védica. Uma parte do seu legado espiritual foi assimilada pelo *Atharva-Veda*, talvez pelo fato de esse hinário ter ocupado desde o início uma posição marginal no contexto da revelação védica. Mas é em meio aos Vrâtyas que encontramos muitas práticas e idéias seminais que, numa época muito posterior, foram aproveitadas para a constituição do Tantra, depois de terem sido transmitidas durante séculos por aqueles que viviam às margens, ou mesmo completamente fora, do Hinduísmo ortodoxo defendido pelos brâmanes. Sob um certo aspecto, os Vrâtyas podem ser vistos como precursores dos grupos religiosos e espirituais marginais, mas significativos, que surgiram no decorrer da Era Épica, como os Pâshupatas. É até mesmo possível que os Vrâtyas tenham sido os principais responsáveis pelo desenvolvimento do Proto-Yoga durante os primórdios da Era Pós-Védica.

"Na verdade, todo este [mundo] é o Absoluto (*brahman*). Tranqüilo, deves adorá-Lo [através da contemplação], pois provéns d'Ele."

— *Chândogya-Upanishad* (3.14.1)

Capítulo 5
A SABEDORIA SECRETA DOS PRIMEIROS UPANISHADS

I. VISÃO GERAL

Para alguns historiadores, o período que vai do colapso das cidades do Indo (por volta de 1500 a.C.) até a época do Buda, mil anos depois, é a Idade das Trevas da Índia. Mas essa denominação é tão inadequada neste caso quanto é no contexto europeu, pois aqueles anos não foram, de modo algum, decadentes nem sinistros. Muito pelo contrário, foram marcados por uma grande revolução cultural na qual a civilização védica reconfigurou-se ao cabo de séculos de penúria, determinada pela grande migração rumo às férteis planícies gangéticas. Mais do que qualquer outra coisa, a denominação "Idade das Trevas" só expressa a nossa falta de um conhecimento histórico preciso e detalhado acerca daquele período. Felizmente, essa ignorância é menor hoje do que há poucos anos.

É provável que a maior parte dos hinos védicos já estivessem completos na época do rei Bharata, de quem a Índia tira o nome. Ele viveu durante a *tretâ-yuga*, cerca de cinqüenta gerações antes dos cinco príncipes Pândavas que lutaram pelo reino na grande guerra que está relatada no *Mahâbhârata*. É possível que essa guerra tenha se travado por volta de 1500 a.C. Foi essa também a época de Vyâsa, que, segundo a tradição, "organizou" não só o *Mahâbhârata* e os *Purânas* como também os quatro hinários védicos.

Nessa época, parece que uma boa parte do conhecimento interior dos *Samhitâs* védicos estava perdida e que os rituais que os acompanhavam tinham sido modificados. Seguiu-se então um período de interpretação e reinterpretação ativas do legado védico, ocasionando a criação dos *Brâhmanas*, dos *Âranyakas* e dos *Upanishads* — que são todos considerados partes inalienáveis da revelação sagrada — e da extensa literatura *Kalpa-Sûtra*, à qual pertencem os diversos *Shrauta-Sûtras*, *Grihya-Sûtras*, *Dharma-Sûtras* e *Shulba-Sûtras*. A conclusão dessa fase pós-védica coincidiu a grosso modo com o esgotamento final do rio Sarasvatî, entre 2100 e 1900 a.C., e o deslocamento do centro da civilização védica do Sarasvatî e do Indo para o Ganges e seus muitos afluentes.

Vimos no capítulo anterior que as idéias e práticas proto-yogues já estavam presentes tanto no ritualismo sacrificial do sacerdócio védico quanto no mundo religioso das comunidades não-bramânicas que viviam à margem da sociedade védica, particularmente nas misteriosas irmandades dos Vrâtyas. À medida que o ritualismo sacerdotal ortodoxo foi se tornando cada vez mais complexo e fechado, os leigos passaram a querer constituir um relacionamento interior próprio com a realidade sagrada. Em número cada vez maior, eles voltaram-se para mestres que ofereciam um contato com a Divindade que era mais satisfatório dos pontos de vista emocional e espiritual. Muitos desses mestres estavam fora da ortodoxia sacerdotal, como ainda estão na Índia de hoje. O povo continuou procurando os brâmanes por ocasião das grandes cerimônias sacramentais, como as do nascimento, do casamento e da morte, mas também abriu a mente e o coração para cultos religiosos nos quais a Divindade era adorada como um ser pessoal e não impessoal e para as escolas esotéricas que, como as dos *Upanishads*, prometiam uma união mística com o Ente Supremo. Parece que a tradição yogue pós-védica configurou-se sobretudo no contexto desses grupos marginais e até "heréticos".

Os Brâhmanas

Os *Brâhmanas* (c. 2500-1500 a.C.) são obras em prosa que explicam e sistematizam os sacrifícios rituais védicos e a mitologia que os acompanha. Foram criados pela elite sacerdotal védica e são de tendência totalmente ortodoxa. Dos numerosos *Brâhmanas* que já existiram, poucos perduraram. O *Rig-Veda* tem como apêndices o *Aitareya-* e o *Kaushîtaki-* (ou *Shânkhâyana*)*-Brâhmana*; o *Sâma-Veda* tem o *Panca-Vimsha-* (ou *Tândya-Mahâ*)-, o *Shadvimsha-*, o *Chândogya-* e o *Jaimînîya-* (ou *Talavakâra*)*-Brâhmana*; o *Yajur-Veda* tem o *Kâthaka-*, o *Taittirîya-* e o *Shata-Patha-Brâhmana*; e o *Atharva-Veda* tem o *Go-Patha-Brâhmana*. No caso do *Yajur-Veda* Branco (*Shukla*), essas obras explicativas constituem livros independentes; no *Yajur-Veda* Preto (*Krishna*), entremeiam-se com o hinário védico propriamente dito. Parece que o mais antigo dos *Brâhmanas* é o *Aitareya-Brâhmana*, composto de quarenta capítulos e tradicionalmente atribuído a Mahidâsa Aitareya. Trata principalmente do sacrifício do *soma* e secundariamente do sacrifício do fogo (*agni-hotra*) e da consagração dos reis (*râja-sûya*). Sob vários aspectos, o mais fascinante desses textos é o *Shata-Patha-Brâhmana*, de cem capítulos, que chegou a nós em duas versões — a dos Kânvas e a dos Mâdhyandinas.

Na segunda versão desse texto exegético relativamente tardio (c. 1500 a.C.), os sábios Yâjnavalkya (seções de 1 a 5) e Shândilya (seções de 6 a 14) figuram como os principais mestres. Shândilya está associado particularmente com o *agni-rahasya* ("mistério do fogo"), extensamente discutido na Seção 10 (que tem cerca de 120 páginas em inglês). O mistério diz respeito à construção do altar do fogo e aos seus significados microcósmicos e macrocósmicos. Shândilya afirma a existência de uma correlação mágica entre Prajâpati (o Criador), o deus Agni, o sol, o altar do fogo e o ano.

O altar do fogo é formado por seis camadas de tijolos e seis camadas de argamassa, que juntas representam os doze meses. A primeira camada de tijolos é associada à inalação (*prâna*), a segunda à exalação (*apâna*), a terceira à respiração difusiva (*vyâna*), a quarta à respiração ascendente (*udâna*), a quinta à respiração média (*samâna*) e a sexta, à fala (*vâc*). Quando o fogo é aceso e as chamas douradas ascendem em direção ao firmamento (que simboliza o Céu), o sacrificante, por um processo de identificação mística, obtém simultaneamente um "corpo de ouro". Torna-se o Criador vestido de (ou feito de) Ouro (*hiranmaya-prajâpati*).

Os 101 tijolos com os quais o altar é construído simbolizam os 101 elementos ou aspectos que constituem o sol. Como o altar do fogo não é somente o corpo cósmico, mas também o corpo do sacrificante, temos de procurar uma analogia somática desse número. E, com efeito, o *Brihad-Âranyaka-Upanishad* (4.2.3) nos dá uma resposta quando fala dos 101 canais (*nâdî*) existentes no corpo humano, dos quais apenas um leva à imortalidade. Esse canal especial não é outro senão o caminho central (chamado *sushumnâ-nâdî*) através do qual — segundo o Tantra posterior — a *kundalinî-shakti* flui desde o centro psicoenergético mais baixo, na base da coluna, até o mais alto, no topo da cabeça. O interessante é que, a esse respeito, o *Shata-Patha-Brâhmana* (10.2.4.4) fala também dos sete mundos celestiais, que podem ser

O altar do fogo védico simboliza o macrocosmo

comparados aos sete centros (*cakras*) de algumas escolas do Tantra e do Hatha-Yoga.

De certo modo, o *Shata-Patha-Brâhmana* preenche a lacuna existente entre a visão de mundo rigorosamente ritualista dos *Brâhmanas* e o ritualismo simbólico e interiorizado dos *Upanishads*. Contém especulações acerca do fundamento do universo, da força vital (*prâna*) e do renascimento, todas entremeadas ao tecido maior do misticismo sacrificial védico. Embora o Yoga não seja mencionado nos *Brâhmanas*, podemos ver no ritualismo desses textos uma das fontes que depois se uniram para formar a tradição yogue. O *Shata-Patha-Brâhmana* (9.4.4.1 *et seq*.), por exemplo, revela os detalhes do processo místico de *agni-yojana* ou "atrelamento do [altar do] fogo". Através dele o sacrificante "controla" as forças ligadas ao altar do fogo, isto é, utiliza-as de maneira disciplinada, recorrendo para tanto a uma grande concentração e ao controle da respiração. O objetivo é que o sacrificante suba para os céus junto com as chamas e a fumaça. Ao verter o *soma* nas chamas, o sacrificante "unge" o fogo e, tomando o suco de *soma*, consagra ao mesmo tempo a si mesmo, tornando-se imortal. Trata-se, sem a menor sombra de dúvida, de uma prática proto-yogue.

Do mesmo modo, a maneira pela qual é apresentada a cerimônia do *prâna-agni-hotra* (escreve-se *prânâgni-hotra*), o "sacrifício do fogo pela respiração", que consiste na oferta de alimento às diversas espécies de respiração, revela certas linhas de pensamento que preparam o caminho para a teoria e a prática yogue do controle da respiração (*prânâyâma*). O *prâna-agni-hotra* é um substituto simbólico do antigo ritual do fogo (*agni-hotra*) védico, o mais popular de todos os ritos. No *prâna-agni-hotra*[1], a força vital toma o lugar do fogo ritual e é identificada ao Si Mesmo transcendente, o *âtman*. Entretanto, não se trata ainda de um sacrifício mental pleno, como a meditação yogue ou o voto vitalício de celibato, pois o *prâna-agni-hotra* era feito com o corpo. Esse importante sacrifício foi um passo decisivo rumo ao que os historiadores da religião chamaram de "interiorização do sacrifício" — a transformação dos ritos externos em ritos internos ou mentais.

Os Âranyakas

Os *Âranyakas*, ou "ensinamentos da floresta", são muito semelhantes aos *Brâhmanas* e foram concebidos como "livros" rituais para os brâmanes ortodoxos que se retiravam para a floresta (*aranya*) a fim de viver na solidão, dedicando-se a uma vida de silenciosa contemplação e rituais místicos. Esses habitantes das florestas — *vâna-prasthas*, como foram chamados depois — foram o primeiro sinal da tendência à renúncia ao mundo (*samnyâsa*) que foi se tornando cada vez mais forte na Índia antiga. A maioria dos *Âranyakas* se perdeu, mas alguns ainda existem: o *Aitareya-* e o *Kaushîtaki-Âranyaka* (ambos pertencentes ao *Rig-Veda*); o *Taittirîya-Âranyaka* (pertencente ao *Yajur-Veda* Negro); e o *Brihad-Âranyaka* (pertencente ao *Yajur-Veda* Branco). Não chegaram a nós *Âranyakas* ligados ao *Sâma-Veda* e ao *Atharva-Veda*. Esses "livros" das florestas, tidos como sagrados demais para serem divulgados nas cidades e aldeias, prepararam o caminho para a doutrina ainda mais esotérica dos *Upanishads* e para a modalidade ascética da tradição yogue subseqüente.

O Alvorecer da Era Upanishádica

Ao que parece, o núcleo dos *Upanishads* mais antigos — *Brihad-Âranyaka-*, *Chândogya-*, *Kaushîtaki-*, *Aitareya-* e *Kena-Upanishad* — data de mais de três mil anos atrás.[2] Os sábios upanishádicos deram início ao que depois se transformou numa revolução ideológica. Interiorizaram os rituais védicos sob a forma de uma contemplação ou meditação intensas. Um dos melhores exemplos disso é o seguinte trecho do *Kaushîtaki-Brâhmana-Upanishad* (2.5):

> Segue-se agora [a prática do] autodomínio segundo Prâtardana, ou o sacrifício interior do fogo, como o chamam. Em verdade, enquanto um homem (*purusha*) fala, é incapaz de respirar. Está então sacrificando a respiração à fala. Em verdade, enquanto um homem respira, é incapaz de falar. Está então sacrificando a fala à respiração. São essas as duas oblações imortais e sem fim. No sono e na vigília, ele oferece continuamente esses sacrifícios. Quaisquer que sejam as outras oblações, são limitadas, pois consistem em ações [rituais]. Por compreender isto, os antepassados não ofereciam o sacrifício do fogo [exteriormente].

A última frase dá a entender que esse sacrifício simbólico do fogo já era praticado pelos predecessores do autor desse trecho, isto é, pelos sábios que compuseram os *Brâhmanas* e, com toda probabilidade, pelos videntes dos *Samhitâs* védicos. Mas, com os *Upanishads*, o aspecto simbólico do sacrifício assumiu uma importância sem precedentes. A partir de então, Deus poderia ser adorado tão-somente com o coração e a mente, sem o auxílio de parafernálias exteriores.

Quem foram esses sábios inovadores? Formavam um grupo bem diversificado. Alguns eram brâmanes de destaque, como o famoso Yâjnavalkya, que instruía a nobreza; outros eram brâmanes menos conhecidos que viviam no isolamento das florestas; outros ainda eram reis poderosos, como Janaka e Ajâtashatru (rei de Kashi, a moderna Benares ou Varanasi). O que todos eles tinham em comum era a aspiração pela sabedoria esotérica, o que na Grécia clássica se chamava *gnosis*, um conhecimento transcendente que tivesse o poder de elevá-los acima da vida mundana, acima mesmo do ritualismo védico e do paraíso prometido, até a realização da Realidade incondicionada. A essa Realidade eles quiseram dar o nome de *brahman*, o Absoluto. A palavra *brahman* é derivada da raiz verbal *brih*, que significa "crescer". Denota a vastidão inexaurível do Ser supremo.

O mais importante é que os sábios upanishádicos voltaram-se unanimemente para a prática da meditação, ou adoração interna (*upâsana*), como meio principal para a obtenção do conhecimento transcendente. A meditação praticada pelos brâmanes ortodoxos, por outro lado, continuava intimamente ligada aos rituais sacrificiais, os quais, como vimos, ocupavam uma posição suprema na antiga religião védica. Até os ascetas que se retiravam para as florestas continuavam praticando o culto sacrificial da sociedade védica convencional; tão-somente afastavam-se da agitação da vida ordinária.

A idéia de que por trás da realidade de múltiplas formas — nosso universo sempre mutável — há um

उपनिषद् ॥

Upanishad

Ser único, eterno e imutável já era corrente nos primórdios do período rig-védico. A novidade era que essa grande descoberta transcendesse o ritualismo sacrificial. Compreensivelmente, os sábios upanishádicos eram muito cuidadosos ao comunicar esse conhecimento — só o faziam num contexto esotérico e mediante a necessária iniciação. Isso é indicado pela própria palavra *upanishad*, que significa "sentar-se no chão perto" (*upa*, "perto, próximo"; *ni*, "embaixo"; *shad*, "sentar-se") do mestre. A doutrina dos *Upanishads* não era de conhecimento geral, e os que queriam ouvi-la tinham de aproximar-se dos sábios com o respeito e a humildade necessários. Se não chegassem bem preparados, tinham de submeter-se a anos e anos de discipulado antes de receberem a transmissão da mais mínima verdade esotérica. A sabedoria secreta dos *Upanishads* não era proclamada em altos brados, mas sussurrada. Hoje, esses ensinamentos preciosíssimos são publicados em livretos de bolso; nossa tendência é a de ler os *Upanishads* como livros interessantes ou, na melhor das hipóteses, inspirados e inspiradores, mas é rara a pessoa que se aproxima dessa antiga doutrina com a reverência e a integridade que ela exigiu e exige sempre.

A doutrina dos *Upanishads* gira em torno de quatro eixos conceituais interconectados: Em *primeiro* lugar, a Realidade suprema do universo é absolutamente idêntica à nossa íntima essência; *brahman* é *âtman* e *âtman* é *brahman*. Em *segundo* lugar, só a realização de *brahman/âtman* liberta o ser do sofrimento e da necessidade de nascer, viver e morrer. Em *terceiro* lugar, os pensamentos e ações do ser determinam o seu destino — a lei do karma: cada qual se transforma naquilo com que se identifica. Em *quarto* lugar, a menos que o ser se liberte e realize a Realidade sem-forma de *brahman/âtman* em decorrência da sabedoria superior (*jnâna*), terá necessariamente de renascer nos mundos celestes, no mundo humano ou nos mundos inferiores (infernais), dependendo do seu karma.

Muitos estudiosos afirmam que a doutrina da reencarnação (*punar-janman*, lit. "renascimento") e a conseqüente doutrina da causalidade moral (*karma*) eram desconhecidas nos primórdios do período védico e foram emprestadas dos povos dravídicos. Outros pesquisadores propuseram a hipótese de que os próprios sábios upanishádicos descobriram o ciclo de nascimentos e mortes regido pela lei férrea do karma, e não a adotaram das supostas tribos nativas. Entretanto, ambas as opiniões ignoram a evidência dos Vedas, que mostra que já os *rishis* rig-védicos conheciam a reencarnação e o karma.

Seja como for, esses dois ensinamentos esotéricos tornaram-se característica destacada do Hinduísmo, do Budismo, do Jainismo e do Sikhismo. É claro que cada uma dessas tradições tem a sua própria interpretação de como funciona o roda dos renascimentos e de como o moto-perpétuo do karma pode ser sobrepujado pela prática espiritual. A fuga da roda dos renascimentos sucessivos tornou-se desde muito cedo um dos principais motivos da espiritualidade da Índia; teremos portanto a oportunidade de defrontar-nos muitas vezes com essa idéia nos capítulos subseqüentes.

Nos *Vedas*, a doutrina do Si Mesmo transcendente não é enunciada abertamente em lugar nenhum, embora esteja implícita em muitas passagens místicas. Nos *Brâhmanas* e *Âranyakas* nós encontramos, em meio a uma grande quantidade de especulações teológicas acerca das correspondências cosmológicas e rituais, as primeiras referências esparsas ao Si Mesmo, que é onipresente. Mas é só nos *Upanishads* que essa doutrina preciosa está plenamente formulada.

O que é o Si Mesmo? Eis o que disse o sábio Yâjnavalkya no *Brihad-Âranyaka-Upanishad* (3.4.1):

> O que respira com a tua inalação (*prâna*) é o teu Si Mesmo (*âtman*), que está em tudo. O que respira com a tua exalação (*apâna*) é o teu Si Mesmo, que está em tudo. O que respira com a tua respiração difusiva (*vyâna*) é o teu Si Mesmo, que está em tudo. O que respira com a tua respiração ascendente (*udâna*) é o teu Si Mesmo, que está em tudo. Ele é o teu Si Mesmo, que está em tudo.

Quando lhe perguntaram como esse Si Mesmo deve ser concebido, Yâjnavalkya prosseguiu:

> Não podes ver o Vedor da visão. Não podes ouvir o Ouvidor da audição. Não podes pensar o Pensador do pensamento. Não podes compreender o Compreendedor da compreensão. Ele é o teu Si Mesmo, que está em tudo. Tudo é insignificante, exceto Ele. (3.4.2)

Essa passagem condensa a essência da misteriosa doutrina dos *Upanishads*, que só podia ser transmitida da boca de um mestre realizado para o ouvido de um discípulo qualificado: o fundamento transcendental do universo é idêntico ao âmago mais profundo do ser humano. Essa suprema Realidade, que é Consciência pura e sem forma, não pode ser descrita nem definida. Só pode ser *realizada*. A realização é a

> "Esse constante imensurável [o Si Mesmo] deve ser concebido como único. O Si Mesmo é imaculado, não-nascido, grande, constante, além do espaço [e do tempo]."
>
> — *Brihad-Âranyaka-Upanishad* 4.4.20

constatação imediata, indubitável e permanente de que o Si Mesmo é infinito, eterno, sumamente real e livre, além de infinitamente bem-aventurado ou feliz (*ânanda*).

Como realizar o Si Mesmo? Os sábios upanishádicos sublinhavam a necessidade de renunciar ao mundo e dedicar-se intensamente à contemplação. Descartaram a idéia de que a ação (*karman*) pudesse conduzir à libertação, afirmando com insistência que só a gnose (*jnâna*) tem o poder de libertar-nos da escravidão, por ter a mesma natureza do Si Mesmo transcendental. No entanto, os primeiros *Upanishads* quase não contêm instruções práticas acerca da arte da meditação introspectiva. Parece que as questões de método se acertavam diretamente entre os mestres e seus discípulos. Sabemos, porém, que o caminho espiritual compreendia um extenso serviço ao mestre e o constante discernimento entre o Real e o Ilusório — tudo isso amparado pelo desejo ardente da realização do Si Mesmo e pela disposição de transcender o ego.

Apesar da sua tendência radical, os *Upanishads* são considerados uma continuação da revelação védica. Com efeito, seus ensinamentos concluem essa revelação, e por isso são chamados de Vedânta, palavra que significa literalmente "fim do *Veda*". Todas as doutrinas subseqüentes, como por exemplo os conhecimentos contidos nos *Sûtras*, não são mais considerados *shruti*, "revelação", mas sim *smriti*, "tradição".

A Extensão da Literatura Upanishádica

Existem mais de duzentos *Upanishads*, a maioria dos quais já foi traduzido para o inglês. Os mais antigos, como já dissemos, foram compostos há quase quatro milênios, ao passo que os textos mais novos desse gênero são deste nosso século. Os tradicionalistas hindus, seguindo a lista fornecida pelo *Muktikâ-Upanishad*, posto por escrito há 500 anos, geralmente reconhecem 108 *Upanishads*.

Os mais antigos dentre os principais *Upanishads* podem ser dispostos, sem muito rigor, na seguinte ordem cronológica: o primeiro grupo compreende o *Brihad-Âranyaka-*, o *Chândogya-*, o *Taittirîya-*, o *Kaushîtaki-*, o *Aitareya-*, o *Kena-* (ou *Talavakâra-*) e o *Ma-*

hâ-Nârâyana-Upanishad. O segundo grupo inclui o Katha-, o Shvetâshvatara-, o Îsha-, o Mundaka-, o Prashna-, o Maitrâyanîya- e o Mândûkya-Upanishad.

Os Upanishads restantes são geralmente classificados nos cinco grupos seguintes:

1. *Sâmânya-Vedânta-Upanishads*, que expõem o Vedânta em geral;

2. *Samnyâsa-Upanishads*, que detalham o ideal da renúncia;

3. *Shâkta-Upanishads*, que expõem ensinamentos ligados à *shakti*, o aspecto feminino da Divindade;

4. *Upanishads Sectários*, que revelam doutrinas ligadas a cultos religiosos específicos e são dedicados a divindades como Skanda (deus da guerra), Ganesha (o deus de cabeça de elefante que é invocado especificamente para a remoção de obstáculos materiais ou espirituais), Sûrya (o deus do sol) ou até mesmo Allah (o Deus do monoteísmo islâmico), etc.;

5. *Yoga-Upanishads*, que exploram os diversos aspectos do processo yogue e especialmente do Hatha-Yoga. Incluem-se nesta categoria o *Brahma-Vidyâ-*, o *Amrita-Nâda-Bindu-*, o *Amrita-Bindu-*, o *Nâda-Bindu-*, o *Dhyâna-Bindu-*, o *Tejo-Bindu-*, o *Advaya-Târaka-*, o *Mandala-Brâhmana-*, o *Hamsa-*, o *Mahâ-Vâkya-*, o *Pâshupata-Brahma*, o *Kshurikâ-*, o *Tri-Shikhi-Brâhmana-*, o *Darshana-*, o *Yoga-Cûda-Mani-*, o *Yoga-Tattva-*, o *Yoga-Shikhâ-*, o *Yoga-Kundalî-*, o *Shândilya-* e o *Varâha-Upanishad*. Estas obras, que provavelmente foram todas postas por escrito já na Era Cristã, serão discutidas no Capítulo 15.

É preciso lembrar que, na origem, nenhum desses textos — nenhum dos *Vedas*, *Brâhmanas*, *Âranyakas*, *Upanishads* e até dos *Sûtras* — era escrito; todos, sem exceção alguma, eram memorizados e transmitidos oralmente de mestre a discípulos. O *corpus* védico é o que se chama de uma literatura mnemônica. Até hoje existem brâmanes capazes de recitar de memória um ou mais *Samhitâs* védicos, ou o *Mahâbhârata* e o *Râmayana* inteiros, cada um dos quais tem dezenas de milhares de versículos.

A memorização não era considerada uma realização yogue por si mesma, mas ajudava os jovens estudantes a adquirir um grau elevado de concentração que lhes serviria depois no trabalho espiritual. Além disso, aprendendo de cor os textos védicos, eles ficavam em contato permanente com a mais elevada sabedoria, o que naturalmente os fazia abrir-se ao caminho espiritual. Hoje, imersos numa cultura materialista desequilibrada, nós temos dificuldade para desenvolver e conservar uma atitude espiritual. Felizmente, as criações inspiradas dos santos, *yogins* e sábios da Índia antiga e moderna se fazem disponíveis para nós na forma de livros. Não precisamos largar a casa e o trabalho para nos sentar aos pés dos grandes adeptos e fruir da visão que eles tinham do potencial e do destino da humanidade. A tecnologia moderna traz a força e a sabedoria atemporal desses adeptos para dentro da nossa casa. Não obstante, para certas pessoas, essa não passa de uma etapa preparatória para o encontro frente-a-frente com um mestre vivo do Yoga, capaz de destrancar as portas ocultas da nossa mente para nos fazer travar um contato mais direto e profundo com o legado yogue.

II. O BRIHAD-ÂRANYAKA-UPANISHAD

O mais antigo dentre os mais antigos *Upanishads* é o *Brihad-Âranyaka-Upanishad* ("Upanishad da Grande Floresta"), no qual o caminho da meditação ainda está intimamente ligado a conceitos sacrificiais. O texto começa com um conjunto de instruções acerca do sacrifício do cavalo (*ashva-medha*) interpretado como um acontecimento cosmológico. O sacrifício do cavalo era uma grande cerimônia realizada em homenagem a um bom rei para assegurar a contínua prosperidade do seu reinado. No século 4 d.C., por exemplo, o rei Samudragupta patrocinou uma cerimônia dessas depois de conquistar treze reinos no sul da Índia. Naquela ocasião, mandou cunhar moedas de ouro que traziam num lado a imagem do cavalo sacrificado e no outro a efígie da esposa predileta do rei. A moeda comemorativa trazia esta altiva inscrição: "Depois de conquistar a terra, o grande Rei dos Reis, com o poder de um herói invencível, vai conquistar o Céu." O último sacrifício do cavalo de que se tem notícia foi realizado em Jaipur, no Rajastão, no século XVIII.

No decorrer do sacrifício do cavalo, a esposa do sacrificante simula uma relação sexual com o cavalo morto, logo antes de ele ser retalhado e cozido. O paralelo com o simbolismo sexual do Tantra é evidente: à semelhança do adepto tântrico durante o intercurso sexual, o cavalo não perde o seu sêmen durante esse ritual simbólico, mas a mulher que "copula" absorve a energia vital do animal. No Tantra hindu posterior, o deus dos yogues, Shiva, é freqüentemente representado como um cadáver sobre o qual senta-se sua esposa Shakti numa postura de união sexual.

Desde muito cedo, o cavalo passou a simbolizar o sol e, por uma extensão simbólica, o Si Mesmo transcendente e radiante. O Si Mesmo é a origem suprema de toda a vida, mas, em virtude da sua transcendência, é mais comparável a algo passivo (como um cadáver) do que a algo ativo. É o poder do Si Mesmo, a sua *shakti*, sob a forma da força vital que anima a personalidade e a consciência humanas, que dá acesso ao Si Mesmo. Todas essas associações simbólicas são sugeridas de modo mais ou menos vago no *Brihad-Âranyaka-Upanishad*.

Encontramos, por exemplo, especulações acerca da origem do mundo, nascido do Ser Único que se dividiu em dois — macho e fêmea — e criou assim todo o cosmos. A essa noção cosmológica vincula-se uma convicção ética fundamental e característica de toda a posterior psicotecnologia da libertação: uma vez que essencialmente só o Um é, o apego aos múltiplos objetos do universo é um pecado hediondo. Esse Um é chamado a verdadeira meta da humanidade. À Yâjnavalkya, o personagem mais destacado da época dos primeiros *Upanishads*, atribuem-se os seguintes versículos:

> Como uma árvore, ou senhora da floresta,
> assim, em verdade, é o homem (*purusha*):
> seus cabelos são folhas,
> sua pele, a casca exterior.
>
> Em verdade, da sua pele corre sangue,
> como a seiva corre da casca.
> Portanto, quando a pele é dilacerada,
> o sangue sai dela
> como a seiva sai da árvore ferida.
>
> Sua carne é a casca interior,
> os tendões são a camada interna, resistente.
> Por baixo estão os ossos, como está a
>   madeira.
> O tutano dos ossos é comparável à medula
>   [da árvore].
>
> Se uma árvore, derrubada, cresce de novo
> a partir da raiz e transforma-se em outra,
> a partir de que raiz cresce o mortal
> depois de derrubado pela morte?
>
> Não digas "Da semente",
> pois esta é gerada no vivente.
> A árvore de fato nasce da semente.
> Depois de morrer, ela prorrompe [de novo].
>
> Se, porém, a árvore é destruída com as suas
>   raízes,
> ela não nasce de novo.
> A partir de que raiz cresce o mortal
> depois de derrubado pela morte?
>
> [Talvez digas que] ele simplesmente nasce
>   [e depois morre].
> Não, [digo eu]. Ele nasce de novo. Nasce do
>   quê?
> Do Absoluto (*brahman*) consciente e perfeitamente feliz,

O aspecto arbóreo do corpo sutil com seus muitos canais

Princípio da graça, Refúgio daquele que
O conhece
e n'Ele permanece. (3.9.28.1-7)

अहं ब्रह्मास्मि ॥

Aham brahma-asmi

Essa passagem maravilhosa do *Brihad-Âranyaka-Upanishad* fala veladamente do conhecimento superior do místico e do *yogin*, que conhecem o Fundamento único e indivisível do Ser e declaram confiantes em coro com Yâjnavalkya: *Aham brahma-asmi* (escreve-se *aham brahmâsmi*), "Eu sou o Absoluto". O último versículo contém a chave de toda a metáfora: a "árvore" humana nasce e renasce por força do seu karma, coisa que será esclarecida em outros trechos do texto. É esse drama infindável de nascimento, vida e morte que, para a psique sensível do *yogin*, não passa de sofrimento (*duhkha*). O ciclo é figurado da maneira mais evidente possível em outro trecho do mesmo texto:

> Assim como a lagarta, ao chegar à ponta de uma folha de erva, contrai-se toda antes de lançar-se de novo [para outra folha], assim também este Si Mesmo, depois de lançar fora o corpo e dissipar a ignorância, contrai-se todo antes de lançar-se de novo [para um novo corpo]. (4.4.3)

Está claro que esse ciclo (*samsâra*) não tem solução de continuidade; por isso, os sábios upanishádicos ensinavam os meios esotéricos pelos quais o mundo da mudança pode ser transcendido. No mesmo *Upanishad*, Yâjnavalkya afirma:

> Toquei e encontrei o antigo caminho estreito que leva longe, longe. Por ele os sábios, os conhecedores do Absoluto, ascendem ao mundo celestial e são libertos. (4.4.8)

> Aquele que encontrou e despertou para o Si Mesmo que penetrou neste [corpo-mente] perigoso e inacessível é o Criador do mundo, pois é o Autor de todas as coisas. O mundo é dele. Em verdade, ele é o mundo. (4.4.13)

> Quando o ser percebe diretamente o Si Mesmo brilhante (*deva*), o Soberano do que veio a ser e do que ainda será, não se retrai [mais d'Ele]. (4.4.15)

> Aqueles que conhecem a Vida (*prâna*) da vida, o Olho do olho, o Ouvido do ouvido, a Mente da mente, realizaram o Absoluto antigo e primordial. (4.4.18)

> Ele deve ser visto tão-só pela mente. Não há n'Ele diferença alguma. Anda de morte em morte quem vê diferença n'Ele. (4.4.19)

> Deve ser concebido como único, imensurável, perpétuo. O Si Mesmo é imaculado, não-nascido, grande, perpétuo, além [do elemento sutil] do éter (*âkâsha*). (4.4.20)

A libertação, que é idêntica à imortalidade, é a realização do Si Mesmo em sua inviolável pureza. Essa realização coincide com a transcendência dos mecanismos limitados do corpo e da mente humanos e, logo, da própria existência condicionada. E mais: a realização do Si Mesmo é o programa oculto do universo — o que o psicólogo transpessoal Ken Wilber chamou de "projeto Atman". Mais uma vez, é Yâjnavalkya quem explica este ponto com uma imagem impressionante:

> Assim como o oceano é a sede única de todas as águas, assim como a pele é a sede única de todo o tato, assim como as narinas são a sede única de todos os odores, assim como a língua é a sede única de todos os sabores, assim como o olho é a sede única de todas as formas, assim como o ouvido é a sede única de todos os sons, assim como a mente é a sede única de todas as volições (*samkalpa*), assim como o coração é a sede única de todo o conhecimento, assim como as mãos são a sede única de todos os atos, assim como os órgãos genitais são a sede única de todo o prazer (*ânanda*), assim como os pés são a sede única de toda a locomoção, assim como a palavra é a sede única de todos os *Vedas* — assim é este [Si Mesmo].

> Assim como uma pedrinha de sal atirada na água dissolve-se na água e ninguém mais pode

percebê-la, pois, de onde quer que se pegue a água, o seu sabor é salgado — assim também, ó caríssima, este Ser grande, infinito, transcendental, é tão-somente um Conjunto Sintético de Conhecimento (*vijnâna-ghâna*). (2.4.11-12)

Uma vez que o Si Mesmo, ou o Absoluto, é tudo o que é, não pode ser um objeto de conhecimento. Por isso Yâjnavalkya afirma que, em última análise, todas as descrições que se fazem d'Ele não passam de palavras. Perante todas as caracterizações possíveis do Si Mesmo, o sábio reage exclamando "isto não, isto não" (*neti-neti*). Esse famoso procedimento de negação é fundamental para a espiritualidade vedântica: os *yogins* dessa tradição têm de lembrar-se constantemente de que nenhum dos estados e expressões do seu corpo e da sua mente é a Realidade transcendente. Não há experiência alguma, interna ou externa, que se identifique à realização do Si Mesmo. O corpo, tal como é normalmente percebido, não é o Si Mesmo; nem o são os sentimentos e pensamentos tais e quais normalmente se apresentam. O Si Mesmo não é nada que se possa circunscrever no mundo finito. Esse discernimento vigilante e perpétuo é chamado *viveka*, que significa literalmente "separação".

Através da dedicação constante a essa prática de discernimento, os *yogins* desenvolvem uma sensibilidade interior para os caracteres efêmeros da sua natureza e, ao mesmo tempo, para com o Fundamento eterno que subjaz a todas as suas experiências. Isso desperta neles a vontade de renunciar a tudo o que constataram pertencer ao mundo da mudança. O discernimento e a renúncia conduzem por fim à descoberta do Si Mesmo universal, do *âtman*, para além de todos os conceitos e imagens, para além de toda mudança.

III. O CHÂNDOGYA-UPANISHAD

Outro *Upanishad* arcaico é o *Chândogya*, cujo nome deriva das palavras *chandas* ou "hino" (lit. "prazer") e *ga* ou "ir", uma referência aos brâmanes que cantavam os hinos do *Sâma-Veda* durante o sacrifício ritual na época védica. Portanto, o *Chândogya-Upanishad* contém a doutrina esotérica dos *chândogas*, os cantores védicos.

Por isso, não surpreende que esse texto comece com especulações místicas complexas acerca da sílaba sagrada *om*, o *mantra* ou som sagrado mais célebre do Hinduísmo. Comentando este *Upanishad*, Shankara, autoridade máxima do não-dualismo vedântico, observa que essa sílaba é o nome mais apropriado de Deus ou da Realidade transcendente.

A sílaba *om* tem uma longa história que remonta aos tempos védicos. Era pronunciada no início e no fim de todas as ações rituais, como os cristãos dizem a palavra *amém*. À semelhança de todas as outras palavras que constam dos *Vedas*, o monossílabo *om* é considerado uma revelação divina. Os *yogins* de épocas posteriores nos contam que, em estados de meditação profunda, conseguem ouvir o som *om* vibrando pelo cosmos inteiro. O paralelo disso na tradição pitagórica e neoplatônica é a noção da Música das Esferas, a harmonia cósmica produzida pelo movimento dos corpos celestes.

O terceiro capítulo do *Chândogya-Upanishad* apresenta o sagrado *gâyatrî-mantra*, recitado até hoje por todos os hindus piedosos durante o ritual da manhã. O texto desse antigo *mantra*, cuja origem está no *Rig-Veda* (3.62.10), é o seguinte: *Om tat savitur varenyam bhargo devasya dhîmahi dhiyo yo nah pracodayât*,

तत् सवितुर् वरेण्यं
भर्गो देवस्य धीमहि
धियो यो नः प्रचोदयात् ॥

O gâyatrî-mantra

ou "Om. Contemplemos aquele esplendor celestial do deus Savitri, para que Ele inspire nossas visões." Savitri ("Estimulador") é a personificação do aspecto vivificante e animador da divindade solar védica, Sûrya, que representa a luminosa Realidade suprema e o princípio da iluminação espiritual.

O mesmo capítulo contém também uma seção (3.17) que fala de Krishna, "filho de Devakî", identificado por alguns estudiosos como o Krishna da epopéia *Mahâbhârata*. Em vista da nova datação dos *Upanishads*, essa identificação ganha credibilidade. O interessante é que uma outra passagem (3.17.6) identifica Ghora, "filho de Angiras" (de quem o *Atharva-*

Veda também tira o nome de *Angirasa-Samhitâ*), como o mestre de Krishna. Menciona-se então uma doutrina segundo a qual, na hora da morte, a pessoa deve repetir três *mantras* específicos do *Yajur-Veda*: "Tu és o Imperecível! Tu és o Imutável! Tu és a própria Essência da vida!" Essa doutrina, curiosamente, assemelha-se ao ensinamento do Senhor Krishna no *Bhagavad-Gîtâ* (8.5-6), segundo o qual o último pensamento da pessoa deve ser votado a Deus e não a qualquer coisa mundana, pois cada qual se torna aquilo em que pensa.

No Capítulo 3, aprendemos também que, segundo Ghora, a ascese (*tapas*), a caridade (*dâna*), a retidão (*ârjava*), a não-violência (*ahimsâ*) e a veracidade (*satya*) devem ser concebidas como oferendas sacrificiais (*dakshinâ*) dadas ao sacerdote oficiante. Em outras palavras, o reto viver é o melhor meio de agradecer aos mestres pelos ensinamentos recebidos. Essa noção está ligada à idéia, expressa em outra passagem (3.15.1), de que cada pessoa — na mesma medida em que trilha o caminho espiritual — é um sacrifício. Em linguagem contemporânea, é uma pessoa que transcende a si mesma.

As disciplinas mencionadas por Ghora podem ser compreendidas como elementos do Yoga upanishádico; com efeito, algumas delas são mencionadas nos *Yoga-Upanishads* posteriores como aspectos intrínsecos da prática espiritual. O sábio Ghora indica a existência de um vínculo direto entre Krishna e a tradição do *Atharva-Veda*, e essa idéia é reforçada por uma passagem do *Bhagavad-Gîtâ* (10.25), o cântico pelo qual Krishna instrui a Arjuna, na qual o divino Senhor exclama que, "dentre os grandes videntes, Eu sou Bhrigu". Bhrigu, sacerdote do fogo e fundador da casa dos Bhârgavas, foi uma das luzes mais brilhantes da tradição athárvica.

Noutro capítulo do *Chândogya-Upanishad*, faz-se menção à curiosa doutrina do mel (*madhu-vidyâ*):

> Em verdade, aquele distante sol é o mel dos deuses. O céu é a trave horizontal que o suporta. A região intermediária é o favo. As partículas de luz são as larvas. (3.1.1)

Essa peculiar doutrina psicocosmológica e esotérica, já sugerida no *Rig-Veda* e no *Atharva-Veda*, compara o mundo a uma colméia. A expressão "mel dos deuses" deixa claro que esta passagem deve ser compreendida como uma metáfora. Além disso, noutra passagem (3.5.1), na qual se fala dos raios que sobem, o Absoluto (*brahman*) é comparado à flor que produz o néctar abundante do qual se faz o mel. Como lemos em outra parte (3.6.3), "Todo aquele que conhece este néctar (*amrita*) ... atinge o contentamento".

O mel (*madhu*), portanto, representa o néctar da imortalidade, o qual, segundo o Tantra-Yoga, é produzido dentro do próprio corpo. O *Chândogya-Upanishad* fala misteriosamente de cinco tipos de néctar, que podem ser graus de realização espiritual. O Tantra posterior também reconhece cinco néctares, o que talvez não seja coincidência. Por fim, este *Upanishad* declara (3.11.1) que o conhecedor do Absoluto "não nasce nem se põe, mas permanece solitário no centro".

O mesmo capítulo (3.13) faz uma exposição das diversas formas da força vital (*prâna*), chamadas de "aberturas divinas" (*deva-sushi*) do coração, de "homens brâhmicos" e de "porteiros do mundo celeste". São elas o portal que se abre para o Absoluto sediado no coração de todos os seres. Essa noção dá continuidade a especulações já encontradas nos *Vedas* e indica um desenvolvimento dos conhecimentos referentes à prática yogue do controle da respiração (*prânâyâma*).

IV. O *TAITTIRÎYA-UPANISHAD*

O terceiro mais antigo entre os *Upanishads* é o *Taittirîya*, que se insere na tradição do *Yajur-Veda*, o hinário védico das fórmulas sacrificiais. Os ensinamentos esotéricos do *Taittirîya-Upanishad* provêm do mestre Tittiri (cujo nome significa "perdiz"), fundador da escola Taittirîya. O conteúdo deste texto é semelhante ao do *Chândogya-Upanishad*. Dá ênfase ao sentido místico dos cânticos e sacrifícios rituais védicos. Dos três capítulos que o compõem, só o segundo e o terceiro interessam particularmente ao estudioso da história do Yoga.

Talvez o ensinamento mais fascinante do *Taittirîya-Upanishad* seja a doutrina, recebida e transmitida por Bhrigu, de que todas as coisas devem ser concebidas como alimentos (*anna*). Trata-se de uma antiga idéia ecológica que se refere à interligação de todas as coisas — a cadeia da vida — e prefigura o Eco-Yoga de hoje em dia.[3] Nas palavras do *Upanishad*:

> Do alimento, em verdade, são produzidas as criaturas — todas [as criaturas] que residem na terra. Além disso, é pelo alimento, em verdade, que elas vivem, e em alimento elas por fim se transformam. (2.21)

Com isso, a idéia já mencionada da natureza sacrificial da existência humana é ampliada para abarcar todas as formas de vida. Essa noção não tem nada de terrível, pois a vida, em última análise, é considerada feliz. Trata-se de uma descoberta sumamente importante: o Absoluto não é um estado de aridez, mas uma felicidade superconsciente que transcende toda descrição. O *Taittirîya-Upanishad* ensina que existem graus de felicidade, que vão desde a simples alegria ou prazer de uma vida próspera sobre a terra até a suprema bem-aventurança do próprio Absoluto, passando pela felicidade da existência nos graus superiores da existência (como os mundos dos deuses e dos antepassados) — idéia que depois foi explorada pelo Tantra.

> Aquele que sabe disto, ao partir deste mundo, passa ao si mesmo que é feito de alimento, passa ao si mesmo que é feito da força vital, passa ao si mesmo que é feito da mente, passa ao si mesmo que é feito de conhecimento, passa ao si mesmo que é feito de bem-aventurança.
>
> A este agrega-se o seguinte versículo:
>
> Aquele que conhece [o lugar] de onde as palavras,
> junto com a mente, não conseguem se aproximar,
> não atingindo portanto a bem-aventurança do Absoluto —
> esse não tem medo de coisa alguma. (2.8-9)

Essa passagem já prefigura um ensinamento que assumiu grande importância no Vedânta posterior, a saber, a doutrina dos cinco invólucros (*panca-kosha*):

1. O *anna-maya-kosha*, ou invólucro feito de alimento, isto é, de elementos materiais: o corpo físico.

2. O *prâna-maya-kosha*, ou invólucro feito de força vital: o "corpo etérico" de que falam os ocultistas ocidentais.

3. O *mano-maya-kosha*, ou invólucro feito da mente: os antigos consideravam a mente (*manas*), ou o sentido interno, como intrinsecamente ligada ao corpo físico e ao "corpo etérico".

4. O *vijnâna-maya-kosha*, ou invólucro feito de conhecimento: a mente, ou sentido interno, simplesmente coordena as informações recebidas dos sentidos, ao passo que o conhecimento ou entendimento (*vijnâna*) é uma função cognitiva superior.

5. O *ânanda-maya-kosha*, ou invólucro feito de bem-aventurança: é a dimensão da existência manifestada pela qual o ser participa do Absoluto. O Vedânta posterior, porém, afirma que o Absoluto transcende os cinco invólucros.

Ao atingir o cume da vida espiritual, o sábio realiza a sua unidade essencial com o Ser transcendente e absolutamente feliz. No seu êxtase, ele proclama triunfante:

> Ó maravilha! Ó maravilha! Ó maravilha!
> Sou o Alimento! Sou o Alimento! Sou o Alimento!
> Sou O que se alimenta do Alimento! Sou O que se alimenta do Alimento! Sou O que se alimenta do Alimento!
> Sou o Autor da Poesia (*shloka*)![4] Sou o Autor da Poesia! Sou o Autor da Poesia!
> Sou o primogênito da Ordem (*rita*) cósmica, anterior aos deuses, [sediado] no miolo da imortalidade!
> Aquele que Me dá [como alimento] é o Mesmo que Me preservou!
> Eu, que sou Alimento, como O que se alimenta do Alimento!
> Sobrepujei o mundo inteiro!
> [Meu] brilho é semelhante ao sol. (3.10.6-7)

O *Taittirîya-Upanishad* preservou muitos ensinamentos arcaicos que faziam parte da formação cultural dos adeptos que criaram a tecnologia yogue dos primeiros tempos. É também nesse texto (2.4.1) que encontramos a primeira ocorrência inequívoca da palavra *yoga* no sentido técnico; ao que parece, ela significa aqui o controle que o sábio tem sobre os sentidos mutáveis. Entretanto, muitos séculos ainda teriam de se passar para que a tradição yogue assumisse seu lugar ao lado dos outros caminhos de libertação do Hinduísmo.

V. OUTROS UPANISHADS ANTIGOS

O Aitareya-Upanishad

Dos três outros *Upanishads* do primeiro período, o *Aitareya*, relativamente curto, nos interessa em virtude das informações cosmológicas arcaicas que contém. Essa obra, cujo nome é derivado do de um antigo mestre, começa com um mito que também se encontra no início do *Brihad-Âranyaka-Upanishad*. "No princípio" — isto é, antes do espaço e do tempo —, o único Si Mesmo (*âtman*) decidiu criar, da sua própria essência, o universo. Primeiro criou os elementos materiais; depois criou as várias faculdades (chamadas *devas*, "divindades"), como a audição e a visão, que se uniram à forma humana. Então, o Si Mesmo criou alimento para todas as criaturas.

No ato final do processo da criação do mundo, o Si Mesmo entra no corpo humano através da sutura sagital (*sîman*), também chamada "fenda" (*vidriti*) ou "deleite" (*nandana*). É aí que se localiza o *sahasrâra-cakra* especificado nos textos tântricos posteriores. De acordo com doutrinas mais tardias, o *yogin*, na hora da morte, deve sair conscientemente por essa mesma abertura. É muito possível que essa prática já fosse conhecida bem antes do *Bhagavad-Gîtâ* (8.10), que a menciona veladamente.

O Kaushîtaki-Upanishad

Este texto, cujo título é o nome da antiga família brâmane Kaushîtaki, na qual foi transmitido, contém uma exposição detalhada da doutrina do renascimento e uma descrição do caminho que leva ao "mundo do Absoluto", ou *brahma-loka*.[5] Traz também um longo discurso no qual a força vital é identificada ao próprio Absoluto. Eis uma passagem:

> Vida é *prâna*, *prâna* é vida. Enquanto o *prâna* permanece neste corpo, a vida existe. Através do *prâna*, pode-se obter, mesmo neste mundo, a imortalidade. (3.2)

Numa seção subseqüente (3.3), o *prâna* é equiparado à consciência (*prajnâ*). É por meio da consciência que a pessoa adquire a verdadeira decisão (*satya-samkalpa*), o desejo intenso e integral de transcender o mundo finito e chegar assim à imortalidade. Portanto, através do cultivo da força vital com consciência, o sábio chega ao *prâna* universal, que é imortal e perfeitamente feliz.

No quarto capítulo do *Kaushîtaki*, o brâmane Gârgya Bâlâki, depois de fazer muitas viagens, se arroga a instruir o famoso rei Ajâtashatru no mistério dos *Vedas*. Entretanto, a sabedoria de Gârgya Bâlâki não satisfaz Ajâtashatru, que passa então a iniciar o monge no segredo do *prâna* ou da vida universal, que é consciência e só pode ser conhecido pelos puros de espírito. O rei declara que o Si Mesmo penetrou o corpo da cabeça até os dedos dos pés e reside nele "como uma navalha que jaz oculta em seu estojo". É éste um dos casos em que um membro da casta guerreira instrui um brâmane.

O Kena-Upanishad

Outro *Upanishad* arcaico é o *Talavakâra-* ou *Kena-Upanishad* que recebe o seu nome da palavra de abertura *kena*, que significa "por quem?" O texto começa perguntando quem enviou a mente, a palavra, a visão, etc., indagando assim da causa da nossa consciência voltada para o exterior. Para responder a essa pergunta, o homem deve perceber, como afirma com insistência este *Upanishad*, o substrato unitário de todas as experiências, que é o Si Mesmo (*âtman*) transcendente. A responsável pela consciência exteriorizada é a mesma Realidade da qual provêm os objetos dessa consciência. O Sujeito transcendente é a matriz tanto da consciência condicionada quanto do mundo objetivo.

O Mahâ-Nârâyana-Upanishad

Embora este *Upanishad* dedicado a Deus sob a forma de Nârâyana (i.e., Vishnu) tenha sido rotulado muitas vezes como um texto tardio escrito num estilo deliberadamente arcaico, esse juízo dos estudiosos foi severo demais. À semelhança de muitas outras partes do cânone das escrituras sagradas, este *Upanishad* contém acréscimos ou interpolações posteriores, como os versículos que mencionam Pashupati, Umâ, Lakshmî, Nara-Simha, a descida de Vishnu sob a forma de Varâha ("Javali"), Sadâ-Shiva, o Vedânta ou *shiva-linga*. Mas, a menos que encontremos bons motivos para não o fazer, temos de contar o *Mahâ-Nârâyana-Upa-*

CAPÍTULO 5 — A SABEDORIA SECRETA DOS PRIMEIROS UPANISHADS

Reproduzido de *Hindu Religion, Customs and Manners*
Vishnu como Nârâyana

desenvolvimento do Proto-Yoga. O *Mahâ-Nârâyana-Upanishad* traz a seguinte invocação do deus Rudra:

> Tudo, em verdade, é Rudra. Prestem-se homenagens a esse Rudra. Rudra, em verdade, é o Homem (*purusha*) [Universal], a glória (*mahas*) da existência. Louvado seja, louvado seja! O universo material, o multíplice mundo, o quanto foi criado ou está sendo criado dos mais diversos modos — tudo isso, em verdade, é Rudra. Prestem-se homenagens a esse Rudra!

VI. OS PRIMEIROS YOGA-UPANISHADS

O Katha-Upanishad

O *Katha-* ou *Kathaka-Upanishad*, que deriva seu nome de uma antiga escola védica associada ao *Yajur-Veda* Negro, é tido em geral como o mais antigo *Upanishad* a tratar explicitamente do Yoga. Costuma-se situar a sua composição por volta dos séculos IV ou V a.C., data que, à luz da nossa cronologia revista, pode ser muito tardia. Não há nada nessa obra que indique conclusivamente que ela foi composta depois do advento do Budismo. Pode igualmente ter sido posta por escrito no ano 1000 a.C.

O desenvolvimento das novas doutrinas yogues se dá, no texto, em torno de uma antiga lenda: certa vez, um brâmane pobre ofereceu aos sacerdotes, como taxa do sacrifício, algumas vacas velhas e fracas. Seu filho Naciketas, preocupado com o destino do pai na outra vida, ofereceu-se a si mesmo como oferenda mais digna. Despertou com isso a ira do pai, que enviou-o a Yama, soberano do mundo da morte. Yama, porém, estava ausente, e Naciketas teve de esperar três dias sem comer nem beber até que o poderoso deus voltasse ao seu reino. Satisfeito com a paciência do rapaz, Yama concedeu-lhe três pedidos.

Primeiro, o rapaz pediu que fosse devolvido vivo ao seu pai. Depois, pediu para conhecer o segredo do fogo sacrificial que leva ao céu. Por fim, insistiu em conhecer o mistério da vida após a morte. Yama procurou fazer o rapaz desistir do terceiro pedido, oferecendo-lhe em lugar dele outras coisas aparentemente muito mais interessantes, como filhos e netos, uma vida longa, rebanhos imensos, a convivência com as nin-

nishad entre os textos mais antigos deste gênero, postado a meio caminho entre os *Upanishads* em prosa da época arcaica e os textos em poesia de épocas posteriores.

O *Mahâ-Nârâyana-Upanishad*, que pertence ao *Krishna-Yajur-Veda*, é uma espécie de compêndio da mitologia ligada aos rituais védicos de sacrifício. O indologista alemão Jakob Wilhelm Hauer era de opinião que este texto consiste numa parte mais antiga e noutra mais nova; a primeira conteria doutrinas arcaicas sobre Rudra-Shiva e Nârâyana-Vishnu.[6] Essas doutrinas teriam sido depois incorporadas a uma tradição bramânica mais ortodoxa centrada em Brahma e no ideal da renúncia (*nyâsa-samnyâsa*), louvada como o meio mais expedito para a realização do Absoluto (ver 79.13). Teríamos, portanto, três tradições presentes no texto: o Shaivismo rúdrico, o Vaishnavismo narayânico e o Bramanismo. É curioso que, apesar do destaque dado às idéias rudra-shaivas no *Mahâ-Nârâyana-Upanishad*, o título do texto faça referência à tradição vaishnava.

O texto, a propósito, tem vários versículos em comum com o *Shvetâshvatara-Upanishad*, que também gira em torno da antiga tradição védica de Rudra-Shiva, uma das linhas que mais contribuíram para o

fas celestes, etc. Quando viu que Naciketas jamais desistiria do pedido, Yama passou a instruí-lo no caminho da emancipação. Num certo nível, a história retrata a determinação que os que buscam a espiritualidade têm de ter no caminho, desafiando até mesmo a morte. Num outro, representa o processo iniciático, que exige a reclusão, o jejum e o confronto com a morte.

अध्यात्मयोग ॥

Adhyâtma-yoga

A doutrina proposta pelo *Katha-Upanishad* é chamada *adhyâtma-yoga*, o "Yoga do Si Mesmo profundo".[7] Sua meta é o Ser Supremo que jaz oculto na "caverna" do coração humano:

> O sábio (*dhîra*) não cuida nem de tristezas nem de alegrias, e realiza, por meio do Yoga do Si Mesmo profundo (*adhyâtman*), o Deus (*deva*) que é difícil de ser percebido, inacessível, oculto, sediado na caverna [do coração], em sua moradia profunda, primordial (*purâna*). (1.2.12)

> Este Si Mesmo (*âtman*) não pode ser alcançado nem pelo estudo, nem pelo entendimento, nem por uma vasta ciência. É alcançado por aquele a quem Ele escolhe. Este Si Mesmo revela a sua própria forma. (1.2.23)

Afirma-se aqui que o Si Mesmo não é um objeto entre outros, que não é semelhante às coisas que se podem perceber ou analisar. É, na verdade, o Sujeito transcendente de todas as coisas. Por isso, na realidade, não há nada que se possa fazer para alcançar o Si Mesmo. Antes, a realização depende da graça. Como diz o *Katha-Upanishad*, o Si Mesmo "é alcançado por aquele a quem Ele escolhe". Nesse contexto, porém, fica claro que existe algo que o aspirante pode fazer: pode e deve submeter-se à necessária preparação para a ação da graça.

No terceiro capítulo do texto, o autor anônimo explica que o Si Mesmo está no cume de uma hierarquia ontológica. Emprega a seguinte metáfora:

> Vê que o Si Mesmo é como alguém que está num carro, e que este é o corpo. Vê ainda que a faculdade da sabedoria (*buddhi*) é o cocheiro e que a mente (*manas*) são as rédeas.

> Os sentidos, dizem eles, são os cavalos, e os objetos dos sentidos são as estradas. Os sábios chamam a esse [Si Mesmo] de "O que desfruta" (*bhoktri*) quando está unido ao corpo (*âtman*), aos sentidos e à mente.

> Aquele cuja mente está sempre desatrelada, insensata — seus sentidos são incontroláveis como os cavalos impetuosos de um cocheiro.

> Mas aquele cuja mente está sempre jungida — seus sentidos são governados como os cavalos dóceis de um cocheiro.

> E aquele que não tem entendimento, que não permanece atento (*amanaska*) e é sempre impuro — este jamais atinge a meta, mas fica preso à roda [dos nascimentos e mortes sucessivos].

> Mas aquele que entende, com a mente sempre pura, alcança em verdade aquela meta e não volta a renascer.

> O homem que tem a sabedoria por cocheiro e usa a mente como as rédeas — este chega ao fim da jornada, [que é] a morada suprema de Vishnu. (1.3.3-9)

O clássico diálogo entre Krishna e Arjuna aconteceu sobre um carro de batalha

O *Katha-Upanishad* compreende a prática espiritual como uma involução progressiva, ou uma retomada consciente, em ordem inversa, das etapas do desdobramento evolutivo do mundo. O texto distingue sete estágios ou níveis que compõem a Cadeia do Ser:

1. os sentidos (*indriya*)
2. os objetos dos sentidos (*vishaya*)
3. a mente inferior (*manas*)
4. a faculdade de sabedoria ou intelecto superior (*buddhi*)
5. o "grande si" (*mahâ-âtman*; escreve-se *mahâtman*), ou simplesmente "o grande" (*mahat*), uma espécie de entidade coletiva composta pelos Si Mesmos individuados
6. o Não-Manifesto (*avyakta*), que é o fundamento transcendental da Natureza (*prakriti*)
7. o Si Mesmo (*purusha*), a verdadeira Identidade do ser humano.

Só o Si Mesmo acha-se eternamente além da dinâmica da Natureza em suas dimensões manifesta e não-manifesta. Esses esquemas ontológicos, ou modelos das diversas modalidades da existência, são características da escola Sâmkhya de Îshvara-Krishna e também das escolas anteriores de Sâmkhya-Yoga. Não se propunham como meras especulações filosóficas, mas como mapas do processo involutivo yogue, da ascensão da consciência a níveis cada vez mais elevados do ser, até chegar ao Ser onipresente, ao próprio Si Mesmo.

A meta do trabalho psicoespiritual do *yogin* é o *purusha*, mas essa obra sagrada, essa alquimia da autotransformação, começa humildemente com o controle da tendência exteriorizante da mente. Isso se depreende claramente da definição de Yoga dada no segundo capítulo desse texto, definição essa que parece formar uma unidade independente:

> A isto eles chamam de Yoga: a firme sujeição (*dhâranâ*) dos sentidos. Então o homem fica atento (*apramatta*), pois o Yoga pode ser adquirido, mas também pode ser perdido. (2.3.11).

Em outras palavras, Yoga é aquela condição de estabilidade ou equilíbrio interior que decorre da fixação da atenção. Quando a mente se estabiliza, a pessoa pode começar a descobrir as maravilhas do mundo interior, a descortinar os vastos horizontes da consciência. Mas, como já vimos, em última análise nem mesmo essa exploração do espaço interior leva à libertação. Trata-se apenas de uma pré-condição para o acontecimento da graça — quando a luz do Si Mesmo transcendente brilha e transmuta o corpo e a mente finitos.

Os ensinamentos do *Katha-Upanishad* representam uma inovação importante na tradição yogue. Em bela forma poética, expressam-se aí algumas das idéias fundamentais que subjazem à prática do Yoga em geral. Mais do que qualquer outro texto sagrado, esta obra marca a transição entre o esoterismo pós-védico dos primeiros *Upanishads* e o Yoga pré-clássico da Era Épica. Com o *Katha-Upanishad*, o Yoga torna-se uma tradição independente e dotada de características próprias.

O *Shvetâshvatara-Upanishad*

O *Shvetâshvatara-Upanishad*, escrito em verso e aclamado como uma das mais belas criações do gênero upanishádico, tem a sua data de composição geralmente situada nos séculos III ou IV a.C. Essa data, porém, pode ser tardia demais. No estilo e no conteúdo, esse *Upanishad* assemelha-se ao *Bhagavad-Gîtâ*, que é datado da época do Buda. Seu nome misterioso, ao que parece, é a alcunha do sábio que o compôs. A palavra composta *shvetâshvatara* decompõe-se em *shveta* ("branco"), *ashva* ("cavalo") e no superlativo *tara*, de modo que significa literalmente "o cavalo mais branco". De acordo com Shankara, que escreveu um comentário erudito a esse texto no começo do século XI (ou VIII) d.C., esse não é o nome, mas o título de um sábio. Explicou ele que *ashva* tem também um sentido esotérico e que, entre os iniciados, é um termo que designa os sentidos. Assim, o título *shveta-ashvatara* é dado a alguém cujos sentidos estão completamente purificados e subjugados.

De ordinário, nós somos dominados pelos sentidos. É um fato que percebemos rapidamente quando começamos a meditar. De início, cada som e cada movimento nos estorvam a concentração, e, quase que contra a vontade, nós acompanhamos e nos rendemos a todas as sensações que nos entram na consciência. É muito aos poucos que aprendemos a desconsiderar as informações que nos vêm pelos sentidos. Depois disso ainda temos de lidar com a mente hiperativa, que não pára de gerar pensamentos. As escolas do Yoga pré-clássico e do Sâmkhya vêem a mente (*manas*) como um sexto instrumento sensorial ou uma sexta faculdade (*indriya*). Com efeito, ela é o ponto de contato de todos os sentidos, que reúne as informações colhidas pelos cinco órgãos sensoriais e as envia à mente superior, chamada *buddhi*, para serem processadas.

O autor anônimo do *Shvetâshvatara-Upanishad* era, manifestamente, um adepto da inibição sensorial e da meditação. Nessa obra, que procede claramente de uma fecunda experiência yogue, ele expõe um Yoga característico dos ensinamentos panenteístas da Era Épica. O termo "panenteísmo", derivado do grego, designa o ponto de vista metafísico segundo o qual toda (*pan*) a Natureza surge em (*en*) Deus (*theos*). Distingue-se do mais conhecido "panteísmo", termo denotativo de uma posição filosófica que simplesmente equipara a Natureza a Deus. Essa equação metafísica é pura e simplesmente rejeitada pelo sábio autor do *Shvetâshvatara-Upanishad*, para quem o Senhor (*îsha, îshvara*) permanece eternamente acima da sua criação.

> Praticando o Yoga da meditação (*dhyâna*), eles perceberam o poder próprio (*âtma-shakti*) de Deus (*deva*) oculto pelas Suas próprias qualidades. É ele o Único que preside a todas as causas ligadas ao tempo e ao eu (*âtman*) [individual]. (1.3)

> O Senhor (*îsha*) sustenta este universo composto do perecível e do imperecível, do manifesto e do não-manifesto. O eu [individual, que] não é o Senhor, é limitado pela [falsa idéia de] ser o que goza [dos objetos dos sentidos]. Mas, ao conhecer a Deus, é liberto de todos os grilhões. (1.8)

> O fundamento (*pradhâna*) [i.e., a Natureza] é perecível. Hara [i.e., o deus Shiva] é imortal e imperecível. O Deus único rege o perecível [a Natureza] e os eus [individuais]. Meditando-se n'Ele, unindo-se a Ele e transformando-se no Real (*tattva*), acaba por fim toda a trapaça (*mâyâ*). (1.10)

> Pelo conhecimento de Deus, caem todos os grilhões. Pelo fim das aflições (*klesha*) [i.e., a ignorância espiritual e suas conseqüências], caem o nascimento e a morte. Pela meditação n'Ele, produz-se um terceiro [estado], a soberania universal, [que vem] com a separação do corpo. [Assim, o *yogin* se torna o [Si Mesmo] solitário (*kevala*), cujos desejos são satisfeitos. (1.11)

O *Shvetâshvatara-Upanishad* recomenda a meditação por meio da recitação da sílaba sagrada *om*, chamada *pranava*. O processo meditativo é comparado ao processo de bater o leite para transformá-lo em manteiga. Com esse bater, acende-se o fogo interior que leva à revelação do esplendor do Si Mesmo. As instruções implicam um conhecimento do controle da respiração (*prânâyâma*). Num nível mais elementar, o texto fornece conselhos acerca da postura correta para a meditação: as costas devem ficar retas, sem dúvida para possibilitar a livre circulação das energias corpóreas. Quando as forças vitais (*prâna*) do corpo se aquietam, deve-se praticar a respiração consciente como prelúdio à concentração mental. O texto chega a ponto de especificar as condições ambientais corretas, recomendando que o Yoga seja praticado em cavernas silenciosas e outros lugares puros.

Quando a mente se aquieta, podem surgir as mais diversas espécies de visões internas, que não devem ser confundidas com a realização de Deus. Os primeiros sinais de que a prática do Yoga está sendo conduzida de maneira correta são, entre outros, a leveza do corpo, a boa saúde, a estabilidade, a beleza do rosto e da voz, o odor agradável do corpo e a diminuição das excreções (2.13). Isso indica, como afirma o texto (2.12), a transmutação do corpo num "corpo constituído pelo fogo do Yoga" (*yoga-agni-mayam-sharîram*). A meta suprema desse Yoga, porém, não é nenhuma visão mística, mas a realização do Si Mesmo transcendente, que liberta de todos os grilhões. Essa realização não é um mero estado visionário; não é nem mesmo uma experiência, pois a noção de experiências implica um sujeito de percepção e um objeto percebido. Antes, a libertação ou iluminação é aquela condição de ser na qual já não existe o abismo que separa o sujeito (a mente) do objeto (a matéria). É o estado imortal. O *Shvetâshvatara-Upanishad* traz o seguinte grito de triunfo do seu autor:

Conheço aquele grande Si Mesmo (*purusha*) que brilha como o sol além da escuridão. Só pela realização d'Ele é que se passa além da morte. Não há outra maneira de passar [além do ciclo das mortes e renascimentos sucessivos]. (3.8)

O grande Ser adorado pelo autor é Shiva. Como no caminho delineado no *Bhagavad-Gîtâ*, no qual Vishnu é exaltado como o Senhor de todas as coisas, também neste *Upanishad* o *yogin* não é um asceta sem cor, mas um devoto (*bhakta*); e o processo de amadurecimento espiritual e de libertação final não é um acontecimento mecânico, mas um mistério dependente da graça divina (*prasâda*). Talvez o *Shvetâshvatara-Upanishad* tenha sido para os primeiros adoradores de Shiva o que o *Bhagavad-Gîtâ* foi e ainda é para a comunidade dos vaishnavas: um texto sagrado de adoração a Deus que edifica o coração e dá instruções sobre a arte da prática espiritual.

> "Que Rudra, fonte e origem de todas as divindades, senhor de todas as coisas, o grande vidente que assistiu ao nascimento do embrião de ouro [no princípio dos tempos], nos conceda uma sabedoria auspiciosa."
>
> — *Shvetâshvatara-Upanishad* (4.12)

Os antigos sábios upanishádicos não estavam sozinhos em suas intuições místicas. A era em que viveram foi uma época de grande efervescência cultural, na qual a casta guerreira teve papel importante na disseminação da sabedoria. Os sábios upanishádicos simplesmente deram expressão à aspiração generalizada pelo pensamento metafísico e pelas experiências místicas na sociedade pós-védica. Havia muitos outros pensadores e visionários não-védicos, muitos outros místicos e videntes que haviam rompido com as instituições védicas de modo mais radical do que os sábios upanishádicos, ou que simplesmente nunca tinham participado delas. Entre esses "radicais" estavam Vardhamâna Mahâvîra e Gautama, o Buda. Suas doutrinas "heréticas" serão tratadas nos dois capítulos seguintes.

"Quando o monge compreende que é solitário... deve compreender, do mesmo modo, que o Si Mesmo é igualmente solitário."

— Âcâra-Anga-Sûtra[1] 1.8.6.1

Capítulo 6

JAINA YOGA: A DOUTRINA DOS PONTÍFICES VITORIOSOS

I. RESUMO HISTÓRICO

Nos capítulos anteriores, delineamos a evolução gradual da espiritualidade hindu desde a época dos *Vedas* até o surgimento dos ensinamentos secretos dos primeiros *Upanishads*. Neste capítulo, porém, vamos interromper nosso estudo histórico da protopsicotecnologia yogue no contexto do Hinduísmo e vamos voltar nossa atenção para uma doutrina rival — a grande tradição religiosa e espiritual do Jainismo.

Ao contrário do Budismo, o Jainismo sempre foi visto pelos hindus como um ramo colateral do Hinduísmo, até mesmo uma seita hindu, e não como uma tradição independente e adversária. Existem, com efeito, numerosos paralelos entre as duas tradições, mas o fato de que os jainas, sendo um grupo minoritário de pouco mais de três milhões de pessoas, não constituem ameaça alguma, também tem a sua importância. É claro que já houve momentos de trevas na história da inter-relação entre os jainas e os hindus, quando estes últimos deixaram de praticar a tolerância pela qual são conhecidos.

Ao lado do Hinduísmo e do Budismo, o Jainismo é um dos três grandes movimentos sociorreligiosos que nasceram do gênio espiritual da Índia. Se nós associamos o Hinduísmo a uma excepcional metafísica não-dualista e o Budismo a uma atitude rigorosamente analítica perante a vida espiritual, temos de admitir que o Jainismo se destaca pela rigorosa observância dos preceitos morais, especialmente da não-violência (*ahimsâ*). Foi esse elevado ideal associado a uma doutrina muito bem desenvolvida acerca da força causal (*karma*) que deriva da conduta do ser humano, que exerceu uma influência duradoura sobre a tradição yogue.

O Jainismo preservou uma espiritualidade de tipo arcaico, baseada na prática da ascese (*tapas*) com uma ênfase especial na renúncia e num rigorosíssimo código de ética tanto para monges quanto para leigos. Os antigos mestres jainas, à semelhança dos sábios upanishádicos, conheciam o valor dos ritos internos. No *Uttarâdhyâyana-Sûtra* (12.44), Harikesha explica que a ascese é o seu fogo sacrificial e os trabalhos mentais e físicos são a concha com a qual oferece a oblação. Os mestres jainas da era pós-cristã adotaram muitas idéias e práticas do Yoga hindu, particularmente do formulado por Patanjali no século II d.C.

Vardhamâna Mahâvîra

O Jainismo foi fundado por Vardhamâna Mahâvîra, que viveu no século VI a.C., na mesma época em que Xenófanes, Parmênides e Zenão ensinavam na Grécia. Vardhamâna, poucos anos mais velho do que o Buda, reconhecia a existência de vários mestres que vieram antes dele e dos quais ele se via como devedor. Esses mestres foram chamados *jinas* ("vitoriosos" ou "conquistadores"), porque haviam vencido o eu, ou *tîrthankaras*, "pontífices". [N. do T.: a palavra *tîrthankara* significa literalmente "aquele que abre um vau ou uma passagem" e foi vertida para o inglês como *ford-maker*, "fazedor de um vau". Neste capítulo, adotei como tradução desse termo a palavra "pontífice", que tem o mesmo sentido etimológico ("construtor de pontes") e o mesmo valor na medida em que designa uma função sagrada: a de fazer a "ponte" ou o "vau" entre este mundo e o outro, ou entre a ilusão e o Real.] Aliás, o Jainismo considera Mahâvîra como o vigésimo quarto (e último) pontífice; o primeiro teria sido o legendário Rishabha.

De acordo com a tradição jaina, Rishabha viveu por 8,4 milhões de anos — o número 84 simboliza a perfeição. É muito possível que Rishabha tenha sido um personagem histórico que de fato viveu por muito tempo, mas tudo o que sabemos dele é o que as lendas posteriores nos dizem. O *Rig-Veda* e o *Taittirîya-Âranyaka* fazem várias referências a um certo vidente Rishabha, filho de Virat, mas não há provas conclusivas de que ele seja a mesma pessoa que o mestre jaina de mesmo nome. É digno de nota, porém, que os textos jainas também chamem Rishabha de Keshin ou "Cabelos-Longos". Talvez isso estabeleça um vínculo entre ele e as primeiras comunidades religiosas não-védicas, como as irmandades dos Vrâtyas. Outro fato interessante: no *Bhâgavata-Purâna* da época medieval, as histórias contadas acerca do sábio hindu Rishabha são idênticas às da literatura jaina; e, embora os autores do *Purâna* tenham muito respeito por Rishabha, não têm quase nada de bom a dizer acerca dos seus seguidores.[2]

Vardhamâna Mahâvîra e Rishabha

Outro pontífice lendário, o vigésimo segundo, foi Arishtanemi ou Neminâtha, que segundo a tradição jaina foi contemporâneo de Krishna, o discípulo de Ghora Angirasa mencionado no *Chândogya-Upanishad*. Pode ser que isso simplesmente não seja verdade, mas depreendemos dessa associação que as raízes do Jainismo devem ser procuradas fora do ritualismo ortodoxo védico, na cultura dos ascetas, chamados *shramanas*.

A vida e a obra do vigésimo terceiro pontífice, Pârshva, são igualmente obscurecidas pelos relatos mitológicos da literatura tradicional. É provável que ele, como Vardhamâna Mahâvîra, pertencesse a uma família rica da casta guerreira, residente talvez em Varanasi (Benares ou Kâshî). É certo que a doutrina dele teve imensa influência no Bihar e nas regiões circunvizinhas. Um dos discípulos mais famosos de Pârshva foi um certo Keshin, que converteu o rei de Seyaviya.

Mahâvîra ("Grande Herói") foi criado à sombra da influência da tradição de Pârshva, mas não deve tê-lo conhecido pessoalmente, pois ele parece ter vivido no século VII a.C. Foi Mahâvîra quem deu ao Jainismo a sua forma específica, reformando a tradição de Pârshva. Diz-se que Mahâvîra nasceu em Kundagrama, perto de Vaishalî (a moderna Besarh), ao norte de Patna, como membro do clã Naya (Jnâtâ) da tribo Licchavi. Seu pai era um governante local. De acordo com certas tradições, Mahâvîra casou-se muito cedo. A maioria das autoridades concorda em que ele deixou para trás a vida mundana aos trinta anos de idade e passou a dedicar-se a uma ascese rigorosa, com períodos de jejum sem água, como a comunidade jaina pratica ainda hoje.

Doze anos depois de encetar a caminhada espiritual, ele atingiu a iluminação. Começou imediatamente a pregar a verdade que havia descoberto por si mesmo. Era uma personagem carismática, cujo desapego e cuja dedicação inflexível a uma

Pârshva

vida de autotranscendência inspiraram e surpreenderam muita gente. A vida exemplar e os ensinamentos de Mahâvîra só não tiveram tanto impacto na época dele e depois porque o Jainismo exige um grau superlativo de renúncia e autocontrole, que não oferece nenhum atrativo à maioria das pessoas. Vardhamâna Mahâvîra morreu em 527 a.C. com a idade de setenta e dois anos, deixando uma pequena comunidade de monges, monjas e leigos em geral, com cerca de 14.000 pessoas ao todo. Atualmente, a comunidade jaina, que é relativamente pequena, conta com cerca de 2.500 monges e 5.000 monjas.

Ao contrário de Pârshva, Mahâvîra é famoso por ter andado nu, declarando a todos o seu inflexível ascetismo. É o mesmo que já faziam os ascetas de cabelos longos da época védica, os quais, como diz o *Rig-Veda* (10.136), eram "vestidos de ar". A questão da nudez, aliás, foi uma das principais razões pelas quais a comunidade jaina dividiu-se em duas seitas por volta do ano 300 a.C. Enquanto os Digambaras ("Vestidos-de-espaço") até hoje publicam a sua renúncia através da nudez, os Shvetâmbaras ("Vestidos-de-branco") optaram por uma forma mais simbólica de renúncia. Para estes últimos, não é o fato de usar ou não usar roupas que marca o vitorioso espiritual. Nem os Digambaras, porém, permitem que suas monjas andem nuas. Aliás, afirmam que nenhuma mulher pode alcançar a emancipação sem antes renascer num corpo de homem. Os Shvetâmbaras, por outro lado, veneram uma pontífice mulher, a décima nona, chamada Malli. Existe ainda uma antiga escultura de uma asceta nua, que costuma ser identificada como Malli.

Quando Alexandre, o Grande, invadiu o norte da Índia em 327-326 a.C., seus cronistas registraram a existência de filósofos nus, ou *gymnosophistes*. Mais ou menos mil e trezentos anos depois, os invasores muçulmanos puseram fim a essa prática, pelo menos por algum tempo. Ainda hoje, podem se ver na Índia ascetas nus com o corpo revestido de cinzas. Mas esse costume curioso não é o ponto principal do Jainismo. A maior contribuição dessa religião minoritária está no exame minucioso do que constitui a verdadeira vida moral.

II. OS LIVROS SAGRADOS DO JAINISMO

Até agora, as pesquisas feitas sobre a história e a literatura do Jainismo foram muito poucas. Até pouco tempo atrás, o mundo acadêmico ocidental dava, curiosamente, pouquíssima importância ao Jainismo, considerando-o um desenvolvimento relativamente insignificante. Felizmente, à medida que as informações que temos sobre os jainas vão aumentando, essa atitude também vai mudando.[3]

A dificuldade deve-se, pelo menos em parte, ao fato de que o cânone das escrituras sagradas jainas é posto em dúvida por segmentos da própria comunidade jaina. Por isso, o Concílio de Pataliputra (a moderna Patna), realizado em 300 a.C., procurou determinar com segurança o conteúdo dos quatorze *Pûrvas* ("[Ensinamentos] Anteriores"), que até então só tinham sido transmitidos oralmente. Já naquela época uma facção da comunidade não aceitou a redação resultante. Na época em que o cânone foi realmente posto por escrito, provavelmente em meados do século V d.C., boa parte dos ensinamentos originais de Vardhamâna e dos seus predecessores já havia sido irremediavelmente perdida. Os Digambaras chegam a ponto de afirmar que nenhuma das obras canônicas dos primeiros tempos foi conservada.

De acordo com os Shvetâmbaras, o cânone das escrituras sagradas jainas compreende quarenta e cinco livros. Como não é fácil ter acesso a essa enorme bibliografia, parece-me adequado dar aqui pelo menos algumas informações sumárias acerca dela:

1-12. Os doze *Angas* ("Membros"), compostos no dialeto prácrito arcaico que era falado pelo povo comum de Magadha. Serão listados individualmente mais abaixo.

13-24. Os doze *Upângas* ("Membros Secundários", de *upa* e *anga*), que tratam de temas cosmológicos, cosmográficos, astronômicos e hagiológicos. Destaca-se entre esses textos o *Râja-Prashnîya-Sûtra*, que registra o diálogo entre o sábio Keshin e Prasenajit

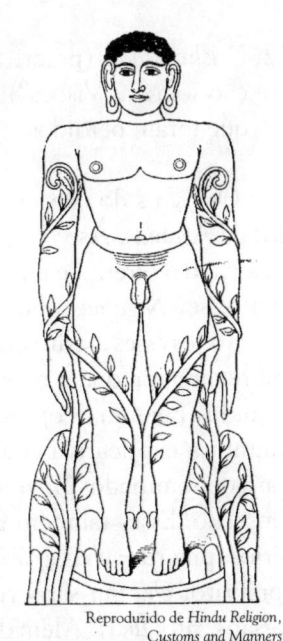

Gomateshvara, segundo uma escultura monumental em pedra

Reproduzido de *Hindu Religion, Customs and Manners*

(prácrito: Paesi), soberano de Seyavîya, no qual Keshin procura provar que o Espírito é independente do corpo físico.

25-28. Os quatro *Mûla-Sûtras* ("*Sûtras* Fundamentais"), que são cartilhas de ascetismo.

29-38. Os dez *Prakîrnas* ("[Textos] Diversos"), que contêm instruções sobre vários temas, como a oração, a morte consciente, a astrologia e a medicina.

39-45. Os sete *Cheda-Sûtras* ("*Sûtras* Cortantes"), que tratam das regras monásticas.

A todos esses devem-se acrescentar o *Nandi-Sûtra* ("*Sûtra* Auspicioso"), que é um texto sobre a interpretação das escrituras sagradas, e o *Anuyoga-Dvâra-Sûtra* ("*Sûtra* da Porta das Investigações"), que trata da natureza do conhecimento. Essas duas obras enquadram o cânone escriturístico num contexto escolástico.

Os doze *Angas*, arrolados segundo seus nomes em sânscrito, são os seguintes:

1. *Âcâra* (prácrito: *Âyâr*, "Conduta"), que contém regras importantes para os monges e monjas jainas e conserva um relato sagrado da vida de Mahâvîra como asceta mendicante;

2. *Sûtra-Krita* (prácrito: *Sûya-gad*, "Composição Aforística"), que apresenta as doutrinas fundamentais do Jainismo no que diz respeito à vida monástica e combate as doutrinas não-jainas;

3. *Sthâna* (prácrito: *Thân*, "Receptáculo"), que consiste numa enumeração detalhada dos princípios fundamentais do Jainismo;

4. *Samavâya* ("Combinação"), que dá continuidade ao *Sthâna-Anga*;

5. *Bhagavatî-Vyâkhyâ-Prajnati* (prácrito: *Bhagavaî-Viyâha-Pannatti*, "Venerável Exposição das Explicações"), que transmite, através dos diálogos aí registrados, um quadro muito nítido da vida e da época de Mahâvîra; esta volumosa obra também contém informações sobre Gosala, um asceta que viveu junto com Mahâvîra por seis anos e, como chefe da escola Ajîvika, parece ter reunido ao seu redor muitos seguidores; esta obra é particularmente importante para a seita dos Shvetâmbaras;

6. *Jnâtri-Dharma-Kathâ* (prácrito: *Nâyâ-Dhamma-Kahâo*, "Histórias de Conhecimento e Moral"), um conjunto de relatos legendários que ilustram as doutrinas do Jainismo;

7. *Upâsaka-Dashâ* (prácrito: *Uvâsaga-Dasâo*, "Dez [Capítulos] sobre Seguidores Leigos"), lendas de santos e santas leigos;

8. *Antakrid-Dashâ* (prácrito: *Amta-Gada-Dasâo*, "Dez [Capítulos] sobre os que Fizeram o Fim"), as lendas de dez ascetas que atingiram a iluminação e puseram fim ao ciclo dos renascimentos;

9. *Anuttara-Upapâtika-Dashâ* (prácrito: *Anuttarovavâiya-Dasâo*, "Dez [Capítulos] sobre os que Subiram Mais Alto"), lendas de santos que subiram aos mais elevados mundos celestiais;

10. *Prashna-Vyâkarana* (prácrito: *Panhâ-Vâgaranâim*, "Questões e Explicações"), que discute as prescrições e proibições do código moral dos jainas;

11. *Vipâka-Shruta* (prácrito: *Vivâga-Suyam*, "Revelação sobre o Amadurecimento"), coleção de lendas que ilustram as conseqüências kármicas dos atos bons e maus;

12. *Drishti-Vâda* (prácrito: *Ditthi-Vâya*, "Instrução sobre as Visões"): são os quatorze *Pûrvas*, que foram perdidos.

Os livros do cânone jaina costumam ser chamados de *Âgamas*. Às vezes, o número de livros sagrados é elevado a oitenta e quatro, aos quais se acrescentam trinta e seis *Nigamas*, obras semelhantes aos *Upanishads*.

Todos esses escritos, que são encarados com a mesma reverência que a revelação (*shruti*) védica, foram seguidos por uma copiosa literatura exegética. Essa literatura explicativa compreende dez tratados originais, denominados *Nijjuttis* em prácrito e *Niryuktis* em sânscrito. Esses também têm os seus grandes comentários (prácrito: *bhâsa*; sânscrito: *bhâshya*), elucidações (prácrito: *chunni*; sânscrito: *cûrnî*) e glosas (prácrito/sânscrito: *tîkâ*). Além disso, a literatura sagrada dos jainas compreende *Purânas* (enciclopédias sagradas) e *Câritras* (hagiografias), bem como um número enorme de outras obras dedicadas à instrução.

Existem também várias obras extracanônicas, como o *Tarangâvatî*, poema prácrito composto por Pâdalipta Sûri, que supostamente curou o rei Murunda de Pataliputra de uma doença incurável. Obra mais antiga, datada talvez do ano 100 d.C., é o *Pauma-Carîya* de Vimala, a versão jaina do *Râmâyana* hindu. Nessa mesma época viveu Umâsvâti, o maior filósofo do Jainismo e autor do famoso *Tattva-Artha (Adhigama-)Sûtra*.[4] Sua influência dentro do Jainismo é comparável à de Shankara no Hinduísmo.

Depois de Umâsvâti, o mais famoso filósofo jaina, veio o mestre digambara Kunda Kunda, cuja obra mais conhecida é o *Samaya-Sâra*. Provavelmente, ele viveu no século IV d.C. No século VIII, temos Haribhadra Sûri — filósofo, artista e estudioso da lógica —, que, segundo a tradição, escreveu nada menos que 1.440 livros. Entre eles contam-se vários textos sobre o Yoga, com destaque para o *Yoga-Bindu* e o *Yoga-Drishti-Samuccaya* (do qual apresentamos uma seleção no Texto Original 7). Muitos séculos depois veio Hemacandra, autor do *Yoga-Shâstra* (também conhecido como *Adhyâtma-Upanishad*). Além disso, os jainas compuseram numerosas obras sobre lógica — ramo do conhecimento no qual deram importantes contribuições à filosofia indiana.

O cânone escriturístico dos Digambaras foi estabelecido nos primeiros séculos da Era Cristã. Embora os Digambaras rejeitem o cânone dos Shvetâmbaras, eles o citam freqüentemente. O cânone digambara compreende duas partes, as chamadas *Karma-Prâbhrita* e *Kashâya-Prâbhrita*. A primeira é conhecida também como *Shat-Khanda-Âgama*,[5] ou "Livro Sagrado em Seis Partes". Tem um extenso comentário escrito por Vîrasena e intitulado *Dhavalâ*, "O Luminoso", que foi completado em 816 d.C. A *Kashâya-Prâbhrita* consiste em meros 233 versículos e foi escrito por Gunadhara; também conta com um grande comentário de autoria de Vîrasena e do seu discípulo Jinasena.

Os Digambaras também têm um cânone secundário, criado nos séculos VI ou VII d.C. Divide-se ele em quatro temas que os Digambaras chamam de seus "quatro *Vedas*": história, cosmografia, filosofia e ética. O *Svâmi-Kârttikeya-Anuprekshâ* é uma famosa obra extracanônica dos Digambaras. Trata das doze meditações (*anuprekshâ*) recomendadas tanto para os monges quanto para os leigos e foi composto no século X d.C.

Talvez a característica mais notável do mundo doutrinal do Jainismo seja o fato de que, apesar da divisão em duas seitas, as diferenças entre as escolas rivais são mínimas. Ao contrário do Budismo, o Jainismo conseguiu preservar os seus ensinamentos originais por bem mais de dois milênios. O Jainismo jamais se dividiu num caminho Mahâyâna, Vajrayâna ou Kalacakrayâna. Ele exemplifica num grau extremo aquela mesma espécie de continuidade que os historiadores constatam ter existido entre a antiga civilização do Indo-Sarasvatî e a moderna cultura indiana.

A própria extensão da literatura jaina deixa claro que o Jainismo prosperou por muitos séculos, embora a sua ênfase na ascese rigorosa o tenha impedido de disseminar-se tanto quanto os ensinamentos do Buda. Mas, no século XIII, os muçulmanos passaram milhares de monges e monjas jainas a fio de espada e destruíram-lhes os templos e as bibliotecas, debilitando gravemente, por um certo tempo, a vitalidade da cultura jaina. Hoje em dia, o Jainismo é uma religião minoritária na Índia, o que não significa que esteja estagnado. Prova disso é o movimento Anuvrata, fundado por Acarya Tulasi no Rajastão em 1949. O nome do movimento, "Pequeno Voto", quer dizer que até os votos menores do Jainismo são capazes de provocar grandes mudanças. A história do Jainismo, portanto, continua a nos ensinar uma importante lição acerca da eficácia dos votos sagrados numa vida que gira em torno de valores espirituais e não materiais — uma arte que está praticamente esquecida na sociedade ocidental.

III. O CAMINHO DA PURIFICAÇÃO

O Poder do Karma e a sua Eliminação através da Moral e da Meditação

À semelhança da hindu e da budista, a espiritualidade jaina é essencialmente um caminho que leva à emancipação, ou àquilo que foi chamado de "conhecimento absoluto" (*kevala-jnâna*). Esse estado supremo é definido como um estado de perfeita liberdade em relação aos efeitos da lei da causalidade moral, ou lei do

---

> "Os sábios afirmam que, na ausência da experiência pura, o supremo Absoluto supra-sensível não é compreensível, nem mesmo à luz de uma centena de referências escriturísticas."
>
> — *Jnâna-Sâra* 203

karma. A doutrina do karma ocupa no Jainismo o mesmo lugar central que ocupa no Hinduísmo e no Budismo. Só que os teólogos jainas deram a essa doutrina um desenvolvimento e uma extensão que ela jamais conheceu em outros contextos. A idéia principal é a de que a lei de causa e efeito se aplica também no domínio psíquico ou moral, de modo que as ações e mesmo os desejos da pessoa determinam o seu destino nesta vida e nas existências futuras.

Podemos ver aí um paralelo com o moderno existencialismo, que prega que nós somos o que somos em virtude das decisões que tomamos no passado e que somos livres para decidir de novo em que queremos nos tornar; portanto, é nas ações que nós mais manifestamos a nossa verdadeira natureza. Outro ponto de contato entre a filosofia existencialista e a doutrina do karma, aliás relacionado ao primeiro, é que para ambas a condição humana é definida pelo medo (ou terror). Enquanto as tradições espirituais indianas afirmam que essa condição pode ser completamente transcendida — no momento da iluminação ou da libertação —, o existencialismo ocidental, não obstante as suas muitas formulações de aparência metafísica, não costuma ser tão otimista. Assim, mesmo o filósofo e psiquiatra alemão Karl Jaspers, que deve ser considerado um dos existencialistas de tendência mais metafísica, não admite que a transcendência radical seja uma possibilidade. Para ele, o máximo que podemos fazer é estabelecer uma "comunicação de personalidade para personalidade", de modo que "a nossa relação com a transcendência... se torne sensivelmente presente ao nosso encontro com o Deus pessoal".[6] Do ponto de vista indiano, esse encontro ainda se dá no interior da dimensão condicionada da existência, isto é, não chega a equiparar-se à iluminação ou libertação, na qual tanto a personalidade humana quando a divindade pessoal são absolutamente transcendidas.

A verdadeira essência da pessoa humana é o Si Mesmo (âtman). Os jainas usam tanto o termo âtman quanto o termo jîva, mas ao passo que o primeiro designa a natureza transcendente, o segundo se refere ao Si Mesmo aprisionado pelas suas próprias ações que produzem karma.

Os escolásticos do Jainismo distinguem até 148 formas diferentes de atividade kármica, mas a classificação mais conhecida é a que divide o karma em oito espécies principais:

1. o karma que nubla a sabedoria;

2. o karma que nubla a intuição, impedindo assim a aceitação do código moral jaina;

3. o karma que leva à experiência do prazer e da dor;

4. o karma que provoca a ilusão completa;

5. o karma que determina a duração da vida da pessoa;

6. o karma que determina a condição social da pessoa;

7. o karma que faz a pessoa nascer numa determinada família;

8. o karma que impõe obstáculos de maneira geral.

Do ponto de vista da sua ação no tempo, o karma se divide em três espécies:

1. o *satta-karma*, que foi acumulado nas existências anteriores; o equivalente hindu é o *sancita-karma*;

2. o *bandha-karma*, que é gerado nesta existência mas só tem efeitos depois; corresponde à noção hindu de *âgâmi-karma*;

3. o *udaya-karma*, que provoca seus efeitos agora; equivale à idéia hindu de *prârabdha-karma*.

Além disso, todo o karma se divide em duas categorias essenciais: *nikacita* (o que produz necessariamente os seus efeitos) e *shithila* (aquele cujos efeitos podem ser evitados pela prática do Yoga). Sem este segundo tipo, o caminho da vida seria absolutamente predeterminado. O Jainismo, porém, rejeita o fatalismo, e foi esse um dos principais pontos de disputa entre Mahâvîra e o filósofo ajîvika Makkhali Gosala. Gosala afirmava que os seres humanos estão absolutamente sujeitos ao destino (*niyati*), compreendido como um princípio cósmico impessoal. Mahâvîra, porém, pregava a liberdade da vontade e a possibilidade de mudança e até de completa transcendência do destino kármico. O karma é produzido e manifesta seus efeitos no decorrer de toda a existência do ser vivo individual (*jîva*).

Os jainas concebem o karma como uma espécie de substância que pode ser gerada, acumulada e aniquilada. O ciclo de produção e sofrimento dos efeitos do karma é interpretado como um influxo (âsrava) de karma, ao qual se precisa pôr fim. Isso porque, enquanto o influxo continua, o ser fica preso à matéria sem vida (ajîva-pudgala) e gira continuamente na roda dos nascimentos e mortes sucessivos. O conceito de jîva abarca todas as entidades animadas e inclusive os elementos materiais, como a água e o fogo. Nesse ponto, o conceito jaina difere da noção vedântica de jîva, que só se aplica aos seres autoconscientes.

Como os adeptos do Sâmkhya, os jainas crêem numa pluralidade de entidades espirituais supremas, os âtmans. À semelhança dos purushas ou mônadas espirituais do Sâmkhya, esses âtmans são essencialmente infinitos e feitos de Consciência pura. Sob o domínio da ilusão, porém, consideram-se confinados numa certa forma ou num corpo determinado. Essa autolimitação, concebida como uma espécie de contração da consciência, resulta dos efeitos do karma; e é só através da redução das influências kármicas e, em última análise, da anulação total do karma, que a consciência do jîva pode purificar-se e transformar-se na Consciência transcendente e sem limites. Como declara Hemacandra (1089-1172 d.C.) no seu famoso Yoga-Shâstra (4.112a):

> A emancipação [resulta da] redução do karma, e isso se obtém pela concentração no Si Mesmo (âtma-dhyâna).

O receptáculo do karma é o corpo instrumental ou karmana-sharîra, que é o mais íntimo dos cinco corpos do ser humano. Os outros quatro são:

1. o corpo físico (audarika-sharîra);

2. o corpo de transformação (vaikriya-sharîra), que é o veículo natural dos seres superiores (i.e., das divindades) e que pode ser "adquirido" pelo asceta, que então torna-se capaz de aumentar de tamanho à vontade; é possível que as dimensões fantásticas atribuídas aos corpos dos primeiros mestres do Jainismo possam ser explicadas como referências aos seus corpos de transformação;

3. o corpo de representação (âhâraka-sharîra), que pode ser temporariamente criado e destacado do corpo físico para ser projetado em qualquer lugar;

4. o corpo ígneo (taijasa-sharîra), que é indestrutível, sobrevive à morte e sem cuja energia os três corpos inferiores não poderiam funcionar; os ascetas podem usar este corpo para queimar objetos.

Essa doutrina dos cinco corpos hierarquizados segundo o grau de sutileza tem o seu equivalente hindu na doutrina do Taittirîya-Upanishad mencionada no capítulo anterior. Mas o Jainismo desenvolveu suas próprias concepções acerca do que alguns estudiosos chamaram de fisiologia sutil.

De acordo com uma classificação que consta do cânone jaina, existem dois tipos de entidades animadas: as que estão presas no cosmos da dependência e do sofrimento, chamadas samsârins, e as que escaparam do samsâra, da roda do perpétuo vir-a-ser; estas são os siddhas, os "perfeitos". Estes últimos não são limitados por nenhuma localização espacial e permanecem mergulhados na inimaginável felicidade da Consciência infinita. Uma das suas 108 características é a capacidade de assumir qualquer forma, o que os torna senhores do universo.

As Sete Categorias da Existência

Os jîvas, ou indivíduos finitos, pertencem à primeira das sete categorias básicas reconhecidas pelo Jainismo. A segunda categoria é composta pelos objetos inanimados (ajîva). Estes compreendem as dimensões sem-forma da motilidade, do espaço e do tempo, bem como as inúmeras formas distintas que compõem a matéria perceptível (pudgala). Para o Jainismo, que não admite a existência de um Criador ou divindade suprema, a criação inteira é conservada pela interação entre as entidades animadas e inanimadas.

A terceira categoria, já mencionada, chama-se influxo (âsrava), e refere-se à absorção de karma, que polui a Consciência transcendental a ponto de esta passar a crer-se finita e associada, se não idêntica, a um corpo físico. O karma é atraído pelos atos mentais e físicos do ser. Esse influxo de karma também recebe, no Jainismo, o nome de yoga, que significa a "união" do Si Mesmo transcendente com a realidade física; isto é, a contração do Si Mesmo ao redor de um conglomerado material finito.

A quarta categoria é o agrilhoamento (*bandha*), cujas causas são as concepções errôneas, o apego, a negligência, a paixão (*kashâya*) e a associação (*yoga*) com o corpo e a mente limitados. Depois vem a categoria da "precaução" (*samvara*), que é o processo de prevenção da geração do karma por meio da conduta moral correta. A virtude central do código moral jaina é o não ferir (*ahimsâ*), que acarreta a proibição de matar quaisquer seres animados por qualquer motivo que seja, mesmo a alimentação ou o sacrifício, e exclui até mesmo a intenção de ferir outro ser. Na origem, a maioria dos jainas pertencia às famílias aristocráticas e à casta guerreira (*kshatriya*). Entretanto, as proibições acerca da violência forçaram os leigos jainas a entrar em profissões mercantis. A ética constitui o próprio fundamento do Jaina Yoga, e o que se diz é que não há ascese nem meditação que possam levar à emancipação se não forem acompanhadas pela cuidadosa observância das leis morais.

A sexta categoria é chamada "exaustão" (*nirjara*) e diz respeito à eliminação total do karma nas formas mais altas de êxtase (*samâdhi*), provocadas pela ascese e pela penitência extremas. Essa penitência, consubstanciada especialmente na prática rigorosa do não-ferir (*ahimsâ*), não só interrompe o fluxo do karma como também reverte todos os efeitos kármicos. Disso resulta, como sétima categoria, o estado transcendental de emancipação (*moksha*), ou conhecimento absoluto. Eis o que diz Mahâvîra, no antigo *Âcâra-Anga-Sûtra* (330-332), acerca desse estado de perfeita liberdade:

> Todos os sons detêm-se lá onde não há lugar para a razão, onde a mente não penetra. O ser liberto não é comprido nem curto, não é redondo nem triangular, não é branco nem preto; é sem corpo, sem contato [com a matéria]... não é homem, nem mulher, nem neutro. Embora perceba e conheça, não há analogia [capaz de descrever sua percepção ou conhecimento]. Seu ser é sem-forma. Não há condições no Incondicionado.

A Realidade transcendente, o Si Mesmo, também é chamada de o Senhor (*prabhu*). No *Âtma-*

> "Os mestres de Yoga afirmaram que a ignorância consiste em ver o eterno, o puro e o Si Mesmo no finito, no impuro e no não-Si Mesmo, e que a sabedoria consiste na percepção da Realidade."
>
> — *Jnâna-Sâra* 105

Anushâsana (266), escrito em sânscrito, o mestre Gunabhadra, do século IX, afirma:

> O Senhor é o Agente e o Paciente não-nascido, indestrutível, sem forma, feliz e sábio, [que coincide com o tamanho do] corpo somente, livre de impurezas, [e que], tendo ascendido, permanece imóvel.

No *Niyama-Sâra* (43-46) de Kunda Kunda, escrito no século VI, encontramos os seguintes versículos que descrevem o seu objeto por meio de repetições:

> O Si Mesmo (*âtman*) não sofre castigo, não tem opostos, não tem a idéia de "eu" (*nirmama*), não tem partes, não tem sustentáculo [fora de Si], não tem apego, não tem defeitos, não tem ilusão e não tem medo.
>
> O Si Mesmo não tem nós (*nirgrantha*), não tem apego, não tem mancha, não tem defeitos, não tem desejos, não tem ira, não tem orgulho e não tem luxúria.
>
> Cor, sabor, aroma, tato, masculinidade, feminilidade, as tendências masculinas [ou femininas], etc., as [diversas espécies de] posições e os [vários tipos de] corpos — nada disso existe no vivente (*jîva*) [transcendental].
>
> Conhece que o vivente [transcendental] não tem gosto, não tem forma, não tem cheiro, não é manifesto [mas é] consciente, não tem qualidades, não tem som, não é reconhecível por [qualquer] sinal [externo] e não tem uma localização que se possa descrever.

Kunda Kunda compara então a verdadeira natureza do si mesmo vivente (*jîva*) aos seres libertos (*siddha-âtman*), que não conhecem o nascimento nem o crescimento nem a morte. Só do ponto de vista empírico (*vyavahâra*) se pode dizer que os viventes individuais possuem características como a forma e a delimitação, ao passo que do ponto de vista puro (*shuddha*) eles são dotados da mesma pureza que os libertos.

A Escada da Libertação no Jainismo

Há no coração do Jainismo um caminho cuidadosamente elaborado que leva o fiel dos grilhões da existência condicionada e do sofrimento à liberdade absoluta, à máxima felicidade e à superabundância de energia. Embora o procedimento recomendado para a boa vida espiritual seja o abandono de todas as coisas e a dedicação exclusiva a uma vida de renúncia e penitência, as autoridades jainas afirmam mesmo assim que, em princípio, até o pai de família tem a possibilidade de libertar-se.

De acordo com um modelo amplamente aceito no Jainismo, a escada da libertação comporta quatorze estágios, chamados níveis de virtude (*guna-sthâna*). Esse modelo descreve o decurso do amadurecimento espiritual da pessoa, da vida mundana até a libertação. Começa com o estado convencional de não-iluminação. Esse estado é regido pela visão falsa (*mithyâ-drishti*), a idéia errônea que a pessoa tem de achar-se idêntica ao corpo-mente finito. Aos poucos vai surgindo um "gosto" pela visão correta (*samyag-drishti*). O praticante compreende então que é algo mais do que a carcaça delimitada pela pele e destinada à morte. Esse conhecimento cresce com a prática e, desde que se submeta a uma disciplina constante, o aspirante caminha passo a passo rumo à libertação. Os quatorze estágios (*sthâna*) são caracterizados da seguinte maneira:

1. Visão falsa (*mithyâ-drishti*): neste nível, o ser vivente ainda é completamente não-iluminado e, portanto, está sob o domínio absoluto das forças do karma.

2. Gosto pela visão correta (*sâsvâdana-samyag-drishti*): surge uma compreensão nebulosa do que é verdadeiro e do que é falso, mas o ser cai por longos períodos de volta na ignorância.

3. Visão correta e falsa (*samyag-mithyâ-drishti*): o ser oscila entre a verdade e a dúvida. Este estágio também é chamado "misto" (*mishra*).

4. Falta de autocontrole com visão correta (*avirata-samyag-drishti*): neste estágio, a intuição da verdade já existe, mas o controle das emoções ainda é problemático. É aqui que pode começar a vida espiritual propriamente dita, desde que se cultive o autocontrole (*virati*).

5. Autocontrole condicional com visão correta (*desha-virata-samyag-drishti*): percebe-se a importância da conduta moral e surge o desejo de renunciar ao mundo para abraçar a ascese; aqui termina a carreira do chefe de família, que tem de decidir se adia a renúncia ao mundo ou se ascende a estágios superiores por meio da penitência.

6. Controle sobre a desatenção (*pramatta-samyatâ*): o asceta já controlou de modo quase completo os quatro vícios, que são a cobiça, a ira, o orgulho e a ilusão. É capaz então de conter a tendência da mente de recair em padrões inconscientes de comportamento por pura e simples desatenção (*pramâda*).

7. Atenção controlada (*apramatta-samyatâ*): através da purificação da mente, o asceta vence o sono e adquire o poder de concentrar-se intensamente e mergulhar na meditação.

8. Luta grosseira contra a imobilidade (*nivritti-bâdara-sâmparâyâ*): este estágio também é chamado *apûrva-karana-sâmparâyâ* em virtude de uma prática especial de meditação pela qual o asceta cultiva uma alegria que antes não conhecia. Além disso, o asceta adquire um poder ainda maior sobre si mesmo.

9. Luta grosseira contra a não-imobilidade (*anivritti-bâdara-sâmparâyâ*): neste estágio, os impulsos sexuais são completamente controlados e as forças emocionais são igualmente subjugadas.

10. A luta sutil (*sûkshma-sâmparâyâ*): agora são erradicados os últimos vestígios de interesse pelo mundo.

11. Pacificação da ilusão (*upashânta-mohâ*): a noção errônea de que a pessoa é uma entidade física isolada é plenamente dominada e dá lugar à intuição da Consciência universal.

12. Desaparecimento da ilusão (*kshîna-mohâ*): aqui se destroem todas as ilusões egóicas e o asceta, desvinculado dos efeitos do karma, atinge a gnose plena.

13. Transcendência ativa (*sayoga-kevalî*): é este o estágio em que o ser se separa, no interior, de toda a multiplicidade. Caso o asceta onisciente resolva, nesse estado, comunicar a todos o conhecimento que acabou de descobrir, torna-se um *tîrthankara*, um pontífice. Este estado extático dura no mínimo um *muhûrta* (quarenta e oito minutos) e no máximo um pouco menos de um *pûrva-koti* (7056 seguido de vinte e sete zeros). O asceta que chegou a esta sublime condição é chamado de "transcendente" (*kevalin*), "vitorioso" (*jîna*) ou "digno" (*arhat*).

14. Transcendência inativa (*ayoga-kevalî*): neste estágio do processo meditativo, que não dura mais de um *muhûrta*, erradicam-se os últimos vestígios do karma e o asceta se torna um ser plenamente liberto. Esta condição é alcançada pelo *jîna* ou *arhat* logo antes da morte do corpo físico. É o estágio correspondente ao *dharma-megha-samâdhi* do Yoga Clássico. A libertação propriamente dita está além dos quatorze estágios da virtude. É a Condição luminosa do ser perfeito (*siddha*), liberto do karma e da existência corpórea.

Deve-se acrescentar que os estágios oito, nove e dez são especialmente importantes, porque é neles que o praticante adquire o controle sobre as paixões nos seus aspectos grosseiros e sutis. A fim de chegar ao estado de iluminação, o peregrino tem de passar por três grandes processos internos. O primeiro processo, chamado *yathâ-pravritti-karana*, reduz a duração e a intensidade do karma. No segundo, chamado *apûrva-karana*, o "nó" (*granthi*) do coração é cortado e o praticante adquire o poder de passar a níveis superiores de meditação. Isso ocorre no oitavo estágio da escada espiritual de quatorze degraus. Finalmente, por meio do terceiro processo, ativado no décimo estágio e chamado *anivritti-karana*, a matéria kármica que rodeia e pesa sobre o Si Mesmo se divide em três partes: pura, impura e mista. Dependendo do aspecto do karma que então é ativado, o indivíduo regride à disposição mundana ou passa aos estágios superiores da prática meditativa.

Os meios principais que determinam o progresso nesses estágios de realização espiritual são as regras morais detalhadíssimas que estão expostas nos livros canônicos do Jainismo. A lista de virtudes apresentada a seguir nos mostra o quanto são semelhantes as éticas jaina, budista e hindu. No famoso *Tattva-Artha-Sûtra* (9.7) de Umâsvâti, escrito no século V d.C., encontramos a seguinte enumeração das qualidades do asceta, que são todas elas consideradas formas da não-violência: longanimidade (*kshamâ*), humildade (*mârdava*), retidão (*ârjava*), pureza (*shauca*), veracidade (*satya*), autocontrole (*samyama*), ascese (*tapas*), renúncia (*tyâga*), pobreza (*akincanya*, lit. "não ter nada") e castidade (*brahmacarya*). Os leigos estão obrigados a observar os seguintes preceitos: dar esmolas (*dâna*), ter uma conduta virtuosa (*shîla*), fazer ascese (*tapas*) e cultivar a disposição espiritual (*bhâva*). Há outros textos que contêm prescrições diferentes e até mesmo bem mais detalhadas tanto para os monges quanto para os leigos.

Jaina Yoga

Nos seus aspectos mais elevados, o Jaina Yoga assemelha-se ao seu homólogo hindu. Com efeito, os autores jainas de época mais tardia, como Haribhadra Sûri (c. de 750 d.C.),[7] utilizaram-se de algumas formulações de Patanjali. No seu *Yoga-Bindu*, Haribhadra faz o seguinte louvor do Yoga:

O Yoga é a melhor árvore dos desejos. É a suprema jóia que atende a todos os desejos (*cintâ-mani*). É a maior de todas as virtudes. É a própria expressão da perfeição (*siddhi*). (37)

Por isso, afirma-se que ele é [semelhante a um] fogo [que consome] a semente das encarnações. É semelhante ao que a extrema velhice é para o envelhecimento, ao que o definhamento fatal do corpo é para o sofrimento, ao que a morte é para a própria morte. (38)

As grandes almas (*mahâ-âtman*)[8] realizadas no Yoga afirmam que a simples escuta das duas sílabas [da palavra *yoga*], segundo as normas, é suficiente para a eliminação dos pecados. (40)

Assim como o ouro impuro é inevitavelmente purificado pelo fogo, assim também a mente afligida pela mácula da ignorância [espiritual] é [purificada] pelo fogo do Yoga. (41)

Portanto, o Yoga é na verdade o fundamento da realização da Realidade (*tattva*), a qual não se pode verificar de nenhuma outra maneira. Não há nada que se compare [ao Yoga]. (64)

Portanto, para realizar essa mesma Realidade, o homem prudente deve sempre empenhar todos os seus esforços. Os livros, com seus argumentos, de nada aproveitam. (65)

Haribhadra distingue entre o Yoga propriamente dito e o que ele chama de culto preparatório (*pûrva-sevâ*). Este último compreende as seguintes práticas:

1. A veneração ou adoração (*pûjana*) do mestre, das divindades e dos demais seres dotados de autoridade sobre o adorador, como seus pais e os mais velhos. No caso das divindades, isso envolve a adoração ritual, com a oferenda de flores e outras prendas. No caso dos mais velhos e dos superiores, a adoração se manifesta nas inclinações respeitosas e na obediência que lhes é devida.

2. A boa conduta (*sad-âcâra*) compreende a caridade (*dâna*), a obediência às normas sociais, o hábito de jamais culpar as outras pessoas, a prática da alegria e a gratidão em meio às adversidades, a humildade, o cuidado com as palavras, a integridade, o cumprimento dos votos, a diligência e a abstenção de toda e qualquer conduta repreensível mesmo em face da morte.

3. A ascese ou a penitência (*tapas*) tem o poder de eliminar os pecados e por isso deve ser praticada ao máximo. Envolve sobretudo diversas formas de jejum, inclusive alguns bem prolongados, de até um mês, associados à recitação de *mantras*.

4. A não-aversão pela libertação (*mukti-advesha*; escreve-se *muktyadvesha*) ou o que no Vedânta se chama desejo de libertação: esta disposição é essencial para o sucesso na vida espiritual. O desejo de transcender as limitações egóicas tem de predominar sobre todos os demais desejos e impulsos. Haribhadra afirma que as pessoas comuns, seduzidas pelo hedonismo, não vêem atrativo algum no ideal da libertação, pois ele não comporta a promessa das alegrias habituais. Aliás, essas pessoas sentem-se ameaçadas pela idéia de uma bem-aventurança na qual o ego fique eclipsado. É por isso que é importante cultivar o reto conhecimento teórico.

Um tîrthankara
Reproduzido de *Journal of Indian Art and Industry*

Essas práticas preparatórias podem ser realizadas por aquele que a tradição jaina chama de *apunar-bandhaka*, o homem que, depois de numerosas existências, cansou-se do jogo mundano e entrou em sua última encarnação. Para Haribhadra, porém, o Yoga propriamente dito só pode ser praticado por um indivíduo ainda mais maduro do ponto de vista espiritual. Ele fala do *samyag-drishti*, da pessoa dotada de reta visão ou compreensão, e do *câritrin*, que segue com firmeza a via espiritual.

O *apunar-bandhaka* ocupa o primeiro dos quatorze níveis de virtude acima descritos, no qual predomina a ilusão do ego. O *samyag-drishti*, que Haribhadra compara ao *bodhisattva* budista, chegou ao quarto nível, no qual as intuições espirituais fundamentais prevalecem mas a disciplina ainda é difícil. O *câritrin* encontra-se no quinto nível, marcado pelo desejo de renunciar ao mundo e adotar o estilo de vida dos ascetas.

Haribhadra diz que o verdadeiro Yoga tem cinco graus, que só podem ser galgados pelo *câritrin*:

1. *Adhyâtman*, ou *adhyâtma-yoga*, é a lembrança e a meditação constantes da pessoa sobre a sua própria natureza essencial.

2. *Bhâvanâ*, contemplação, é a observação concentrada e cotidiana dessa mesma natureza essencial (*adhyâtman*), o que faz com que a pessoa passe mais tempo em estados mentais positivos do ponto de vista espiritual e melhora a qualidade desses estados.

3. *Dhyâna*, meditação, é a fixação da mente em objetos auspiciosos, o que acarreta uma alegria sutil. Essa meditação produz uma grande estabilidade mental e a capacidade de influenciar outras pessoas através da mente.

4. *Samatâ*, a "equanimidade", é uma espécie de indiferença em relação às coisas que normalmente nos provocariam desejo ou aversão. O cultivo dessa atitude tem como um dos seus fundamentos a rejeição do uso dos poderes psíquicos (*riddhi* ou *siddhi*) e atenua as forças kármicas sutis que amarram a pessoa à existência mundana.

5. *Vritti-samkshaya*, a eliminação total dos movimentos da consciência, é a transcendência de todos os estados psicomentais produzidos pelo karma. Isso leva à libertação (*moksha*), que "não admite limites e é a sede da eterna bem-aventurança" (*Yoga-Bindu* 367).

No âmago da prática avançada de Yoga está a concentração meditativa, que todos os seguidores do Jainismo devem praticar pelo menos uma vez por dia durante um *muhûrta* (quarenta e oito minutos) pela manhã. O asceta, naturalmente, deve dedicar a maior parte do seu tempo a esse exercício. Mas os leigos podem fazer votos adicionais pelos quais ficam obrigados, por exemplo, a meditar três vezes por dia e por períodos mais longos.

Não existem regras estritas acerca de como praticar-se a meditação. Pode-se escolher entre várias técnicas, algumas das quais se parecem muito com certos exercícios tântricos. Umâsvâti, em seu *Tattva-Artha-Sûtra* (9.27-46), explica a meditação da seguinte maneira:

> A meditação (*dhyâna*) é a contenção (*nirodha*) da mente concentrada (*cintâ*) [no caso da pessoa dotada da] mais perfeita constância...
>
> ... por até um *muhûrta* [quarenta e oito minutos].
>
> [A meditação pode ser de quatro tipos:] desagradável (*ârta*), furiosa (*raudra*), virtuosa (*dharma*) ou pura (*shukla*).
>
> [Só] os últimos dois [tipos] são causa de libertação.
>
> A [meditação] desagradável [acontece] quando, ao entrar em contato com uma experiência desprazerosa (*amano-jnâna*), [o praticante] repousa na lembrança [dessa experiência] a fim de dissociar-se dela
>
> e das sensações [desagradáveis],
>
> do inverso da experiência agradável
>
> e do "vínculo" (*nidâna*) [que é o desejo de realizar uma certa intenção numa existência futura].
>
> Essa [meditação desagradável acontece] no caso dos indisciplinados, dos parcialmente disciplinados e dos que não têm autocontrole.
>
> A [meditação] furiosa, [que acontece] no caso dos indisciplinados ou parcialmente disciplinados, tem como objeto a violência, a mentira, o roubo ou a preservação dos objetos possuídos.
>
> A [meditação] virtuosa, [que acontece] no caso do [asceta] disciplinado e atento, tem como objeto a verificação da ordem (*âjnâ*) revelada [i.e., da tradição sagrada], a diminuição (*apâya*) [do Si Mesmo através do karma], a fruição (*vipâka*) [do karma] e a construção (*samsthâna*) [do universo].
>
> [Essa meditação acontece] também no caso daqueles cujas paixões foram pacificadas ou desapareceram.
>
> [Aquele cujas paixões (*kashâya*) desapareceram por completo pratica] também as duas [primeiras meditações] puras.
>
> As [duas] outras [meditações puras acontecem] no caso do ser transcendente (*kevalin*).
>
> [As quatro formas ou estágios da meditação pura são:]

A consideração (*vitarka*) da separatividade e da unicidade, a imersão (*pratipatti*) na atividade sutil e o fim da atividade imóvel.

Essa [quádrupla meditação pura ocorre com aqueles que conhecem respectivamente] a ação corpórea (*yoga*) tripla, a única e a pura [e com os que são completamente] inativos.

No que diz respeito às primeiras [duas formas, que envolvem a] consideração, [há] somente um apoio [ou objeto de meditação].

A segunda [dessas formas que envolvem a consideração ou *vitarka*] está além da reflexão (*avicâra*).

A consideração é [o conhecimento do que foi] revelado (*shruta*).

A reflexão (*vicâra*) é o girar [da mente] em torno do sentido (*artha*), do símbolo (*vyanjana*) e da atividade (*yoga*).

Como no caso de todos os textos de tipo *Sûtra*, essa obra mal seria compreensível sem os seus comentários. O aforismo 9.42, em particular, é muito obscuro. Parece que o terceiro grau de meditação pura (*shukla-dhyâna*) consiste na atividade corpórea por si só. Nesse nível não há consideração (*vitarka*) nem reflexão (*vicâra*). Então, no quarto e último estágio, a atividade corpórea, que já tinha sido imobilizada, é transcendida por completo. O primeiro grau da meditação pura encaixa-se entre o oitavo e o décimo primeiro estágios do caminho de quatorze etapas; o segundo grau corresponde ao décimo segundo estágio; o terceiro corresponde ao décimo terceiro; e o quarto grau coincide com o décimo quarto estágio, que é o seguido pela libertação propriamente dita.

O esquema de quatro tipos ou graus de meditação é interessante e a fraseologia usada nos lembra muito o *Yoga-Sûtra* de Patanjali. Mas Umâsvâti, autor desta obra jaina, dá interpretações próprias e idiossincráticas a termos yogues tão capitais quanto *vitarka* e *vicâra*. Coisa semelhante acontece no Budismo, que também tem as suas interpretações próprias, embora elas sejam anteriores às formulações de Patanjali.

A concentração meditativa pode ser praticada na posição sentada ou em pé. Os textos jainas mencionam posturas como a do "enxergão" (*paryanka*) e a do "meio-enxergão" (*ardha-paryanka*), que são posturas de reclinação, e a postura do raio (*vajra-âsana*; escreve-se *vajrâsana*), a postura do lótus (*kamala-âsana*; escreve-se *kamalâsana*) e a postura do alfaiate ou postura fácil (*sukha-âsana*; escreve-se *sukhâsana*), que devem todas ser praticadas num lugar conveniente. Entretanto, às vezes se recomenda que o lugar não seja confortável, mas desagradável, o que nos faz lembrar do costume tântrico de sentar-se para meditar no campo de cremação em meio aos cadáveres em decomposição — um lembrete muito eficaz da impermanência de todas as coisas.

Alguns textos, como o *Yoga-Shâstra* de Hemacandra, mencionam outras posturas (*âsana*) idênticas às do Yoga hindu, como a postura do herói (*vîra-âsana* escreve-se *vîrâsana*), a postura auspiciosa (*bhadra-âsana*; escreve-se *bhadrâsana*) e a postura do bastão (*danda-âsana*; escreve-se *dandâsana*). Hemacandra também cita uma certa *utkatika-âsana* (escreve-se *utkatikâsana*) e uma *godohika-âsana* (escreve-se *godohikâsana*) e diz que não há regras especiais que determinem a escolha de uma postura de preferência a outra. O termo técnico genérico que designa a postura de meditação é *kâya-utsarga* (escreve-se *kâyotsarga*, "lançar fora o corpo"), e esse é às vezes o nome que se dá a uma postura específica. A denominação dá a entender que o objetivo dessas posturas yogues não é cultivar o corpo, mas transcendê-lo. Em seu *Niyama-Sâra* (121), Kunda Kunda atribui um sentido psicológico a essa prática:

> Aquele que repudia a [idéia da] estabilidade de todas as outras substâncias, tais como o corpo, e pratica a meditação sem-forma (*nirvikalpa*) no Si Mesmo, cultiva o "lançar fora o corpo" (*tanu*).

Hemacandra recomenda o controle da respiração (*prânâyâma*) como auxiliar da meditação e segue nesse ponto as diretrizes gerais dadas por Patanjali no *Yoga-Sûtra*. Mas, dentre os mestres jainas que escreveram sobre o Yo-

---

"O mais elevado grau de virtude [para os monges compreende] a paciência, a humildade, a retidão, a pureza, a veracidade, o autocontrole, a ascese, a renúncia, a pobreza e a castidade."

— *Tattva-Artha-Adhigama-Sûtra* 9.6

ga, pelo menos um — Shubhacandra, em seu *Jnâna-Arnava*[9] — defende outro ponto de vista. Afirma ele que o controle da respiração colabora para o controle da atividade física, mas estorva a concentração e tende a produzir experiências desagradáveis (*ârta*) durante a meditação. Aconselha então o praticante a aspirar ao que ele chama de concentração superlativa (*parama-samâdhi*). Essa mesma opinião é reforçada por Kunda Kunda em seu *Niyama-Sâra* (124), no qual ele faz o seguinte comentário:

> De que vale refugiar-se na floresta, macerar o corpo, jejuar, estudar e manter-se em silêncio (*mauna*) para o asceta (*shramana*) a quem falta a equanimidade (*samatâ*)?

Na mesma obra, encontramos este versículo:

> Se aspiras à independência (*avashyaka*), concentra firmemente os teus pensamentos na vera natureza do Si Mesmo. Desse modo, a qualidade da equanimidade (*sâmâyika*) é cultivada plenamente no indivíduo. (147)

Algumas das práticas ascéticas recomendadas pelo Jainismo, como o jejum levado às últimas conseqüências, são marcadas por um certo extremismo e não parecem coadunar-se com o princípio ético da não-violência ou do não-ferir; por isso, foram criticadas por representantes das mais diversas linhas espirituais. Esses excessos provêm da atitude jaina perante a existência física, encarada como a fonte do sofrimento e de todas as limitações dolorosas. O corpo e a mente humanos devem ser disciplinados constantemente através do jejum e de outras formas de penitência até que o Espírito humano seja liberto de todos os vínculos físicos. O Jainismo, mais do que qualquer outra tradição, encarna o espírito da ascese (*tapas*), do qual falamos longamente no Capítulo 3.

Apesar de essa crítica ter o seu fundamento, o Jainismo deu origem a uma longa linhagem de nobres mestres e de aspirantes dedicados que demonstraram o supremo valor da arte yogue de fazer e cumprir os votos sagrados. Tanto a firmeza quanto a suavidade espiritual deles devem servir de inspiração sobretudo ao aspirante moderno, que nem sempre compreende que a vida espiritual é um processo constante de transformação que exige do indivíduo o sacrifício de toda a sua vida.

TEXTO ORIGINAL 7

Yoga-Drishti-Samuccaya (Trechos Escolhidos)
Traduzido para o Inglês por Christopher Key Chapple

O *Yoga-Drishti-Samuccaya* ("Compêndio de Pontos de Vista sobre o Yoga"), de Haribhadra Sûri, composto de 228 versículos, é uma utilíssima introdução ao caminho yogue de acordo com a perspectiva jaina.

Eu, que aspiro ao Yoga, depois de prostrar-me perante o sumo Jina, o Forte, [mestre do] Yoga acessível aos *yogins*, discursarei neste texto acerca das distinções do sistema do Yoga. (1)

Aqui, com efeito, por amor ao Yoga e para o benefício dos *yogins*, ponderar-se-á a forma essencial dos Yogas, como o desejo, etc. (2)

Para aquele que, embora conheça o objetivo das escrituras sagradas e queira realizá-lo, é descuidado e deficiente no *dharma-yoga*, existe o que se chama de *icchâ-yoga*. (3)

O *shâstra-yoga* só é conhecido quando, em virtude da força do intelecto e da fala, surgem as capacidades de não ser descuidado nem deficiente na fé. (4)

O caminho da contemplação das escrituras sagradas é excelente. Porém, o mais elevado de todos os Yogas é chamado o do empenho (*sâmarthya*), em virtude da sua superabundância de poder. (5)

Com efeito, são diversas as causas que levam à aquisição dos graus chamados de perfeições; eles nem sempre são alcançados pelos *yogins* a partir tão-somente das verdades das escrituras sagradas. (6)

Esta [prática de Yoga] tem duas espécies: a renúncia aos *dharmas* [i.e., aos objetos] e a renúncia ao Yoga. [A renúncia aos] *dharmas* é a completa aniquilação do desejo de atividade, e [a renúncia ao] Yoga é [a renúncia] ao karma do corpo, etc. (9)

Depois de submeter-se à verdadeira fé, afirma-se que o ser [adquire] uma "visão esclarecida", desferindo um golpe contra a existência irreal [ou mundana] (*asat-pravritti*) e passando a produzir por estágios a existência real (*sat-pravritti*). (17)

A mente reta presta homenagem aos Jinas; purificada, ela faz prostrações, etc. É essa a mais elevada semente do Yoga. (23)

Deve-se praticar a devoção infinita, fazendo-a acompanhar-se do ato da atividade mental adequada. Não convém ter a intenção centrada no fruto dessa ação; assim, em verdade, o ser recebe como dom a pureza. (25)

Essa [devoção] deve dirigir-se especialmente aos mestres e aos que se lhes assemelham; em tais *yogins* surge o estado de pureza. Os negócios devem ser conduzidos de acordo com as normas, de tal modo que o ser permaneça com uma consciência especialmente pura. (26)

O estado do ser agita-se por natureza e permanece agitado mediante a assimilação da substância [kármica] (*dravya*). Pela instrução, pelos livros, etc., o ser deve voltar-se para o fim último [i.e., a libertação]. (27)

Quando se destrói o estado impuro, surge então um herói renascido. A mente se torna não-manifesta e não há mais nada de importante a ser feito. (30)

Afirma-se que, no último nascimento, as marcas nas almas dos seres são destruídas, (31)

o que resulta numa compaixão infinita pelos sofredores, na indiferença às mudanças e na disposição às boas ações, em todo lugar, sem distinção alguma. (32)

O Yoga, a ação e os seus frutos são chamados os três objetos autênticos (*avancaka-traya*). A confiança absoluta nos maiores santos assemelha-se à ação de uma flecha que mira um objeto. (34)

As homenagens, etc., que se prestam às verdades, geram a firmeza na prática e consistem na mais elevada de todas as causas. Diminui então a impureza que macula o ser da pessoa. (35)

Assim como uma semente que se põe em água salgada tem de ser lançada fora, mas a que se põe em água doce termina por brotar, assim também ocorre com a pessoa que ouve a verdade. (61)

As observâncias garantem bons auspícios para os seres. Aquele que se firmou na devoção pelo *guru* faz o bem aos dois mundos. (63)

Pelo poder da devoção pelo *guru* obtém-se a visão dos *tîrthankaras*. Pelas formas de meditação, etc., o ser apega-se ao *nirvâna* [como à sua meta]. (64)

O sinal do verdadeiro esforço [espiritual] (*sad-anushthâna*) é a alegria no empenho, a ausência de obstáculos, o conhecimento das escrituras sagradas, o desejo de saber e a reverência pelos sábios (123)

A suma verdade (*tattva*) da superação do mundo da mudança (*samsâra*) é chamada *nirvâna*. A sabedoria adquirida através da disciplina é singular quanto à verdade, embora se faça ouvir de diferentes maneiras. (129)

Essa suma verdade não tem características contraditórias, é livre de todas as perturbações e enfermidades e livre também de toda atividade. Por meio dela, o ser se liberta do nascimento, etc. (131)

Deve-se empenhar o máximo esforço em não infligir aos outros o menor sofrimento sequer. Concomitantemente, deve-se procurar ser sempre prestativo. (150)

Com os defeitos reduzidos ao nada, onisciente, dotado dos frutos de tudo o que pode ser realizado, agindo agora unicamente para o bem dos outros, tal ser alcança o fim do Yoga. (185)

O abençoado alcança rapidamente o mais elevado *nirvâna* a partir da disjunção (*ayoga*) que é o melhor dos Yogas, depois de pôr fim às aflições da existência mundana. (186)

O ser liberto das aflições ainda está no mundo; assim é [o ser liberto]. Não é que ele não exista, nem que não esteja liberto, nem que já não se tenha contado entre os aflitos. (187)

Em verdade, a existência é a grande aflição, feita de nascimento, enfermidade e morte; produz várias formas de ilusão, causa a sensação de excessivo desejo e assim por diante. (188)

É esta a principal [aflição] da alma: gerar, desde sempre, a causa de diversos karmas. Todos os seres vivos compreendem o que é isso. (189)

Quando se liberta disso, o ser alcança o estado primordial da libertação. Com o fim da mácula do nascimento, etc., o ser encontra esse estado de impecabilidade. (190)

"Jubilosa é a figura dos Budas. Jubiloso é o aprendizado da verdadeira doutrina (*dharma*). Jubilosa é a reunião do Sangha. Jubilosa é a penitência dos que se reuniram."

— *Dhamma-Pada* (14.16)

Capítulo 7
O YOGA NO BUDISMO

I. NASCIMENTO E EVOLUÇÃO DO BUDISMO

Gautama, o Buda

Budismo é o nome que se dá à tradição cultural complexa que se cristalizou em torno dos ensinamentos originais de Gautama (Gotama), o Buda (Buddha), que provavelmente nasceu em 563 a.C. e morreu aos oitenta anos de idade. O século VI a.C. foi uma época de profunda agitação cultural e atividade religiosa, particularmente no poderoso reino de Mâgadha, no sul de Bihar, pátria do Budismo primitivo. Ao que parece, tanto a classe governante quanto o grosso da população de Mâgadha não se sentiam muito à vontade com a classe sacerdotal ortodoxa pós-védica. O historiador britânico Vincent A. Smith resumiu a situação em palavras bastante severas:

Naquela época, a religião dos brâmanes, exposta nos tratados chamados *Brâhmanas*, era uma coisa mecânica e sem vida, revestida de um pesado cerimonialismo. O formalismo cansativo dos rituais aborrecia a muitos, ao passo que a crueldade dos numerosos sacrifícios sangrentos repugnava a outros. O povo an-

Gautama, o Buda

siava por um outro caminho, um caminho melhor, que conduzisse à meta da salvação desejada por todos.[1]

Alguns desses dissidentes encontraram abrigo no Jainismo; outros refugiaram-se na doutrina de Gautama, o Buda. A vida de Gautama não é muito mais conhecida do que a de Mahâvîra, fundador do Jainismo. Entretanto, a personalidade carismática e bondosa do Buda, mesmo depois de milênios, revela-se a nós nos sermões que ele pregou e que foram registrados em língua pali. O Buda pregava no dialeto de Mâgadhi, e o pali, como o sânscrito, é uma língua sagrada que foi empregada pela primeira vez pelos que compilaram os ditos búdicos e compuseram outras obras doutrinais primitivas. É como diz Christmas Humphreys, renomado budista e divulgador do Budismo, de nacionalidade inglesa:

> Sua compaixão era absoluta... Sua dignidade era inabalável, sua disposição de espírito, invariável. Era ele dotado de uma paciência infinita, pois conhecia a ilusão do tempo.[2]

À semelhança de Mahâvîra, Sidarta[3] Gautama era um aristocrata. Nasceu no clã dos Shakyas de Koshala, país situado na fronteira sul do atual Nepal. Depois da iluminação, passou a ser conhecido como o sábio dos Shakyas, Shakyamuni. Cresceu e foi criado em meio à riqueza e à segurança da vida das classes dominantes daquele período. Aos vinte e nove anos, cansado da vida protegida e confortável, renunciou ao mundo e saiu em busca da sabedoria.

Sua procura levou-o a aproximar-se de dois mestres famosos que são mencionados pelo nome no cânone pali — Ârâda Kâlâpa (pali: Âlâro Kâlâmo) de Mâgadha, que tinha trezentos discípulos, e Rudraka Râmaputra (pali: Uddako Râmaputto) da cidade de Vaishâlî, que tinha setecentos discípulos. Parece que o primeiro ensinava uma espécie de Yoga upanishádico que culminava na identificação com a "esfera do nada" ou "esfera sem objetos" (âkimcanya-âyatana). Gautama não teve dificuldade alguma para chegar a esse estado e Ârâda Kâlâpa, generoso, ofereceu-lhe a co-liderança da sua ordem de ascetas. Mas Gautama, percebendo que ainda não havia chegado à mais alta realização, recusou a oferta.

Em vez disso, tornou-se discípulo de Rudraka Râmaputra, cuja doutrina prometia uma evolução espiritual maior. Mas, ainda desta vez, Gautama chegou facilmente ao estado que, segundo esse sábio, seria a realização suprema — a identificação com a "esfera nem de consciência nem de inconsciência" (naiva-samjnâ-asamjnâ-âyatana), que talvez corresponda ao êxtase sem forma (nirvikalpa-samâdhi) do Vedânta. Gautama intuiu que esse estado também não era a verdadeira iluminação. Rudraka Râmaputra propôs-se igualmente a partilhar com ele a autoridade sobre a comunidade, mas o futuro Buda recusou e mudou-se para Urubilvâ (pali: Uruvelâ), às margens do rio Nairanjanâ.

Ali, sentado na postura paryanka ("divã"), ele permaneceu mergulhado na mais profunda meditação por seis anos, combatendo as paixões do corpo com uma mente indômita, o que o fazia suar abundantemente até mesmo durante as noites frias do inverno. Para aumentar a força dessa meditação, ele jejuou quase até a morte. Não obstante, depois de seis anos da mais austera mortificação, Gautama teve de admitir para si que aquela espécie de tortura, que tornara seus membros parecidos "aos nós de uma trepadeira fenecida", não era o caminho que levava à emancipação. Intuindo a existência de uma via média entre a abnegação incondicional e a vida dissipada dos mundanos, ele voltou a pedir esmolas para comer, como fizera antes. Seu corpo logo revigorou-se e recuperou a antiga aparência. De acordo com o relato mitológico do Lalita-Vistara, texto muito querido pelos budistas da linha Mahâyâna, assim que ele começou a comer de novo seu corpo brilhou com as cores do arco-íris e manifestou os trinta e dois sinais (lakshana) de um Buda.[4] Confiante agora no sucesso final e confortado pela lembrança de uma experiência extática espontânea que tivera na juventude, Gautama entregou-se ao processo espontâneo de meditação.

Numa única noite de meditação ininterrupta, Gautama obteve por fim o resultado almejado — tornou-se um ser desperto (buddha). Segundo a tradição, ele alcançou a iluminação numa noite de lua cheia do mês de maio, sentado sob uma figueira — conhecida como a árvore bodhi, ou árvore da iluminação — perto da cidade de Uruvelâ (Bodhgayâ) em Mâgadha (Bihar). A escola Theravâda do Sri Lanka reconheceu o dia da lua cheia de maio de 1956 como o 2.500º aniversário da iluminação do Buda.

Gautama, o Buda, passou sete dias sentado sob a figueira e aplicou sua inteligência suprema, já liberta de todos os desejos e concepções errôneas provenientes do ego, à compreensão do mecanismo da ignorância e da servidão espirituais e do caminho da liberta-

Gautama sob a figueira
(Reproduzido de *Buddhistische Bilderwelt*)

ção. Essas reflexões constituíram o fundamento de seus ensinamentos posteriores. Ao cabo de mais sete dias de contemplação silenciosa e de um rápido conflito interior, o Buda determinou-se a não guardar para si a sabedoria recém-adquirida, mas a transmiti-la aos outros, a "bater o tambor da Imortalidade em meio à escuridão do mundo". Infelizmente, seus dois mestres anteriores haviam morrido pouco tempo antes, de modo que ele não pôde partilhar com eles sua grande descoberta. Imediatamente, porém, procurou os cinco ascetas que haviam sido seus companheiros por muito tempo, mas que o haviam abandonado quando ele deixara de lado o ascetismo em favor de uma prática de meditação criada por ele mesmo. Seu primeiro sermão foi dirigido a eles no Parque dos Veados de Sarnâth, perto da moderna Benares — acontecimento lembrado como o "girar da roda da doutrina" (*dharma-cakra-pravartana*). Chamou o seu caminho de "caminho do meio" (*madhya-mârga*), uma vez que se situava entre os extremos do sensualismo e do ascetismo, da afirmação e da negação do mundo. Revelou também as quatro nobres verdades da onipresença do sofrimento, do desejo como causa do sofrimento, da eliminação dessa causa e do nobre caminho óctuplo (*ârya-ashta-anga-mârga*; escreve-se *âryâshtângamârga*).

A atividade docente do Buda teve tanto sucesso que alguns chegaram a pensar que ele estava fazendo magia. Em pouco tempo conseguiu fundar mosteiros, amparado pela ajuda generosa da corte do rei Bimbisâra de Râjagriha (a moderna Rajgir) e da rica classe dos comerciantes, que acolheram de braços abertos essa religião tolerante que desconsiderava completamente as restrições de casta sustentadas pela classe sacerdotal bramânica. Por quarenta e cinco anos, o Buda vagou pelo norte da Índia ensinando de graça a todos os que se dispunham a ouvi-lo. Numa de suas muitas viagens, teve um acesso de disenteria. Suas últimas palavras, registradas no *Mahâ-Parinibbâna-Sutta* em língua pali (sânscrito: *Mahâ-Parinirvâna-Sûtra*), foram:

> Ouvi, ó monges! Admoesto-vos e vos digo: todas as coisas compostas são impermanentes. Empenhai-vos com diligência! (61)

A Disseminação da Doutrina Búdica

Depois da morte do Buda, ocorrida em Kushinâgara (pali: Kusinârâ) no atual Nepal, tanto a ordem monástica quanto a comunidade leiga budistas continuaram a prosperar. A ordem também tinha freiras, embora pareça que o Buda relutava um pouco em ordenar mulheres. Então, no século III a.C., durante o reinado do famoso imperador Ashoka da dinastia Maurya, o Budismo deixou de ser uma seita local para transformar-se em religião de Estado.

O registro mais antigo dos ensinamentos do Buda é o cânone pali, coligido e organizado por três concílios sucessivos da ordem budista. O primeiro concílio, de historicidade duvidosa, foi realizado em Râjagriha imediatamente após a morte do fundador; o segundo aconteceu em Vaishâlî cerca de cem anos depois; e o terceiro e mais importante reuniu-se de novo em Râjagriha durante o reinado de Ashoka. Logo depois dele, o Budismo dividiu-se em duas tradições bem conhecidas: o Hînayâna ("Pequeno Veículo") e o Mahâyâna ("Grande Veículo"), ambas as quais afirmam-se possuidoras do verdadeiro e original sentido da doutrina do Buda. A primeira baseava-se exclusivamente nos textos escritos na sagrada língua pali, e a segunda fundamentava-se principalmente nos textos compostos em língua sânscrita, também sagrada. As diferenças entre esses dois "veículos" ou "caminhos" (*yâna*) foram aumentando na mesma medida em que ambas as escolas foram se transformando em tradições distintas.

A tradição Hînayâna, que sobrevive hoje sob a forma da escola Theravâda do Sri Lanka, era voltada para o indivíduo, na medida em que punha acima de todas as coisas a meta da extinção (*nirvâna*) total do desejo. As diversas escolas Mahâyâna, por sua vez, passaram a considerar essa atitude como relativamente árida e egoísta e procuraram substituí-la por uma perspectiva mais holística, que compreendia inclusive a reformulação do valor dos aspectos emotivos e sociais da vida humana e da própria natureza da meta budista. De acordo com essa reorientação, o *nirvâna* deixou de ser concebido como uma meta extrínseca e passou a ser visto como o substrato eterno que subjaz à existência fenomênica: a fórmula mais famosa do Mahâyâna é "*nirvâna é samsâra e samsâra é nirvâna*"; isto é, a Realidade transcendente e imutável é idêntica ao mundo da impermanência e vice-versa. Isso quer dizer que o mundo das formas mutáveis é intrinsecamente vazio (*shûnya*) e que o *nirvâna* não deve ser procurado fora do *samsâra*. Essa idéia fundamental foi apresentada pela primeira vez nos *Prajnâ-Pâramitâ-Sûtras* de cerca de 200 a.C. e consolidou-se filosoficamente no século IV d.C. com as escolas Vijnânavâda e Yogâcâra, acerca das quais falaremos em breve. O mais conhecido dos *Prajnâ-Pâramitâ-Sûtras* é o *Hridaya-Sûtra* ("*Sûtra* do Coração"), do qual damos uma tradução no Texto Original 8. Ele dá ênfase à doutrina do vazio, fundamento do Mahâyâna.

No século V d.C., o Budismo sofreu um prejuízo enorme com as invasões dos hunos, durante as quais boa parte do seu antigo legado foi destruída. Ao cabo de um curto período de recuperação sob o reinado do último imperador budista nascido na Índia, Harsha, no século VII, iniciou-se um gradual declínio. Na época em que os muçulmanos invadiram os reinos do norte da Índia, o Budismo já perdera nesse país a maior parte da sua força. Um dos fatores que mais colaborou para esse fato foi a obra missionária de Shankara, o maior dos mestres do Vedânta, cuja doutrina não-dualista é muito semelhante à doutrina do Budismo Mahâyâna.

Entretanto, o Budismo se deu bem melhor fora de sua terra natal — no Sri Lanka (Ceilão), na Indonésia, na China e no Japão. Já na época de Ashoka, monges budistas estabeleceram-se no Extremo Oriente; e, no século I d.C., o Budismo entrou na China, onde estaria destinado a um futuro glorioso. A partir dali, em 550 d.C. a tocha da sabedoria budista foi levada ao Japão. Duzentos anos depois, o Budismo conquistou o Tibete e, no século VIII, o Afeganistão.

O conhecimento do Budismo na Europa data da época de Alexandre Magno e de Ashoka. Depois, com o desenvolvimento do comércio entre a Índia e o mundo mediterrâneo, o Budismo e também o Hinduísmo tornaram-se mais conhecidos entre a intelectualidade européia. Alguns historiadores, por exemplo, são de opinião que Basílides de Alexandria tenha sofrido a influência da doutrina budista. Talvez o melhor exemplo da influência do Budismo sobre o Cristianismo seja a lenda de Barlaão e Josafá, contada por S. João Damasceno (século VIII d.C.). A lenda é de origem indiana e chegou aos padres da Igreja por meio de traduções sucessivas para o palevi, o grego e o latim. O Barlaão da história não é outro senão o Buda, e o nome Josafá vem da palavra sânscrita *bodhisattva* (transformada pelos árabes em *bodasaph* e, a partir daí, pelos gregos, em *ioasaph*). Em 1585, Barlaão foi canonizado, o que faz do Buda um santo cristão!

A renovação do interesse pelo Budismo no Ocidente foi estimulada pela criação da disciplina acadêmica da Indologia (Estudos Índicos) no século XVIII. Foi em setembro de 1893, poucos dias após a cerimônia de encerramento do Parlamento das Religiões que se havia reunido em Chicago, que o primeiro ocidental foi aceito na ordem budista em solo norte-americano. Hoje em dia, estima-se que haja mais de 500.000 budistas só nos Estados Unidos.

II. A GRANDE DOUTRINA DO PEQUENO VEÍCULO — O BUDISMO HÎNAYÂNA

A Literatura do Budismo Hînayâna

Do ponto de vista do historiador, a doutrina original do Buda já não pode ser identificada com certeza absoluta. Não obstante, em vista da forte tradição mnemônica da Índia, temos bons motivos para crer que os "sermões" (*sutta*) do Buda em língua pali — primeiro transmitidos oralmente e depois em forma escrita — contêm, pelo menos em boa parte, as palavras desse extraordinário mestre. O cânone pali, sobre o qual baseia-se o ramo Hînayâna do Budismo, é chamado *Tipitaka* (sânscrito *Tripitaka*, "Três Cestos").

O primeiro cesto, chamado *Vinaya-Pitaka*, contém as regras de disciplina monástica (*vinaya*) recitadas de memória por Upali, discípulo mais antigo do Buda, no primeiro concílio do Sangha, pouco depois do *parinirvâna* do Mestre.

As informações doutrinais mais antigas estão contidas no *Sutta-Pitaka*, o segundo cesto (*pitaka*) do cânone pali, que foi recitado na íntegra por Ânanda, primo e criado pessoal do Buda, que fora favorecido com uma memória prodigiosa. Consiste nos sermões (selecionados, organizados e preparados) ou *suttas* (sânscrito: *sûtras*) do Buda, organizados em cinco coletâneas: o *Dîgha-Nikâya* (com 34 sermões longos), o *Majjhima-Nikâya* (com 152 sermões médios), o *Samyutta-Nikâya* (com 56 sermões organizados segundo seus temas), o *Anguttara-Nikâya* (com 2.308 sermões organizados segundo o número de seus temas) e o *Khuddaka-Nikâya* (com 15 obras curtas, entre as quais o famoso *Dhamma-Pada*, o *Udâna* e o *Sutta-Nipâta*).

O terceiro cesto é chamado *Abhidhamma-Pitaka* e compreende sete livros doutrinais, todos escritos na era pré-cristã. A versão original desse cesto de ensinamentos foi recitada por Kassapa (Kashyapa), que presidiu o primeiro concílio em Râjagriha. O termo pali *abhidhamma* (sânscrito: *abhidharma*) significa "relativo à doutrina", e especificamente, em geral, à "doutrina superior". Significa, em suma, o desenvolvimento filosófico sistemático do *dhamma* búdico. A palavra *dhamma* (sânscrito: *dharma*) significa algo como "a doutrina que reflete a verdadeira lei ou ordem do universo". Isso porque *dhamma* é não só a doutrina como também a realidade ou lei imutável que ela expressa. Além disso, no Budismo, o termo também pode significar uma "coisa" objetiva, um "existente". No extraordinário livro *A Survey of Buddhism* ("Panorama do Budismo"), o monge britânico Bhikshu Sangharakshita faz este pertinente comentário:

> *Dharma* (pali: *dhamma*) é a palavra-chave do Budismo. Tão grande é a freqüência com que ela aparece nos textos, e tão numerosas e importantes as idéias ligadas aos seus vários matizes de significado, que não seria exagero afirmar que a compreensão dessa palavra multiforme traz em si a compreensão de todo o Budismo.[5]

Além dos textos canônicos escritos em pali, a comunidade Hînayâna reconhece e utiliza vários textos extracanônicos. Entre eles temos o *Paritta* (uma coletânea de vinte e oito textos usados para fazer magia), o conhecido *Milinda-Panha* (diálogo entre o budista Nâgasena e o rei bactriano Milinda ou Menandro, que viveu no século II a.C.), o manual doutrinal popular *Visuddhi-Magga*, de Buddhaghosa, e numerosos comentários e subcomentários.

As Quatro Nobres Verdades

A discussão que faremos a seguir sobre o Budismo Hînayâna será baseada no *Sutta-Pitaka* e não no *Abhidhamma-Pitaka*, que, segundo algumas escolas, não reproduz fielmente os ensinamentos do Buda. Nesta seção especificamente, os termos técnicos serão dados em pali e seguidos pelos seus equivalentes em sânscrito, entre parênteses.

A doutrina do Buda — chamada, em geral, de *dhamma* (*dharma*) — procede toda da observação de que a vida é sofrimento ou *dukkha* (*duhkha*). Essa é a primeira das quatro nobres verdades. A idéia que está por trás dessa intuição, partilhada também pelos hindus e pelos jainos, é a seguinte: como todas as coisas são impermanentes e nada há que nos proporcione uma felicidade duradoura, a vida, em última análise, é cheia de sofrimento e dor. Assim, nós competimos uns com os outros e até conosco mesmos, sempre em busca de uma felicidade maior, do conforto, da realização, da segurança, e sentimo-nos insatisfeitos até com as nossas conquistas.

Em última análise, o sofrimento é a tensão inerente ao esforço que empenhamos para sobreviver enquanto indivíduos, ou personalidades egóicas isoladas. Essa individualidade, porém, não passa de uma ilusão cuidadosamente elaborada, uma oportuna convenção psicossocial. Na verdade, diz o Buda, não há um "si" dentro de nós. A doutrina do "não-si" ou *anattâ* (*anâtman*) é fundamental para o ensinamento búdico. É provável que o Buda tenha sublinhado a natureza não-essencial da personalidade humana e da existência em geral para contrapor-se ao idealismo que fora gerado pelas doutrinas upanishádicas. Insistindo em que a Realidade suprema era idêntica ao núcleo mais íntimo do ser humano, o Si Mesmo ou *âtman*, os sábios upanishádicos haviam, no fim das contas, estimulado indiretamente a ilusão de que existe mesmo uma essência pessoal imortal. O Buda descartou como inúteis todas as conjecturas acerca da suposta essência pessoal imutável e manifestou a mesma atitude em relação às especulações metafísicas em geral. Não obstante, seus ditos registrados deixam claro que ele às vezes se valia de uma linguagem que lembra a dos *Upanishads*. Neste ponto, o Budismo Mahâyâna é muito mais tolerante do que o próprio Buda.

De qualquer modo, a atitude pragmática do Buda ilustra o que há de melhor na tradição do experimentalismo yogue, e é segundo esse espírito que a primeira nobre verdade, assim como as outras três, devem ser compreendidas. Não basta *pensar* sobre elas abstratamente; é preciso *senti-las* profundamente para que elas possam fazer-se valer em nossa vida.

A segunda verdade é a de que o desejo, a sede de vida ou *tanhâ* (*trishnâ*) — que corresponde à "vontade de viver" de Nietzsche — é a causa do sofrimento que todos sentem.[6] As próprias células são programadas geneticamente para perpetuar o conglomerado biológico que chamamos de o "nosso" corpo-mente: nós temos o desejo de viver como indivíduos, mas a individualidade mesma é o fator que complica a nossa existência, pois nós nos separamos e isolamos de tudo e de todos e depois procuramos um meio de reduzir ou superar as sensações de isolamento e de medo. Contudo, nós sempre procuramos resolver o problema pelo lado errado. Viramos e mexemos com as nossas experiências em vez de deixar que a intuição penetre na própria raiz da tendência separativa e da sua causa, que é a busca da sobrevivência individual. Como o desejo se arraiga na ignorância da nossa verdadeira natureza, os mestres do Mahâyâna afirmam que a causa do sofrimento é a ignorância e não o desejo.

A terceira verdade afirma que é pela eliminação radical dessa sede, desse desejo inato, que nós podemos deixar para trás todo o sofrimento e chegar ao que é real e verdadeiro. Não basta reduzir ou modificar os desejos. Porque mesmo o desejo reduzido ou modificado ainda é um grilhão. Para chegarmos à paz interior e à liberdade, é preciso erradicar completamente o desejo.

A quarta verdade assevera que o meio para a erradicação do desejo é o nobre caminho óctuplo proposto pelo Buda. Esse caminho consiste na gradual "des-ilusão" da personalidade egóica; isto é, a destruição paulatina de todas as idéias que fazemos acerca de nós mesmos e do mundo, até que a própria verdade rebrilhe em toda a sua força. Quando o estado supremo do *nirvâna* é alcançado, todo o sofrimento é então transcendido, pois a entidade ilusória que é a origem do sofrimento deixa de ser. A força do desejo fica perfeitamente neutralizada. Em outras palavras, o ser iluminado já não é uma pessoa individual ou individuada, muito embora a personalidade continue a manifestar-se segundo o seu caráter típico (mas purificado).

A doutrina da universalidade do sofrimento está intimamente ligada à doutrina da causalidade moral ou *kamma* (*karma*) e à conseqüente doutrina do renascimento. Ambas ocupam um lugar proeminente na metafísica e na ética budistas, embora possa-se afirmar que a doutrina do Buda permanece válida mesmo que esses dados subsidiários sejam rejeitados. O Budismo distingue duas formas principais de *kamma*: o *kamma* sadio e o *kamma* enfermo. É a interação entre esses dois tipos e o efeito total deles sobre o indivíduo que mantêm a roda da existência em incessante rotação. Como no Jainismo, não há um Deus que possa intervir no nexo entre mortes e nascimentos, ou a quem todos os seres devam satisfação. Pelo contrário, é a atividade mental de cada indivíduo — quer essa atividade se manifeste nas ações, quer não — que determina por si só o futuro dele, por meio da lei da causalidade moral inerente ao universo.

A Doutrina das Origens Interdependentes

A importante idéia da causalidade moral recebe expressão formal no conhecido símbolo budista da roda da vida ou *bhava-cakka* (*bhava-cakra*), cujos doze elos são os seguintes:

1. a ignorância ou *avijjâ* (*avidyâ*) leva às

2. ações-intenções ou *sankhâra* (*samskâra*), que dão origem à

3. consciência distintiva ou *vinnâna* (*vijnâna*), da qual surgem

4. o nome e a forma ou *nâma-rûpa*; disto se origina

5. a base sêxtupla ou *sal-âyatana* (*shad-âyatana*), isto é, o mundo objetivo, que, por sua vez, produz

6. o contato sensorial ou *phassa* (*sparsha*); isto leva à

7. sensação ou *vedanâ*, que gera

8. o desejo ou *tanhâ* (*trishnâ*), que dá origem ao

9. apego ou *upâdana*, que leva ao

10. vir-a-ser ou *bhava*, do qual resulta

11. o nascimento ou *jâti*, e por fim

12. a velhice e a morte, ou *jarâ-marana*.

dente e procede dela como uma vela acesa pela chama de outra vela. A verdade encontra-se a meio caminho entre a identidade e o isolamento: encontra-se na dependência condicional.[7]

Compreendemos que isso é possível quando percebemos que, no Budismo, o ser contínuo que imaginamos ser ou que pensamos que os outros sejam é concebido como um construto mental. Na realidade, esse "ser é uma configuração instável de cinco fatores ou grupos (*khandha, skandha*) distintos e efêmeros:

1. corpo (*rûpa*)

2. sensação (*vedanâ*)

3. percepção (*sannâ, samjnâ*)

4. atividade mental (*sankhâra, samskâra*)

5. consciência distintiva (*vinnâna, vijnâna*).

A roda do vir-a-ser

Essa antiga fórmula budista leva o nome de *paticca-samuppâda* (*pratîtya-samutpâda*) ou "origens interdependentes" e explica a relação existente entre os elos específicos do nexo de causa e efeito, com a finalidade de elucidar a seqüência de nascimentos e mortes. É importante lembrar que todo esse processo ocorre sem que haja uma entidade contínua, uma alma, que o perceba ou que lhe sirva de substrato. Como já observei, segundo o Buda, não há um "eu" perene que sofra os sucessivos nascimentos. Nas palavras de Hans-Wolfgang Schumann:

> Uma vez que não existe um Si Mesmo imortal que transpasse os sucessivos elos como um fio de seda transpassa as contas de um colar, não é possível que seja a mesma pessoa a colher, no renascimento, os frutos das sementes kármicas plantadas em existências passadas. Por outro lado, o ser que renasce não é completamente diferente, pois cada forma de existência é causada pela existência prece-

Os fatores de 2 a 5 também são designados coletivamente como "nome" (*nâma*), contrapondo-se à forma ou "figura" (*rûpa*), isto é, ao corpo humano. Tanto o nome quanto a forma precisam ser transcendidos — doutrina que já está presente nos mais antigos *Upanishads*.

O fato de o Buda ter negado a existência do eu essencial ou da alma que transmigra fez com que muitos estudiosos do Budismo supusessem que ele nega por completo a própria Realidade transcendente. Isso não é verdade. Em muitas passagens do cânone pali, o estado supremo do *nirvâna* é descrito em termos positivos. Esse estado também é chamado de "abrigo", "refúgio" e "segurança". Mas, na maioria dos casos, a Realidade suprema, e portanto o próprio ser iluminado, são descritos em termos negativos. Nas palavras do Buda registradas no *Sutta-Nipâta*:

> Como uma chama apagada pelo vento entra em repouso e subtrai-se ao conhecimento, assim também o sábio (*muni*) liberto do nome (*nâma*) [i.e., da mente] e do corpo (*kâya*) en-

tra em repouso e subtrai-se ao conhecimento. (1074)

E mais

Aquele que entrou em repouso não tem medida e não tem nada que possa ser nomeado. Quando todas as coisas são deixadas para trás, todos os caminhos da linguagem são igualmente deixados para trás. (1076)

Assim, a doutrina racional do Buda termina com o estado inefável do *nirvâna*. Os conceitos e palavras só podem ajudar os peregrinos espirituais até o momento em que eles descobrem por si mesmos o que é o Real. É claro que a linguagem também pode ser um obstáculo, pois ela nos leva a "coisificar" os conceitos, a tratar as palavras como se fossem coisas objetivas. Depois da iluminação, porém, a linguagem perde o seu fascínio e nunca mais é confundida com a realidade.

III. O CAMINHO YOGUE DO BUDISMO HÎNAYÂNA

Esse resumo dos fundamentos teóricos do Budismo pode ter dado a impressão de que a doutrina do Buda não é prática, mas esquemática e filosófica. Entretanto, nada poderia estar mais longe da verdade. O Buda foi um *yogin* dedicado à concentração meditativa e dotado de um talento singular para praticá-la, e sua doutrina foi concebida antes de mais nada para mostrar o caminho que leva à saída do labirinto da existência espiritualmente ignorante e, logo, cheia de sofrimentos.

À semelhança do Yoga de Patanjali, o Yoga búdico compreende oito "membros" (*anga*) distintos, sendo por isso conhecido como o "nobre caminho óctuplo". O Buda chamou-o também de "caminho supramundano" (*loka-uttara-magga*),[8] porque é feito para os que se dedicam seriamente à prática da autotranscendência, isto é, para os monges e monjas. O Buda estava convicto de que a pessoa pode chegar à iluminação sete dias depois de "partir", isto é, de abraçar a vida de monge ou monja mendicante.

Eis agora os oito membros do caminho, que não devem ser concebidos como estágios ou degraus de uma escada:

1. *Samma-ditthi* (*samyag-drishti*[9]) ou "visão correta" é a percepção da transitoriedade da existência condicionada à compreensão de que na verdade o "eu" não existe.

2. *Samma-sankappa* (*samyak-samkalpa*) ou "resolução correta" é a tríplice resolução de renunciar às coisas efêmeras, praticar a benevolência e não ferir nenhum ser.

3. *Samma-vâcâ* (*samyag-vâcâ*) ou "fala correta" consiste em abster-se de mentir e de falar em vão.

4. *Samma-kammantâ* (*samyak-karmantâ*) ou "conduta correta" consiste principalmente em abster-se de matar, roubar e manter relações sexuais ilícitas.

5. *Samma-âjîva* (*samyag-âjîva*) ou "modo de vida correto" consiste em abster-se da mentira, da usura, da traição e da feitiçaria no meio de ganhar a vida.

6. *Samma-vayama* (*samyag-vyayama*) ou "esforço correto" é a prevenção de toda atividade mental doentia no futuro, a superação de sentimentos e pensamentos doentios no presente, o cultivo de estados mentais sadios no futuro e a conservação de toda atividade mental sadia no presente.

7. *Samma-sati* (*samyak-smriti*) ou "atenção correta" é o cultivo da consciência dos processos psicossomáticos por meio de práticas tais como a técnica *sati-patthâna*, muito querida pelo Theravâda (Hînayâna), que consiste na observação atenta de atividades normalmente inconscientes, como a respiração ou os movimentos do corpo.

8. *Samma-samâdhi* (*samyak-samâdhi*) ou "concentração correta" é a prática de certas técnicas de interiorização e transcendência da consciência.

Afirma-se que os primeiros dois membros do nobre caminho óctuplo dizem respeito ao entendimento (*pannâ*, *prajnâ*), os três seguintes dizem respeito ao comportamento (*sila*, *shîla*) e os três últimos, à concentração (*samâdhi*). Os cinco primeiros também podem ser reunidos na categoria de regras sociais e éticas, ao passo que os três restantes dizem respeito especificamente ao Yoga. O esforço e a atenção podem e devem ser praticados durante todo o dia, mas a concentração (samâdhi) representa uma disciplina especial, para a qual são indispensáveis o silêncio e a solidão.

O samâdhi — no sentido budista de intensa concentração mental — compreende todas as fases da meditação que vão desde a interrupção do fluxo sensorial até o êxtase. Essas fases são chamadas jhâna em pali e dhyâna em sânscrito e são em número de oito:

1. jhâna acompanhada de pensamento discursivo e de um sentimento de intensa alegria (pîti-sukha, prîti-sukha);

2. jhâna sem o pensamento discursivo mas ainda marcada pela presença de uma alegria intensa;

3. jhâna na qual a experiência da alegria cede lugar à alegria sutil da atenção tranqüila;

4. jhâna na qual já não há emoções, permanecendo apenas a atenção perfeita;

5. a realização mística da "esfera infinita do éter" (âkâsa-ananca-âyatana, âkâsha-ananta-âyatana);[10]

6. a realização mística da "esfera infinita da consciência"(vinnâ-ananca-âyatana, vijnâna-ananta-âyatana);[11]

7. a realização mística da "esfera do nada" ou "esfera sem objetos" (âkincanna-âyatana, âkimcanya-âyatana);[12]

8. a realização mística da "esfera nem da cognição nem da não-cognição" (neva-sannâ-na-asannâ-âyatana, naiva-samjnâ-asamjnâ-âyatana).[13]

As quatro primeiras são chamadas rûpa-jhânas ou meditações dotadas de "forma" (rûpa), isto é, de um conteúdo cognitivo distintivo, ao passo que as quatro últimas são tecnicamente denominadas arûpa-jhânas ou meditações "sem-forma" (arûpa). Segundo o Udâna (80), além desses oito estágios está o próprio nibbâna (nirvâna):

... um domínio onde não há nem terra nem água, nem fogo nem ar, nem éter nem consciência... nem este mundo nem qualquer outro mundo, nem o sol nem a lua.

O caráter yóguico do caminho búdico é evidenciado ainda pelo uso de técnicas como as posturas (âsana) e o controle da força vital (prânâyâma). O termo técnico em pali que designa a força vital no Budismo é kâya-sankhâra, que significa literalmente "aquilo que constitui o corpo". Em contraposição às escolas hindus de Yoga, o Budismo Hînayâna não prega a contenção da força vital sob a forma da retenção forçada da respiração, pois isso pode infligir violência ao corpo natural. O praticante, em vez disso, deve seguir com a mente o fluxo da respiração. Trata-se de uma aplicação particular da técnica da atenção (sati, smriti). Essa técnica, chamada sati-patthâna em pali, é largamente empregada pela moderna escola Theravâda, a escola mais antiga, dentre as ainda existentes, do caminho Hînayâna.

A postura mais comumente adotada para a meditação é a pallanka (paryanka), representada em inúmeras imagens e estátuas do Buda sentado. Os textos dão ênfase à postura ereta do corpo (uju-kâya); sem dúvida porque a experiência prova que dessa maneira podem-se melhorar sensivelmente tanto a respiração quanto a concentração mental.

O yogin que penetra a natureza ilusória de todos os fenômenos, em virtude de sua concentração inflexível no estado mais elevado de jhâna, entra no nibbâna. Como o Buda repudiou a noção de uma entidade contínua que subjaz ao fluxo da existência fenomênica, foi acusado de niilismo, mas defendeu-se dessa acusação em diversas ocasiões. Quando a libertação é alcançada, já não é possível afirmar coisa alguma acerca da natureza ou da essência do ser liberto ou iluminado — não é possível afirmar que ele existe ou não existe. A liberdade absoluta é um paradoxo e um mistério. Não é um tema de conversa, mas algo a ser descoberto pela experiência direta.

Esse fato, porém, não reduziu os seguidores do Buda ao silêncio. No decorrer dos séculos, tanto os monges quanto os leigos espirituais budistas interpretaram e reinterpretaram a herança búdica, procurando torná-la acessível aos seus contemporâneos. A comunidade budista não só gerou milhares de estudiosos e eruditos como também produziu um sem-número de grandes yogins e adeptos iluminados que periodicamente regeneraram a base espiritual do Budismo. Muitas vezes, essa revitalização do *dharma* búdico produziu efeitos que ultrapassaram em muito a esfera do Budismo. As doutrinas budistas exerceram, por exemplo, uma influência significativa sobre muitas escolas do Hinduísmo, inclusive sobre a tradição yogue.

É certo que o Buda aprendeu muito com os adeptos que ensinavam uma forma arcaica de Yoga, mas Patanjali (que deu ao Yoga a sua forma filosófica clássica), por sua vez, bebeu nas fontes intelectuais do Budismo Mahâyâna. A prolongada interação histórica entre o Budismo e o Hinduísmo chegou ao auge no disseminadíssimo movimento cultural tântrico, que começou em meados do primeiro milênio d.C. e deu origem a escolas das quais não se pode determinar se são hindus ou budistas, como se vê claramente no culto dos Siddhas, acerca do qual falaremos no Capítulo 17. O que todas essas escolas tinham em comum, porém, era a paixão pela realização espiritual, pela experimentação yogue do potencial oculto do corpo e da mente do ser humano.

IV. SABEDORIA E COMPAIXÃO — O GRANDE IDEALISMO DO BUDISMO MAHÂYÂNA

A Literatura do Budismo Mahâyâna

Quando da iluminação, o Buda decidiu-se a não saborear plenamente a bem-aventurança do *nirvâna*, isto é, a não deixar para trás o corpo-mente humano, mas a revelar compassivamente o caminho da iluminação aos outros seres. Essa decisão do Buda, de aliar a sabedoria (*prajnâ*) à compaixão (*karunâ*), serviu como ideal orientador para muitos dos seus seguidores no decorrer dos séculos. O Budismo Mahâyâna surgiu como uma resposta à necessidade que muitos sentiam, dentro da comunidade budista, de cultivar o aspecto feminino do caminho espiritual, manifestado na virtude da compaixão. Alguns afirmam que esse caminho foi criado pelos budistas leigos, mas isso não é verdade. Tanto quanto o Hînayâna, o Mahâyâna foi produzido por monges instruídos que procuravam formular a doutrina do Buda segundo parâmetros acessíveis aos seus contemporâneos.

As doutrinas do Mahâyâna estão contidas nos *Sûtras*, compostos em sânscrito entre o século I a.C. e o século VI d.C. Ao contrário dos *Sûtras* do Hinduísmo, que são obras aforísticas, os *Sûtras* do Mahâyâna são textos narrativos. Apresentam-se como ditos autênticos do Buda, e correspondem aos primeiros *Suttas* do cânone pali.

Entre os textos mais importantes desse gênero temos os *Prajnâ-Pâramitâ-Sûtras*, o primeiro dos quais é o *Ashtâ-Sâhasrikâ-Sûtra* ("*Sûtra* dos Oito Mil"), composto na era pré-cristã; os mais populares, porém, são sem dúvida alguma o *Hridaya-Sûtra* ("*Sûtra* do Coração") e o *Vajra-Chedikâ-Sûtra* ("*Sûtra* do Estilete de Diamante"). A maior obra do gênero é o *Shata-Sâhasrikâ-Sûtra*, que, como o nome indica, tem 100.000 versículos. Temos de mencionar também o *Abhisamaya-Alamkâra*, texto exegético atribuído ao *bodhisattva* transcendental Maitreya. Lex Hixon, escritor e instrutor espiritual norte-americano, afirmou acerca do *Ashta-Sâhasrikâ* que "os seus ensinamentos são frescos e viçosos como uma flor gotejada de orvalho — mesmo hoje, depois de uns dois mil anos".[14] Essa observação aplica-se igualmente aos demais *Prajnâ-Pâramitâ-Sûtras*.

O *Sad-Dharma-Pundarîka* ("Lotus da Verdadeira Doutrina") e o *Lankâ-Avatâra*, normalmente transliterado como *Lankâvatâra* ("A Descida de Lankâ"), são outros *Sûtras* bastante conhecidos e muito queridos, compostos nos primeiros séculos d.C. O estudioso canadense Edward Conze estima que, até agora, não mais de exíguos dois por cento dos *Sûtras* do Mahâyâna foram "traduzidos de forma inteligível" para línguas ocidentais.[15]

Além disso, existem inúmeras obras secundárias produzidas no decorrer dos séculos por eruditos e poe-

Reproduzido de *Buddhistische Bilderwelt*
Prajnâpâramitâ

tas das diversas escolas Mahâyâna em diversas línguas, especialmente o sânscrito, o tibetano e o chinês.

A Doutrina do Vazio

No coração do pensamento do Mahâyâna está a percepção de que *nirvâna* não é algo alheio ao universo fenomênico, mas uma realidade ao mesmo tempo imanente e transcendente. Para o adepto do Mahâyâna, o sofrimento (*duhkha*) não é, como afirmam os seguidores do Hînayâna, algo que só pode ser evitado abandonando-se o mundo. É, antes, uma ilusão que pode ser eliminada pelo reto conhecimento e que não exige que se deixe o mundo para trás. Dessa maneira, a filosofia realista da tradição Hînayâna é substituída pela excelsa concepção não-dualista da realidade que também está nos *Upanishads* do Hinduísmo: só existe o Um, que aparece como múltiplo. É como diz o autor do *Vajra-Chedikâ-Sûtra*, um antigo texto Mahâyâna:

> [Como] uma estrela cadente, uma ilusão de ótica, uma lâmpada, uma miragem, uma gota de orvalho, uma bolha, um sonho, um relâmpago ou uma nuvem — assim devem ser vistos os [fenômenos] compostos. (32)

Os fenômenos são chamados vazios (*shûnya*) porque não têm essência. Só existe a vacuidade (*shûnyatâ*) universal, que é em si mesma vazia. Não é fácil compreender a noção budista de vazio ou vacuidade; pelo contrário, é fácil descartá-la como mais um mito oriental, quando na verdade ela é uma noção filosófica elaboradíssima e radicada nas experiências espirituais. Essa idéia crucial do Mahâyâna deu trabalho até para os orientais, como se vê pela história de Bandhudatta, primeiro preceptor de Kumârajîva, famoso mestre do Mahâyâna. Depois de aceitar o credo Mahâyâna, Kumârajîva naturalmente procurou o antigo professor para revelar-lhe sua nova intuição da natureza vazia dos objetos. Mas Bandhudatta recusou-se a ouvir. Considerava a doutrina do vazio como um conjunto de palavras vazias. Para reforçar a própria posição, contou a história seguinte.

Símbolo "om" tibetano

Certa vez, um louco pediu a um tecelão que lhe tecesse o tecido mais fino possível. O tecelão fez o que pôde, mas o louco rejeitou duas vezes o seu trabalho como grosseiro demais. Quando o louco voltou pela terceira vez, o tecelão apontou para um espaço vazio e disse que tecera um tecido tão fino que não se podia ver. O louco, satisfeitíssimo, pagou o tecelão e tomou nas mãos o tecido invisível para dá-lo de presente ao rei.

Kumârajîva não se deixou abalar pela atitude hostil do mestre e, depois de algum tempo, conseguiu por fim convertê-lo. O vazio não é o nada; é a ausência de objetos limitados e, portanto, distintos. Quando meditamos profundamente acerca dos fenômenos, eles se nos revelam como ilusórios. Mas até esse caráter ilusório é ilusório, pois, na prática, são os fenômenos que constituem o conteúdo das nossas experiências. Na realidade, tanto o *samsâra* quanto o *nirvâna* são construtos da mente não-iluminada, e o *yogin* tem de elevar-se acima de ambos.

TEXTO ORIGINAL 8

Prajnâ-Pâramitâ-Hridaya-Sûtra

Os primeiros *Sûtras* do Mahâyâna são composições anônimas feitas no sul da Índia entre 100 a.C. e 100 d.C., embora a tradição atribua-os ao próprio Buda. O texto mais importante desse primeiro período é o *Ashtâ-Sâhasrikâ-Prajnâ-Pâramitâ-Sûtra* ("Sûtra da Perfeição da Sabedoria em 8.000 [linhas]"). Escreveram-se então versões cada vez mais compridas desse texto, que foram depois recondensadas. A mais popular dessas condensações em sânscrito é o *Prajnâ-Pâramitâ-Hridaya-Sûtra*, ou simplesmente Sûtra do Coração, composto talvez em 300 d.C. Edward Conze, que traduziu diversos textos da linha *Prajnâ-Pâramitâ*, afirma que só o Sûtra do Coração "chegou de fato ao coração da doutrina", isto é, a doutrina do vazio.[16]

Esse texto existe em duas versões, uma das quais tem apenas quinze versículos; a outra tem vinte e cinco e é ela que está traduzida neste livro. A versão curta parece ser a mais antiga, pois foi traduzida para o chinês por Kumârajîva por volta de 400 d.C., ao passo que a outra só foi traduzida para essa mesma língua por Dharmacandra em 741 d.C.

Os ensinamentos do Sûtra do Coração são comunicados pelo *bodhisattva* transcendente Avalokiteshvara (tibetano: Chenrezig). A doutrina do vazio é intimamente ligada ao ideal do *bodhisattva*. Muito embora todos os seres e coisas sejam vazios de essência, o *bodhisattva* dedica-se paradoxalmente à libertação desses seres fantasmáticos. Não é capaz de suportar o sofrimento dos outros e trabalha para levá-los à sabedoria libertadora para que também eles possam realizar a Realidade suprema que existe além de todas as aparências. Embora o sofrimento seja vazio como todas as experiências finitas, os sofredores crêem firmemente na própria dor porque têm a mente obnubilada pela ignorância. Com a iluminação, todo o sofrimento acaba, pois a mente iludida é transcendida juntamente com todos os demais fenômenos. O *bodhisattva* aspira à iluminação para o bem de todos os outros seres.

Om. Glória à Santa e Nobre Perfeição da Sabedoria!

Assim ouvi.

Certa vez, o Senhor residia em Râjagriha, na Montanha dos Abutres, ao lado de uma grande assembléia de monges e uma grande assembléia de *bodhisattvas*.

Avalokiteshvara, personificação da compaixão

Naquele tempo o Senhor, depois de falar sobre o caminho do *dharma* chamado "Profundo Esplendor", entrou em concentração.

Também naquele tempo o Nobre Avalokiteshvara, grande ser e *bodhisattva*, dedicou-se à prática da profunda Perfeição da Sabedoria, assim refletindo:

"Os cinco agregados são vazios por natureza", refletiu.

Então o longevo Shâriputra, pela influência do Buda, disse ao Nobre Avalokiteshvara, grande ser e *bodhisattva*:

"Como devem ser instruídos o filho de boa família ou a filha de boa família que queiram praticar a profunda Perfeição da Sabedoria?"

Quando assim lhe dirigiram a palavra, o Nobre Avalokiteshvara, grande ser e *bodhisattva*, disse ao longevo Shâriputra:

"Ó Shâriputra, o filho de boa família ou a filha de boa família que queiram praticar a profunda Perfeição da Sabedoria devem refletir desta maneira:

" 'O Nobre Avalokiteshvara, o *bodhisattva*, dedicou-se à prática da profunda Perfeição da Sabedoria, refletiu e viu que os cinco agregados são vazios por natureza.'

"Aqui, ó Shâriputra, a forma é vazio e o vazio é forma. O vazio não é diverso da forma e a forma não é diversa do vazio. O que é forma é vazio e o que é vazio e forma. Assim também no que diz respeito às sensações, às percepções, aos impulsos e à consciência.

"Aqui, ó Shâriputra, todas as coisas são marcadas pelo vazio e não são nem produzidas nem eliminadas, nem impuras nem imaculadas, nem imperfeitas nem perfeitas.

"Portanto, ó Shâriputra, no vazio não há forma, nem sensação, nem percepção, nem impulsos, nem consciência; não há olho, nem ouvido, nem nariz, nem língua, nem corpo, nem mente; não há objeto visível, nem som, nem aroma, nem gosto, nem objeto tangível, nem objeto mental; nao há elemento do olho e assim por diante, até o elemento da consciência mental; não há nem ignorância nem ausência de ignorância, e assim por diante, até nem a velhice e a morte nem a ausência de velhice e morte; não há sofrimento, não há origem, não há fim, não há caminho; não há conhecimento, não há realização e não há não-realização.

"Portanto, ó Shâriputra, o *bodhisattva* nada tem que ver com a realização; confia somente na Perfeição da Sabedoria e vive sem os véus da mente. Livre dos véus da mente, ele transcende as concepções errôneas e vive tendo por cima de si o *nirvâna*.

"Pela confiança na Perfeição da Sabedoria, todos os Budas que se manifestam nos três tempos despertam para a iluminação perfeita e incomparável.

> "Portanto, o ser deve conhecer a Perfeição da Sabedoria, o grande *mantra*, o *mantra* do grande conhecimento, o *mantra* insuperável, o *mantra* incomparável, que alivia todo sofrimento e é a própria verdade, pois não contém erro algum.
>
> "O *mantra* da Perfeição da Sabedoria se pronuncia assim:
> TADYATHÂ OM GATE GATE PARAGATE PARASAMGATE BODHI SVÂHÂ."
>
> तद्यथा ॐ गते गते परगते परसंगते बोधि स्वाहा ॥
>
> *Tadyathâ om gate gate paragate parasamgate bodhi svâhâ*
>
> "É assim, ó Shâriputra, que um *bodhisattva* deve ser instruído quanto à prática da profunda Perfeição da Sabedoria."
>
> Então o Senhor saiu de sua concentração e falou favoravelmente ao Nobre Avalokiteshvara, grande ser e *bodhisattva*, e disse:
>
> "Muito bem, muito bem, ó Filho de Boa Família! Assim é, ó Filho de Boa Família, assim deve-se praticar a profunda Perfeição da Sabedoria. Como a expuseste, assim a declaram todos os dignos *tathâgatas*."[17]
>
> Assim falou o Senhor. O longevo Shâriputra, maravilhado; o Nobre Avalokiteshvara, grande ser e *bodhisattva*; os monges; os *bodhisattvas*, grandes seres; e o mundo inteiro, com suas divindades, homens, demônios, espíritos alados e espíritos celestiais — todos rejubilaram-se com as palavras do Senhor.
>
> Assim termina o Nobre *Prajnâ-Pâramitâ-Hridaya*.

O Ideal do Bodhisattva

Enquanto a tradição Hînayâna interessava-se quase exclusivamente pela salvação do indivíduo, os adeptos da escola Mahâyâna rejeitaram essa atitude e procuraram incorporar valores sociais ao seu caminho de emancipação — o ideal do *bodhisattva*. O herói espiritual da tradição Hînayâna era e ainda é o *arhat*, o "digno", que alcançou a iluminação. Os textos budistas dão uma etimologia esotérica para essa palavra, fazendo-a derivar de *ari* ("inimigo") e da raiz *han* ("matar"). A idéia que está por trás é a de que o *arhat* matou as paixões, que são o seu inimigo.

O ideal do *bodhisattva* pode ser visto como uma extensão do ideal anterior do *arhat*, pois também os *bodhisattvas* dedicam-se a transcender o eu no esforço de dissipar as trevas espirituais dos outros seres. Eles são os seres (*sattva*) que se dedicam à iluminação (*bodhi*) para o bem dos outros. Não é correto pensar, como alguns ocidentais, que os *bodhisattvas* adiam a pró-

Shântideva (de uma xilogravura)

pria iluminação para ajudar os outros. Muito pelo contrário: eles se esforçam soberanamente para alcançar a iluminação a fim de poder ajudar ainda mais os outros a chegar ao mesmo estado. Antes ainda da iluminação, os *bodhisattvas* são motivados pela compaixão por todos os seres — compaixão essa que cresce infinitamente quando eles chegam à iluminação. O que os *bodhisattvas* adiam é a libertação plena (*parinirvâna*), que fá-los-ia sair do domínio da existência condicionada onde sofrem os seres. No *Bodhi-Caryâ-Avâtara*[18] de Shântideva (princípio do século VIII d.C.), a atitude benigna do *bodhisattva* é descrita da seguinte maneira:

> Sou remédio para os doentes. Que eu seja para eles o médico e o enfermeiro até que sua doença esteja curada. (3.7)

> Tendo-me dedicado à felicidade de todos os seres encarnados, que eles me golpeiem! Que eles me ofendam! Que eles me cubram constantemente de pó! (3.12)

> Que eles brinquem com meu corpo, zombem de mim e façam-me de joguete! Se eu lhes dei meu corpo, por que haverei de preocupar-me? (3.13)

> Que aqueles que me acusam, me ferem e zombam de mim possam participar da iluminação como todos os outros! (3.16)

> Que eu seja um protetor para os que não têm proteção, um guia para os viajantes, um barco, uma ponte, uma passagem para os que desejam a outra margem. (3.17)

> Para todos os seres encarnados, que eu seja uma lâmpada para os que precisam de uma lâmpada. Que eu seja um leito para os que precisam de um leito. Que eu seja um servo para os que precisam de um servo. (3.18)

> Que eu seja, para todos os seres encarnados, uma jóia que atende a todos os desejos, uma urna miraculosa, uma ciência mágica, uma panacéia, uma árvore dos desejos e uma vaca da abundância. (3.19)

Os *bodhisattvas* têm de passar por dez estágios concebidos como graus de perfeição (*pâramitâ*). Só podem entrar na carreira de *bodhisattva* depois de ter despertado em si a "consciência dirigida à iluminação" (*bodhi-citta*). Essa *bodhi-citta*, muitas vezes erroneamente traduzida por "mente da iluminação" ou "pensamento da iluminação", é uma aspiração cheia de poder. É a vontade de transcender todas as coisas — um acontecimento raríssimo. Shântideva, poeta, filósofo e adepto, autor do *Shikshâ-Samuccaya* ("Compêndio de Disciplinas") e do *Bodhi-Caryâ-Avâtara* ("A Entrada na Conduta da Iluminação"), compara a geração da *bodhi-citta* à possibilidade de um cego encontrar uma pedrinha preciosa perdida num monte de estrume, e maravilha-se do fato de a *bodhi-citta* ter surgido nele mesmo. Eis os dez estágios do caminho do *bodhisattva*:

1. O estágio jubiloso (*pramuditâ*): Depois de fazer o voto do *bodhisattva*, de adiar a própria libertação para dedicar-se plenamente à salvação de todos os outros seres, os *bodhisattvas* cultivam até a perfeição (*pâramitâ*) a virtude da caridade (*dâna*), isto é, a arte de pôr-se perfeitamente à disposição dos outros. Esse termo é geralmente traduzido por "generosidade".

2. O estágio imaculado (*vimalâ*): Cultivam a virtude da autodisciplina (*shîla*).

3. O estágio radiante (*prabhâkarî*): Intuindo a transitoriedade intrínseca da existência condicionada, eles desenvolvem a suprema virtude da paciência (*kshânti*).

4. O estágio flamejante (*arcishmatî*): Cultivam a força de vontade (*vîrya*).

5. O estágio dificílimo-de-conquistar (*su-dur-jayâ*): Trabalham para aperfeiçoar a concentração meditativa (*dhyâna*).

6. O estágio "presente" (*abhimukhî*): Alcançam a libertação suprema, que lhes revela a identidade entre a existência fenomênica e o *nirvâna post-mortem*. Entretanto, o voto os impede de abraçá-la plenamente; entram então no *nirvâna* "não-estático" (*apratishtha*) e continuam a trabalhar pelo bem de todos os seres.

7. O estágio que vai longe (*dûrangamâ*): Tornam-se *bodhisattvas* transcendentais, libertos do corpo humano e capazes de assumir a forma que quiserem. Adquirem a perfeição da agilidade ou habilidade (*upâya*).

8. O estágio inabalável (*acalâ*): Adquirem o poder de transferir bom karma para outros seres a fim de aliviar-lhes o fardo kármico e acelerar-lhes o progresso espiritual.

9. O estágio dos bons pensamentos (*sadhumatî*): Esforçam-se ainda mais para libertar os seres, na qualidade de *bodhisattvas* transcendentes.

10. O estágio da nuvem do *dharma*: Agora, consolidaram plenamente seu conhecimento transcendente (*jnâna*), e sua "qualidade de ser o que são" (*tathatâ*) irradia-se pelo universo inteiro como uma nuvem de chuva que deixa cair a sua água. A palavra *dharma-megha*, "nuvem do *dharma*", encontra-se também no Yoga Clássico de Patanjali, e alguns intérpretes lhe dão aí o mesmo significado.

Do ponto de vista hindu, o caminho Mahâyâna representa uma síntese de Jnâna-Yoga e Karma-Yoga: o cultivo de uma consciência transcendente (*prajnâ*) cada vez mais profunda que se traduz numa atividade amorosa voltada para o bem supremo de todos os seres.

A Doutrina dos Três Corpos do Buda

O Budismo Mahâyâna só surgiu muito tempo depois da morte do Buda histórico. Para os adeptos do Mahâyâna, o Buda foi uma projeção temporária do Absoluto. O verdadeiro Buda é a própria Realidade transcendente, além do espaço e do tempo. Essa importante noção expressa-se na doutrina Mahâyâna do tríplice corpo (*trikâya*) do Buda. Os três corpos são:

1. o "corpo da lei" (*dharma-kâya*), que é a dimensão transcendental ou absoluta da existência;

2. o "corpo de contentamento" (*sambhoga-kâya*), que é a dimensão psíquica ou interior composta de numerosos Budas "transcendentes";

3. o "corpo da criação" (*nirmâna-kâya*), que se refere aos corpos de carne e osso dos Budas em forma humana, que foram muitos.

Portanto, o Buda só é único em sua essência transcendente. Nos níveis físico e psíquico (ou sutil), existem muitos Budas. O próximo Buda a descer para o mundo físico será Maitreya ("O Amigo"), que por enquanto é um *bodhisattva* transcendente que habita no Paraíso de Tushita. Junto com os outros *bodhisattvas*

Nâgârjuna

© James Rhea

transcendentes ou celestiais — como Avalokiteshvara e Manjushrî —, ele pertence ao *sambhoga-kâya* do Buda. No nível mais alto — décimo — do caminho dos *bodhisattvas*, o *bodhisattva* está tão elevado do ponto de vista espiritual que alguns textos o consideram um *buddha*.

Esses grandes seres (*mahâ-sattva*), quer sejam chamados *buddhas*, quer *bodhisattvas*, são invocados pelos seguidores do Mahâyâna como agentes da graça. Por isso, ao contrário do Hînayâna, as escolas do Mahâyâna em geral concebem o processo espiritual como uma sinergia entre o esforço da pessoa e a intervenção misericordiosa dos Budas e dos *bodhisattvas* celestiais. Por isso, o caminho Mahâyâna não comporta somente a disciplina da meditação, mas também a prece e a adoração, que correspondem ao Bhakti-Yoga do Hinduísmo. Eis aí um caso particular do que foi chamado de o "ecletismo" do Mahâyâna — ecletismo esse que, porém, é uma força e não uma fraqueza.

A Escola Mâdhyamika

Os ensinamentos filosóficos do Mahâyâna, consubstanciados nos textos *Prajnâ-Pâramitâ*, foram consolidados pelos pensadores da escola Mâdhyamika ou Shûnyavâda, dentre os quais destacam-se Nâgârjuna (século II d.C.) e seu maior discípulo, Âryadeva. A obra principal de Nâgârjuna é o influentíssimo *Mâdhyamika-Kârikâ*, sobre o qual compuseram-se numerosos comentários. A contribuição mais duradoura que ele deu à metafísica budista foi a dialética pela qual procurou demonstrar que a Realidade suprema não pode ser descrita satisfatoriamente nem por termos positivos nem por termos negativos. Para esse grande pensador e mestre budista, a essencialidade (*svabhâvatâ*) é aquilo que não foi criado nem gerado e é, portanto, eterno. O mundo, por outro lado, não tem uma tal essência, e por isso é chamado vazio. O Vazio transcendente recebe esse nome porque é vazio de todas as possíveis condições limitativas.

Nâgârjuna fez pela filosofia indiana o que Kant fez pela filosofia ocidental. Ambos conseguiram abalar as estruturas do pensamento metafísico por meio da lógica mais estrita. Porém, ao contrário de Kant, Nâgârjuna não é lembrado somente como um filósofo formidável e o "pai do Mâhayâna", mas também como um mestre espiritual perfeito (*siddha*), um alquimista de primeira linha e um taumaturgo em torno do qual teceram-se inúmeras lendas.[19]

TEXTO ORIGINAL 9

O Mahâyâna-Vimshaka de Nâgârjuna

Esta exposição da filosofia Mahâyâna, curta mas importante, só chegou a nós nas versões chinesa e tibetana, mas foi reconstruída em sânscrito pelo estudioso indiano Vidhusekhara Bhattacharya. Esta tradução baseia-se nessa reconstrução.

Glória ao Buda sábio e impassível cujos poderes são inconcebíveis e que, por compaixão (*dayâ*) [por todos os seres], ensinou o que as palavras não podem expressar. (1)

Do ponto de vista supremo (*parama-artha*[20]), não há origem (*utpâda*) e, na verdade, não há fim (*nirodha*). O Buda é semelhante ao éter (*âkâsha*) e, portanto, também [todos] os seres têm essa mesma e essa única (*eka*) característica. (2)

Não há criação (*jâti*) neste lado nem no outro. Os compostos (*samskrita*) [simplesmente] surgem das condições (*pratyaya*) [existentes] e são, por natureza, vazios — o campo do conhecimento do onisciente [Buda]. (3)

Todos os estados (*bhâva*) são, por natureza, semelhantes a reflexos (*pratibimba*): puros e tranqüilos por natureza, não-duais, iguais, idênticos a si mesmos (*tathatâ*). (4)

Com efeito, o homem comum concebe a essência (*âtman*) na não-essência, e do mesmo modo [concebe erroneamente] a alegria e o sofrimento, a impassibilidade, a paixão (*klesha*) e a libertação. (5)

Os seis [tipos de] nascimento no mundo (*samsâra*),[21] a suprema alegria no paraíso e o grande sofrimento no inferno, [do mesmo modo], não estão dentro do domínio da Realidade (*tattva*). (6)

Igualmente [errôneas são as idéias de que] das más [obras provêm] o sofrimento sem fim, a velhice, a doença e a morte e das boas obras [provêm] certamente um [destino] auspicioso (*shubha*). (7)

Como um pintor aterrorizado pela imagem de um demônio que ele mesmo pintou, assim o ignorante (*abudha*) é [afligido pelo] medo no mundo. (8)

Como um insensato que se aventura sozinho num pântano e é tragado pelo lodo, assim os seres, mergulhados no lodaçal da imaginação (*kalpanâ*), são incapazes de escapar. (9)

A sensação de sofrimento decorre da projeção da existência (*bhâva*) na não-existência (*abhâva*). [Os seres] são perturbados pelo veneno da imaginação de [que existem] tanto um objeto de conhecimento quanto o próprio conhecimento. (10)

Perante o espetáculo desses [seres] desamparados, [o homem,] com a mente cheia de compaixão, deve cultivar a prática da iluminação (*bodhi-caryâ*) para o bem de [todos] os seres. (11)

Tendo acumulado mérito (*sambhâra*) por meio dessa [prática] e tendo alcançado a iluminação (*bodhi*) insuperável, o ser deve tornar-se um Buda, liberto do vínculo da imaginação [mas ainda] amigo do mundo.[22] (12)

Aquele que compreende o Objeto Real (*bhûta-artha* [23]) pela [intuição das] origens interdependentes (*pratîtya-samutpâda*) sabe que o mundo é vazio e não tem começo, nem meio, nem fim. (13)

Aquele que vê que o mundo (*samsâra*) e a extinção (*nirvâna*) não existem na realidade, [realiza o Absoluto] imaculado, imutável, arquipacífico (*âdishânta*) e luminoso. (14)

O objeto da cognição onírica não é percebido pelo [ser] plenamente desperto. [Do mesmo modo], o mundo não é percebido por aquele que despertou da escuridão da ilusão [espiritual]. (15)

O que dá origem (*jâtimat*) não dá origem a si mesmo. A origem é imaginada pelos mundanos (*loka*). Nem a imaginação nem os objetos [da imaginação] conduzem [à Verdade]. (16)

Tudo isso é produzido pela mente condicionada (*citta-mâtra*); é tão real quanto uma alucinação (*mâyâ*). Por isso, [os seres aparentemente fazem] atos fastos ou nefastos, e deles [aparentemente decorrem] nascimentos fastos ou nefastos. (17)

Todas as coisas (*dharma*) param quando se pára a roda da mente. Por isso, [todas] as coisas são inessenciais (*anâtman*), e portanto são puras. (18)

Pela projeção do eterno, do essencial (*âtman*) e do bem-aventurado na natureza (*bhâva*) insubstancial (*nihsvabhâva*), este oceano da existência manifesta-se para o que está mergulhado na escuridão do apego e da ilusão. (19)

Quem chegará à outra margem do oceano revolto do mundo, cheio das águas da imaginação, sem recorrer ao grande veículo (Mahâyâna)? (20)

As Escolas Vijnânavâda e Yogâcâra

Outro desenvolvimento importante dentro do Budismo aconteceu no século IV d.C., que assistiu ao surgimento das escolas Vijnânavâda e Yogâcâra dos irmãos Vasubandhu e Asanga, os quais, sob um certo ponto de vista, personificam a perene complementaridade da teoria e da prática na tradição espiritual da Índia. Afirma-se que eles puseram a "roda da doutrina" em movimento pela terceira vez. Asanga recebeu os ensinamentos da chamada escola Yogâcâra ("Conduta do Yoga") diretamente do futuro Buda Maitreya.

De acordo com uma história bastante conhecida, Asanga havia se esforçado durante muitos anos para ter uma visão do *bodhisattva* celestial Maitreya. Estava perdendo a esperança de obter êxito nessa meditação específica. Porém, certo dia, esquecendo-se do próprio desespero espiritual, esse mestre compassivo cuidou de um cão ferido que encontrou à beira da estrada. De repente, Maitreya revelou-se a ele na forma daquele cão e instantaneamente transferiu Asanga para o Paraíso de Tushita, onde ensinou-lhe cinco grandes textos, com destaque para o *Abhisamaya-Alamkâra* e o *Mahâ-yâna-Sûtra-Alamkâra*. Muitos estudiosos, que não crêem na história tradicional, supõem que o inspirador dos ensinamentos contidos nessas obras foi um mestre humano de nome Maitreyanâtha.

Seja como for, Asanga procurou fortalecer a prática do Yoga em meio à atmosfera altamente especulativa que predominava no meio budista. De acordo com a escola Yogâcâra, o mundo objetivo é "mera mente" (*citta-mâtra*), a qual é também a concepção básica do *Lankâ-Avatâra-Sûtra*. O que isso significa é que todas as nossas experiências não passam disso mesmo: experiências, lampejos de consciência, sem um substrato objetivo. Mas essa consciência fugaz é, *na verdade*, a Consciência eterna e transcendente. Parece que todas essas considerações nasceram da prática intensa de meditação do próprio Asanga, que lhe fez perceber a falsidade dos fenômenos e conduziu-o ao puro idealismo metafísico. Ele é também, segundo a tradição, o responsável pela introdução do caminho tântrico no Budismo.

Asanga (de uma xilogravura)

Vasubandhu (de uma xilogravura)

Vasubandhu, irmão mais novo de Asanga, dedicou-se mais a plantar as novas idéias metafísicas sobre um sólido fundamento teórico. Escreveu o famoso *Abhidharma-Kosha* e um comentário (*bhâshya*) sobre essa mesma obra. Seu Vijnânavâda é a mais popular de todas as escolas do Mahâyâna. Para ele, como para os filósofos vedânticos, a Realidade suprema é a Consciência (*vijnâna*) pura, indeterminada e indeterminável, universal. Vasubandhu chegou a chamar essa Realidade de Grande Si Mesmo (*mahâ-âtman*; escreve-se *mahâtman*). Abaixo dessa Consciência suprema está o que se chama de "consciência armazenadora" (*âlaya-vijnâna*), que serve como reservatório de todas as marcas subconscientes (*samskâra*) que determinam a separatividade da consciência individual. Até as formulações abstratas de Vasubandhu têm a finalidade de estimular a prática da autotranscendência, contrapondo-a ao mero filosofismo acerca da Consciência ou do caminho espiritual.

Foi Gaudapâda, mestre do mestre de Shankara, quem bebeu abundantemente do poço de sabedoria dos ramos Mâdhyamika e Vijnânavâda do Budismo; tanto ele quanto Shankara referem-se freqüentemente, embora com críticas, a essas escolas. Muitos já ressaltaram as semelhanças que existem entre o Budismo Mahâyâna e o Advaita Vedânta. Em parte, foi devido

O mantra tibetano "om mani padme hûm"

à extraordinária capacidade argumentativa de Shankara que o Advaita Vedânta, e não o Budismo Mahâyâna, firmou-se no solo indiano.

Mantrayâna

A partir do século III d.C., mais ou menos, o uso de *mantras*, palavras ou fórmulas sagradas, ganhou proeminência na tradição budista. Entretanto, a descoberta de que o som pode ter um efeito transformador sobre a psique remonta à época dos *Vedas*. Por milênios a fio, os brâmanes usaram sílabas sagradas como o *om* e preces mântricas como o *gâyatrî-mantra* para concentrar a mente e invocar os poderes superiores. Do mesmo modo, no Budismo, fórmulas mântricas para a proteção contra o mal, chamadas *parittas* em pali, foram empregadas desde a época do Buda. A escola Mahâsânghika, que pode ter sido uma espécie de intermediária entre o Hînayâna e o Mahâyâna, possuía uma coletânea especial de *mantras* chamada *Dhâranî-Pitaka*. Mas, nos primeiros séculos da Era Cristã, alguns mestres budistas começaram a usar o *mantra* como o meio principal para disciplinar e transcender a mente. Essa tradição passou a ser chamada de Mantrayâna e assemelha-se, em suas grandes linhas, ao Mantra-Yoga dos hindus.

Excelente exemplo da prática mântrica dos budistas é a recitação do famoso *mantra* da literatura *Prajnâ-Pâramitâ*: *Gate gate para-gate para-samgate bodhi svâhâ*, que significa "Foi [na verdade, o particípio passado "ido"], foi, foi além, foi absolutamente além, iluminação, *svâhâ*". No *Eka-Akshari-Sûtra*[24] ("Sûtra da Letra Única"), outra vez, a letra *a* é apresentada como o som sagrado que sintetiza toda a literatura *Prajnâ-Pâramitâ*.

Om, hûm, phat

Alguns textos budistas estabelecem uma distinção entre os *mantras* e os *dhâranîs*, definindo estes últimos como "aquilo pelo qual outra coisa é apoiada" (*dhâryate anayâ iti*), sendo essa "outra coisa" a mente que medita. Os *dhâranîs* constituem uma categoria especial de *mantras*: são versões abreviadas de frases fundamentais das escrituras sagradas, que exprimem idéias quintessenciais. A famosa frase mântrica tibetana *om mani padme hûm*, "*Om*, a jóia no lótus, *hûm*", é um típico *dhâranî*. O falecido Anagarika Govinda, iniciado Vajrayâna de ascendência alemã, analisou esse *mantra* de modo detalhadíssimo.[25] Os textos budistas mencionam também os *kavacas*, que são seqüências semelhantes de sons sagrados mas são usados especificamente para a autoproteção. A palavra em si significa "armadura".

O gosto pela abreviação que caracteriza os criadores dos *mantras* é levado ao extremo nos *bîja-mantras*, que são fonemas simples como *om*, *hûm* ou *phat*, concebidos como "sementes" de realidades e conseqüentes experiências espirituais muito mais complexas. Cada um deles representa todo um cosmos de idéias. *Om*, por exemplo, é o som silencioso da própria Realidade absoluta e localiza-se no corpo humano no ponto sagrado entre as sobrancelhas (o "terceiro olho"). É nesse ponto que confluem as correntes vitais da direita e da esquerda, as quais depois seguem juntas rumo à grande "porta" da libertação localizada no topo da cabeça.

A tradição Mantrayâna é vista como um dos ramos ou fases do Budismo Tântrico, ao lado do Vajrayâna, do Kâlacakrayâna e do Sahajayâna. Por outro lado, a denominação Mantrayâna também se aplica muitas vezes ao Tantrismo budista em geral. Mas, a rigor, o Mantrayâna é a fase introdutória do Tantrismo búdico, cuja mais plena expressão é a tradição Vajrayâna, que será discutida em separado na Seção V deste capítulo.

Sahajayâna

O Sahajayâna, que surgiu no século VIII d.C., pode ser compreendido como uma reação ao esotericismo complicado e às ocupações mágicas do Tantra, e como uma crítica a essas mesmas coisas. O Sahajayâna não tem textos tântricos próprios, coisa que quase haveria de chocar-se com o seu princípio de espontaneidade. Mas os seus mestres deixaram canções memoráveis, chamadas *dohâs* ou *caryâs*, que eram transmitidas oralmente e foram populares em diversas partes da Índia até o século XII d.C. O movimento Sahajîya abarcou o Budismo, o Hinduísmo e o Jainismo e houve *dohâs* compostas em todas as línguas e dialetos peculiares a essas tradições. Somente um pequeno número dessas canções chegou a nós. Elas foram coligidas e publicadas pelo famoso estudioso indiano Prabodh Chandra Bagchi.[26]

Os mestres do Sahajayâna ensinavam que a Realidade não pode ser conhecida pela imposição de restrições antinaturais de qualquer tipo à natureza humana. Afirmavam, pelo contrário, que nós devemos seguir o que há de mais natural em nós mesmos, isto é, devemos ser concordes com o nosso imperativo pessoal. É claro que não pregavam a liberação total das paixões ou instintos. Ao contrário: a atitude natural ou espontânea que defendiam é a via da fidelidade ao que há de mais profundamente verdadeiro em nós — a liberdade bem-aventurada. Talvez a conhecida frase de Joseph Campbell, "Segue a tua própria felicidade", transmita algo da doutrina deles.

As *dohâs* budistas mais conhecidas são as que foram compostas pelo adepto Saraha ou Sarahapâda, do século VIII. Sua consorte (*dâkinî*)[27] era filha de um fabricante de flechas, e por isso o santo é normalmente retratado com uma flecha nas mãos — símbolo do poder penetrante da sabedoria. O próprio nome Saraha significa "o que solta (*ha*) a flecha (*sara*)".

É verdade que os mestres realizados do Sahajîyâ eram respeitadíssimos, mas a mensagem deles era radical demais para ser compreendida pela maioria das pessoas. Não obstante, o ideal da espontaneidade tem um valor perene para os que buscam o espiritual, pois é facílimo a pessoa começar a encarar a busca da iluminação como uma espécie de luta caótica. As *dohâs* e *caryâs* nos lembram que toda agitação da vontade decorre do ego e é, como tal, uma limitação da nossa condição natural de perfeita bem-aventurança.

Kâlacakrayâna

Em algum momento do século X d.C., surgiu da tradição Vajrayâna o Kâlacakrayâna. A palavra *kâlacakra* significa "roda do tempo" ou "roda da morte" e é uma referência à Realidade suprema em seu aspecto de bipolaridade entre sabedoria (*prajnâ*) e meios (*upâya*), isto é, meios de compaixão (*karunâ*).

Essa tradição é associada às divindades iradas do panteão tibetano, talvez porque o próprio tempo seja uma força destrutiva. A mudança é inevitável e a soberana suprema de todas as coisas mutáveis é a morte. O objetivo do aspirante do Kâlacakrayâna é o de transcender o tempo e a morte pela manipulação do seu próprio microcosmo, o corpo e a mente humanos. Enquanto réplica fiel do cosmos maior, o corpo contém todas as características essenciais do mundo externo — estrelas, planetas, montanhas, oceanos e rios. Basta-nos aprender a decifrar a linguagem oculta do paralelismo entre microcosmo e macrocosmo.

Os mestres do Kâlacakrayâna dão ênfase ao caminho yogue. Para vencer o tempo e a morte, é preciso principalmente controlar a inspiração (*prâna*) e a expiração (*apâna*). O fluxo incessante do sopro da vida é, para usar uma metáfora um tanto anacrônica, semelhante ao tique-taque do relógio, que nos alerta de que o nosso tempo está se esgotando. *Prâna* (vida) e *kâla* (tempo/morte) estão intimamente ligados. Parar um deles equivale a parar o outro, e é exatamente esse o objetivo declarado dos adeptos desta tradição. Quando a vida e o tempo param e imobilizam-se, aproxima-se a realização da grande bem-aventurança (*mahâ-sukha*).

Saraha (de uma xilogravura)

Os mestres do Kâlacakrayâna expressaram a mesma coisa de outra maneira quando falaram da união do sol e da lua, de *upâya* e *prajnâ* respectivamente. Essa união é o Senhor Kâlacakra. A disciplina yogue (*sâdhanâ*) que facilita a realização da suprema Realidade é explicada de modo mais ou menos detalhado no *Kâlacakra-Tantra*, texto do século X d.C.

Característica específica do Kâlacakrayâna é a doutrina acerca do reino místico de Shambhala, que seria o local de origem desta via. Afirma-se que só os grandes adeptos encontram o caminho que leva a esse reino, o qual é governado por reis-sacerdotes.

A Escola Ch'an ou Zen da China e do Japão

O espírito radical do Sahajayâna está presente também no Budismo Zen japonês. O Zen é a versão japonesa da tradição de meditação (*ch'an*) do Budismo chinês. Tanto o Budismo Mahâyâna quanto as doutrinas do Theravâda foram introduzidos na China no século I d.C., e lá depararam com duas religiões poderosas e "simbióticas", o Confucionismo e o Taoísmo. Era este último que dava inspiração religiosa e esperança de poder e imortalidade ao grosso da população, e foi ele que, muito mais que o Confucionismo centrado no imperador, facilitou o assentamento e o crescimento do Budismo na China.

Mas o Budismo, na China, não se limitou a crescer; foi também profundamente transformado, pois o que os chineses mais apreciavam nele era, por um lado, o aspecto devocional e, por outro, o ideal da compaixão transcendente. Ficaram fascinados com a figura de Amitâbha, o Buda da irradiação luminosa infinita, que preside ao mundo celestial puro chamado Sukhavatî, "Terra Feliz", descrito com detalhes pitorescos no pequeno e no grande *Sukhavatî-Vyûha-Sûtras* e no *Amitâyur-Dhyâna-Sûtra*. São esses os textos básicos do chamado Budismo "Terra Pura" do Extremo Oriente, que é o correspondente budista e extremo-oriental do Bhakti-Yoga do Hinduísmo. O budista piedoso tem a esperança de reencarnar-se, ou melhor, "renascer" nesse mundo divino ou em algum outro mundo puro, como o Paraíso de Tushita regido pelo *bodhisattva* celestial Avalokiteshvara, que vem em segundo lugar, logo após o Buda Amitâbha (ou Amitâyur, "Vida Infinita"). Esse renascimento é considerado por alguns mestres como equivalente do próprio *nirvâna*, na medida em que o ser que renasce numa "terra pura" haverá de alcançar o *nirvâna* inevitavelmente nessa nova existência

A escola Terra Pura (chinês: Yodo-Shu) transformou-se ainda mais quando chegou ao Japão, onde ficou conhecida como escola Jodo, fundada por Honen Shonin (1133-1211 d.C.). Honen, o "homem superior", sentia que tantos séculos se haviam passado desde a época de Gautama, o Buda, que ninguém mais conseguia compreender a sua mensagem original. O melhor que o ser humano podia fazer, na opinião de Honen, era crer no Buda e rezar pedindo-lhe misericórdia. Assim, Honen pregava uma forma de Mantra-Yoga centrado na frase mântrica *namu amida butsu* ou "Adoração ao Buda Amida [= Amitâbha]" e fazia um mínimo de outras exigências disciplinares. Seu discípulo principal, Shinran Shonin (1173-1262 d.C.) transformou o ensinamento de Honen numa pura doutrina de salvação pela graça: a graça do Buda Amida basta para tirar o fiel da existência condicionada. Não é necessário nenhum "esforço próprio" (japonês: *jiriki*). O "esforço do outro" (japonês: *tariki*), isto é, a graça do Buda, que adquiriu um mérito inexaurível pelas asceses que praticou antes da iluminação, é suficiente. Uma única invocação do nome do Buda Amida, feita com um coração puro, basta para assegurar a salvação. Fiel à sua doutrina (e obedecendo a um conselho espiritual de seu mestre), Shinran rompeu os votos monásticos e casou-se com uma princesa.

Na outra extremidade do espectro temos a tradição Zen, firmemente baseada no esforço próprio. Essa tradição reconhece como seu primeiro patriarca a um monge letrado do sul da Índia, chamado Bodhidharma (470-543 d.C.). Ele chegou na China no ano 520 d.C. e lá tornou-se conhecido como Tamo (japonês, Daruma). Fundou a tradição Ch'an, ou tradição da meditação, inspirada pela escola Yogâcâra. Foi recebido na China pelo imperador Wu-Ti, budista fervoroso. Quando o imperador pediu-lhe que definisse o princípio essencial do Budismo, Bodhidharma respondeu laconicamente: "O imenso vazio", perturbando grandemente o soberano. Depois desse encontro retirou-se para um mosteiro, onde passou nove anos meditando em frente a uma parede branca. Observou depois que a mente tem de tornar-se semelhante a um muro bem aprumado.

Seus ensinamentos foram atraindo um número cada vez maior de monges e pais de família. Na época do sexto e último patriarca, Hui Neng (638-713 d.C.), o Ch'an havia se tornado a forma predominante do Budismo na China. Foi só quinhentos anos depois que a doutrina C'han foi levada ao Japão por Eisai (1141-1215 d.C.). O Zen, que já foi chamado de "apoteose do Budismo",[28] é, ao lado do Sahajayâna indiano, um dos ramos mais radicais dessa religião. Ambos são aplicações diretas do princípio do vazio à vida cotidiana.

O Zen foi apresentado ao Ocidente na década de 1930, principalmente graças aos esforços incansáveis do mestre e estudioso Daisetz Teitaro Suzuki; depois, foi popularizado por elementos catalisadores, como Alan Watts e os poetas e filósofos *beat*. Esse transplante do Zen para o mundo ocidental nem sempre se mostrou frutífero. É como diz um crítico, que é ele mesmo budista:

> O Zen foi criado para operar no contexto do vazio. Transferido para o Ocidente, esse vazio se transforma num vácuo. Lembremo-nos agora das coisas de que o Zen não fala mas que ele pressupõe, das coisas que são os seus pré-requisitos, as suas bases e o seu ponto de apoio contínuo: uma tradição longa e ininterrupta de "know-how" espiritual; crenças metafísicas firmes e inquestionáveis, e não uma simples descrença de tudo; uma superabundância de textos e imagens sagradas; uma disciplina rigorosa supervisionada por pessoas investidas de autoridade; a insistência na retidão dos meios de vida e numa vida austera para todos os expoentes do Dharma; e uma Sangha [comunidade espiritual] forte, composta de milhares de indivíduos maduros e experientes alojados em milhares de templos e perfeitamente capazes de restringir ao mínimo tudo o que se desvia dos princípios budistas.[29]

O Mantrayâna e o Zen ilustram a imensa plasticidade da tradição budista. Comparado ao despojamento do Zen, o Mantrayâna é quase barroco. O Zen dispensa todos os instrumentos e meios e busca forçar ou seduzir a própria mente a ir além das suas próprias criações ilusórias. É comparável a uma escalada que toma a montanha de assalto pela via mais direta mas mais difícil, pela parede perpendicular de pedra, tendo a consciência por único instrumento. O Budismo tântrico é muito diferente. Utiliza ferramentas as mais diversas para ajudar na escalada e, em particular, leva em conta o fato de que nós vivemos imersos numa dimensão de energias sutis que precisam ser domadas e controladas para servir ao caminho.

O espaço preenchido pelo Budismo tântrico foi aberto pela ascensão do Budismo Mahâyâna. Aos poucos, muitos outros instrumentos psicotécnicos, além dos *mantras*, foram introduzidos na tradição budista, com o fito de simplificar a concentração da atenção meditativa nesta era de trevas (*kali-yuga*): o renascimento espiritual tântrico aconteceu simultaneamente no Budismo e no Hinduísmo. Aliás, é nas primeiras doutrinas tântricas que o Budismo e o Hinduísmo mais se aproximam. A seção seguinte introduz as características principais do Tantra budista e antecipa, em certa medida, o que falaremos acerca do Tantrismo hindu no Capítulo 17.

V. A JÓIA NO LÓTUS — O BUDISMO VAJRAYÂNA (TÂNTRICO)

A Natureza do Tantrismo Budista

O Tantra, ou Tantrismo, compõe um dos capítulos mais fascinantes da longa história da espiritualidade indiana. Entretanto, é muito difícil defini-lo, pois ele é tão diversificado que chega a conter dentro de si a sua própria antítese. O Budismo tântrico, ou Vajrayâna, é, pois, um ritualismo esotérico que conta com uma ampla variedade de acessórios e engloba não só a adoração ritual e a interiorização de divindades masculinas e femininas, como também a doutrina e a prática da espontaneidade (*sahaja*). O Sahajayâna afirma que a Realidade suprema não pode ser descoberta através de quaisquer manipulações externas e nem mesmo pelo controle da mente; só pode ser intuída simplesmente como a Condição natural do ser. Nas palavras de Sarahapâda (século XI d.C.), compositor iluminado do "Cântico Real":

> Quando os iludidos olham no espelho.
> Vêem um rosto, não um reflexo.
> Assim a mente que negou a verdade
> Confia no que não é verdadeiro. (15)

> Assim o brâmane, com arroz e manteiga,
> Oferece um holocausto no fogo ardente,
> Criando do éter celestial um vaso para o néctar,
> E, confundindo seus desejos com a realidade, vê nisso o absoluto. (23)

Alguns que geraram o calor interior e fizeram-no subir ao topo da cabeça
Roçam a língua na úvula numa espécie de coito e confundem
O que agrilhoa com o que liberta;
Orgulhosos, chamam-se a si mesmos yogues. (24)

Não há nada a ser negado, nada a ser
Afirmado ou compreendido; pois Aquilo não pode ser concebido.
Os iludidos são agrilhoados pelas fragmentações da razão;
A espontaneidade permanece pura e indivisa. (35)[30]

O Tantra é um caminho prático, feito para transformar a consciência humana até que a Verdade transmental (*amanaska*) se revele como óbvia. O que todas as escolas tântricas têm em comum é a afirmação de que a Verdade transcendente deve ser descoberta no próprio corpo humano, não em outro lugar. Essa afirmação expressa a doutrina fundamental da tradição Mahâyâna: o mundo da mudança (*samsâra*) é coessencial à Realidade suprema, seja ela chamada *nirvâna* ("extinção") ou *shûnya* ("vazio").

Essas escolas também partilham uma outra crença metafísica: a de que, do ponto de vista empírico, a Realidade única manifesta-se como um jogo de polaridade — sendo os dois pólos o princípio masculino estático e o princípio feminino dinâmico: *shiva/shakti* ou *prajnâ/karunâ*. Essa verdade é fundamental para todo o caminho (*sâdhanâ*) tântrico.

Embora haja muitas diferenças entre o Tantrismo budista e o Tantrismo hindu, as idéias e práticas fundamentais são bem semelhantes. O Tantra não se diferencia das outras tradições espirituais da Índia por uma inovação filosófica, mas em virtude da sua atitude fortemente sincrética. Nas palavras de Agehananda Bharati, o Tantra é menos "preso a juízos de valor" do que as tradições não-tântricas: isto é, permite práticas que normalmente são proscritas da vida espiritual e às vezes são malvistas até no contexto profano comum.[31] O Tantra é antipuritano e vê o corpo como algo positivo. Os mestres tântricos põem a auto-experimentação acima da moralidade social, e seus textos em geral alertam tanto os iniciados quanto os não-iniciados de que os ensinamentos neles contidos são radicais e perigosos. Mas, por outro lado, também apresentam-se insistentemente como um atalho para a iluminação nesta era de derrocada espiritual e moral.

Gestos Sagrados (Mudrâ)

O uso de *mantras*, como já dissemos, é uma parte importante do repertório psicotécnico do Tantra. Embora os *mantras* sejam apresentados como uma via simples que leva à realização espiritual, a simplicidade deles é enganosa. Os ocidentais desinformados que se comprazem em macaquear a sabedoria oriental se esquecem de que não há prática espiritual que não tenha como base um profundo compromisso com a autotranscendência. A mera repetição mecânica de *mantras* produz, na melhor das hipóteses, um estado de transe, e, na pior, sérios problemas psiquiátricos. A incorporação dos *mantras* à prática budista abriu a porta para outros instrumentos psicotécnicos, entre os quais destacam-se a prática dos gestos sagrados (*mudrâ*) e o emprego de representações gráficas (*mandala*) de acontecimentos psico-sociológicos.

Assim como o som tem um aspecto transcendente, assim também o posicionamento do corpo no espaço pode evocar e comunicar verdades primordiais. Assim, os *mudrâs*, que são em sua maior parte gestos das mãos (*hasta-mudrâ*), ao mesmo tempo expressam certos estados espirituais e conduzem a eles. Os *mudrâs* budistas mais conhecidos e freqüentemente representados nos ícones são:

1. *Bhûmi-sparsha-mudrâ* ou "gesto de tocar o chão", também chamado de gesto do testemunho. Este último nome vem das biografias tradicionais de Gautama, o Buda, que fez esse gesto quando pediu à terra que testemunhasse a sua vitória sobre Mâra, o espírito do mal. Este *mudrâ* é executado com o braço direito solto sobre o joelho direito, a palma da mão voltada para dentro (para o corpo do praticante) e todos os dedos apontando para baixo. A ponta do dedo médio encosta no chão ou no assento.

2. *Dâna-mudrâ* ou "gesto da doação", que se executa estendendo-se o braço direito sobre o joelho direito com a palma da mão direita voltada para fora.

3. *Dhyâna-mudrâ* ou "gesto da meditação", no qual ambas as mãos repousam sobre o colo com as palmas para cima, a direita sobre a esquerda. Os polegares se tocam levemente.

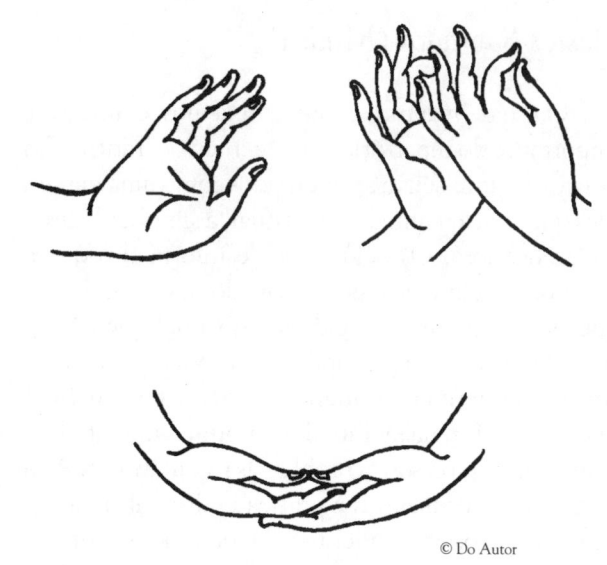

Abhaya-mudrâ, dharma-cakra-mudrâ e dhyâna-mudrâ

4. *Abhaya-mudrâ* ou "gesto da intrepidez", isto é, o gesto que faz passar o medo nos outros seres. Executa-se com a mão direita levantada à altura do coração com a palma voltada para fora e todos os dedos para cima.

5. *Dharma-cakra-mudrâ* ou "gesto da Roda da Lei", que se executa de diferentes maneiras segundo as diversas tradições. No Tibete, ambas as mãos são levadas à altura do peito, com a esquerda à frente da direita. O indicador e o polegar de cada mão se tocam, formando um círculo.

A origem desses gestos de mão é desconhecida. Num certo nível, eles foram inventados por artistas que procuraram expressar iconograficamente os estados interiores. Num outro, são sem dúvida alguma o produto da prática intensa da meditação, durante a qual o corpo muitas vezes assume espontaneamente certas posturas estáticas e dinâmicas, chamadas *kriyâs* ("ações").

Mandala: A Geometria do Espaço Sagrado

Sob o aspecto prático, a *mandala* ("círculo") é um suporte de concentração para o meditante. Simbolicamente, é um mapa do cosmos e da psique. Como explicou o tibetólogo italiano Giuseppe Tucci:

É uma projeção geométrica do mundo reduzido a um modelo essencial. Implicitamente, assumiu desde muito cedo uma grande importância, pois quando o místico identificava-se com o seu centro, ela o transformava e determinava as primeiras condições para o êxito de sua obra. Depois, continuou sendo um paradigma da invocação e da evolução cósmicas. O homem que a usava, porém, não queria mais somente voltar ao centro do universo. Insatisfeito com o conhecimento da psique, ansiava por um estado de concentração que lhe permitisse ainda outra vez encontrar a unidade de uma consciência isolada e indivisa e recuperar em si mesmo o princípio ideal das coisas. A *mandala* deixa então de ser um cosmograma para tornar-se um psicocosmograma, o esquema da desintegração que leva da Unidade à multiplicidade e da reintegração que conduz da multiplicidade à Unidade, àquela Consciência Absoluta, íntegra e luminosa que o Yoga faz brilhar de novo no profundo do nosso ser.[32]

A construção da *mandala* é um ato meditativo no qual o iniciado identifica-se com a divindade ou as divindades específicas do diagrama e vai passando aos poucos pelas diversas experiências e estados psíquicos correspondentes aos vários aspectos do psicocosmograma. Chega por fim ao ponto central (*bindu*), a semente simbólica do universo manifestado e o portal que conduz à Realidade transcendente. Se o praticante (*sâdhaka*) obtém êxito, é nesse momento que a sua consciência individuada se dissolve, restando apenas a Consciência Pura, o Absoluto.

A *mandala* pode ser construída de várias maneiras: desenhando-se-á na areia ou num papel, tecido ou pedaço de madeira ou construindo-se-á na mente pela imaginação. Esta última prática pressupõe uma capacidade proeminente de visualização. Quer no primeiro caso, quer no segundo, a construção da *mandala* é precedida por ritos purificatórios apropriados nos quais são consagrados o local, os materiais e, sobretudo, o corpo e a mente do praticante.

Simplificando, a *mandala* típica é composta de um nível protetivo exterior que consiste em um ou mais círculos concêntricos, ou muralhas de fogo, ao redor de uma estrutura quadrada que, por sua vez, contém o ponto (*bindu*) ou a imagem central. O quadrado, que tem quatro "portões", é cortado por linhas diagonais

CAPÍTULO 7 — O YOGA NO BUDISMO

que constituem quatro triângulos, cada um dos quais contém a imagem de uma divindade específica com suas insígnias. Como se pode ver em qualquer *thanka*, a pintura sobre tecido tibetana, essas *mandalas* são desenhos complexíssimos, como também é complexa a liturgia associada à construção de *mandalas*. Os *yantras* hindus, em comparação, são relativamente simples, e isso vale também para o seu conteúdo simbólico. Falaremos a esse respeito quando discutirmos o Tantrismo hindu no Capítulo 17.

Maithunâ: A Sexualidade Sagrada

Os *mantras*, os *mudrâs* e as *mandalas* são acessórios importantes para o Tantra. Outro instrumento muito útil para a transformação psíquica, e aquele pelo qual o Tantra é mais conhecido no Ocidente, é a prática da sexualidade ritualizada, que leva o nome técnico de *maithunâ* e será discutida em detalhe no Capítulo 17.

Muito provavelmente, a conduta de um adepto do Vajrayâna será heterodoxa; desejoso de transformar todos os elementos da sua vida em meios de realização, ele não fará exceção a processos corpóreos como o sono, a alimentação, a excreção e (se não for monge) os relacionamentos sexuais. A energia das paixões e dos desejos não deve ser desperdiçada, mas controlada e direcionada. Cada ato do corpo, da fala e da mente, cada circunstância, cada sensação, cada sonho pode ter a sua utilidade. Esse aspecto do Budismo tântrico fez com que este fosse erroneamente confundido com uma espécie de libertinismo. Embora todas as coisas sejam usadas como meios, elas devem ser usadas sempre da maneira correta; e esse uso correto nada tem em comum com a satisfação dos sentidos.[33]

John Blofeld, autor do texto reproduzido acima, afirma em seguida que, num contexto tântrico, o uso de drogas como a mescalina pode ser útil. Com efeito, as drogas "psicodélicas" foram muito empregadas em tradições espirituais do mundo inteiro, inclusive no Yoga de Patanjali, embora nunca fossem apresentadas como as chaves da iluminação; sempre foram encaradas como meios acessórios do caminho espiritual. Blofeld relata a sua própria experiência com drogas, a qual o fez mergulhar num estado de êxtase "em que raiou em mim a plena consciência de três grandes verdades que eu aceitava intelectualmente havia muito tempo, mas que jamais captara como evidentes por si mesmas". A experiência revelou-lhe que existia de fato um nível de ser no qual sujeito e objeto não estão mais separados; que esse estado é marcado pela felicidade plena; e que tudo o que surge na consciência é de fato efêmero, como diz a doutrina budista dos *dharmas*, já explicada.

Essa realização transcendental do ser incondicionado também é o objetivo e a substância da sexualidade sagrada. É nessa prática que se revela a "jóia no lótus", o eterno amplexo dos aspectos masculino e feminino da Realidade infinita. A palavra *vajra* (tibetano: *dorje*), no Vajrayâna, denota o "diamante", a substância tão dura que nada em todo o universo pode quebrá-la ou mesmo lascá-la. Em outras palavras, é a própria Realidade transcendente. É o supremo princípio da sabedoria (*prajnâ*) pelo qual todas as coisas podem ser penetradas e, logo, transcendidas. É também a força geradora masculina e o nome esotérico do pênis.

Casal no êxtase da união carnal (yab-yum)

Vajra

O lótus (*padma*), por outro lado, é o símbolo do progresso espiritual e do órgão sexual feminino. Isso significa, portanto, que o relacionamento sexual pode ser encarado a partir de muitos níveis simbólicos. Antes de mais nada, porém, a união do homem e da mulher no êxtase da cópula reproduz no nível humano a verdade eterna da existência em seu nível transcendente. Falaremos mais a respeito disso depois.

Os Grandes Adeptos do Budismo Tântrico

O Budismo tântrico resulta do contato entre o Budismo indiano e a religião Bon, natural do Tibete. Por isso constatamos que na tradição Vajrayâna, mais do que em qualquer outra tradição budista, as doutrinas metafísicas mais elevadas se misturam às práticas mágicas mais terra-a-terra. Isso se evidencia com a máxima clareza quando examinamos as biografias dos oitenta e quatro *mahâ-siddhas* ("grandes adeptos") do Budismo tibetano. Eles não foram somente seres iluminados, mas milagreiros de marca dotados de todas as espécies de poderes paranormais (*siddhis*).

O *yogin* mais famoso do Tibete, Milarepa (1038-1122 d.C.), por exemplo, antes de converter-se à vida espiritual, cometia atrocidades horríveis com sua magia negra. Diz-se que o seu período de discipulado sob a direção de Marpa, "o Tradutor", foi especialmente sofrido, pois Milarepa teve de purgar todos os seus pecados no decorrer da prática (*sâdhanâ*). Não obstante, nas suas "Cem Mil Canções de Mila" (*Mila-Grubum*), Milarepa, cujo nome significa "vestido de algodão", louva seu *guru* pelo grande amor e paciência. Milarepa é o vulto mais ilustre da ordem Kagyu, cujos membros geralmente vivem como eremitas em cavernas de montanha, votando a vida à meditação solitária. Sua linguagem remonta, através de Milarepa, a Marpa, o Tradutor (1012-1097 d.C.), que combinou em sua própria pessoa o gênio intelectual e a profundidade espiritual, e antes dele ao seu mestre indiano Nâropa (1016-1100 d.C.). O mestre de Nâropa foi, por sua vez, Tilopa (988-1069 d.C.), que não teve preceptor humano e supostamente recebeu a iniciação à mais elevada prática espiritual diretamente da sua divindade escolhida (tibetano: *yidam*; sânscrito: *ishta-devatâ*). Tilopa é considerado o primeiro patriarca da ordem Kagyu.

Os Kagyupas são bem conhecidos pela prática do *chod* ("corte"), meditação na qual o praticante, através da visualização e de rituais, desmembra pouco a pouco o próprio corpo, oferecendo-o como alimento a divindades, *dâkinîs* e seres inferiores. O que resta é uma consciência purificada que já não se agarra ansiosamente ao corpo físico nem ao mundo físico como um todo.

A ordem Kagyu é uma das três seitas do "gorro vermelho" do Budismo tibetano, assim chamadas em virtude da cor do chapéu que seus membros usam durante as cerimônias. As outras duas são as escolas Nyingmapa e Sakyapa. A primeira é a ordem mais antiga do Vajrayâna e remonta à época do grande mosteiro tibetano de Samye, no qual o grande mestre tântrico Buddhaguhya e mais de cem monges tradutores trabalharam para traduzir textos sânscritos para a língua tibetana. Um antigo mestre, que muito fez para disseminar o Budismo no Tibete e costuma ser considerado o fundador da ordem Nyingmapa, foi Padmasambhava ("Nascido do Lótus"), o "Mestre Precioso" (Guru Rimpoche), que chegou no Tibete em 747 d.C. A maioria dos Nyingmapas são casados e conhecem tão bem as escrituras quanto conhecem diversas práticas tântricas. A prática mais característica da ordem Nyingmapa é a *dzogchen*, que se tornou muito popular entre os ocidentais budistas. Trata-se do mais elevado

Guru Padmasambhava (escultura num templo budista no Havaí)

dos três Tantras "internos", que são, em ordem ascendente, o *mahâyoga*, o *anuyoga* e o *atiyoga*. No estágio de *mahâyoga* o praticante percebe que todos os fenômenos são emanações da mente, que é uma fusão de aparência e vazio (*shûnyatâ*). No nível do *anuyoga*, todas as aparências e os próprios pensamentos do praticante são percebidos como vazios (*shûnya*), e esse vazio é identificado a Samantabhadrî, forma feminina de Samantabhadra, personificação do *dharma-kâya*, o "corpo" da Realidade. O *atiyoga* consiste na percepção direta de que todos os fenômenos são uma combinação de aparência e vazio. Essa prática transcende toda e qualquer visualização; aliás, os Nyingmapas consideram a visualização inferior ao *dzogchen*. Mas a grande maioria dos aspirantes ocidentais tende a esquecer que a percepção direta da natureza vazia da mente e de toda a existência pressupõe um grau extraordinário de tranqüilidade e de clareza interiores. Não convém, portanto, descartar o uso de outras formas de meditação e visualização como auxiliares que podem levar à tranqüilidade ou imobilidade interior.

A linhagem dos Sakyapas remonta ao adepto indiano Virûpa e, através dele, a Atîsha Dîpamkara Shrîjnâna (982-1052 d.C.). Atîsha nasceu numa família aristocrática de Bengala, abandonou o mundo aos quinze anos de idade e tornou-se monge (*bhikshu*) aos vinte e nove anos. Depois de doze anos de estudo intenso e fervorosa disciplina monástica, tornou-se muito famoso como erudito e adepto. Entretanto, quando percebeu a importância do cultivo de *bodhi-*

Tsongkhapa (de uma xilogravura)

citta, a vontade da iluminação, fez uma viagem de treze meses à Indonésia para receber ensinamentos sobre a *bodhi-citta* da mais conceituada autoridade no assunto, o adepto Dharmakîrti.

Atualmente, a seita que conta com mais membros é a ordem Gelug ("Virtuosa"), também chamada seita do "gorro amarelo", que tem por chefe o Dalai Lama ("Mestre Oceano [de Compaixão]"). Sua linhagem remonta ao grande reformador Je Tsongkhapa Lobsang Drakpa (1355-1417 d.C.) e, através dele, ao adepto indiano Atîsha. Tsongkhapa ("O Arauto do País das Cebolas") reafirmou o princípio de Atîsha de que os *Tantras* só devem ser estudados depois de o aspirante ter alcançado a maestria no conhecimento e na prática dos *Sûtras*. Com base no "Lâmpada para o Caminho da Iluminação" (*Byang-chub lamgyi groma*; sânscrito: *Bodhi-Patha-Pradîpa*) de Atîsha, Tsongkhapa desenvolveu a doutrina do "caminho em degraus" (*lam rim*) no qual se baseiam todas as práticas espirituais dos Gelugpas. Trata-se de uma impressiva sistematização dos estágios (*rim*) do caminho (*lam*) que leva à libertação, que serve como esquema básico para a instrução.

Pouco tempo antes de morrer, Je Tsongkhapa perguntou aos seus principais discípulos quem, dentre eles, assumiria a responsabilidade pela transmissão dos ensinamentos tântricos. Somente Jetsun Sherab Sengye deu um passo adiante, e recebeu de seu *guru* todos os preciosos ensinamentos. Eles foram transmitidos por uma linhagem ininterrupta no mosteiro de Segyu, o qual, como muitos outros, foi destruído durante a invasão do Tibete pela China em 1959. Só um pequeno número de monges conseguiu fugir para o Nepal, e a

Atîsha (de uma xilogravura)

Índia, onde criaram dois novos mosteiros (respectivamente em Kathmandu e Kalimpong). Através de Sherab Sengye, os ensinamentos tântricos foram transmitidos também para outros mosteiros e constituem hoje a espinha dorsal da tradição Gelug.

Je Tsongkhapa escreveu muitos livros, entre os quais o *magnum opus* "A Grande Exposição dos Estágios do Caminho", o influente "A Essência das Boas Explicações" e "A Grande Exposição do Mantra Sagrado". Em 1509, aos cinqüenta e dois anos de idade, fundou o famoso mosteiro de Ganden,[34] que chegou a abrigar em certa época quatro mil monges. Fundou também os conhecidos mosteiros de Drepung (1416) e Sera (1419). Depois de completamente destruídos pelos comunistas chineses, foram reconstruídos na Índia.

As reformas de Je Tsongkhapa tinham a intenção principal de restaurar os votos e disciplinas monásticas, reconstituir a clareza de idéias e ressuscitar as puras práticas tântricas entre os tibetanos. O que mais o preocupava eram as práticas sexuais dos que se envolviam com o Yoga tântrico superior (*anuttara-yoga-tantra*), as quais chocavam-se com os ideais monásticos.

Os Seis Yogas de Nâropa

O adepto Nâropa merece a nossa atenção especial, porque seu nome é associado à doutrina dos "Seis Yogas de Naro" (*naro chodrug*).[35] Essas práticas estão expostas no texto tibetano "A Epítome das Seis Doutrinas", que foi traduzido em 1935 por Kazi Dawa-Samdup e apresentado e prefaciado por W. Y. Evans-Wentz. São as seguintes:

1. O Yoga do Calor Psicofísico (*tumo*): esta prática combina técnicas de visualização e respiração. Utilizando o excedente de bioenergia produzido pela abstinência sexual rigorosa, os *yogins* visualizam, entre outras coisas, metade da letra *a* do alfabeto tibetano, fazendo-a então brilhar até que o corpo inteiro, e depois o cosmos, sejam preenchidos pela luz e pelo calor. Por fim, controlam a chama, reduzindo-a aos poucos até transformar-se num ponto minúsculo e depois desfazer-se no vazio. Esta prática gera uma quantidade considerável de calor psicofísico, permitindo que os *yogins* meditem nus por longos períodos nas temperaturas baixíssimas do Himalaia. Várias expedições fizeram filmes que documentam esse feito extraordinário. A prática pressupõe um conhecimento profundo dos "ventos" (tibetano: *lung*; sânscrito: *prâna*, *vâyu*) e dos canais sutis (tibetano: *tsa*; sânscrito: *nâdî*), bem como dos centros psicoenergéticos (tibetano: *tsakhor*; sânscrito: *cakra*).

2. O Yoga do Corpo Ilusório (*gyulu*): meditando sobre a imagem do seu corpo no espelho, que é plana mas dá a ilusão de ser tridimensional, os *yogins* passam a perceber que a imagem, na verdade, surge entre eles e o espelho. Por fim, contemplam o caráter ilusório ou vazio do próprio corpo. O resultado final da prática é a identificação do praticante com o "corpo de diamante" (tibetano: *dorje'i ku*; sânscrito: *vajra-kâya*) da Realidade absoluta.

3. O Yoga do Estado de Sonho (*milam*): a fim de descobrir o caráter ilusório dos estados de vigília e de sonho, os *yogins* adquirem o poder de penetrar à vontade no estado onírico sem perder a continuidade da consciência. Controlam cuidadosamente o que lhes acontece nos sonhos. Em anos recentes, pesquisas a respeito do que se chama de "sonho lúcido" mostraram que é possível entrar conscientemente no estado de sonho e até controlar os eventos oníricos.

4. O Yoga da Clara Luz (*odsal*): esta prática antecipa uma experiência que se diz ser universal logo após a morte, experiência na qual a pessoa morta vê por um instante o esplendor de luz

Nâropa (de uma xilogravura)

branca que é uma forma da própria Realidade transcendente. No Yoga da Clara Luz, os adeptos entram em níveis de consciência onde a visão desse esplendor é possível e assim prepararam-se para o encontro de depois da morte, evitando o perigo muito comum de sentir medo da luz e fugir dela em vez de reconhecê-la como expressão da sua natureza mais íntima.

5. O Yoga do Estado Intermediário (*bardo*): esta prática se liga de perto ao Yoga da Clara Luz. Também nela os adeptos acostumam-se com os fenômenos de depois da morte enquanto ainda vivos e, em decorrência desse "ensaio", tornam-se capazes de não se deixar enganar pelas aparências alucinatórias que podem assaltá-los no *bardo*, isto é, no estado de pós-morte. Além disso, a proficiência neste Yoga dá aos *yogins* o poder de decidir do próprio estado depois da morte, tendo inclusive a opção de renascer em forma humana num tempo e lugar determinados. Em geral distinguem-se seis bardos: (a) o estado normal de vigília, que está entre o nascimento e a morte; (b) o estado de sonho, que está entre o sono profundo e a vigília; (c) o estado de inconsciência, chamado "estado de realidade" (*choyid bardo*) porque nele a mente é lançada de volta à sua verdadeira natureza; (d) o estado de vir-a-ser (*ridpa bardo*), durante o qual o indivíduo, depois de morrer, vê e ouve todo tipo de imagens fantasmagóricas, muitas vezes terríveis, mas que não passam de projeções da mente; (e) o estado de meditação (*samtan bardo*), uma condição de equilíbrio interior acompanhada pelo recolhimento dos sentidos, que deixam de perceber o mundo externo; e (f) o estado de nascimento (*kyena bardo*), que é o período que vai da fertilização do óvulo ao nascimento (ou melhor, renascimento). Esses *bardos* são todos determinados pelas tendências kármicas da pessoa. No entanto, o primeiro, o segundo e o quarto *bardos* são especialmente propícios à prática e ao progresso espiritual.

6. O Yoga da Transferência de Consciência (*phowa*): através de visualizações complexas associadas ao controle da respiração os *yogins* conduzem a bioenergia até o topo da cabeça. Esta técnica altamente secreta produz até mudanças anatômicas. É como observou John Blofeld:

> Este yoga é praticado durante certo tempo por quase todos os iniciados. Na hora da morte, cada qual segundo a sua habilidade, eles serão capazes de transferir-se para mundos de luz radiante, para a existência sutil ou pelo menos para uma encarnação relativamente desejável. Isso porque, se conseguirem dominar completamente este yoga, terão a capacidade de fazer a consciência sair do corpo por um orifício que se abre no topo da cabeça, na sutura sagital onde se unem os ossos parietais; ou, se forem menos hábeis, por diversas outras partes do corpo, as piores das quais são a boca, o pênis e o ânus. Os exercícios são feitos todos os dias até que o pleno êxito seja assinalado pela promanação de linfa ou sangue do ponto já mencionado no topo da cabeça. Um sem-número de testemunhas fidedignas, tanto na China quanto na fronteira indo-tibetana, já asseveraram que isso de fato acontece e que um pequeno buraco se abre espontaneamente nesse ponto.[35]

As técnicas como os Seis Yogas de Nâropa fazem parte do que se chama de Caminho da Forma (*dsinlam*). Existe também um Caminho Sem-Forma, que consiste na percepção constante e contínua de que os objetos manifestos na verdade não são outra coisa senão a própria Realidade transcendente. Essa disciplina semelhante ao Zen se chama *gya-chenpo* (sânscrito: *mahâ-mudrâ*, "grande selo"). A atitude de contemplar a identidade absoluta do mundo fenomênico com a Realidade transcendente torna o homem interiormente imune a todos os temores e dúvidas. Firma o praticante no seu ser verdadeiro, que é a pura felicidade.

Com isso concluímos nossa breve digressão pelas tradições heterodoxas do Budismo e do Jainismo. No capítulo seguinte, retomamos o fio da história do Hinduísmo na época das duas grandes epopéias da Índia — o *Râmâyana* e o *Mahâbhârata*.

"O corpo conhece o tato; a língua, o paladar; o nariz, aromas; os ouvidos, sons; os olhos, formas; mas os homens que não conhecem o profundo Si Mesmo (*adhyâtman*)[1] não captam esse Supremo."

— *Mahâbhârata* (12.195.4)

Capítulo 8
O FLORESCER DO YOGA

1. VISÃO GERAL

Com este capítulo retomamos nosso esboço do desenvolvimento histórico do Yoga hindu, que pusemos entre parênteses no fim do Capítulo 5. O tema deste capítulo são as transformações que ocorreram no fecundo período que mediou entre o misticismo dos primeiros *Upanishads* e o Yoga sistematizado de Patanjali. Esse período, compreendendo o que chamei de Era Épica, vai de c. de 600 a.C. até c. de 100 d.C.

Um bom número de textos pertinentes ao nosso estudo da evolução do Yoga nos chegaram daquela época. O primeiro é o *Râmâyana*, cujo núcleo épico é muito anterior ao Buda e até aos primeiros *Upanishads*. Com efeito, o rei Râma — herói da epopéia — viveu no fim da Era Védica, talvez entre 3000 e 2500 a.C., e certamente antes da notória guerra entre os Kurus e os Pândavas, que foi registrada no *Mahâbhârata*. O pai de Râma, Dasharatha ("Dez Carruagens" ou "O que conduz seu carro nas dez direções"), era o governante da fabulosa cidade de Ayodhyâ. Seu nome verdadeiro era Nemi, que significa "Borda" ou "Circunferência", sendo talvez uma referência à soberania do rei sobre um extenso território. O consenso dos estudiosos situa a redação final da atual versão sânscrita do *Râmâyana* por volta do ano 300 a.C., ao passo que o núcleo da versão sânscrita corrente do *Mahâbhârata*, que inclui o célebre *Bhagavad-Gîtâ*, tem a sua composição geralmente situada por volta de 500 a.C. É certo que essas datas são puramente hipotéticas, e é bem pos-

Reproduzido de *Hindu Religion, Customs and Manners*
Râma, com Sîtâ e Hanumat

sível que o intervalo transcorrido entre a redação final das duas epopéias seja muito mais longo.

Outros textos que nos chegaram da Era Épica são *Upanishads* como o *Maitrâyanîya*, o *Prashna*, o *Mundaka*, o *Mândûkya*, o *Râma-Pûrna-Tapanîya* e o *Râma-Uttara-Tapanîya*.[2] Os ensinamentos esotéricos desses escritos vão além da ideologia do ritualismo ortodoxo dos brâmanes. No geral, os sábios upanishádicos rejeitavam a idéia de que os rituais brâmanicos herdados da Era Védica e dos primórdios da Era Pós-Védica tivessem o poder de conduzir à libertação, embora admitissem que os ritos externos tinham lugar na vida religiosa. Seu interesse principal, porém, estava em comunicar a realização libertadora do Si Mesmo transcendente, e para esse fim apresentaram doutrinas de libertação mais ou menos elaboradas.

Foi também na Era Épica que toda a literatura ético-jurídica recebeu a sua redação final. É esse o caso do *Dharma-Shâstra* de Manu e dos *Dharma-Sûtras* de Baudhâyana e Âpastamba, embora, também desta vez, o núcleo dos textos remonte ao fim do período védico, à época dos primeiros *Brâhmanas*. Não há dúvida acerca disso no que diz respeito aos dois *Sûtras*, mas os estudiosos universitários pensam que pode ter existido um *Sûtra* composto por Manu, o qual, segundo a nossa cronologia revista, teria sido criado antes de 2000 a.C.

Indubitavelmente, o documento yogue mais importante da Era Épica é o *Bhagavad-Gîtâ*, o qual, segundo o colofão que o segue, tem o *status* de um *Upanishad*, muito embora faça parte do *Mahâbhârata*. Mas, antes de examinarmos a doutrina maravilhosamente holística desse clássico do Hinduísmo, temos de voltar a nossa atenção para o *Râmâyana*.

Hanumat, servo fiel de Râma

II. HEROÍSMO, PUREZA E ASCETISMO — O RÂMÂYANA DE VÂLMÎKI

Nenhuma obra literária exerceu tanta influência sobre a vida de tantos milhões de pessoas na Índia e no Sudeste Asiático quanto o antigo poema *Râmâyana* ("Vida de Râma"), tradicionalmente denominado a "primeira obra poética" (*âdi-kâvya*). Para inúmeras gerações, a trágica história do amor entre Râma e Sîtâ, sua esposa bem-amada, foi um armazém de ensinamentos espirituais e sabedoria popular. Muitos ditos populares são derivados dessa obra, que até hoje é recitada e representada nas grandes festas. Desde 1987 a televisão indiana vem exibindo um seriado semanal baseado na epopéia, o qual é assistido por mais de oitenta milhões de telespectadores.[3]

Na sua forma atual, o *Râmâyana* compreende cerca de 24.000 versos cultos distribuídos em sete capítulos, sendo o sétimo um acréscimo posterior. Embora o *Râmâyana* pareça ser obra de muitos autores, a tradição reconhece Vâlmîki como o seu único criador. Seu nome significa "formigueiro" e está ligado a uma história pitoresca. Diz a lenda que Vâlmîki, nascido de família brâmane, viveu muitos anos como ladrão. As palavras de alguns sábios compassivos fizeram-no perceber o erro em que vivia. Para pagar por suas transgressões, ele passou milhares de anos meditando sentado no mesmo lugar, e nesse meio-tempo as formigas construíram um formigueiro sobre seu corpo.

O drama narrado no *Râmâyana* se desenrola no antigo país de Koshala. A história começa quando o velho Dasharatha, soberano da cidade de Ayodhyâ, afirma a intenção de ter seu filho Râma como sucessor no trono. Kaikeyî, a mais nova das três esposas do rei, a quem ele devia dois favores, pediu que o seu próprio filho, Bharata, fosse nomeado o sucessor, e que Râma fosse banido da cidade por quatorze anos. O rei não tinha escolha; muito contra a vontade, exilou o filho amado. Râma, filho de Kaushalyâ, a mais velha das rainhas, recebeu a notícia com estóica equanimidade e imediatamente retirou-se para a floresta acompanhado do irmão Lakshmana e da esposa Sîtâ. Sîtâ fora encontrada quando recém-nascida e adotada por Janaka, soberano do reino vizinho de Videha. Seu nome significa "Sulco de arado" e foi-lhe dado por Janaka porque o rei encontrou-a dentro de um sulco do campo que estava arando durante um rito real.

Depois da morte do pai, Bharata recusou-se a assumir o trono e saiu em busca do irmão exilado. Râma, porém, recusou-se por sua vez a descumprir a sentença de exílio. Em vez de voltar ao reino, declarou guerra aos demônios que infestavam a floresta e perturbavam os sábios e ascetas que lá viviam. Destruiu milhares de exércitos de demônios, e o chefe destes, Râvana, para vingar-se, raptou a bela Sîtâ. Depois de muitas aventuras, e contando sempre com a ajuda de Hanumat (mais conhecido pela forma nominativa Hanumân), rei dos macacos,[4] Râma conseguiu matar Râvana e libertar a esposa, que fora mantida prisioneira na ilha de Lankâ (o atual Sri Lanka ou Ceilão).

Surgiu a questão de saber se Sîtâ fora ou não violada pelo rei dos demônios. Embora jurasse inocência, ela não conseguiu eliminar por completo a dúvida do marido. Por fim, pediu que Râma deixasse a própria Divindade decidir do seu destino e entrou no fogo de uma pira que fora acesa para prová-la. Para a admiração de todos, as chamas não tocaram um único fio de cabelo do corpo de Sîtâ. Râma reconheceu seu erro e reuniu-se, satisfeito, com a esposa corajosa e fiel. O exílio já havia terminado e todos voltaram à capital, onde Râma foi recebido com imenso júbilo.

Os cidadãos da capital, porém, não estavam convictos da inocência de Sîtâ, e Râma, sofrendo a pressão do povo, resolveu exilar a esposa amada, desconhecendo o fato de que ela estava grávida. Sîtâ foi residir na remota ermida do sábio Vâlmîki, no meio da floresta, e lá deu à luz dois filhos gêmeos, Lava e Kusha. Vâlmîki compôs o *Râmâyana* e ensinou os gêmeos a cantá-lo para a posteridade. Râma surpreendeu-se ao descobrir que os meninos eram seus filhos e foi tomado de grande remorso pelas penas que impusera à esposa. Sîtâ, epítome da dignidade, compareceu perante um grande número de convidados que se haviam reunido no palácio real e invocou a Mãe Terra como testemunha de sua pureza. Na mesma hora o chão se abriu e produziu um trono dourado no qual Sîtâ sentou-se e desapareceu nas profundezas da terra. Inconsolável pela perda definitiva da esposa amada e fiel, Râma renunciou ao trono e voltou ao mundo dos deuses. Para os hindus, Râma tornou-se a personificação da renúncia, da equanimidade e do autocontrole, ao passo que Sîtâ encarna o princípio da pureza feminina e da fidelidade conjugal.

A espiritualidade do *Râmâyana* é bastante arcaica e reflete mais o princípio da ascese (*tapas*) que o do Yoga, segundo a distinção que fizemos entre essas duas atitudes no Capítulo 3. Râma vaga por florestas encantadas habitadas por sábios que, em virtude da penitência feroz a que se submetem, tornam-se possuidores de poderes e armas mágicas, os quais são postos à disposição de Râma na luta contra os demônios e os monstros.

O *Râmâyana* apresenta Rama como uma encarnação do deus Vishnu. Na época em que foi composto o *Rig-Veda*, Vishnu ainda era uma divindade menor, mas depois tornou-se o ponto focal da imaginação religiosa e das necessidades espirituais de um conjunto cada vez maior de adoradores. Na Era Pós-Védica, estabeleceu-se como o grande rival do deus Shiva, outra divindade védica menor que adquiriu a imensa popularidade em épocas posteriores. Ao lado de Brahma, deus do Bramanismo institucionalizado, Vishnu e Shiva passaram a formar a conhecida tríade (*tri-mûrti*) do Hinduísmo popular. Nela, Brahma é o criador, Vishnu é o preservador e Shiva é o destruidor do universo.

Em virtude das suas qualidades benignas, tão bem caracterizadas em inúmeras obras populares, Vishnu é sem dúvida o mais acessível dos três aspectos da tríade hindu. Sua característica mais marcante são as encarnações (*avâtara*) que aconteceram em diversas eras do mundo. Das dez encarnações principais, somente quatro foram em forma humana; as outras foram animais mágicos. As duas encarnações humanas mais importantes de Vishnu foram Râma e Krishna.

Segundo a tradição hindu, Râma ou Râmacandra ("Râma semelhante à lua") viveu bem antes de Krishna, que foi o mestre do príncipe Arjuna. Se situarmos a guerra dos Bhârata por volta de 2300 a.C., Râma deve ter vivido mais ou menos em 2900 a.C., época que corresponde à primeira dinastia dos faraós do Egito. No decorrer do tempo, foi-se formando uma comunidade religiosa que fez de Râma o seu objeto de adoração. Os devotos de Râma criaram vários *Upanishads*, entre os quais o *Râma-Pûrva-Tapanîya* e o *Râma-Uttara-Tapanîya* já mencionados. O princípio teológico central desses escritos é o de que "Somente Râma é o supremo Absoluto, somente Râma é a suprema Realidade, Shrî Râma é o Absoluto salvador". De acordo com o primeiro desses dois *Upanishads* (1.6), o nome Râma advém, entre outros motivos, do fato de os *yogins* deliciarem-se (*ramante*) com ele. O *Yoga-Vâsishtha-Râmâyana*, do qual falaremos no Capítulo 14, foi uma outra grande obra criada por um membro da comunidade de adoradores de Râma. Esse imenso trabalho apresenta as partes que faltam da epopéia original do *Râmâyana*: a saber, toda a dimensão yogue. Râma é apresentado como um asceta que vai desco-

Vishnu montado sobre Garuda

brindo a verdade que subjaz à doutrina não-dualista do Vedânta.

A importância do *Râmâyana* para o estudioso do Yoga está nos valores morais que a epopéia proclama com tanta energia. Podemos considerá-la como um tratado perfeito, em forma narrativa, sobre o que o Yoga chama de prescrições (*yama*) e restrições (*niyama*) morais. Exalta virtudes como a justiça (*dharma*), a não-violência, a veracidade e a penitência. O *Râmâyana*, como tal, pode servir como um livro de instrução sobre Karma-Yoga, o Yoga da ação autotranscendente. Entretanto, à semelhança dos *Upanishads*, o *Râmâyana* afirma que o meio por excelência da realização do Si Mesmo é a sabedoria (*vidyâ*) e não a ação. Essa doutrina é enunciada com eloqüência no *Râma-Gîtâ* ("Cântico de Râma"), trecho de sessenta e dois versículos do fim do *Râmâyana* que também circula como obra independente, à semelhança do *Bhagavad-Gîtâ*, que faz parte da epopéia *Mahâbhârata*. Assim, no *Râma-Gîtâ*, Mahâdeva (Shiva) instrui sua esposa Umâ da seguinte maneira:

> Por isso o [sábio] bem-intencionado (*sudhî*) deve abandonar por completo a atividade. A combinação [de sabedoria e ação] é impossível, pois [a ação] é contrária à sabedoria. Sempre voltado para a contemplação (*anusamdhâna*) do Si Mesmo, [o sábio que disciplinou] as funções de todos os sentidos, já pacificados, está sempre voltado para a contemplação do Si Mesmo. (16)

> Enquanto a idéia de um eu (*âtman*), em virtude da ilusão (*mâyâ*), for [projetada] sobre o corpo e assim por diante, os ritos [prescritos pela] lei devem ser observados. Quando o supremo Si Mesmo for conhecido pela elocução [sagrada] "isto não (*neti*)" [ou seja, isto — cada coisa — não é o Si Mesmo], e depois de negar todas as coisas [finitas], deve [o *yogin*] abandonar a ação. (17)

III. A IMORTALIDADE NO CAMPO DE BATALHA — A EPOPÉIA DO MAHÂBHÂRATA

O *Mahâbhârata* é como uma imensa e magnífica sala cheia de tesouros da mitologia, da religião, da filosofia, da ética, dos costumes e de informações sobre clãs, reis e sábios no decorrer das eras. Não é de surpreender que tenha merecido o título de "Quinto Veda" ou "Veda de Krishna". É a grande epopéia da Índia,

Krishna, o maior avâtara de Vishnu, recreando-se com as gopîs

composta de cerca de 100.000 estrofes (200.000 versos, principalmente de dezesseis sílabas), o que o faz sete vezes maior do que a *Ilíada* e a *Odisséia* juntas. Entretanto, a edição crítica da epopéia, elaborada entre 1933 e 1972 e composta de dezenove volumes (mais seis volumes de índices), tem apenas 75.000 estrofes. No primeiro capítulo afirma-se que a obra original continha 24.000 versículos que depois foram ampliados para cerca de 600.000. Se isso for verdade, somente um sexto dos versículos originais chegaram a nós. Segundo alguns acadêmicos, a epopéia original continha apenas 8.800 versículos, mas essas estimativas — que envolvem a reconstrução hipotética de um suposto *Ur-text* — deixam muito a desejar.

Não há dúvida de que o *Mahâbhârata* foi composto no decorrer de muitas gerações. Parece que a redação final da obra aconteceu por volta dos séculos II ou III d.C., com o acréscimo da *Hari-Vamsha* ("Genealogia de Hari"). O núcleo dessa epopéia gigantesca, porém, remonta certamente à época que se seguiu à guerra dos Bhârata, da qual não se conhece a data. De acordo com a cronologia padronizada do século XIX, essa guerra de dezoito dias foi travada por volta de 600 ou 500 a.C., data manifestamente incorreta. Alguns pesquisadores modernos propuseram 1500 a.C. como data possível e aparentemente concorde com os dados arqueológicos recentemente obtidos na cidade submersa de Dvârakâ, que seria a residência do Senhor Krishna tal e qual a descreve a epopéia. Já as autoridades tradicionais do Hinduísmo afirmam que a guerra aconteceu por volta de 3100 a.C., isto é, logo antes da atual *kali-yuga*, mas também essa datação apresenta alguns problemas. Podemos, como uma espécie de meio-termo, situar a composição da obra em cerca de 2000 a.C., data baseada na época em que, segundo nossa cronologia revista, foram compostos os *Brâhmanas*.

A epopéia compreende dezoito livros (*parvan*), aos quais, como já dissemos, o relato do nascimento e da juventude de Krishna — o *Hari-Vamsha*, que se supõe ser em grande parte mitológico — foi acrescentado no começo da Era Cristã. O número "18" aparece muitas vezes na epopéia e tem, sem dúvida, um sentido simbólico.[5] O núcleo narrativo do poema é a guerra travada entre dois antigos reinos tribais — os Pândavas (a linhagem de Pându) e os Kauravas (a linhagem de Kuru, governada por Dhritarâshtra, irmão mais velho, e cego, de Pându). A compilação do *Mahâbhârata* é atribuída ao sábio Krishna Dvaipâyana ("Krishna que mora na ilha"), cognominado Vyâsa. A palavra *vyâsa* significa simplesmente "organizador" e foi aplicada, sem dúvida, a toda uma linhagem de compiladores. A tradição celebra Vyâsa, o indivíduo, também como compilador dos *Vedas* e dos *Purânas* — tarefa que excede em muito a capacidade de qualquer ser

Vyâsa ditando a epopéia da guerra dos Bhârata para o deus Ganesha

humano, especialmente quando nos lembramos de que esses gêneros literários surgiram no decurso de muitos séculos. O *Bhagavad-Gîtâ* (18.75), incluso na epopéia, afirma que sua existência é devida à graça de Vyâsa. Por isso, parece que desde muito cedo esse título foi associado a um indivíduo específico que era um sábio famoso.

De acordo com a saga épica, o príncipe Yudhishthira, um dos cinco filhos do rei Pându, perdeu a parte dos Pândavas no reino e até sua esposa Draupadî em virtude de uma trapaça cometida contra ele num malfadado jogo de dados — passatempo favorito dos indianos desde a Era Védica. Por isso, ele e seus quatro irmãos, um dos quais era o príncipe Arjuna (herói do *Bhagavad-Gîtâ*), foram exilados. Ao cabo do exílio de treze anos, os cinco filhos virtuosos do rei Pându exigiram de volta a parte que o pai tinha no reino, então governado somente pelo rei Dhritarâshtra e seus cem filhos, dentre os quais destacava-se o ambicioso Duryodhana. Quando sua justa reivindicação foi recusada, eles moveram guerra contra os Kauravas. O deus-homem Krishna estava do lado dos Pândavas. Embora não fosse oficialmente um combatente, ele fez uso de diversos planos e estratagemas divinos para auxiliar a boa causa dos filhos de Pându. Os Kauravas, embora muitíssimo mais numerosos, foram derrotados ao cabo de dezoito dias de batalhas cruentas.

Qualquer que tenha sido a sua realidade histórica, o *Mahâbhârata* também admite interpretações simbólicas e alegóricas. Assim, a luta entre os primos Pândavas e Kauravas sempre foi compreendida como a luta entre o bem e o mal, o certo e o errado, tanto no mundo quanto no coração do homem. Ainda além disso, o *Mahâbhârata* afirma a verdade mística da existência de um Estado insuperável que transcende tanto o bem quanto o mal, tanto o certo quanto o errado. Esse estado é exaltado como o bem mais excelso a que pode aspirar o ser humano. É idêntico à liberdade e à imortalidade.

No decorrer dos séculos, teceram-se em volta da epopéia guerreira inúmeras camadas de lendas e observações doutrinais — não menos que quatro quintos da epopéia inteira. Para alguns estudiosos, o famoso *Bhagavad-Gîtâ*, que faz parte do sexto livro do *Mahâbhârata*, é um desses acréscimos. Entretanto, é igualmente possível que os ensinamentos do *Gîtâ* tenham sido dados em forma breve na manhã da primeira batalha e depois tenham sido desenvolvidos e elaborados. Outra expansão do texto original que tem grande importância para a nossa compreensão dessa fase da evolução do Yoga é o *Moksha-Dharma*, encontrado no décimo segundo livro. No décimo quarto livro, o *Anu-Gîtâ* destaca-se como um poema didático. Esses textos serão discutidos em seções subseqüentes.

Para os hindus, a epopéia do *Mahâbhârata* é uma mina inesgotável de histórias bonitas e instrutivas acerca de heróis, vilões, ascetas e *yogins*. Para o historiador das religiões, é um mosaico das idéias, crenças e costumes de uma das eras mais férteis da história intelectual do Hinduísmo. O estudante contemporâneo do Yoga pode, com proveito, abordar a epopéia a partir desses dois pontos de vista, e pode ainda meditar no seu profundo simbolismo.

O Yoga e seu primo Sâmkhya destacam-se no panorama filosófico da epopéia. Como já vimos, essas duas tradições têm suas raízes na era pré-búdica. No entanto, as escolas Yoga e Sâmkhya mencionadas no texto parecem ser pós-budistas e podem, por isso, ser situadas entre os séculos V a.C. e II d.C.

IV. O BHAGAVAD-GÎTÂ — JÓIA DO MAHÂBHÂRATA

O *Bhagavad-Gîtâ* ("Cântico do Senhor") é o documento mais antigo do Vaishnavismo, a tradição religiosa centrada na adoração de Deus sob a forma de Vishnu, especificamente na sua encarnação Krishna. Essa tradição, que tem suas raízes fincadas na Era Védica, floresceu no século VI a.C. na região que hoje é Mathurâ e dali espalhou-se para outros rincões do subcontinente indiano. Hoje, o Vaishnavismo é uma das cinco grandes tradições religiosas da Índia. As outras quatro são o Shaivismo (cujo centro é Shiva), o Shaktismo (cujo centro é Shakti, o aspecto feminino ou dinâmico do Absoluto), a dos Gânapatyas (adoradores de Ganesha ou Ganapati, o deus de cabeça de elefante) e a dos Sauras (adoradores da divindade solar Sûrya).

O *Bhagavad-Gîtâ*, ou simplesmente *Gîtâ* ("Cântico"), é um episódio do *Mahâbhârata*. Constitui os capítulos de 13 a 40 do livro sexto e compreende, no todo, 700 versículos. Uma versão do *Gîtâ* descoberta em Caxemira tem 714 versículos; mas existe também uma versão balinesa de meros 86 versículos e um manuscrito de 84 versículos, encontrado em Farrukhabad. Não poucos estudiosos são de opinião de que o *Gîtâ* era originalmente um texto independente que só foi incorporado à epopéia numa data posterior. Outros, cobertos de razão, puseram em evidência a continuidade aparentemente impecável que liga o *Gîtâ* ao restante do

Mahâbhârata. À luz de certas incoerências e incongruências do texto tradicional, alguns estudiosos procuraram reconstruir o original. Assim, o acadêmico alemão Richard Garbe obteve por fim um texto de 630 versículos, e seu aluno Rudolf Otto reduziu o cântico a meros 133 versículos.[6] Phulgenda Sinha, norte-americano estudioso do Yoga, acredita ter identificado os 84 versículos originais do *Gîtâ*. Seu método consistiu essencialmente em eliminar todos os versículos que, na opinião dele, referem-se a dogmas religiosos.[7]

A data de composição do *Gîtâ* é desconhecida. A hipótese mais aceita é a do século III a.C., embora alguns estudiosos situem a obra numa data anterior e outros ainda a considerem erroneamente como uma criação da era pós-cristã. Eu aceito as conclusões do acadêmico indiano K. N. Upadhyaya, que, depois de examinar em profundidade todas as teses, situou a composição do *Gîtâ* no período compreendido entre os séculos V e IV a.C.[8] Entretanto, é provável que certos versículos tenham sido acrescentados em outros períodos, mas não é possível saber com certeza que versículos são esses. O "Cântico" original, sem dúvida alguma, foi recitado por Krishna no campo de batalha de *kuru-kshetra* uns dois milênios antes do Buda.

O certo é que o *Gîtâ* tem gozado de enorme popularidade no mundo hindu há incontáveis gerações. Essa popularidade se resume nas palavras do Mahatma Gandhi, que disse: "Encontro no *Bhagavadgîtâ* um consolo que me falta até no Sermão da Montanha... devo tudo aos ensinamentos do *Bhagavadgîtâ*."[9] O *Gîtâ*, disponível em versão inglesa desde 1785 (obra de Charles Wilkins), também inspirou um bom número de ocidentais famosos, entre os quais os filósofos Georg Friedrich Hegel, Arthur Schopenhauer e Johann Gottfried Herder; o indólogo e filósofo Paul Deussen; o filósofo e viajante Hermann von Keyserling; o lingüista Wilhelm von Humboldt; os escritores Walt Whitman, Aldous Huxley e Christopher Isherwood; e os esoteristas Rudolf Steiner (fundador da Antroposofia) e Annie Besant (líder da Sociedade Teosófica). O alemão J. W. Hauer, sanscritista e um dos primeiros pesquisadores ocidentais do Yoga, exprimiu os sentimentos de muitos desses grandes vultos quando escreveu:

> O *Gîtâ* não nos oferece somente intuições profundas e válidas em todas as épocas e em todas as espécies de vida religiosa... Nele, opera um espírito que pertence ao nosso próprio espírito.[10]

O *Bhagavad-Gîtâ* é um diálogo entre Krishna, Deus encarnado, e seu discípulo o príncipe Arjuna, diálogo esse ocorrido no campo de batalha dos Kuru (*kuru-kshetra*) situado na planície do Ganges próxima à moderna Delhi. Essa conversação imortal é o clímax da epopéia. Sua importância para o estudante de Yoga é evidente por si, pois o *Gîtâ* deve ser considerado o primeiro texto a tratar explicitamente de Yoga. É, em suas próprias palavras, um *yoga-shâstra*, um ensinamento yogue, que reafirma antigas verdades.

Do ponto de vista histórico, o *Bhagavad-Gîtâ* pode ser compreendido como uma grande tentativa de integrar as diversas linhas de pensamento espiritual que predominavam dentro do Hinduísmo na Era Épica. Faz uma mediação entre o ritualismo sacrificial do sacerdócio ortodoxo e os ensinamentos inovadores que encontramos nas doutrinas esotéricas dos primeiros *Upanishads*, e engloba também elementos das tradições budista e jaina. Aldous Huxley, na introdução que escreveu à tradução do *Gîtâ* feita pelo Swami Prabhavananda e Christopher Isherwood, afirma que essa antiga obra "talvez seja a exposição mais sistemática da Filosofia Perene".[11]

O Ativismo Místico do Gîtâ

A mensagem nuclear do Cântico do Senhor Krishna é o equilíbrio entre a atividade religiosa e ética convencional e as metas ascéticas supramundanas. A substância da doutrina ativista de Krishna transparece no seguinte versículo:

> Perseverante no Yoga, ó Dhanamjaya,[12] realiza ações, deixando de lado o apego e permanecendo sempre o mesmo no êxito e na ruína. O Yoga é chamado "equanimidade" (*samatva*). (2.48)

Para alcançar a paz e a iluminação — diz-nos Krishna — não é preciso abandonar o mundo e renunciar às próprias responsabilidades, mesmo quando elas nos forçam a entrar em batalha. A renúncia (*samnyâsa*) à ação é boa em si, mas melhor ainda é a renúncia *na* ação. É esse o ideal hindu de "ação sem ação" ou inação na ação (*naishkarmya-karman*), fundamento do Karma-Yoga. A vida no mundo e a vida espiritual não são, em princípio, inimigas; podem e devem ser cultivadas simultaneamente. Tal é a essência de uma vida plena ou integrada.

O Senhor Krishna encorajando Arjuna

Não é abstendo-se de agir que o homem goza da não-ação (*naishkarmya*), nem é pela renúncia somente que ele achega-se à perfeição (*siddhi*).

Pois ninguém pode passar nem sequer um instante sem agir. Todos são inadvertidamente forçados a agir pelas qualidades (*guna*) da Natureza (*prakriti*).

Aquele que contém os seus órgãos de ação mas, sentado, recorda em sua mente os objetos dos sentidos, é chamado um hipócrita, um ser (*âtman*) confuso.

Mais excelente, ó Arjuna, é aquele que, controlando os sentidos por meio da mente, dedica-se desapegado ao Karma-Yoga com os órgãos de ação.

Deves [sempre] cumprir as ações que te cabem, pois a ação é superior à inação; nem os processos do teu corpo se podem realizar pela inação.

Este mundo é agrilhoado pela ação, exceto quando essa ação é [feita como] um sacrifício (*yajna*). Com esse objetivo, ó Kaunteya [i.e., Arjuna], dedica-te à ação livre do apego. (3.4-9)

Krishna apresenta-se como um exemplo de atividade iluminada:

Eu Mesmo, ó Pârtha [i.e., Arjuna], não tenho nada a fazer nos três mundos, nada a ganhar que Eu já não tenha — e no entanto dedico-me à ação.

Pois, se Eu não me dedicasse sempre e incansavelmente à ação, ó Pârtha, as pessoas em todo lugar seguiriam as minhas "pegadas" [i.e., meu exemplo].

Assim como os néscios agem apegados à ação, ó Bhârata [i.e., Arjuna], os sábios devem agir desapegados, desejando o bem do mundo (*loka-samgraha*). (3.22-25)

O segredo está na mente humana, origem primeira de toda ação. Se a mente for pura, desapegada das obras, não poderá ser maculada por elas mesmo quando estiverem sendo realizadas. É o apego, e não a ação enquanto tal, que põe em movimento a lei da causalidade moral (ou karma) que aprisiona o ser à roda da existência em sucessivos renascimentos. A mente polida como um espelho, completamente liberta da mácula do apego, revela as coisas exatamente como elas são — e o que elas são é a Divindade, o Si Mesmo. O *yogin* perfeito goza perenemente dessa visão divina:

Aquele cujo "si" está jungido ao Yoga e que contempla em todas as partes a mesma coisa, vê o Si Mesmo em todos os seres e todos os seres no Si Mesmo. (6.29)

Essa visão da igualdade ou identidade de todos os seres e coisas é o fruto do desapego consumado. O desapego vem quando a pessoa assume a posição do Si Mesmo transcendente, testemunha eterna de todos os processos, e desfaz a ilusão de ser um sujeito agente, um ego. Não obstante, é preciso continuar agindo.

Não basta que os atos sejam realizados segundo o espírito do altruísmo ou do desapego; é preciso que eles também sejam justos e firmes segundo a moral. As interpretações ocidentais do *Gîtâ* quase nunca deram a este aspecto da verdade o relevo que ele merece. Se a ação dependesse exclusivamente do estado mental de quem a realiza, essa seria a maior justificativa da conduta imoral. O *Bhagavad-Gîtâ*, porém, não defende de modo algum esse subjetivismo grosseiro. Para que a ação seja "íntegra" (*kritsna*) ou benéfica, dois fatores essenciais entram em jogo: a pureza subjetiva (i.e., o desapego) e a racionalidade objetiva (i.e., a retidão moral). O fator externo — o fato de a ação ser correta ou incorreta do ponto de vista moral — é determinado pelos valores morais tradicionais e pelo código aceito de conduta, e também pela intuição cada vez maior do certo e do errado que advém da prática do Yoga. O *Gîtâ* é construído sobre a base ética do *Mahâbhârata*. A epopéia, num certo nível, é uma gigantesca tentativa de definir a natureza do lícito (*dharma*) e do ilícito (*adharma*). Isso se reflete nos seguintes versículos do *Gîtâ*:

> O que é a ação? O que é a inação? Quanto a isso, até os sábios se confundem. Vou expor-te agora a ação que, bem compreendida, há de libertar-te do mal.
>
> Com efeito, [o *yogin*] deve compreender a [natureza da] ação (*karman*), deve compreender a ação errônea (*vikarman*) e deve compreender a inação (*akarman*). A via da ação é impenetrável.
>
> Aquele que vê a inação na ação e a ação na inação é sábio entre os homens; é um jungido, realizando ações íntegras (*kritsna*). (4.16-18)

A guerra na qual Arjuna lutou, seguindo o conselho sagaz do Deus encarnado Krishna, tinha por finalidade a conservação de uma ordem moral superior. Os Kauravas eram governantes ambiciosos e corruptos e haviam usurpado o trono. Já os Pândavas, amantes da paz, tinham no coração o bem do povo. O *Gîtâ* representa os escrúpulos de Arjuna em lutar mesmo pelo que é evidentemente correto e lícito. Ao ver seus primos e os antigos mestres alinhados do lado oposto do campo, ele se dispõe a depor o arco e abdicar de suas pretensões ao trono, mas o Senhor Krishna lhe dá outras instruções. Seus ensinamentos yogues vão além do pacifismo e do belicismo igualmente, assim como vão além do preceito de cumprir os próprios deveres, por um lado, e do descuido das próprias obrigações, por outro. Isso porque, em última análise, o Deus-homem Krishna quer que seu devoto vá além do campo moral. Ele faz esta exortação e esta promessa solene:

> Deixando de lado todas as normas (*dharma*), procura abrigo em Mim somente. Livrar-te-ei de todo o pecado. Não sofras! (18.66)
>
> O Senhor habita na região do coração de todos os seres, ó Arjuna, fazendo circular todos os seres [no ciclo da existência condicionada] por Seu poder (*mâyâ*), [como se estivessem] montados num mecanismo (*yatra*).
>
> N'Ele somente procura abrigo com todo o teu ser, ó Bhârata [i.e., Arjuna]! Por Sua graça alcançarás a paz suprema, a Morada eterna. (18.61-62)
>
> Tem a tua mente constantemente voltada para Mim, sê devoto a Mim, sacrifica-te a Mim, presta-Me homenagens — assim hás de achegar-te a mim. Isto prometo-te em verdade, [pois] tu me és querido. (18.65)

O Yoga não é exposto sistematicamente no *Bhagavad-Gîtâ* como será depois no *Maitrâyanîya-Upanishad* e no *Yoga-Sûtra*, mas todos os principais elementos do caminho estão presentes. Para Krishna, a obra yogue consiste essencialmente na conformação total da vida cotidiana da pessoa ao Ser Supremo. Tudo o que se faz deve ser feito à luz da Divindade. A vida inteira deve transformar-se num Yoga contínuo. Enxergando em todas as coisas a presença de Deus e dando de mão a todos os apegos mundanos, os *yogins* purificam sua vida e já não fogem dela. Com a mente mergulhada no Supremo, permanecem ativos no mundo, levados pelo puro desejo de promover o bem-estar de todos os seres. É o bem-conhecido ideal hindu do *loka-samgraha*, que significa literalmente "congregação do mundo".

É difícil dar a esse Yoga um rótulo que lhe seja apropriado. Não é só Jnâna-Yoga e Karma-Yoga, mas também Bhakti-Yoga. Busca integrar todos os aspectos do ser humano e depois votá-los à grande aventura da busca da iluminação nesta vida. Por esse motivo, o melhor talvez seja classificar o caminho de Krishna como uma espécie de "Yoga integral" (*pûrna-yoga*) antigo.

O ativismo ético do *Bhagavad-Gîtâ* tem as suas raízes numa metafísica panenteísta: todas as coisas existem ou surgem em Deus, sendo que Deus, não obstante, transcende todas as coisas. O Ser Supremo, Vishnu (enquanto Krishna), é tanto a origem primeira de toda a existência como é o universo manifesto em toda a sua multiplicidade. Vishnu abarca tanto o Ser quanto o Vir-a-Ser. O Senhor Krishna, Deus encarnado, declara:

> Por Mim, não-manifesto na forma, este [universo] todo é desenrolado. Todos os seres habitam em Mim, mas Eu não subsisto neles.
>
> E, [não obstante], os seres não habitam em Mim. Eis o meu Yoga senhorial: Eu Mesmo sustento [todos] os seres, e não obstante é o Meu não-subsistir nos seres que faz com que eles sejam. (9.4-5)

Vishnu é o Todo (*pûrna*) omniabrangente, o Uno e o Múltiplo. Como Deus está em todo lugar e em todas as coisas, não temos de repudiar o mundo para encontrar Vishnu; precisamos apenas cultivar a sabedoria superior (*buddhi*), o olho da gnose (*jnâna-cakshus*), para sermos capazes de captar o onipresente Ser-no-Vir-a-Ser.

O *Bhagavad-Gîtâ* postula duas espécies de emancipação que podem ser melhor qualificadas como dois estágios sucessivos de perfeição. O primeiro nível de libertação, chamado *brahma-nirvâna*, é a extinção no fundamento substancial do universo. Nele, os *yogins* transcendem o contínuo espaço-temporal e identificam-se com a sua natureza essencial. Mas esse estado não provoca o transbordamento do amor, e a essência divina de Krishna permanece oculta de quem o atingiu. A Pessoa suprema só é realizada na forma mais alta de emancipação, quando os *yogins* despertam em Deus.

> O homem que, depois de desistir de todos os desejos, caminha sem anseios, sem [a idéia de] "meu", sem a idéia de "eu" — este aproxima-se da paz (*shânti*).
>
> Este é o estado do Absoluto (*brahman*), ó Pârtha [i.e., Arjuna]. Quando é atingido, o ser [já] não sofre a ilusão. Permanecendo nele também no tempo do fim [i.e., na hora da morte], o ser alcança a extinção (*nirvâna*) no Absoluto. (2.71-72)
>
> Aquele que tem a alegria interior, o júbilo interior e a luz interior é um *yogin*. Tendo se tornado o Absoluto, ele aproxima-se da extinção no Absoluto. (5.24)
>
> Jungindo-se a si mesmo sempre dessa maneira, o *yogin* cuja mente está domada aproxima-se da paz, da suprema extinção que subsiste em Mim. (6.15)
>
> Aquele que permanece atento à unidade (*ekatva*) e ama a Mim em todos os seres — qualquer que seja o [estado] em que exista, esse *yogin* fez morada em Mim. (6.31)

O primeiro versículo do Bhagavad-Gîtâ com diversos comentários

O amor (*bhakti*) é uma das chaves da doutrina de Krishna. No plano finito, é o mecanismo mais seguro de que os *yogins* devotos dispõem para ligar-se à Pessoa Divina e dela obter a graça. No plano supremo, o amor é a própria essência do estado de libertação. Assim, Krishna afirma:

> De todos os *yogins*, aquele que Me ama com fé e cujo ser interior está absorto em Mim é o que Eu considero o mais jungido. (6.47)

Como poderíamos compreender o amor transcendental do qual participa o *yogin* liberto? Em outro livro, propus a seguinte resposta:

> O amor que floresce eternamente entre Deus e as partículas de Si Mesmo que despertaram para a Sua presença é baseado na inefável criatividade divina: o Todo comungando consigo mesmo. A mente lógica não é capaz de penetrar esse paradoxo. Não encontra apoio algum nesse estado em que todos os opostos se unem. A prova definitiva só pode ser a experiência imediata. Esse amor transcendente (*para-bhakti*) é um aspecto essencial de Deus e só pode ser plenamente realizado em Deus e por Deus. Trata-se de um amor... incondicional e sem objeto.[13]

A doutrina do *Gîtâ*, do amor eterno que flui da Pessoa Divina para o devoto e para toda a criação, é uma das inovações mais significativas na história da religiosidade indiana. O Yoga ensinado por Krishna, o *avâtara* (descida divina), infundiu no Hinduísmo uma rara qualidade emocional que até então não se fizera presente nos esforços dos sábios e videntes hindus, predominantemente voltados para a ascese. De repente, os aspirantes à vida do espírito passaram a ter o direito de relacionar-se com a Divindade como com uma Pessoa, não mais somente através do exercício da vontade, mas com o sentimento. Fora essa, na verdade, a doutrina dos antigos *rishis* védicos, que foi aos poucos eclipsada pela tradição da ascese (*tapas*) forçada tanto dentro quanto fora da classe sacerdotal bramânica ortodoxa. O *Gîtâ*, com efeito, não apresenta Krishna como um inovador, mas como um restaurador de antigos ensinamentos que haviam sido perdidos. A mesma doutrina se expressa de maneira um tanto hesitante nos primeiros *Upanishads*; mas, com o *Gîtâ*, o evangelho da devoção teísta entrou na consciência popular e tornou-se um veículo para as aspirações espirituais simples de milhões e milhões de pessoas.

TEXTO ORIGINAL 10

Bhagavad-Gîtâ (Trechos Escolhidos)

Como existem várias traduções do *Bhagavad-Gîtâ* para o inglês, não vou apresentar aqui o texto inteiro. Entretanto, o famoso capítulo décimo primeiro, no qual o Senhor Krishna revela a sua natureza transcendente ao seu devoto Arjuna, merece ter a sua tradução incluída no livro. Esse capítulo é o clímax dramático do *Gîtâ*, e a visão que Arjuna tem de Krishna como Deus também é o auge do caminho espiritual ensinado por esse *avâtara*. Essa visão é uma descrição clássica do estado místico de unidade no qual todas as coisas coexistem na eternidade — um estado muitíssimo desnorteante para a mente não-iluminada. Um pouco despreparado para a auto-revelação de Krishna, Arjuna, embora a tivesse pedido, não é capaz de suportá-la por muito tempo e pede que Krishna assuma de novo a sua forma humana costumeira. Isso não é uma simples trama poética pela qual o autor da obra pode então retomar o diálogo metafísico entre o divino mestre e o discípulo humano; é também uma exposição clássica do processo natural de retorno da realização mística extraordinária para a vida ordinária baseada na percepção sensível.

Para o bem da clareza, acrescento que Krishna chama Arjuna de Pândava ("Filho de Pându"), Pârtha ("Filho de Prithâ [i.e., Kuntî]"), Bhârata ("Descendente de Bharata"), Dhanamjaya ("Conquistador de Riquezas") e Gudâkesha ("Aquele cujo cabelo é atado com um nó"). Arjuna, por sua vez, dá a Krishna vários epítetos honorários, como os de Purushottama ("Suprema Pessoa"), Hrishîkesha ("Aquele cujos cabelos estão arrepiados devido ao êxtase") e Govinda ("Caçador de Vacas"; *go* ou "vaca" significa as riquezas espirituais).

Arjuna disse:

Por amor a mim declaraste o supremo mistério chamado o profundo Si Mesmo (*adhyâtman*), pelo qual esta minha confusão (*moha*) se dissipa. (1)

Pois ouvi-te falar em detalhes da criação e da dissolução dos seres, ó Olhos-de-Lótus [Krishna], e também da [tua própria] imutável majestade (*mâhâtmya*). (2)

Assim como expuseste o [Teu] Si Mesmo, ó supremo Senhor, assim também desejo contemplar a tua Forma senhorial, ó suprema Pessoa. (3)

Se pensas, ó Senhor, ser-me possível contemplar essa [tua Forma cósmica], ó Senhor do Yoga, revela a mim o [teu] imutável Si Mesmo. (4)

Disse o Senhor Bendito:

Ó Pârtha, contempla as Minhas formas, [que são] cem, [que são] mil, de tipos variegados, divinas, multicoloridas e multifiguradas. (5)

Contempla os Âdityas, Vasus, Rudras, Ashvins e Maruts. Contempla, ó Bhârata, as muitas maravilhas nunca antes vistas.[14] (6)

Contempla agora, ó Gudâkesha, o mundo inteiro, [com todas as suas partes] móveis e imóveis, e o quanto mais quiseres ver, condensado em unidade aqui no Meu Corpo [cósmico]. (7)

Não obstante, jamais serás capaz de ver-Me com esse teu olho [físico]. Vou dar-te um olho divino (*divya*). Contempla o meu Yoga senhorial. (8)

Samjaya [o narrador do diálogo entre Krishna e Arjuna] disse:

Ó Rei [Dhritarâshtra], tendo dito essas palavras, o grande senhor do Yoga, Hari, revelou então a Pârtha a [sua] suprema Forma senhorial. (9)

[Sua Forma tem] muitas bocas e olhos, muitas aparências maravilhosas, muitos adornos divinos, muitas armas divinas alteradas, (10)

traja divinas vestes e guirlandas, recende divinos aromas, é toda-maravilhosa. [Contempla] o Deus, infinito, onipresente. (11)

Se o esplendor de mil sóis surgisse de súbito no firmamento, a isso assemelhar-se-ia o esplendor desse Grande Ser. (12)

Então Pândava viu o mundo inteiro, dividido em muitas partes, condensado em Unidade, ali no corpo [cósmico] do Deus dos Deuses. (13)

Então Dhanamjaya, cheio de admiração (*vismaya*), com os pêlos do corpo arrepiados, a cabeça inclinada perante o Deus e fazendo *anjali*,[15] disse: (14)

Ó Deus, no teu corpo [cósmico] contemplo os deuses e todas as diversas espécies de seres, o Senhor Brahma sentado no trono de lótus e todos os videntes e divinas serpentes (*uraga*). (15)

Em todo lugar contemplo a Ti [que és] de Forma infinita, com muitos braços, abdomes, bocas, olhos. Não vejo em Ti nem começo, nem meio, nem fim, ó Todo-Senhor, Omniforme. (16)

Contemplo-te com o diadema, a maça e o disco — um conjunto sintético de esplendor, chamejando por todos os lados. [Não obstante, és] difícil de enxergar, pois [és] inteiramente um fulgor brilhante de fogo solar imensurável. (17)

Deves ser conhecido como o supremo Imperecível (*akshara*). És a suprema Arca do Tesouro (*nidhâna*) de tudo isto. És o Imutável (*avyaya*), o Guardião da lei eterna (*dharma*). És a Pessoa (*purusha*) perene — [agora] o sei. (18)

Sem começo, nem meio, nem fim, dotado de força (*vîrya*) infinita, com infinitos braços e o sol e a lua como olhos; contemplo-Te. [Tua] boca consome em chamas as oferendas, abrasando tudo isto com o teu fulgor. (19)

Por Ti somente é preenchido o espaço intermediário entre o Céu e a Terra, e as quatro direções. Ao contemplar essa tua Forma maravilhosa e terrível, ó Grande Ser, os três mundos se abalam. (20)

Em verdade, estes exércitos de deuses entram em Ti. Alguns, atemorizados, rezam com o *anjali*. Clamando "Salve!", multidões de grandes sábios (*rishi*) e adeptos (*siddha*) louvam-te com excelentes hinos. (21)

Rudras, Âdityas, Vasus e os Sâdhyas, os Vishve[-devas], os [dois] Ashvins, os Maruts e os bebedores de vapor, e os exércitos de Gandharvas, Yakshas, Asuras e adeptos — todos contemplam-Te maravilhados.[16] (22)

Contemplando essa grande Forma tua, ó [Krishna] dos braços fortes, com suas muitas bocas e olhos, braços, coxas, pés, muitos abdomes, muitas presas formidáveis — tremem os mundos, e tremo eu. (23)

Tocando o céu, chamejando em muitas cores, com as bocas escancaradas e os olhos dardejando imensos — contemplando-Te [nesse aspecto], meu Ser íntimo (*antar-âtman*) estremece e não encontra apoio nem tranqüilidade (*shama*), ó Vishnu. (24)

E vendo as tuas [muitas] bocas [crivadas de] presas formidáveis que se assemelham ao fogo do tempo, não sei para onde me voltar e não encontro abrigo [em lugar algum]. Sê misericordioso, Senhor dos Deuses, ó Morada do Universo! (25)

E todos estes filhos de Dhritarâshtra junto com os exércitos de protetores da terra — Bhîshma, Drona, bem como o filho de Suta e também os nossos comandantes de guerra — (26)

entram ligeiro em tuas bocas dotadas de presas formidáveis e aterrorizantes. Alguns aparecem entre os teus dentes, com as cabeças tornadas em pó. (27)

Assim como muitos rios e torrentes de água precipitam-se impetuosamente no oceano, assim também estes heróis (*vîra*) do mundo dos homens entram nas tuas bocas flamejantes. (28)

Assim como as mariposas, em grandes números, entram numa chama abrasadora para ser destruídas, assim também os mundos, em grandes números, entram nas tuas bocas para ser destruídos. (29)

Com bocas flamejantes, Tu engoles todos os mundos e devora-os completamente. Preenchendo de esplendor o mundo inteiro, dardejam teus raios terríveis (*ugra*), ó Vishnu. (30)

Dize-me quem és, ó [Tu] da forma terrível. Glória a Ti! Ó Melhor dos Deuses, tem misericórdia! Quero conhecer-Te [como eras] a princípio, pois não compreendo a tua criatividade (*pravritti*). (31)

Disse o Senhor Bendito:

Eu sou o tempo (*kâla*), agente da destruição do mundo que chegou à idade madura, ocupado aqui em aniquilar os mundos. Com a exceção de ti, nenhum dos guerreiros dispostos nas fileiras opostas estará [vivo após esta batalha]. (32)

Portanto, levanta-te, conquista a glória! Vencendo os inimigos, goza de um próspero reinado! Em verdade, Eu já os matei. Sê [para Mim] um simples instrumento (*nimitta*), ó Savyasâcin![17] (33)

Drona, Bhîshma, Jayadratha e Karna, bem como os outros [heróis] — Eu [já] os matei. Deves abatê-los! Não te abales. Luta! Vencerás na batalha [todos os teus] rivais. (34)

Samjaya [o narrador] disse:

Ao ouvir essas palavras de Keshava, Kirîtin [i.e., Arjuna], fazendo *anjali*, trepidando, fazendo nova saudação e inclinando-se, disse a Krishna com [voz] incerta e cheio de temor: (35)

É com justiça, ó Hrishîkesha, que o mundo rejubila-se e extasia-se com o teu louvor. Os Rakshasas fogem aterrorizados em [todas as] direções e todas as hostes de adeptos saúdam [-Te].[18] (36)

E por que não [Te] saudariam, ó Grande Si Mesmo, [Tu que és] ainda maior do que Brahma, o Criador primordial (*âdi-kartri*)? Ó infinito Senhor dos Deuses, Morada do Universo, és o Imperecível, a existência (*sat*) e a não-existência (*asat*) e o que está além de ambas. (37)

És o Deus primordial (*âdi-deva*), o antigo Homem (*purusha*). És a suprema Arca do Tesouro de tudo isto. És o conhecedor, o conhecido e a Morada suprema. Por Ti todas estas coisas são dispostas, ó Forma infinita! (38)

És Vâyu, Yama, Agni, Varuna, Shashânka e Prajâpati, o ancião.[19] Glória, glória a Ti, mil vezes; e ainda outra vez, e ainda outra, glória, glória a Ti! (39)

Glória a Ti pela frente e por trás! Glória a Ti de todos os lados, ó Todo! Infinita é a tua força, imensurável o [teu] poder (*vikrama*). Levas à perfeição todas as coisas, e portanto és todas as coisas. (40)

Ignorante desta tua majestade, por imprudência (*pramâda*), ou talvez por amor e por considerar[-Te] temerariamente meu amigo, eu disse precipitadamente: "Êh, Krishna!' Êh, Yâdava! Êh, amigo!" (41)

E nos gracejos [demonstrei] desrespeito por Ti, nos folguedos, no repouso, sentado, ou comendo sozinho ou na companhia [de outros] — por tudo isto, ó Acyuta, peço perdão a Ti, o Insondável! (42)

Tu és o pai do universo, [levando em Si as coisas] móveis e imóveis. És o seu objeto de adoração (*pûjya*) e o [seu] venerável mestre. Nada é igual a Ti — como poderia haver [coisa] maior nos três mundos, ó Esplendor Incomparável? (43)

Portanto, inclinando-me e achegando [meu] corpo no chão, busco a tua graça (*prasâda*), ó Senhor digno de louvores. Deves suportar[-me], ó Deus, como o pai faz com o filho, o amigo com o amigo ou o amante com a amada. (44)

Vibro de excitação por ter visto o que não fora visto antes. Minha mente, porém, está transida de medo. [Portanto], ó Deus, mostra-me aquela [tua] forma [humana]. Sê misericordioso, ó Senhor dos Deuses, Morada do Universo! (45)

Quero ver-Te como eras [antes], [com] a coroa, a maça e o disco nas mãos. Assume aquela [tua] forma de quatro braços, ó Omniforme de mil braços! (46)

Disse o Senhor Bendito:

Por minha benevolência (*prasanna*) para contigo, ó Arjuna, revelei-te essa Forma suprema pelo Yoga de Mim Mesmo — e essa [Forma] minha brilhante, todo[-abarcante], infinita e primordial (*âdya*) não fora vista por ninguém antes de ti. (47)

Nem pelos *Vedas*, nem por sacrifícios, nem pelo estudo (*adhyaya*), nem por oferendas, nem pelos ritos (*kriyâ*), nem pela ardorosa ascese (*tapas*). Eu poderia ser visto sob tal forma no mundo dos homens — por ninguém, [exceto] por ti, ó heróico algoz (*pravîra*) dos Kurus! (48)

Não [tens por que] tremer. Não [sucumbas] ao estado de perplexidade ao ver esta minha Forma terrível. Liberto do medo (*bhî*) e alegre no espírito, [podes] contemplar de novo esta minha forma [corpórea conhecida], aquela mesma [forma que conheces tão bem]. (49)

Samjaya [o narrador] disse:

Tendo dirigido a Arjuna essas palavras, Vasudeva revelou de novo sua forma [humana] e, tendo assumido de novo o seu corpo gentil, o Grande Ser consolou o aterrorizado [príncipe Arjuna]. (50)

Arjuna disse:

Contemplando [de novo] esta tua forma humana gentil, ó Janârdana,[20] recuperei agora minha consciência natural. (51)

> Disse o Senhor Bendito:
>
> Essa Forma minha, que viste, é muito difícil de ver. Mesmo os Deuses estão permanentemente ansiosos para [receber uma] visão dessa Forma. (52)
>
> Tal e qual Me viste, não posso ser visto pelos *Vedas*, nem pela penitência, nem por oferendas, nem por sacrifícios. (53)
>
> Mas ó Arjuna, pelo amor [dirigido] a nenhum outro, posso ser visto e conhecido sob essa Forma, e posso ser verdadeiramente penetrado, ó Paramtapa.[21] (54)
>
> Aquele que cumpre a minha obra, atento a Mim, devoto a Mim, livre do apego, sem hostilidade contra todos os seres — ele vem a Mim, ó Pândava! (55)

V. A DOUTRINA YOGUE DO ANU-GÎTÂ

O *Anu-Gîtâ* ("Pós-Cântico"), parte do *Mahâbhârata* (14.16-50), é a primeira imitação do *Bhagavad-Gîtâ* de que temos conhecimento. Porém, "imitação" talvez não seja a palavra correta, pois ele é mais do que um simples eco do Cântico do Senhor. Tem a intenção de recapitular os ensinamentos dados pelo Senhor Krishna ao príncipe Arjuna logo antes da primeira batalha entre os Pândavas e os Kauravas. Depois da última batalha e da vitória na guerra, Arjuna pediu ao seu divino mestre, o Deus-homem Krishna, que lhe repetisse os ensinamentos do *Bhagavad-Gîtâ*. O *Anu-Gîtâ* é a resposta de Krishna a esse pedido. Existem várias outras "imitações" do *Gîtâ* de várias épocas, mas nenhuma delas se apresenta como uma recapitulação direta do cântico original de Krishna, como faz o *Anu-Gîtâ*.

Antes de transmitir de novo a sua preciosa doutrina ao príncipe Arjuna, Krishna repreende o discípulo por ter-se esquecido das instruções originais. Mas é fácil perdoar essa falha a Arjuna, dado que, quando a sabedoria do *Bhagavad-Gîtâ* fora-lhe transmitida, ele estava extremamente abatido por ter visto seus amigos e mestres nas fileiras inimigas.

É certo que existem muitos paralelos entre os dois *Gîtâs*, mas não podemos deixar de notar que ao *Anu-Gîtâ* falta o elemento devocional (*bhakti*). O texto dá ênfase, ao contrário, ao elemento gnóstico (*jnâna*), propondo o Absoluto (*brahman*), e não a divina comunhão com o Senhor Krishna, como meta suprema das aspirações humanas. Parece que o *Anu-Gîtâ* foi uma das primeiras tentativas de diminuir a importância do devocionalismo da doutrina de Krishna — tendência defendida vigorosamente por Shankara, o maior expoente do Advaita Vedânta e do Jnâna-Yoga que o caracteriza.

VI. OS EVANGELHOS DE LIBERTAÇÃO DA EPOPÉIA DO MAHÂBHÂRATA — O MOKSHA-DHARMA

Depois do *Bhagavad-Gîtâ* e do *Anu-Gîtâ*, as partes do *Mahâbhârata* mais importantes para o estudo do Yoga estão na seção *Moksha-Dharma*, que abarca os Capítulos 168-353 do décimo segundo livro da epopéia. Revelam-se aí as vozes de várias tradições correlatas, mas nem sempre concordes. Além das escolas bramânicas ortodoxas, representadas pelo Vedânta, encontramos várias outras tradições, entre as quais destacam-se a religião Pancarâtra (forma arcaica do Vaishnavismo), a religião Pâshupata (forma do Shaivismo), o Sâmkhya Pré-Clássico e o Yoga Pré-Clássico. Já houve quem considerasse essa diversidade de linhas de ensinamento como uma simples mixórdia doutrinal corrupta inserida na metafísica não-dualista do Vedânta, mas nada poderia estar mais longe da verdade.

Os evangelhos de libertação presentes no *Moksha-Dharma* nos dão informações importantes, especialmente sobre o Sâmkhya e o Yoga em suas formas "épicas", isto é, anteriores à sistematização feita respectivamente por Îshvara Krishna (c. 350 d.C.) e Patanjali (c. 200 d.C.). O que se depreende do estudo cuidadoso do *Moksha-Dharma* é que, apesar das grandes semelhanças que existem entre o Sâmkhya e o Yoga, essas duas tradições já eram distintas e independentes na época da composição final do *Mahâbhârata*. Esse fato encontra a sua melhor expressão na seguinte afirmação:

इश्वर । बुद्ध । अबद्धिमत् ॥

Îshvara, buddha, abuddhimat

O método dos *yogas* [i.e., *yogins*] é a percepção, [ao passo que] para os *sâmkhyas* é a tradição das escrituras sagradas. (12.289-7)

"Essas duas coisas são diferentes", afirma a epopéia dois versículos adiante. Faz-se aí a distinção entre a atitude pragmática e experimental dos *yogins* (chamados *yogas*) e a dependência da revelação tradicional (acompanhada pela investigação racional das condições da existência humana) que caracteriza os seguidores do Sâmkhya. Mas o Yoga Épico ou Pré-Clássico não se define apenas pela prática, assim como o Sâmkhya não se define só pela teoria. Ambas as tradições têm a sua estrutura teórica específica e a sua própria psicotecnologia.

O Sâmkhya Pré-Clássico surgiu das especulações upanishádicas acerca dos graus da existência que se evidenciavam nas meditações penetrantes dos sábios. Mas na época do *Moksha-Dharma*, o Sâmkhya e o Vedânta já se haviam tornado tradições distintas. À semelhança de algumas escolas vedânticas, entretanto, o Sâmkhya Pré-Clássico adotava uma forma de não-dualismo. Isso vale também para todas as escolas de Yoga da Era Épica. O que distingue o Sâmkhya e o Yoga épicos das suas formulações clássicas é, acima de tudo, a orientação teísta que tinham. O ateísmo do Sâmkhya Clássico e o teísmo curioso do Yoga Clássico devem ser compreendidos como divergências em relação a uma base teísta muito forte, refletida nos *Upanishads*.

A razão desse afastamento em relação ao panenteísmo original do Sâmkhya e do Yoga era a necessidade que se sentia de reagir a tradições tão fortemente analíticas quanto o Budismo: o Sâmkhya e o Yoga teriam de ser sistematizados segundo uma linha filosófica racionalista. Em ambos os casos, esse esforço gerou um dualismo metafísico que não convence e que segue, claudicante, as interpretações não-dualistas do Vedânta.

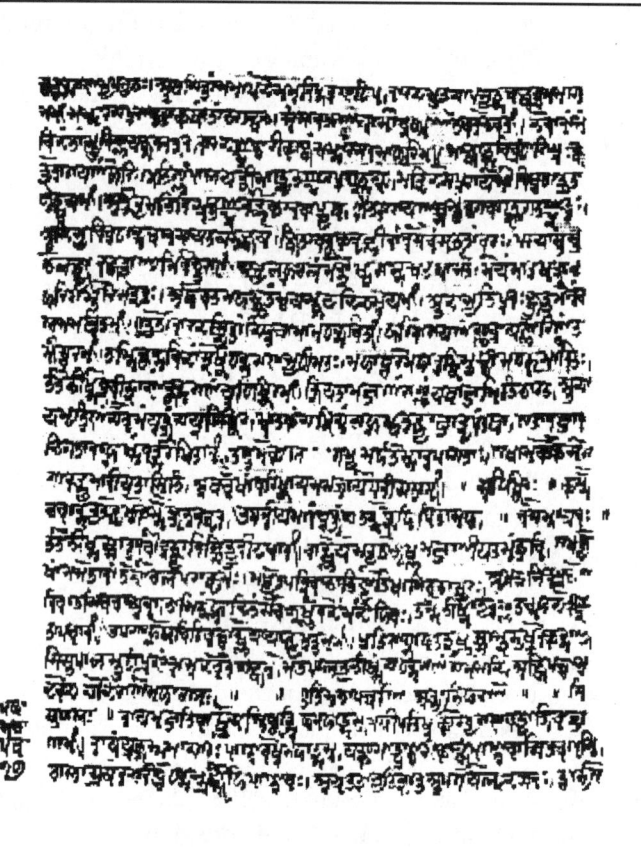

Página manuscrita do Mahâbhârata

As escolas épicas do Sâmkhya e do Yoga tinham muitos pontos de discordância no que diz respeito à metafísica e à teologia. Os mestres do Sâmkhya épico afirmavam uma identidade de essência entre o eu individual ou empírico, chamado *budhyamâna* ou *jîva*, e o Si Mesmo universal, chamado *buddha* ou *âtman*. A tradição do Yoga, por seu lado, postulava a existência de uma lacuna entre o Si Mesmo transcendente e os muitos eus empíricos, ou personalidades egóicas. Além disso, de acordo com os adeptos do Yoga, existe um Ente supremo, uma Divindade, acima da coletividade dos Si Mesmos transcendentes. Em comparação com esse Ser absoluto, chamado de princípio "desperto" (*buddha*) ou de "Senhor" (*îshvara*), até mesmo os seres libertos não são ainda iluminados nem despertos (*abuddhimat*). Portanto, os *yogins* da Era Épica admitiam vinte e seis categorias fundamentais da existência, chamadas "princípios" (*tattva*), ao passo que os seguidores do Sâmkhya só admitiam vinte e cinco. Esses princípios ontológicos serão discutidos no Capítulo 10.

As escolas épicas do Sâmkhya e do Yoga deram origem a um sincretismo sâmkhya-yogue. Para o historiador da filosofia e da espiritualidade da Índia, esses desenvolvimentos, que há muito tempo vêm sendo malcompreendidos, constituem um dos mais empolgantes campos de investigação e pesquisa. Para o estudioso do Yoga, importa estar ciente de que o *Yoga-Sûtra* de Patanjali surgiu na esteira de muitos séculos de experimentação viva e de reflexão acerca da grande questão da autotranscendência. A obra de Patanjali, embora impressione pela concisão com que expõe a filosofia e a prática do Yoga, não chega a evidenciar de todo a engenhosidade e a criatividade espiritual imensas sobre as quais foi construída.

Quando lemos o *Moksha-Dharma*, encontramos todas as espécies de ensinamentos, às vezes mais elaborados e recônditos, às vezes menos. No que diz respeito à prática propriamente dita, as autoridades yogues que figuram na epopéia insistem numa base moral sólida. Pregam virtudes como a veracidade, a humildade, o desapego dos bens materiais, a não-violência, o perdão e a compaixão, que também constituem o fundamento de todo o Yoga posterior.

A luxúria, a ira, a cobiça e o medo são arrolados freqüentemente como os maiores inimigos do *yogin*. Mencionam-se também o sono, os sonhos, o tédio e a "diarréia mental" (*bhrama*), bem como a dúvida e o descontentamento, que são todos considerados obstáculos graves ao caminho espiritual. Outra pedra de tropeço, segundo o texto, são os poderes, chamados *siddhis* ou *vibhûtis*, que podem levar o *yogin* a esquecer-se do seu verdadeiro objetivo, que é transcender o eu ou a personalidade egóica. Esses poderes são um subproduto natural da prática de meditação do *yogin*. Não obstante, como observa Patanjali em seu *Yoga-Sûtra* (3.37), só podem ser considerados resultados positivos do ponto de vista da consciência egóica. O exercício deles é um impedimento ao estado de êxtase (*samâdhi*) porque, para exercê-los, a pessoa tem de prestar atenção ao mundo exterior e às coisas do mundo. Isso, por sua vez, reforça nela o hábito de identificar-se com a personalidade egóica, e não com o Si Mesmo transcendente.

Os instrutores do *Moksha-Dharma* também expõem preceitos úteis acerca da alimentação, do jejum e dos locais mais propícios à prática do Yoga. Conheciam, além disso, a utilidade do controle da respiração (*prânâyâma*) e distinguiam os cinco tipos de força vital (*prâna*) que circulam no corpo. O controle da respiração prepara a mente para o estágio seguinte do processo gradual de introversão, que é a subtração (*pratyâhâra*) dos sentidos em relação ao mundo externo.

A maioria das escolas pré-clássicas de Yoga adotavam o que o *Moksha-Dharma* chama de *nirodha-yoga*, "Yoga da parada". Esse caminho consiste na progressiva desidentificação entre o *yogin* e o conteúdo da sua consciência — desde as sensações até as experiências mais elevadas, passando pelos pensamentos — até que o Si Mesmo transcendente rebrilhe em toda a sua glória. Assim, a inibição dos sentidos, a concentração e a meditação são considerados os meios principais do Yoga. Uma passagem (12.188.15 *et seq.*) faz uma distinção entre graus de meditação que nos lembra da terminologia de Patanjali. Bhîshma, que não é somente um guerreiro heróico como também um mestre da sabedoria, menciona os estágios de meditação chamados *vitarka* (pensamento), *vicâra* (reflexão sutil) e *viveka* (discernimento), sem porém explicá-los mais detalhadamente. Esses estágios são chamados *codanâ*, uma vez que "impelem" a mente a mergulhar no estado da ausência total de objetos. O *yogin* que obtém êxito no

निरोधयोग ॥

Nirodha-yoga

nirodha-yoga penetra num estado de perfeita imobilidade interior, "não-vento" (*nirvâna*), acompanhado pela total ausência de percepção sensorial. Diz-se que o corpo desse *yogin* assemelha-se, para os que o contemplam, a um pilar de pedra.

O *Moksha-Dharma* discute também um outro tipo de Yoga, chamado *jnâna-dîpti-yoga* ou "Yoga do fulgor da gnose", que consiste na concentração prolongada em objetos cada vez mais sutis. A pessoa pode, por exemplo, fixar a atenção primeiro sobre um dos cinco elementos materiais, e depois concentrar-se sobre a mente (*manas*) ou o intelecto universal (*buddhi*). Senão, o *yogin* pode começar por concentrar-se em diversos pontos do corpo, como o coração, o umbigo ou a cabeça, e daí passar a concentrar-se no próprio Si Mesmo. Essas práticas de concentração são chamadas *dhâranâ*.

Numa passagem, o Yoga é comparado a uma jóia perfeita que primeiro reúne e absorve a luz brilhante do sol e depois a emite. O sol, como é óbvio, é um símbolo universal do Si Mesmo, que se manifesta como um fulgor ofuscante. Essa metáfora descreve muito bem o processo yogue de concentração. A *dhâranâ* reúne e absorve os "raios" ou volteios da mente e concentra-os no Si Mesmo interior até que o esplendor do Si Mesmo manifeste-se no estado de êxtase (*samâdhi*) e transforme todo o ser do *yogin*.

O fato de esses ensinamentos terem sido agregados ao *Mahâbhârata* mostra o quanto eles eram populares no período de que estamos tratando. Por volta da época do Buda, e certamente muito antes do início da Era Cristã, o Yoga já se tornara manifestamente uma voz ativa na arena filosófica e espiritual do Hinduísmo. Era só uma questão de tempo até que um yogue culto e instruído criasse uma obra de duradoura influência, que formulasse com coerência a filosofia e a prática do Yoga hindu. Essa obra foi o *Yoga-Sûtra* de Patanjali, ao qual voltaremos no Capítulo 9.

TEXTO ORIGINAL 11

Moksha-Dharma (Trechos Escolhidos)

Os dois capítulos do Moksha-Dharma que vêm a seguir assumem a forma de um diálogo entre Bhîshma e seu discípulo, o príncipe Yudhishthira. O primeiro trecho explica de modo mais ou menos detalhado os efeitos das três qualidades (*guna*) da Natureza — *sattva*, *rajas* e *tamas* — sobre a mente humana. De acordo com a teoria ontológica aqui exposta, essas três qualidades são produzidas pela faculdade da sabedoria (*buddhi*), que é por sua vez o primeiro produto da Natureza (*prakriti*). Além da faculdade de sabedoria, ou mente superior, está a Testemunha eterna e imutável, aqui chamada de Conhecedor do Campo (*kshetra-jna*), que não é outro senão o Si Mesmo transcendente.

O segundo trecho trata da prática da meditação (*dhyâna*), embora as considerações aí expostas só se refiram ao primeiro de quatro estágios. No versículo 15, a reflexão (*vicâra*), o pensamento (*vitarka*) e o discernimento (*viveka*) são arrolados como os componentes do primeiro estágio. Isso nos faz lembrar dos elementos *vicâra* e *vitarka* no estado de êxtase consciente (*samprajnâta-samâdhi*) mencionado no *Yoga-Sûtra* de Patanjali (1.43-44).

O estado de perfeição (*siddhi*) a que levaria esse quádruplo Yoga da meditação chama-se também extinção (*nirvâna*) — termo encontrado igualmente no *Bhagavad-Gîtâ* (2.72; V. 26). Essa denominação é explicada de modo indireto no versículo 6.19 do *Gîtâ*: "Assim como uma lâmpada não bruxuleia num [lugar] sem vento (*nivâta*) — essa comparação é lembrada [quando] um *yogin* de mente (*citta*) jungida pratica o Yoga do si mesmo." O termo *nirvâna*, normalmente traduzido por "extinção", é derivado da raiz verbal *vâ* ("soprar"), cujo particípio passado é *vâta*. O prefixo *nis* (modificado para *nir* antes de *vâna*) corresponde ao prefixo latino *ex* ("fora"). A palavra *nirvâna* é bem conhecida pelo uso que dela fizeram as escrituras sagradas do Budismo e já foi citada por alguns estudiosos como prova de que o *Gîtâ* e o *Moksha-Dharma* são obras pós-búdicas. Entretanto, é igualmente possível que o Buda tenha emprestado essa palavra do vocabulário filosófico já existente.

12.187

Yudhishthira disse:

Dize-me, ó meu avô, o que é aquilo que se chama de o profundo Si Mesmo (*adhyâtman*), que é considerado o Si Mesmo (*purusha*)? O que é o eu mais íntimo e de que [natureza] ele é? (1)

Bhîshma disse:

Esse profundo Si Mesmo acerca do qual me perguntaste, ó Pârtha, hei de defini-lo para ti, ó amigo, como a alegria (*sukha*) mais beatífica. (2)

Tendo-O conhecido, o homem encontra o deleite (*prîti*) e o contentamento (*saukhya*) no mundo e obtém o fruto [dessas coisas], que é a benevolência para com todos os seres. (3)

Terra, vento, éter, água e luz são os grandes elementos, a origem e o fim de todos os seres. (4)

Desses [elementos] estes [seres] foram criados, e a eles retornam sucessivamente — os grandes elementos nos seres são como as ondas do oceano. (5)

Assim como a tartaruga, depois de pôr para fora os membros, recolhe-os de novo — assim também o si mesmo elemental (*bhûta-âtman*),[22] tendo criado [todos] os seres, absorve-os novamente. (6)

O Criador dos seres cinzelou os cinco grandes elementos em todos os seres, mas o indivíduo (*jîva*) não vê neles as diferenças. (7)

O som, a audição e os ouvidos — [tal é] a tríade nascida do ventre do éter. Do ar [provêm] a pele, o tato e o movimento, bem como a palavra, que é o quarto. (8)

A forma, o olho e a digestão são chamados o tríplice fogo. O sabor, a umidade e a língua são chamados as três qualidades da água. (9)

O aroma, o nariz e o corpo — estas são as três qualidades da terra. Os grandes elementos são cinco. A mente (*manas*) é chamada o sexto. (10)

Os sentidos e a mente, ó Bhârata, são [os meios de] cognição (*vijnâna*). O sétimo é dito a faculdade da sabedoria (*buddhi*). Além disso, o Conhecedor do Campo (*kshetra-jna*) [i.e., o Si Mesmo] é o oitavo. (11)

O olho serve para ver; a mente gera a dúvida; a faculdade da sabedoria serve para determinar com segurança [a natureza das coisas]; o Conhecedor do Campo subsiste como a testemunha [de todos esses processos]. (12)

Ele vê o quanto há acima das solas dos pés, deste lado e acima. Fica ciente de que este [universo] todo é interiormente impregnado por Ele. (13)

Os sentidos do homem devem ser perfeitamente compreendidos. Fica ciente, [além disso], de que *tamas*, *rajas* e *sattva* são as condições nas quais se baseiam [os sentidos].[23] (14)

O homem que compreendeu estas coisas por meio da faculdade da sabedoria, investigando o ir e o vir dos seres, obtém aos poucos a mais alta tranqüilidade (*shama*). (15)

A faculdade da sabedoria rege as qualidades (*guna*) [da Natureza]. A faculdade da sabedoria [rege também os sentidos, sendo a mente o sexto [sentido]. Na ausência da sabedoria (*buddhi*), onde estariam as qualidades (*guna*)? (16)

Assim, este [universo] interior, de [coisas] móveis e imóveis, é feito daquela [faculdade da sabedoria]. Nasce e é reabsorvido [na faculdade da sabedoria]. Daí [que o universo] seja dito tal [dependente da faculdade da sabedoria]. (17)

Aquilo pelo qual [a faculdade de sabedoria] vê é o olho; [aquilo pelo qual] ouve é chamado o ouvido; [aquilo pelo qual] cheira é chamado o nariz. Com a língua, reconhece os sabores. (18)

Com a pele, sente os contatos. A faculdade de sabedoria é passiva [e] transmutada [por esses processos]. Aquilo pelo qual ela deseja é a mente (*manas*). (19)

Os locais de repouso da faculdade da sabedoria, [que têm seus] propósitos específicos, são cinco. São chamados os cinco sentidos. A invisível [faculdade da sabedoria] permanece acima desses [sentidos]. (20)

A faculdade da sabedoria, regida pelo Si Mesmo (*purusha*), existe nas [diversas] condições: às vezes delicia-se [quando *sattva* predomina]; às vezes sofre [quando *rajas* predomina]. (21)

Às vezes, porém, existe [num estado dominado por *tamas*, no qual] não [é afetada] pelo prazer (*sukha*) nem pela dor (*duhkha*). Assim, subsiste em três condições na mente humana. (22)

Essa [faculdade da sabedoria], cuja essência é a das condições, transcende as três condições, assim como o oceano cheio de ondas, o sustentáculo dos rios, o grande limite [é maior do que os rios que nele deságuam]. (23)

A sabedoria (*buddhi*) que foi além das condições existe na mente, [sendo a] condição [desta]. Entretanto, quando *rajas* é ativado, [a sabedoria] segue essa condição. (24)

Faz então com que todos os sentidos percebam. *Sattva* é o deleite, *rajas* é o sofrimento e *tamas* é a ilusão. Estas são as três [condições em que se manifesta a faculdade da sabedoria]. (25)

Qualquer que seja a condição [predominante] neste mundo — ela [consiste numa] combinação dessas três. Expliquei-te assim, ó Bhârata, toda a natureza da faculdade da sabedoria. (26)

E todos os sentidos devem ser dominados pelo sábio (*dhîmat*). *Sattva*, *rajas* e *tamas* estão sempre ligadas às criaturas. (27)

Em decorrência disso, uma tríplice sensação (*vedanâ*) é percebida em todos os seres, ó Bhârata — a saber, a sátvica, a rajásica e a tamásica. (28).

O contato agradável [nasce] da qualidade *sattva*, o contato desagradável da qualidade *rajas*. Com *tamas* [não] ocorrem [nem sensações agradáveis nem desagradáveis, mas a pura e simples ilusão]. (29)

No corpo ou na mente, [toda sensação] associada a um prazer é considerada [sinal da] existência, nele ou nela, de uma condição sátvica. (30)

Ora, [toda sensação] associada ao sofrimento, que causa insatisfação [e provoca na pessoa o desejo de] fugir dela, deve ser considerada como ativada por *rajas*. (31)

Ora, [toda sensação] associada à ilusão, que se assemelha ao Não-Manifesto imponderável e incognoscível, deve ser considerada como *tamas*. (32)

Enlevo, deleite, bem-aventurança, alegria, tranqüilidade — sempre que tais coisas ocorrem, as qualidades sátvicas [são predominantes]. (33)

Insatisfação, sofrimento, tristeza, cobiça e impaciência — tais coisas são vistas como sinais de *rajas*, e [podem ser evidentes] desde a sua causa ou não [evidentes] desde a sua causa. (34)

Do mesmo modo, a presunção, a ilusão, a desatenção, o sono (*svapna*) e o cansaço (*tandritâ*) — sempre que tais coisas ocorrem, as diversas qualidades de *tamas* [são predominantes]. (35)

Aquele que contém bem a sua mente, [a qual] anda longe e vaga por grandes extensões, e cuja essência é a dúvida e o desejo — este é feliz aqui [na Terra] e na outra vida. (36)

Contempla a sutil distinção entre o *sattva* [i.e., o *buddhi* ou faculdade da sabedoria] e o Conhecedor do Campo [i.e., o Si Mesmo]. Um cria as qualidades (*guna*), o outro não cria as qualidades. (37)

Assim como o mosquito e a figueira estão sempre ligados, assim também esses dois estão ligados. (38)

[Embora] distintos por natureza, estão sempre ligados. Como o peixe e a água, esses [dois] estão ligados. (39)

As qualidades não conhecem o Si Mesmo, [mas] Ele conhece as qualidades à sua volta, e o Supervisor (*paridrashtri*) das qualidades sempre considera-se [erroneamente] o criador delas. (40)

Mas, por meio dos sentidos inativos e insensatos, [da mente] e da faculdade da sabedoria, que é o sétimo, o supremo Si Mesmo — como uma lâmpada — cumpre a função de uma lâmpada. (41)

Sattva [i.e., o *buddhi* ou faculdade da sabedoria] cria as qualidades. O Conhecedor do Campo [apenas] contempla. É essa a permanente ligação entre *sattva* e o Conhecedor do Campo. (42)

Não há nenhuma base comum entre *sattva* e o Conhecedor do Campo. [Este último] não cria jamais *sattva*, nem a mente, nem as [outras] qualidades. (43)

Quando o ser controla os raios daqueles [sentidos] com a mente, seu Si Mesmo manifesta-se como uma lâmpada ardente num jarro. (44)

O sábio (*muni*) cujo prazer está sempre em Si Mesmo, que deixou para trás a atividade da Natureza e tornou-se o Si Mesmo de todos os seres — ele trilha o caminho supremo [da libertação e da imortalidade]. (45)

Como um pássaro aquático mergulha [na água] e não é manchado por ela, assim também o sábio perfeito (*prajnâ*) reside em meio aos seres [sem macular-se por isso]. (46)

O homem, portanto, deve dissociar-se da condição inata (*sva-bhâva*), por meio da faculdade da sabedoria, desta maneira: deve movimentar-se sem entristecer-se, sem interessar-se [ansiosamente pelas coisas], sem nenhum resquício de embriaguez (*mâtsara*). (47)

Aquele que, pelo poder da condição inata (*sva-bhâva*), sempre cria as qualidades produzidas, assemelha-se à aranha que faz a sua teia. As qualidades devem ser vistas como o fio. (48)

[Quando as qualidades] somem, elas não desaparecem [realmente]. O fim [absoluto delas] não se evidencia à percepção direta. "[Embora seja] imperceptível, pode ser demonstrado por inferência." (49)

Assim pontificaram alguns, enquanto outros [afirmam o] fim [absoluto]. Considerando ambas [as posições], cada qual deve decidir como lhe pareça melhor. (50)

Assim deve-se desfazer esse apertado nó do coração [i.e., problema filosófico], que consiste numa diferença de opinião (*buddhi*). [Quem fizer isto] não sofrerá. [Quanto a isto] não há dúvida. (51)

Assim como pessoas sujas podem ficar limpas ao mergulhar num rio, sabendo plenamente [que serão purificadas] — assim também fica ciente de que a sabedoria (*jnâna*) é [o meio de purificação]. (52)

Assim como alguém que vê a outra margem intimida-se perante o grande rio e por isso não o atravessa, assim também aqueles que vêem o profundo Si Mesmo (*adhyâtman*), a solidão, a suprema sabedoria, [sentem-se intimidados a princípio mas depois vão em busca dessas coisas]. (53)

O homem que conhece o ir e o vir de todos os seres e medita nisso alcança aos poucos o Supremo por meio dessa sabedoria (*buddhi*). (54)

Aquele que compreendeu a tríade [das qualidades da Natureza] liberta-se com a luz do Oriente. Buscando com sua mente, [ele fica] jungido, conhece a verdade e perde os desejos. (55)

O Si Mesmo não pode ser captado pelos sentidos em separado [e nem mesmo por todos juntos], [sentidos esses que] se distribuem para cá e para lá e dificilmente são dominados pelas pessoas imaturas (*akrita-âtman*).[24] (56)

Tendo-o compreendido, ele se torna sábio (*buddha*). Qual outro [seria o] sinal da sabedoria? Cientes disso, os sábios sabem o que já realizaram e o que ainda há que realizar. (57)

Aquilo que [já não causa] medo algum aos sábios [causa] medo excessivo aos ignorantes. Não há caminho mais elevado que alguém possa tomar. Tendo chegado à qualidade (*guna*) [do supremo Si Mesmo], eles exaltam-lhe a incomparabilidade (*atulyatâ*). (58)

Aquele que age sem premeditar intenções e rejeita o que antes fez — para ele [já] não existem nem o desagradável nem o agradável. (59)

Contempla este mundo enfermo, o povo sofrido que chora por isto e por aquilo. Contempla neste [mundo] o [que há de] saudável e sem sofrimento. Quem conhece essas duas posições é um conhecedor de fato. (60)

12.188

Bhîshma disse:

Eis que vou declarar-te, ó Pârtha, o quádruplo Yoga da meditação, por cujo conhecimento os grandes videntes chegaram à perfeição (*siddhi*) eterna. (1)

Os *yogins*, os grandes videntes, praticam a meditação tal e qual ela deve ser, participando da sabedoria, voltando a mente à extinção (*nirvâna*). (2)

Não voltam atrás, ó Pârtha. Libertam-se dos defeitos do mundo da mudança (*samsâra*). Os defeitos [decorrentes do seu] nascimento desaparecem [e eles] postam-se firmes em sua verdadeira natureza (*sva-bhâva*). (3)

[Estão] além dos opostos, demorando-se eternamente em *sattva*, livres, dispondo perpetuamente da disciplina (*niyama*) e [das coisas] que não acarretam nem o apego nem as contendas e geram a tranqüilidade mental. (4)

Então o sábio (*muni*), além de estudar (*svâdhyâya*), deve concentrar a mente num único ponto, transformando o exército dos sentidos numa pequena esfera e sentando-se [imóvel] como uma tábua de madeira. (5)

Não deve buscar sons com o ouvido. Não deve conhecer o tato com a pele, nem conhecer as formas com o olho, nem os sabores com a língua. (6)

Além disso, o conhecedor do Yoga deve renunciar a todos os aromas através da meditação e deve rejeitar valorosamente [todas as coisas que] agitam o conjunto dos cinco [sentidos]. (7)

Deve portanto constranger habilmente o conjunto dos cinco [sentidos] na mente, e deve aquietar a mente que vaga junto com os cinco sentidos. (8)

Na primeira etapa da meditação, o sábio deve aquietar interiormente a mente errante, desapoiada, volúvel, de cinco entradas (*panca-dvâra*). (9)

Quando ele, assim, transforma os sentidos e a mente numa pequena esfera — a isso chamo de primeiro grau de meditação. (10)

Sua mente, o sexto [sentido] — perfeitamente contida no interior em virtude da primeira [etapa da meditação] —, ainda há de manifestar-se como o fulgor de um relâmpago numa nuvem. (11)

Como a tremulante gota d'água move-se numa folha, assim também sua atenção (*citta*) vaga pelo caminho da [primeira etapa da] meditação. (12)

[Mesmo quando] a mente fica mais ou menos controlada por um instante e caminha [com relativa firmeza] na via da meditação, ela [logo] volta a vagar pelos caminhos do vento [i.e., da respiração] e torna-se semelhante ao vento. (13)

Sem reagir [aos estímulos sensoriais], livre da aflição, livre da letargia e do entusiasmo (*mâtsara*), o conhecedor do Yoga da meditação deve aquietar a mente (*cetas*) sempre de novo por meio da meditação. (14)

A reflexão, o pensamento e o discernimento manifestam-se para o sábio que se concentra, a começar do primeiro [grau de] meditação. (15)

Mesmo perturbado pela mente, ele deve dedicar-se à concentração (*samâdhâna*). O sábio não deve desencorajar-se, mas deve trabalhar pelo próprio bem (*hita*). (16)

Assim como os montes de poeira, de cinzas ou de escória não se saturam [imediatamente] quando molhados de água, (17)

ou assim como a farinha seca, quando é molhada um pouco, não se satura [imediatamente], mas aos poucos — (18)

assim também deve ele saturar aos poucos o exército dos sentidos e aos poucos congregá-los. [Assim fazendo], tranqüilizará por completo [a mente]. (19)

A mente e o conjunto dos cinco [sentidos], ó Bhârata, serão tranqüilizados por meio da incessante [prática do] Yoga quando o primeiro grau de meditação for alcançado. (20)

Não é nem por obra humana nem por alguma [intervenção] divina que ele avança rumo à alegria que [cabe] aos autocontrolados. (21)

Jungido por essa alegria, ele se regozija na prática da meditação. É assim, em verdade, que os *yogins* aproximam-se daquela extinção (*nirvâna*) [na qual] não existe o mal. (22)

VII. O YOGA SÊXTUPLO DO MAITRÂYANÎYA-UPANISHAD

Os Maitrâyanas já são mencionados nos *Brâhmanas* e são associados ao *Krishna*-(Preto) *Yajur-Veda*. Parece que tinham um vínculo especial com o deus Rudra, que depois foi assimilado ao Shiva da época clássica. Os sacerdotes do Maitrâyana criaram, entre outras obras, o *Shata-Rudrîya* ("Cem [Invocações] de Rudra"), ladainha que era recitada para garantir uma proteção contra o mal mas que depois passou a ser usada também para fins meditativos. Como indica o seu título, o *Maitrâyanîya-Upanishad*[25] foi elaborado também nessas rodas, embora numa época muito posterior. Não há dúvida de que esse texto esotérico contém um conhecimento yogue arcaico, mas a versão que chegou a nós parece só ter sido composta nos séculos IV ou III a.C.[26] Há uma parte desse *Upanishad* que circula como texto independente sob o título de *Maitreya-Upanishad*. Parece ter sido criada no sul da Índia.[27]

O *Maitrâyanîya-Upanishad* começa com a história do rei Brihadratha, o qual, segundo o *Mahâbhârata*, foi um dos primeiros soberanos de Magadha e um fiel adorador do deus Shiva. Diz a história que, depois de pôr o seu filho no trono, Brihadratha abandonou o reino para dedicar-se à penitência na floresta. Depois de passar mil dias (ou anos) imóvel, de pé, com os braços levantados e olhando para o sol, recebeu a visita de Shâkâyanya, um adepto realizado. Vendo que Brihadratha era digno de receber a instrução, Shâkâyanya revelou-lhe o mistério das duas espécies de si mesmo — o "si mesmo elemental" (*bhûta-âtman*; escreve-se *bhûtâtman*), ou personalidade egóica, e o Si Mesmo transcendente.

O si mesmo elemental muda continuamente até desintegrar-se na morte, mas o Si Mesmo transcendente permanece eternamente intocado por essas mudanças. Pode ser realizado mediante o estudo e o cumprimento das obrigações que cabem a cada qual, e que incluem a penitência, a recitação de *mantras* e a contemplação profunda. Shâkâyanya qualifica essa realização como uma união (*sayujya*) com o Si Mesmo, o Soberano (*îshana*). O sábio expõe então o Yoga sêxtuplo (*shad-anga-yoga*) como segue:

A regra para a efetuação dessa [união com o Si Mesmo] é a seguinte: controle da respiração (*prânâyâma*), recolhimento dos sentidos (*pratyâhâra*), meditação (*dhyâna*), concentração (*dhâranâ*), reflexão (*tarka*) e êxtase (*samâdhi*). Este é dito o Yoga sêxtuplo. (6.18)

Quando um vidente vê o resplandecente Criador, o Senhor, o Homem Universal, a Origem do [deus-criador] Brahma, então, sendo um gnóstico, libertando-se do bem e do mal, ele reduz todas as coisas à unidade no supremo Imperecível. (6.19)

O *Maitrâyanîya-Upanishad* é ainda mais específico. Menciona o canal central (*sushumnâ-nâdî*) que constitui o eixo do corpo e dentro do qual a força vital (*prâna*) deve ser forçada a subir desde a base da coluna até o topo da cabeça e ainda além. Esse processo resulta de uma união entre a respiração, a mente e a sílaba sagrada *om*. Depois Shâkâyanya cita dois versículos de uma obra não-identificada, segundo a qual o Yoga é a junção da respiração e da sílaba *om*, ou da respiração, da mente e dos sentidos.

Esse texto contém muitas idéias fascinantes que pressupõem a existência de certas práticas que, por sua vez, são indícios de um avanço no desenvolvimento do Yoga que preparou o caminho para a formulação clássica de Patanjali.

VIII. O YOGA INTANGÍVEL DO MÂNDÛKYA-UPANISHAD

Existem alguns *Upanishads* da Era Épica — especialmente o *Îsha*, o *Mundaka*, o *Prashna* e o *Mândûkya*[28] — que não estão diretamente ligados à tradição (sâmkhya-)yogue característica dessa época, mas vinculam-se à corrente principal do não-dualismo vedântico (que é uma forma de Jnâna-Yoga). Só vou discutir aqui o *Mândûkya-Upanishad*, que deve ser destacado porque inspirou o adepto Gaudapâda a escrever o respeitado *Mândûkya-Kârikâ*, também conhecido pelo nome de *Âgama-Shâstra*. Gaudapâda foi o *parama-guru* de Shankara, o mais famoso sábio do Advaita Vedânta, a tradição de não-dualismo radical da Índia. A palavra *parama-guru* não é perfeitamente clara — pode significar que Gaudapâda foi o mestre do mestre de Shankara, chamado Govinda, ou pode significar que foi o "*guru*-raiz", o originador da linhagem de Shankara, a quem este dedicava grande reverência. Não possuímos informações confiáveis acerca de Gaudapâda. Ânandagiri, sábio vedântico do século IX, escreveu uma glosa (*tîkâ*) sobre o comentário de Shankara ao *Mândûkya-Kârikâ*, na qual afirma que Gaudapâda praticava a ascese no *âshrama* de Bâdaraika, lugar sagrado dedicado ao deus Nârâyana. Foi Nârâyana quem lhe revelou a sabedoria da não-dualidade.

A época de existência de Gaudapâda também é incerta e depende da interpretação que damos à palavra *parama-guru*, que é como a tradição o qualifica. Se ele foi o *guru* do mestre de Shankara, temos de situá-lo no começo do século VII d.C. Entretanto, segundo alguns relatos, houve vários mestres entre Gaudapâda e Shankara. É até mesmo possível que ele tenha vivido no século V d.C., pois isso concordaria com o testemunho de certos textos budistas que aparentemente citam o *Mândûkya-Kârikâ* — em especial, o *Tarka-Jvalâ* ("Conflagração da Razão") de Bhâvaviveka, do século VI.

O *Mândûkya-Kârikâ* é uma brilhante exposição filosófica das idéias que se encontram no *Upanishad* de mesmo nome. Com efeito, a obra de Gaudapâda foi considerada a primeira a expor sistematicamente a metafísica não-dualista dos *Upanishads*. O *Mândûkya-Upanishad* afirma que, mesmo que um homem não seja capaz de estudar os 108 *Upanishads*, conseguirá ainda alcançar a libertação se estudar a fundo o *Mândûkya*, pois ele contém a essência de toda a sabedoria upanishádica.

O *Mândûkya-Upanishad* inteiro, compreendendo meros doze versículos, é uma exposição do simbolismo esotérico da sílaba sagrada *om*. Em geral, esse antigo mantra é concebido como composto de quatro unidades (*mâtra*) — *a*, *u*, *m* e o eco nasalizado do som *m*. Esses quatro *mâtras* são simbolicamente correlacionados aos quatro estados básicos de consciência, que são a vigília, o sonho, o sono profundo e o estado transcendental, chamado o "Quarto" (*caturtha*, *turîya*). A obra de Gaudapâda elabora essa idéia e apresenta o conceito do "Yoga intangível" (*asparsha-yoga*). A palavra *sparsha* significa "tato" ou "contato", e *asparsha* é literalmente "o que não toca nem entra em contato com nada", isto é, o intangível, que não pertence ao nexo da existência condicionada (*samsâra*). Esse Yoga se resume na radical prática não-dualista de permanecer-se identificado ao Si Mesmo ou mergulhado n'Ele, sem entrar em contato com o chamado mundo objetivo nem deixar-se contaminar por ele.

Do ponto de vista do Si Mesmo, que é Uno e não tem segundo, não pode haver contato de espécie alguma com coisa alguma. Não há nem dentro nem fora, nem há múltiplos seres ou objetos que pudessem ser contatados através dos sentidos. Só a mente não-iluminada, que distingue entre o sujeito e o objeto, é capaz de conceber a separação e a união, o afastamento e o contato. É essa suposta separação entre nós e os outros seres que nos causa muita ansiedade. Onde não há dualidade, também não há medo. O Yoga de Gaudapâda é a realização desse estado intemerato, o "Quarto", que não é outra coisa senão o próprio Si Mesmo onipresente. Pode ser alcançado a cada momento em que a mente é obrigada a desistir da ilusão de que existe um mundo de multiplicidade fora de si própria e, em vez disso, é levada a repousar no estado natural de Ipseidade. No seu comentário ao *Mândûkya-Kârikâ* (4.2), Shankara chama o Asparsha-Yoga de Yoga da visão não-dualista, ou *advaita-darshana-yoga*.

O Asparsha-Yoga é idêntico ao Jnâna-Yoga em sua forma mais elevada. Como tal, representa a maior realização de toda a tradição não-dualista dos *Upanishads*. Nas mãos hábeis de Shankara, tornou-se o maior rival do Budismo e também do Yoga Clássico de Patanjali.

IX. MORAL E ESPIRITUALIDADE — O YOGA PRÉ-CLÁSSICO NA LITERATURA ÉTICO-JURÍDICA

Visão Geral

Os elementos do Yoga Pré-Clássico não ficaram registrados somente nas duas epopéias e nos *Upanishads*. Podemos encontrá-los também em várias outras obras semi-religiosas do Hinduísmo, em especial na literatura ético-jurídica chamada *dharma-shâstra*.

Símbolo "om" na escrita do sul da Índia

As letras a, u, m e o símbolo nâda-bindu

अर्थ । काम । धर्म । मोक्ष ॥

Artha, kâma, dharma e moksha

Por que existe esse vínculo entre a ética, isto é, a moral (*dharma*), e a espiritualidade (*yoga*)? De acordo com um antigo modelo bramânico da motivação humana, existem quatro grandes valores aos quais as pessoas podem dedicar-se. São os chamados "objetivos humanos" (*purusha-artha*): o bem-estar material (*artha*), o prazer (*kâma*), a moral (*dharma*) e a libertação (*moksha*). Eles constituem um contínuo hierárquico, sendo a libertação o valor mais elevado ao qual podemos aspirar. A moral e a busca da emancipação, ou seja, da liberdade espiritual, guardam entre si uma relação especial, pois a vida espiritual mais elevada só pode florescer se estiver amparada por uma sólida fundação moral.

Por isso, não nos surpreende encontrar muitas referências ao Yoga nos manuais de ética e direito, que também concebem a libertação como a mais elevada virtude, assim como os textos de Yoga mencionam virtudes morais de todo tipo que o *yogin* deve cultivar e nas quais deve se firmar. Patanjali, por exemplo, em seu *Yoga-Sûtra* (2.30-31), lista as seguintes cinco virtudes, que constituem o grande voto (*mahâ-vrata*): não-violência, veracidade, não roubar, castidade e não cobiçar. Elas perfazem o primeiro dos oito membros (*anga*) do caminho óctuplo do Yoga Clássico, mas também são fatores inalienáveis da moral pregada pelos *Dharma-Sûtras* e *Dharma-Shâstras*.

A literatura *dharma-shâstra* é bastante grande, e parece que muitos dos *Sûtras* originais perderam-se há muito tempo. Um breve exame dos manuais de boa conduta escritos pelas autoridades em direito e espiritualidade basta para nos convencermos de que a ascese (*tapas*) e o Yoga já eram elementos importantes da vida cultural e moral da Índia desde muito antes da Era Cristã. As numerosas referências a *tapas* deixam claro o quanto são antigos os ensinamentos espirituais contidos nessas obras. As referências ao Yoga, por outro lado, são relativamente poucas, e no geral vinculam o Yoga à disciplina do recolhimento dos sentidos e do controle da respiração. À medida que o Yoga foi sendo cada vez mais assimilado pelo Bramanismo ortodoxo, essa grande tradição tornou-se destinada a desempenhar um papel de importância crescente na constituição dessa magna cultura religiosa que se convencionou chamar Hinduísmo. A tendência prática do Yoga mantinha a intelectualidade hindu — com seus vôos metafísicos e suas incessantes preocupações rituais — com os pés sempre firmemente presos à terra.

Ao mesmo tempo, a ênfase que o Yoga dá à experiência pessoal — especialmente em caminhos como o Karma-Yoga e o Bhakti-Yoga — atraía os indivíduos de mentalidade religiosa que não tinham a sorte de nascer na casta dos brâmanes, com acesso privilegiado às escrituras sagradas. Especialmente depois da ascensão do Tantra, em meados do primeiro milênio d.C., as barreiras de classe e de casta começaram a ser derrubadas nos meios espirituais. Nas rodas tântricas, todos — independentemente de posição social, grau de instrução ou cor da pele — tinham, pelo menos em princípio, acesso aos ensinamentos mais elevados. A única qualificação exigida era a disponibilidade espiritual.

As obras jurídicas mais antigas são os diversos *Sûtras* compostos por sábios como Gautama, Baudhâyana, Vashishtha e Âpastamba. Certos trechos são tão antigos quanto os últimos *Brâhmanas*, como o *Shata-Patha*, mas no geral os *Sûtras* vêm de um período mais recente. Eles serviram de base para os textos jurídicos mais elaborados chamados de *Dharma-Shâstras*, que normalmente são datados do período compreendido entre 300 a.C. e 200 d.C. O mais importante dentre esses textos é o *Mânava-Dharma-Shâstra*, também chamado *Manu-Smriti*, escrito em métrica de *shloka*. Seu suposto autor é Manu Vaivasvata, tradicionalmente exaltado como progenitor desta humanidade e antepassado das famílias aristocráticas da Índia védica. O arcaico *Rig-Veda* (1.80.16) chama-o de "nosso pai". A literatura purânica posterior diz que Manu foi o único sobrevivente de uma grande enchente ou dilúvio. Essa lenda, muito semelhante à história médio-oriental de Noé, foi contada pela primeira vez no *Shata-Patha-Brâhmana* (1.8.1-6), que tem mais de quatro mil anos. A história não consta do *Rig-Veda*, mas o *Atharva-Veda* (19.39.7-9) fala de um navio de ouro que encalhou nos cimos do Himalaia.

Ikshvâku, um dos nove filhos de Manu, é comemorado como o fundador da dinastia solar. Manu era ele mesmo filho do deus solar Vivasvat (daí o seu título Vaivasvata). Sua filha Ilâ (que mudou de sexo) foi a fundadora da dinastia lunar, cujos membros mais ilustres foram os Pândavas, encabeçados pelo príncipe Arjuna, devoto do Deus-homem Krishna.

Manu, se existiu, fez parte da primeiríssima fase da civilização védica (talvez no quinto milênio a.C.), mas o *Manu-Smriti* que lhe é atribuído foi produzido, sem dúvida alguma, numa data muito mais recente. Porém, também não há dúvida de que algumas das idéias aí expressas advêm da época védica. Seja como for, o *Manu-Smriti* é um sinal de o quão disseminada já era a influência do Yoga na época do nascimento de Cristo.

Ensinamentos Yogues na Literatura Jurídica

Além de propor o código moral que no Yoga consubstancia-se nas regras de *yama*, os *Dharma-Shâstras* dão ênfase ao controle da respiração como meio de expiação. Assim, um trecho do *Manu-Smriti* (6.70 *et seq.*) fala acerca dos benefícios do controle da respiração (*prânâyâma*), que deve se valer dos *mantras* védicos apropriados, especialmente a sílaba *om*. Considera-se essa a forma mais elevada de penitência, que "queima" todas as espécies de máculas físicas e psíquicas.

O Capítulo 25 do *Vâsishtha-Dharma-Shâstra* fala sobre o Yoga, que no caso consiste essencialmente na prática do controle da respiração. O versículo 13 define a retenção como a supressão da respiração durante o tempo necessário para repetir três vezes o *gâyatri-mantra* junto com a sílaba *om*, os *vyâhritis* ou "declarações" (isto é, *bhûh, bhuvah, svah*) e a locução *shiras* ("cabeça"), que é "água, fogo/luz, essência, imortal".[29] Afirma-se (vs. 6) que o controle da respiração gera o ar que por sua vez alimenta o fogo interior do qual se forma a água. Esses três elementos ocasionam a desejada purificação, sem a qual não pode raiar a sabedoria. Segundo o versículo 8, o Yoga é a fusão da lei sagrada (*dharma*) com a penitência mais elevada e eterna.

Passagem quase idêntica se encontra, por exemplo, no *Baudhâyana-Dharma-Sûtra* (4.1.23 *et seq.*), obra muito respeitada cujo núcleo provavelmente foi criado nos séculos que antecederam o esgotamento do Rio Sarasvatî por volta de 1900 a.C.

O *Shânkhâyana-Smriti* (12.18-19), outro texto antigo que trata do direito e dos costumes hindus, afirma com exagero que dezesseis ciclos de controle da respiração por dia bastam para absolver do seu pecado hediondo até mesmo o assassino de um brâmane. O *Yâjnavalkya-Smriti* (3.305) prescreve cem *prânâyâmas* para a expiação de todos os pecados.

O *Manu-Smriti* e outros textos do mesmo tipo também recomendam a concentração (*dhâranâ*) como instrumento de remissão dos pecados, e a meditação (*dhyâna*) para combater emoções indesejáveis como a ira, a avareza e o ciúme. O autor do *Âpastamba-Dharma-Sûtra*, cuja versão atual talvez tenha sido composta no século III a.C., cita um versículo de uma obra não-identificada, segundo a qual o sábio elimina todas as máculas (*dosha*) de caráter pela prática do Yoga. Enumera quinze dessas máculas ou defeitos, inclusive a ira, a cobiça, a hipocrisia e até as extravagâncias no vestir, no comer, no falar e na conduta em geral.

O *Yâjnavalkya-Smriti* é o segundo em importância depois do *Manu-Smriti*, embora seja possível que, na forma pela qual chegou a nós, só tenha sido composto muitos séculos depois. O texto é tradicionalmente atribuído ao ilustre sábio Yâjnavalkya, que viveu na época dos *Brâhmanas*. Um certo trecho (3.195 *et seq.*) descreve todo o processo yogue — o sentar-se na postura correta, o recolhimento dos sentidos, o controle da respiração, a concentração e a meditação. A obra também arrola (3.202 *et seq.*) vários poderes yogues (*siddhi*), como a invisibilidade, a capacidade de recordar-se das vidas passadas e a de conhecer o futuro.

Com o *Manu-Smriti* aproximamo-nos da Era Cristã, que foi uma fase muito fértil na evolução da tradição yogue. O homem que deu ao Yoga a forma filosófica pela qual o conhecemos, no século I ou II d.C., foi um vidente (*rishi*) de nome Patanjali. Falaremos agora sobre ele e seus famosos aforismos.

Parte III
O YOGA CLÁSSICO

"Ao apresentar o *Yoga-Bhâshya*, Veda-Vyâsa explicou a essência de todos os *Vedas*. Por isso, este é o [melhor] caminho para os que desejam a libertação."

— Vijnâna Bhikshu, *Yoga-Vârttika* (1.4)

"O Yoga é uma visão de mundo perfeitamente estruturado e integrado que visa a transformação do ser humano, de sua forma atual e grosseira numa forma perfeita... Pode-se dizer que o Yoga visa a liberdade em relação à natureza, incluindo-se aí a liberdade em relação à natureza humana; seu vôo almeja a transcendência da humanidade e do cosmos, almeja o puro ser."

— Ravi Ravindra, "Yoga: The Royal Path to Freedom", *Hindu Spirituality*, p. 178

Capítulo 9
A HISTÓRIA E A LITERATURA DO PÂTANJALA-YOGA

I. PATANJALI — FILÓSOFO E YOGIN

A maioria dos *yogins*, como a maioria das pessoas em geral, não tem forte inclinação para as coisas do intelecto. Mas os *yogins*, ao contrário das pessoas em geral, tiram proveito desse fato e passam a cultivar a sabedoria e as experiências psíquicas e espirituais que a mente racional tende a negar e combater. Não obstante, sempre houve praticantes de Yoga que também foram intelectuais brilhantes. Shankara, por exemplo, que viveu no começo do século VIII d.C., não é lembrado somente como o maior defensor da metafísica não-dualista hindu, o Advaita Vedânta, mas também como um grande adepto do Yoga. O mestre budista Nâgârjuna, do século II d.C., não foi somente um célebre taumaturgo (*siddha*) e alquimista tântrico, mas também um gênio filosófico de primeira categoria. No século XVI d.C., Vijnâna Bhikshu escreveu profundos comentários sobre as seis grandes escolas filosóficas. Era um pensador notável que impressionou sobremaneira o pioneiro indólogo alemão Max Müller, criador da disciplina das mitologias comparadas. Mas, ao mesmo tempo, era um praticante espiritual de primeira linha, adepto do Jnâna-Yoga vedântico.

Do mesmo modo, Patanjali, autor ou compilador do *Yoga-Sûtra*, era sem dúvida alguma um adepto do Yo-

Patanjali

ga que nem por isso deixava de ser inteligentíssimo. Como escreveu Christopher Chapple, pesquisador do Yoga:

> Alguns afirmaram que Patanjali, ao apresentar a escola yogue, não deu nenhuma contribuição específica à filosofia. Eu afirmo, muito pelo contrário, que ele deu uma contribuição magistral, e o fez apresentando sem preconceito toda uma diversidade de práticas, numa metodologia profundamente arraigada na cultura e nas tradições da Índia.[1]

O Yoga de Patanjali representa o clímax de um longo desenvolvimento da tecnologia yogue. De todas as escolas que existiram nos primeiros séculos da Era Cristã, a escola de Patanjali foi a que acabou sendo reconhecida como o sistema oficial (*darshana*) da tradição yogue. Existem muitos paralelos entre o Yoga de Patanjali e o Budismo, e não se sabe se eles se devem simplesmente ao desenvolvimento simultâneo dos Yogas hindu e budista ou se decorrem de um interesse particular de Patanjali pelos ensinamentos budistas. Se Patanjali de fato viveu no século II d.C., como propomos aqui, é muito possível que ele tenha sofrido uma influência considerável do Budismo, que era forte naquele período. Pode ser, porém, que as duas explicações estejam corretas.[2]

Infelizmente, o que sabemos sobre Patanjali é quase nada. A tradição hindu identifica-o com o famoso gramático de mesmo nome que viveu no século II a.C. e escreveu o *Mahâ-Bhâshya*. O consenso da opinião dos estudiosos, porém, é que isso é muito pouco provável. Tanto o conteúdo quanto a terminologia do *Yoga-Sûtra* apontam para o século II d.C. como data provável para a existência de Patanjali, quem quer que tenha sido.[3]

A Índia conhece, além do gramático, vários outros Patanjalis. O nome é mencionado como título do clã (*gotra*) do sacerdote védico Âsurâyana. O antigo *Shata-Patha-Brâhmana* menciona um Patancala Kâpya, que o estudioso alemão Albrecht Weber, no século XIX, tentou erroneamente identificar com Patanjali.[4] Houve depois um mestre do Sâmkhya que tinha esse mesmo nome, cujas doutrinas são recapituladas no *Yukti-Dîpikâ* (fim do século VII ou começo do século VIII d.C.). Atribui-se talvez a outro Patanjali a autoria do *Yoga-Darpana* ("Espelho do Yoga"), manuscrito de data desconhecida. Por fim, houve um mestre de Yoga chamado Patanjali que fazia parte da tradição shaiva do sul da Índia. É possível que seja a ele que se refira o título do *Pâtanjala-Sûtra* de Umâpati Shivâcârya, do século XIV, que é uma obra sobre a liturgia do templo de Natarâja em Cidambaram.

Segundo a tradição hindu, Patanjali foi uma encarnação de Ananta, ou Shesha, o rei milecéfalo da raça das serpentes, que supostamente guarda os tesouros ocultos da terra. Diz-se que Ananta tomou o nome Patanjali porque queria ensinar o Yoga na Terra e caiu (*pat*) do Céu sobre a palma (*anjali*) de uma mulher virtuosa chamada Gonikâ. Na iconografia, Ananta é representado muitas vezes como a almofada sobre a qual reclina-se o deus Vishnu. As muitas cabeças do senhor das serpentes simbolizam a infinitude ou a onipresença. Não é difícil descobrir qual a ligação que Ananta tem com o Yoga uma vez que este é por excelência o tesouro oculto, isto é, o conhecimento esotérico. Até hoje, muitos *yogins* prostram-se perante Ananta antes de começar a rotina diária de exercícios yogues.

No versículo de bênção que dá início ao *Yoga-Bhâshya*, comentário do *Yoga-Sûtra*, o Senhor das serpentes, Ahîsha, é saudado da seguinte maneira:

> Que Aquele que, deixando de lado a Sua forma original [não-manifesta], de diversas maneiras exerce a Sua soberania para fazer bem ao mundo — Aquele que se enrola em bela forma, dono de muitas bocas, dotado de venenos mortais mas eliminador de todo o exército das aflições (*klesha*), fonte de toda a sabedoria (*jnâna*), e cujo círculo de serpentes-servas gera um prazer constante, o divino Senhor das Serpentes: que Ele, o qual nos concede generosamente o Yoga, jungido no Yoga, proteja-vos com o Seu puro corpo branco.

Não há nada que possamos afirmar acerca de Patanjali que não seja pura especulação. É razoável supor que ele tenha sido uma grande autoridade em Yoga e muito provavelmente o chefe de uma escola na qual o estudo (*svâdhyâya*) era visto como um aspecto importante da prática espiritual. Ao compor seus aforismos (*sûtra*), valeu-se de obras já existentes. A contribuição específica que deu à filosofia, a julgar pelo próprio *Yoga-Sûtra*, não foi senão modesta. Parece não ter sido um criador, mas um compilador e um sistematizador. Sem dúvida, porém, é possível que tenha escrito outras obras que não chegaram a nós.

Hiranyagarbha

Os entusiastas ocidentais do Yoga costumam conceber Patanjali como o pai do Yoga, mas isso não é bem verdade. Segundo a tradição pós-clássica, o criador do Yoga foi Hiranyagarbha. Embora alguns textos afirmem que Hiranyagarbha foi um adepto realizado que viveu em tempos antigos, isso é duvidoso. O nome significa "Germe de Ouro" e, na cosmomitologia vedântica, significa o embrião da criação, o primeiro ser a surgir da base não-manifesta do mundo, a matriz das miríades de formas criadas. Assim, Hiranyagarbha não é um indivíduo, mas uma força cósmica primordial. Dizer que ele é o criador do Yoga só faz sentido quando se compreende que o Yoga consiste essencialmente em estados alterados de consciência através dos quais o *yogin* se identifica com níveis superiores de realidade. Nesse sentido, portanto, o Yoga é sempre uma revelação. Hiranyagarbha é apenas um símbolo do poder ou da graça pela qual o processo espiritual é desencadeado e revelado.

Os comentadores posteriores do Yoga acreditavam que Hiranyagarbha tinha sido mesmo uma pessoa que escrevera um tratado sobre o Yoga. Esse tratado, de fato, é mencionado por muitas outras autoridades, mas isso nada nos diz acerca do próprio Hiranyagarbha. As informações mais detalhadas acerca desse texto estão no Capítulo 12 do *Ahirbudhnya-Samhitâ* ("Coletânea do Dragão das Profundezas"), obra da tradição vaishnava medieval. De acordo com ela, Hiranyagarbha compôs duas obras sobre o Yoga: uma sobre *nirodha-yoga* ("Yoga da contenção") e outra sobre *karma-yoga* ("Yoga da ação"). Parece que a primeira tratava dos estágios superiores do processo espiritual, especialmente dos estados extáticos, ao passo que a segunda diria respeito às atitudes espirituais e formas de conduta.

É muito possível que tenha existido um tratado de Yoga desse tipo; se existiu, pode até ter sido composto antes da compilação de Patanjali. De qualquer modo, não se afirma que a obra de Hiranyagarbha era um *Sûtra*, embora exista a possibilidade de ter havido outros *Sûtras* sobre o Yoga antes do de Patanjali. O fato, porém, é que o *Yoga-Sûtra* de Patanjali eclipsou todos os *Sûtras* anteriores que já tinham surgido dentro da tradição yogue, talvez por ter sido o mais abrangente ou o mais sistemático.

II. A CODIFICAÇÃO DA SABEDORIA — O YOGA-SÛTRA

Patanjali deu à tradição yogue a sua forma clássica, e por isso a sua escola é costumeiramente chamada de Yoga Clássico. Compôs sua obra aforística nos dias áureos da especulação e do debate filosófico na Índia e tem a seu favor o fato de ter dado à tradição yogue uma estrutura teórica razoavelmente homogênea e capaz de equiparar-se às muitas tradições rivais, como o Vedânta, o Nyâya e, não menos importante, o Budismo. Sua composição é, em princípio, um tratado sistemático que cuida de definir os elementos mais importantes da teoria e da prática do Yoga. Já houve tempo em que a escola de Patanjali era muitíssimo influente, como se pode deduzir das muitas referências ao *Yoga-Sûtra* e das muitas críticas a ele dirigidas nos textos de outros sistemas filosóficos.

Cada escola do Hinduísmo produziu o seu próprio *Sûtra*, palavra sânscrita que significa literalmente "fio". Um *Sûtra* é uma composição de afirmações aforísticas que, juntas, dão ao leitor como que um "fio" com que amarrar todas as idéias importantes que caracterizam aquela escola de pensamento. O *sûtra*, portanto, é um auxiliar da memória, parecido com o nó que se dá num lenço ou os garranchos que se apõem ao diário ou à caderneta de anotações. Os aforismos com que se inicia o texto de Patanjali dão uma idéia de quão conciso pode ser o estilo de escrever dos *Sûtras*:

1.1: atha yogânushâsanam (atha yoga-anushâsanam)
"Agora [começa] a exposição do Yoga."

1.2: yogashcittavrittinirodhah (yogash citta-vritti-nirodhah)
"O Yoga é a contenção dos turbilhões da consciência."

1.3: tadâ drashthuh svarûpe'vasthânam (tadâ drashthuh sva-rûpe'vasthânam)
"Então [i.e., feita essa contenção] surge em sua forma essencial 'Aquele que Vê' [i.e., o Si Mesmo transcendente]."

É claro que termos como *citta* (consciência), *vritti* (lit. "turbilhão") e *drashtri* ("vidente" no sentido de "aquele que vê") são em si mesmos expressões altamente condensadas de conceitos bastante complexos.

Mesmo uma palavra aparentemente inequívoca como *atha* ("agora"), com a qual abrem-se a maioria dos tratados em sânscrito, é cheia de significados, como se deduz das muitas páginas de exegese a ela consagradas por alguns dos comentários sobre o *Yoga-Sûtra*.

Em sua monumental *History of Indian Philosophy* ("História da Filosofia Indiana"), Surendranath Dasgupta teceu as seguintes observações acerca desse estilo de escrever:

> Os tratados sistemáticos eram escritos em meias-frases (*sûtras*), curtas mas cheias de significado, que não desenvolviam os detalhes do tema, mas serviam somente para pôr diante do leitor os fios perdidos da lembrança de complexas exposições com as quais ele já estava perfeitamente familiarizado. Parece, portanto, que essas vigorosas meias-frases eram como notas tomadas em aula e dirigiam-se aos que já dispunham de instruções orais diretas e elaboradas acerca do assunto. Com efeito, é difícil adivinhar a partir dos *sûtras* a plena extensão do seu significado ou em que medida as discussões às quais deram origem em épocas posteriores estavam contidas em sua intenção primeira.[5]

O conhecimento que temos do Pâtanjala-Yoga baseia-se principalmente, embora não exclusivamente, no *Yoga-Sûtra*. Como veremos, escreveram-se acerca dele muitos comentários que colaboram para a nossa compreensão desse sistema. Contudo, como demonstraram os estudos acadêmicos, essas obras secundárias não parecem provindas da própria escola de Patanjali, e portanto suas explicações devem ser lidas com uma boa dose de discernimento.

Voltando ao próprio *Yoga-Sûtra*, constatamos que ele se compõe de 195 aforismos ou *sûtras*, embora algumas edições tenham 196. Conhecem-se várias versões um pouco divergentes, mas as diferenças são, no geral, insignificantes e não alteram o sentido da obra de Patanjali. Os aforismos distribuem-se em quatro capítulos, como segue:

1. *samâdhi-pâda*, capítulo sobre o êxtase — 51 aforismos
2. *sâdhana-pâda*, capítulo sobre a via — 55 aforismos
3. *vibhûti-pâda*, capítulo sobre os poderes — 55 aforismos
4. *kaivalya-pâda*, capítulo sobre a libertação — 34 aforismos

Essa divisão é um tanto arbitrária e parece ter resultado de uma má reorganização do texto. O estudo cuidadoso do *Yoga-Sûtra* mostra que, em sua forma atual, ele não pode de maneira alguma ser considerado uma criação perfeitamente uniforme. Por isso, diversos estudiosos tentaram reconstruir o hipotético texto original, e para tanto dissecaram o texto aceito e dividiram-no em diversos subtextos de origens supostamente diferentes. Essas tentativas, porém, não tiveram o êxito desejado, pois nos deixam com um conjunto de fragmentos que não levam a conclusão alguma. É preferível, portanto, encarar a obra de Patanjali com um olhar mais generoso e ao menos admitir a possibilidade de que ela seja bem mais homogênea do que os estudiosos ocidentais têm tido a tendência de pensar.

Como eu mesmo mostrei na investigação detalhada que conduzi acerca do *Yoga-Sûtra*, é muito possível

Texto em sânscrito dos quinze primeiros aforismos do Yoga-Sûtra

que esse grande texto contenha elementos de não mais que duas tradições yogues distintas.⁶ Por um lado temos o Yoga dos oito membros ou *ashta-anga-yoga* (escreve-se *ashtângayoga*) e, por outro, o Yoga da Ação (*kriyâ-yoga*). Emiti a opinião de que a seção que trata das oito práticas constituintes pode ser até uma citação, e não uma interpolação posterior. Se eu estiver correto, a comuníssima identificação do Yoga Clássico com o caminho de oito membros não passaria de uma curiosidade histórica, visto que a maior parte do *Yoga-Sûtra* trata de *kriyâ-yoga*. Mas essas reconstruções de texto são sempre incertas e imperfeitas; acerca desse assunto, assim como de tantos outros aspectos do Yoga e de sua história, temos de manter a mente aberta.

A vantagem do tipo de abordagem metodológica ao estudo do *Yoga-Sûtra* por mim proposta é a de ter como pressuposto a homogeneidade ou "inocência textual" da obra, e, portanto, de não violentar o texto *a priori*, como fazem todas as análises textuais que têm por único objetivo o de provar que um determinado texto está, na verdade, corrompido, ou que é todo composto de fragmentos e interpolações. De qualquer modo, não há sofisma acadêmico que consiga diminuir o mérito da obra que temos em mãos hoje em dia. Hoje, como ontem, o praticante de Yoga pode beneficiar-se muitíssimo com o estudo da compilação de Patanjali.

TEXTO ORIGINAL 12

O Yoga-Sûtra de Patanjali

Na minha opinião, todos os estudiosos do Yoga deveriam tomar a peito a tarefa de estudar o *Yoga-Sûtra*. Foi ele o primeiro texto em sânscrito que eu li, em 1965, e desde então jamais deixou de fascinar-me. Esta tradução dos aforismos de Patanjali é baseada nos extensos estudos textuais e semânticos que eu mesmo fiz. Num caso ou em outro, minha interpretação diverge da dos comentários em sânscrito. A tradução está bastante literal, para transmitir algo da natureza técnica da obra de Patanjali. Na maioria das vezes, as traduções populares não fazem jus às sutilezas do pensamento do autor nem à complexidade da prática do Yoga superior.

O asterisco (*) que vem após alguns *sûtras* indicam que eles pertencem ao texto que supus ter sido citado por Patanjali, tratando do caminho de oito membros; ou que parecem ter sido acrescentados à composição original de Patanjali. Pode haver um número muito maior de *sûtras* interpolados, especialmente no terceiro capítulo, que contém as listas de poderes paranormais, mas o trabalho de procurar identificá-los não me parece particularmente útil.

I. Samâdhi-Pâda ("Capítulo sobre o Êxtase")

Agora [começa] a exposição do Yoga. (1.1)

O Yoga é a contenção (*nirodha*) das flutuações da consciência (*citta*). (1.2)

Então Aquele que Vê [i.e., o Si Mesmo transcendente] subsiste em [sua] forma essencial. (1.3)

Em outros momentos [o Si Mesmo] conforma-se às flutuações. (1.4)

Comentário: No estado de não-iluminação, nós não nos identificamos conscientemente com o Si Mesmo (*purusha*), mas concebemo-nos como indivíduos isolados dotados de características particulares. Isso não significa, porém, que o Si Mesmo esteja ausente. Está apenas eclipsado.

As flutuações são cinco; aflitas ou não-aflitas. (1.5)

Comentário: Os estados de consciência chamados aflitos (*klishta*) são aqueles que conduzem ao sofrimento, ao passo que os estados não-aflitos (*aklishta*) conduzem à libertação. Exemplo deste último tipo de estado é a condição de transcendência extática (*samâdhi*).

[Os cinco tipos de flutuação são:] conhecimento, concepção errônea, conceitualização, sono e memória. (1.6)

O conhecimento [pode advir da] percepção, [da] inferência e [do] testemunho. (1.7)

CAPÍTULO 9 — A HISTÓRIA E A LITERATURA DA PÂTANJALA-YOGA

A concepção errônea é um conhecimento falso que não se baseia na aparência [real] do [objeto de conhecimento]. (1.8)

A conceitualização é sem objeto [perceptível] e segue-se ao conhecimento verbal. (1.9)

O sono é uma flutuação fundamentada na idéia (*pratyaya*) da não-ocorrência [de outros conteúdos na consciência]. (1.10)

Comentário: Este aforismo afirma que o estado de sono, embora não possamos conhecê-lo enquanto dura, é, não obstante, um conteúdo da consciência testemunhado pelo Si Mesmo transcendente. Patanjali usa a palavra *pratyaya*, traduzida aqui como "idéia", para significar um determinado conteúdo da consciência.

A memória é a "não-privação" [i.e., a retenção] dos objetos já captados. (1.11)

A contenção dessas [flutuações realiza-se] mediante a prática [do Yoga] e a impassibilidade. (1.12)

A prática (*abhyâsa*) é o exercício [feito em vista da aquisição da] estabilidade nesse [estado de contenção]. (1.13)

Mas essa [prática só] se firma [depois de ter sido] cultivada adequadamente e ininterruptamente por muito tempo. (1.14)

A impassibilidade (*vairâgya*) é a certeza da maestria do [*yogin* que] não tem sede das coisas visíveis nem das reveladas [ou invisíveis]. (1.15)

A [forma] superior dessa [impassibilidade] é o não ter sede dos componentes (*guna*) [da Natureza, o que decorre] da visão do Si Mesmo (*purusha*). (1.16)

[O êxtase que nasce desse estado de contenção] é consciente (*samprajnâta*) na medida em que é vinculado à cogitação, à concepção, à alegria ou à noção de "eu" (*asmitâ*). (1.17)

Comentário: Embora o êxtase (*samâdhi*) implique uma fusão do sujeito e do objeto, nos níveis inferiores essa consciência unitiva ainda está associada a diversas espécies de fenômenos mentais, como pensamentos que surgem espontaneamente, sentimentos de alegria e a noção de que se é uma entidade isolada. Patanjali chama essa noção de "eu" literalmente de "eu-sou-dade", ou "qualidade de eu-sou". Os quatro tipos de fenômenos mencionados indicam diferentes níveis dessa forma de êxtase.

O outro [tipo de êxtase] tem um resíduo de ativadores (*samskâra*); [segue-se] ao primeiro [i.e., ao êxtase consciente] com a prática da idéia de contenção. (1.18)

Comentário: O estado unitivo associado a pensamentos, sentimentos, etc., é chamado de êxtase consciente (*samprajnâta-samâdhi*). Quando todos esses fenômenos mentais deixam de surgir, chegou-se ao nível seguinte de estado unitivo, chamado de êxtase supraconsciente (*asamprajnâta-samâdhi*). Embora neste estado mais elevado o *yogin* já não reaja aos estímulos ambientais, o estado não deve ser equiparado ao transe inconsciente.

[O êxtase daqueles que se] fundiram com a Natureza (*prakriti-laya*) e [daqueles que estão] sem corpo (*videha*) [nasce da persistência da] idéia de vir-a-ser. (1.19)

[O êxtase supraconsciente] dos outros [*yogins* cujo caminho é o especificado no aforismo 1.18] é precedido pela fé, pela diligência, pela atenção, pelo êxtase [consciente] e pela sabedoria. (1.20)

[O êxtase supraconsciente] está próximo para [os *yogins* que se dedicam] com extrema intensidade [à prática do Yoga]. (1.21)

Como [essa intensidade pode ser] pouca, medíocre ou excessiva, existe também uma diferença [em quão próximos os *yogins* podem estar do êxtase supraconsciente]. (1.22)

Ou senão [o êxtase supraconsciente é obtido] através da devoção ao Senhor (*îshvara-pranidhâna*). (1.23)

O Senhor (*îshvara*) é um Si Mesmo especial [porque] não é maculado pelas causas de aflição (*klesha*), nem pela ação e pela fruição desta, nem pelos depósitos (*âshaya*) [no fundo da memória, que dão origem aos pensamentos, aos desejos, etc.]. (1.24)

N'Ele, a semente da onisciência não tem igual. (1.25)

Em virtude da [Sua] continuidade no decorrer do tempo, [o Senhor] foi também o diretor dos antigos [adeptos do Yoga]. (1.26)

Seu símbolo é a "proclamação" (*pranava*) [i.e., a sílaba sagrada *om*]. (1.27)

A recitação dessa [sílaba sagrada leva à] contemplação do seu significado. (1.28)

Daí [segue-se] a realização da interiorização [habitual] da mente (*pratyak-cetanâ*) e também o desaparecimento dos obstáculos [mencionados no aforismo seguinte]. (1.29)

A doença, a inércia, a dúvida, a desatenção, a preguiça, a dissipação, a visão falsa, a não-realização dos estágios [do Yoga] e a instabilidade [nesses estágios] são as distrações da consciência; são estes os obstáculos. (1.30)

A dor, a depressão, o tremor nos membros e [os erros de] inalação e exalação são [sintomas] associados às distrações. (1.31)

Para contrapor-se a essas [distrações, o *yogin* deve recorrer à] prática [de concentrar-se] num único princípio. (1.32)

CAPÍTULO 9 — A HISTÓRIA E A LITERATURA DO PÂTANJALA-YOGA ॐ

A projeção de amizade, compaixão, gratidão e equanimidade perante as coisas — [sejam elas] alegres ou tristes, meritórias ou demeritórias — [leva à] pacificação da consciência. (1.33)

Ou senão [a contenção das flutuações da consciência é alcançada] através da expulsão e retenção da respiração (*prâna*) [de acordo com as regras do Yoga]. (1.34)

Ou senão [o estado de contenção acontece quando] surge uma atividade centrada num objeto que mantém a mente estável. (1.35)

Comentário: Esse aforismo, aparentemente técnico, trata de uma idéia bem simples: de acordo com os comentários escritos em sânscrito, "atividade centrada num objeto" (*vishaya-vatî pravritti*) significa um estado de consciência sensorial intensificada chamado de "percepção divina" (*divya-samvid*). A idéia é a de que a sensação intensa de um aroma ou uma textura, por exemplo, pode concentrar a mente a tal ponto que o *yogin* chega ao estado de contenção (*nirodha*).

Ou senão [a contenção é alcançada por meio de atividades mentais] que não levam em si sofrimento e têm o poder de iluminar. (1.36)

Ou senão [a contenção é alcançada quando] a consciência é dirigida para [os seres que] venceram o apego. (1.37)

Ou senão [a contenção é alcançada quando a consciência] repousa em intuições [advindas dos] sonhos e [do] sono. (1.38)

Ou senão [a contenção é alcançada] por meio da meditação (*dhyâna*), como é desejado. (1.39)

Sua maestria [vai] das coisas mais mínimas à maior magnitude. (1.40)

[Para a consciência cujas] flutuações acabaram [e que tornou-se] semelhante a uma gema transparente, [sobrevém] — no que diz respeito "àquele que capta", à "captação" e ao "que é captado" — [um estado de] coincidência (*samâpatti*) com aquilo sobre o qual repousa [a consciência] e pelo qual [a consciência] é "ungida". (1.41)

Comentário: Quando a mente se imobiliza por completo, torna-se translúcida. É então que pode acontecer o êxtase, o *samâdhi*. No processo de êxtase, o objeto de concentração adquire tais proporções na consciência que a distinção entre sujeito e objeto desaparece. Na terminologia de Patanjali, é essa a "coincidência" do sujeito que conhece, do objeto conhecido e do processo de conhecer ou conhecimento, respectivamente chamados de "aquele que capta ou agarra" (*grahîtri*), "o que é captado ou agarrado" (*grâhya*) e "captação ou ato de agarrar" (*grahana*).

[Quando] o conhecimento conceitual, [baseado na] intenção das palavras, [está presente] neste [estado de coincidência entre sujeito e objeto, o estado é chamado de] "coincidência entremeada de cogitação". (1.42)

Comentário: A metafísica yogue faz distinções entre os diversos níveis da existência: o grosseiro, o sutil, o não-manifesto e o transcendente. O objeto do êxtase entremeado de cogitação (*vitarka-samâdhi*) pertence ao domínio "grosseiro" (*sthûla*) ou corporal.

Com a purificação da [profundeza da] memória, [a qual] como que se esvazia da sua essência, [e quando] só o objeto [de meditação] fulgura, [o estado de êxtase é chamado] "supracogitativo" (*nirvitarka*). (1.43)

Assim, por este [êxtase cogitativo], ficam explicados [os outros dois tipos básicos de êxtase] — o "reflexivo" (*savicâra*) e o "supra-reflexivo" (*nirvicâra*): [nestes o suporte da meditação é um] objeto sutil. (1.44)

Comentário: A "reflexão" (*vicâra*) é um processo espontâneo da concepção que ocorre no estado extático que tem por ponto focal um objeto sutil (*sûkshma*) ou imaterial, como por exemplo a matriz transcendente da criação, chamada de o Indiferenciado.

E os objetos sutis terminam no Indiferenciado (*alinga*). (1.45)

Estes [tipos de coincidência extática entre o sujeito e o objeto pertencem] na verdade [à categoria do] "êxtase com semente" (*sabîja-samâdhi*). (1.46)

Comentário: O termo "semente" refere-se à permanência dos ativadores subliminares (*samskâra*) nas profundezas da consciência. Eles geram atividade mental e, portanto, karma.

Quando há lucidez (*vaishâradya*) no [êxtase] supra-reflexivo, [este é chamado] "do ser interior" (*adhyâtma-prasâda*). (1.47)

Neste [estado de suprema lucidez], toda intuição leva em si a verdade (*ritam-bhara*). (1.48)

A amplitude [dessa intuição que leva em si a verdade] é diferente da intuição [que vem da] tradição e [da] inferência, [em virtude da sua] força e direção particulares. (1.49)

Comentário: Este aforismo parece exprimir a idéia de que a intuição (*prajnâ*) que leva em si a verdade, alcançada no nível mais alto do êxtase consciente (*samprajnâta-samâdhi*), é muito diferente do conhecimento comum, na medida em que proporciona o ímpeto que leva à transcendência de todo conhecimento distintivo no êxtase supraconsciente (*asamprajnâta-samâdhi*), o único que pode conduzir à libertação, à realização do Si Mesmo.

O ativador (*samskâra*) que nasce dessa [intuição veraz] obstrui os demais ativadores [que residem nas profundezas da consciência]. (1.50)

Com a contenção até mesmo desse [ativador, sobrevém], em virtude da contenção de todos [os conteúdos da consciência], o êxtase sem semente. (1.51)

II. Sâdhana-Pâda ("Capítulo sobre o Caminho da Realização")

A ascese (*tapas*), o estudo (*svâdhyâya*) e a devoção ao Senhor (*îshvara-pranidhâna*) [constituem] o Yoga da Ação (*kriyâ-yoga*). (2.1)

Comentário: Tanto a palavra *kriyâ* quanto a palavra *karma* significam "ação", mas o Kriyâ-Yoga é diferente do Karma-Yoga do *Bhagavad-Gîtâ*. O Karma-Yoga, como já vimos, é o caminho da "inação na ação", ou da atividade ego-transcendente. O Kriyâ-Yoga de Patanjali é o caminho da identificação extática com o Si Mesmo, pela qual os ativadores subliminares (*samskâra*) que geram e mantêm a consciência individuada vão sendo gradativamente eliminados.

[Esse Yoga tem] a finalidade de cultivar o êxtase e também a de atenuar as causas da aflição (*klesha*). (2.2)

A ignorância, a noção de eu, o apego, a aversão e a vontade de viver são as cinco causas da aflição. (2.3)

Comentário: As palavras que designam essas cinco origens do sofrimento, em sânscrito, são: *avidyâ*, *asmitâ*, *râga*, *dvesha* e *abhinivesha*.

A ignorância é o campo das outras [causas, que podem estar] adormecidas, atenuadas, interrompidas ou ativadas. (2.4)

A ignorância consiste em ver [aquilo que é] eterno, puro, jubiloso e [associado ao] Si Mesmo como transitório, impuro, doloroso e [associado ao] não-si mesmo (*anâtman*). (2.5)

Comentário: O não-si mesmo (*anâtman*) é a personalidade egóica e o ambiente externo.

A noção de eu é como que a identificação da faculdade de ver (*darshana*) com Aquele que Vê (*drik*) [i.e., o Si Mesmo]. (2.6)

O apego [é o que[repousa sobre o prazeroso. (2.7)

A aversão [é o que] repousa sobre o doloroso. (2.8)

A vontade de viver, correndo [por sua] própria propensão (*rasa*), está assim arraigada até mesmo nos sábios. (2.9)

Comentário: A vontade de viver (*abhinivesha*) é o impulso para a existência individuada. É, como tal, uma das principais causas do sofrimento e, segundo o Yoga, tem de ser transcendida.

Essas [causas da aflição], [em sua forma] sutil, devem ser superadas pelo [processo de] involução (*pratiprasava*). (2.10)

Comentário: Os componentes básicos da Natureza (*prakriti*) são as três qualidades (*guna*), a saber: o princípio dinâmico (*rajas*), o princípio de inércia (*tamas*) e o princípio luminoso (*sattva*). A interação desses três princípios cria todo o cosmos manifesto. A libertação é concebida como a inversão desse processo, pela qual os aspectos manifestos dos componentes primários (*guna*) reduzem-se de novo ao fundamento transcendente da Natureza. Esse processo leva a denominação técnica de "involução" (*pratiprasava*).

As flutuações dessas [causas da aflição] devem ser superadas pela meditação (*dhyâna*). (2.11)

As causas da aflição são a raiz do "depósito de ação", e [este] pode se manifestar no nascimento visível [i.e., nesta vida] ou num invisível [i.e., numa existência futura]. (2.12)

Comentário: O termo técnico *karma-âshaya* ("depósito de ação") designa a carga kármica do indivíduo, isto é, a carga de ativadores subliminares (*samskâra*) que geram e definem a pessoa.

[Enquanto] existe a raiz, [colhe-se] o fruto dela: o nascimento, a vida e as sensações (*bhoga*). [N. do T.: em inglês, *experience*. A palavra sânscrita *bhoga* é de difícil tradução. Designa o ato do ser que recebe, está passivo perante as ações dos outros seres. As palavras "sentir" ou "sensação", portanto, devem, nessa acepção, ser tomadas no sentido o mais lato possível.] (2.13)

Essas [três coisas] têm como resultados o prazer ou a dor, de acordo com as causas, [que podem ser] meritórias ou demeritórias. (2.14)

Em virtude do sofrimento [inerente] às transformações (*parinâma*) [da Natureza], à pressão (*tâpa*) [da existência] e aos ativadores (*samskâra*) [embutidos no fundo da consciência], e em virtude do conflito entre as flutuações das qualidades (*guna*) [da Natureza] — para o homem de discernimento, tudo é sofrimento (*duhkha*). (2.15)

Comentário: O conceito de "transformação" é decisivo para a filosofia do Yoga. É um desenvolvimento da noção natural de que todas as coisas estão em constante mudança. Só o Si Mesmo transcendente é eternamente estável. Para o *yogin* de discernimento (*vivekin*), o mundo finito, o mundo da perpétua mudança, é um mundo de sofrimento, pois a mudança acarreta a inevitável perda das coisas desejáveis e a obtenção das indesejáveis — acarreta, portanto, a infelicidade.

O que se há de superar é o sofrimento futuro. (2.16)

A correlação (*samyoga*) entre Aquele que Vê [i.e., o Si Mesmo transcendente] e O que É Visto [i.e., a Natureza] é a causa do que se há de superar. (2.17)

Comentário: A relação entre o Si Mesmo transcendente e o mundo, o qual inclui a mente (que não é um aspecto do Si Mesmo, mas uma parte da Natureza), é bastante real no que se refere à nossa experiência imediata. No entanto, não é "realmente real", pois o Si Mesmo e a Natureza são eternamente distintos um do outro. A aparente correlação (*samyoga*) ou identificação errônea entre o Sujeito transcendente e o mundo objetivo que se oferece à experiência é devida à ignorância espiritual (*avidyâ*) e deve ser superada.

O que É Visto [i.e., a Natureza] tem o caráter de luminosidade, atividade ou inércia; está incorporado nos elementos e órgãos dos sentidos e suas finalidades [são] a fruição (*bhoga*) ou a emancipação (*apavarga*). (2.18)

Comentário: A Natureza, na forma da mente humana, tem duas tendências. Por um lado, é feita para a "fruição" (*bhoga*), e implica um sujeito egóico que é o pólo passivo de acontecimentos desejáveis ou indesejáveis. Por outro lado, também permite processos que levam à transcendência do ego e de todas as experiências. Isso se explica pela doutrina das três qualidades (*guna*) ou componentes da Natureza. Enquanto as qualidades da atividade (*rajas*) e da inércia (*tamas*) tendem a preservar a ilusão egóica, a predominância do fator lúcido (*sattva*) cria as précondições necessárias para a libertação. Por isso, o *yogin* busca cultivar as condições e estados sátvicos.

Os níveis dos componentes (*guna*) da Natureza são o Particularizado, o Não-Particularizado, o Diferenciado e o Indiferenciado. (2.19)

Comentário: O corpo e a mente do homem são uma forma particularizada da Natureza. As faculdades sensoriais (p. ex., o som, a visão, a audição, etc.) e a noção de eu (a *asmitâ* de Patanjali) pertencem ao nível não-particularizado da manifestação cósmica. Ainda mais sutil é o nível da primeira forma diferenciada a surgir do fundamento indiferenciado da Natureza. O máximo que se pode dizer dessa "forma" é que ela existe e que nela predomina a qualidade *sattva*. Além disso subsiste a Consciência-Testemunha transcendente, o Si Mesmo.

Aquele que Vê, [que é] a pura [Potência da] visão, embora puro, percebe as idéias [presentes na consciência]. (2.20)

O si mesmo [i.e., a essência] do Que É Visto [i.e., a Natureza] só é em vista d'Aquele [que Vê, o Si Mesmo transcendente]. (2.21)

Comentário: Este aforismo reforça a idéia, apresentada acima (2.18), de que a Natureza serve aos propósitos do Si Mesmo. O mundo da Natureza pode ser usado quer para o gozo das experiências, quer para que o ser se lance para a realização do Si Mesmo, além de todos os estados condicionados da existência.

Embora [O que É Visto] tenha deixado [de existir] para aquele cujo objetivo foi realizado, ele porém não deixou [de existir de todo], pois [ainda é] objeto da percepção comum (*sâdhâranatva*) dos outros [que não são iluminados]. (2.22)

A correlação (*samyoga*) [entre O que Vê e O que É Visto] é a razão da apreensão da forma essencial do poder do "possuidor" (*svâmin*) e do "possuído" (*sva*). (2.23)

A causa dessa [correlação] é a ignorância (*avidyâ*). (2.24)

Com o desaparecimento dessa [ignorância], a correlação [também] desaparece; isso é a cessação [total], a solidão (*kaivalya*) da [pura Potência da] visão. (2.25)

O meio de [alcançar a] cessação é a ininterrupta visão do discernimento (*viveka-khyâti*). (2.26)

Para aquele [que possui a ininterrupta visão do discernimento], nasce, no último estágio, a sabedoria (*prajnâ*) sétupla. (2.27)

Comentário: De acordo com o *Yoga-Bhâshya* de Vyâsa, os sete aspectos dessa sabedoria são os seguintes: (1) aquilo que deve ser evitado, isto é, o sofrimento futuro, já foi devidamente identificado; (2) as causas do sofrimento já foram eliminadas de uma vez por todas; (3) através do "êxtase da contenção" (*nirodha-samâdhi*), chegou-se por fim à absoluta cessação de todos os conteúdos da consciência; (4) o meio de cessação, isto é, a visão do discernimento, já foi devidamente aplicado; (5) alcançou-se a soberania do intelecto incriado (*buddhi*); (6) as qualidades (*guna*) perderam todos os seus pontos de apoio e, "como rochas que se despenham montanha abaixo", tendem à dissolução (*pralaya*), isto é, à plena reabsorção no fundamento transcendente da Natureza; (7) o Si Mesmo subsiste em sua natureza essencial, imaculado e sozinho (*kevalin*).

Através da prática dos membros do Yoga, e com a redução das impurezas, [brilha] o fulgor da sabedoria (*jnâna*), [que aumenta até chegar] à visão do discernimento. (*2.28)

A disciplina (*yama*), o autocontrole (*niyama*), a postura (*âsana*), o controle da respiração (*prânâyâma*), o recolhimento dos sentidos (*pratyâhâra*), a concentração (*dhâranâ*), a meditação (*dhyâna*) e o êxtase (*samâdhi*) são os oito membros [do Yoga}. (*2.29)

A não-violência, a veracidade, o não-roubar, a castidade e o não-cobiçar são as disciplinas. (*2.30)

[São válidos] em todas as esferas, independentemente de nascimento, lugar, tempo e circunstância, [e constituem] o "grande voto" (*mahâ-vrata*). (*2.31)

A pureza, o contentamento, a ascese, o estudo e a devoção ao Senhor são formas de autocontrole. (*2.32)

Para repelir noções (*vitarka*) [perniciosas], [o *yogin* deve dedicar-se ao] cultivo do oposto [delas]. (*2.33)

Noções [perniciosas], [como] a violência, etc., quer sejam praticadas de fato, quer se ordene que sejam praticadas, quer sejam [simplesmente] aprovadas; quer nasçam da cobiça, quer da ira, quer do tédio; quer sejam pequenas, quer médias, quer excessivas — [sempre têm a sua] infindável consumação na ignorância (*avidyâ*) e no sofrimento (*duhkha*); por isso, [o *yogin* deve dedicar-se] a cultivar o oposto delas. (*2.34)

Quando [o *yogin*] se firma na [virtude da] não-violência (*ahimsâ*), [toda] discórdia se acaba na sua presença. (*2.35)

Quando se firma na veracidade (*satya*), a ação [e sua] fruição passam a depender [da sua vontade]. (*2.36)

Quando se firma no não-roubar (*asteya*), todos os tesouros surgem [à frente dele]. (*2.37)

Quando se firma na castidade (*brahmacarya*), adquire [grande] vitalidade. (*2.38)

Quando se firma no não-cobiçar (*aparigraha*), [o *yogin* obtém] o conhecimento de onde se verificaram os [seus] nascimentos. (*2.39)

Através da pureza (*shauca*), [obtém] o distanciamento (*jugupsâ*) em relação a seus próprios membros [e adquire também o desejo de] não ser contaminado pelos outros. (*2.40)

[Obtém, além disso], a pureza da [qualidade] *sattva* [do seu ser], a gratidão, a concentração, o domínio dos órgãos dos sentidos e a capacidade de ver o Si Mesmo (*âtma-darshana*). (*2.41)

Através do contentamento (*samtosha*) obtém-se uma alegria inigualável. (*2.42)

Através da ascese (*tapas*), e em virtude da diminuição da impureza, [alcança-se] a perfeição do corpo e dos órgãos dos sentidos. (*2.43)

Através do estudo (*svâdhyâya*), [o *yogin* estabelece] contato com a divindade de sua eleição (*ishta-devatâ*). (*2.44)

Comentário: Muitas escolas de Yoga encorajam o praticante a cultivar um relacionamento ritual com a Divindade sob a forma de Vishnu, Shiva, Krishna, Kâlî ou alguma outra personagem tradicional, que se torna então a divindade escolhida pelo *yogin*.

Através da devoção ao Senhor (*îshvara-pranidhâna*) [sobrevém] a obtenção do êxtase [supraconsciente]. (*2.45)

A postura (*âsana*) [deve ser] estável e confortável. (*2.46)

[A prática correta da postura é marcada] pelo relaxamento das tensões e a coincidência [da consciência] com o infinito. (*2.47)

Daí [vem] a imunidade aos opostos (*dvandva*) [encontrados na Natureza, como o calor e o frio]. (*2.48)

Quando isto é [alcançado], [deve-se praticar] o controle da respiração, [que é] a interrupção do fluxo de inalação e exalação. (*2.49)

Quanto ao seu movimento, [o controle da respiração é] externo, interno ou fixo, [e é] regulado pelo lugar, pelo tempo e pelo número; [pode ser] dilatado ou contraído. (*2.50)

[O movimento da respiração] que transcende as esferas externa e interna é o "quarto". (*2.51)

Comentário: Este obscuro aforismo deu margem a interpretações diversas. Provavelmente refere-se a um fenômeno especial que acontece no estado de êxtase (*samâdhi*). Nele, a respiração pode ficar tão reduzida e tão sutil que não pode ser mais detectada. Esse estado de respiração suspensa pode manter-se por longos períodos.

Então desaparece o véu que encobre a luz [interior]. (*2.52)

E [o *yogin* adquire] aptidão mental para a concentração. (*2.53)

O recolhimento dos sentidos é como que a imitação da forma essencial da consciência [por parte] dos órgãos dos sentidos, que são separados dos seus objetos. (*2.54)

Daí [resulta] a suprema obediência dos órgãos dos sentidos. (*2.55)

III. Vibhûti-Pâda ("Capítulo sobre os Poderes")

A concentração (*dhâranâ*) é o atrelamento da consciência a um [único] ponto. (*3.1)

A unidirecionalidade (*ekatânatâ*) das idéias [presentes na consciência] em relação a esse [objeto de concentração] é a meditação (*dhyâna*). (*3.2)

Essa [consciência], fulgurando como o puro e simples objeto, como que vazia da sua essência, é o êxtase (*samâdhi*). (*3.3)

Os três [praticados] juntos [em relação ao mesmo objeto] são [o que se chama de] constrição (*samyama*). (*3.4)

Da maestria dessa [prática da constrição decorre] o fulgurar da sabedoria (*prajnâ*). (*3.5)

Seu progresso é gradativo. (*3.6)

[Em relação aos] anteriores [cinco membros do Yoga], as três [partes do processo de constrição] são os membros interiores (*antar-anga*). (*3.7)

Não obstante, são membros exteriores (*bahir-anga*) [em relação ao êxtase] sem semente. (*3.8)

[Quando ocorre] a sujeição dos ativadores (*samskâra*) [subliminares] da origem e a manifestação dos ativadores da contenção — [a isto chama-se] transformação da contenção, a qual se liga à consciência no momento mesmo da contenção (*nirodha*). (3.9)

O fluxo tranqüilo dessa [consciência se efetua] através de ativadores [nas profundezas da consciência]. (3.10)

O fim da "omnifinalidade" (*sarva-arthatâ*) e o surgimento da uni-intencionalidade (*ekâgratâ*) é a transformação extática da consciência. (3.11)

E ainda, quando as idéias latentes e manifestas [presentes na consciência] são as mesmas, [a isto chama-se] transformação uni-intencional da consciência. (3.12)

Comentário: O que Patanjali nos diz aqui é que a uni-intencionalidade ou unidirecionalidade do estado extático se deve a uma sucessão de conteúdos de consciência semelhantes. As idéias vão surgindo sucessivamente, e o fato de elas serem semelhantes nos dá a impressão de continuidade.

Por isto [também] explicam-se as transformações de forma, variação de tempo e condição [no que diz respeito aos] elementos (*bhûta*) [e aos] órgãos dos sentidos. (3.13)

Comentário: Trata-se de um aforismo difícil. Vyâsa, em seu *Yoga-Bhâshya*, nos dá o seguinte exemplo explicativo: a substância argila pode tomar a forma quer de um pedaço de barro, quer de um jarro d'água. Essas são as suas formas externas (*dharma*), e a mudança de uma a outra não afeta a substância (*dharmin*) em si mesma; a argila permanece idêntica. Porém, o pedaço de barro e o jarro d'água não têm somente uma existência espacial; estão também situados no tempo. O jarro, portanto, é a variação presente da argila. A variação passada foi o pedaço de barro, e a futura provavelmente será um punhado de pó. Mas, ao longo de todas essas transformações que decorrem no tempo, a substância permanece a mesma. O tempo é uma sucessão de momentos (*kshana*) isolados que alteram imperceptivelmente a condição do jarro d'água; é esse o conhecidíssimo processo de corrupção ou envelhecimento. O mesmo se aplica à consciência (*citta*).

O "suporte das formas" (*dharmin*) [i.e., a substância] é o que se amolda à forma (*dharma*) latente, manifesta ou indeterminável. (3.14)

Comentário: As formas latentes são as que já foram, as manifestas são as que são agora e as indetermináveis são as que ainda serão. Em todos os casos, a substância é a mesma.

A diferenciação na seqüência [de formas que aparecem] é a razão da diferenciação nas transformações [da Natureza]. (3.15)

Através da [prática da] constrição nas três [espécies de] transformação [obtém-se] o conhecimento do passado e do futuro. (3.16)

[É natural a] confusão entre a idéia, o objeto e a palavra [que os significa], [devido a uma] identificação [errônea] de uns com os outros. Através da [prática da] constrição na distinção entre esses [elementos confusos], [obtém-se] o conhecimento dos sons de todos os seres. (3.17)

Através da percepção direta (*sâkshât-karana*) dos ativadores (*samskâra*), [o *yogin* adquire] o conhecimento dos [seus] nascimentos anteriores. (3.18)

[Através da percepção direta] das idéias [na consciência de outra pessoa], [obtém-se] o conhecimento da consciência do outro. (3.19)

Comentário: A percepção ordinária é um processo mediado pelos sentidos. O Yoga, porém, admite a existência de uma percepção direta, baseada na identificação consciente do *yogin* com um determinado objeto.

Mas [esse conhecimento] não [tem como objeto] aquelas [idéias] junto com o suporte [objetivo] delas, pois [esse suporte] está ausente [da consciência da outra pessoa]. (3.20)

Comentário: Esse aforismo afirma simplesmente que a percepção imediata que o *yogin* tem dos pensamentos de outra pessoa não lhe dá o conhecimento das realidades objetivas sobre as quais esse pensamento se baseia. Assim, se uma pessoa tem medo do oceano, o *yogin* percebe a imagem mental que a pessoa faz do oceano e compreende o medo que se liga a ela, mas não aprende coisa alguma acerca do oceano em si.

Através da [prática da] constrição na forma do corpo, na suspensão da possibilidade de ser percebido, [isto é], na interrupção da luz [que vai desse corpo] até o olho, [adquire-se] a invisibilidade. (3.21)

O karma [é de dois tipos]: agudo ou adiado. Através da [prática da] constrição nisso ou através de augúrios, [o *yogin* adquire] o conhecimento da [sua] morte. (3.22)

[Através da prática da constrição] na [virtude da] amizade, etc., [o *yogin* adquire várias] forças (*bala*). (3.23)

[Através da prática da constrição] nas forças, [adquire] a força de um elefante, etc. (3.24)

Concentrando [em qualquer objeto] o fulgor das atividades [mentais que não levam em si sofrimento e têm o poder de iluminar, o *yogin* adquire] o conhecimento dos [aspectos] sutil, oculto e distante [desse objeto]. (3.25)

Através da [prática da] constrição no sol, [adquire] o conhecimento do cosmos. (3.26)

[Através da prática da constrição] na lua, [adquire] o conhecimento da disposição das estrelas. (3.27)

[Através da prática da constrição] na estrela polar, [adquire] o conhecimento do seu movimento. (3.28)

[Através da prática da constrição] na "roda do umbigo" (*nâbhi-cakra*), [adquire] o conhecimento da organização do corpo. (3.29)

[Através da prática da constrição] no "poço da garganta" (*kantha-kûpa*), [obtém] o fim da fome e da sede. (3.30)

[Através da prática da constrição] no "duto da tartaruga" (*kûrma-nâdî*), [o *yogin* adquire] a estabilidade. (3.31)

Comentário: Segundo o *Yoga-Bhâshya*, o "duto da tartaruga" é uma estrutura tubular situada no peito, logo abaixo do "poço da garganta". Pode ser um dos vários canais da força vital que constituem o "corpo sutil".

[Através da prática da constrição] na luz na cabeça, [ele adquire] a visão dos adeptos (*siddhas*). (3.32)

Ou senão, através de um fulgor de iluminação (*pratibhâ*), [o *yogin* adquire o conhecimento de] todas as coisas. (3.33)

[Através da prática da constrição] no coração, [adquire] a compreensão da [natureza da] consciência. (3.34)

A experiência passiva (*bhoga*) é uma idéia [baseada na] não-distinção entre o Si Mesmo absolutamente sem mistura e o *sattva*. Através da [prática da] constrição na finalidade essencial [do Si Mesmo, que se distingue da] altero-finalidade (*para-arthatva*) [da Natureza], [o *yogin* adquire] o conhecimento de Si Mesmo. (3.35)

Disso decorrem fulgores de iluminação (*pratibhâ*) [nos campos sensoriais] da audição, do tato, da visão, do paladar e do olfato. (3.36)

Estes são obstáculos ao êxtase, [mas são] realizações no [estado] exteriorizado [de consciência]. (3.37)

Através da mitigação das causas do apego [ao próprio corpo], e através da experiência do ir-além, a consciência [torna-se capaz de] entrar em outro corpo. (3.38)

Através do domínio da respiração ascendente (*udâna*, [o *yogin* adquire o poder de] não aderir à água, à lama ou a espinhos, e [o poder de] elevar-se acima [dessas coisas]. (3.39)

Comentário: Desde muito cedo, os *yogins* descobriram que a força vital (*prâna*), que se manifesta na respiração, tem vários aspectos. Cada um deles, quando plenamente dominado, é fonte de um poder paranormal diferente.

Através do domínio da respiração média (*samâna*), [adquire] brilho. (3.40)

Através da [prática da] constrição na relação entre o ouvido e o espaço (*âkâsha*), [adquire] a "audição divina" (*divya shrotra*). (3.41)

Comentário: O espaço, concebido como um meio etérico e radiante, é um dos cinco elementos da dimensão material da Natureza.

Através da [prática da] constrição na relação entre o corpo e o espaço, e mediante a coincidência [da sua consciência] com [objetos] leves, como o algodão, [o *yogin* adquire o poder de] viajar pelo espaço. (3.42)

Comentário: Identificando-se no êxtase com uma bolinha de algodão, o fio de uma teia de aranha ou uma nuvem, diz-se que o *yogin* consegue levitar.

Uma flutuação (*vritti*) externa e não-imaginária [da consciência] é o "grande incorpóreo" do qual [procede] o fim dos véus que encobrem a luz [interior]. (3.43)

Comentário: Na imaginação, podemos transpor as fronteiras do nosso corpo. Porém, existe também uma prática yogue pela qual a própria consciência pode sair do corpo e coletar informações acerca do mundo externo. Essa prática precede a técnica yogue de fazer a consciência de fato entrar em outro corpo. Os comentadores hindus insistem em que não se trata de uma experiência imaginária.

Através da [prática da] constrição no grosseiro, na forma essencial, no sutil, na interligação e na finalidade [dos objetos], [o *yogin* adquire] o domínio sobre os elementos. (3.44)

Daí [resulta] a manifestação [dos grandes poderes paranormais], como a "atomização" (*animan*), etc., a perfeição do corpo e a indestrutibilidade dos seus componentes. (3.45)

Beleza, graciosidade e robustez adamantina [constituem] a perfeição do corpo. (3.46)

Através da [prática da] constrição no [processo de] percepção, na forma essencial, na noção de eu, na interligação e na finalidade, [o *yogin* adquire] o domínio sobre os órgãos dos sentidos. (3.47)

Daí [advêm] a agilidade [semelhante à] da mente, o estado no qual não há órgãos dos sentidos e o domínio sobre a matriz [da Natureza]. (3.48)

[O *yogin* que goza] somente da visão da distinção entre o Si Mesmo e o *sattva* [adquire] a onisciência e a supremacia sobre todos os estados [da existência]. (3.49)

Através do desapego até mesmo por essa [excelsa visão], e com a evanescência das sementes dos defeitos, [ele alcança] a solidão (*kaivalya*) [da pura Potência da visão]. (3.50)

Ao chamado de [seres] elevados, [ele] não [deve] dar margem ao apego ou ao orgulho, atento ao [perigo de] uma nova e indesejada tendência [a voltar aos níveis inferiores de existência]. (3.51)

Através da [prática da] constrição no momento (*kshana*) [do tempo] e na sua seqüência, [o *yogin* adquire] a sabedoria que nasce do discernimento. (3.52)

Daí [manifesta-se para ele] a consciência da [diferença entre] coisas semelhantes que normalmente não podem ser distinguidas em virtude de uma indeterminação das distinções de espécie, aparência e posição. (3.53)

A sabedoria que nasce do discernimento é o "libertador" (*târaka*) e é omniobjetiva, omnitemporal e não-seqüencial. (3.54)

Com [o alcançar da] igualdade em pureza entre o Si Mesmo e o *sattva*, [firma-se] a solidão [da Potência da visão]. Fim (*iti*). (3.55)

IV. Kaivalya-Pâda ("Capítulo sobre a Libertação")

Os poderes (*siddhi*) resultam do nascimento, de ervas, de *mantras*, da ascese ou do êxtase. (4.1)

Comentário: Este aforismo deveria fazer parte do capítulo anterior. Sua colocação atual pode ser explicada pelo fato de os comentadores não terem compreendido o conteúdo e a intenção dos primeiros *sûtras* deste capítulo.

A transformação em outra espécie (*jâti*) [é possível] em virtude da superabundância da Natureza. (4.2)

Comentário: Em geral, compreendem-se este aforismo e os seguintes como uma referência ao poder mágico de criar um corpo-mente artificial para o qual o *yogin* transfere o seu próprio karma. A leitura cuidadosa desta seção, porém, aponta para uma interpretação mais filosófica. Ao que parece, Patanjali está explicando aqui o processo de individuação, na medida em que se aplica ao próprio cosmos.

A causa acidental (*nimitta*) não desencadeia as criações (*prakriti*), mas [é responsável tão-somente pela] seleção das possibilidades — como um lavrador [que, para irrigar um campo, escolhe os melhores caminhos para a água]. (4.3)

As consciências individualizadas (*nirmâna-citta*) [procedem] da noção essencial de eu (*asmitâ-mâtra*). (4.4)

[Embora as diversas consciências individualizadas se dediquem] a atividades distintas, a consciência única (*eka*) é a origem de [todas] as outras. (4.5)

Dentre essas [consciências individualizadas, a consciência que] nasce da meditação não leva depósito [kármico]. (4.6)

O karma de um *yogin* não é preto nem branco; para os outros, é tríplice [i.e., mesclado]. (4.7)

Daí [segue-se] a manifestação somente [no fundo da consciência] daquelas características (*vâsanâ*) que correspondem à frutificação do seu [karma particular]. (4.8)

Devido à uniformidade entre a memória [profunda] e os ativadores (*samskâra*), [existe] uma continuidade [entre a causa kármica e a manifestação dos ativadores subliminares], muito embora [causa e efeito] possam estar separados por lugar, tempo e espécie. (4.9)

Comentário: Este aforismo mostra, de modo bastante obscuro, que o vínculo kármico que liga a existência passada e a vida presente de um ser não é arbitrário. É preservado pelos ativadores subliminares. Isso significa que ninguém sofre injustiças do karma. Cada ser colhe o que semeou em suas vidas anteriores.

E esses [ativadores no fundo da consciência] não têm princípio, devido à perpetuidade da vontade primordial [inerente à natureza]. (4.10)

Devido ao vínculo [que liga as marcas no fundo da consciência] à causa [kármica], ao fruto, ao substrato e ao suporte, [segue-se que], com o desaparecimento desses [fatores], desapareçam [igualmente] aquelas [marcas]. (4.11)

O passado e o futuro existem enquanto tais por causa da diferença [visível] nos caminhos [de desenvolvimento] das formas (*dharma*) [produzidas pela Natureza]. (4.12)

Essas [formas] são manifestas ou sutis e são compostas das [três} qualidades (*guna*). (4.13)

O "caráter próprio" (*tattva*) de um objeto [advém] da homogeneidade das transformações [das qualidades (*guna*) primárias da Natureza]. (4.14)

Comentário: O "caráter próprio" significa a estabilidade peculiar pela qual se tem a impressão de que um objeto sólido existe, quando na verdade todas as coisas encontram-se em fluxo constante, como o filósofo grego Heráclito constatou muitos séculos antes de Patanjali.

Em vista da multiplicidade de consciências, [por um lado], e da unicidade dos objetos [percebidos, por outro], uma e outra coisa [pertencem a] diferentes níveis [da existência]. (4.15)

E o objeto não é dependente de uma única consciência; é impossível provar isso; ademais, o que poderia ser [um tal objeto imaginário]? (*4.16)

Comentário: Este aforismo não consta de alguns manuscritos originais; é muito provável que seja tirado do *Yoga-Bhâshya* de Vyâsa. A idéia que se expressa aqui é a de que os objetos têm uma existência independente. Está implícita aí uma rejeição do idealismo radical de certas escolas do Budismo Mahâyâna.

Um objeto é conhecido ou desconhecido em virtude da necessária "coloração" (*uparâga*) da consciência por esse [objeto]. (4.17)

As flutuações da consciência sempre são conhecidas pelo que lhes é "superior", em virtude da imutabilidade do Si Mesmo. (4.18)

Comentário: O Si Mesmo transcendente, que não sofre mudanças, é concebido como superior às formas e mundos mutáveis da Natureza, na qual se inclui a consciência finita.

Essa [consciência] não tem luz própria, uma vez que é vista [pelo Si Mesmo]. (4.19)

Comentário: O pensamento indiano tem como ponto pacífico que somente o Si Mesmo brilha com luminosidade própria, ao passo que a consciência finita ou empírica, à semelhança da lua, é iluminada por uma luz que não é a sua.

E [isso implica] a impossibilidade de conhecer ao mesmo tempo [a consciência e o objeto]. (4.20)

Se a consciência fosse percebida por outra [consciência], [isso implicaria uma] regressão [infinita] de cognição (*buddhi*) em cognição, e a confusão da memória. (4.21)

Quando a Atenção (*citi*) imutável assume a forma dessa [consciência], [torna-se possível] a apreensão, pelo ente, das suas próprias cognições. (4.22)

[Se] a consciência for "colorida" pelo Que Vê e pelo Que É Visto, [ela pode perceber] qualquer objeto. (4.23)

Comentário: Para que exista a consciência humana comum, é preciso que o Si Mesmo transcendente (O que Vê) e a Natureza (O que É Visto) em suas inúmeras formas estejam presentes.

Essa [consciência], embora matizada de inúmeras marcas (*vâsanâ*), não tem a sua finalidade em si mesma, na medida em que [se limita a exercer] uma atividade colaboradora. (4.24)

Comentário: Embora a consciência (finita) seja um mecanismo da Natureza, ela partilha da grande tendência da Natureza ao desenvolvimento, tendência essa que, em última análise, é a que leva à libertação ou à realização do Si Mesmo.

Para aquele que vê a distinção [entre o Si Mesmo e o *sattva*, sobrevém] o fim da projeção da [falsa] noção de ser o si mesmo (*âtma-bhâva*). (4.25)

Então a consciência, tendente ao discernimento, é transportada adiante, rumo à solidão (*kaivalya*) [da Potência da visão]. (4.26)

Nos lapsos dessa [consciência em processo de involução], outras idéias [novas podem surgir] a partir dos ativadores [no fundo da consciência]. (4.27)

O fim dessas [idéias se realiza pelos mesmos meios] já mencionados [no aforismo 2.10] em relação às causas da aflição (*klesha*). (4.28)

Para [o *yogin* que, mesmo nesse estado excelso], nunca tira partido disso para quaisquer fins, [segue-se], através da visão do discernimento, o êxtase chamado de "nuvem do *dharma*" (*dharma-megha*). (4.29)

Comentário: Não está claro o sentido preciso do termo *dharma* nesta passagem. Alguns tradutores verteram-no por "virtude"; mas, nesse nível de realização extática, não se pode qualificar o *yogin* nem como virtuoso nem como não-virtuoso. Ele já transcendeu as categorias da vida ordinária. O mais apropriado é compreender *dharma* como uma referência à Realidade primordial, como acontece em certos contextos budistas. Em outras palavras, com a consumação da visão do discernimento, o *yogin* fica como que envolvido pelo Si Mesmo. Este êxtase é uma fase de transição que elimina de vez a ignorância espiritual e, junto com ela, todas as suas lamentáveis conseqüências (tais como o karma e o sofrimento); o acontecimento da libertação segue-se imediatamente.

Então [segue-se] o fim das causas da aflição (*klesha*) e do karma. (4.30)

Então, removidos todos os véus de imperfeição, pouco [resta] a se conhecer, em virtude da infinitude da sabedoria [resultante]. (4.31)

Então interrompem-se as seqüências nas transformações das qualidades (*guna*) [da Natureza], cuja finalidade foi alcançada. (4.32)

Seqüência é [aquilo que é] correlativo ao momento [de tempo] e apreensível no fim extremo de uma transformação [particular]. (4.33)

Comentário: Patanjali afirma a existência de uma correlação entre a unidade de tempo, chamada "momento" (*kshana*), e a unidade última do processo de transformação, chamada "seqüência" (*krama*). Essa concepção atomista do tempo prefigura as idéias contemporâneas acerca da natureza descontínua do tempo e do contínuo espaço-temporal.

A involução (*pratisarga*) das qualidades (*guna*), [que já] não têm serventia para o Si Mesmo, é [o que se chama] a solidão [da Potência da visão], ou a firmeza do Poder da Atenção (*citi-shakti*) em sua forma essencial. Fim (*iti*). (4.34)

Comentário: Com a realização do Si Mesmo, ou libertação, as qualidades (*guna*) fundamentais do corpo-mente do adepto já não têm finalidade e, portanto, são aos poucos reabsorvidas pelo fundamento transcendental da Natureza. Isso quer dizer que, para Patanjali, a realização do Si Mesmo coincide com a morte do corpo-mente finito. O que resta é a Testemunha eterna, o Poder da Atenção, o Si Mesmo (*purusha*).

III. A ELABORAÇÃO DA SABEDORIA — OS COMENTÁRIOS

Os *Sûtras* não eram criados no primeiro florescer de uma tradição ou escola de pensamento. Muito pelo contrário, eram sumários oficiais que faziam uso do pensamento e dos debates de muitas gerações. Seu caráter conciso mostrou ser ao mesmo tempo um obstáculo e uma vantagem. Por um lado, o estilo *sûtra* deu origem a muitas ambigüidades: à medida que a transmissão oral dos ensinamentos se ia enfraquecendo, iam-se perdendo aos poucos de vista as idéias e formulações originais, dando margem ao surgimento, às vezes, de interpretações muito divergentes. O *Brahma-Sûtra* de Bâdarâyana, por exemplo, texto fundamental do Vedânta escrito por volta de 200 d.C., foi invocado para corroborar tanto uma metafísica não-dualista (*advaita*) quanto uma dualista (*dvaita*). Por outro lado, a ambigüidade característica dos *Sûtras* abria espaço para a fertilidade e o frescor dessas mesmas variações.

Até mesmo as mentes mais criativas da Índia tradicional eram obrigadas a tecer o fio de seus pensamentos inovadores na trama da sua própria tradição, fosse esta o Vedânta, o Budismo, o Jainismo ou o Yoga. Tinham de levar em conta a opinião consagrada das autoridades, pelo menos exteriormente. De qualquer modo, os *Sûtras* filosóficos não abafaram a criatividade, mas estimularam as discussões e discordâncias. Deram origem a comentários que por sua vez pediram outros comentários, subcomentários e glosas sobre estes últimos. Também o *Yoga-Sûtra* de Patanjali inspirou as gerações posteriores a produzir uma extensa literatura exegética. Existem *Bhâshyas* (obras explicativas originais que contêm muitas informações acerca do texto-base), *Vrittis* (comentários originais que fazem a exegese de cada palavra), *Tîkâs* (glosas sobre os comentários) e *Upatîkâs* (subglosas sobre as glosas). O *Tattva-Vaishâradî* de Vâcaspati Mishra e o *Yoga-Vârttika* de Vijnâna Bhikshu são exemplos típicos de *Tîkâs* — ambos são glosas sobre o *Yoga-Bhâshya* de Vyâsa, ao passo que o *Pâtanjala-Rahasya* de Râghavânanda, por exemplo, pertence à categoria das subglosas.

O Yoga-Bhâshya de Vyâsa

O mais antigo comentário existente sobre o *Yoga-Sûtra* é o *Yoga-Bhâshya* ("Discussão sobre o Yoga") de Vyâsa. Provavelmente foi composto no século V d.C.[7] Seu autor é, supostamente, a mesma pessoa que coligiu os quatro hinários védicos, a epopéia do *Mahâbhârata*, os diversos *Purânas* (enciclopédias sagradas populares) e um sem-número de outras obras. Essa idéia extravagante tem, porém, algum fundamento na realidade, pois o nome Vyâsa significa "Compilador"; provavelmente não era um nome pessoal, mas um título aplicado a muitos indivíduos no decorrer de um longo período. Na realidade, o que sabemos sobre Vyâsa ou os vários Vyâsas é tão pouco quanto sabemos sobre Patanjali.

De acordo com uma lenda, Vyâsa foi filho do sábio Parâshara e da ninfa Satyavatî (também chamada Kâlî), que Parâshara tinha seduzido. Por apreço para com sua beleza e o amor que ela lhe dedicava, o sábio não só devolveu-lhe a virgindade por meio de um encantamento como também livrou-a do cheiro de peixe que ela herdara da mãe. Vyâsa foi criado em segredo numa ilha (*dvîpa*); daí o seu título Dvaipâyana ("Nascido na Ilha"). Por ter tido, em criança, o nome Krishna, passou a ser conhecido também como Krishna Dvaipâyana.

Tempos depois, a beleza de Satyavatî cativou o velho rei Shântanu, que imediatamente apaixonou-se por ela. Pediu em casamento a mão de Satyavatî e o pai desta a concedeu, com uma condição: que os herdeiros do trono fossem os filhos da ninfa, e não o filho que o rei tivera em seu primeiro casamento. Shântanu só concordou depois que seu filho Bhîshma, já adulto, autor de feitos heróicos narrados no *Mahâbhârata*, renunciou a seus direitos hereditários. O casal viveu feliz por quase vinte anos e teve dois filhos. Depois da morte de Shântanu, o primogênito ascendeu ao trono, como era de direito, mas morreu numa expedição militar. Seu irmão, que tinha duas esposas, recebeu então a coroa. Infelizmente, também o seu reinado foi curto, pois ele logo morreu de tuberculose. Não tendo ele deixado filhos, o costume exigia que seu parente mais próximo do sexo masculino gerasse uma criança com alguma das duas viúvas. Bhîshma não podia, pois jurara jamais ter filhos.

Satyavatî chamou Vyâsa à corte para cumprir o nobre dever. As duas rainhas, Ambikâ e Ambâlikâ, esperavam que o imponente Bhîshma fosse o encarregado, e ficaram perplexas quando o feioso Vyâsa, na indumentária exígua de um eremita, visitou-lhes os aposentos. Vyâsa teve relações primeiro com uma viúva e depois com a outra. Gerou, assim, o cego Dhritarâshtra e o pálido Pându. Gerou também na mesma noite uma terceira criança — de uma criada que serviu de substituta quando ele quis repetir a dose com uma das viúvas. Dhritarâshtra nasceu cego porque sua mãe, Ambikâ, fechou os olhos horrorizada ao ver Vyâsa, e Pându nasceu pálido porque o rubor sumiu do rosto de sua mãe Ambâlikâ quando Vyâsa aproximou-se dela. O sábio, portanto, foi o ponto original da grande guerra narrada no Mahâbhârata, na qual opuseram-se os filhos de Dhritarâshtra e os de Pându. Podemos ver nisso tudo um engenhoso artifício literário pelo qual o autor do Mahâbhârata introduziu-se na história; ou podemos partir do pressuposto de que a lenda contém um núcleo de verdade histórica.

Quem quer que tenha sido o autor do Yoga-Bhâshya, o certo é que esse tratado escrito em sânscrito contém a chave de muitos dos aforismos mais enigmáticos do texto de Patanjali. Temos de usá-lo com cuidado, porém, pois as duas autoridades em Yoga estão separadas por muitos séculos. Embora Vyâsa tenha sido, com a máxima probabilidade, um yogin de grande estatura espiritual — isso porque escreve com autoridade sobre assuntos extremamente esotéricos —, não parece ter sido um descendente espiritual direto de Patanjali, na medida em que algumas de suas interpretações e certos elementos de sua terminologia não se coadunam com o Yoga-Sûtra.

Outros Comentários

Do século VIII d.C. temos o *Shad-Darshana-Samuccaya* ("Compilação dos Seis Sistemas [Filosóficos]") do sábio jaina Haribhadra Sûri, que traz um capítulo sobre o Yoga de Patanjali. Entretanto, a rigor, não se trata de um comentário.

O primeiro grande comentário que surgiu depois do *Yoga-Bhâshya* foi o *Tattva-Vaishâradi* ("Clarão da Verdade") de Vâcaspati Mishra. Este autor, que viveu no século IX, era um pândita consumado. Escreveu comentários excepcionais sobre os seis sistemas filosóficos do Hinduísmo — Yoga, Sâmkhya, Vedânta, Mîmâmsâ, Nyâya e Vaisheshika. Parece, porém, que o seu conhecimento não era prático, mas teórico. Por isso, na glosa que ele faz sobre o *Yoga-Bhâshya* de Vyâsa, tendem a alongar-se demais as partes filológicas e epistemológicas, enquanto certas questões práticas muito importantes ficam sem explicação. Há uma história acerca de Vâcaspati Mishra que mostra o quanto ele se dedicava aos estudos. Quando terminou sua obra magna, o comentário *Bhâmatî* sobre o *Brahma-Sûtra*, ele quis se desculpar com sua esposa por tê-la esquecido por tantos anos. Então, deu ao comentário o nome dela — um agrado digno de um bom acadêmico. Não obstante, sua obra esclarece bastante algumas das passagens mais difíceis do *Yoga-Bhâshya*.

Do século XI, temos duas obras importantes. A primeira é a tradução do *Yoga-Sûtra* para o árabe, feita pelo famoso estudioso persa al-Bîrûnî — tradução bastante livre que pode ter exercido influência duradoura sobre o desenvolvimento do misticismo persa. A outra obra é o subcomentário chamado *Râja-Mârtanda* ("Sol Real") ou *Bhoja-Vritti*, de autoria de Bhoja, rei de Dhârâ, adepto do Shaivismo, que viveu entre 1019 e 1054 d.C. A obra tem mais valor histórico que exegético. Embora Bhoja critique os comentadores anteriores por suas interpretações arbitrárias, ele mesmo não fica muito atrás; não poucas vezes, seu texto é mais extravagante e menos original do que ele mesmo pretendia. O rei Bhoja era um grande poeta e um generoso protetor das artes e das tradições espirituais; temos de supor que o seu interesse pelo Yoga também não era puramente teórico.

O maior comentário que veio a seguir é o *Vivarana* ("Exposição") de Shankara Bhagavatpâda, que explica o *Yoga-Bhâshya*. Embora trate-se de um subcomentário, é uma obra excepcionalmente original que manifesta a independência exegética típica de um *Bhâshya*. De acordo com alguns estudiosos, seu autor não é outro senão o próprio Shankarâcârya, famoso adepto que viveu no século VIII d.C., e foi o maior de todos os defensores do Advaita Vedânta. O indólogo alemão Paul Hacker foi o primeiro a propor que, antes de Shankara converter-se à filosofia não-dualista do Advaita Vedânta, tinha sido um devoto de Vishnu e adepto da tradição yogue. Deve então ter conhecido seu mestre Govinda, que lhe expôs o "Yoga intangível" (*asparsha-yoga*) do não-dualismo ensinado por Gaudapâda, o autor do *Mândûkya-Kârikâ*. Sem dúvida é interessante que, de todas as obras de Shankara, seu comentário ao *Mândûkya-Kârikâ* seja a que contém mais referências à tradição yogue. O tradutor do *Vivarana* para o inglês, Trevor Leggett, aceitou a idéia de Hacker com alguma hesitação, observando: "Não encontrei nada que, na medida em que meu conhecimento permite afirmá-lo, exclua absolutamente a hipótese de ser Shankara o autor."[8]

Entretanto, essa identificação de Shankarâcârya como o autor do *Vivarana* não foi, de modo algum, universalmente aceita. Com efeito, foi seriamente posta em cheque há pouco tempo pela sanscritista T. S. Ruk-

> "Quando o *yogin* se qualifica pela prática da disciplina moral (*yama*) e por abster-se das ações ilícitas (*niyama*), pode passar para a prática da postura e dos outros meios."
>
> — *Yoga-Bhâshya-Vivarana* 2.29

mani, que acaba de terminar uma nova tradução desse texto — quase desconhecido — para o inglês. Para ela, o estilo do *Vivarana* "não é típico de Shankarâcârya... é tedioso, pouco natural e descuidado"[9]. Uma vez que Vâcaspati Mishra era um grande estudioso de Shankara, seu silêncio acerca do *Vivarana* é significativo e pode dar a entender que esse comentário só tenha sido escrito depois da morte do próprio Vâcaspati. Entretanto, Rukmani descobriu uma referência isolada ao *Vivarana* no *Yoga-Vârttika* de Vijnâna Bhikshu (3.36), onde se encontra a expressão *vivarana-bhâshye* ("no comentário *Vivarana*"). Isso estabeleceria, para Shankara Bhagavatpâda, uma data entre os séculos IX e XVI. Mais especificamente, Rukmani aventa a hipótese de o autor do *Vivarana* ter sido o Shankara da família Payyur (um clã de estudiosos de Kerala), que viveu no século XIV d.C. Mais pesquisas serão necessárias para esclarecer a questão, embora pareça cada vez mais provável que Shankarâcârya não tenha tido participação alguma na composição do *Vivarana*.

Do século XIV temos também uma admirável apresentação sistemática do Yoga Clássico no *Sarva-Darshana-Samgraha* de Mâdhava, o qual, como o título indica, é um compêndio (*samgraha*) de todos (*sarva*) os grandes pontos de vista filosóficos (*darshana*) da Índia medieval.

Do século XV vêm-nos o *Yoga-Siddhânta-Candrikâ* ("Luar sobre a Doutrina Yogue") e o *Sûtra-Artha-Bodhinî*[10] ("Iluminação do Sentido dos Aforismos"), ambos de Nârâyana Tîrtha. A primeira obra é um comentário independente, um *Bhâshya*, ao passo que a segunda é um *Vritti*. Nârâyana Tîrtha era um estudioso da escola Vallabha de Bhakti-Yoga e seus comentários interpretam o Yoga Clássico a partir do ponto de vista do Vedânta Shuddha ("Puro") de Vallabha Âcârya. Suas obras nos interessam muito, não só em vista do elemento devocional, mas também porque mencionam o Hatha-Yoga e certos conceitos tântricos, como os *cakras* e a *kundalinî*.

No século XVI, comentários excepcionais acerca do *Yoga-Bhâshya* de Vyâsa foram escritos por Râmânanda Yati, Nâgojî Bhatta (também chamado Nâgesha) e Vijnâna Bhikshu. A obra de Râmânanda Yati, intitulada *Mani-Prabhâ* ("Brilho da Jóia"), comenta o *Yoga-Sûtra* diretamente. Nâgojî Bhatta escreveu dois comentários originais, o *Laghvi* ("[Comentário] Curto") e o *Brihatî* ("[Comentário] Longo"). O objetivo declarado desta última obra é o de resolver as diferenças entre o Yoga (dualista) e o Vedânta (não-dualista). O autor foi exaltado como sendo "talvez o maior erudito da segunda metade do século dezesseis".[11]

Era essa também a meta declarada de Vijnâna Bhikshu que viveu igualmente na segunda metade do século XVI. Foi ele o autor de um cuidadoso comentário chamado *Yoga-Vârttika* ("Tratado de Yoga") e do *Yoga-Sâra-Samgraha* ("Compêndio da Essência do Yoga"), que é uma síntese do seu volumoso tratado. Vijnâna Bhikshu foi um mestre famoso que interpretou o Yoga a partir do ponto de vista vedântico. No final do século XIX, Max Müller mencionou-o como "um filósofo dotado de forte poder de apreensão [e que], sem deixar de reconhecer plenamente as diferenças entre os seis sistemas filosóficos, procurou descobrir uma mesma verdade comum por trás de todos eles e evidenciar de que modo podem todos ser estudados juntos, ou melhor, sucessivamente; forcejou ainda por demonstrar que todos têm a finalidade de conduzir pela senda da verdade os estudiosos sinceros".[12]

Nada sabemos acerca de Vijnâna Bhikshu, que "parece ter-se abstido de estabelecer qualquer tipo de identidade com o nome e a forma".[13] Entretanto, alguns estudiosos aventaram a hipótese de ele ter vivido em Bengala, e T. S. Rukmani, que traduziu o *Yoga-Vârttika* inteiro para o inglês, opina que ele deve ter ensinado em Varanasi (Benares) ou perto de lá, pois seu principal discípulo, Bhâvâ Ganesha (autor do *Dîpikâ*, "Luminar"), residia ali. Atribui-se a Vijnâna Bhikshu a autoria de dezoito obras, que são comentários sobre o Yoga Clássico, o Sâmkhya, diversos *Upanishads* e o *Brahma-Sûtra*. Dois desses comentários podem ter-lhe sido atribuídos erroneamente. Todas as suas obras levam em cada página a marca da sua modalidade particular do Vedânta, que pende mais para o tipo épico, relacionado com o Sâmkhya-Yoga, e contrasta vivamente com o *mâyâ-vâda* ("doutrina da ilusão") de Shankara. Vijnâna Bhikshu, aliás, assume muitas vezes um tom bastante passional e pejorativo quando faz críticas a Shankara e à escola deste. Para ele, o Yoga é o melhor caminho de realização.

Dentre os comentários posteriores ao *Yoga-Sûtra*, temos de mencionar o *Sudhâkâra* ("Mina de Néctar") de Sadâshiva Indra, o *Pada-Candrikâ* ("Luar sobre as Palavras") de Anantadeva, erudito do século XIX, o *Pâtanjala-Rahasya* ("Segredos da [Escola] Pâtanjala") de Râghavânanda e o *Patanjali-Carita* ("Vida de Patanjali") de Râmabhadra Dîkshita, bem como o *Pradîpikâ* ("Lâmpada") de Baladeva Mishra e o *Bhâsvatî* ("Elucidação") de Hariharânanda, ambos escritos no século XX. O Swami Hariharânanda (1869-1947) foi o líder espiritual da Kapila Matha em Madhupur (Bihar) e um adepto da Sâmkhya-Yoga.

Existem várias outras obras menos populares, a maioria das quais só se conhecem de nome. No geral, os comentários secundários não têm grande originalidade e são muito calcados sobre a antiga exegese de Vyâsa ou algum outro comentário. A literatura exegética do Yoga Clássico tende a ser seca e repetitiva e mal reflete o fato de que o Yoga sempre foi antes de mais nada uma disciplina esotérica ensinada oralmente e perpetuada pela prática pessoal intensa, e não por realizações escolásticas. É como diz Dattâtreya em seu *Yoga-Shâstra*:

> O praticante (*kriyâ-yukta*) terá sucesso. [Mas] que [sucesso] pode ter o não-praticante? (83)
>
> O sucesso não se atinge jamais pela mera leitura de livros. (84)
>
> Os que [só] falam de Yoga e trajam as vestes [do *yogin*] mas não demonstram dedicação alguma e vivem somente para o ventre e o que está abaixo dele (*shishna*) — estes enganam as pessoas. (92-93)

A tradição yogue, comparada com o Vedânta ou o Budismo, parece um pouco fraca no que diz respeito à complexidade filosófica; no entanto, é riquíssima daquele conhecimento que vem da experiência. Para os *yogins* — talvez mais para eles do que para os adeptos de qualquer outro sistema de pensamento no contexto hindu —, a compreensão filosófica sempre foi somente uma espécie de bússola que orienta as experimentações interiores do iniciado. Nunca foi concebida como algo que pudesse substituir a realização pessoal da Verdade ou Realidade suprema. Talvez porque vivessem intensamente mergulhados nas oitavas superiores da consciência, os *yogins* percebiam com extrema clareza a natureza quimérica do pensamento conceitual e só confiavam nele até certo ponto. Não gostavam de filosofar só para obter uma compreensão racional das coisas, pois tal compreensão não pode levar ninguém além do labirinto das opiniões. No *Paingala-Upanishad*[14] (4.9), o sábio Yâjnavalkya dá a seguinte instrução a Paingala:

> De que serve o leite para quem já está saciado de néctar? Do mesmo modo, de que servem os *Vedas* para quem conhece a Si Mesmo [sua essência transcendente]? Para o *yogin* saciado do néctar da sabedoria, nada resta a realizar. Se ainda resta algo, ele não é um conhecedor da Realidade (*tattva*).

"A pessoa indisciplinada (*atapasvin*) não obtém sucesso no Yoga."

— *Yoga-Vârttika* (2.1)

Capítulo 10
A FILOSOFIA E A PRÁTICA DO PÂTANJALA-YOGA

I. A CADEIA DO SER — O EU E O MUNDO A PARTIR DO PONTO DE VISTA DE PATANJALI

Ao descrever a atitude budista perante a vida, o Lama Anagarika Govinda, nascido na Alemanha, aventou a seguinte observação:

> A psicologia pode ser estudada e utilizada de duas formas: quer levando-se em consideração somente ela mesma, isto é, tratando-se-á como uma ciência pura, e portanto abstendo-se por completo de levar em conta a utilidade ou inutilidade dos seus resultados — quer em vista de um objetivo definido, isto é, em vista de uma aplicação prática...[1]

Essas notas aplicam-se tanto ao Yoga quanto ao Budismo. O Yoga, sendo uma forma de psicotecnologia, lida primordialmente com a mente ou psique humana. Mas, segundo os yogues visionários, nosso mundo interior espelha a estrutura do próprio cosmos. É composto das mesmas camadas fundamentais que perfazem a hierarquia do mundo exterior. Por isso, os "mapas" propostos por Patanjali e outras autoridades espirituais são psicocosmogramas, isto é, esquemas tanto do universo interior quanto do exterior. A principal finalidade desses esquemas, porém, é apontar para o que está além dos níveis ou camadas da psique e do cosmos, pois o que se afirma é que a natureza essencial do ser humano, o Si Mesmo ou Espírito, é absolutamente transcendente.

A noção de um cosmos multinivelado ou hierárquico é estranha ao paradigma predominante hoje em dia, o do materialismo científico; não obstante, é um conceito de importância vital para as tradições espirituais e religiosas antigas e modernas.

Imagem tradicional de Patanjali

Grande cadeia do ser! iniciada em Deus,
Na Natureza o éter, o ser humano, o anjo, o homem,
O quadrúpede, o pássaro, o peixe, o inseto...
...do Infinito a ti,
De ti ao nada. — Se nos impuséssemos
Aos poderes superiores, os inferiores impor-se-iam a nós;
Ou na plenitude da criação far-se-ia uma lacuna,
na qual, com a quebra de um degrau, a escada inteira seria destruída;
Na cadeia da Natureza, qualquer que seja o elo atingido,
O décimo ou o décimo milésimo, quebra-se a correia igualmente.

Foi assim que Alexander Pope, em seu *Essay on Man*, deu expressão poética à intuição pré-moderna da interligação hierárquica que existe entre as coisas — a cadeia do ser. A filosofia yogue tem esse mesmo ponto de vista: o cosmos é uma imensa estrutura feita de todos entreligados e dotados cada qual do seu lugar próprio.

Numa extremidade da "Escala da Natureza" ficam as formas materiais; na outra fica o próprio fundamento transcendental da Natureza. Além disso fica a dimensão (ou, antes, "amensão") da Consciência, que são os Si Mesmos (*purusha*) transcendentais e supraformais. A filosofia yogue, na sua função ontológica — na função de "ciência do ser" —, proporciona aos *yogins* um mapa que lhes permite atravessar os diversos níveis da existência até que, no momento da libertação, saem por completo da órbita da Natureza.

As diversas escolas elaboraram diferentes mapas da hierarquia cósmica. O mapa de Patanjali tem sido muitas vezes depreciado por ser, supostamente, um simples empréstimo do mapa do Sâmkhya Clássico, formulado por volta de 350 d.C. por Îshvara Krishna no seu *Sâmkhya-Kârikâ*. A interpretação mais correta, porém, do ponto de vista histórico, é a de que tanto o Yoga Clássico quanto o Sâmkhya Clássico são expressões radicalmente racionalistas de certas linhas de evolução diferentes que se desenvolveram nos séculos imediatamente anteriores ao início da Era Cristã. Como já vimos no que dizia respeito ao *Mahâbhârata* (especialmente à seção *Moksha-Dharma*), foi no período compreendido entre 300 e 200 a.C. que o Yoga e o Sâmkhya assumiram identidades diferentes a partir da base vedântica que lhes era comum. Além disso, o *Yoga-Sûtra* é mais antigo que o *Sâmkhya-Kârikâ*, e, portanto, se alguém tomou algo emprestado, esse alguém só pode ter sido Îshvara Krishna.

Há muitas diferenças significativas entre o Yoga Clássico e o Sâmkhya Clássico, diferenças essas que podem, por conveniência, ser classificadas da seguinte maneira:

1. *Metodologia*: O Sâmkhya Clássico baseia-se principalmente na inata capacidade de discernimento (*viveka*) do ser humano, que é uma função da mente superior ou *buddhi*. É através do exercício do discernimento que se percebe que o Si Mesmo transcendente (*purusha*) é distinto do não-si-mesmo, isto é, da matéria prima do universo (*prakriti*) e dos seus produtos, entre os quais conta-se a mente humana (*citta*). Ao discernimento segue-se a renúncia a tudo o que se revelou parte do não-si-mesmo (*anâtman*), uma vez que essas coisas não constituem a natureza essencial do ser humano. O Yoga Clássico, por sua vez, frisa a necessidade da realização extática, ou *samâdhi*, como meio essencial para a transformação e, por fim, para a transcendência da consciência presa ao mundo. O conhecimento racional por si não é suficiente para pôr a nu a falsidade da identidade egóica. Antes, é necessária a verdadeira gnose (*vidyâ*) para pôr a descoberto as profundezas da psique humana, onde se lançam as verdadeiras raízes da nossa habitual falsa identificação com o ser individual.

2. *Teologia*: O Sâmkhya Clássico é praticamente ateu, na medida em que nega a existência de um Ser soberano e superior aos muitos Si Mesmos transcendentais. Os Si Mesmos são a Divindade. O Yoga Clássico, por sua vez, é enfaticamente teísta, muito embora o papel desempenhado pelo "Senhor" (*îshvara*) no esquema geral das coisas seja muito pequeno. Ele é considerado um *primus inter pares*, "primeiro entre iguais" — um "Si Mesmo especial", como diz Patanjali.

3. *Ontologia*: O Sâmkhya Clássico propõe um modelo das categorias da existência, ou princípios ônticos (*tattva*), muito distinto do modelo do Yoga Clássico. Este último parece

ser mais holístico, como se vê muito bem na idéia de que *citta* compreende *buddhi, ahamkâra* e *manas*.

4. *Terminologia*: Os vocabulários técnicos das duas escolas são perfeitamente independentes.

As diferenças parecem ser devidas, antes de mais nada, às metodologias contrastantes do Sâmkhya e do Yoga. O mapa psicocosmológico apresentado por Patanjali é profundamente determinado pelo território que ele mesmo descobriu no decorrer das suas explorações da psique humana — os imensos espaços da consciência, correlatos da dimensão da Natureza. O mapa de Îshvara Krishna, por seu lado, dá a impressão de ter sido desenhado com base em considerações teóricas e em informações tiradas dos muitos séculos de especulação metafísica da própria tradição do Sâmkhya.

É evidente que ambos os mapas foram feitos para levar o praticante à realização do Si Mesmo. No caso do mapa de Patanjali, porém, temos um instrumento cuja utilidade só se evidencia quando seguimos o caminho psicoexperimental do Yoga e começamos a descortinar as paisagens da nossa própria consciência através da meditação freqüente e (se tivermos sorte) de ocasionais mergulhos no estado unificado de *samâdhi*. É assim que, contrapondo-nos à ideologia atomista do materialismo científico, nós vamos desenvolvendo a certeza de que a antiga idéia da cadeia do ser é um fato, e não uma árida teoria.

O Si Mesmo Transcendente e a Mente

No ápice da hierarquia do ser está a Realidade transcendente, o Si Mesmo ou Espírito (*purusha*). Para o Yoga Clássico, como para todas as demais escolas da espiritualidade hindu, o Si Mesmo é o princípio da pura Consciência (*cit*) ou Atenção (*citi*). É absolutamente distinto da consciência ordinária (*citta*) com o seu turbilhão de pensamentos e emoções, a qual Patanjali explica como um produto da interação entre o Si Mesmo transcendente (*purusha*) e a Natureza insenciente (*prakriti*): a "proximidade" entre o Si Mesmo e um organismo psicofísico altamente complexo cria o fenômeno da consciência. Mas a Natureza em si — o corpo-mente humano por si próprio — é perfeitamente inconsciente.

O modo pelo qual esse Si Mesmo absolutamente transcendente, essa Consciência pura, pode impor seus efeitos aos processos contínuos da Natureza é um enigma filosófico que nenhuma tradição espiritual no mundo inteiro conseguiu resolver. O dualismo metafísico de Patanjali é particularmente inepto para uma tal solução, mas ao mesmo tempo procura resolver o problema postulando uma espécie de vínculo, chamado de "correlação" (*samyoga*), entre o Si Mesmo e a Natureza — isto é, entre a pura Atenção e o complexo constituído de corpo e personalidade.

Esse vínculo é possível porque, no nível mais alto da Natureza, a qualidade predominante é a *sattva*. A transparência desse fator da Natureza é análoga à transparência ou luminosidade intrínseca do Si Mesmo. Por isso, a Natureza (sob a forma da psique ou mente), em seu estado sátvico, funciona como um espelho que reflete a "luz" do Si Mesmo.

Uma vez que tanto o Si Mesmo (ou, a confiar-se nos comentários, os muitos Si Mesmos) quanto a Natureza são eternos e onipresentes, o vínculo que os liga também não tem início. Para Patanjali, essa correlação é a verdadeira origem de todo o sofrimento humano (*duhkha*), pois gera a ilusão de que nós somos o corpo e a mente individuais, o complexo da personalidade, e não o Si Mesmo transcendente. Portanto, a ignorância espiritual (*avidyâ*) está no fundo da nossa identificação errônea com o corpo e a mente egóicos e finitos. Secundariamente, ela também é a fonte dos nossos desejos e aversões, bem como da fome de viver considerada em geral (o instinto de sobrevivência). A atenuação e, por fim, a transcendência de todas essas coisas são os objetivos da psicotecnologia do Yoga.

Os comentadores clássicos partem do pressuposto de que Patanjali acreditava na existência de uma multiplicidade de Si Mesmos transcendentes; porém, não se encontra tal afirmação em nenhuma passagem do *Yoga-Sûtra*. Portanto, é igualmente possível que Patanjali, seguindo o Yoga Épico, admitisse a existência de um único grande Ser que abarca em Sua infinitude todos os Si Mesmos. Qualquer que fosse a posição de Patanjali, pouco importa que haja muitos Si Mesmos ou um único Si Mesmo que se manifesta como múltiplo, pois o processo de realização sempre se desenrola num contexto dual: a Consciência testemunhante confronta o jogo da Natureza sob a forma do corpo-mente. Se a metafísica de Patanjali de fato estiver mais próxima do panenteísmo do Yoga Épico do que normalmente se pensa, a interpretação que Vijnâna Bhikshu dá ao *Yoga-Sûtra* há de merecer muito mais credibilidade.

VOLIÇÃO/AÇÃO . . . .

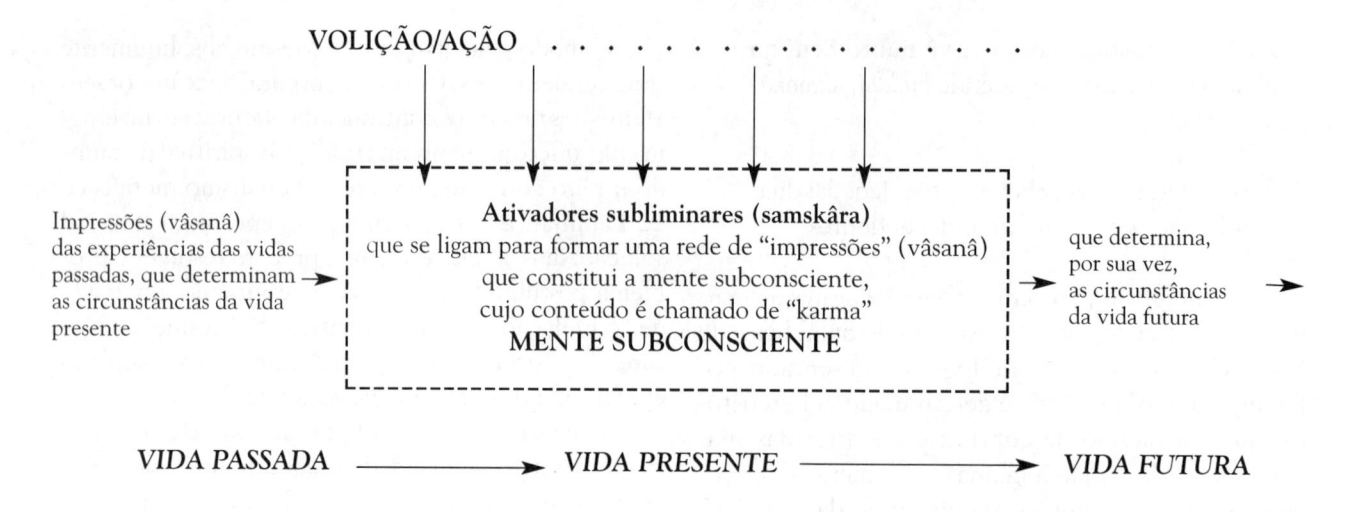

Impressões (vâsanâ) das experiências das vidas passadas, que determinam as circunstâncias da vida presente →

Ativadores subliminares (samskâra) que se ligam para formar uma rede de "impressões" (vâsanâ) que constitui a mente subconsciente, cujo conteúdo é chamado de "karma"
MENTE SUBCONSCIENTE

→ que determina, por sua vez, as circunstâncias da vida futura →

VIDA PASSADA ⟶ VIDA PRESENTE ⟶ VIDA FUTURA

A teoria yogue da mente subconsciente © Do Autor

O Conceito Yogue do Inconsciente

O caminho da realização do Si Mesmo tem dois aspectos principais. O primeiro é a impassibilidade (*vairâgya*), que consiste em desvencilhar-se da falsa identificação com o não-si-mesmo — isto é, com o quanto pertence aos diversos níveis da Natureza. O segundo aspecto é a prática (*abhyâsa*) de identificação com o Si Mesmo mediante a reiterada concentração meditativa e êxtase (*samâdhi*).

Toda experiência deixa uma impressão na psique, ou mente. As experiências que provêm do ego reforçam a ilusão egóica, ao passo que os momentos de autotranscendência, quer na vida cotidiana, quer no estado de êxtase, fortalecem o impulso espiritual. Os portadores desse processo de "egoificação" ou "espiritualização" são as marcas (*vâsanâ*), que constituem a parte mais profunda da mente humana. Se compararmos a psique a uma cera mole, esses *vâsanâs* serão as impressões kármicas deixadas pelas nossas atividades psíquicas. Cada vez que percebemos algo com os sentidos, sentimos, pensamos, queremos ou fazemos qualquer coisa, criamos o que os mestres de Yoga chamam de um ativador subliminar (*samskâra*). Podemos conceber esse ativador como um átomo que é acrescentado a um fio de outros átomos para compor uma molécula — a molécula do destino.

Os *vâsanâs*, portanto, são compridas correntes de ativadores kármicos (*samskâra*) semelhantes. São responsáveis pela renovação das atividades psicomentais na mente consciente, atividades essas que tomam a forma dos cinco tipos de flutuações ou "redemoinhos" (*vritti*) de que fala Patanjali. Os ativadores, combinando-se para formar marcas complexas, são as forças ocultas que estão por trás da nossa vida consciente e constituem o solo do nosso destino. Por essa razão, Patanjali também usa o termo "depósito de ações" (*karma-âshaya*), ou cabedal kármico, para designar essas impressões armazenadas.

O exemplo seguinte vai deixar essa doutrina um pouco mais clara: ao digitar esta parte do livro no meu computador, eu executo, antes de mais nada, o movimento relativamente complexo dos meus dedos sobre o teclado. Ao fazê-lo, ponho em exercício uma capacidade adquirida há muitos anos. Também tenho consciência de que estou a reforçar constantemente diversos maus hábitos, como as tendências de contrair os ombros e franzir os olhos ao olhar para a tela. Trata-se de uma forma de condicionamento kármico no nível mais simples — é muito provável que eu aja exatamente da mesma maneira na próxima vez em que me sentar para escrever.

Num outro nível, eu penso sobre o que vou escrever, valendo-me dos meus conhecimentos e do meu vocabulário ativo. Também isto tem o seu aspecto kármico, pois estou continuamente forçando minha mente a pensar, e a pensar de uma certa maneira. Do ponto de vista convencional, essa atividade é desejável, pois, como se diz, eu estou exercitando e refinando a minha mente. Mas, do ponto de vista espiritual, o pensamento racional coincide com um determinado estado de ser que não corresponde perfeitamente ao que "eu" sou, pois, afinal de contas, "eu" sou a Consciência Testemunha transcendental, e não a tacanha personalidade-mente-ego. "Ter a cabeça no lugar" significa deixar de lado as outras partes do corpo-mente; é só quando a pessoa está presente também com seu corpo e aberta no coração que o Si Mesmo além do ego tende a se revelar. Portanto, quando o pensamento se torna uma coisa crônica em virtude das marcas subliminares deixadas pelo seu constante exercício, passa a ser contrário à realização do Si Mesmo.

Num nível ulterior, minhas ações enquanto escritor estão impregnadas de expectativas e intenções de todo tipo, explícitas ou não, que geram elas mesmas as suas próprias impressões kármicas. Para que um ativador subliminar seja produzido, nem é preciso que eu esteja plenamente consciente dos meus sentimentos ou do meu estado de espírito. Por isso, nem o sono subtrai-se ao inexorável processo de auto-reprodução kármica.

Nesta teoria dos ativadores subliminares, o Yoga prefigurou a moderna noção do inconsciente, mas foi muito além das intuições e metas da psicanálise na medida em que desenvolveu meios pelos quais todo o conteúdo do inconsciente pode ser erradicado. Como nos diz o *Yoga-Sûtra* (1.50), a menos que as marcas dos ativadores subliminares sejam completamente transcendidas mediante a prática reiterada do êxtase supraconsciente (*asamprajnâta-samâdhi*), nós ficamos agrilhoados ao círculo das nossas próprias experiências egóicas e para sempre separados do Si Mesmo, que é a nossa verdadeira identidade.

As Dimensões da Natureza

O pólo oposto ao dos múltiplos Si Mesmos transcendentes é a Natureza (*prakriti*). O termo sânscrito *prakriti* significa literalmente "a produtora" ou "procriadora" e designa tanto o fundamento transcendente das miríades de formas manifestas quanto essas mesmas formas. Na filosofia do Sâmkhya, a primeira também é chamada pelo nome de "fundação" (*pradhâna*); é o contínuo indiferenciado primordial que contém potencialmente todo o universo em todos os seus níveis ou categorias de ser. Patanjali chama essa realidade de "O Indiferenciado" (*alinga*). Podemos ver aí um campo energético primordial.

Esse fundamento do mundo é freqüentemente definido como o estado de equilíbrio entre as qualidades (*guna*) da Natureza, que foram apresentadas no Capítulo 3 quando discutimos a escola Sâmkhya. Quando essa harmonia primordial é perturbada, acontece o processo de criação. Então, a Natureza desenrola-se de acordo com um plano definido, pelo qual princípios mais simples vão dando origem a configurações (chamadas *tattva*) cada vez mais complexas. Essa teoria da evolução cósmica leva o nome técnico de *sat-kârya-vâda* ou também de *prakriti-parinâma-vâda*. A primeira expressão implica que o efeito (*kârya*) preexiste (*sat*) na causa, enquanto a segunda significa que o efeito é uma verdadeira transformação (*parinâma*) da Natureza e não uma mudança ilusória (*vivarta*), como querem as escolas idealistas do Vedânta e do Budismo Mahâyâna.

O que essa doutrina implica é que nada do que vem à existência é algo completamente novo — criado do nada, por assim dizer —, mas sim a manifestação (*âvirbhâva*) de possibilidades latentes. Além disso, o desaparecimento de um objeto existente não significa a sua aniquilação total, mas simplesmente uma volta ao estado de latência (denominado *tirobhâva*). É muito possível que essa doutrina tenha sido derivada daquela espécie de especulação metafísica que encontramos, por exemplo, no *Bhagavad-Gîtâ*, no qual Krishna instrui Arjuna acerca da natureza imortal do Si Mesmo transcendente. Seu argumento é o de que ele não morre exatamente porque nunca nasceu; isto é, não pode ser destruído, pois é imune à mudança.

> Do não-existente (*asat*) nada vem a ser (*bhâva*). Do existente (*sat*) nada deixa de vir a ser (*abhâva*). E também o limite entre essas duas coisas é visto pelos que vêem a Realidade (*tattva*).
>
> Não obstante, fica ciente de que é indestrutível Aquele pelo qual foi disposto este [universo] inteiro. Ninguém pode causar a destruição do que é imutável.
>
> Diz-se que são finitos estes corpos ["possuídos" por] Aquele que eternamente toma um corpo [i.e., o Si Mesmo], o Indestrutível, o Incomensurável. Por isso luta, ó Bhârata!
>
> Tanto o que O concebe como o que mata, quanto o que pensa [que o Si Mesmo pode ser] morto — nenhum dos dois o conhece.

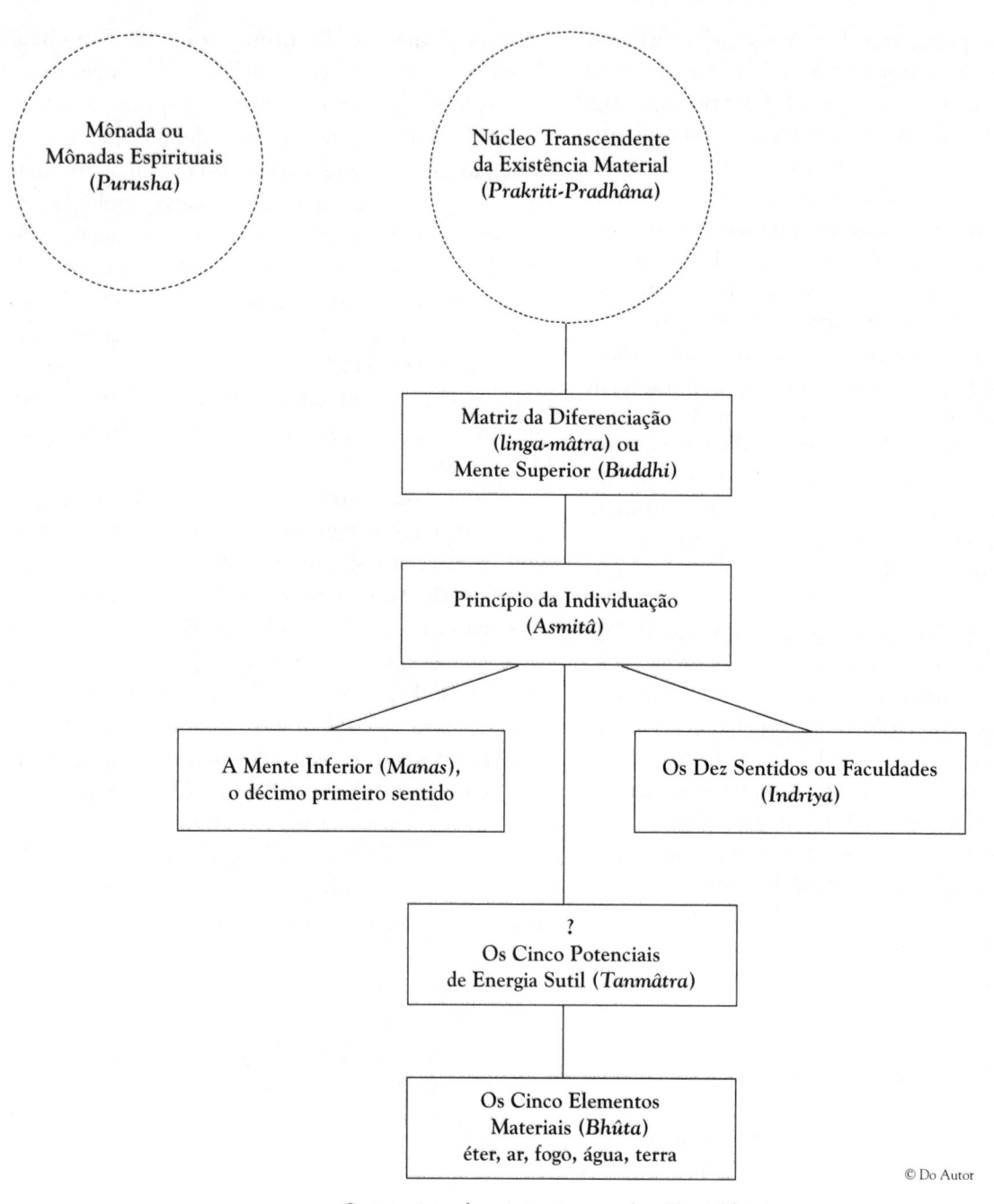

```
        ┌ ─ ─ ─ ┐                    ┌ ─ ─ ─ ─ ─ ┐
       Mônada ou                  Núcleo Transcendente
     Mônadas Espirituais          da Existência Material
         (Purusha)                  (Prakriti-Pradhâna)
        └ ─ ─ ─ ┘                    └ ─ ─ ─ ─ ─ ┘
                                            │
                                  ┌─────────────────────┐
                                  │ Matriz da Diferenciação │
                                  │   (linga-mâtra) ou      │
                                  │  Mente Superior (Buddhi)│
                                  └─────────────────────┘
                                            │
                                  ┌─────────────────────┐
                                  │ Princípio da Individuação │
                                  │       (Asmitâ)           │
                                  └─────────────────────┘
                                       /          \
                    ┌──────────────────┐      ┌──────────────────┐
                    │ A Mente Inferior (Manas),│ │ Os Dez Sentidos ou Faculdades │
                    │ o décimo primeiro sentido│ │         (Indriya)          │
                    └──────────────────┘      └──────────────────┘
                                            │
                                  ┌─────────────────────┐
                                  │          ?          │
                                  │  Os Cinco Potenciais │
                                  │ de Energia Sutil (Tanmâtra)│
                                  └─────────────────────┘
                                            │
                                  ┌─────────────────────┐
                                  │  Os Cinco Elementos  │
                                  │   Materiais (Bhûta)  │
                                  │ éter, ar, fogo, água, terra │
                                  └─────────────────────┘
```

Os princípios da existência segundo o Yoga Clássico

Ele não mata nem é morto. Jamais nasce nem morre. Não veio a ser nem jamais virá a ser. O [Si Mesmo] primordial é sem nascimento, eterno, dura para sempre. Não morre quando o corpo é morto. (2.16-20)

À semelhança do Si Mesmo, o núcleo transcendente ou fundamento da Natureza — *pradhâna* ou *alinga* — também é indestrutível. Não obstante, tem a capacidade de modificar-se, e o faz pelo processo de criação ou manifestação, no qual dá à luz o universo multidimensional. O Yoga faz lembrar ao espiritual, porém, que embora o seu corpo e sua mente sejam compostos de forças da Natureza e não passem de modificações temporárias desta, também são associados a um aspecto eterno e transcendente, o Si Mesmo. Com a morte, os componentes materiais e psíquicos do corpo-mente são absorvidos de novo pelas formas hierarquicamente mais simples, e assim sucessivamente, até que reste somente o fundamento transcendental da

Natureza. A questão, tanto durante a vida quanto no momento da morte, é a pessoa despertar para a realidade de que ela *é* o Si Mesmo que está além de todas as dimensões da Natureza. Os que não conseguem fazê-lo continuam existindo sob formas mais simples em níveis diversos da manifestação até renascerem. Na melhor das hipóteses, fundem-se com o fundamento transcendental da Natureza, são "absorvidos pela Natureza" (*prakriti-laya*), um estado de pseudolibertação. Só a realização do Si Mesmo é a iluminação verdadeira, a verdadeira emancipação.

A *Evolução do Cosmos e a Teoria dos Gunas*

O Si Mesmo transcende os componentes (*guna*) primários da Natureza. Como notamos na Parte I, ao discutir a relação entre o Yoga e as outras escolas de pensamento hindus, a doutrina dos *gunas* é uma das contribuições mais originais da tradição sâmkhya-yogue.

Os *gunas*, que podem ser concebidos como três fases do mesmo campo homogêneo da Natureza, produzem pela sua interação toda a estrutura do cosmos, a psique inclusive. O Yoga Clássico admite quatro níveis hierárquicos de existência, cujo caráter é determinado pela predominância relativa de um dos três *gunas*:

1. o Indiferenciado (*alinga*)
2. o Diferenciado Puro (*linga-mâtra*)
3. o Não-Particularizado (*avishesha*)
4. o Particularizado (*vishesha*)

O Indiferenciado é o núcleo transcendente da Natureza, que é pura potencialidade. Não tem nenhuma "marca" (*linga*), isto é, nenhuma característica definida. Simplesmente *é*. Embora Patanjali não o afirme explicitamente, o Indiferenciado é o perfeito equilíbrio entre os três *gunas*.

Do Indiferenciado nasce o Diferenciado Puro ou *linga-mâtra* ("princípio ou matriz de diferenciação"), o primeiro princípio da manifestação ou primeiro nível da existência. Do ponto de vista psicológico, esse princípio também é chamado de "puro caráter de 'eu sou'" (*asmitâ-mâtra*), que é o senso de individuação cósmico. Tem o seu análogo no "factor do eu" (*ahamkâra*) ou noção de eu (*asmitâ*) no nível microcósmico ou individual humano. Desse senso de individuação cósmico nascem os cinco tipos de estruturas ou potenciais sutis (*tanmâtra*) da existência sensorial. Estes, por sua vez, dão origem às onze faculdades (*indriya*), por um lado, e aos cinco elementos materiais (*bhûta*), por outro. Em outras palavras, é o princípio do Puro Caráter de "Eu Sou" que produz tanto as realidades físicas quanto as psicomentais.

Os numerosos (ou inúmeros) Si Mesmos transcendentes, todos eles onipresentes e onitemporais, repousam em perfeita autonomia fora dessa dinâmica evolutiva. Mas a condição transcendente deles não é evidente para a personalidade não-iluminada ou presa ao ego, a qual confunde o corpo-mente (produto da Natureza inconsciente) com o Si Mesmo supraconsciente. O Yoga é um *tour de force* empreendido com a finalidade de eliminar essa confusão e conduzir-nos à existência autêntica.

Nessa viagem rumo ao Si Mesmo, é-nos inevitável cruzar o "oceano" da realidade condicionada. Essa passagem não decorre no comum espaço-tempo, mas numa subida vertical, por assim dizer, através do abismo deste nosso universo multinivelar. A ontologia do Yoga Clássico nos dá um esboço da geografia psicocósmica que os *yogins* certamente vão encontrar na sua peregrinação rumo ao Si Mesmo.

II. OS OITO MEMBROS DO CAMINHO DA AUTOTRANSCENDÊNCIA

A espiritualidade prática de Patanjali compreende oito aspectos conhecidos como os membros (*anga*) do Yoga. São eles:

1. disciplina (*yama*)
2. autocontrole (*niyama*)
3. postura (*âsana*)
4. controle da respiração (*prânâyâma*)
5. recolhimento dos sentidos (*pratyâhâra*)
6. concentração (*dhâranâ*)
7. meditação (*dhyâna*)
8. êxtase (*samâdhi*)

यम । नियम । आसन । प्राणायाम । प्रत्याहार । धारणा । ध्यान । समाधि ॥

Yama, niyama, âsana, prânâyâma, pratyâhâra, dhâranâ, dhyâna e samâdhi

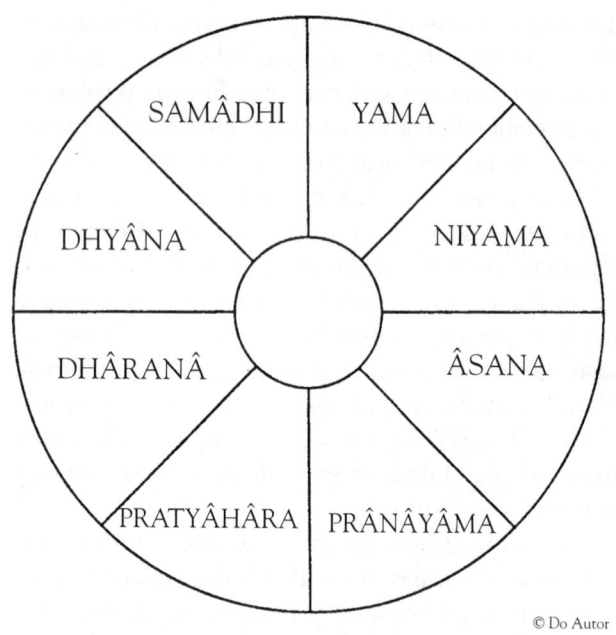

Diagrama circular dos oitos membros do Yoga de Patanjali

Como cada um dos membros depende do anterior, o caminho óctuplo já foi comparado a uma escada que leva da vida ordinária e egoísta à rara realização do Si Mesmo que transcende a personalidade egóica. Esse progresso pode ser encarado a partir de vários pontos de vista. Sob um certo aspecto, consiste numa unificação cada vez maior da consciência; sob outro, apresenta-se como uma questão de purificação progressiva. Ambos os pontos de vista constam do *Yoga-Sûtra*.

Ética

O fundamento do Yoga, como de toda espiritualidade autêntica, é uma ética universal. O primeiro membro de Patanjali, portanto, não é nem a postura nem a meditação, mas a disciplina moral (*yama*). Essa prática compreende cinco grandes obrigações morais que podem ser consideradas patrimônio de todas as grandes religiões. São elas:

1. não-violência (*ahimsâ*)
2. veracidade (*satya*)
3. não-roubar (*asteya*)
4. castidade (*brahmacarya*)
5. não-cobiçar (*aparigraha*)

Juntas, elas constituem o grande voto (*mahâ-vrata*), que, de acordo com o *Yoga-Sûtra* (2.31), deve ser posto em prática independentemente de lugar, tempo, circunstância e da posição social da pessoa. Essas atitudes morais têm a finalidade de pôr rédeas à nossa vida instintiva. A integridade moral é um pré-requisito essencial da prática bem-sucedida do Yoga.

O mais fundamental de todos os preceitos morais é o da não-violência. A palavra *ahimsâ* é traduzida muitas vezes por "não matar", mas essa tradução não transmite o pleno sentido do termo. *Ahimsâ*, na verdade, é a não-violência em pensamentos e ações. É a raiz de todas as outras normas morais. A epopéia do *Mahâbhârata* (3.312.76) emprega a palavra *anrishamsya* ("falta de malícia") como sinônimo de *ahimsâ*.

O médico Caraka, um dos grandes luminares da medicina naturopática nascida na Índia, observou que o fazer violência aos outros reduz o tempo de vida da própria pessoa que comete violência, ao passo que a prática de *ahimsâ* o prolonga, pois representa um estado mental positivo e favorável à vida. É muito provável que isso seja verdade, mas o motivo pelo qual o *yogin* cultiva essa virtude é outro: o desejo de não fazer mal a outro ser nasce do impulso de unificação e de transcendência do ego, o qual vive, caracteristicamente, em guerra consigo mesmo. Os *yogins*, portanto, buscam acalentar aquelas atitudes que aos poucos vão ajudá-los a realizar o que o *Bhagavad-Gîtâ* (13.27) chama de visão da igualdade (*sama-darshana*) — uma visão que vai além das aparentes diferenças entre os seres e chega até a sua Ipseidade transcendental.

A veracidade, ou *satya*, é muitas vezes exaltada na literatura ética e yogue. O *Mahanirvâna-Tantra*, por exemplo, nos diz:

> Não há virtude mais excelente que a veracidade nem pecado maior que a mentira. Portanto, o homem [virtuoso] deve buscar refúgio na veracidade com todo o seu coração.
>
> Sem a veracidade, a recitação [dos *mantras* sagrados] é inútil; sem a veracidade, as penitências são tão infrutíferas quanto uma semente lançada em terra árida.
>
> A veracidade é a forma do supremo Absoluto (*brahman*). A veracidade é, sem dúvida alguma, a melhor das asceses. Todos os atos [devem ter] por fundamento a veracidade. Nada há de mais excelente que a veracidade. (4.75-77)

O não-roubar, ou *asteya*, liga-se de perto à não-violência, uma vez que o ato de apropriar-se de coisas de valor sem a autorização do proprietário é uma violência contra a pessoa de quem essas coisas são roubadas.

A castidade, ou *brahmacarya* (lit. "conduta brâhmica"), é um elemento central da maior parte das tradições espirituais do mundo, embora seja interpretada de maneiras diversas. No Yoga Clássico, é definida, sob o aspecto ascético, como a abstenção de toda atividade sexual, por obras, pensamentos ou palavras. Algumas obras tradicionais, como o *Darshana-Upanishad*, abrandam um pouco as exigências para os *yogins* casados. Além disso veremos que na tradição medieval do Tantrismo desenvolveu-se a tendência de encarar o sexo como algo positivo, o que revolucionou tanto o Hinduísmo quanto o Budismo. Mas nem mesmo nesse caso se prega o hedonismo descontrolado. Sob o aspecto mais geral, pensa-se que a estimulação sexual interrompe ou obstaculiza a aspiração à iluminação ou libertação, na medida em que alimenta o desejo de experiências sensoriais e na maioria das vezes leva à perda de sêmen e de energia vital (*ojas*).

O não-cobiçar, ou *aparigraha*, é definido como o hábito de não aceitar presentes, pois eles tendem a gerar o apego e o medo da perda. Assim, os *yogins* são encorajados a cultivar a simplicidade voluntária. O excesso de bens materiais só serve para distrair a mente. A renúncia é um aspecto essencial do estilo de vida yogue.

Afirma-se que cada uma dessas cinco virtudes, quando plenamente dominada, dá ao seu possuidor certos poderes paranormais (*siddhi*). A perfeição da não-violência, por exemplo, cria ao redor dos *yogins* uma aura de paz que neutraliza na presença deles todos os sentimentos de inimizade e até mesmo a hostilidade natural que existe entre certas espécies de animais, como o gato e o rato ou, como preferem dizer os comentários de Yoga, a serpente e o mangusto. Com a perfeita veracidade, os *yogins* adquirem o poder de fazer com que suas palavras sempre se realizem. A perfeição na virtude do não-roubar faz com que obtenham, sem esforço, tesouros de todo tipo, ao passo que o não-cobiçar é a chave para o conhecimento do nascimento atual e dos nascimentos anteriores, provavelmente porque o apego ao corpo-mente é uma forma de cobiça, ao passo que o não-cobiçar implica um alto grau de desapego em relação às coisas materiais — o corpo inclusive —, o que faz vir à tona as lembranças esquecidas acerca das existências anteriores.

Por fim, quando os *yogins* firmam-se na virtude da castidade, adquirem grande vigor. Todos os textos de Yoga concordam em que a abstinência sexual não faz do *yogin* um fraco. Muito pelo contrário, fortalece-lhe o corpo e torna-o especialmente atraente para o sexo oposto — fato que, como alguns *yogins* descobriram, pode ser uma bênção ou uma maldição.

Alguns textos tardios de Yoga mencionam outros cinco preceitos morais:

1. compaixão (*dayâ*) ou amor ativo
2. retidão (*ârjava*) ou integridade moral
3. paciência (*kshamâ*) ou a capacidade de identificar-se metodicamente com a consciência-testemunha e deixar que as coisas se desenrolem segundo seu ritmo próprio
4. constância (*dhriti*) ou a capacidade de permanecer fiel aos próprios princípios
5. dieta parca (*mita-âhâra*; escreve-se *mitâhâra*), que pode ser considerada uma subcategoria do não-roubar, pois os excessos alimentares são uma forma de roubar os outros seres e a Natureza.

De certo modo, as práticas virtuosas arroladas acima são englobadas pelas cinco categorias de *yama*, ou disciplina moral. Esse controle criativo que os *yogins* exercem sobre as suas energias exteriorizantes resulta num excedente energético que pode então ser posto a serviço da transformação espiritual da personalidade.

Autocontrole

As normas da disciplina moral (*yama*) têm a finalidade de pôr freio ao poderoso instinto de sobrevivência e canalizá-lo para servir a um propósito superior, regulando as interações sociais dos *yogins*. O segundo membro do caminho óctuplo de Patanjali continua a controlar a energia psicofísica liberada pela prática regular da disciplina moral. Os elementos do autocontrole (*niyama*) dizem respeito à vida interior dos *yogins*. Enquanto as cinco regras de *yama* servem para harmonizar o relacionamento deles com os outros seres, as cinco regras de *niyama* harmonizam o relacionamento deles com a vida em geral e com a Realidade transcendente. As últimas cinco práticas são:

1. pureza (*shauca*)
2. contentamento (*samtosha*)
3. ascese (*tapas*)
4. estudo (*svâdhyâya*)
5. devoção ao Senhor (*îshvara-pranidhâna*)

"A limpeza é irmã da santidade": eis o que dizia John Wesley, e o puritanismo da Índia acataria perfeitamente esse juízo. A purificação é uma das principais metáforas da espiritualidade yogue, e por isso não é de surpreender que a pureza seja considerada uma das cinco formas de autocontrole. O sentido da pureza fica explícito no *Yoga-Bhâshya* (2.32), que distingue a limpeza externa da pureza interna (mental). A primeira se realiza por meios tais como os banhos e a alimentação adequada, ao passo que a segunda é fruto de instrumentos como a concentração e a meditação. Em última análise, a personalidade em seu aspecto mais elevado, o *sattva*, deve ser tão pura que possa espelhar sem distorções a luz do Si Mesmo transcendente. O *Maitrâyanîya-Upanishad* nos ensina acerca da pureza mental:

> Diz-se que a mente é dúplice: pura ou impura. É impura devido ao contato com os desejos; é pura quando liberta dos desejos. Quando o homem liberta a mente da preguiça e do desmazelo, torna-a imóvel e chega então ao [estado] onde não há mente, é esse o estado supremo. A mente deve ser contida no interior até a hora em que venha a dissolver-se. Essa é a gnose e a salvação; tudo o mais não passa de conhecimento livresco. Aquele cuja mente se tornou pura pela concentração e entrou no Si Mesmo sente uma alegria que não se pode descrever com palavras e que só é inteligível ao instrumento interior [i.e., à psique]. (6.34)

O contentamento, *samtosha*, é uma virtude exaltada pelos sábios do mundo interior. No seu *Yoga-Bhâshya* (2.32), Vyâsa explica-a como o não cobiçar-se mais do que se tem à mão. O contentamento, portanto, é uma virtude diametralmente oposta à moderna mentalidade consumista, a qual é movida pela necessidade de adquirir cada vez mais coisas para preencher o vazio interior. O contentamento é uma expressão da renúncia, o sacrifício voluntário das coisas que nos serão inevitavelmente arrebatadas no momento da morte. Liga-se de perto àquela atitude de indiferença que faz com que os *yogins* encarem com a mesma frieza um torrão de terra e uma pepita de ouro. Isso permite que os *yogins* deparem com o sucesso e o fracasso, o prazer e a dor, com a mesma equanimidade inabalável.

A ascese, *tapas*, é o terceiro elemento de *niyama* e abrange práticas como as de ficar de pé ou sentado imóvel por um tempo prolongado; suportar a fome, a sede, o calor e o frio; o silêncio formal; e o jejum. Como dissemos no Capítulo 3, a palavra *tapas* significa "clarão" ou "calor" e denota a grande energia psicossomática que se produz através da ascese, energia essa que muitas vezes se faz sentir sob a forma de calor. Os *yogins* usam essa energia para aquecer o caldeirão do seu corpo-mente até fazê-lo destilar o elixir da consciência superior. Segundo o *Yoga-Sûtra* (3.45), o fruto dessa ascese é a perfeição do corpo, o qual torna-se tão forte e robusto quanto um diamante. Não se deve, porém, confundir *tapas* com a autoflagelação prejudicial e com o faquirístico suplício de si mesmo.

O *Bhagavad-Gîtâ* distingue três tipos de ascese, que variam segundo a predominância de uma ou outra das três qualidades (*guna*) da Natureza:

> A adoração prestada aos deuses, aos nascidos duas vezes, aos mestres e aos sábios, bem como a pureza, a retidão, a castidade e a não-violência — [a isto] se chama a ascese do corpo.
>
> Palavras que não causam inquietação e são verazes, agradáveis e benéficas, bem como a prática do estudo (*svâdhyâya*) — [a isto] se chama a ascese da fala.

Ascetas hindus

CAPÍTULO 10 — A FILOSOFIA E A PRÁTICA DO PÂTANJALA-YOGA ॐ

Serenidade mental, bondade, silêncio, autocontrole e purificação dos estados [interiores] — a isso se chama de ascese mental.

Quando essa tríplice ascese é praticada com fé suprema por homens jungidos e [que] não anseiam pelo fruto [de suas obras], é qualificada como da natureza de *sattva*.

A ascese feita com ostentação ou para [assegurar] a cordialidade, a reverência e a veneração [alheias], é qualificada aqui [neste mundo] como da natureza de *rajas*. É superficial e instável.

A ascese feita por força de concepções tolas [com o objetivo] de infligir-se torturas a si mesmo, ou que tem a finalidade de fazer mal a outra pessoa — é qualificada como da natureza de *tamas*. (17.14-19)

O estudo, *svâdhyâya*, é o quarto membro de *niyama* e um aspecto significativo da práxis yogue. A palavra é composta de *sva* ("seu próprio") e *adhyâya* ("entrar em") e denota o ato de penetrar no sentido oculto das escrituras sagradas. O *Shata-Patha-Brâhmana* ("*Brâhmana* dos Cem Caminhos"), obra pré-búdica, traz a seguinte passagem, que descreve vivamente a extraordinária estima que se dedicava ao estudo das ciências sagradas:

O estudo e a interpretação [das escrituras sagradas] são [uma fonte] de alegria [para o estudante dedicado]. Ele junge sua mente e torna-se independente dos outros; dia a dia vai ganhando poder [espiritual]. Dorme tranqüilo e é o seu próprio médico. Controla os sentidos e maravilha-se no Um. Crescem-lhe a intuição e a glória (*yashas*) [interior], [e ele adquire a capacidade] de fazer bem ao mundo (*loka-pakti*) [lit. "de cozinhar o mundo"]. (11.5.7.1)

O objetivo de *svâdhyâya* não é a compreensão intelectual; é deixar-se absorver pela sabedoria dos antigos. É a consideração meditativa das verdades reveladas por videntes e sábios que cruzaram as remotas regiões que a mente não pode alcançar, e que só o coração é capaz de receber e deixar-se transformar. Os comentadores do *Yoga-Sûtra* que escreveram em sânscrito afirmam que *svâdhyâya* significa também a recitação meditativa (*japa*) dos textos sagrados, mas o rei Bhoja só expressa a opinião de uma minoria quando afirma, em seu *Râja-Mârtanda*, que o estudo engloba tão-somente a recitação.

O último elemento de *niyama*, que merece de nós uma atenção especial, é a devoção ao Senhor, *îshvara-pranidhâna*. O Senhor (*îshvara*), como já dissemos, é um dos Si Mesmos transcendentes (*purusha*), os quais, embora múltiplos são fundidos entre si. Segundo a definição de Patanjali, a posição extraordinária que o Senhor ocupa entre os múltiplos Si Mesmos se deve ao fato de Ele não se sujeitar jamais à ilusão de estar privado de sua onisciência e onipresença. Os outros Si Mesmos livres, porém, sofreram essa perda no momento mesmo em que conceberam-se como uma personalidade egóica determinada, um corpo-mente finito. É certo que todos os Si Mesmos são intrinsecamente livres, mas somente o Senhor é eternamente consciente dessa verdade.

O Senhor não é um Criador como o Deus judeu e cristão; tampouco é o Absoluto universal de que falam os *Upanishads* ou os textos sagrados do Budismo Mahâyâna. Isso fez com que alguns críticos considerassem *îshvara* como um "intruso" no contexto do Yoga Clássico. Porém, a afirmação de que o Senhor teve de entrar às escusas na metafísica dualista do Yoga de Patanjali não tem o menor fundamento. Põe de lado toda a história do Yoga Pré-Clássico, que era evidentemente teísta (ou, a rigor, pan-en-teísta). Para interpretar essa questão, seria mais razoável supor que Patanjali, esforçando-se por dar uma estrutura racional ao Yoga, impôs uma leve mudança à definição do conceito de *îshvara* para poder incorporá-lo ao seu sistema dualista. A solução não foi satisfatória; isso se deduz das muitas críticas que recebeu de representantes de outras tradições e do fato de que o Yoga Pós-Clássico retomou as concepções pan-en-teístas das escolas pré-patanjálicas.

Por que Patanjali achou por bem dar atenção à doutrina de *îshvara*? A razão, muito simples, é que, para ele e para os *yogins* do seu tempo, o Senhor era muito mais que um conceito. Seria mais sensato supor que o Senhor corresponda, antes, a algo que todos eles conheciam por experiência. A idéia da devoção ao Senhor e da graça (*prasâda*) fez parte do Yoga desde os seus mais antigos primórdios, mas foi elevada a um lugar especial depois do surgimento de tradições teístas como a Pâncarâtra, consubstanciada no *Bhagavad-Gîtâ*.

A mente religiosa tende naturalmente a adorar a Realidade maior. É como observou o Swami Ajaya (Alan Weinstock):

> Enquanto estivermos envolvidos com as nossas necessidades, com as idéias de "eu" e "meu", permaneceremos inseguros... O cultivo da entrega e da devoção substitui esse ensimesmamento pela percepção do vínculo que interliga todas as coisas e sustenta todo este universo. A experiência da devoção e da entrega nos deixa abertos à sensação de que há algo cuidando de nós. Percebemos também que temos a capacidade de tornarmo-nos instrumentos da consciência superior, servindo ao nosso próximo e dando-lhe o que nos for possível para ajudá-lo a despertar também.[2]

A devoção ao Senhor é o coração que se abre para o Ser transcendente, que, para o indivíduo não-iluminado, é uma realidade e uma força objetivas, mas que, no ato da iluminação, é percebido como idêntico ao Si Mesmo transcendente do yogin. O Yoga-Sûtra não deixa tudo isso explícito, mas a doutrina parte do princípio de que todos os Si Mesmos transcendentes, inclusive îshvara, são eternos e onipresentes; por isso, embora se diga que eles sejam muitos, é necessário que coincidam uns com os outros.

O Yoga-Bhâshya explica da seguinte maneira a mecânica do processo de devoção:

> Em virtude da devoção, [isto é], em virtude de um amor (bhakti) específico [por Ele], o Senhor se inclina [para o yogin] e concede os seus favores a ele especificamente, por causa da disposição que demonstrou. Por essa disposição e por ela somente é que o yogin se aproxima da consecução do êxtase (samâdhi) e do fruto do êxtase, [que é a libertação]. (1.23)

O autocontrole (niyama), em suas cinco formas, é mais, portanto, do que um esforço pessoal, pois acarreta o elemento da graça. Os yogins fazem todo o possível para compreender e transcender os muitos meios pelos quais a personalidade egóica convencional procura perpetuar-se. Mas, em última análise, a passagem da existência individuada para a realização extática do Si Mesmo depende da intervenção divina.

Postura

Os dois primeiros membros, yama e niyama, regem a vida social e pessoal do yogin a fim de diminuir a produção de volições e ações nocivas que só fariam aumentar-lhe a carga kármica. O objetivo é a eliminação de todo o karma — isto é, de todos os ativadores subliminares (samskâra) embutidos nas profundezas da psique. Para que essa transformação da consciência tenha êxito, os yogins têm de criar as condições ambientais corretas dentro e fora de si. Yama e niyama podem ser vistos como os dois primeiros passos nessa direção. A postura, âsana (lit. "assento"), leva esse esforço ao nível seguinte: o do corpo.

Para Patanjali, a postura consiste essencialmente na imobilidade do corpo. A multiplicação do número de posturas com finalidades terapêuticas pertence a uma fase posterior da história do Yoga. Segundo o Yoga-Sûtra (2.46), a postura deve ser estável e confortável. Flexionando e recolhendo os membros do corpo, os yogins mudam instantaneamente de estado de espírito: tornam-se interiormente tranqüilos, o que lhes facilita em muito o esforço de concentração da mente. Um certo conjunto de posturas — chamadas "selos" (mudrâ) — são especialmente capazes de alterar o esta-

Postura do herói executada por Theos Bernard

do de espírito, pois têm um efeito mais intenso sobre o sistema endócrino do corpo. Às vezes, os iniciantes na prática do Yoga têm dificuldade para detectar essas mudanças interiores, talvez porque prestem demasiada atenção às tensões da musculatura. Com a prática, porém, qualquer um pode descobrir os efeitos das diversas *âsanas* sobre o humor, e é então que o verdadeiro trabalho interior pode começar. Isso porque, como nos diz Patanjali, a correta execução da postura torna os *yogins* insensíveis aos efeitos dos "pares de opostos" (*dvandva*), como o calor e o frio, a luz e a escuridão, o som e o silêncio.

Controle da Respiração

"A odisséia do Yoga é toda ela um jogo da força prânica."[3] Essa citação explicita a importância crucial do *prâna*, a força vital, no processo do Yoga. Quando os *yogins* se tornam suficientemente conscientes do seu ambiente interior e já não se deixam distrair pelas tensões musculares e estímulos externos, começam a perceber cada vez mais a força vital em seus circuitos pelo corpo. O passo seguinte consiste em energizar o contínuo interior — o corpo e a mente na medida em que são percebidos pelo sujeito — através da prática do *prânâyâma*. O *prâna*, como muitas vezes já se observou, não é simplesmente a respiração. Antes, a respiração é só o seu aspecto externo, uma forma de manifestação do *prâna*, o qual é a força vital que penetra e sustenta todas as formas de vida.

A técnica do *prânâyâma* (lit. "extensão do *prâna*") é a maneira mais evidente pela qual os *yogins* procuram influenciar o campo bioenergético do corpo. Porém, até a prática da disciplina e do autocontrole moral e as técnicas de recolhimento dos sentidos e concentração mental são formas de manipular a força prânica.

Embora vários pesquisadores já tenham, em diferentes épocas, argumentado em favor da existência do *prâna*, as idéias deles pouco penetraram no *establishment* médico ocidental. Alguns, como o médico austríaco Anton Mesmer (a eminência parda do hipnotismo) e o psiquiatra austríaco Wilhelm Reich (inventor da caixa de orgone), foram ridicularizados e até perseguidos por suas idéias inovadoras. Não obstante, a idéia da bioenergia se encontra em muitas culturas: os chineses chama-na de *chi*, os polinésios de *mana*, os ameríndios de *orenda*, os pesquisadores modernos de bioplasma. O que quer que seja o *prâna* — e muitas pesquisas ainda terão de ser feitas antes que os cientistas modernos aceitem-no como uma realidade —, ele é um fato que o praticante de Yoga pode perceber por si mesmo.

Os *yogins* sabem que existe uma ligação íntima entre a força vital, a respiração e a mente. Declara o *Yoga-Shikhâ-Upanishad*:

> A consciência condicionada (*citta*) está ligada à força vital que reside em todos os seres. A mente assemelha-se a um passarinho atado a um cordão.

> O excesso de pensamentos não basta para controlar a mente. O meio de controlá-la não é outro senão a força vital. (59-60)

Através do controle da respiração associado à concentração, a força vital do corpo-mente pode ser estimulada e dirigida. Em geral, é dirigida para a cabeça ou, mais precisamente, para os centros energéticos do cérebro. Discutiremos isso de forma mais detalhada no Capítulo 17. De qualquer modo, o *prâna* é o veículo da ascensão da atenção dentro do corpo, da concentração dessa atenção no eixo do corpo até chegar ao cérebro. À medida que a respiração ou força vital sobe pelo corpo, a atenção também sobe e vai produzindo experiências cada vez mais sutis. No estágio final desse processo, a energia prânica é conduzida para o centro psicoenergético (*cakra*) mais elevado, situado no topo da cabeça. Quando o *prâna* e a atenção se fixam nesse ponto, a qualidade da consciência pode mudar radicalmente, chegando ao estado de êxtase (*samâdhi*).

Recolhimento dos Sentidos

A prática conjunta da postura e do controle da respiração produz uma dessensibilização progressiva que termina por fechar os sentidos aos estímulos externos. Os *yogins* passam a viver cada vez mais no ambiente interior da mente. Quando a consciência fica efetivamente isolada do ambiente, chegou-se ao estado de recolhimento dos sentidos, *pratyâhara*. Os textos em sânscrito comparam esse processo ao movimento de uma tartaruga que contrai os membros. O *Mahâbhârata*, com pertinência, descreve o recolhimento dos sentidos da seguinte maneira:

O Si Mesmo não pode ser percebido pelos sentidos, que, desunidos, dispersam-se para cá e para lá e são difíceis de ser contidos por aqueles que em si mesmos não estão preparados. (12.194.58)

Aderindo àquilo [i.e., à Realidade suprema], o sábio, mediante a absorção, deve concentrar sua mente num único ponto, "apertando" o exército dos sentidos e sentando-se como um tronco de árvore.

Não deve perceber o som com seus ouvidos nem sentir com sua pele. Não deve perceber a forma com seus olhos nem os sabores com a língua.

Além disso, mediante a absorção na concentração, o conhecedor do Yoga deve abster-se de todos os aromas. Deve rejeitar corajosamente esses agitadores do conjunto dos cinco [sentidos]. (12.195.5-7)

Embora se diga que os *yogins* que praticam a inibição sensória "sentam-se como um tronco de árvore", isso não significa que entrem em coma. Muito pelo contrário: quando os sentidos são desativados um por um, a mente geralmente fica muito ativa. Isso já foi demonstrado em experiências de eliminação dos estímulos sensoriais, como as que foram feitas com a ajuda dos chamados "tanques de *samâdhi*" inventados por John C. Lilly. Nessas experiências, um voluntário fica completamente mergulhado em água salgada dentro de um tanque escuro e isolado do exterior, e alguns começam a alucinar ao cabo de poucos minutos. O desafio com que deparam os *yogins* é o de não sucumbir nem às alucinações nem ao sono, mas manter a mente fixa no objeto de concentração.

Concentração

Continuação direta do processo de inibição sensorial, a concentração é "a contenção da mente num estado de imobilidade", segundo a definição que o *Tri-Shikhi-Brâhmana-Upanishad* (31) dá dessa prática avançada. A concentração, quinto membro do caminho óctuplo, é o direcionamento da atenção para um determinado suporte (*desha*), que pode ser uma parte específica do corpo (como um *cakra*) ou um objeto externo que foi interiorizado (como a imagem de uma divindade).

O termo com que Patanjali designa a concentração é *dhâranâ*, derivado da raiz verbal *dhri*, que significa "segurar". O que fica seguro é a atenção, a qual é fixada num objeto interiorizado. O processo que está por trás disso chama-se *ekâgratâ*, termo composto de *eka* ("um, único") e *agratâ* ("acuidade" ou "direcionalidade").

एकाग्रता ॥

Ekâgratâ

Essa unidirecionalidade ou atenção concentrada é uma forma muito mais intensa daqueles lampejos de concentração que temos, por exemplo, durante o trabalho intelectual. Mas enquanto a concentração ordinária é na maioria das vezes um estado que gravita em torno da cabeça e é acompanhado por uma grande dose de tensão localizada, a *dhâranâ* yogue é uma experiência que toma o corpo inteiro sem impor tensão alguma, muscular ou de outra espécie, de modo que chega a alcançar uma dimensão extraordinária de profundidade psíquica na qual pode desenrolar-se o trabalho criativo interior.

No *Kathâ-Sârit-Sâgara* ("Bacia Fluvial de Histórias"), popular coletânea de contos coligida por Somadeva (século XI d.C.), encontramos a seguinte história, que nos mostra o quão aguda deve ser a concentração.

Vitastadatta era um mercador que se havia convertido do Hinduísmo para o Budismo. Seu filho, desdenhoso, não parava de chamá-lo de imoral e irreligioso. Incapaz de corrigir a conduta ofensiva do filho, Vitastadatta apresentou o problema ao rei, que na mesma hora sentenciou o menino a ser executado ao cabo de dois meses, deixando-o até então sob a custódia do pai. Meditando sobre a sua sorte, o rapaz não conseguia mais comer nem dormir. Na data marcada, foi conduzido de novo ao palácio real. Ao vê-lo aterrorizado, o rei fê-lo perceber que todos os seres tinham esse mesmo medo da morte. Portanto, o que de melhor pode o homem querer senão praticar a toda hora a virtude budista da não-violência, que inclui o respeito aos pais?

O rapaz, então profundamente arrependido, manifestou o desejo de ser guiado pelo caminho do reto conhecimento. Ao ver-lhe a sinceridade, o rei decidiu iniciá-lo por meio de uma prova. Fez com que trouxessem uma vasilha cheia de óleo até a borda e ordenou ao menino que a carregasse pela cidade sem derramar sequer uma gota — senão, seria executado na mesma hora. O rapaz determinou-se a conseguir, grato pela chance de continuar vivo. Impávido, saiu sem olhar nem para a direita nem para a esquerda, cioso somente da vasilha que tinha nas mãos, e por fim voltou ao rei sem ter vertido sequer uma gota. O rei, ciente de que a cidade naquele dia comemorava uma festa, perguntou ao menino se havia visto o povo festejando pelas ruas. Respondeu ele que não vira nem ouvira ninguém. O rei sentiu-se agradado e admoestou-o a buscar o objetivo supremo da libertação com a mesma paixão e a mesma dedicação.

Essa prática da concentração é difícil. No começo do livro *Waking Up*, o psicólogo Charles Tart desafia seus leitores a prestar atenção ininterruptamente ao ponteiro dos segundos do relógio e, ao mesmo tempo, permanecer conscientes da sua respiração.[4] São pouquíssimas as pessoas capazes de fazer isso sem logo deixar que os pensamentos se dispersem. Provavelmente, os que conseguem manter a concentração constante mesmo por um período relativamente curto já são experientes na meditação ou numa prática análoga.

Mas a concentração não é somente difícil; também traz em si muitos perigos, como reconhece o *Mahâbhârata*:

> É possível ficar de pé sobre a lâmina afiada de uma faca, mas é difícil, para a pessoa despreparada, permanecer nas concentrações do Yoga.
>
> As concentrações malfeitas, ó amigo, não conduzem os homens a um fim auspicioso; [são, antes], como uma nave que singra o mar sem um capitão. (12.300.54-55)

O *Yoga-Sûtra* (1.30) enumera nove obstáculos que podem surgir durante a tentativa de pacificar o mundo interior — entre eles, a doença, a dúvida e a desatenção. A concentração yogue é um estado de alta energia, e não é difícil perceber que a energia psíquica nele posta em ação pode voltar-se contra o praticante descuidado. É como observou Shankara em seu *Viveka-Cûdâmani* ("Diadema do Discernimento"):

> Quando a consciência se desvia da meta, mesmo que seja só um pouco, e volta-se para fora, passa então a afundar, como uma bola que se deixa cair por acidente rola escada abaixo. (325)

Quando a consciência "afunda", volta-se às preocupações ordinárias mas já dotada de uma carga psíquica mais forte que pode causar muitos problemas aos praticantes indisciplinados. Muitas vezes, ela galvaniza certas obsessões latentes, sobretudo as que se relacionam com a sexualidade e o poder. A quantidade de *yogins* que já caíram vítimas disso é do conhecimento de todos. As tradições esotéricas, sem exceção alguma, avisam os neófitos de que, uma vez posto o pé no caminho, a única direção segura a tomar é a que leva adiante.

Meditação

A concentração prolongada e cada vez mais profunda conduz naturalmente ao estado de absorção na meditação, ou *dhyâna*, no qual o objeto ou a área do corpo interiorizado preenche todo o espaço da consciência. Assim como a unidirecionalidade da atenção é o mecanismo da concentração, a "unifluidez" (*ekatânatâ*) é o processo que está por trás da meditação. Todas as idéias que surgem (*pratyaya*) giram em torno do objeto de concentração e são acompanhadas por uma disposição emocional calma e pacífica. Não se perde a lucidez; muito pelo contrário, a impressão que se tem é de estar-se ainda mais desperto, embora a consciência do ambiente externo seja pouca ou nenhuma.

एकतानता ॥

Ekatânatâ

Na obra original *A Map of Mental States* ("Um Mapa dos Estados Mentais"), o psicólogo britânico John H. Clark, com muita propriedade, caracteriza *dhyâna* da seguinte maneira:

> A meditação é um método pelo qual a pessoa se concentra cada vez mais em cada vez menos coisas. O objetivo é o de esvaziar a mente sem perder, paradoxalmente, o estado de alerta.
>
> Normalmente, quando esvaziamos a mente, como fazemos quando nos deitamos para dormir — "contando carneirinhos" para estreitar o campo dos pensamentos, por exemplo —, vamos caindo em letargia e por fim dormimos. O paradoxo da meditação é que ela ao mesmo tempo esvazia a mente e estimula o estado de alerta.[5]

O objetivo inicial da meditação yogue é o de interromper o fluxo da atividade mental ordinária (*vritti*), que se classifica nas seguintes cinco categorias:

1. *pramâna* — conhecimento derivado da percepção, da dedução ou de um testemunho fidedigno (como o das escrituras sagradas)
2. *viparyaya* — concepção errônea e erros da percepção
3. *vikalpa* — conhecimento conceitual, imaginação
4. *nidrâ* — sono
5. *smriti* — memória

Os primeiros dois tipos de atividade mental são eliminados pela prática do recolhimento dos sentidos. A tendência à conceitualização vai diminuindo à medida que a meditação se aprofunda. O sono, devido a uma preponderância da qualidade *tamas*, é superado pela conservação do estado de atenção desperta na prática da concentração e da meditação. A memória, fonte dos fragmentos de pensamentos e imagens que surgem mecanicamente e tanto perturbam o principiante, é a última a ser bloqueada. Ainda é ativa nos estados extáticos inferiores, nos quais gera idéias apresentadas (*pratyaya*) sob a forma de intuições espontâneas, e só é plenamente transcendida no tipo mais elevado de realização extática, chamado *asamprajnâta-samâdhi*. Nesse sublime estado de identificação temporária com o Si Mesmo, os ativadores subliminares (*samskâra*) responsáveis pela exteriorização da consciência são erradicados. Pode-se dizer que a memória tem dois aspectos: um grosseiro, desativado pela meditação, e um sutil, neutralizado pelo êxtase supraconsciente.

O processo de contenção (*nirodha*) tem três grandes níveis:

1. *Vritti-nirodha*, a contenção das cinco categorias de atividade mental grosseira durante a meditação, acima mencionadas.

2. *Pratyaya-nirodha*, a contenção das idéias apresentadas (*pratyaya*) nos diversos tipos de êxtase consciente (*samprajnâta-samâdhi*). Assim, os *yogins* têm de ir além das intuições ou pensamentos (*vitarka*) que surgem espontaneamente no estado de *savitarka-samâpatti* a ser descrito na próxima seção, assim como têm de ir além do sentimento de felicidade (*ânanda*) no estado extático de *ânanda-samâpatti*, também descrito a seguir.

3. *Samskâra-nirodha*, a contenção dos ativadores subliminares no êxtase supraconsciente (*asamprajnâta-samâdhi*). Nesse estado excelso, os *yogins* desativam a própria memória profunda, cujas marcas (*vâsanâ*) geram constantemente novas atividades psicomentais.

Êxtase

Assim como a concentração, quando suficientemente aguda, conduz à absorção da meditação, assim também, quando todos os "turbilhões" ou "flutuações" (*vritti*) da ordinária consciência desperta são perfeitamente contidos pela prática da meditação, sobrévém o estado de êxtase (*samâdhi*). Portanto, a concentração, a meditação e o êxtase são fases de um processo contínuo de desconstrução ou unificação da mente. Quando esse processo decorre tendo por base o mesmo objeto interiorizado, Patanjali chama-o "constrição" (*samyama*).

O estado extático, sendo o auge de um processo árduo e prolongado de disciplina mental, é dificílimo de definir ou descrever, muito embora essa definição ou descrição seja crucial para o perfeito entendimento do Yoga. Já foi interpretado muitas vezes como uma espécie de transe auto-hipnótico, uma queda na inconsciência ou até um estado esquizofrênico induzido por meios artificiais. Nenhum desses rótulos, porém, é adequado. O que pouca gente compreende é que, em primeiro lugar, *samâdhi* compreende uma larga variedade de estados; e, em segundo lugar, que as pessoas que de fato alcançaram esse estado de unificação em suas várias formas admitem unânimes que a lucidez mental é um dos seus sinais distintivos. Os psicólogos do Yoga conhecem muito bem, porém, certos estados pseudo-extáticos que podem ser corretamente interpretados como lapsos de inconsciência (*jâdya*).

O verdadeiro *samâdhi*, porém, é sempre acompanhado de uma supervigília — ponto que C. G. Jung, por exemplo, não percebeu, e suas opiniões errôneas sobre esse assunto continuam sendo reproduzidas por outros.[6] Mesmo que alguém venha a considerar impraticável ou indesejável o cultivo dos vários estados de *samâdhi*, não poderá negar que eles são etapas num caminho que não leva à diminuição da consciência nem a uma aviltação do ser humano, mas a uma rea-

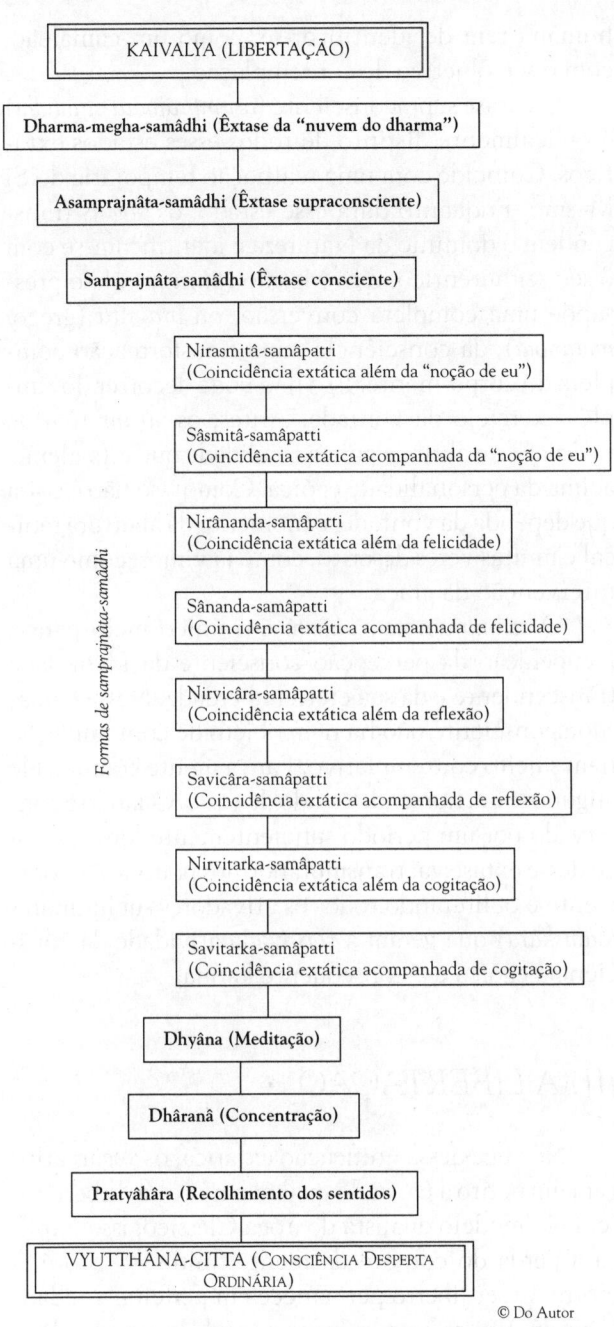

CAPÍTULO 10 — A FILOSOFIA E A PRÁTICA DO PÂTANJALA-YOGA ॐ

```
KAIVALYA (LIBERTAÇÃO)
   │
Dharma-megha-samâdhi (Êxtase da "nuvem do dharma")
   │
Asamprajnâta-samâdhi (Êxtase supraconsciente)
   │
Samprajnâta-samâdhi (Êxtase consciente)
   │
   ├─ Nirasmitâ-samâpatti
   │  (Coincidência extática além da "noção de eu")
   │
   ├─ Sâsmitâ-samâpatti
   │  (Coincidência extática acompanhada da "noção de eu")
   │
   ├─ Nirânanda-samâpatti
   │  (Coincidência extática além da felicidade)
   │
   ├─ Sânanda-samâpatti
   │  (Coincidência extática acompanhada de felicidade)
   │
   ├─ Nirvicâra-samâpatti
   │  (Coincidência extática além da reflexão)
   │
   ├─ Savicâra-samâpatti
   │  (Coincidência extática acompanhada de reflexão)
   │
   ├─ Nirvitarka-samâpatti
   │  (Coincidência extática além da cogitação)
   │
   └─ Savitarka-samâpatti
      (Coincidência extática acompanhada de cogitação)
   │
Dhyâna (Meditação)
   │
Dhâranâ (Concentração)
   │
Pratyâhâra (Recolhimento dos sentidos)
   │
VYUTTHÂNA-CITTA (CONSCIÊNCIA DESPERTA ORDINÁRIA)
```
Formas de samprajnâta-samâdhi

© Do Autor

Os estados de êxtase (samâdhi) segundo o Yoga Clássico

lidade e um bem maiores. A grande importância da psicotecnologia indiana para a nossa época está exatamente no fato de ela ter reunido provas da existência de um estado de ser — a saber, o estado de Identidade com o Si Mesmo ou de Ser-Consciência transcendente — que o legado espiritual do Ocidente mal reconhece, e que a ciência moderna ignora por completo.

Por isso, devemos ter muito cuidado ao emitir juízos sumários sobre os estados, as idéias e as práticas do Yoga, a menos que tenhamos posto essas coisas à prova com toda a imparcialidade de que a ciência tanto se orgulha. Eis o alerta lançado por Mircea Eliade, mundialmente famoso como historiador das religiões, no seu livro pioneiro sobre o Yoga:

> A negação da realidade da experiência yogue, ou a crítica de alguns dos seus aspectos, é inadmissível quando vem de alguém que não tem conhecimento direto da prática, pois os estados yogues vão muito além da condição que nos envolve quando nós os criticamos.[7]

Embora seja possível definir formalmente o *samâdhi*, não há quantidade de descrições capaz de veicular por completo a natureza desse estado extraordinário, que não tem paralelo algum na nossa vida cotidiana. Seu elemento mais importante é, sem dúvida alguma, a "sensação" de fusão completa entre o sujeito e o objeto: a consciência do *yogin* assume a natureza do objeto contemplado. Essa identificação é acompanhada de um estado de pleno despertar, um sentimento de felicidade ou uma sensação de pura existência, dependendo do nível da unificação extática.

No *Yoga-Sûtra*, Patanjali elaborou uma fenomelogia dos estados de *samâdhi* recolhida de milhares de anos de experiências com o Yoga. Ele distingue entre dois grandes gêneros de *samâdhi*: o êxtase consciente (*samprajnâta-samâdhi*) e o êxtase supraconsciente (*asamprajnâta-samâdhi*). Eles correspondem respectivamente ao êxtase formativo (*savikalpa-samâdhi*) e o êxtase sem forma (*nirvikalpa-samâdhi*) distinguidos pelo Vedânta.

Ao passo que o êxtase supraconsciente é de tipo único, o êxtase consciente tem uma variedade de formas. Essas formas levam também o nome técnico de "coincidências" (*samâpatti*), porque nelas o sujeito e o objeto coincidem. A forma mais simples é o *vitarka-samâpatti*, a unificação extática relativa ao aspecto grosseiro (*sthûla*) de um objeto. Por exemplo, se o objeto de contemplação é uma determinada divindade — digamos, a forma azul do Krishna de quatro braços —, os *yogins* que entram nesse *samâdhi* fundem-se com a imagem de Krishna. A imagem afigura-se como

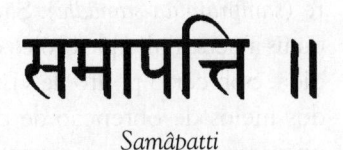

समापत्ति ॥

Samâpatti

315

uma realidade viva, de modo que os *yogins* percebem a si mesmos como o Krishna de pele azul. Essa experiência de unificação é pontilhada das mais várias espécies de pensamentos (não-discursivos) que surgem espontaneamente e, ao contrário do que acontece na meditação, não tolhem a alegria do êxtase. Com o fim de toda ideação (*vitarka*), os *yogins* entram no êxtase supracogitativo (*nirvitarka-samâdhi*).

O nível seguinte — mais alto ou mais profundo — de unificação extática acontece quando os *yogins* identificam-se com o aspecto sutil (*sûkshma*) do seu objeto de contemplação. No nosso exemplo, eles perceberiam a si mesmos como Krishna em níveis cada vez menos diferenciados da existência, até restar somente a irredutível matriz da Natureza. Também este estado tem duas formas, dependendo da presença ou ausência de pensamentos espontâneos. A primeira é chamada de "êxtase reflexivo" (*savicâra-samâdhi*) e a segunda, de "êxtase supra-reflexivo" (*nirvicâra-samâdhi*).

De acordo com a interpretação que Vâcaspati Mishra dá ao *Yoga-Sûtra*, em seu *Tattva-Vaishâradî*, existem quatro outros níveis de unificação sutil: *saânanda-samâpatti* ("coincidência acompanhada de felicidade"; escreve-se *sânandasamâpatti*), *sa-asmitâ-samâpatti* ("coincidência acompanhada da noção de eu"; escreve-se *sâsmitâsamâpatti*), *nirânanda-samâpatti* ("coincidência além da felicidade") e *nirasmitâ-samâpatti* ("coincidência além da noção do eu"). O primeiro tipo consiste numa sensação de felicidade ilimitada; o segundo é simplesmente a esmagadora sensação de estar presente — no nosso caso, como a própria essência de Krishna. Existe uma noção ou "sensação" de "eu", de existência individuada, mas já não há identidade específica. O eu se expande indefinidamente. É bastante difícil formar mesmo que seja uma idéia intuitiva da natureza do terceiro e do quarto tipos. Ficamos a nos perguntar se o erudito Vâcaspati Mishra realmente mergulhou ele mesmo nesses tipos adicionais de êxtase ou se limitou-se a deduzir-lhes a existência. De qualquer modo, Vijnâna Bhikshu, que era um adepto do Yoga, rejeitou explicitamente os dois últimos tipos de experiência extática.

Todos esses tipos são formas do êxtase consciente (*samprajnâta-samâdhi*). São estados percebidos nos quais a personalidade egóica é parcialmente transcendida. Sob certo ponto de vista, podem ser considerados meios de obtenção de conhecimento acerca do universo mediante a capacidade que a consciência humana tem de identificar-se, como um camaleão, com o seu objetivo de contemplação.

O êxtase supraconsciente (*asamprajnâta-samâdhi*) é radicalmente distinto de todos esses estados extáticos. Coincide com uma realização temporária do Si Mesmo. Enquanto dura esse estado, os *yogins* transcendem o domínio da Natureza e identificam-se com o seu ser autêntico, o Si Mesmo (*purusha*). Isso pressupõe uma completa conversão, ou *pravritti* (grego: *metanoia*), da consciência, uma transformação completa do corpo-mente. Isso não pode decorrer do simples exercício da vontade. Antes, os *yogins* têm de esvaziar-se e abrir-se para a Realidade que está além e acima da personalidade egóica. Como isso não é coisa que dependa da vontade, o momento da abertura radical é muitas vezes descrito, como já vimos, como uma intervenção da graça.

O *asamprajnâta-samâdhi* é o único meio para a recuperação da percepção consciente da Identidade transcendente e da sua eterna liberdade. Nesse êxtase supraconsciente não há nem objeto de contemplação nem sujeito contemplativo. Para a mente comum, ele afigura-se um horrendo estado de vazio. Quando é conservado por um período suficientemente longo, o fogo desse êxtase vai transmutando aos poucos o inconsciente e obliterando todos os ativadores subliminares (*samskâra*) que geram a renovada atividade da consciência egóica e o conseqüente karma.

III. A LIBERTAÇÃO

No auge dessa unificação extática, os *yogins* atingem um ponto a partir do qual não há volta. Libertam-se. Pelo modelo dualista do Yoga Clássico, isso implica a perda do corpo e da mente finitos — isto é, a morte. O ser liberto permanece em perfeita "solidão" (*kaivalya*) num estado transmental de simples Presença e pura Consciência. Algumas escolas vedânticas, que afirmam que a Realidade suprema é não-dual (*advaita*), concluem daí que a libertação não coincide necessariamente com a morte do corpo físico. É esse o ideal da "libertação em vida" (*jîvan-mukti*). Patanjali, porém, não parece ter aceito esse ideal.[8] Para ele, o maior bem do *yogin* está em separar-se completamente dos ciclos da Natureza (*prakriti*) e em identificar-se tão-somente com o Si Mesmo sem atributos — um Si Mesmo entre outros e que, temos de supor, funde-se sem confusão com todos os outros por toda a eternidade. É esse também o ideal do Sâmkhya Clássico.

A pessoa comum tem dificuldade para imaginar como seria essa Ipseidade imaculada, mesmo depois de ter vislumbres de transcendência do ego durante a meditação profunda. O que está claro é que, por definição, não se trata de uma "experiência", isto é, de uma forma qualquer de conhecimento, uma vez que já não há um sujeito nem objeto que possam dar origem ao vínculo cognoscente. Por outro lado, também não é um estado de inconsciência. Todos os que o realizaram concordam em que é um estado maximamente desejável, digno da nossa mais absoluta dedicação.

O árduo caminho do Yoga, portanto, termina fora dele mesmo. A psicotecnologia yogue é simplesmente uma escada que o praticante espiritual sobe para depois, no último instante, lançá-la fora. As formulações de Patanjali só são úteis na medida em que podem conduzir-nos ao Instante abençoado em que reconheceremos a nossa liberdade inata e que nos dará a autoridade e o poder para ver a Realidade em toda a sua nudez e ir além de todas as formulações, credos, dogmas, modelos, teorias e pontos de vista.

Parte IV
O YOGA PÓS-CLÁSSICO

"Meu desejo ardente pela devoção —
O grau mais alto do conhecimento e
O grau mais alto do Yoga —
Quando será ele satisfeito, ó Senhor?"

— Utpaladeva, *Shiva-Stotra-Avalî* (9.9)[1]

> "Não há outra felicidade neste mundo
> Senão o estar livre do pensamento
> De que eu sou diferente de Ti.
> Que outra felicidade existe?
> Como sucede, pois, que este devoto teu
> Ainda caminhe pela via errônea?"
>
> — *Shiva-Stotra-Avalî* (4.17) de Utpaladeva[1]

Capítulo 11
A VISÃO NÃO-DUALISTA DE DEUS DOS ADORADORES DE SHIVA

I. VISÃO GERAL

Tudo é o Absoluto (*brahman*) e Ele somente. Não há outro. Eu sou Isto. Em verdade, eu sou Isto. Sou Isto somente. Sou Isto somente. Sou somente o eterno Absoluto.

Sou somente o Absoluto, não o mundano (*samsârin*). Sou o Absoluto somente. Não tenho mente. Sou somente o Absoluto. Não tenho sabedoria (*buddhi*). Sou o Absoluto somente, e não os sentidos.

Sou o Absoluto somente. Não sou o corpo. Sou o Absoluto somente, e não o "pasto das vacas" [i.e., o campo da existência cósmica]. Sou o Absoluto somente. Não sou a psique (*jîva*). Sou o Absoluto somente, e não a existência diferenciada.

Sou o Absoluto somente. Não sou inconsciente. Sou o Absoluto. Não conheço a morte. Sou o Absoluto somente, e não a força vital (*prâna*). Sou o Absoluto somente, mais excelso que o excelso. (6.31-34)

Tudo é o Absoluto e Ele somente. O tríplice mundo é pura Consciência, o puro Absoluto. Não há nada senão a beatitude, suprema beatitude (*parama-ânanda*). (6.42)

A experiência de unidade extática que se expressa na passagem supracitada *do Tejo-Bindu-Upanishad* vem do âmago da tradição de sabedoria dos *Upanishads*. Os sábios dos primórdios da era upanishádica foram os primeiros a falar explicitamente com incontido entusiasmo acerca dessa realização excelsa. Suas intuições não-dualistas, depois, foram reproduzidas de várias maneiras pelos sábios do Vedânta. Para estes, como para os seus predecessores, a metafísica era a busca da explicação racional de algo que neles era uma realidade viva — a realização do Ser único, chamado *âtman* ou *brahman*.

Essa realização mística da Unidade (*ekatva*) infinita e perfeita não é característica do Yoga de Patanjali, que traça uma distinção radical entre o Espírito (*purusha*) e a Natureza (*prakriti*). Porém, até a estrutura dualista do Yoga Clássico é capaz de comportar certos níveis da realização mística da Unidade, pois Patanjali admite que a Natureza tem uma dimensão transcendente que é a matriz de todas as formas manifestas. A fusão com esse aspecto transcendente da Natureza — estado chamado de *prakriti-laya* — pode ser considerada uma forma de união mística. Para Patanjali, porém, essa fusão com o fundamento do mundo não equivale à obtenção da libertação. Para ele, não há salvação eterna dentro do campo da Natureza. A verdadeira libertação exige que se vá além de todas as dimensões da Natureza, inclusive o seu fundamento transcendente (*pradhâna*).

Só a realização do Si Mesmo transcendente (*purusha*), do Espírito, garante a liberdade verdadeira e eterna. Essa realização, porém, não é uma questão de união, mas de pura e simples identidade. A realização do Si Mesmo acontece quando o *yogin* desperta para o seu ser essencial ou autêntico, que permanece eternamente além do orbe da Natureza, por maior que esta seja.

Patanjali não aceitava a identificação upanishádica ou vedântica entre o Si Mesmo transcendente (*âtman*) e o fundamento transcendente do mundo objetivo, chamado *brahman*. Muito embora o caminho óctuplo do *Yoga-Sûtra* tenha se tornado muito influente, a metafísica dualista de Patanjali sempre foi considerada uma excentricidade no contexto do Hinduísmo. A maioria das escolas de Yoga, tanto na época de Patanjali quanto em eras subseqüentes, adotavam uma ou outra forma do não-dualismo (*advaita*), doutrina que se encontra já no *Rig-Veda*. Os caminhos yogues que vieram depois de Patanjali mas não lhe adotaram a metafísica dualista podem ser chamados, em seu conjunto, de Yoga Pós-Clássico.

A literatura do Yoga Pós-Clássico é ainda mais diversificada e rica em seu conteúdo do que a do Yoga Pré-Clássico. Temos, primeiro, os ensinamentos yogues dos *Samhitâs* ("Coletâneas"), obras religiosas dos vaishnavas do norte e do sul da península indiana, com todos os pós-escritos que acarretaram. Essa volumosa literatura será rapidamente discutida no Capítulo 12. À semelhança dos *Âgamas* ("Tradições") dos shaivas e dos *Tantras* ("Fusos") dos shaktas, os *Samhitâs* ainda mal foram estudados. Os ensinamentos que apresentam são de uma complexidade extraordinária, e não posso fazer mais do que dar uma apresentação superficial desse imenso oceano de textos escritos em sânscrito e nas línguas populares. Outra mina riquíssima em ensinamentos yogues são os *Purânas*, dos quais trataremos no Capítulo 13. O núcleo da literatura purânica foi criado na Era Védica, mas, em sua forma atual, mesmo os *Purânas* mais antigos só remontam aos últimos séculos do primeiro milênio a.C. Como veremos, os *Purânas* ("[Ensinamentos] Antigos") são enciclopédias populares que trazem, entre outras coisas, breves discursos sobre o Yoga e um sem-número de histórias fascinantes acerca de aspirantes e mestres.

O *Yoga-Vâsishtha*, do século X, é uma obra pós-clássica qe merece um capítulo à parte. Seu idealismo radical tem sido há muitos séculos uma fonte de inspiração infalível, principalmente para os hindus da região do Himalaia. Essa notável obra poética será apresentada no Capítulo 14.

Os textos mais significativos do Yoga Pós-Clássico são os chamados *Yoga-Upanishads* — designação inventada pelos estudiosos ocidentais. São textos escritos em várias épocas e em diversas regiões geográficas que representam diferentes pontos de vista dentro da tradição yogue, embora todos se inclinem para o não-dualismo. Serão discutidos de forma mais detalhada no Capítulo 15.

Uma das fases importantes do Yoga Pós-Clássico, abarcando o período compreendido a grosso modo entre os séculos VII e XVII d.C., é representada pelas escolas ligadas à tradição do "cultivo do corpo" (*kâya-sâdhana*), como o movimento dos Siddhas e o Nâthismo. Incluem-se aí tendências como a do Hatha-Yoga, que buscam chegar à realização de Deus ou do Si Mesmo através da exploração do potencial espiritual do corpo humano. Tais escolas serão discutidas em separado nos Capítulos 17 e 18, tanto em virtude da sua importância para o desenvolvimento do Hinduísmo quanto pela atenção cada vez maior que recebem por parte dos ocidentais.

Começaremos nosso estudo do Yoga Pós-Clássico com as seitas mais extremadas da multifacetada tradição shaiva, cujas raízes remontam à Era Védica. Algumas práticas dos shaivas são bastante radicais, na medida em que põem fortemente em cheque a moral convencional. São consideradas escolas da "esquerda" porque defendem a vivência literal da verdade suprema da não-dualidade, ao passo que as escolas da "direita", em sua maioria, só admitem que essa verdade seja expressa simbolicamente. A diferença entre as duas abordagens pode ser resumida, do modo mais claro possível, nas atitudes contrastantes que adotam em relação à sexualidade. Enquanto os partidários das escolas da direita em geral concebem a sexualidade como uma ameaça ao progresso espiritual, os seguidores das vias da esquerda empregam a sexualidade para a transformação espiritual, sempre dentro do contexto do Shaivismo.

Na Índia, como em muitas outras partes do mundo, o lado esquerdo é associado ao mau agouro e à impureza, e o lado direito, aos bons presságios, à pureza e ao bem. O termo sânscrito *vâma-âcâra* ("conduta da esquerda"; escreve-se *vâmâcâra*) tem conotações negativas nos contextos convencionais, mas é usado pelas próprias escolas de esquerda — não, porém, porque admitam pender para o mal. Antes, ao explorar o nosso potencial espiritual, elas reconhecem a existência dos aspectos escuros ou sombrios da personalidade humana e da vida em geral. E mais ainda: associam-se ativamente com as coisas que a pessoa "normal" teme, evita ou reprime. Essa atitude excêntrica tem, por um lado, a finalidade de tirar o melhor partido dos aspectos reprimidos da existência humana; e, por outro, a de demonstrar que a vida, em todas e quaisquer circunstâncias, pode e deve ser vivida segundo o ponto de vista da verdade suprema da não-dualidade: se a única coisa que existe é o Ser único e infinito, então — digamo-lo sem rodeios — esse Ser é também, e necessariamente, a essência dos órgãos genitais, da morte e de todas as espécies de lixo.

II. OS SEGUIDORES DE SHIVA À ESQUERDA — "PORTA-CAVEIRAS", "OS QUE TÊM POR EFÍGIE O FALO" E OUTROS ASCETAS

Na busca da segurança e da felicidade supremas, os peregrinos espirituais da Índia, como os de outros países, aventuraram-se às vezes por territórios muito afastados do terreno batido da normalidade social. Houve e ainda há indivíduos e pequenos grupos cujo estilo de vida e cujas práticas parecem estranhos, até grotescos, para a mentalidade convencional. No livro *Sadhus: India's Mystic Holy Men* ("Os *Sadhus*: Santos Místicos da Índia"), o psicólogo, fotógrafo e viajante holandês Dolf Hartsuiker registrou em palavras e imagens algumas das manifestações mais incomuns da santidade indiana.² As fotografias retratam ascetas nus com o corpo completamente coberto de cinzas, ou cravejado de contas, cheio de guirlandas de flores e pintado em cores vivas, ou ascetas que se vestem e se comportam como mulheres em homenagem às deusas Sîtâ e Râdhâ. Há ainda aqueles que usam cinto de castidade ou ficam de pé numa perna só, e os que mantêm levantado um braço já seco pelos muitos anos de falta de uso.

Os hindus têm a reputação de ser excepcionalmente tolerantes em matéria de religião, e de fato nenhuma outra cultura em todo o planeta gerou como o Hinduísmo uma tal variedade de crenças e práticas religiosas. Quando nós, ocidentais, lançamos um olhar crítico a algumas expressões de fervor religioso e aspiração espiritual no Hinduísmo, temos de nos lembrar que esse olhar é determinado pelos fortíssimos preconceitos que grassam na nossa cultura moderna altamente secularizada. Será particularmente importante ter isso em mente quando passarmos, em seguida, a discutir algumas das manifestações mais incomuns da espiritualidade hindu.

Na epopéia do *Mahâbhârata* (12.337.59), cinco tradições religiosas são apresentadas como as mais

© Marshall Govindan

Sâdhu shaiva

importantes: a religião sacrificial dos *Vedas*, o Yoga, o Sâmkhya, a Pâncarâtra e a Pâshupata. Voltar-nos-emos agora para a tradição Pâshupata: uma fase particular no desenvolvimento da comunidade religiosa do Shaivismo, que identifica o Absoluto com o deus Shiva.

A *Tradição Pâshupata*

Pensa-se, em geral, que a ordem religiosa dos Pâshupatas foi fundada por um asceta chamado Lakulîsha, que talvez tenha vivido no século II d.C. Entretanto, já no período pré-budista havia ascetas entre os adoradores de Shiva, de modo que a tradição Pâshupata pode ser compreendida como uma ramificação relativamente recente do Shaivismo. A respeito de Lakulîsha, só conhecemos lendas. Seu nome significa literalmente "O Senhor da Clava" e é explicado pelo fato de os Pâshupatas carregarem uma clava (*lakula*), sendo ela uma das insígnias da seita. Lakulîsha, ou Lakulin ("O Portador da Clava"), era venerado como uma encarnação do próprio deus Shiva.

Segundo o *Kâravana-Mâhâtmya*, obra relativamente recente, Lakulin nasceu numa família brâmane na região que hoje é chamada Gujarate. Era uma criança extraordinária, dotada dos mais diversos poderes sobre-humanos, mas morreu aos sete meses de idade. Sua mãe, cheia de tristeza, lançou-lhe o corpinho no rio. Um grupo de tartarugas levou-o até o lugar sagrado de Jaleshvara-Linga, onde a força vital penetrou-lhe novamente nos membros. Foi criado como asceta e tornou-se mais tarde um mestre renomado. De acordo com alguns relatos, Lakulin morreu depois de entregar-se a uma série de penitências, mas Shiva penetrou em seu corpo para reanimá-lo a fim de que a doutrina dos Pâshupatas pudesse disseminar-se pelo mundo. Seus discípulos consideravam-no a última encarnação de Shiva.

Diz-se que Lakulin teve quatro discípulos principais — Kushika, Gârgya, Kurusha e Maitreya —, aos quais às vezes acrescenta-se o nome de Patanjali. Isso, porém, é duvidoso, pois nem o *Yoga-Sûtra* nem nenhum dos comentários dão a entender que Patanjali admitia as práticas extremadas que deram notoriedade à seita Pâshupata. O vínculo entre Patanjali e Lakulîsha, porém, não deixa de ter o seu interesse histórico, pois reforça a afirmação tradicional de que Patanjali (o gramático identificado ao mestre de Yoga) era adepto do Shaivismo. O mesmo Patanjali, que se supõe ter vivido nos séculos III ou II a.C., refere-se em seu *Mahâ-Bhâshya* (5.2.76) — comentário à gramática de Pânini — a ascetas itinerantes que trajavam peles de animais (*ajina*) e portavam uma lança de ferro (*lauha-shûla*) e um bastão (*danda*).

Tipicamente, a iconografia hindu representa Lakulin sentado na postura do lótus com uma limada-pérsia na mão direita, a clava na esquerda e o pênis ereto, cheio de força vital. Podemos ver na clava e na lima-da-pérsia respectivamente os símbolos dos aspectos masculino e feminino da Divindade, embora não haja dúvida de que têm também outros significados esotéricos. O pênis ereto não é um sinal de imoralidade sexual, mas do perfeito domínio do impulso sexual e da conversão do sêmen na misteriosa *ojas*, a vitalidade sutil, que é uma parte muito importante do processo alquímico que ocorre no corpo do adepto do Yoga.

O que os Pâshupatas tinham de tão controverso era a insistência em escandalizar o povo com sua conduta excêntrica: falavam balbuciando, faziam barulhos estranhos com o nariz, imitavam o andar dos aleijados, fingiam sofrer de tremores dos membros, falavam tolices e faziam gestos obscenos na frente das mulheres. Procuravam com isso atrair sobre si o desagrado de todos, pondo à prova sua humildade e sua capacidade de dedicar-se à prática da autotranscendência. No seu comentário ao *Pâshupata-Sûtra*, Kaundinya observa:

> Ele deve parecer um louco, um mendigo, o corpo coberto de sujeira, a barba, as unhas e os cabelos compridos, sem tomar cuidado nenhum com o corpo. Assim rompe com todas as castas (*varna*) e os estados de vida (*âshrama*) e gera em si o poder da impassibilidade. (3.1)

Mas essa estranha prática tinha também um outro objetivo. Os Pâshupatas pensavam que, por tornar-se objetos de censura, atraíam sobre si o mau karma alheio, dando assim mais um impulso à sua aspiração de transcender totalmente o campo do bem e do mal. Essa prática curiosa é chamada de *pâshupata-vrata* ou "voto dos Pâshupatas".

O *Pâshupata-Sûtra*, atribuído a Lakulîsha, deixa claro que as escolas mais antigas dessa tradição continham um forte elemento ritual, ao passo que a filosofia desempenhava nelas apenas um papel secundário. O Yoga ritual dos Pâshupatas incluía muitas práticas de êxtase, como o canto, a dança e o riso. Mas elas só eram feitas no estado "não-manifesto" (*avyakta*) ou oculto, quando os iniciados estavam em suas reuniões próprias, ao passo que a conduta excêntrica acima mencionada era adotada no estado "manifesto" (*vyakta*) ou público, quando os membros despojavam-se de todos os sinais de identificação da seita e comportavam-se como perfeitos párias.

Os Pâshupatas tiveram um êxito surpreendente e a ordem cresceu rapidamente em tamanho e em influência. No século VI, já havia templos Pâshupatas espalhados por toda a Índia. O sucesso desse movimento sectário tem duas explicações possíveis. Por um lado, ele dava aos membros uma inserção comunitária que não se baseava na predominante hierarquia das castas. Por outro, prometia-lhes uma participação ativa em rituais religiosos simples e uma experiência do sagrado baseada na emoção.

A elaboração dos fundamentos filosóficos da seita Pâshupata começou com Kaundinya, que compôs o *Panca-Artha-Bhâshya*[3] ("Comentário sobre os Cinco Tópicos [do *Pâshupata-Sûtra*]") em algum momento do século V d.C. É maior ainda o nível de sofisticação filosófica do *Gana-Kârikâ*, atribuído a um certo Haradatta. Esse texto tem um excelente comentário intitulado *Ratna-Tîkâ* ("Jóia da Exposição") de autoria de Bhâsarvajna, famoso lógico do século X.

Para defini-los numa só palavra, os Pâshupatas são teístas. Para eles, o Senhor (*îshvara*, *îsha*) é o criador, o conservador e o destruidor do mundo. Tem um aspecto manifesto e um não-manifesto e é absolutamente independente do universo. É dono de um poder ilimitado de conhecimento (*jnâna-shakti*) e de um poder ilimitado de ação (*kriyâ-shakti*). Um dos dogmas mais controversos dos Pâshupatas é a idéia de que a vontade do Senhor é perfeitamente independente da lei kármica. Teoricamente, ele pode recompensar os maus e punir os bons. O estado de libertação consumada, chamado "fim do sofrimento" (*duhkha-anta*; escreve-se *duhkhânta*), é todo ele um dom da graça (*prasâda*). Define-se como um estado de inabalável atenção (*apramâda*) à Realidade.

A libertação é precedida pela perfeição do Yoga, estado definido como a "união do ser íntimo (*âtman*) com o Senhor". O próprio *Pâshupata-Sûtra* (5.33) deixa claro que essa união não é uma fusão absoluta do ser íntimo com a Realidade suprema, como quer o Vedânta não-dualista, mas uma espécie de vínculo transcendental ao qual Lakulîsha dá o nome técnico de *rudra-sâyujya*, "aliança com Rudra" — sendo Rudra um nome de Shiva. Nesse estado, o corpo e a mente do *yogin* são constantemente determinados pela Divindade, e a prática consiste numa entrega contínua a Shiva.

O ser liberto participa da maioria dos poderes transcendentes do Senhor, como, por exemplo, a liberdade em relação ao medo e à morte e a soberania sobre o universo. Como no Yoga Clássico, a relação entre os libertos e o Senhor é curiosa: embora sejam absolutamente unos com Deus, este é ao mesmo tempo algo mais do que eles, considerados quer individual, quer coletivamente. Enquanto Patanjali rejeitou a noção deísta do Senhor como um Criador, Lakulîsha adorava Shiva como Pashupati, o "Senhor dos Animais". Os "animais" (*pashu*) não são outros senão as almas agrilhoadas que, no decorrer de sucessivas existências, são continuamente recicladas na grande ecologia da Natureza — a menos que se tornem objeto da graça de Shiva.[4]

O Pâshupatismo não admite nenhuma das atitudes positivas em relação às mulheres que caracterizam o Tantra. Para os ascetas pâshupatas, as mulheres, nas palavras do comentário de Kaundinya (1.9), são "a encarnação da ilusão e do horror". São capazes de seduzir e enganar os homens mesmo a distância, e por isso devem ser evitadas a todo custo. Esse tipo de misoginia é bastante característico do que chamei de Yoga místico ou verticalista, o qual, na sua aspiração à transcendência total, acaba por conceber o cosmos como algo intrinsecamente hostil e perigoso. Muitas correntes do Gnosticismo mediterrâneo cometeram o mesmo erro; e, sempre que a existência corpórea é rejeitada, a depreciação da metade feminina da humanidade não demora muito a aparecer.

A Ordem dos Kâlâmukhas

Lakulîsha também era venerado pelos Kâlâmukhas, seita bem organizada que nasceu da tradição Pâshupata. Nenhum dos textos dessa seita chegou a nós, e só lhe conhecemos as crenças e as práticas através das palavras dos seus críticos. Pode ser que a ordem Kâlâmukha tenha se originado na Caxemira. Junto com a ordem Pâshupata, ela desenvolveu-se no quadrante sudeste da península entre os séculos XI e XIII d.C. Parece que, no século XI, houve uma migração de seguidores de Lakulîsha do norte para o sul da Índia, talvez porque tenham perdido, na Caxemira, a proteção dos poderosos.

O nome *kâlâmukha*, que significa "de rosto negro",⁵ provavelmente se deve ao fato de que esses ascetas pintavam a testa com uma tarja negra para evidenciar a atitude de renúncia. Dividiam-se em duas grandes correntes, chamadas de "assembléia do poder" (*shakti-parishad*) e "assembléia dos leões" (*simha-parishad*), cada uma das quais tinha suas subdivisões próprias. Podemos acrescentar, a título de especulação, que a primeira voltava-se mais, na teoria e na prática, para o aspecto feminino da Divindade, o aspecto da potência, ao passo que a segunda tendia mais para o aspecto masculino da Realidade, o aspecto Shiva.

Os Kâlâmukhas eram amigos do estudo e tinham uma relação especial com a escola filosófica Nyâya, um sistema tradicional de lógica. Assim, de acordo com um registro epigráfico, Someshvara, renomado mestre da ordem Kâlâmukha, recebeu no ano de 1094 d.C. um grande donativo da municipalidade onde residia, em reconhecimento pelas suas grandes realizações como yogue e pelo conhecimento igualmente grande que tinha das artes e ciências. Um grande número de outras inscrições em templos deixam claro que os Kâlâmukhas davam grande valor à cuidadosa observância das virtudes morais que Patanjali codificou sob as categorias de disciplina moral (*yama*) e autocontrole (*niyama*).

As evidências epigráficas não confirmam a crença generalizada de que os Kâlâmukhas praticavam rituais repugnantes e obscenos. Parece que eles eram habitualmente confundidos com uma outra ordem shaiva, a dos infames Kâpâlikas, que definitivamente não pertencia à corrente principal do Shaivismo, sendo mais de natureza tântrica.

Os Kâpâlikas

A história dos primórdios da ordem dos Kâpâlikas ("Porta-Caveiras"), também chamada dos Mahâvratins ("Os que Fizeram o Grande Voto"), é-nos perfeitamente desconhecida. Tomaram o nome do costume misterioso de carregar um crânio humano, que servia de objeto ritual e também de prato e copo. Em obras muito anteriores à Era Cristã já encontramos referências ao hábito de portar crânios, mas parece que a ordem Kâpâlika só foi originar-se em meados do primeiro milênio, no sul da Índia. É certo que, pelo século VI d.C., a literatura em sânscrito já se referia freqüentemente aos Kâpâlikas.

Como no caso dos Kâlâmukhas, nenhum texto kâpâlika chegou a nós, e o pouco que sabemos acerca deles provém em grande medida dos opositores dessa forma extrema de ascetismo, embora também haja alguns relatos positivos (ou, pelo menos, neutros). Parece que, em sua maioria, essas descrições são fiéis à realidade, pois até hoje o pequeno grupo de kâpâlikas que ainda existe em Assam e Bengala dedica-se às práticas que os tornaram conhecidos há tantos séculos.

Em sua *Harsha-Carita*, escrita em sânscrito, biografia bela mas incompleta do famoso rei Harsha, do século VII, o célebre Bâna, poeta da corte, descreve um encontro entre o rei Pushpabhûti e o adepto kâpâlika Bhairava. O asceta aceitou o rei como discípulo e logo pediu que ele participasse no rito noturno pelo qual os Kâpâlikas eram famosos. Depois de pintar um cadáver de vermelho de sândalo, Bhairava, todo pintado de preto e trajando somente roupas e adereços pretos, sentou-se sobre o peito do corpo inerte. Acendeu uma fogueira na boca do cadáver e fez sobre ela uma oferenda de sementes de gergelim preto, recitando ao mesmo tempo certas fórmulas mágicas. De repente, o chão à frente deles se abriu e fez surgir um espírito de aspecto terrível que atacou Bhairava, o rei e três outros discípulos que lá estavam. Bhairava conseguiu neutralizar a entidade mas recusou-se a matá-la; mas tarde, a deusa Lakshmî recompensou-o por sua misericórdia. De qualquer modo, o ritual teve sucesso e Bhairava chegou ao grau de *vidyâ-dhâra*, "possuidor da sabedoria".

O célebre poeta Dandin, do século VII, conta-nos em seu *Dasha-Kumâra-Carita* ("Biografia dos Dez Príncipes") uma história que nos faz ver que nem to-

O adepto Kâpâla (de uma xilogravura)

dos os kâpâlikas eram pessoas de índole tão benigna. De acordo com ele, Mantragupta, um dos dez príncipes, ouviu por acaso um casal reclamar que tinha de trabalhar ininterruptamente para seu mestre e, por isso, não tinha tempo para ficar um com o outro. Chamaram o guru de feiticeiro negro (*dagdha-siddha*) — literalmente, um "adepto queimado". Curioso acerca do caso, o príncipe seguiu-os até a ermida do mestre.

Logo Mantragupta viu o adepto sentado ao lado de uma fogueira. Tinha a pele coberta de cinzas, usava um colar de ossos humanos e sua aparência era, no todo, bastante terrível. O príncipe ouviu então o feiticeiro ordenar que seus infelizes servos entrassem às escusas no palácio e raptassem a filha do rei, e foi exatamente isso que eles fizeram. O príncipe permaneceu escondido. Então, para seu horror, viu o feiticeiro levantar a espada para decapitar a princesa. No último instante, Mantragupta deu um salto, tomou a espada e com ela decapitou o próprio feiticeiro.

O *Shankara-Dig-Vijaya* ("A Conquista do Mundo por Shankara"), hagiografia de Shankara, o grande mestre do Vedânta não-dualista, escrita no século XIV por Mâdhava, conta-nos outra história fascinante. Certo da, diz a lenda, um kâpâlika de coração cruel aproximou-se do venerável Shankara, louvando-o como um verdadeiro adepto que realizara o Si Mesmo e implorando-lhe misericórdia. Shankara ouviu-o com o coração aberto, mas com sublime indiferença. O kâpâlika explicou que já vinha fazendo penitência havia cem anos para obter a graça de Shiva. Queria ascender com o corpo físico ao mundo celestial de Shiva, e este prometera atender-lhe o desejo se o asceta lhe oferecesse a cabeça de um rei ou de um sábio perfeito. Como não conseguira obter a cabeça de um rei, o kâpâlika pediu a de Shankara. Não errara em sua avaliação do adepto, pois Shankara concordou sem hesitar um só instante. Marcou uma hora e um lugar onde a transação poderia realizar-se sem que seus discípulos o soubessem, pois eles certamente tentariam impedir a decapitação. Na hora marcada, Shankara entrou no êxtase sem forma (*nirvikalpa-samâdhi*) e esperou pacientemente que a espada lhe cortasse o pescoço.

O kâpâlika aproximou-se dele com os olhos vidrados pela embriaguez alcoólica. Ergueu o tridente para arrancar a cabeça do mestre. Nesse instante, Padmapâda, um dos principais discípulos de Shankara, viu com os olhos da alma o que estava para acontecer. Sem demora, invocou o nome da divindade de sua eleição, Nri-Simha, a encarnação de Vishnu como Homem-Leão. Na mesma hora o discípulo fiel assumiu a forma leonina do deus, voou pelo céu e chegou ao esconderijo secreto. Quando o kâpâlika manejou o tridente, Padmapâda lançou-se sobre ele e abriu-lhe o peito com suas garras. Shankara voltou à consciência comum e, vendo diante de si o corpo mutilado do kâpâlika e a figura ensangüentada de Nri-Simha, implorou ao deus que ocultasse o seu aspecto terrível e manifestasse, ao invés, a misericórdia. Padmapâda voltou então à consciência e à forma normais e imediatamente prostrou-se aos pés do mestre.

Não há dúvida de que entre os Kâpâlikas havia malfeitores e psicopatas, mas a maioria deles provavelmente contentava-se em levar consigo caveiras roubadas dos cemitérios onde entregava-se aos seus estranhos rituais mágicos. E houve também alguns mestres verdadeiros, como o adepto budista Kânha, do século XI d.C., que em suas canções intitula-se um porta-caveiras (*kâpâlin*). Afirma ele que manteve relações sexuais com a lavadeira promíscua (*dombî*) e depois a assassinou. A lavadeira, no caso, significa o aspecto feminino da Realidade transcendente. O assassinato de Shakti representa a transcendência desta.

As palavras de Kânha também contêm uma referência às práticas sexuais dos Kâpâlikas. Embora partidários da castidade, reuniam-se a cada primavera e outono para uma grande cerimônia orgíaca no decorrer da qual entregavam-se aos "Cinco M's" que deram notoriedade ao Tantrismo: o consumo de bebidas alcoólicas (*madya*), de carne (*mâmsa*), de peixe (*matsya*) e de cereais tostados (*mudrâ*) — que teriam propriedades afrodisíacas — e a prática de relações se-

Kânha (de uma xilogravura)

xuais rituais (*maithunâ*) com mulheres especialmente preparadas.

Os Kâpâlikas, como os Pâshupatas e os Kâlâmukhas, eram adoradores de Shiva — mas sob o seu aspecto terrível, Bhairava. O objetivo de todos os ritos kâpâlikas era a comunhão com Deus, através da qual o praticante obtinha ao mesmo tempo poderes sobre-humanos (*siddhi*) e a libertação. Faziam oferendas de carne humana em sua cerimônia e foram acusados — provavelmente com razão — de realizar, às vezes, sacrifícios humanos. A prática do sacrifício humano (*purusha-medha*) já era conhecida na antiga Índia védica, mas era, para os *rishis*, um ritual puramente simbólico. Entendiam eles que o verdadeiro sacrifício de *purusha* é a arquetípica oferta que o Homem Universal faz de Si Mesmo, sem a qual o universo jamais poderia ter vindo à existência. No decorrer dos séculos, porém, algumas seitas extremistas e reis ultrazelosos continuaram recorrendo ao sacrifício humano de fato para propiciar a Divindade. Em 1832, o Raj Britânico proscreveu por fim esse costume.

Do ponto de vista da evolução da consciência humana, essa horrível prática dos Kâpâlikas deve ser encarada como um lamentável retrocesso em relação à refinada sensibilidade moral característica das comunidades budista e jaina, que exaltam as virtudes da não-violência e da compaixão. Do ponto de vista do Yoga, foi também uma volta a um lastimável liberalismo, pois os sábios upanishádicos já haviam compreendido que o verdadeiro sacrifício é a renúncia ao ego, e não o abate de animais ou o assassinato de seres humanos. No século XIV a ordem Kâpâlika já estava praticamente extinta, provavelmente em virtude do karma acumulado por todos os que não chegaram a compreender que o Yoga consiste no sacrifício metafórico do si mesmo.

A Ordem Aghorî

Os Kâpâlikas foram substituídos pela ordem Aghorî. A palavra *Aghorî* é derivada de *aghora*, que significa "não-terrível" e é um dos nomes de Shiva em seu aspecto medonho. Devemos concluir daí que só o iniciado que sabe como propiciar a Shiva não terá medo do aspecto terrível ou vingativo do deus. Os Aghorîs, que são venerados e temidos pelos aldeões da Índia até hoje, aspiram a renunciar, pelo seu modo de vida, a todas as instituições criadas pelo homem. Assim, vivem em campos de cremação ou montes de estrume, bebem urina ou bebidas alcoólicas como beberiam água e rompem todas as convenções sociais, comendo carne de animais e de cadáveres humanos.

Publicou-se há pouco tempo um livro extraordinário que documenta a vida e a doutrina de um mestre aghorî moderno, Vimalananda (m. em 1983), que disse a respeito da sua própria pessoa: "Ou eu estou louco ou todos os outros estão; não há terceira alternativa."[6] O autor do livro, discípulo chegado de Vimalananda, comenta a atitude extremada do seu mestre:

> Aghora não é permissividade; é a transformação, à força, da escuridão em luz, da opacidade da limitada personalidade individual no fulgor do Absoluto. Quando se chega ao Absoluto, a renúncia deixa de existir, pois não há mais nada a que se renunciar. O Aghorî penetra tão fundo na escuridão, em todas as coisas com que o comum dos mortais não ousaria sequer sonhar, que, ao sair, sai na luz.[7]

O aghorî não se limita a ficar face a face com a própria sombra, como se diz na psicologia junguiana. Fica face a face com a sombra da sociedade em que vive, talvez com a sombra da própria humanidade, pois força-se a chegar ao limite mesmo da existência humana. É certo que, ao fazê-lo, chega às raias da loucura, e não foram poucos os que, aventurando-se a explorar esse caminho, sucumbiram à insanidade. Os Aghorîs puseram radicalmente em prática a filosofia de desafio a todos os valores, que deu fama no século XIX ao filósofo alemão Friedrich Nietzsche. Aliás, o próprio Nietzsche, que não passava de um simples teórico desses assuntos, morreu trancado num hospício. O estilo de vida dos Aghorîs exige uma força e um grau de renúncias que só poucos indivíduos conseguem naturalmente alcançar.

A Seita dos Lingâyatas

A tradição Lingâyata é outra seita shaiva que alcançou grande popularidade após o declínio dos Kâpâlikas. Leva esse nome porque seus membros adoram a Shiva sob a forma do falo (*linga*), que representa o processo criativo em Deus. Levam eles um pequeno *linga* de pedra numa caixinha pendurada do pescoço. Duas vezes por dia, sentam-se silenciosamente em meditação com o *linga* na mão esquerda, cumprindo então os vários rituais. Os Lingâyatas são

CAPÍTULO 11 — A VISÃO NÃO-DUALISTA DE DEUS DOS ADORADORES DE SHIVA

Um linga sobre uma base yoni

conhecidos também como Vîra-Shaivas, "Seguidores Heróicos de Shiva". A seita originou-se no século XII d.C., embora seus partidários creiam que as raízes de sua fé remontem à noite dos tempos e que o adepto Basava ("Touro") ou Basavânna (1106-1167 d.C.) só fez reorganizar a tradição.

Distinguem-se seis estágios (*sthâla*) de meditação:

1. *Bhakti*, ou amor devocional, que se expressa na adoração ritual praticada no templo ou em casa.

2. *Mahesha*, "Grande Senhor" (de *mahâ* e *îsha*), é a fase de disciplina da mente, com todas as provações que esse esforço acarreta.

3. *Prasâda*, graça, é o estágio de paz no qual o devoto percebe a Divindade operando em todas as coisas e através de todas as coisas.

4. *Prâna-linga*, "sinal de vida", é o estágio em que o devoto adquire a certeza da graça do Senhor e começa a percebê-Lo no templo consagrado do seu próprio corpo-mente.

5. *Sharana*, "[buscar] refúgio", é a fase na qual o devoto torna-se um louco de Deus. Já não se identifica com o próprio corpo-mente, mas tampouco está unido à Divindade; suspira por Shiva como faz uma mulher pelo amante ausente.

6. *Aikya*, ou "união" com a Divindade: aqui cessa a adoração formal, pois o devoto *tornou-se* o Senhor; o peregrino chegou por fim ao seu destino e descobriu que nunca estivera longe dele.

Os Lingâyatas devotos aspiram a ver Shiva em tudo e em todos. Basava exprimiu-o de forma muito bela em um dos seus poemas:

> O jarro é um Deus. A joeira
> é um Deus. A pedra da rua
> é um Deus. O pente é
> um Deus. A corda do arco também
> é um Deus. O alqueire é um Deus e o bule
> também é um Deus.
>
> Deuses, Deuses: são tantos
> que não resta lugar
> para pousar os pés.
>
> Só há
> um Deus. Ele é o nosso Senhor
> dos Rios que se Encontram.[8]

A popularidade dos Lingâyatas foi devida em grande parte ao fato de eles defenderem uma igualdade social maior — apoiando, por exemplo, a eliminação das restrições ligadas às castas, a permissão de novo casamento para as viúvas e o casamento na idade madura. Esta seita mais moderada é uma intermediária conveniente entre as anteriores e o Shaivismo Agâmico, outro movimento religioso conservador, que discutiremos a seguir.

III. O PODER DO AMOR — OS ADORADORES DE SHIVA AO NORTE

A verdade, porém, é que nem todos os adoradores de Shiva seguem o caminho perigoso dos Kâpâlikas e dos Aghorîs, que discutimos na seção anterior. Com efeito, a grande maioria cultiva um caminho de realização de Deus muito mais moderado, muito embora possa compreender ritos tântricos, como a prática de relações sexuais com um parceiro especialmente consagrado.

As crenças e práticas shaivas, tanto da direita quanto da esquerda, estão codificadas na extensa literatura *Âgama* do Norte e do Sul da península. Vamos examinar primeiro o ramo setentrional do Shaivismo Agâmico porque ele parece ser um pouco mais antigo. Os *Âgamas* — a palavra significa simplesmente "tradição" — apresentam-se como uma reafirmação da antiga sabedoria dos *Vedas* e por isso são chamados muitas vezes de "O Quinto *Veda*" (a mesma denominação dada aos *Purânas* e ao *Mahâbhârata*). Pretendem dirigir-se à pessoa espiritual da "era das trevas" (*kali-yuga*), que não tem nem a fibra moral nem a capacidade de concentração mental necessárias para seguir o caminho da libertação pelos métodos tradicionais. O mesmo objetivo é declarado pelos *Tantras*, que são textos semelhantes aos *Âgamas* que têm por foco metafísico e prático a Shakti (correspondente feminina de Shiva). Entretanto, os brâmanes ortodoxos que aceitam a autoridade revelada dos *Vedas* rejeitam tanto os *Âgamas* quanto os *Tantras*, considerando-os falsas revelações.

Segundo a tradição, o cânone agâmico compreende vinte e oito textos "radicais" (*mûla*) e 207 textos secundários (chamados *Upâgâmas*).[9] No *Pratishtha-Lakshana-Sâra-Samuccaya*, o príncipe bengalês Vairocana (começo do século IX d.C.) menciona nada menos que 113 obras, muitas das quais são *Tantras*. No *Tiru-Mantiram* (63) o grande adepto tâmil Tirumûlâr refere-se a um conjunto de nove *Âgamas*. Uma vez que a vida dele é geralmente situada no século VII d.C., todas essas obras devem ter sido criadas antes disso. Pensa-se que as mais antigas foram escritas no século VI d.C. no norte da Índia e multiplicaram-se rapidamente nos séculos seguintes; é possível, porém, que já existissem desde há muitos séculos. Esses textos passaram a incorporar cada vez mais a noção de *shakti* e, por isso, mais tarde, fundiram-se imperceptivelmente com os *Tantras*.

Segundo a tradição, Shiva ensinou, com suas quatro faces, quatro grupos de *Tantras*: Garuda (que saiu da face Sadyojâta), Vâma (da face Vâmadeva), Bhûta (da face Aghora) e Bhairava (da face Tatpurusha). Os vinte e oito *Âgamas*, porém, teriam saído da face Îshana de Shiva.[10] Diz-se às vezes que eles foram comunicados pelas cinco faces de Sadâ-Shiva.

Os nomes das obras mais importantes dos principais *Âgamas* são: *Kâmikâ* (de 12.000 versículos, dos quais 357 foram perdidos), Karana (16.151 versículos), *Ajîta*, *Sahasra*, *Suprabheda* (4.666 versículos), *Raurava*, *Makuta*, *Mâtanga* e *Kirana* (1.991 versículos). As obras mais importantes dos *Âgamas* secundários são: *Mrigendra*, *Vâtula-Shuddhâkya*, *Paushkâra* (de 800 páginas), *Kumâra* e *Sârdha-Trishati-Kâlottara*.

É impossível, no contexto deste livro, fazer jus à inteira complexidade da história e da filosofia da literatura dos *Âgamas*. Para simplificar as coisas, podemos afirmar que as escolas shaivas do sul e do norte da Índia encontraram nos mesmos *Âgamas* a justificativa para suas atitudes contrastantes. O Shaivismo do Sul — também chamado Shaiva-Siddhânta — esposa um monismo qualificado que, na prática, se polariza entre o Senhor Shiva, de um lado, e o devoto (*bhakta*), do outro. Encontrou a sua maior expressão no devocionalismo de santos tão excelsos como Tiruvalluvar, Sundarar e Mânikkavâcakar. O Shaivismo do Norte, por sua vez, pende para uma interpretação idealista ou radicalmente não-dualista da realidade, semelhante à do Advaita Vedânta.

O *Shaivismo do Norte*

Uma das expressões mais antigas do Shaivismo no norte da Índia foi o sistema Krama, da Caxemira, que já estava em voga no século VII d.C. Esse sistema com-

Shiva e Nandi

preende dois ramos de prática. Para um deles, Shiva é o princípio supremo da existência: o outro gira em torno da adoração da deusa Kâlî como a Divindade por excelência. O método prático de ambos coincide em grande medida com o do Râja-Yoga, muito embora a disciplina moral (*yama*), o autocontrole (*niyama*) e a postura (*âsana*) não sejam tomados como "membros" (*anga*) diversos e o raciocínio (*tarka*) seja considerado uma das categorias distintivas da vida espiritual. Significativamente, o ramo Kâlî do sistema Krama envolve práticas de esquerda, como o consumo de carne e vinho e a prática do sexo durante os rituais tântricos.

A tradição do Shaivismo de Caxemira floresceu na forma pura do sistema Trika ("Triádico"). Seu nome deriva do fato de ele admitir a interdependência dos seguintes três aspectos da Divindade: Shiva (o pólo masculino), Shakti (o pólo feminino) e Nara (a personalidade condicionada que busca a libertação). A tradição Trika compreende as doutrinas originais dos *Âgamas*, com sua tendência predominantemente dualista, os ensinamentos da escola Spanda ou "Escola da Vibração" e as doutrinas da escola Pratyâbhijna, ou do "Reconhecimento".

No começo do século IX d.C., o adepto Vasugupta, de Caxemira, "descobriu" o *Shiva-Sûtra*, mais ou menos do mesmo modo pelo qual os mestres da ordem Nyingma do Budismo Tibetano descobrem seus tesouros espirituais ocultos (tibetano: *terma*). O *Shiva-Sûtra* é uma espécie de resumo das doutrinas anteriores dos *Âgamas*; sua intenção era a de pôr em evidência a tendência não-dualista dessas doutrinas. De acordo com Kshemarâja, do século X, autor de um comentário sobre o *Shiva-Sûtra*, o deus Shiva apareceu para Vasugupta num sonho e revelou-lhe o local secreto onde o *Shiva-Sûtra* poderia ser encontrado, gravado numa pedra. Ao acordar, Vasugupta dirigiu-se imediatamente ao local indicado no sonho e encontrou os setenta e sete aforismos de Shiva.

Muito embora a palavra *yoga* não apareça em lugar algum do *Shiva-Sûtra*, o texto é um tratado excepcional sobre o Yoga. Distingue quatro níveis de meios (*upâya*) yogues:

1. *Anupâya* ("ausência de meios"): o praticante realiza o Si Mesmo espontaneamente, sem esforço, em decorrência da transmissão da doutrina por parte do mestre.

2. *Shâmbhava-upâya* ("meios de Shambhu"): Shambhu é um nome de Shiva. Este nível de yoga também é chamado de *icchâ-upâya* ou "meios da vontade". Quando a mente se imobiliza perfeitamente, a Consciência transcendente de Shiva fulgura espontaneamente e sem esforço por parte do praticante.

3. *Shâkta-upâya* ("meios de Shakti"; escreve-se *shâktopâya*): O *shâmbhava-upâya* exige um grau de maturidade espiritual que é prerrogativa de poucos. Para a maioria das pessoas, é impossível ir além da conceitualização (*vikalpa*) e simplesmente repousar na consciência das percepções. O próprio esforço que se empenha para vencer a mente conceitual só tende a produzir novos conteúdos conceituais. Por isso, Vasugupta propôs uma alternativa — ligar a atenção ao que ele chama de conceitos "puros" (*shuddha*). Por essa designação, significa ele intuições como as seguintes: Nossa verdadeira identidade não é a personalidade egóica, mas o Si Mesmo transcendente; e o universo cognoscível não nos é exterior, mas sim uma manifestação do nosso próprio Poder transcendente. Dessa maneira, podemos ir eliminando a arraigada ilusão da dualidade entre sujeito e objeto.

4. *Ânava-upâya* ("meios limitados"): No *shâkta-upâya*, procura-se enganar a mente para levá-la a ver de maneira diferente a sua própria natureza e a natureza do mundo que aparentemente lhe é exterior. Vasugupta recomendou particularmente o Mantra-Yoga para esses fins, uma vez que o repouso da mente sobre o sentido oculto de *mantras* como "Eu sou Shiva" (*shivo'ham*) chega por fim a apagar a distinção existente entre o *mantra* e a mente, formando um fundamento para a revelação da Consciência de Shiva. No nível de *ânava-upâya*, o praticante recorre a práticas yogues comuns, como o controle da respiração, o recolhimento dos sentidos, a concentração e a meditação. No fim, o praticante tem de transcender este nível para descobrir a transcendente "Consciência do Eu" através de meios mais diretos, como os *shâkta-upâya* e, depois, os *shâmbhava-upâya*.

Os comentários ao *Shiva-Sûtra* contêm informações valiosas acerca da técnica do *prânâyâma* ou controle da respiração, que é mais sofisticada e elaborada do que a exposta no *Yoga-Sûtra*. É de especial interesse a doutrina que associa as diversas formas do deleite, ou beatitude (*ânanda*), à contemplação dos vários tipos de força vital (*prâna*) no corpo. A doutrina da subida (*uccâra*) da força vital sob a forma de uma vibração sutil está ligada a especulações complexas acerca das místicas "matrizes" dos sons (*mâtrika*), que são as raízes de todos os *mantras*.

Estas e outras formas da disciplina *ânava* se encontram, por exemplo, no *Vijnâna-Bhairava*, texto muito querido que provavelmente foi composto no século VII d.C. O texto já foi classificado como um manual iniciatório para os *yogins* avançados que querem explorar o Yoga do deleite (*camâtkâra*), o jogo da Consciência dentro de si mesma. Bhairava ("aterrorizante") é um dos nomes de Shiva, que enche o pecador de medo e o místico de veneração.

Outro estágio de desenvolvimento da tradição do Shaivismo do Norte é o que está presente no *Spanda-Sûtra* e nos seus comentários. O *Spanda-Sûtra*, também chamado *Spanda-Kârikâ*, é geralmente atribuído também ao próprio Vasugupta, embora certas tradições o suponham composto por Kallata, discípulo daquele. O termo técnico *spanda* é explicado como um "quase-movimento". Não é o movimento sucessivo que encontramos no espaço-tempo, mas uma vibração instantânea na própria Realidade transcendente, fonte de todos os movimentos manifestos — talvez o que o físico David Bohm tenha chamado de "holo-movimento".

Spanda é a palpitação extática da Consciência de Shiva. Essa noção contrasta fortemente com a interpretação estatica da Ipseidade no Yoga Clássico, que concebe o Si Mesmo como o observador eternamente desinteressado dos acontecimentos que se desenrolam no corpo-mente. Não há dúvida que o novo conceito dinâmico foi inventado para explicar de maneira mais adequada as realizações mais elevadas atingidas pelos adeptos do Shaiva Yoga.

A Escola Pratyâbhijna

A terceira fase, ou campo, do Shaivismo do Norte é representada pela escola Pratyâbhijna ou escola do "Reconhecimento", fundada por Somânanda (século IX d.C.), discípulo de Vasugupta. Os dois textos principais dessa escola são o *Pratyâbhijna-Sûtra* de Utpala, discípulo de Somânanda, e os diversos comentários de Abhinava Gupta, adepto do século X que também foi um escritor extraordinariamente prolífico. Abhinava Gupta compôs cerca de cinqüenta obras, entre as quais o *Tantra-Âloka*[11] ("Luz sobre o Tantra"), texto de dimensões enciclopédicas acerca da filosofia e dos ritos do Shaivismo Agâmico. Madhurâja-Yogin, discípulo de Abhinava Gupta, deixou-nos este retrato emotivo do seu *guru*:

> Seus olhos estão voltados para o alto em virtude da felicidade espiritual. O centro da testa está claramente marcado com três linhas feitas de cinza. Os cabelos, bastos, estão atados com uma guirlanda de flores. Longa é a barba, rósea a cor da pele. Traja peças de seda, brancas como os raios da lua, e senta-se na postura do herói sobre uma almofada macia colocada num trono de ouro. É assistido por todos os seus discípulos e tem, ao seu lado, duas devotas mensageiras.[12]

Segundo a tradição local, depois de completar o seu último comentário sobre o sistema Pratyâbhijna, Abhinava Gupta, acompanhado de 1.200 discípulos, entrou na Caverna de Bhairava perto de Magam, povoado de Caxemira, e nunca mais foi visto por olhos humanos. É lembrado ainda hoje como um adepto (*siddha*) plenamente realizado. Abhinava Gupta e muitos outros grandes mestres do Shaivismo do Norte são exemplos fulgurantes do fato de que a aspiração mística e a inteligência filosófica podem se combinar com sucesso.

Um dos manuais mais populares da escola Pratyâbhijna é o *Pratyâbhijna-Hridaya* ("Coração do Reconhecimento"), escrito por Râjanaka Kshemarâja, discípulo de Abhinava Gupta. Este texto, bem como os escritos de Abhinava Gupta e outros textos correlatos, deixam claro que os adeptos da escola Pratyâbhijna eram bem familiarizados com o Yoga, sobretudo com o Kundalinî-Yoga. Eles são elementos importantes para a nossa compreensão das primeiras fases de desenvolvimento do Hatha-Yoga.

> "Deve-se permanecer sempre plenamente atento, contemplando o 'pasto' [i.e., o mundo] através da sabedoria. Deve-se sobrepor tudo ao único [Si Mesmo]. Então o ser não poderá ser perturbado por outro."
>
> — *Spanda-Kârikâ* 3.12

CAPÍTULO 11 — A VISÃO NÃO-DUALISTA DE DEUS DOS ADORADORES DE SHIVA

A escola Pratyâbhijna tira seu nome da sua doutrina principal: a libertação é um "reconhecimento" ou recordação do fato de que a nossa identidade verdadeira não é a do corpo-mente finito, mas a Realidade infinita de Shiva. Em sua análise da existência, os mestres da Pratyâbhijna chegaram a definir as seguintes trinta e seis categorias ou princípios (*tattva*):

1. *Shiva*, a Realidade suprema, que é puro Ser-Consciência.

2. *Shakti*, o aspecto dinâmico do princípio supremo, que na verdade não é separado de Shiva, mas toma a aparência de algo separado a partir do ponto de vista da não-iluminação. Shakti é a origem transcendente de todo o cosmos manifesto e não-manifesto. O *yogin* percebe Shakti como a felicidade infinita (*ânanda*).

3. *Sadâ-Shiva* ("Shiva Eterno"), ou Sadâkhya ("Eternamente Nomeado", de *sadâ*, "sempre", e *âkhya*, "nomeado" ou "designado"), é o aspecto volitivo do Ser Único. Na escala das realizações yogues, este princípio excelso é a experiência extática de que "Eu sou Isto", na qual a Consciência percebe-se vagamente como um objeto.

4. *Îshvara* ("Senhor") é a etapa seguinte no processo da evolução psicocósmica. Nela, o lado objetivo da Consciência universal, chamado de "isto" (*idam*), é ainda mais acentuado. A experiência extática neste nível não é a de que "Eu sou Isto", mas a de que "Isto sou Eu".

5. *Sad-Vidyâ* ("Ser-Conhecimento") ou *Shuddha-Vidyâ* ("Conhecimento Puro") revela-se, no êxtase, como um equilíbrio perfeito entre o sujeito ("Eu") e o aspecto objetivo ("isto") da Consciência universal.

6. *Mâyâ* ("Ilusão") é o primeiro dos chamados princípios "impuros" (*ashuddha*), pois relativiza a existência por meio de suas cinco funções, chamadas "camisas" (*kancuka*). As funções têm esse nome porque ocultam a verdade de que o Único existente é o Ser-Consciência, que é Shiva. As cinco funções (princípios de 7 a 11) são:

7. *Kalâ*[13] ("Parte"), que representa o Poder Criador secundário ou parcial.

8. *Vidyâ* ("Conhecimento"), que significa o conhecimento limitado, oposto à onisciência.

9. *Râga* ("Paixão"), que é o desejo dos objetos particulares, e não da felicidade e da satisfação universais.

10. *Kâla*[14] ("Tempo"), que significa a redução da Eternidade à ordem temporal, que se pode dividir em passado, presente e futuro.

11. *Niyati* ("Destino"), que é a lei do karma, oposta à eterna liberdade e independência da Divindade.

12. *Purusha* ("Homem"), o ser individuado, origem de todas as experiências subjetivas resultantes da atividade do *mâyâ-tattva*. No caso, este *purusha* é diferente do *purusha* do Yoga Clássico, que Patanjali concebe como um princípio absolutamente transcendente.

13. *Prakriti* ("Natureza"), a matriz de todos os aspectos objetivos da manifestação. Ao contrário do Yoga Clássico e do Sâmkhya Clássico, o Shaivismo de Caxemira afirma que cada *purusha* tem a sua própria *prakriti*.

14-36. Os princípios restantes são idênticos aos vinte e quatro princípios (*tattva*) postulados pela tradição do Sâmkhya — a saber, a mente superior ou, como prefiro chamá-la, a faculdade da sabedoria (*buddhi*), o criador do eu (*ahamkâra*), a mente inferior (*manas*), as cinco faculdades cognitivas (*jnâna-indriya*; escreve-se *jnânendriya*), as cinco faculdades ativas (*karma-indriya*; escreve-se *karmendriya*), os cinco elementos sutis (*tanmâtra*) e os cinco elementos grosseiros (*bhûta*).[15]

O Yoga é compreendido como uma ascensão gradual até a Origem transcendente mediante a progressiva penetração das várias camadas de ilusão criadas pelo princípio de *mâyâ*. É certo que o sucesso na caminhada espiritual depende da orientação de um mestre realizado, mas, em última análise, é a graça de Shiva que concede a libertação ao praticante digno.

O misticismo do Shaivismo do Norte é muito atraente para os ocidentais que se interessam pela sabedoria da Índia, pois vem bem revestido de argumentos racionais. Em anos recentes, as doutrinas do Shaivismo setentrional foram divulgadas na Europa e nos Estados Unidos pelo falecido Swami Muktananda, adepto da tradição Siddha. Ele iniciou muitos ocidentais pelo método de *shakti-pâta* ("descida do poder"), quer através do toque, quer através do simples olhar. Joseph Chilton Pearce relatou o seguinte incidente:[16]

> Um jovem da Flórida, cirurgião cardíaco, que se sentia perturbado pela frieza emocional exigida pela sua profissão, encontrou-se com o Swami Muktananda durante um curso intensivo de meditação. Muktananda pegou-o pelo nariz e segurou forte. Naquele instante, o jovem viu-se como "um corpo de energia azul". Teve então uma visão do seu braço direito agarrado ao ramo de uma árvore. Sentiu que a mão era lentamente arrancada da árvore. Então, algo mudou dentro dele. Percebeu-se entrando na cabeça de Muktananda. Em suas próprias palavras, "lá encontrei-me imerso num imenso vácuo — um espaço infinito. Uma onda de emoção subiu da minha barriga e eu chorei por quinze minutos ou mais". Depois disso, ele passou a sentir-se "limpo" e cheio de paz. Pearce vê isto como "um relato clássico da Shakti-pat", que fez mudar de rumo a vida do jovem cirurgião, dando-lhe aquela compaixão pelos pacientes que ele tanto queria sentir.

Lallâ — Extraordinária Poetisa do Amor

Além das várias escolas de misticismo filosófico shaivita, a Caxemira também produziu um pequeno número de poetas adoradores de Shiva. Destaca-se entre eles a mística Lallâ (ou Lal-Ded), que viveu no século XIV d.C. Baseada na metafísica do sistema Trika, Lallâ dedicava-se à disciplina do Laya-Yoga, que gira em torno do despertar da oculta *kundalinî-shakti*, o poder serpentino. O método pelo qual ela chegou a entregar-se completamente a Shiva foi o caminho bem pisado da recitação meditativa da sílaba sagrada *om*, associada ao controle da respiração e à concentração. Num dos seus poemas, escritos na melodiosa língua caxemiriana, Lallâ dá a entender que completou o processo do Kundalinî-Yoga:

> Depois de atravessar as seis florestas [i.e., centros psicoenergéticos do corpo], a parte lunar gotejava. A Natureza foi sacrificada junto com o espírito/respiração (*pavana*). Com o fogo do amor, abrasei meu coração. Assim cheguei a Shankara [i.e., Shiva]. (38)

Outros versículos do *Lallâ-Vâkya* dão a entender a mesma coisa: Lallâ era uma adepta realizada no Si Mesmo que conhecia por experiência própria os segredos do Laya-Yoga, o qual culmina com a dissolução (*laya*) do eu individual no Si Mesmo transcendental. Assim, num verso (51), ela diz que reconheceu o Si Mesmo, Shiva, dentro de si mesma: "Quando O vi morando dentro de mim, percebi que Ele é tudo e eu não sou nada."

Embora Lallâ afirme que desejava ardentemente a união com Shiva antes da realização, não se destaca pela linguagem emocional e prefere as metáforas elevadas da metafísica. Nada sabemos acerca da vida dela, embora a tradição afirme que ela vagava nua pelo seu país de clima frio. Não é fácil crer nisso, pois a própria Lallâ fala da necessidade de vestir e alimentar corretamente o corpo. Pode ser que a nudez que lhe é atribuída seja um símbolo da sua profunda entrega a Shiva, que a despiu de todas as motivações egóicas.

TEXTO ORIGINAL 13

O Shiva-Sûtra de Vasugupta

De acordo com a tradição Shaiva da Caxemira, o *Shiva-Sûtra* foi descoberto por Vasugupta, que provavelmente viveu na segunda metade do século VIII d.C. Existem diversos relatos de como os segredos deste *Sûtra* foram revelados a Vasugupta, mas todos concordam em que o mestre foi instruído num sonho. Sabemos, pelo *Yoga-Sûtra* de Patanjali (1.38), que os *yogins* levam a sério os seus sonhos. O *Shiva-Sûtra* é o manancial de onde brotou toda a literatura sagrada do Shaivismo da Caxemira.

Livro I

O Si Mesmo (*âtman*) é [pura] Consciência (*caitanya*). (1.1)

O conhecimento [finito] é servidão. (1.2)

A origem [do mundo manifesto e da] disposição [dos efeitos manifestos] está embutida na atividade [limitada] (*kalâ*). (1.3)

Comentário: Kalâ (que se deve distinguir cuidadosamente de *kâla*, "tempo") é a atividade finita ou condicionada, um dos cinco "véus" ou "camisas" (*kancuka*) de *mâyâ*, o poder da ilusão cósmica. Os outros são *vidyâ* (conhecimento condicionado), *râga* (apego), *kâla* (tempo) e *niyati* (causalidade). Em comparação com a atividade finita, a criatividade do Si Mesmo é absoluta e incompreensível para a mente não-iluminada.

A matriz [dos sons] é o fundamento do conhecimento [condicionado]. (1.4)

Comentário: A palavra sânscrita *mâtrikâ* ("matriz" ou "mãezinha") refere-se ao alfabeto sânscrito com suas cinqüenta letras, que são concebidas como sons primordiais.

O fulgor (*udyama*) [espontâneo da Consciência transcendente] é Bhairava. (1.5)

Comentário: Bhairava é o deus Shiva, entendido aqui no sentido da Realidade absoluta que subjaz à existência fenomênica ou condicionada.

Com a união [extática] com a "roda" (*cakra*) dos poderes, [sobrevém] a aniquilação do universo [enquanto objeto distinto da consciência]. (1.6)

[Até mesmo] durante a diferenciação [da consciência em suas três modalidades, que são] a vigília, o sonho e o sono profundo, o gozo do Quarto [i.e., da Realidade absoluta] surge [continuamente]. (1.7)

O estado de vigília (*jâgrat*) [consiste no] conhecimento (*jnâna*) [condicionado ou finito]. (1.8)

O sonho (*svapna*) [consiste em] imaginação (*vikalpa*). (1.9)

O sono profundo (*saushupta*), [que corresponde à] ilusão (*mâyâ*), [consiste na mais absoluta] inconsciência (*aviveka*). (1.10)

O senhor heróico [i.e., o ser iluminado] é aquele que goza [conscientemente] da tríade [que compreende vigília, sonho e sono profundo]. (1.11)

Comentário: Os comentários em sânscrito explicam que a palavra *vîra*, traduzida aqui por "heróico", refere-se aos sentidos, de modo que o *vîresha* (*vîra-îsha*) é, metaforicamente, aquele que tem domínio sobre os sentidos. Com efeito, o ser iluminado, que se identifica com a Consciência suprema, é o senhor dos sentidos e da mente. Esse grau espiritual é chamado de *svacchanda-yoga* ou "união com a [Realidade] auto-suficiente".

Os estágios do Yoga são uma maravilha (*vismaya*). (1.12)

O poder da vontade (*icchâ-shakti*) [do ser iluminado] é Umâ [ou] Kumârî. (1.13)

Comentário: Umâ é a divina Consorte, o poder transcendente do Absoluto, Shiva. Kumârî, a "Virgem", é o mesmo Poder em seu aspecto lúdico de criador ou destruidor do universo. O sentido deste aforismo é que a vontade do adepto iluminado coincide com a Vontade divina, de modo que ele se torna capaz de realizar os feitos mais extraordinários.

[No estado de união extática], o mundo (*drishya*) [torna-se o] corpo [do adepto]. (1.14)

Com o confinamento (*samghâta*) da mente (*citta*) no coração, [sobrevém] a visão [transcendente] do mundo [e do seu] sono [i.e., do vazio]. (1.15)

Comentário: A palavra *svâpa*, "sono", significa aqui a ausência de todos os objetivos. Até mesmo esse vazio é iluminado ou "animado" de maneira transcendental pelo adepto liberto, como deixa claro o aforismo 3.38.

Ou senão, mediante a união [consciente] com o Princípio (*tattva*) puro, [o adepto iluminado fica] livre do poder [que restringe] a "besta" (*pashu*) [i.e., a personalidade agrilhoada]. (1.16)

O conhecimento de si [consiste na] atenção (*vitarka*). (1.17)

Comentário: Aqui, *vitarka* é um termo técnico que denota a atenção transconceitual do adepto. A palavra tem um sentido diferente no *Yoga-Sûtra* de Patanjali.

[Para o adepto iluminado], a felicidade mundana é o deleite do êxtase (*samâdhi*). (1.18)

Com a união [extática] com o Poder [transcendente, como se explicou no aforismo 1.13, o adepto iluminado adquire a capacidade de] criar [qualquer tipo de] corpo. (1.19)

[Eis outras capacidades paranormais que podem surgir espontaneamente no adepto iluminado]: combinar ou separar os elementos e compactar o universo [no seu conjunto]. (1.20)

Com o surgimento da sabedoria pura, [o adepto adquire] poder de soberania sobre a "roda" [de todos os outros poderes]. (1.21)

Mediante a união [extática] com o "grande lago" [i.e., a Realidade transcendente, o adepto adquire] a experiência direta da potência (*vîrya*) dos *mantras*. (1.22)

Livro II

A mente [do adepto] é um *mantra*. (2.1)

Comentário: A mente do adepto põe-se continuamente em relação de polaridade com a Realidade transcendente, Shiva, e é fortalecida por Ela. Por isso, pode-se dizer que é análoga a um *mantra*, que se explica esotericamente como "aquilo que protege (*tra*) a mente (*man*)".

A diligência [espontânea] é eficaz. (2.2)

Comentário: A permanência constante na presença do Real e a identificação consciente com Ele são os meios de realização, assim como a repetição constante de um *mantra* leva ao sucesso.

O segredo [oculto em todos os] *mantras* é o Ser (*sattâ*) consubstanciado na sabedoria. (2.3)

A expansão da mente no que diz respeito ao "útero" (*garbha*) [i.e., ao mundo finito, não passa de] um sonho ao qual falta todo conhecimento claro. (2.4)

Com o surgimento [espontâneo] da sabedoria, [sobrevém um grande "selo" (*mudrâ*) chamado] *khecârî*, [que é] o estado de Shiva. (2.5)

Comentário: O termo *khecârî* significa literalmente "a que se move no espaço [infinito da suprema Consciência]".

O mestre (*guru*) é o meio [para a realização suprema]. (2.6)

A intuição da "roda" [i.e., do espectro] das matrizes [do som se obtém pela instrução do mestre]. (2.7)

O corpo [do adepto] é uma oblação [que se lança no fogo da Realidade transcendente]. (2.8)

O conhecimento [finito] é [somente] um alimento. (2.9)

Comentário: Este aforismo significa que o conhecimento finito serve para alguma coisa no plano dos fenômenos, mas não tem utilidade alguma para a obtenção da meta suprema. A sabedoria, porém, conduz os adeptos à libertação, e eles usam o ser finito — o corpo e a mente — como uma oblação que é oferecida num gesto final de autotranscendência.

Com o recolhimento da sabedoria, [no caso de um aspirante], a visão [do mundo assemelha-se a] um sonho que nasce daquela [sabedoria]. (2.10)

Comentário: Mesmo depois que a sabedoria se recolhe, fica uma réstia de luz que continua a determinar a visão ou a experiência que o *yogin* tem do mundo.

Livro III

O si mesmo (*âtman*) [fenomênico] é a mente (*citta*). (3.1)

O conhecimento [finito] é servidão. (3.2)

Comentário: Este aforismo reafirma o aforismo 1.2.

Mâyâ é a não-diferenciação (*aviveka*) dos princípios (*tattva*) [da existência], tais como a atividade [limitada] (*kalâ*). (3.3)

A dissolução das partes (*kalâ*) [deve ser realizada] no corpo. (3.4)

Comentário: Segundo o comentário de Kshemarâja, as *kalâs* em questão são as diversas categorias ou princípios ontológicos (*tattvas*), como os elementos, os elementos sutis e a mente.

A dissolução das correntes (*nâdî*) [da força vital], o domínio sobre os elementos, o isolamento em relação aos elementos e a separação em relação aos elementos [se obtêm mediante a contemplação yogue]. (3.5)

O poder [paranormal] (*siddhi*) [decorre] de um véu de ilusão (*moha*). (3.6)

Mediante a vitória sobre a ilusão, mediante o gozo infinito (*âbhoga*) [do Real, chega-se à] conquista da sabedoria espontânea. (3.7)

[O adepto iluminado está sempre] desperto; [para ele], o segundo [i.e., o mundo da dualidade] é um raio-de-luz. (3.8)

Comentário: O mundo é um "raio-de-luz" (*kara*) porque o adepto iluminado não vê separação alguma entre ele e a Realidade divina.

O si mesmo (*âtman*) [do adepto iluminado é semelhante a] um dançarino. (3.9)

Comentário: O sentido deste obscuro aforismo é que os adeptos iluminados, embora dediquem-se a atividades de todo tipo, estão somente representando, por assim dizer. Não estão realmente envolvidos em suas ações, pois deixaram de identificar-se com o corpo-mente limitado e suas funções.

CAPÍTULO 11 — A VISÃO NÃO-DUALISTA DE DEUS DOS ADORADORES DE SHIVA

O si mesmo interior (*antar-âtman*) [do adepto iluminado é semelhante a] um palco. (3.10)

Comentário: Este aforismo, que dá continuidade à metáfora dramática do *Sûtra* 3.9, frisa o fato de que o adepto iluminado é somente uma testemunha. Está sempre e perpetuamente consciente dos conteúdos da sua própria mente, que já não têm o poder de iludi-lo.

Os sentidos são [semelhantes a] espectadores. (3.11)

Através da força da intuição (*dhî*) [transcendente], [obtém-se] poder sobre *sattva*. (3.12)

Comentário: O termo *sattva*, ou "realidade", significa o aspecto luminoso da Natureza. É um dos três componentes primários da existência fenomênica. O composto *sattva-siddhi* também pode ser compreendido no sentido de "perfeição da luminosidade". Ambos os sentidos são admissíveis neste caso.

[Assim] cumpre-se a condição de independência (*sva-tantra*) [ou libertação]. (3.13)

Assim [como o adepto chega à independência transcendente, ou libertação], no [que diz respeito a] isto [i.e., ao corpo], assim também [torna-se perfeitamente independente de] tudo o mais. (3.14)

[Deve-se cultivar] a atenção (*avadhâna*) à "semente" (*bîja*) [i.e., à Origem do mundo]. (3.15)

Aquele que se firma no assento (*âsana*) [da Consciência transcendente] mergulha facilmente no "lago" [i.e., na Realidade suprema]. (3.16)

Produz a criação de acordo com a sua própria medida. (3.17)

Comentário: Como o adepto iluminado é uno com a Realidade divina, é também o Criador absoluto de todas as coisas.

Enquanto prevalece a sabedoria, a eliminação dos nascimentos [futuros é garantida]. (3.18)

Maheshvarî, etc., [que residem] nas classes [das letras do alfabeto] a começar de *ka*, são as mães dos "animais" (*pashu*) [i.e., dos seres agrilhoados, mas não têm poder sobre o adepto iluminado em quem floresce a sabedoria]. (3.19)

O Quarto [i.e., a Realidade suprema] deve ser derramado como óleo sobre as três [modalidades condicionadas da consciência, a saber, a vigília, o sonho e o sono profundo]. (3.20)

Ele deve penetrar [no Quarto] mergulhando com sua mente (*citta*). (3.21)

Com o igualamento da força vital (*prâna*), [sobrevém] a visão da igualdade. (3.22)

Comentário: Quando a respiração se organiza e as energias do corpo se harmonizam, também a mente fica equilibrada. Então tudo revela-se como o mesmo Um.

Até lá, [ocorre] a geração de [estados de consciência] inferiores. (3.23)

Comentário: O *yogin* que ainda não realizou a Realidade suprema de forma plena e estável passa intermitentemente por estados inferiores de consciência, caracterizados pela ausência da plena ciência da igualdade fundamental de todas as coisas.

Com a união [extática] entre o conceito de si próprio (*sva-pratyaya*) e os objetos (*mâtra*), [o *yogin* faz] surgir de novo a desaparecida [visão da igualdade]. (3.24)

Torna-se semelhante a Shiva. (3.25)

[Conservar] as funções corpóreas [por amor aos outros é o seu único] voto. (3.26)

[Suas] conversas são uma recitação. (3.27)

O autoconhecimento é o dom [que ele concede aos outros]. (3.28)

E aquele que está firmado em Avipa é uma causa de conhecimento (*jna*) [superior]. (3.29)

Comentário: No comentário de Kshemarâja, do século X, o termo composto *avipastha*, de difícil interpretação, é explicado como "firmado no protetor (*pa*) dos animais (*avi*)", isto é, "firmado naqueles que protegem os seres finitos". Referir-se-ia, portanto, às Deusas que presidem às letras do alfabeto sânscrito.

Para ele, o universo é uma extensão do seu poder [intrínseco]. (3.30)

A conservação e o recolhimento [do universo são, do mesmo modo, uma extensão do seu poder intrínseco]. (3.31)

Apesar dessa atividade [i.e., por exemplo, da conservação e da destruição do universo], não [há] descontinuidade, em virtude da condição de testemunha [que é a do adepto iluminado]. (3.32)

[O adepto] considera o prazer e a dor como coisas externas a si. (3.33)

Livre dessas coisas, ele é, em verdade, um solitário (*kevalin*). (3.34)

Entretanto, o ser dinâmico [ou kármico, i.e., a personalidade não-iluminada] é afligido pela ilusão. (3.35)

Com o eclipse da diferenciação [baseada na mente não-iluminada, o adepto adquire] a capacidade de [produzir] outras criações. (3.36)

O poder de criação [fica bem firme] em virtude da própria experiência da pessoa [em sonhos, meditação, etc.]. (3.37)

Os três estados [da consciência não-iluminada devem ser] animados pelo principal, [que é a própria Realidade]. (3.38)

Assim como os [vários] estados de consciência, [a Realidade suprema deve animar também] o corpo, os sentidos e os objetos [externos]. (3.39)

Para o "confluente" (*samvâhya*) [i.e., o indivíduo não-iluminado], a extroversão (*bahir-gati*) [é constante] por causa do desejo. (3.40)

Comentário: Movida pelos desejos, a consciência do homem não-iluminado derrama-se habitualmente para o mundo externo. Esse fluxo exteriorizante da atenção é muito bem expresso pela rara palavra *samvâhya*, a qual denota o indivíduo que "flui junto" com os objetos.

Para o que se encontra na condição de estar plantado naquele [Quarto, ou seja, na Realidade suprema, sobrevém] a aniquilação da individualidade (*jîva*) em virtude do fim daquele [desejo de contato com os objetos]. (3.41)

Então, o que tem os elementos por coberta é liberto, poderoso, supremo e idêntico ao Senhor [i.e., Shiva]. (3.42)

O vínculo com a força vital (*prâna*) é natural. (3.43)

Comentário: O sentido deste aforismo parece ser o seguinte: muito embora a vida finita dependa do vínculo entre a força vital e uma consciência particular, no caso do adepto iluminado essa não é uma limitação intrínseca. Com efeito, o *prâna* é uma manifestação da Realidade suprema. Em última análise, o *prâna* é a própria Vida Universal.

Através da constrição (*samyama*) [i.e., através da identificação extática com] o miolo interno do nariz, como [se poderia deixar de realizar a Realidade suprema] nos [canais da força vital] da esquerda, da direita e central? (3.44)

Comentário: Eis outro aforismo obscuro e rico em informações esotéricas. O miolo interior (*antar-madhya*) do nariz (*nâsikâ*) é na verdade o âmago da força vital ou da consciência. Pela prática sucessiva da concentração, da meditação e do êxtase de união com esse ponto central sutil, o adepto é capaz de identificar-se à Realidade suprema, quer a força vital flua pelo canal da esquerda, pelo da direita ou pelo central. No Tantrismo e no Hatha-Yoga, esses canais pelos quais circula a força vital são chamados respectivamente de *idâ-nâdî*, *pingalâ-nâdî* e *sushumnâ-nâdî*. O *Shiva-Sûtra* refere-se a este último pelo nome de *saushumna*. É ele o mais importante, pois é o duto por onde flui a *kundalinî-shakti* desperta, o poder psicoespiritual que provoca a completa transmutação alquímica do corpo humano.

[No caso do *yogin*,] que haja o reiterado abrir-e-fechar [da visão da igualdade]. (3.45)

Comentário: A palavra *pratimîlana* é uma expressão técnica do Shaivismo caxemir. Traduzida aqui por "abrir-e-fechar", ela significa literalmente "contra-fechar". Refere-se à elevada arte do yogue de contemplar a Realidade absoluta, Shiva, tanto dentro de si quanto no mundo exterior. Essa prática compreende tanto o êxtase subjetivo (representado pelo fechar dos olhos, ou *nimîlana*) quanto o êxtase objetivo (representado pelo abrir dos olhos, ou *unmîlana*). Esse estado também é chamado de êxtase espontâneo, ou *sahaja-samâdhi*.

Imagem de Shiva em pôster contemporâneo

IV. POR AMOR A DEUS — OS ADORADORES DE SHIVA AO SUL[17]

Durante o período compreendido entre os séculos VII e IX d.C., o Shaivismo Agâmico também tomou corpo no Sul. Os shaivas de língua tâmil não admitem ter recebido os seus *Âgamas* do Norte. Seja como for, produziram uma literatura extensa e bela cujas doutrinas levam o nome de Shaiva-Siddhânta. Como já dissemos, a metafísica dessa tradição é uma forma de não-dualismo qualificado: Shiva é a Realidade Única e o mundo inconsciente (*acit*) da multiplicidade não é mera ilusão, mas produto do poder (*shakti*) de Shiva. Temos aí um importante fator de distinção em relação à tradição do Norte, que favorece a idéia de que o mundo é ilusório. Em ambas as tradições, porém, a libertação depende da graça (*prasâda*).

Tendo rejeitado os *Vedas*, os shaivas de língua tâmil têm os seus próprios textos sagrados, o *Tiru-Murai*, também chamado de "*Veda* tâmil". Essa coletânea de antigos hinos em louvor ao deus Shiva foi organizada por Nambiyândâr Nambi, que viveu na segunda metade do século XI d.C. São centenas de hinos dispostos em onze capítulos, dos quais o mais conhecido é o décimo — o famoso *Tiru-Mantiram* do bardo e adepto Tirumûlâr (século VII d.C.), com mais de três mil versículos. A doutrina de Tirumûlâr é uma mistura de devocionalismo, técnicas de Yoga e gnose (*jnâna*).

Na figura de Tirumûlâr podemos ver um dos primeiros mestres da difundida tradição Siddha, da qual falaremos dentro em pouco. Num versículo (1463), ele define o *siddha*, ou adepto, como alguém que teve contato direto com a luz divina e recebeu o poder (*shakti*) através do êxtase yogue. Para o historiador do Yoga, a parte mais importante da obra de Tirumûlâr é a terceira seção, com 333 versículos que explicam os oito membros do caminho yogue à Patanjali e os frutos da reta prática do Yoga, entre os quais contam-se os oito grandes poderes paranormais (*mahâ-siddhi*). Ele também apresenta diversas práticas tântricas com destaque para a *khecârî-mudrâ*, definida no versículo 779 como "a contenção simultânea dos movimentos da respiração, da mente e do sêmen". O *Tiru-Mantiram* é tão importante para o Shaiva Yoga do Sul quanto o *Bhagavad-Gîtâ* é para a tradição vaishnava do Norte.

O Sul, de língua tâmil, ainda venera os seus grandes santos, os Nâyanmârs, que viveram entre o século VI e o século X d.C. A tradição reconhece sessenta e três Nâyanmârs ("Comandantes") cuja santidade e cujo heroísmo espiritual ainda são celebrados todo ano no festival de Aravattu-Muvar-Ula. Suas biografias, legendárias em grande parte, estão preservadas no *Peria-Purânam* de Cekkilâr, uma coletânea do século XI. Essa obra popularíssima é tão edificante quanto as hagiografias cristãs, desde que o leitor se ponha num estado de receptividade espiritual e esteja disposto a ignorar as diferenças culturais, pois a linguagem do coração humano é universal. O *Peria-Purânam* está cheio de citações dos transbordamentos poéticos dos santos, nos quais glorificam o Divino Senhor e não pedem nada exceto a graça de serem devotos e permanecerem eternamente imersos na contemplação d'Ele.

Tirumûlâr

CAPÍTULO 11 — A VISÃO NÃO-DUALISTA DE DEUS DOS ADORADORES DE SHIVA ॐ

Afresco dos Nâyanmârs

Os quatro santos mais venerados pelos Shaivas do Sul são Appar, Sambandhar, Sundarar e Mânikkavâcakar. Appar, que viveu no século VII d.C., é tido em geral como o primeiro dos Nâyanmârs. Nasceu numa família jaina mas, depois de ser milagrosamente curado de um mal do estômago enquanto rezava num templo de Shiva, converteu-se à fé shaiva. Vagando de templo em templo, onde dedicava-se a trabalhos servis, Appar cantava seus poemas de amor dedicados ao deus Shiva. Suas canções tiveram larga influência. Numa delas, ele se define como um louco que não consegue perceber a constante proximidade de Shiva.

> Sou semelhante
> ao louco inútil
> que ordenha uma vaca sem leite
> numa sala escura!
>
> Como sou louco!
> Procuro aquecer-me
> pela luzinha
> de um pirilampo
> quando tenho ao meu lado
> um fogo brilhante!
>
> É vão
> como pedir esmolas
> numa vila deserta!
>
> Não será tolice
> morder uma barra de ferro
> quando tenho ao meu lado
> um pé
> de cana-de-açúcar?[18]

Appar, que concebia-se como o humilde servo de Shiva, desconsiderava as práticas religiosas tradicionais, como a peregrinação, a penitência e o estudo das escrituras sagradas, e ensinava, ao contrário, que o amor profundo por Shiva é suficiente para garantir a liberdade e a felicidade eternas. Sua mensagem causou grande rancor na comunidade jaina, à qual antes pertencia. Segundo a lenda, ele foi conduzido à presença do rei jaina Gunabhâra (também chamado Mahendravarman Pallava) em Kanchipuram, que lhe ordenou que renegasse a nova fé. Quando Appar recusou, o rei fez com que ele fosse atirado num forno de cal, mas o santo continuou vivo graças à repetição constante do *mantra nama-sivaya* (sânscrito: *namah shivâya*). Nem um veneno, nem um elefante enlouquecido, nem o afogamento puderam pôr fim à vida do santo, e o rei finalmente capitulou, envergonhado, e tornou-se discípulo de Appar.

Outro luminar do Shaivismo do Sul foi Sambandhar, cujos poemas compõem a abertura do cânone sagrado. Foi um contemporâneo de Appar, embora mais jovem, e com ele viajou por vários meses, visitando templos e cantando canções de louvor que tocaram os corações de muitas pessoas. Algumas autoridades da tradição crêem que o *Bhakti-Sûtra* de Nârada (83) faz-lhe uma referência velada, chamando-o de Kaundinya (que é, de fato, o *gotra* ou nome de família de Sambandhar).

Em suas canções, Sambandhar muitas vezes glorifica não só a Shiva como também à sua divina esposa Pârvatî; e, ao contrário de seus contemporâneos mais ligados à ascese, exaltava desbragadamente a beleza das mulheres e da Natureza. É lembrado também como um grande taumaturgo e, segundo uma lenda bem conhecida, chegou até a ressuscitar uma menininha que já

ஐந்து கரத்தான் ஆனை முகத்தான்
இந்து இளம்பிறை போலும் எயிற்றான்
நந்தி மகன்தான், ஞானக் கொழுந்தினைப்
புந்தியில் வைத்தடி போற்றுகின் றேனே.
திருமூலர் திருமந்திரம்

Um versículo do Tiru-Mantiram

Sambandhar — © Instituto Francês de Indologia, Pondicherry

Appar — © Tanjore Art Gallery

Sundarar — © Tanjore Art Gallery

fora cremada. Ele mesmo diz num de seus hinos que o Senhor o abençoara com certos poderes, inclusive o de deixar o corpo na hora em que quisesse.

O terceiro dos santos-poetas bem-amados é Sundarar, que viveu na primeira metade do século VIII d.C. O tom das suas canções é marcadamente diferente da poesia dos seus predecessores e dos outros Nâyanmârs, pois Sundarar não se via como servo ou escravo de Shiva, mas como seu amigo. Em virtude da extrema familiaridade com que se dirige ao Deus em seus hinos, Sundarar passou a ser conhecido como o "devoto insolente" (tâmil: *van tontar*). Em seus poemas líricos, chama Shiva de louco e zomba do Deus pelas vestes esdrúxulas que usa. Tem até a ousadia de pedir a mão da deusa Pârvatî em casamento; e Shiva, todo-benevolente, a concede ao devoto desavergonhado.

Mais tarde, Sundarar caiu de amores por uma bela moça de nome Sangili, que fazia guirlandas de flores no templo, e pediu a Shiva que também lhe facultasse esse casamento. O pedido foi atendido com uma única condição, estipulada pela própria moça: que Sundarar nunca a deixasse. Depois de alguns anos de gozo conjugal ao lado de Sangili, o santo excêntrico quis coabitar de novo com a primeira esposa, Pârvatî. Por quebrar o voto, Sundarar perdeu imediatamente a visão. Passou a vagar de templo em templo recriminando Shiva por ter-lhe afligido com a cegueira. Censurava o Senhor por ter-lhe privado da visão sendo que Ele mesmo, Shiva, tinha três olhos — o terceiro localizado no meio da testa. Apiedado do devoto caprichoso, Shiva devolveu-lhe a visão a um dos olhos; e, quando Sundarar continuou a lamentar o próprio destino e a culpar o Deus por suas desventuras, curou-lhe até o outro olho.

Embora não se conte entre os Nâyanmârs, Mânikkavâcakar ("Aquele cujas palavras são jóias") é lembrado como um dos quatro Nalvars, grandes santos shaivas, ao lado de Appar, Sambandhar e Sundarar. Mânikkavâcakar viveu em meados do século IX d.C. e foi o primeiro-ministro do rei Varaguna Pândya, de Madurai. Enviado pelo rei com a missão de comprar cavalos, Mânikkavâcakar encontrou um mestre cheio de carisma — o próprio Shiva disfarçado — que incendiou-lhe a tal ponto o espírito que levou-o a gastar o dinheiro do rei para construir um templo de Shiva em Perunturai. O santo ministro foi rapidamente lançado na prisão e só foi libertado depois da intervenção do próprio Senhor Shiva.

Dentre as belas e delicadas canções de amor de Mânikkavâcakar, muitas falam da sua louca paixão por Shiva e do êxtase incontrolável

Mânikkavâcakar — © Pudukottai Museum, Índia

que muitas vezes tomava conta dele. Numa de suas composições, ele canta:

> Quando o amor imperecível derreteu-me os
> ossos,
> Chorei,
> Bradei e bradei de novo
> mais alto que as vagas
> do mar revolto.
> Fiquei confuso,
> caí,
> rolei pelo chão,
> gemi,
> Desnorteado como um doido
> Embriagado como um ébrio enlouquecido,
> a tal ponto que o povo ficou perplexo
> e aqueles que me ouviam puseram-se a
> pensar.
> Desvairado como um elefante no cio,
> que ninguém pode montar,
> eu mesmo não conseguia me conter.[19]

Para Mânikkavâcakar, Deus é infinitamente misericordioso e Sua graça não conhece limites. O caminho que leva a Deus é o do amor devocional intenso (*bhakti*) acompanhado pela meditação profunda sobre o Senhor. O poeta-santo não vê outro bem senão o de unir-se a Shiva, o divino amante, e a Ele apegar-se no êxtase da entrega. As poesias de Mânikkavâcakar estão no *Tiru-Vâcakam*, oitavo livro do *Tiru-Murai*, que é cantado todos os dias em muitos templos e residências de Tamilnadu.

Os santos Shaivas do Sul da Índia eram ascetas do coração, pois pela vida exterior seria difícil distingui-los de seus vizinhos e conterrâneos. A maioria deles era casado e tinha filho, trabalho a fazer e bens a administrar. Mas, por dentro, haviam renunciado a todas as coisas e se transformado em humildes servos do Senhor Shiva, e enobreceram toda a sua cultura pelo amor e a humildade que demonstraram. Assim, a antiqüíssima comunidade shaiva continuou a acalentar e perpetuar o espírito do Bhakti-Yoga e o ideal de *loka-samgraha*, de fazer bem ao mundo.

> "Krishna, [chamado] Govinda,
> é o Senhor supremo (îshvara), a encarnação
> de Ser, Consciência e Beatitude,
> sem princípio e sem fim, causa de todas as causas."
>
> — *Brahma-Samhitâ* (5.1)

Capítulo 12

A VISÃO VEDÂNTICA DE DEUS DOS ADORADORES DE VISHNU

I. DEUS É AMOR: OS ADORADORES DE VISHNU DO NORTE E DO SUL

Quando o coração se abre, tende a transbordar em música e poesia. A literatura extática dos adoradores de Shiva, principalmente os do quadrante sul da península indiana, é um testemunho perene desse fato. O mesmo se pode dizer da literatura devocional da comunidade vaishnava, à qual agora nos voltamos.

Os cinco hinos dedicados ao deus Vishnu no *Rig-Veda* foram os primeiros brotos da árvore da sabedoria vaishnava. Muitos séculos tiveram de passar-se para que a seguinte grande obra literária do Vaishnavismo viesse à luz. Essa obra foi o *Bhagavad-Gîtâ* ("Cântico do Senhor"), o mais popular de todos os textos que tratam de Yoga. Composto — na versão que temos hoje — há uns 2.500 anos, inspirou as gerações posteriores de místicos a gerar outras obras devocionais incomparáveis, como a poesia dos Âlvârs e dos Bauls, o *Bhâgavata-Purâna* e o *Gîtâ-Govinda*. O *Bhagavad-Gîtâ* serviu, inclusive, como modelo para que outros poetas compusessem cânticos didáticos semelhantes, e hoje conhecemos mais de uma centena de *Gîtâs* escritos em sânscrito. Temos por exemplo, um *Anu-Gîtâ* (recapitulação do *Bhagavad-Gîtâ* encontrada no próprio *Mahâbhârata*), um *Uddhâva-Gîtâ* (parte do *Bhâgavata-Purâna*), um *Ganesha-Gîtâ* (dedicado a Ganesha, o deus de cabeça de elefante) e um *Râma-Gîtâ* (dedicado a Râma, encarnação de Vishnu). Conhecem-se, ao menos de nome, quase cem outros *Gîtâs*.

A literatura sagrada da comunidade vaishnava é tão extensa e complexa quanto a dos shaivas, sobre a qual falei no capítulo anterior. Os primeiros séculos da Era Cristã assistiram à criação das *Samhitâs* ("Coletâneas"), que são o equivalente vaishnava dos *Âgamas* dos Shaivas e dos *Tantras* dos adoradores de Shakti.[1] A tradição menciona 108 *Samhitâs*, embora conheçam-se mais de duzentas obras desse gênero. Elas pertencem ao ramo Pancarâtra do Vaishnavismo, ramo esse que já era mencionado no *Mahâbhârata*.

Parece que as *Samhitâs* mais antigas são a *Sâtvata* (à qual, aparentemente, o *Mahâbhârata* faz uma referência), a *Paushkara*, a *Varâha*, a *Brahma* e a *Padma*. O *Ahirbudhnya* e o *Jayâkhya* também são textos importantes do mesmo gênero. À semelhança das suas equivalentes shaivas, as *Samhitâs* em princípio, organizam seus textos em quatro seções, chamadas de *jnâna-pâda* (que trata da metafísica ou da doutrina da sabedoria), *yoga-pâda* (que apresenta as técnicas yogues), *kriyâ-pâda* (que regulamenta a construção de templos e a criação de ima-

Namm Âlvâr

gens sagradas) e *caryâ-pâda* (que trata das práticas religiosas ou rituais).

Todos os autores anônimos desses textos conheciam bem a prática do Yoga e entendiam por essa palavra mais ou menos a mesma coisa. Sua doutrina não dá tanta ênfase à obtenção de estados interiores místicos, mas sim à adoração ritual e à vida moral, combinando isso a uma ou outra consideração filosófica; não obstante o objetivo último, declarado, é a união com Deus sob a forma de Vishnu (seja este considerado como Nârâyana, Vasudeva, etc.).

A *Vishnu-Samhitâ* (Capítulo 13), típica escritura desse gênero, apresenta um Yoga de seis membros (*shad-anga-yoga*), à qual dá o nome de *bhâgavata-yoga*. Muitas outras obras do cânone vaishnava, porém, recomendam o Yoga óctuplo de Patanjali. É esse o caso da *Ahirbudhnya-Samhitâ*, por exemplo, cujo autor evidentemente conhecia o *Yoga-Sûtra*. O texto (31.15), porém, define o Yoga em conceitos do Vedânta medieval: "a união do eu individual com o Si Mesmo transcendente". A mesma obra menciona várias posturas yogues (como a *kûrma-*, a *mayûra-*, a *kukkuta-* e a *go-mukha-âsana*) e recomenda que elas sejam praticadas em vista da conservação da boa saúde. O relevo, porém, é dado ao aspecto espiritual do Yoga, sem o qual nenhuma dessas práticas haveria de gerar benefícios duradouros.

II. OS ÂLVÂRS

Para contrastar com as *Samhitâs* da tradição Pancarâtra, que tratam sobretudo de teologia e ritual, os Âlvârs ("Os que mergulham fundo"), que floresceram nos séculos VIII e IX d.C., criaram obras de poesia inspirada, algumas das quais ainda são cantadas no sul da Índia. Os Âlvârs são um grupo de doze adeptos do Bhakti-Yoga cujas composições literárias estão reunidas na *Nâlâyira-Tivyap-Pirapantam* (sânscrito: *Nâlâyira-Divya-Prabandha*), que é tratada com o mesmo respeito que os *Vedas* dos brâmanes. Seus poemas rebrilham de um amor apaixonado pela Divindade, e o simbolismo arquetípico que contêm chega a emocionar-nos mesmo nas traduções. A maior parte dos quatro mil poemas ou hinos dessa coletânea foram compostos por Tirumankai e Namm Âlvâr. Este último é o santo mais popular desse grupo, e o seu *Tiruvâymoli* (que faz parte do *Pirapantam*) tem um *status* comparável ao do *Sâma-Veda*. Diz-se que Namm Âlvâr já nasceu absorto no êxtase yogue e engatinhou até uma árvore oca, na qual escondeu-se e permaneceu em êxtase (*samâdhi*) por dezesseis anos, até a chegada do homem que viria a ser o seu principal discípulo. No *Tiruvâymoli* (1.1.1), ele declara:

"Quem é Este que é o sumo bem
   e faz nivelar ao solo todas as demais sumidades?
Quem é Este que faz dom da sabedoria e do amor
   e dissipa a ignorância?
Quem é Este que governa os imortais
   que não conhecem o sofrimento?
Adorai os seus pés radiantes que põem fim a todo sofrimento."

Os Âlvârs eram profundos conhecedores da mitologia de Krishna: o jovem pastor de vacas, encarnação plena do divino Vishnu, divertindo-se com as pastoras, as *gopîs*.

Nas experiências espirituais desses Âlvârs encontramos um anseio apaixonado por Deus, o Senhor e o Amante... o que mais eles destacam é a beleza e o encanto transcendente de Deus e o desejo ardente do devoto que faz o papel de mulher amante de Krishna, de Deus... Os raptos apaixonados assemelham-se a um remoinho que torvelinha através da própria eternidade da alma individual, expressando-se às vezes pelas dores da separação, às vezes pelo entusiasmo da união.

O Âlvâr no prazer do êxtase, vê Deus em toda parte e, mesmo imerso nas profundezas da excelência, anseia por algo mais. Passa também por estados de suprema embriaguez, nos quais fica inconsciente ou semiconsciente, readquirindo, vez por outra, a consciência do anseio... Provavelmente, os Âlvârs foram os primeiros a mostrar que o amor a Deus pode dar-se em condições de suave igualdade, adquirindo as tinturas ardentes do amor conjugal.[2]

Entre os doze santos Âlvârs encontramos apenas uma santa, Ântâl, que viveu pouco tempo depois do ano 800 d.C. Ântâl ("A das madeixas perfumadas"), que adorava o deus Vishnu sobretudo sob a forma do belo Krishna, foi a autora de duas obras literárias. A primeira é o popular *Tiruppâvai* ("Voto Sagrado"), de meros trinta versículos em língua tâmil, cantada ainda hoje pelas jovens que desejam fazer um casamento feliz. A segunda, composta depois do *Tiruppâvai*, é o *Nâcciyâr-Tirumoli* ("Cântico Sagrado da Senhora"), que consiste em quatorze hinos perfazendo um total de 143 versículos; somente o sexto hino é largamente conhecido. A obra exalta o caminho do santo que não se casa e apresenta abundantes exemplos das belas metáforas do misticismo nupcial. Ântâl exprime aí o seu desejo de Krishna, que liqüefaz-lhe a alma e tortura-lhe o coração de anseio até conceder-lhe, por graça, um vislumbre do seu belo rosto. Ela conta que vai ficando pálida e perdendo peso — uma donzela desesperadamente apaixonada, inquieta de ansiedade, que perdeu a vergonha e o senso das proporções por causa de seu amor. Num hino, Ântâl afirma que seu sonho realizou-se: viu a face radiante de Krishna brilhando como o sol nascente. No mesmo hino, essa grande *bhakti-yoginî* promete que os que meditarem em seus versos encontrarão a cura para as dores do coração e chegarão à paz eterna aos pés do Senhor.

A experiência de estar separado (*viraha*) de Deus é uma das mais fortes aliadas do devoto, pois faz aprofundar-se a devoção. Não há nada que expresse esse fato com tanto vigor quanto a imagem tradicional de Râdhâ e das outras pastorinhas de Vrindâvana, cujo amor por Krishna não tinha limites.

III. O BHÂGAVATA-PURÂNA

O tema da espiritualidade erótica é explorada a fundo, senão mesmo esgotado, no *Bhâgavata-Purâna*, conhecido também como *Shrîmad-Bhâgavata*, que apresenta o deus-homem Krishna como marido de 16.108 mulheres, cada uma das quais deu-lhe dez filhos e uma filha. O *Bhâgavata-Purâna* é uma obra magnífica composta no século X e já foi chamado de "o maior tesouro que se oculta na seio dos seres libertos, consolo incomparável para a alma perturbada".[3] Nenhum outro texto, exceto pelo *Bhagavad-Gîtâ*, tem se mostrado tão amplamente popular no decorrer dos séculos. Essa obra, que exalta o grande ideal da devoção de amor (*bhakti*) pelo Senhor (*bhagavat*), inspirou numerosos comentários,

O evangelho de devoção a Deus do *Bhâgavata-Purâna* tem como núcleo a inesgotável metáfora da *râsa-lîlâ* — a alegre dança do amor e da beleza. Certa noite, as *gopîs*, doentes de amor, fugiram de suas casas na vila para ficar ao lado de seu amado Krishna. Buscando alimentar o desejo apaixonado delas por ele, Krishna tocou sua flauta mágica, cuja sobrenatural melodia deixou-as todas encantadas e fascinadas.

No clímax do jogo de amor de Krishna com as jovens, ele dançou com elas em pleno êxtase, dando a cada uma a impressão de que dançava com ela somente. Tão grande era a paixão delas por ele que cada qual esqueceu-se por completo da presença das outras — símbolo perfeito da psique absorta na devoção pelo Senhor.

A idéia da *râsa-lîlâ* já se encontra no Capítulo 63 do *Hari-Vamsha* ("Genealogia de Hari"), apêndice de 18.000 versículos ao *Mahâbhârata*. Costuma-se datar esse apêndice dos primeiros séculos da Era Cristã.

O Yoga é mencionado em diversas passagens do *Bhâgavata-Purâna*. Um desses trechos (11.20.6) distingue três caminhos: o caminho da sabedoria para os que se cansaram dos rituais, o caminho da ação para os

Ântâl

A râsa-lîlâ

Quando a mente se fixa firmemente em Mim pelo intenso Bhakti-Yoga, ela se imobiliza e estabiliza. É esse o único caminho para a obtenção da mais alta felicidade neste mundo. (3.25.44)

No caminho da devoção, a concentração é sempre a fixação da atenção na Pessoa divina. A meditação, por sua vez, é a contemplação da forma do Senhor, tal como é representada na iconografia: o corpo azul ornado de flores, com quatro braços; uma expressão serena na face bondosa; uma buzina, um disco e uma maça nas mãos; uma coroa sobre a cabeça e a gema mágica chamada *kaustubha* pendurada de um colar à volta do pescoço; e a marca *shrî-vatsa* ("novilha bendita") sobre o peito. A cor azul-escura do corpo de Krishna resulta de ele ter bebido o leite envenenado da demônio-fêmea Pûtanâ, que o amamentou. As coisas que ele leva nas mãos são todas armas de guerra e servem para destruir o inimigo — o ego — e conduzir à libertação. A gema mágica foi criada quando da agitação do oceano primordial, no princípio dos tempos. A marca no peito de Krishna é um dos sinais do seu nascimento superior e da sua vocação principal de pastor (*gopa*), protetor do gado e das almas humanas.

A libertação é concebida em diferentes níveis que dependem do grau de proximidade ou de identificação que existe entre o devoto e o Senhor. No estágio mais baixo, o devoto passa a morar no mundo divino — o Paraíso de Vaikuntha — na companhia do Senhor. A isso chama-se *sâlokya-mukti*. Quando o poder e a glória do devoto igualam-se aos do Senhor, temos a *sârishti-mukti*. Quando ele se estabelece na íntima proximidade do Senhor, alcança a *sâmîpya-mukti*. O penúltimo grau de libertação é a *sârûpya-mukti*, na qual o devoto chega a confirmar-se perfeitamente ao Senhor. E por fim, há a *ekatva-mukti*, a "libertação de unidade", na qual se apaga o último traço de diferença entre o devoto e a Divindade.

O estudioso do Yoga terá particular interesse pelos Capítulos 6-29 do décimo primeiro livro do *Bhâgavata-Purâna*. Essa seção toda é conhecida como *Uddhava-Gîtâ*. Leva o nome do sábio Uddhava, a quem o deus-homem Krishna expõe o Yoga da devoção. Esse "Cântico", tido às vezes como a última mensagem de Krishna, exalta o amor de devoção acima de todos os demais meios de libertação:

ainda se sentem inclinados a dedicar-se às atividades mundanas e sagradas e o caminho de devoção para os que têm a sorte de nem estar cansados de agir nem ter uma tendência excessivamente ativa, mas simplesmente têm fé no Senhor e no seu poder salvífico. O *Bhâgavata-Purâna* aceita o caminho óctuplo de Patanjali mas rejeita-lhe a filosofia dualista. Além disso, os oito membros do caminho yogue são definidos de maneira um pouco diferente de como o são no *Yoga-Sûtra*. Isso se evidencia sobretudo na apresentação das práticas de disciplina moral (*yama*) e autocontrole (*niyama*). Enquanto Patanjali arrola cinco práticas para cada uma dessas duas categorias, o *Bhâgavata-Purâna* (11.19.33 *et seq.*) apresenta doze. Mas é sempre a devoção que é recomendada como meio supremo para a obtenção da libertação. Ao adepto Kapila, lembrado como o fundador da tradição do Sâmkhya e identificado com o próprio deus Vishnu, atribuem-se estas pertinentes palavras:

Assim como o fogo em chamas reduz a madeira a cinzas, assim também a devoção por Mim elimina todo o pecado, ó Uddhava. (11.14.19)

Nem pelo Yoga [convencional], nem pelo Sâmkhya, nem pela justiça (*dharma*), nem pelo estudo, nem pela penitência, nem pela renúncia (*tyâga*), haverá ele de alcançar-Me tão [prontamente quanto há de alcançar-Me pela] devoção (*bhakti*), ou pela adoração a Mim. (11.14.20)

Eu, o Si Mesmo bem-amado dos virtuosos, sou realizado pela devoção exclusiva, pela fé. A devoção firmada em Mim purifica até [os párias], como os "cozedores de cães" (*shva-pâka*), do seu nascimento [vil e impuro]. (11.14.21)

O devoto de Krishna é apresentado como um indivíduo capaz de sentir emoções profundas e de dedicar-se de coração à adoração e à renúncia:

Aquele cuja fala é entrecortada de soluços, cujo coração (*citta*) liqüefaz-se, que indomitamente às vezes chora e às vezes ri, ou canta bem alto, ou dança — [uma pessoa assim,] agraciada com a devoção por Mim, purifica o mundo. (11.14.24)

A fé nas histórias a Meu respeito, que sabem a néctar; a proclamação constante da Minha [grandeza]; a reverência profunda (*parinishthâ*) na adoração [a Mim]; o louvar-me com hinos; (11.19.20)

o gosto no Meu serviço; o prostrar-se [diante de Mim]; a manifestação de grande reverência pelos Meus devotos; o considerar todos os seres como Eu; (11.19.21)

o dedicar-se a atividades corpóreas por amor a Mim; a recitação das Minhas qualidades; a oferenda da mente a Mim; a rejeição de todos os desejos; (11.19.22)

a renúncia aos objetos, ao prazer e ao gozo por amor de Mim; [a realização de] todos os sacrifícios, todos os dons, todas as oblações, todas as recitações, todos os votos, todas as penitências por amor de Mim — (11.19.23)

por essas virtudes, ó Uddhava, as pessoas que entregam a si mesmas adquirem o amor de devoção (*bhakti*) por Mim. O que ainda terá de fazer um tal indivíduo? (11.19.24)

TEXTO ORIGINAL 14

Uddhava-Gîtâ (Trechos Escolhidos)

Apresentamos a seguir uma tradução do Capítulo 13 do *Uddhava-Gîtâ*, que fala do pai de família que se retirou para a floresta a fim de dedicar-se à busca de Deus. A descrição da vida do eremita evidencia a dedicação e até mesmo a obstinação com que o praticante sério deve cultivar o caminho do Yoga.

Disse o Senhor Bendito:

O que quiser retirar-se para a floresta deve viver em paz nas matas no terceiro quartel da sua vida, confiando a esposa aos cuidados dos filhos ou [levando-a] consigo. (1)

Deve viver de bulbos, raízes, frutos e plantas selvagens e deve vestir-se de cortiça, tecido, ervas, folhas ou da pele de um animal. (2)

Deve deixar que a sujeira se acumule sobre o cabelo, os pêlos do corpo, as unhas e a barba e não deve limpar os dentes. Três vezes [por dia, ao nascer do sol, ao meio-dia e ao pôr-do-sol], deve imergir-se em água; e deve dormir sobre o chão. (3)

No verão, deve fazer ascese com os cinco fogos [i.e., com quatro fogueiras ao redor de si e o sol sobre sua cabeça]. Na estação das chuvas, deve expor-se aos aguaceiros. No inverno, deve ficar com a água pelo pescoço. Assim deve fazer penitência (*tapas*). (4)

Deve comer [alimentos] cozidos sobre uma fogueira ou amadurecidos pelo tempo, esmagando-os com uma rocha ou até mesmo usando os dentes como almofariz. (5)

Compreendendo o poder do lugar e do tempo [corretos], deve coletar sozinho todos os meios de subsistência; não deve comer [alimentos] oferecidos por outras pessoas ou os que foram jogados fora. (6)

O eremita das florestas deve adorar-Me [a Mim, Krishna] com agradáveis bolos sacrificiais feitos de plantas da selva, e não com os [sacrifícios de] animais [prescritos] pelas escrituras sagradas. (7)

Os porta-vozes [da tradição sagrada] prescrevem para o sábio (*muni*) a [disciplina] dos quatro meses e o ritual do fogo [cotidiano], bem como as [observâncias] da lua nova e da lua cheia, como [dissemos] antes. (8)

Praticando assim a ascese (*tapas*), o sábio que persevera no cumprimento de seus deveres (*dharma*) e Me adora pela ascese chega a Mim do mundo dos videntes (*rishi-loka*). (9)

CAPÍTULO 12 — A VISÃO VEDÂNTICA DE DEUS DOS ADORADORES DE VISHNU ॐ

Mas haverá maior tolo do que aquele que se dedica a essa ascese grandiosa e incomparável, praticada com [imensas] dificuldades, apenas [para alcançar a realização] de desejos insignificantes? (10)

Quando ele for incapaz de [seguir estas] regras em virtude dos tremores próprios da velhice, deve projetar [i.e., visualizar] as fogueiras [sagradas] dentro de si e, com a mente atenta a Mim, deve penetrar na fogueira [do Espírito]. (11)

Quando estiver esgotando-se o seu tempo nos mundos [movidos pela] ação (karma) e sua fruição, deve adotar a impassibilidade (virâga) e, abandonando por completo os [rituais] do fogo, deve prosseguir [na qualidade de samnyâsin, ou asceta mendicante e andarilho]. (12)

Oferecendo-Me sacrifícios de acordo com as prescrições e dando tudo o que tem aos sacerdotes [que oferecem o sacrifício], e colocando nas fogueiras o seu próprio espírito vital (prâna), deve prosseguir [sentindo-se] absolutamente livre de inquietações. (13)

Para o sábio (vipra) dedicado à renúncia, os Deuses, [com medo] de que ele consiga de fato transcendê-los e chegar ao Supremo, criam obstáculos sob a forma de sua esposa e outros [entes queridos]. (14)

Se o sábio quiser conservar uma [segunda] peça de tecido, que ela não seja maior do que a sua tanga (kaupîna). Tendo deixado [tudo] para trás, ele não deve ter nada exceto o bastão e a tigela, exceto [em épocas de] aflição. (15)

Deve plantar os pés no caminho depois de purificar [o chão] com o olhar e deve beber água purificada por um tecido. Deve proferir palavras purificadas pela verdade e levar [a vida] com uma mente purificada. (16)

O silêncio (mauna), a inatividade e o controle da respiração (anila-âyâma)[4] são os modos de conter a fala, o corpo e a mente. O que não possui essas coisas, meu amigo, não pode tornar-se um asceta (yati) pelo [simples fato de levar consigo um] bastão. (17)

Deve buscar esmolas junto às quatro castas (varna), com exceção dos pecadores. Deve bater em sete portas sem ser anunciado e deve contentar-se com o que assim lhe for dado. (18)

Achegando-se de uma cisterna situada fora [do povoado] e banhando-se nela, contendo a fala e separando-se [das outras pessoas], deve comer os restos purificados [do alimento, fazendo as oferendas prescritas às divindades] e não deixando ele mesmo sobra alguma. (19)

Deve vagar sozinho pela terra, desapegado e exercendo controle sobre os sentidos, regozijando-se no Si Mesmo, divertindo-se com o Si Mesmo, possuidor do Si Mesmo, contemplando esse [Si Mesmo em todas as coisas]. (20)

Abrigando-se num [lugar] isolado e protegido, com a intenção (âshaya) pura [e concentrada] no meu Ser (bhâva), o sábio deve contemplar o único Si Mesmo como algo que não se distingue em absoluto de Mim. (21)

Deve meditar na servidão e na libertação do Si Mesmo através do cultivo da sabedoria. A servidão é a distração (*vikshepa*) através dos sentidos, e a libertação é o controle desses [mesmos sentidos]. (22)

O sábio, portanto, restringindo as seis espécies [de sentidos, inclusive a mente inferior, ou *manas*], deve vagar [sobre a terra] com a intenção (*bhâva*) fixa em Mim. Encontrando no Si Mesmo grande regozijo, [deve] dissociar-se de [todos os] desejos vis. (23)

Deve vagar sobre as terras que abundam em países virtuosos, rios, montanhas, florestas e eremitérios; [só] deve entrar nas cidades, povoados, ranchos e paradas de caravanas para pedir [esmolas]. (24)

Para esmolar, deve dirigir-se principalmente aos eremitérios de [ascetas] habitantes das florestas. [Alimentando-se de] cereais e ervas, ele obtém uma mente pura (*sattva*), liberta da ilusão. (25)

Vendo que este [mundo] passa, não deve voltar-se para ele. Com a mente desapegada, deve abster-se de [todo] objetivo neste [mundo] e no outro. (26)

"Este mundo, a mente, a palavra e o conjunto das forças vitais são todos ilusões (*mâyâ*) [que sobrepõem-se] ao Si Mesmo." Raciocinando desse modo e dependendo apenas de si, deve deixar para trás [esses fenômenos ilusórios] e não deve dedicar-lhes [mais nenhum] pensamento. (27)

Buscando a sabedoria, desapegado, dedicado a Mim, despreocupado, deve vagar pela terra livre de todas as regras, tendo deixado para trás os estágios da vida (*âshrama*) com suas [respectivas] características. (28)

[Embora] sábio (*budha*), deve brincar como uma criança; [embora] hábil, deve portar-se como um tolo; [embora] instruído, deve falar como um louco; [embora] refinado (*naigama*), deve proceder à semelhança das vacas. (29)

Não deve gostar de debater sobre os *Vedas*, nem deve ser herético, nem dado a discussões. Não deve, em absoluto, tomar partido nas controvérsias que têm por objeto afirmações perfeitamente inúteis. (30)

O sábio (*dhîra*) não deve deixar-se agitar pelas pessoas nem deve ele mesmo agitá-las. Deve suportar com paciência os insultos e não deve incomodar ninguém. No que diz respeito ao corpo, não deve sentir-se inimigo de ninguém, à semelhança do gado [pacífico por natureza]. (31)

Só o único e supremo Si Mesmo está em [todos os] seres, como a [única e a mesma] Lua se reflete em [muitos] vasos. [Todos os seres] têm a sua morada no Si Mesmo, e [todos os] seres são do [único] Si Mesmo. (32)

Cultivando a equanimidade e confiando no destino, não deve ele ficar triste quando não obtém comida, nem deve alegrar-se quando a obtém. (33)

Deve querer a comida, [pois] isto convém à conservação da vida. Por meio disto pode-se refletir acerca da verdade e saber quem é liberto. (34)

O sábio deve aceitar o alimento que o destino lhe reservar, quer seja excelente, quer não; do mesmo modo, [deve aceitar] as vestes e o leito de dormir que lhe forem oferecidos. (35)

O gnóstico (*jnânin*) deve praticar a purificação do corpo, o bochechar [com água para limpar a boca], os banhos e outras disciplinas, mas não em virtude das prescrições [das escrituras sagradas]; [deve fazê-lo] como Eu, o Senhor, [faço tudo] a título de divertimento. (36)

Ele não tem o que se chama de concepções errôneas e, [se tiver], ela lhe será removida pela visão de Mim. Até o fim do corpo, [ele goza de] uma certa visão [de Mim]. A partir de então, une-se a Mim. (37)

O possuidor do Si Mesmo (*âtmavan*) que se enoja das ações que geram sofrimento [mas] não investigou a minha doutrina (*dharma*) deve buscar um sábio [que lhe possa servir de] mestre (*guru*). (38)

Dedicado a Mim como seu mestre, deve praticar com devoção, com fé e sem queixar-se até realizar o Absoluto (*brahman*). (39)

Porém, o cocheiro de sentidos desregrados, que não conteve as seis espécies [de sentidos, inclusive a mente inferior], que não possui a sabedoria nem a impassibilidade, e [que não obstante] leva [a vida de um asceta, portando] o triplo bastão... (40)

... este, um inimigo da virtude (*dharma*), engana a si mesmo e às divindades (*sura*) e trapaceia Comigo que resido nele. Com suas máculas (*kashâya*) "não-cozidas" (*avipakva*), ele fica privado deste nosso [mundo] e também do outro. (41)

A regra de vida (*dharma*) de um monge [compreende] a tranqüilidade (*shama*) e a não-violência; a do eremita da floresta, a ascese e a visão [pura] (*îkshâ*); a do pai de família, a proteção dos seres e o sacrifício (*ijyâ*); a do [brâmane] nascido duas vezes, o serviço ao seu preceptor. (42)

A castidade, a ascese, a pureza, o contentamento e a bondade para com os seres também são deveres de um pai de família. A adoração a Mim é desejável para todos. (43)

O que assim Me adora constantemente pelo [cumprimento] dos seus deveres, não tem devoção por nenhum outro e procura encontrar-Me em todos os seres, logo encontra o Meu amor. (44)

Ó Uddhava, pela devoção inabalável ele chega a Mim, o grande Senhor de todos os mundos, o Absoluto, a Causa [Suprema], a Origem e o Fim de todos [os seres e coisas]. (45)

> Com o ser (*sattva*) assim purificado pelo [cumprimento] dos seus deveres, conhecedor do Meu estado, dotado de sabedoria e conhecimento, ele logo chega a Mim. (46)
>
> Quando se liga à devoção a Mim, essa regra de vida (*dharma*) relativa às castas (*varna*) e aos estágios da vida (*âshrama*) — marcada sempre pela conduta [correta] — conduz, em verdade, ao sumo bem (*nihshreyasa*), o Supremo. (47)
>
> Revelei-te isto, ó amigo, [pois] isto Me perguntaste: como o devoto (*bhakta*) disciplinado no [cumprimento] dos seus deveres pode chegar a Mim, o Supremo (*para*). [48]

A Alquimia do Ódio

A doutrina mais extraordinária do *Bhâgavata-Purâna* talvez seja a do "Yoga do ódio" (*dvesha-yoga*). De acordo com essa doutrina, o ser que odeia profundamente a Divindade pode chegar à realização de Deus tão prontamente quanto o que ama profundamente o Senhor. O sábio Nârada, um dos mais ativos porta-vozes da religião Bhâgavata, expressa-a desta maneira:

> Todas as emoções humanas têm a sua raiz nas concepções errôneas de "eu" e de "meu". O Absoluto, o Si Mesmo universal, não tem nem a noção do "eu" nem quaisquer emoções. (7.1.23)
>
> Por isso, o ser deve unir-se [a Deus] através da amizade ou da inimizade, da tranqüilidade ou do medo, do amor ou do apego. [Deus] não vê distinção alguma. (7.1.25)

Em seguida, Nârada menciona os exemplos de Kamsa, que chegou a Deus pelo medo, e de Shishupâla, rei dos Cedis, que chegou a Deus pelo ódio. Aliás, o ódio de Shishupâla foi cultivado no decorrer de várias encarnações. Foi ele o rei-demônio Hiranyakashipu ("Veste de Ouro"), que torturou Prahlâda, seu próprio filho, por causa da devoção que este tinha por Vishnu, mas foi morto pelo Deus que assumiu a forma de Nara-Simha ("Homem-Leão"). Numa outra existência, Shishupâla foi o demônio Râvana, morto por Râma, encarnação de Vishnu.

A idéia de que o ódio pode transformar-se num caminho que conduz a Deus, embora ofenda a sensibilidade convencional, é uma conseqüência lógica da antiga doutrina esotérica de que nós nos tornamos naquilo em que meditamos. O ódio intenso que Shishupâla concebeu pelo Senhor Vishnu teve por efeito fazê-lo pensar incessantemente na Divindade, ao ponto em que ele por fim foi absorvido por Ela. Isso nos faz compreender que o processo espiritual depende diretamente do jogo da atenção. É claro que, para que uma emoção negativa tão forte tenha efeito libertador, o ser precisa também ser dotado das predisposições kármicas corretas. O ódio absoluto é tão impossível para a pessoa comum quanto o amor absoluto.

O Devî-Bhâgavata

Já que estamos falando do grande *Bhâgavata-Purâna*, temos de mencionar, mesmo que somente de passagem, o *Devî-Bhâgavata*. Embora seja este uma das principais obras dos Shâktas, é calcado sobre o *Bhâgavata-Purâna* e dá-nos um exemplo da tradição vital da devoção entre os adoradores de Deus sob o Seu aspecto feminino. Este *Purâna* secundário provavelmente foi composto no século XII ou XIII d.C.

IV. O GÎTÂ-GOVINDA

O *Bhâgavata-Purâna*, fiel ao sincretismo que caracteriza todos os *Purânas*, trata de questões teológicas, filosóficas e cosmológicas de todo tipo e, além disso, conta a saga heróica de Krishna. Já o *Gîtâ-Govinda* ("Cântico de Govinda"), um pouco posterior, é dedicado tão-somente à celebração do amor do Senhor Krishna pela sua pastorinha favorita, Râdhâ. Govinda é um dos muitos nomes de Krishna. Significa literalmente "o que encontra as vacas" e refere-se à profissão de pastor, à qual o deus-homem dedicava-se na região de Vrindâvana. O nome tem também um sentido esotérico, uma vez que a palavra sânscrita *go* não significa somente "vaca", mas também "sabedoria". Portanto, Govinda é aquele que encontra a gnose (*jnâna*).

Este poema, composto em sânscrito no século XII pelo escritor bengalês Jayadeva, é uma alegoria profunda do amor que se dá entre o Deus pessoal e a alma humana, com forte sentimento erótico. Expressa uma tendência nova no movimento devocional vaishnava, coincidente com a expansão deste para o norte da península indiana. De repente, passou-se a dar grande destaque à figura de Râdhâ como encarnação do princípio feminino da Divindade. Confiando sua intimidade a uma amiga, Râdhâ refere-se da seguinte maneira à sua aventura de amor com Krishna:

> Em segredo, à noite, dirigi-me à sua casa num bosque recôndito, onde ele se escondia. Aflita, olhei à minha volta enquanto ele ria, anelando pelos prazeres (*rati*) [da união sexual]. Ó amiga! Faze com que o vencedor do [demônio] Keshin me ame apaixonadamente! Estou enamorada e alimento desejos de amor! (2.11)
>
> Na primeira vez em que nos unimos, eu estava tímida. Ele foi bondoso comigo, [fazendo-me] centenas de hábeis elogios. Eu falava com meus sorrisos, suaves e gentis, e ele soltou-me as vestes que cobriam-me os quadris. (2.12)
>
> Deitou-me num leito de ervas e por longo tempo descansou sobre o meu colo, enquanto eu o beijava e acariciava. Abraçando-me, ele bebeu o mel do meu lábio inferior. (2.13)
>
> Tomada de torpor, fechei os olhos. Os pêlos de sua barba estavam em ponta por causa dos meus carinhos. Todo o meu corpo transudava; ele, por sua vez, estava inquieto pela grande embriaguez da paixão. (2.14)

Krishna e Râdhâ num abraço de amor

Râdhâ anseia pelo seu amor como o coração desperto anseia por Deus. Refletindo o espírito radical do Tantra, o *Gîtâ-Govinda* faz largo uso de metáforas sexuais para exprimir a paixão corpórea que o devoto sente quando contempla Deus. Na sua franqueza erótica, o *Gîtâ-Govinda* supera as obras análogas produzidas pelo misticismo nupcial do Cristianismo medieval.

V. O BHAKTI-YOGA DOS PRECEPTORES VAISHNAVAS

O devocionalismo extático dos Âlvârs não só atraiu o povo iletrado, movido pelos fortes sentimentos de amor desses santos, como também estimulou os intelectuais a desenvolver doutrinas filosóficas sofisticadas tendo por base o ideal do amor (*bhakti*). O primeiro desses eruditos devotos de Vishnu foi Nâthamuni, que viveu no século X d.C. Conta-se que ele costumava caminhar nu recitando o nome sagrado de Vishnu. Alguns estudiosos identificam-no com Shrî Nâtha, autor de várias obras e inclusive do *Yoga-Rahasya* ("Doutrina Secreta do Yoga"). Outro personagem importante entre os chamados "preceptores" (*âcârya*) do Vaishnavismo foi Yâmuna, neto de Nâthamuni. Escreveu ele seis livros, o mais importante dos quais é a *Siddhi-Traya* ("Tríade da Perfeição"). Segundo a tradição, Yâmuna, que qualificava-se como um "vaso de mil pecados", aprendeu o Yoga óctuplo

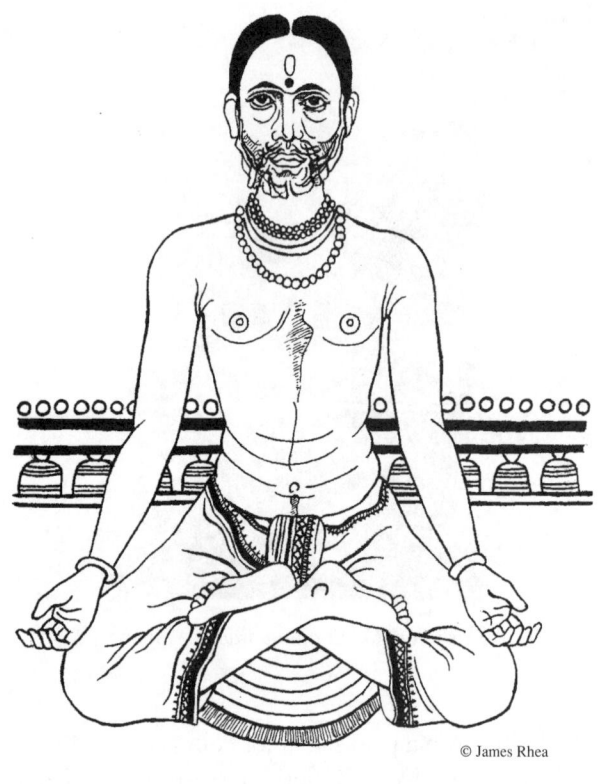

Râmânuja

com Kuruka Nâtha. O próprio Nâthamuni, para o bem do neto, confiara essa doutrina a Kuruka Nâtha. Um dado interessante: o moderno mestre de Yoga, Tirumalai Krishnamacharya, que morreu em 1989 com 101 anos de idade, era um descendente espiritual de Nâthamuni. Shrî Krishnamacharya transmitiu seus ensinamentos para T. K. V. Desikachar (seu filho), B. K. S. Iyengar (seu cunhado), Indra Devi e Pattabhi Jois, que se tornaram todos grandes mestres independentes.[5]

O mais influente de todos os preceptores foi, sem dúvida, Râmânuja (1017-1137 d.C.), que buscou a união dos Vaishnavas do sul e do norte e, em certa medida, conseguiu realizá-la. Yâmuna, que manifestara o forte desejo de conhecer o brilhante Râmânuja, já havia morrido quando este chegou para prestar-lhe homenagem. Três dedos da mão de Yâmuna estavam estranhamente torcidos, e Râmânuja compreendeu esse fato como uma última mensagem a ele dirigida. Entendeu que devia pregar a doutrina vaishnava da entrega incondicional, ou *prapatti*, escrever um comentário sobre o *Brahma-Sûtra* e compor comentários sobre muitas outras obras que defendiam a fé vaishnava ensinada pelos Âlvârs.

A visita a Yâmuna aconteceu depois de Râmânuja ser convidado a retirar-se do *âshrama* do seu próprio mestre, Yâdavaprakâsha, homem instruído mas irascível. Seu discipulado não fora muito tranqüilo, pois Râmânuja tomava a liberdade de divergir do *guru* em muitos pontos de doutrina. Enquanto Yâdavaprakâsha sustentava uma interpretação rigorosamente não-dualista dos textos do Vaishnavismo, Râmânuja esposava, de coração, a doutrina do não-dualismo qualificado: acreditava que Deus não é somente o Um sem distinções, mas compreende também a infinita diferenciação.

Râmânuja teve uma vida longa e cheia de episódios. Seus muitos escritos, que expõem a filosofia da Vishishta-Advaita, constituíram-se os fundamentos de uma extensa literatura exegética que representou o mais sério desafio ao não-dualismo radical da escola de Shankara.

Râmânuja e seus seguidores não concordam com a idéia shankariana de que o mundo da multiplicidade, o mundo que se oferece à nossa experiência, não é real. Não põem fé nas doutrinas de *mâyâ* ("ilusão") e *avidyâ* ("ignorância"), pelas quais os seguidores de Shankara procuram explicar o fato de que, embora só haja o Absoluto, nós vemos distinções em tudo. Segundo os seguidores de Râmânuja, se houvesse uma força como a ignorância, ela não poderia ter a sua sede na Realidade transcendente e onisciente. Mas, se não tivesse sua sede no Absoluto, ela constituiria uma outra realidade, o que faria ruir por terra todo o edifício do não-dualismo radical.

Râmânuja era um praticante entusiasmado do Yoga, o qual, para ele, era Bhakti-Yoga. Segundo o seu entender, o objetivo da meditação é o de gerar amor pela divina Pessoa. Por isso, ele opunha algumas críticas ao Yoga de Patanjali, que não só é dualista como também tem por objetivo a imobilização da mente, e não o fazer o coração voltar-se para Deus. Do mesmo modo, Râmânuja era reticente quanto ao Jnâna-Yoga tal e qual Shankara o ensinara, pois ele tende a gerar o racionalismo e a pretensão nos principiantes. A fim de preparar-se para a meditação, isto é, para a recordação contemplativa da Divindade, a pessoa deve, ao contrário, dedicar-se ao Karma-Yoga.

Do ponto de vista de Râmânuja, a libertação não é a aniquilação do ser, mas a eliminação das suas limitações. O ser liberto tem a "mesma forma" que Deus, embora isso não implique a obliteração de todas as distinções. Antes, a libertação é concebida como uma espécie de "sociedade" com a Pessoa divina e dentro

Madhva

d'Ela — um estado de amor devocional contínuo —, mas enquanto a Pessoa divina é infinita, o criador absoluto do universo, o devoto liberto é finito e não tem poder algum de criação. Para Râmânuja, essa libertação só acontece depois da morte. O amor é o meio e o fim, e pode e deve ser cultivado no decorrer de toda a nossa vida na Terra ou em algum dos domínios superiores da existência.

Os ensinamentos yogues também tinham lugar nas escolas dos outros quatro grandes preceptores do Vaishnavismo — o dualista vedântico Madhva (1238-1317 d.C.); Nimbârka (meados do século XII d.C.), teólogo da dualidade-na-não-dualidade; Vallabha (1479-1531 d.C.), não-dualista puro; e o místico Krishna Caitanya (1486-1533 d.C.), para quem a verdadeira natureza da Realidade é imponderável.

Todos esses mestres, bem como seus numerosos seguidores, afirmam que o amor e a entrega autotranscendentes são os principais meios de libertação. É nessas escolas que a tecnologia psicoespiritual atinge o seu mais alto grau de refinamento artístico e corre menos perigo de transformar-se, por decadência, na pura e simples manipulação do corpo e da mente, como ocorre em certas escolas de Hatha-Yoga. É evidente que o caminho do coração, ou Bhakti-Yoga, tem os seus riscos característicos, como os do irracionalismo frenético ou do sentimentalismo desenfreado. Parece, porém, que tende por natureza a conduzir a uma atitude equilibrada, na medida em que integra o intelecto ao aspecto sentimental da psique. O coração (*hrid, hridaya*) foi reconhecido desde tempos muito antigos como foco primordial do Processo espiritual. "O coração", diz-nos um sábio de nossos tempos, "é o berço do amor."[6] E segundo um grande número de escolas e tradições, é no coração que acontece o grande despertar.

O movimento bháktico dá ao sentimento precedência sobre a razão. Essa ênfase se manifesta de maneira mais evidente na noção de *bhâva*. No contexto da vida ordinária, o termo *bhâva* significa "sentimento" ou "emoção", incluindo-se aí a apreciação estética. De acordo com os dramaturgos e retóricos que escreveram em sânscrito, existem nove emoções principais: o amor, a alegria, o sofrimento, a ira, a coragem, o medo, a aversão, a surpresa e a renúncia.

No contexto espiritual, a palavra *bhâva* denota o êxtase marcado pelo sentimento ou o supremo amor de devoção que liqüefaz a mente na presença da Divindade ou na união com Ela. Esse estado excelso é muitas vezes chamado de *mahâ-bhâva*, ou "grande ânimo"; entre os seus sintomas incluem-se o gargalhar espontâneo, o choro, o cantar, o dançar e o delírio. Às vezes, *mahâ-bhâva* assemelha-se à loucura, e não foram poucos os extáticos vaishnavas que chamaram-se de doidos varridos em virtude do comportamento irracional engendrado pela emoção intensa que sentiam no estado de êxtase.

Na tradição vaishnava, liga-se de perto a essa idéia o conceito de *rasa*, termo que significa literalmente "sabor" ou "essência" e refere-se, no caso, ao ânimo fundamental de uma pessoa ou de uma situação. Assim, os devotos de Vishnu, quando em êxtase, gozam do ânimo do amor (*bhakti-rasa*). Esse termo era usado, antes, no contexto das artes dramáticas, onde denota a emoção principal ou o "sabor" básico que integra todos os elementos de uma composição artística. Enquanto *rasa* representa um sentimento objetivo, *bhâva* significa um estado de espírito mais subjetivo e pessoal. Assim como existem nove tipos de *bhâva*, existem também nove tipos correspondentes de *rasa*, que se manifestam ou se fazem sentir através das *bhâvas*, que são o seu veículo.

VI. JNÂNADEVA E OUTROS SANTOS DE MAHARASHTRA

Um dos grandes adeptos vaishnavas da via da devoção temperada com a sabedoria foi Jnânadeva (1275-1296 d.C.). Foi o segundo dos quatro filhos de um casal de brâmanes piedosos mas pobres que moravam no povoado de Alandi, perto de Poona, em Maharashtra, região da Índia que gerou excelentes sábios

Jnânadeva

e santos. Seu irmão mais velho, Nivritti Nâtha, era discípulo de Gahini Nâtha, grande mestre de Hatha-Yoga e *mahâ-siddha*. Nivritti Nâtha fora iniciado com meros sete anos de idade e, por sua vez, iniciou Jnânadeva quando este ainda era bem jovem — sem dúvida, antes dos quinze anos.

Foi com quinze anos que Jnânadeva compôs, em homenagem ao seu *guru* e irmão Nivritti Nâtha, seu famoso comentário poético em língua marati sobre o *Bhagavad-Gîtâ*, que tem sido apreciado tanto pela profundidade da sabedoria quanto pela beleza estilística. Esse comentário extenso — de quase nove mil versículos — foi pronunciado oralmente de forma espontânea pelo santo e só depois foi escrito. Tem dois títulos: *Bhâva-Artha-Dîpikâ* ("Luz sobre o Sentido Original"; escreve-se *Bhâvârthadîpikâ*) ou o mais simples *Jnâneshvarî* (das palavras *jnâna*, "sabedoria", e *îshvarî*, "soberana"). Nâmadeva de Pandharpur, amigo e discípulo de Jnânadeva, autor de muitas obras devocionais, comparou o *Jnâneshvarî* a "uma onda de beatitude brâhmica".

Atendendo a um pedido de seu irmão e *guru*, ele compôs também o *Amrita-Anubhava* ("Experiência da Imortalidade"; escreve-se *Amritânubhava*), que já foi exaltado como a maior obra filosófica jamais escrita em língua marati. Outra obra, o *Changadeva-Pâshashthi*, é um poema de instrução dedicado ao yogue Changadeva, que antes tinha orgulho dos seus poderes mágicos mas acabou descobrindo a humildade aos pés de Jnânadeva. Além disso, há cerca de novecentos hinos devocionais (*abhanga*) atribuídos a Jnânadeva.

Este não foi somente um mestre realizado e um gênio da poesia, mas também um poderoso taumaturgo que, entre outras coisas, teria feito um búfalo recitar versículos do *Rig-Veda* e ressuscitado o santo Saccidânanda Bâbâ. Não obstante, esses milagres nada significavam para ele quando comparados com o amor que tinha por Deus e pelo *guru*. Com meros vinte e um anos de idade, fez-se enterrar vivo quando em meditação profunda para sair deste mundo. O local do seu último *samâdhi*, em Alandi, continua a atrair peregrinos.

Seu *Jnâneshvarî* (6.192-317) contém, entre outras coisas, uma descrição notável do processo da *kundalinî*, tal como era ensinado pelo Nâthismo dos primeiros tempos. Para ele, o despertar desse formidável poder oculto no corpo humano estava ligado de perto à *guru-yoga*, a disciplina espiritual de honrar o mestre como uma encarnação de Deus. O Capítulo 15 começa com as seguintes palavras:

> Agora colocarei os pés de meu *guru* no altar do meu coração. (1)

> Derramando meus sentidos como flores sobre as mãos em concha da experiência de união com o Supremo, ofereço-lhes aos seus pés. (2)

A filosofia de Jnânadeva lançava firmes raízes na sua realização espiritual pessoal. Rejeitava ele a *mâyâ-vâda* de Shankara (para quem a realidade objetiva é ilusória) e ensinava, ao contrário, que a idéia de que a aparência do mundo é fruto da ignorância (*avidyâ*) é ela mesma ilusória. Diz-nos, antes, que o mundo é o jogo da Divindade e sua causa não é outra senão o próprio Supremo. O universo não é uma ilusão que engana as pessoas; é uma expressão do divino amor. Do mesmo modo, a psique individuada (*jîva*) não é, como queria Shankara, "mera aparência", mas uma manifestação necessária da Realidade suprema, que se deleita consigo mesma no espelho da criação. Conseqüentemente, para Jnânadeva, o objetivo da vida humana não é a libertação — compreendida como a fuga de um mundo meramente ilusório —, mas a realização a cada momento da presença de Deus no corpo-mente e do fato de que Deus é esse corpo-mente.

Outro santo célebre de Maharashtra foi Eka Nâtha (1533 ou 1548-1599 d.C.), que ficou órfão muito novo e foi criado pelos avós. Aos doze anos, seguindo as instruções de uma voz interior, deixou secretamente a sua casa para fazer-se discípulo de Janârdana Svâmin, com quem viveu por seis anos. Depois se casou, mas mantinha com a esposa um relacionamento bastante formal e insistia em que os homens se mantivessem a distância de todas as mulheres, exceto da esposa. Foi um homem dotado de imenso autocontrole e grande paciência, e percebia com evidência a igualdade de todas as pessoas. Foi o autor de muitas obras de literatura espiritual, entre as quais destacam-se comentários sobre o décimo primeiro capítulo do *Bhâgavata-Purâna* e sobre os primeiros quarenta e quatro capítulos do *Râmâyana*, bem como numerosos hinos devocionais.

Eka Nâtha foi um verdadeiro *bhakta* que derramava lágrimas de alegria no estado de união extática com o Bem-Amado. Numa de suas *abhangas*, diz que descobriu o "olho do olho" e que todo o seu corpo foi dotado do dom da visão. Seu amor por Deus era inseparável do amor pelo *guru*, e em todos os cânticos de louvor ele une seu nome ao de Janârdana para celebrar o laço eterno que os unia. Para ele, um sábio realizado em Deus, já não havia distinção alguma entre o adorador e o Adorado. Só havia o Um.

No século XVII, o movimento bháktico de Maharashtra gerou o santo Tukârâma (1598?-1650?), filho de uma família de fazendeiros pobres. Sofreu ele na vida todas as agruras possíveis, pelas quais, porém, sentia gratidão, pois conservavam-lhe humilde e aberto para Deus. De acordo com um relato tradicional, ele subiu aos céus como Jesus Cristo.

Foi muitíssimo influenciado por Jnânadeva, mas manifestava em maior medida a atitude emocional de Nâmadeva, a qual se expressa em muitas de suas populares *abhangas*. Suas criações poéticas inspiradas estavam nos lábios de toda gente, mas o êxito que obteve junto ao povo comum encheu de inveja a *intelligentsia* local. Um dos seus inimigos chegou a ponto de atirar no rio todas as suas *abhangas*. Perturbado por esse ato desumano, Tukârâma deu início a um jejum rigoroso para que o Bem-Amado lhe dissesse diretamente se devia ou não desistir de compor suas canções. Depois de treze dias sem comida e sem água, teve uma visão que o encorajou. Seus problemas no povoado, porém, não acabaram. Um dos que o criticavam chegou a atirar-lhe água fervendo, o que lhe causou grande dor e agonia mas não o impediu de praticar o perdão e a paciência. Quis o destino que, algum tempo depois, esse mesmo homem caísse vítima de uma doença muito dolorosa e aparentemente incurável. No fim, teve de pedir ajuda a Tukârâma, que atendeu-o imediatamente. O santo compôs uma *abhanga* específica para o pecador, que curou-o na mesmíssima hora.

Tukârâma observava somente dois votos: o de jejuar no dia de *ekâdashî* e o de cantar ininterruptamente os louvores de Deus. Vivendo numa época conturbada, exortava seus discípulos a tornarem-se guerreiros heróicos no campo de batalha espiritual. Teve muitos discípulos que se destacaram pessoalmente pela realização espiritual e pela criatividade literária.

Râmadâsa (1608-1681 d.C.) foi mais um dos grandes santos de Maharashtra. Submeteu-se a severa penitência por doze anos antes de ter a tão esperada visão de Râma. Teve numerosos discípulos, entre os quais o rei Shivajî, que levou a tradição do *bhakti* para o século XVIII.

VII. OS SANTOS MENESTRÉIS DA BENGALA MEDIEVAL

Desde a época do Buda que Bengala tem sido uma terra marcada pela criatividade espiritual, intelectual e artística. Na era medieval, Bengala foi o incomparável caldeirão onde fundiram-se o Tantra — especialmente sob a forma do misticismo Sahajîyâ — e a via da devoção (*bhakti-mârga*). Um dos seus filhos mais nobres foi Jayadeva, que, como já dissemos, escreveu no século XII o *Gîtâ-Govinda*. Dois séculos depois, nasceu lá o poeta místico Candîdâs, considerado o pai da poesia bengalesa. Suas canções de amor que falam do Senhor Krishna e da sua amada Râdhâ são cantadas até hoje nos povoados de Bengala.

Candîdâs ainda é notório pelo escândalo que causou quando, sendo brâmane de nascimento, apaixonou-se perdidamente pela lavadeira Râmî, de casta inferior. Foi esse fortíssimo amor humano que alimentou a poesia espiritual de Candîdâs, fazendo das suas canções obras-primas do Bhakti-Yoga. Ele canta o amor intenso de Râdhâ por Krishna, que a faz trepidar de entusiasmo e cuja divina flauta gera melodias tão encantadoras que ela não consegue, nem ao tapar os ouvidos, proteger o próprio coração dos efeitos de suas notas. Râdhâ, evidentemente, é um símbolo da paixão avassaladora do próprio poeta por Deus.

No século XV, Shrî Caitanya, considerado um dos cinco grandes preceptores do Vaishnavismo, pregou o evangelho do amor de êxtase por toda Bengala. Suas viagens missionárias levaram-no até ao extremo sul da

Caitanya

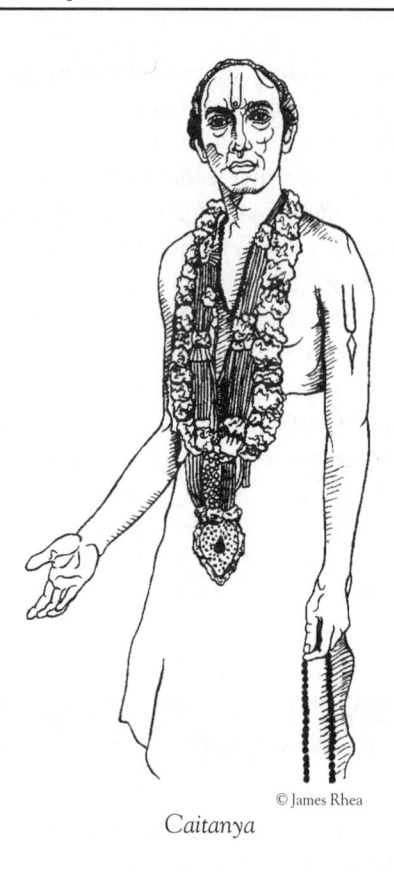

península indiana. Embora famoso como um teórico do Vedânta, Caitanya deixou meros oito versículos para instruir e inspirar a devoção dos seus seguidores — uma composição chamada *Shiksha-Ashtaka*. A doutrina de Caitanya serve de base para o moderno movimento da Consciência de Krishna, fundado nos Estados Unidos em 1965 por Shrila Prabhupada, também chamado A. C. Bhaktivedanta Swami (1896-1977), que contava então setenta anos.

Shrila Prabhupada pertencia à linhagem Gaudîya, de Bengala, cuja origem remonta a Madhva e, antes dele, até mesmo aos primórdios da era védica. Depois de Madhva e Caitanya, que introduziram nela a seiva da realização espiritual, o maior luminar dessa linhagem foi o discípulo principal de Caitanya, Jîva Gosvâmin. Escreveu ele o *Shad-Sandarbha*, que busca explicar o *Bhâgavata-Purâna* a partir de um ponto de vista esotérico, e o *Tattva-Sandarbha*, que é uma introdução filosófica à obra anterior; compôs, além disso, vinte e três outros livros. A linhagem Gaudîya produziu muitas outras obras escritas, que exaltam todas o ideal do *bhakti*.

Muitos outros poetas devotos seguiram as pegadas de Caitanya e seus predecessores. Contam-se entre eles os Bauls da Bengala moderna, que se consideram loucos (*kshepa*). Diz-se que o nome Baul deriva do termo sânscrito *vâtula*, que significa "loucura". A loucura dos Bauls é do tipo extático; suas preocupações consistem tão-somente em gozar interiormente a presença de Deus e dar no exterior o testemunho de sua devoção amorosa pelo canto e pela dança. Entre os Bauls há muitas mulheres místicas, com destaque, no século XX, para as "mães" Anandamayi Ma, Arcanapuri Ma, Lakshmi Ma e Yogeshvari Ma. O instrutor ocidental contemporâneo Lee Lozowick também calcou o seu estilo de vida e a sua doutrina na conduta excêntrica e doida-de-amor dos Bauls.[7]

Há também, na Índia, um grupo de Bauls muçulmanos, conhecidos como Auls (da palavra árabe *awliya*, que significa "intimidade" com Deus). A distinção entre os Bauls hindus e muçulmanos (sendo que estes são sufis) é muito fluida e alguns deles chegam a negar que ela exista — demonstração convincente da verdade essencial do movimento bháktico: o Senhor é Um e existe para todos os povos.

VIII. O MISTICISMO POPULAR DO AMOR NO NORTE DA ÍNDIA

Nenhuma apresentação do movimento bháktico, por breve que fosse, estaria completa sem uma menção aos santos Kabîr, Mîrâ Bâî, Tulsî Dâs e Sur Dâs, do norte da Índia, que inspiraram com suas poesias místicas muitas gerações de hindus piedosos.

A. C. Bhaktivedanta Swami (Shrila Prabhupada)

Kabîr, filho de um tecelão muçulmano, passou a juventude na cidade sagrada hindu de Benares (Varanasi). Não conhecemos ao certo as suas datas de nascimento e de morte. Alguns estudiosos situam-lhe a existência entre 1398 e 1448 d.C., ao passo que outros colocam-na entre 1440 e 1518 d.C., ou em datas próximas a essas. Desde muito cedo, Kabîr entregou-se à invocação (*japa*) do divino nome de Râma, provocando a ira tanto dos muçulmanos quanto de seus contemporâneos hindus. Com o tempo, porém, veio a constituir-se num símbolo perene da tolerância. De acordo com uma tradição, Kabîr foi discípulo de Râmânanda, que por sua vez fora aluno do famoso mestre Râmânuja, da Índia meridional. Suas poesias, porém, deixam claro que ele também sofreu grande influência do Sufismo, que já no início do século XIII d.C. lançara raízes profundas na Índia. Essa influência se faz ver com a máxima evidência no fato de que Kabîr rejeitava todas as imagens religiosas.

Kabîr defendia, com uma linguagem espirituosa, a devoção simples e direta a Deus, que nunca deixa de evidenciar as limitações intrínsecas de todas as formas religiosas externas ou convencionais. Via-se ele como a "esposa de Râma" ou a "noiva de Deus", mas apressava-se sempre em deixar claro que Râma (hindi: Râm) não era uma divindade exclusivamente hindu. Por isso, em sua poesia, usava também muitos outros nomes para referir-se a Deus, que para ele era indefinível e incognoscível, muito além do alcance das doutrinas e dogmas. Kabîr afirmava convictamente, porém, que Deus poderia ser realizado no interior daquele que soubesse "virar a chave da décima porta". Essa "décima porta" — que se opõe aos nove portais (orifícios ou aberturas) do corpo humano, através dos quais a consciência se exterioriza — localiza-se no meio da cabeça. Esse ponto também é chamado de "terceiro olho".

As poesias de Kabîr, escritas em hindi, não são excessivamente elaboradas, mas são fortes e penetrantes. Um bom número de seus poemas e ditos foi compilado no ano de 1570 d.C. por um de seus seguidores, que reuniu-os sob o título de *Bîjak*. Muitas dessas peças foram incluídas depois no *Âdi-Granth*, o livro sagrado dos Sikhs, cuja espiritualidade será apresentada sumariamente no Capítulo 16.

Mîrâ Bâî, princesa rajputra que provavelmente viveu entre 1498 e 1546 d.C., foi outra grande santa e poeta daquela época, e é amada até hoje. Sua aspiração espiritual despertou com a morte seguida dos pais e do marido. Esses acontecimentos levaram-na a adotar a vida itinerante de uma menestrel do *bhakti*. A divindade de sua eleição era o Senhor Krishna, em quem ela punha uma fé absoluta. Ela imagina-se brincando com ele na mística região de Vrindâvana como uma de suas pastoras (*gopî*). Cheias de imagens e metáforas, as canções de amor devocional de Mîrâ Bâî são altamente líricas e feitas sob medida para despertar nos outros o mesmo anseio intenso por Krishna.

Na geração seguinte, Tulsî Dâs (1532-1623 d.C.) cantou a glória de Deus sob a forma de Râma. Os discípulos de Râmânanda tiraram-no da vida de menino de rua e ele tornou-se um dos mais queridos compositores de poemas em louvor ao deus Râma em língua hindi. Criou ele uma célebre versão da epopéia *Râmâyana* na língua popular, chamada *Râma-Carita-Mânasa* ("Lago da Vida de Râma").

Sur Dâs foi contemporâneo de Tulsî Dâs e igualava-se a ele em fama. À semelhança do grego Homero, nasceu cego, mas as poesias de amor que dedicou a Krishna revelam-lhe o gênio visionário. Suas criações poéticas foram coligidas no *Sur Sâgar* ("Oceano de Sur"), tomo gigantesco que contém, numa de suas edições, mais de cinco mil poesias, muito embora haja muitos milhares mais que levam o nome de Sur Dâs. A tradição o recorda como um poeta prolífico e realmente inspirado, embora seja certo que nem todos os poemas que lhe são atribuídos foram de fato escritos por ele.

A Índia Setentrional gerou muitos outros santos-poetas, representantes da via apaixonada do Bhakti-Yoga, que gira em torno da adoração do deus Vishnu em uma ou outra de suas manifestações — um número tão grande de santos-poetas inspirados que ser-nos-ia impossível mencioná-los individualmente.

Kabîr

"Deve-se fortalecer o *Veda* por meio dos *Itihâsas* [coletâneas de histórias populares] e dos *Purânas*, pois o *Veda* não se abre ao acesso dos ignorantes, que poderiam maculá-lo."

— *Vâyu-Purâna* (1.201)

Capítulo 13
O YOGA E OS YOGINS NOS PURÂNAS

I. O ASCETA NU

Certa vez, o deus Shiva vagava pela floresta de Devadâru disfarçado do jovem asceta nu Kâlabhairava, levando consigo uma guirlanda de crânios humanos. Estava acompanhado por sua esposa Satî e pelo deus Vishnu, ambos também em forma humana. A floresta era habitada por muitos santos, videntes e sábios com suas famílias. Onde quer que Kâlabhairava fosse, as mulheres tomavam-se de tal paixão por ele que arrancavam as próprias vestes, tocavam-no, abraçavam-no e passavam a segui-lo. Os jovens eram afetados da mesma maneira. Os santos, porém, ficaram enfurecidos com a conduta escandalosa do estranho e com o efeito mágico que ele tinha sobre suas mulheres e filhos. Exigiram que ele cobrisse seus órgãos genitais e passasse a dedicar-se seriamente à penitência (*tapas*). Pondo em uso todos os poderes sobrenaturais que haviam acumulado no decorrer de décadas de intensa ascese, amaldiçoaram reiteradamente Kâlabhairava. Não obstante, suas maldições não tinham efeito algum, "como luzes de estrelas que se lançassem sobre o brilho do sol", e não puderam fazer mal ao jovem. Furiosos pelo fracasso, começaram a espancar o asceta nu com pauladas, e ele teve de fugir.

Kâlabhairava e seu séquito chegaram então ao eremitério do sábio Vashishtha, onde pediram de comer. A esposa do sábio, Arundhatî, aproximou-se do visitante com a máxima reverência e dispôs-se a servir-lhe alimentos. Porém, Kâlabhairava foi de novo expulso pelos ascetas da região, que correram atrás dele gritando e exigindo que ele arrancasse fora o pênis para que não pudesse mais ofender as pessoas. Sem hesitar, Kâlabhairava arrancou os próprios órgãos genitais — e imediatamente desapareceu. De repente, o mundo inteiro cobriu-se de trevas e a terra tremeu.

Por fim os videntes e sábios começaram a perceber que Kâlabhairava não era outro senão o próprio deus Shiva, e sentiram-se aterrorizados e cobertos de vergonha. Seguindo um conselho de Brahma, Criador do universo, buscaram o perdão de Shiva adorando o seu símbolo (*linga*), o princípio da criatividade. Depois de algum tempo, Shiva voltou à floresta e revelou aos sábios penitentes os segredos do Yoga do Senhor dos Animais (*pâshupata-yoga*).

Esta história, contada pelo *Kûrma-Purâna* (Capítulo 2), é um exemplo típico das lendas que compõem grande parte da literatura purânica. Essas histórias foram feitas para o povo do campo e nunca deixaram de cumprir as funções de divertir e edificar, bem como de explicar as doutrinas e práticas sagradas dos que haviam dedicado a vida à busca da libertação ou de poderes paranormais, conforme o caso.

II. ENSINAMENTOS YOGUES NAS ENCICLOPÉDIAS PURÂNICAS

Os *Purânas* são enciclopédias populares que seguem o estilo divagante e multifacetado da epopéia *Mahâbhârata*, embora sejam um pouco mais estruturados. A palavra *purâna* por si significa "antigo" e, no caso, denota uma narrativa cuja origem se perde na noite dos tempos; refere-se especificamente ao conteúdo das narrativas, que tratam das origens das coisas — desde as genealogias das dinastias reais até a genealogia do próprio universo. Os *Purânas* são uma mescla de mito e história, tradição e inovação.

Os conhecimentos purânicos remontam à Era Védica, quando os *Purânas* não eram ainda escritos, mas memorizados e transmitidos oralmente. Entretanto, um trecho do *Atharva-Veda* (11.7.24) dá a entender que já naquela época havia obras escritas que levavam o nome de *Purâna*. Eles são vistos às vezes como um quinto *Veda*, sinal da grande estima que já lhes foi dedicada. Originalmente, eram transmitidos por contadores de histórias (*suta*) fora das rodas bramânicas ortodoxas, mas no decorrer dos séculos foram-se tornando cada vez mais objeto de posse de famílias brâmanes que se especializavam em recitá-los. Sob alguns aspectos, os *Purânas* eram para o público em geral o que os *Vedas* e *Brâhmanas* eram para as famílias sacerdotais védicas. A mitologia purânica era até certo ponto dependente da mitologia védica, mas teve uma evolução própria; e hoje em dia, os hindus tradicionais mal se lembram dos mitos e lendas do *Veda*, mas conhecem a fundo o mundo ricamente imaginativo das lendas purânicas.

Nenhuma das primeiras composições desse gênero literário chegou a nós, mas é muito provável que alguns desses antigos ensinamentos estejam ainda presentes nos dezoito grandes *Purânas* existentes hoje. Parece, porém, que os mais antigos dentre esses textos foram criados nos primeiros séculos do primeiro milênio d.C. Alguns — como o importantíssimo *Bhâgavata-Purâna* — são composições ainda mais tardias. Não há dúvida de que todas essas obras contêm matérias de diversos períodos, e a tradição diz que todas foram compostas pelo sábio Vyâsa ("Organizador"), a quem também se atribui a compilação das quatro *Samhitâs* védicas. Segundo o *Vishnu-Purâna* (3.6), Vyâsa montou a chamada *Purâna-Samhitâ* a partir de várias histórias antigas e depois transmitiu-a a seu discípulo Romaharshana. Este, por sua vez, passou-a adiante para seus discípulos Kashyapa, Sâvarni e Shâmsapâyana, cada um dos quais criou o seu próprio texto.

Os dezoito *Mahâ* ("Grandes")*-Purânas*, compreendendo cada qual dezenas de milhares de versículos, são o *Brahma-* (também chamado às vezes de *Âdi*, "Original"), o *Padma-*, o *Vishnu-*, o *Vâyu-*, o *Bhâgavata-*, o *Nârada-*, o *Mârkandeya-*, o *Agni-*, o *Bhavishya-*, o *Brahma-Vaivarta-*, o *Linga-*, o *Varâha-*, o *Skanda-*, o *Vamâna-*, o *Kûrma-*, o *Matsya-*, o *Garuda-* e o *Brahmânda-Purâna*.

Além dos *Mahâ-Purânas*, existem também dezoito *Upa* ("Secundários" ou "Menores")*-Purânas*, bem como algumas composições isoladas que levam o nome de *Purânas*. O *Devî-Bhâgavata-Purâna*, dedicado à adoração da grande Deusa, é um dos mais importantes dentre esses textos secundários.

Todas essas obras têm a finalidade de instruir os fiéis das diversas tradições religiosas e têm exercido grande influência sobre a educação da maior parte do povo. Idealmente, tratam de cinco temas principais. Em geral, começam com um relato mitológico da criação (*sarga*) do mundo. A isto segue-se uma descrição da recriação (*pratisarga*) do mundo depois de sua destruição ao fim de um ciclo (*kalpa*). O terceiro grande tópico são as genealogias (*vamsha*) dos videntes e divindades. Vem a seguir a descrição mitológica das eras cósmicas chamadas *manvantaras* ("períodos de Manu"). São esses os grandes ciclos da existência, cada qual tem o seu próprio Manu; este, como o Adão dos hebreus, é o progenitor da humanidade. Por fim os *Purânas* devem tratar das histórias genealógicas (*vamsha-anucarita*)[1] das dinastias reais.

Poucos *Purânas* seguem à risca esse ideal tradicional das chamadas "cinco características" (*panca-lakshana*), e a maioria traz muitas informações que nada têm a ver com isso, como, por exemplo, breves exposições de ensinamentos yogues. Os tipos de Yoga de que tratam são os mais diversos, mas todos tendem a subordinar-se por completo à adoração de uma ou outra divindade em particular, sobretudo Vishnu e Shiva. Não é de surpreender, portanto, que a maioria desses ensinamentos seja de caráter ritual, embora alguns textos apresentem um Yoga de tipo mais contemplativo.

O *Brahma-Purâna* trata do Yoga no Capítulo 235 (versículos 4-29). Lemos aí que os praticantes devem, antes de mais nada, venerar amorosamente o mestre e estudar os textos de Yoga, além de conhecer suficientemente bem os *Vedas*, *Purânas* e *Itihâsas* (histórias). Então, depois de familiarizar-se com as normas de alimentação, os tempos e lugares propícios à prática e as máculas (*dosha*) que podem afetar o caminho yogue, devem começar a prática do Yoga (*yoga-abhyâsa*), transcendendo a cobiça e os pares de opostos (*dvandva*).

Aconselha-se aos aspirantes que evitem praticar quando estiverem com a mente perturbada, cansados ou com fome, ou quando o tempo estiver muito quente, muito frio ou muito ventoso. Devem evitar também os lugares muito barulhentos ou muito próximos à água ou ao fogo, os estábulos abandonados, as encruzilhadas, os lugares infestados de animais rastejantes, os cemitérios, as margens dos rios, os mosteiros, os formigueiros, os poços, os lugares cobertos de folhas secas e os lugares que ofereçam qualquer outro perigo. Aos que pretendem ignorar esses conselhos, avisa-se que poderão deparar-se com uma série de dificuldades, como a surdez, a cegueira, a obesidade, a perda de memória, a mudez, a preguiça e a febre. Os lugares propícios são os eremitérios (*âshrama*), um edifício vazio numa cidade tranqüila, onde não haja motivo para ter medo, ou um templo puro, isolado e belo.

Diz-se ainda que os melhores momentos para a prática do Yoga são o amanhecer, o meio-dia e a primeira ou a última *yâma* (três horas) da noite. Aconselha-se aos praticantes, ademais, que tomem assento numa almofada nem muito alta nem muito baixa e voltem-se sempre para o leste. A todo momento, devem conservar o corpo, da cabeça aos pés, numa postura estável. A postura recomendada é a do lótus (*padmâsana*; escreve-se *padmâsana*), na qual olha-se para a ponta do nariz com os olhos meio fechados. Para a meditação, porém, os olhos devem fechar-se por inteiro, e o procedimento mais recomendável é a meditação mediante a recitação da sílaba sagrada *om*. Para isso deve-se concentrar os órgãos de ação, os órgãos de cognição e os cinco elementos no "conhecedor do campo" (*kshetra-jna*), que é o Si Mesmo universal contido no corpo-mente finito (chamado de "campo" ou *kshetra*).

Os que atingem a proficiência nessa prática tornam-se capazes de recolher os sentidos como a tartaruga recolhe os membros. O sucesso no Yoga pertence aos que deixam para trás todos os objetos dos sentidos e encontram o supremo Absoluto, que é o puro *purusha-uttama* (escreve-se *purushottama*), o Espírito incomparável. Este também é chamado de o "Quarto" (*turya*), pois transcende os três estados distintivos de consciência: a vigília, o sonho e o sono profundo. No versículo 235.28, o Yoga é definido como "a união da mente e das faculdades [com o Si Mesmo]" (*manasash ca indriyânâm ca samyogah*).

O *Padma-Purâna* ("*Purâna* do Lótus"), por exemplo, tem no seu último livro um apêndice intitulado "A Essência do Yoga Ritual" (*Kriyâ-Yoga-Sâra*) que recomenda que Vishnu não seja adorado pela meditação (*dhyâna*), mas através de orações e ritos sacrificiais. Por outro lado, o *Vishnu-Purâna* ("*Purâna* do Que Preenche Todas as Coisas"), que trata do Yoga no seu livro sexto, bastante curto, compreende o Yoga como o caminho da meditação. O único objeto digno de ser contemplado é Vishnu, que também é o único que pode conceder a liberdade eterna.

O *Vâyu-Purâna* ("*Purâna* do Vento"), nos seus últimos capítulos, apresenta o Yoga como um meio de chegar-se à "cidade de Shiva" (*shiva-pura*), que corresponde à noção vaishnava de *vaikuntha*, o domínio celestial de Vishnu. O caminho que esse *Purâna* prega especificamente é chamado de *mâheshvara-yoga*, o que significa "Yoga do grande (*mahâ*) Senhor (*îshvara*)". Compreende ele cinco elementos (*dharma*): controle da respiração (*prânâyâma*), meditação (*dhyâna*), recolhimento dos sentidos (*pratyâhara*), concentração (*dhâranâ*) e recordação (*smarana*). O controle da respiração tem três graus. O tipo brando envolve uma retenção do ar de doze unidades (*mâtrâ*); o tipo intermediário, uma de vinte e quatro unidades; e o tipo superior, uma de trinta e seis unidades. O perfeito controle da força vital apaga todos os pecados e as imperfeições do corpo. O controle da respiração gera a paz (*shânti*), a tranqüilidade (*prashânti*), a luminosidade (*dîpti*) e graça-de-claridade (*prasâda*). A paz lava os pecados dos antepassados; a tranqüilidade neutraliza os pecados pessoais; a luminosidade faculta a visão do passado, do presente e do futuro; e a graça-da-claridade é o estado de perfeito contentamento que se obtém pela pacificação dos sentidos, da mente e dos cinco tipos de força vital do corpo. O recolhimento dos sentidos é compreendido, nesse texto, como o controle dos desejos, pelo qual supera-se a influência da realidade externa. A meditação revela ao praticante que ele é tão luminoso quanto o sol. Gera ainda os diversos poderes paranormais, que são chamados "obstáculos" (*upasargas*) e devem ser repudiados. Todos os produtos da Natureza podem tornar-se objetos de meditação, e aconselha-se ao *yogin* que medite nas sete categorias da existência, uma por vez, e depois deixe-as para trás. As sete categorias são os cinco elementos, a mente inferior (*manas*) e a mente superior (*buddhi*). O desapego gerado por essa prática permite que o *yogin* concentre-se exclusivamente no Senhor, Maheshvara, e assim atinja o objetivo último, que é a libertação (*apavarga*).

O *Bhâgavata-Purâna*, repleto de informações sobre o Yoga, foi discutido rapidamente no Capítulo 2, quando falamos de Bhakti-Yoga, e mais detalhadamente no Capítulo 12. Seu *Uddhava-Gîtâ* (ver o Texto Original 14) é um texto de Yoga que certamente há de inspirar os que trilham a via da devoção.

O *Linga-Purâna* ("*Purâna* do Sinal Distintivo") apresenta-nos seus conceitos yogues nos Capítulos 7, 8 e 9. O termo *linga* costuma ser traduzido por "falo", mas na realidade representa o princípio criativo cósmico, que é o sinal distintivo da Divindade sob a forma de Shiva. De acordo com a lenda, quando Brahma e Vishnu procuraram determinar o comprimento do *linga* de Shiva, não conseguiram encontrar-lhe nem o princípio nem o fim. O próprio Shiva explica no *Linga-Purâna* (1.19.16) que o *linga* tem esse nome porque, no fim dos tempos, todas as coisas se dissolvem (*lîyate*) nele.

O oitavo capítulo desse *Purâna* afirma que o Yoga óctuplo delineado por Patanjali nasce da sabedoria (*jnâna*), que é dada pela graça. A disciplina (*yama*) é definida como a abstenção das coisas proibidas, por meio da ascese. A categoria do autocontrole (*niyama*) inclui as seguintes dez práticas: limpeza (*shauca*), sacrifício (*ijyâ*), ascese (*tapas*), caridade (*dâna*), estudo (*svadhyâya*), controle do órgão sexual (*upastha-nigraha*), observância dos ritos (*vrata*), jejum (*upavâsa*), silêncio (*mauna*) e banho (*snâna*). Afirma-se também, por outro lado, que o autocontrole consiste em não-cobiçar (*anîhâ*), limpeza, contentamento (*tushti*), ascese, recitação ou invocação (*japa*) do nome de Shiva e postura (*âsana*).

A inibição dos sentidos, por sua vez, é explicada como a dedicação (*pranidhâna*) a Shiva no corpo, na mente e na fala; a devoção inabalável para com o preceptor; e a inibição da percepção sensorial do mundo exterior. A concentração é a fixação da mente num ponto apropriado, ao passo que a meditação é um produto natural da concentração. O êxtase é o estado no qual só a suprema Consciência fulgura, como se o corpo não existisse.

O controle da respiração é considerado a raiz dos estados superiores. O primeiro grau de controle da respiração é definida como doze instantes que perfazem um "golpe" (*udghâta*); o grau médio, como dois "golpes"; e o superior, três. A cada nível de prática, o controle da respiração produz diversos sintomas, como a transpiração abundante, tremores, tontura, arrepios e calafrios e até a levitação. Como em muitos textos de Yoga da época medieval, afirma-se aí que existem dois tipos básicos de controle da respiração: *sagarbha* e *agarbha*, ou "com semente" e "sem semente". No caso, o termo *garbha* refere-se à recitação de *mantras*.

No nono capítulo, o *Linga-Purâna* apresenta um largo rol de obstáculos e maus presságios. Entre os primeiros contam-se os poderes paranormais (*siddhi*), que se manifestam quando a pessoa dedica-se vigorosamente à prática do Yoga. O Capítulo 88 nos dá um resumo desse *pâshupata-yoga*; o autor do *Linga-Purâna* assevera que só esse tipo de Yoga pode gerar os oito grandes poderes paranormais, chamados de *aishvarya*.

O *Kûrma-Purâna* ("*Purâna* da Tartaruga"), que recebe o seu nome da encarnação de Vishnu como tartaruga, traz muitos mitos fascinantes acerca de Vishnu, mas também fala de Shiva. Na segunda parte, encontramos duas "limitações" bem conhecidas do *Bhagavad-Gîtâ*: o *Îshvara-Gîtâ* e o *Vyâsa-Gîtâ*, mais comprido. O primeiro desses dois cânticos didáticos foi objeto de um comentário detalhado escrito pelo filósofo e *yogin* Vijnâna Bhikshu, que chegou a dizer que, como esse texto continha todas as idéias importantes do *Bhagavad-Gîtâ*, ele nem precisaria escrever um comentário sobre este último.

O *Agni-Purâna* ("*Purâna* do Fogo"), obra enorme, mas tardia, tem caráter mais enciclopédico que os outros *Purânas* e traz um sem-número de informações acerca dos ritos, nos quais incluem-se a recitação de *mantras*, a prática de *mudrâs* (gestos das mãos), a construção de *yantras* (diagramas místicos semelhantes às *mandalas* circulares) e o *prânâ-*

> "Por meio da expiração, conjugada à sílaba *hûm*, o mestre [deve] bater [suavemente] com uma flor no peito do discípulo e entrar no [seu] corpo."
>
> — *Agni-Purâna* 83.12

yâma (controle ritual da respiração). O Yoga óctuplo de Patanjali é explicado nos Capítulos 352-358.

O *Garuda-Purâna* ("Purâna da Águia") dá lugar de destaque ao Yoga e dedica três capítulos inteiros (14, 49 e 118) à exposição do caminho de oito membros. Esse texto de linha vaishnava provavelmente recebeu a sua forma atual por volta do ano 900 d.C. Define *tapas* como controle dos sentidos e não como ascese, e só menciona duas posturas de meditação: a postura do lótus e a postura do lótus "amarrada" (*baddha-padma-âsana*).² Afirma ainda que a concentração deve durar dezoito ciclos de controle da respiração, ao passo que a meditação dura duas vezes isso; e a sucessão ininterrupta de dez ciclos de meditação leva ao êxtase (*samâdhi*). O texto refere-se, além disso, ao Bhakti-Yoga e ao Tantra-Yoga.

O volumoso *Shiva-Purâna* trata do Yoga em diversos trechos. No Capítulo 17 do primeiro livro, por exemplo, apresenta-se o Yoga da recitação de *mantras*. Afirma-se que 1.080.000.000 repetições do *mantra* sagrado *om* levam à maestria do "Yoga puro" (*shuddha-yoga*), que não é outra coisa senão a libertação mesma. O texto explica ainda que existem três tipos de *shiva-yogins*. O primeiro é o *kriyâ-yogin*, que dedica-se aos ritos sagrados (*kriyâ*); o segundo é o *tapo-yogin*, que pratica a ascese (*tapas*). Temos por último o *japa-yogin*, que observa os dois outros tipos de prática mas, além disso, recita ininterruptamente o sagrado *mantra* de cinco sílabas: "Om, gloria a Shiva" (*om namah shivâya*).

O Yoga desponta novamente nos Capítulos 37-39 do último livro do *Shiva-Purâna*, onde é definido como a contenção de todas as atividades e a concentração exclusiva da mente em Shiva. Distinguem-se nele cinco graus:

1. O Mantra-Yoga é a concentração da atenção por meio da sagrada invocação de Shiva das cinco sílabas (acima mencionada).

2. O Sparsha-Yoga ("Yoga do Contato") é o Mantra-Yoga aliado ao controle da força vital (*prânâyâma*).

3. O Bhâva-Yoga ("Yoga do Ser") é uma forma mais elevada de Mantra-Yoga, no qual o praticante perde contato com o mantra e a consciência penetra numa dimensão sutil da existência.

4. O Abhâva-Yoga ("Yoga do Não-Ser") é a prática da meditação tendo por objeto desta o universo inteiro, associada à transcendência da consciência dependente dos objetos.

5. O Mahâ-Yoga ("Grande Yoga") é a contemplação de Shiva sem condições limitativas de nenhuma espécie.

O *Mârkandeya-Purâna*, que leva o nome do sábio Mârkandeya, personagem central da narrativa, foi composto entre os séculos IV e V d.C. e é considerado um dos mais antigos textos deste gênero. Fala do Yoga nos Capítulos 36-43 e define detalhadamente as qualidades do indivíduo apto à prática e as condições ambientais necessárias para que esta tenha sucesso. O corpo é reconhecido como um instrumento importante na caminhada espiritual. Este *Purâna*, além disso, apresenta um critério original para aferir-se a perfeição na prática: o *yogin* não deve ter medo algum dos outros seres, nem estes devem ter medo dele.

Os *yogins* são classificados de acordo com a predominância neles, de uma ou outra das três qualidades primárias (*guna*) da Natureza. Distinguem-se também uns dos outros pelo grau que alcançaram no caminho. Assim, no estágio *bhrama* ("vagante"), a mente do *yogin* é caprichosa e superficial e obstaculiza-lhe o progresso. No estágio de *prâtibha* ("entendimento"), o *yogin* compreende todas as escrituras sagradas e os outros ramos do conhecimento. No estágio de *shravana* ("audição"), ele compreende o significado dos diversos domínios da existência. No estágio *daiva* ("divino"), ele percebe imediatamente os seres superiores, como as divindades (*deva*).

Por último, o *Devî-Bhâgavata-Purâna* dos vaishnavas, que quase se assemelha a um *Tantra*, é um verdadeiro armazém de sabedoria espiritual no que se refere ao culto da Deusa. Tem também algumas partes que tratam de Yoga. Esta obra, provavelmente escrita no século XIII d.C., é-nos particularmente interessante pelo alto conceito que faz do sexo feminino. Isso vem reforçado pela autoridade da tradição numa lenda segundo a qual Brahma, Vishnu e Shiva tiveram de transformar-se em mulheres para poder contemplar Devî na sua forma suprema. O contexto verídico dos rituais tântricos nos deixa claro que, em outras épocas, as mulheres iniciadas (chamadas *bhairavîs*) desempenhavam um papel crucial na transmissão dos ensinamentos tântricos.

Com efeito, a partir de certo ponto de vista, a própria *kundalinî-shakti* pode ser vista como um reflexo interiorizado da função iniciática dessas adeptas. O termo técnico *kundalinî*, aliás, é uma palavra de gênero feminino, como é também a palavra *sushumnâ*, que designa o canal central pelo qual o poder da *kundalinî* sobe até chegar ao centro psicoenergético do topo da cabeça. O *Devî-Bhâgavata*, à semelhança de outros textos tântricos afirma-nos que os sete centros psicoenergéticos que se enfiam como pérolas no canal central estão associados a divindades femininas. Com tudo isso, não surpreende que o Yoga desse *Upa-Purâna* seja uma fusão do amor e da devoção com a psicotecnologia característica do caminho tântrico.

Portanto, os *Purânas* descrevem e referem-se às mais diversas escolas de Yoga. Algumas dessas escolas seguem, com maior ou menor rigor, o modelo patanjálico do caminho de oito membros, embora às vezes esses oito membros não sejam exatamente os mesmos definidos por esse grande mestre de Yoga. A marca que as distingue mais radicalmente da tradição de Patanjali, porém, é o fato de que todas elas postulam um único princípio supremo, o Si Mesmo ou Deus.

Não se fizeram muitas pesquisas acerca do Yoga purânico, embora todos os grandes *Purânas* estejam felizmente disponíveis em versões mais ou menos confiáveis para a língua inglesa; além disso, outros textos pertencentes a esse gênero literário continuam a ser traduzidos para o inglês sob a égide do programa "Indian Translation Series", patrocinado conjuntamente pelo governo da Índia e pela UNESCO. Quando chegar ao fim, a "Série de Tradição & Mitologia Indiana Antiga", traduzida por um grupo de estudiosos e publicada pela Motilal Banarsidass, de Delhi, compreenderá cem volumes. O conjunto de mitos e lendas preservados nesses textos é e sempre será uma forte inspiração para o estudioso do Yoga.

TEXTO ORIGINAL 15

O Mârkandeya-Purâna (Trechos Escolhidos)

Apresentamos a seguir um excerto do quadragésimo capítulo do *Mârkandeya-Purâna*, no qual o sábio Dattâtreya instrui seu discípulo Alarka. Percebe-se aí a natureza ritualizada dessa doutrina yogue.

Só deve ele plantar o pé [no caminho à sua frente] depois de purificá-lo com o olhar. Só deve beber água filtrada em tecido, só deve pronunciar palavras purificadas pela verdade e só deve pensar no que foi completamente purificado pela sabedoria (*buddhi*). (4)

O conhecedor do Yoga não deve em lugar algum estar na posição de convidado ou hóspede; não deve participar da adoração aos antepassados, nem de sacrifícios, nem de peregrinações a [santuários de] divindades, nem de festivais. Do mesmo modo, não deve misturar-se com a multidão a fim de fazer-se conhecer. (5)

O conhecedor do Yoga deve vagar para cá e para lá, esmolando [seu sustento cotidiano] e vivendo do que for lançado fora. [Deve pedir esmolas] naqueles lugares onde não se vê fumaça a evolar-se [da lareira], onde as brasas já se apagaram e entre todos aqueles que já se alimentaram; mas, mesmo entre estes, não deve fazê-lo continuamente. (6)

Como a multidão o despreza e zomba dele por causa disso, o *yogin*, jungido [no Yoga], deve trilhar o caminho dos virtuosos [para] não ser contaminado. (7)

Deve pedir esmolas entre os pais de família e nas cabanas de monges mendicantes: o modo de vida destes é considerado o supremo e o melhor. (8)

Deve o asceta (*yati*), além disso, sempre permanecer [próximo dos] pais de família piedosos, disciplinados e magnânimos cujos louvores são cantados pelos *Vedas*. (9)

[Deve], além disso, [permanecer próximo dos] inocentes e dos que não são párias. O pedir esmolas junto aos sem-casta é o modo de vida mais vil que ele poderia desejar. (10)

O alimento esmolado [pode ser] mingau, leite ou leitelho, caldo de cevada, frutas, raízes, painço, trigo, tortas de linhaça ou sêmola. (11)

E todas essas coisas são alimentos agradáveis que favorecem a perfeição (*siddhi*) do *yogin*. O sábio deve recebê-los com devoção e a mais elevada concentração (*samâdhi*). (12)

Primeiro deve beber água; depois, deve recolher-se em silêncio. Então, deve [oferecer] a primeira oblação à [força vital] chamada *prâna*. (13)

A segunda [oblação] deve ser [oferecida] à *apâna*, a seguinte à *samâna*, a quarta à *udâna* e a quinta à *vyâna*. (14)³

Depois de completar as oblações em seqüência, [praticando ao mesmo tempo] a contenção da força vital (*prâna*) [através do controle da respiração], poderá gozar do restante como lhe aprouver ao coração. Tomando de novo água e lavando a boca, deve tocar no coração [i.e., no peito]. (15)

Não roubar, castidade, impassibilidade, não cobiçar e não fazer violência são os cinco votos mais importantes do monge mendicante (*bhikshu*). (16)

Não irar-se, obedecer ao mestre, conservar a pureza, moderar-se no comer e estudar com perseverança — são estas as cinco [formas] bem conhecidas do autocontrole (*niyama*). (17)

Acima de tudo, [o *yogin*] deve dedicar-se ao conhecimento que conduz à meta. A multiplicidade de conhecimentos que existem aqui [na Terra] é um obstáculo ao Yoga. (18)

Aquele que, acometido-pela-sede (*trishita*), precipita-se [na crença de que é-lhe necessário] conhecer isto ou aquilo, não chegará sequer ao cabo de mil eras a obter o que deve ser conhecido, [que não é outra coisa senão a própria Realidade suprema]. (19)

Dando de mão à sociedade dos homens, restringindo a ira, alimentando-se com moderação e controlando os sentidos, ele deve bloquear os portais [do corpo] por meio da sabedoria (*buddhi*) e deixar a mente repousar na meditação. (20)

O *yogin* que está ininterruptamente jungido deve sempre praticar a meditação em salas vazias, em cavernas e na floresta. (21)

O controle da fala, o controle da ação e o controle da mente — são estas as três [maestrias]. Aquele que [pratica] sem falta essas três restrições é um grande asceta "tri-restrito". (22)

"Quando se ouve, medita e compreende este [*Yoga-Vâsishtha*], a ascese, a meditação e a invocação tornam-se supérfluas. O que mais será necessário para que o homem alcance a libertação?"

— *Yoga-Vâsishtha* (2.18.36)

Capítulo 14
O IDEALISMO YOGUE DO YOGA-VÂSISHTHA

I. VISÃO GERAL

O que estiver neste [livro estará] também em outros, mas o que nele não estiver não será igualmente [encontrado] em outra parte. Por isso, os sábios conhecem esta [obra] como o tesouro de toda a sabedoria filosófica. (3.8.12)

Eis o que afirma com altivez o autor do *Yoga-Vâsishtha-Râmâyana*, obra filosófica e doutrinal de cerca de 27.687 versículos (embora a tradição conte um total de 32.000) escritos em versos sânscritos da mais elevada qualidade. O autor — que a tradição identifica fantasiosamente como Vâlmîki, criador da epopéia *Râmâyana* — é ao mesmo tempo poeta, filósofo, psicólogo e *yogin*. Na forma de um diálogo imaginário entre o antigo herói Râmacandra e seu mestre, Vashishtha,[1] Vâlmîki apresenta uma pletora de idéias, histórias e experiências que evidenciam uma inteligência de rara profundidade e universalidade.

A versão original do *Yoga-Vâsishtha*, ora perdida, foi provavelmente composta no século VIII d.C., e no século IX foi transformada por Gauda Abhinanda no *Laghu* ("Pequeno")-*Yoga-Vâsishtha*, um tratado de 4.829 versículos (embora a tradição diga que são 6.000) que ainda existe. A versão maior foi criada em algum momento do século X d.C. Em suas várias formas, a obra de Vâlmîki exerceu considerável influência sobre a teoria e a prática do Yoga e do Vedânta. Foi traduzida para diversas línguas populares indianas, com destaque para o hindi e o urdu, e inspirou um bom número de comentários e resumos. Vidyâranya, por exemplo, filósofo vedântico do século XIV, cita nada menos que 253 versículos do *Yoga-Vâsishtha* em seu famoso *Jîvan-Mukti-Viveka*, além de ter compilado o *Yoga-Vâsishtha-Sâra-Samgraha*, que compreende uns 2.300 versículos. Existe também um resumo de 225 ou 230 versículos, de autoria desconhecida, chamado *Yoga-Vâsishtha-Sâra*. Ram Tirtha, santo de nossos tempos, qualificou o *Yoga-Vâsishtha* como "um dos livros mais excelentes e, na minha opinião, o mais maravilhoso jamais escrito sob o sol... o qual ninguém nesta terra pode ler sem que venha a realizar a consciência de Deus".[2]

II. O ESPÍRITO SOMENTE — A DOUTRINA IDEALISTA

A doutrina do *Yoga-Vâsishtha* é radicalmente não-dualista. A tese fundamental do texto, incansavelmente reiterada, é a de que somente a Consciência (*citta*) existe. Essa Consciência é onipresente, onisciente e sem forma. O sábio Vashishtha chama-a também de o Absoluto (*brahman*), dizendo que, assim como a mente de um pintor é repleta de imagens de uma grande variedade de objetos, assim também a Consciência pura contém em si as imagens das formas múltiplas da Natureza — idéia que também encontramos na doutrina do místico e sábio cristão Meister Eckhart. Eis como Vashishtha define o Absoluto:

> É o Si Mesmo (*purusha*) da volição (*samkalpa*), destituído de formas físicas como a terra [e os outros elementos materiais]. É único (*kevala*), a Consciência somente, a causa essencial da existência do triplo universo.[3] (3.3.11)

O mundo fenomênico não passa de um reflexo desse Espírito universal. Ele *é* esse Espírito. Os objetos percebidos pelos sentidos são simplesmente idéias (*kalpanâ*) criadas pelo Espírito, como os objetos que povoam nossos sonhos. Também o espaço e o tempo são produtos imaginários do Espírito. Nós só não percebemos essa verdade por causa da ignorância espiritual (*avidyâ*) à qual estamos submetidos. Quando o *yogin* penetra no estado unificante do êxtase (*samâdhi*), o espaço se desfaz e o tempo pára.

O mundo não é nem real nem irreal. Localiza-se na Consciência, mas para a mente não-iluminada parece exterior. É semelhante a um sonho, ou a uma bolhinha que se evolasse da Consciência absoluta. Quando se compreende que o mundo que percebemos é o "nosso" mundo, criação "nossa", e que tanto a servidão quanto a liberdade não passam de estados da mente, o passo seguinte consiste em romper com o hábito das concepções errôneas. A própria mente (*manas*) tem de ser transcendida.

Essa doutrina pode ser caracterizada como uma espécie de idealismo no qual Brahma, que representa o Espírito Cósmico, é o gerador de todas as idéias que nos mantêm sob o seu fascínio até o momento em que despertamos para o fato de que a nossa verdadeira natureza é o único Si Mesmo.

A via espiritual delineada pelo *Yoga-Vâsishtha* é essencialmente a do Jnâna-Yoga e tem muita semelhança com o Buddhi-Yoga pregado pelo *Bhagavad-Gîtâ*, no qual a ação e o conhecimento fundem-se harmoniosamente. Vashishtha despreza toda ascese que se faz sem motivo ou que se faz acompanhar de dor. Segundo ele, o verdadeiro *yogin* é o que está liberto do conflito entre a atração apaixonada, de um lado, e a rejeição hostil, do outro. Tal *yogin* contempla uma pepita de ouro e um monturo de lixo com a mesma mente tranqüila.

Para Vashishtha, é só a mente humana — enfeitiçada pelo Espírito do Deus Criador — que cria a ilusão da servidão ou a realidade da libertação. Por isso, a renúncia exterior não tem sentido. O necessário, antes, é uma conversão *interior* total. Chama ele essa doutrina de "libertação pela consciência" (*cetya-nir-muktatâ*). O Yoga é definido por ele como "a contenção das flutuações da mente" (*avedanâ*) e "distanciamento dos efeitos do veneno da paixão". Contrapondo-se aos ensinamentos do deus-homem Krishna, que dá destaque para a nossa capacidade emocional na forma da devoção (*bhakti*), Vashishtha frisa o lado cognitivo da nossa vida psíquica. É impaciente, porém, com os que só têm interesse por elocubrações intelectualóides que não se aplicam à vida. O conhecimento que ele considera útil é a sabedoria, a intuição verdadeira que conduz à iluminação.

Assim, o autor do *Yoga-Vâsishtha*, através de frases e metáforas novas e engenhosas, procura evocar nos leitores a convicção de que eles têm um controle absoluto sobre o próprio destino, desde que consigam perceber a trapaça que a mente humana lhes prega. O destino (*daiva*) é uma força gigantesca, mas o esforço humano (*paurusha*) — literalmente, "hombridade" ou "virilidade" — é superior.

De acordo com uma certa passagem (6.13), o Yoga consiste simultaneamente no conhecimento do Si Mesmo (*âtma-jnâna*) e na restrição (*samrodha*) da força vital (*prâna*). O primeiro elemento é o caminho da concentração meditativa; o segundo pode ser identificado com o Kundalinî-Yoga, que envolve o despertar da Energia Consciente que se oculta no corpo.

A mente estaria intimamente associada à força vital. O bloqueio de uma leva à cessação da outra. Por "mente" (*manas*), Vashishtha compreende a consciência egóica, que projeta para fora o seu próprio mundo mediante o processo da volição imaginativa (*samkalpa*), movido pela força dos desejos mais profundamente arraigados (*vâsanâ*). Ele compara a mente a um doido dotado de mil braços que bate em si mesmo sem parar, infligindo dor ao seu corpo. A mente é galvanizada pela vibração (*spanda, parispanda*) da força vital que circula no corpo, ao passo que a força vital é movida pelo desejo primordial (*vâsanâ*). O controle dos movimentos da força vital é o meio mais direto para aquietar a mente e transcender a força poderosa do desejo. Vashishtha, porém, recomenda também a concentração e a meditação como meios excelentes para o controle da mente.

III. O CAMINHO YOGUE

O Yoga de Vashishtha compreende os sete estágios (*bhûmi*) seguintes:[4]

1. *Shubha-icchâ* ("desejo do bem", escreve-se *shubheccâ*): a pessoa toma consciência da sua ignorância espiritual e do estado de sofrimento em que vive e começa a ter o desejo de conhecer a verdade através do estudo da doutrina tradicional.

2. *Vicâranâ* ("consideração"): pelo aprofundamento do estudo e o contato com pessoas santas, a conduta do praticante melhora e o seu desejo de libertação aumenta.

3. *Tanu-mânasâ* ("refinamento do pensamento"): este estágio é caracterizado por uma indiferença cada vez maior em relação às coisas do mundo.

4. *Sattva-âpatti* ("consecução do ser"; escreve-se *sattvâpatti*): o praticante adquire a capacidade de entrar em contato com a pura Consciência através da meditação.

5. *Asamsakti* ("desapego"): em virtude da iluminação verdadeira, o praticante amadurecido torna-se perfeitamente indiferente ao mundo, reconhecido com puro e simples produto da mente.

6. *Pada-artha-abhâvanâ* ("não-imaginação das coisas externas"; escreve-se *padârthâbhâvanâ*): o praticante reconhece que o mundo é tão irreal quanto um sonho.

7. *Turya-gâ* ("estar no Quarto"): o *yogin* transcende todas as coisas e permanece perpetuamente na Consciência pura, que é chamada o "Quarto" (*turya, turîya, caturtha*), como no Vedânta upanishádico, uma vez que transcende os estados de vigília, sonho e sono profundo.

Os *yogins* que realizaram o Quarto, o Si Mesmo, já estão plenamente libertos, mesmo que o corpomente continue vivo. É esse o ideal da "libertação em vida" (*jîvan-mukti*). Como já não estão aprisionados pela ilusão do ego, podem ser tudo para todos, refletindo para cada pessoa o estado mental desta e vivendo eles mesmos na beatitude perpétua.

A iluminação é a transcendência do ego a cada momento, quer o corpo-mente esteja ativo, quer em repouso. Vashishtha relata a história do rei Bhagîratha, que abandonou o reino para dedicar-se à vida espiritual. Depois de meditar por muitos anos num lugar recôndito, Bhagîratha alcançou a iluminação. Certo dia, aconteceu de ele passar pelo antigo reino, e, quando o povo reconheceu-o, imploraram que ascendesse novamente ao trono, visto que seu sucessor havia acabado de morrer. Como não há nada que possa agrilhoar um adepto realizado no Si Mesmo, Bhagîratha aceitou a oferta e reinou por muitos anos sobre seu povo, levando justiça e sabedoria à vida de todos.

O *Yoga-Vâsishtha* é uma obra realmente admirável que exerceu forte influência sobre a camada culta de adeptos do Yoga e do Vedânta na Índia medieval. Trata-se de um monumento perene à sabedoria do não-dualismo.

TEXTO ORIGINAL 16

Yoga-Vâsishtha (Trechos Escolhidos)

Apresentamos a seguir uma tradução completa do Capítulo 53 do sexto livro do *Yoga-Vâsishtha*. Os Capítulos 53-58 formam o chamado *Brahma-Gîtâ*, modelado no *Bhagavad-Gîtâ*. O contexto é o mesmo desta última obra: Arjuna está diante dos seus parentes no campo de batalha. Está desanimado e recusa-se a lutar, para não ter de matar seus parentes e mestres que estão do lado inimigo. Mas o deus-homem Krishna, cocheiro e mestre de Arjuna, repreende-o pela atitude errônea. Afirma que o dilema de Arjuna decorre única e exclusivamente da ignorância espiritual (*avidyâ*) que o faz ver-se como um ser egóico limitado e não como o Si Mesmo onipresente.

Krishna insiste em que Arjuna lute, pois estará lutando pela conservação da ordem moral do universo; e, sendo ele um membro da casta guerreira, é esse o seu dever. A morte, diz Krishna, só afeta o corpo. Nossa verdadeira natureza é imortal. O Si Mesmo transcendente (*âtman*) não pode morrer, e é a única Realidade verdadeira. Todos os objetos que se apresentam distintamente à mente não-iluminada são, na verdade, produtos e como que modalidades desse único Ser-Consciência.

Disse o Senhor Bendito [Krishna]:

Ó Arjuna! Não és o assassino [de teus parentes]. Desfaz-te da impureza da vontade própria (*abhimâna*). Tu és o próprio Si Mesmo eterno, que não sofre nem a velhice nem a morte. (1)

Aquele que não tem a natureza do ego (*ahamkrita-bhâva*) e cujo espírito (*buddhi*) é imaculado não mata nem se deixa aprisionar, mesmo que venha a ter de destruir os mundos. (2)

Tudo o que surge na consciência é percebido interiormente [como prazer ou dor]. Desfaz-te da consciência interior de que "eu sou ele, isto, aquilo". (3)

Ó Bharata [i.e., Arjuna]! [Os pensamentos] "sou aparentado com tal e tal pessoa" ou "perdi tal e tal pessoa" não fazem senão atormentar-te, submetendo-te à alegria e à tristeza sem teres como escapar. (4)

Realizando seus atos um a um, pela [força das] qualidades (*guna*) [da Natureza] e com um [mero] fragmento (*amsha*) do Si Mesmo, este, iludido pelo "fator do eu" (*ahamkâra*), [começa a] pensar "Sou eu que ajo". (5)

Que o olho veja, o ouvido ouça, a pele sinta e a língua deguste: é esse o estado [no qual o ser se pergunta] "O que existe?" e "Quem sou eu?" (6)

Quando ocorre um princípio de ação ou de prazer na mente de um [adepto] de alma grande, não há "eu" (*aham*) nisso. O que é o teu [ego] na parte de tribulação (*klesha*) [que agora te cabe]? (7)

Ó Bharata! [A ação], que se realiza por uma combinação de muitos [fatores], é [produto] do padecer (*duhkha*) de uma única vontade própria (*abhimâna*) e é feita por prazer. (8)

Dando de mão ao apego, os *yogins* agem [sem nisso empenhar-se pessoalmente, mas] somente com o corpo, a mente (*manas*), a faculdade da sabedoria (*buddhi*) ou os sentidos isolados, e em vista da própria purificação. (9)

Aqueles que, enquanto agem ou mesmo matam, não têm o corpo submetido pelo antídoto [lit. "pó não-venenoso"] ao "eu", não podem [curar sua] indigestão [espiritual]. (10)

A Consciência (*cit*) não fulgura [para o ser] maculado pela [idéia] impura de ser dono do corpo. Embora possa ser sábio e muito instruído, ele é semelhante a um pária. (11)

Aquele que é paciente, que não tem [as idéias de] "eu" e "meu", que é o mesmo na alegria e na tristeza, embora cumpra [ações] obrigatórias e facultativas, não será maculado [por seus atos]. (12)

Ó Pândava [i.e., Arjuna]! O excelente dever intrínseco (*sva-dharma*) do guerreiro, embora [aparentemente] cruel, visa o vosso bem, alegria e prosperidade mais elevados. (13)

Embora [o consideres] um rumo de ação censurável e até ilícito, é [na verdade] o melhor para ti. Enquanto [levas a cabo] o trabalho [que te cabe], sê o imortal aqui [na Terra]. (14)

[Cumprir] o próprio dever é bom até mesmo para o ignorante; quanto mais não o será para o homem de entendimento? O homem de entendimento, [de quem] o "fator do eu" se retirou, não será maculado mesmo que não consiga [cumprir perfeitamente o seu dever]. (15)

Aferrado ao Yoga, age renunciando a [todo] apego, ó Dhanamjaya! Quando ages de acordo com o necessário, sem apegar-te, não és agrilhoado [pelo teu agir]. (16)

Com o corpo [dominado e tornado semelhante ao] tranqüilo Absoluto (*brahman*), realiza ações conformes ao absoluto. [Quando a tua] conduta for uma oferenda ao Absoluto, tornar-te-ás o Absoluto num instante. (17)

Oferecendo todos os propósitos (*artha*) ao Senhor (*îshvara*), tendo o Senhor como [o teu próprio] Si mesmo, livre do mal, [vê] o Senhor como o Si Mesmo de todos os seres — e sê assim um ornamento para a superfície da terra. (18)

Lançando fora toda volição (*samkalpa*) como um sábio equânime e tranqüilo, agindo com o eu jungido ao Yoga da renúncia — cultiva, assim, uma mente liberta. (19)

Arjuna disse:

Ó Senhor! Qual é a natureza do desapego, da oferta [das ações] ao Absoluto, da forma de oferecer-se ao Senhor e da renúncia em geral? (20)

Do mesmo modo, [qual é a natureza] da sabedoria e do Yoga? Ó Senhor, revelai-me essas coisas por partes, a fim de que a minha grande ilusão (*moha*) [sobre a realidade] seja eliminada. (21)

Disse o Senhor Bendito:

Quando todas as volições se pacificam, a massa dos desejos (*vâsanâ*) pacifica-se também. A forma (*âkâra*) que não [se pode reduzir a] concepção (*bhâvanâ*) alguma é conhecida como o supremo Absoluto. (22)

O empenho (*udyoga*) em direção a Este é o que os de espírito maduro (*krita-buddhi*) conhecem como sabedoria e Yoga. "O Absoluto é o mundo inteiro e também o 'eu' (*aham*)" — [o conhecimento dessa verdade] é chamado a oferta ao Absoluto. (23)

À semelhança do peito de uma [estátua de] pedra, que é oco por dentro e oco por fora, [o Absoluto] é sereno e lúcido como o firmamento; nem pode ser visto nem está além da visão. (24)

A leve saliência [da estátua oca] parece uma outra coisa: é o reflexo do mundo, que, como o éter (*âkâsha*), é [puro e simples] vazio (*shûnyatâ*). (25)

Comentário: Este versículo, um pouco obscuro, quer-nos fazer ver que o mundo externo e aparente é vazio, isto é, é idêntico à Realidade transcendente e sem forma.

O que é esta [idéia de que] "eu existo"? Todos [os seres e coisas] nasceram da Consciência (*citi*). Quem é o "recipiente" (*pratigraha*) que é, por assim dizer, um fragmento minúsculo[5] [do Absoluto]? (26)

Este ["recipiente" do ego] não é uma entidade separada [do Absoluto], [embora] pareça ser uma entidade separada. A separação não pode ser um limite [real], [e daí] deduz-se que o "eu" não existe. (27)

Assim como ocorre com o "eu", ocorre também com um jarro, etc., ou mesmo com um macaco, ou o oceano, ou os desejos. O que dizer do "recipiente" do egoísmo? (28)

Quando as distinções conceituais, quer singulares, quer múltiplas pela variedade, apresentam-se ao Si Mesmo, cuja essência é Consciência (*samvid*), onde está aquele que apreende? (29)

Assim [processa-se] o fim das distinções apreendidas pela mente. Os sábios chamam de renúncia (*samnyâsa*) o dar de mão ao fruto das ações. (30)

O que se chama desapego é o lançar fora as redes da volição, ou a contemplação (*bhâvanâ*) da Soberania (*îshvaratva*) única [que se exerce sobre] toda a teia dos movimentos [da Natureza]. (31)

A oferta que se faz ao Senhor é [a mente] fulgurando sem dualidade. Pela força da [mente] não-iluminada (*abodha*), o Si Mesmo recebe diferentes nomes. (32)

Diz-se que as palavras "ser desperto" significam, sem dúvida, "o universo único". O "eu" é o espaço; o "eu" é o mundo; o "eu" é o si mesmo do ser; e o "eu" é também atividade (*karman*). (33)

O "eu" é o tempo; o "eu" é dual e não-dual; o "eu" é o mundo. Devota-te a Mim, ama-Me, adora-Me, rende-Me homenagens. Depois de assim refreares o teu ser pela dedicação a Mim, certamente Me hás de buscar. (34)

Comentário: Aqui, Vâlmîki passa a adotar uma perspectiva transcendente. O "Eu" que aqui fala não é o ego finito, mas o divino "Eu Sou".

Arjuna disse:

Ó Senhor! Vós tendes duas formas, uma superior e uma inferior. Quando e a que forma devo recorrer [a fim de alcançar a suprema] perfeição? (35)

Disse o Senhor Bendito:

Ó inocente! Fica ciente de que de fato existem duas formas minhas, uma ordinária e uma mais elevada. A [forma] ordinária [é a que] é dotada de mãos, etc., e porta a trombeta, o disco e a clava. (36)

Minha forma mais elevada é infinita. É simples e única e livre de todo o mal. É o que se designa pelos nomes de "Absoluto", "Si Mesmo", "supremo Si Mesmo", etc. (37)

Enquanto estiveres não-iluminado e te ocupares do conhecimento das coisas que não são o Si Mesmo [i.e, do mundo], deves ter apreço por adorar a Deus em Sua forma de quatro braços. (38)

Assim chegarás à plena iluminação. Então conhecerás aquela [minha forma] superior. [Através da realização] da minha forma infinita, o ser não voltará a nascer. (39)

Ó vencedor do inimigo! O estado em que o Incognoscível é conhecido — esse é o meu Si Mesmo. Recorre rapidamente ao Si Mesmo, para o Si Mesmo! (40)

Quando digo "Eu sou este [mundo] e este [mundo] sou Eu", ensino-te isto [partindo do ponto de vista] da realidade do Si Mesmo, a fim de instruir-te. (41)

Considero-te plenamente desperto. Estás a repousar no Estado [da Verdade]. Estás livre de [todas as] volições. Percebe que a tua natureza é o Si Mesmo único e verdadeiro! (42)

Eis que o Si Mesmo repousa em todos os seres e todos os seres no Si Mesmo. Tu és o Si Mesmo [que permanece eternamente] jungido em Yoga, vendo a mesma coisa em toda parte. (43)

Aquele que adora o Si Mesmo que repousa em todos os seres como a singularidade (*ekatva*) deles mesmos não voltará a nascer, embora dedique-se a várias ações. (44)

O [verdadeiro] significado da palavra "todo" é "singularidade"; o [verdadeiro] significado da palavra "um" é [a unicidade] do Si Mesmo. Para aquele que desapareceu velozmente no [Si Mesmo], tal Si Mesmo nem existe nem deixa de existir. (45)

Aquele que brilha como o espaço (*loka*) [luminoso] entre os "espíritos" dos três mundos eleva-se certissimamente ao estado de "Eu sou o Si Mesmo". (46)

Comentário: Aqui, o Si Mesmo transcendente é comparado aos interstícios radiantes que medeiam entre os mundos da existência terrena, do "éter" psíquico e dos paraísos celestiais. A metáfora do espaço é comum entre os místicos hindus. A palavra *loka*, que significa "mundo" ou "espaço", é provavelmente derivada da raiz *ruc*, que tem o sentido de "brilhar, resplender".

Aquele que, nos três mundos, é o "sabor do sabor" do leite das vacas e das criaturas do mar, é este Si Mesmo, ó Bharata! (47)

Comentário: Os *yogins* consideram o leite um dos melhores alimentos. O Si Mesmo transcendente é comparado aqui ao sabor delicioso do leite, pois é Ele quem nutre e sustenta todas as coisas.

Aquele que é a experiência sutil em todos os corpos, pela qual se chega à libertação, é este Si Mesmo onipresente. (48)

Assim como há manteiga em todo leite, assim também o Supremo habita nos corpos de todas as coisas. (49)

Assim como o brilho de todas as pedras preciosas e tesouros do mar [refulge] por dentro e por fora, assim também Eu estou em [todos os] corpos e habito [neles embora] pareça não habitar. (50)

Assim como o espaço está dentro e fora de milhares de jarros, assim também Eu repouso como o Si Mesmo nos corpos dos três mundos. (51)

Assim como um fio no qual se enfiaram um conjunto de centenas de pérolas [permanece oculto mas, não obstante, existe], assim também este invisível Si Mesmo repousa nos corpos visíveis [de todos os seres]. (52)

Aquele que é o Ser (*sattâ*) universal na multidão das coisas desde Brahma, [o Deus Criador], até uma folhinha de erva — fica ciente de que Este é o Si Mesmo que não conheceu o nascimento. (53)

Brahma, [o Deus Criador], é uma forma levemente vibratória do Absoluto (*brahman*), [forma essa que surge] em virtude da ilusão (*bhrama*) mediante um processo [que dá origem à] egoidade (*ahamtâ*), etc., e também ao mundo (*jagattâ*), etc. (54)

Uma vez que o Si Mesmo é a forma deste mundo [inteiro], o que poderia destruí-Lo, e [o que poderia] Ele destruir aqui? Como pode alguém, ó Arjuna, ser maculado pela desgraça do mundo, pelo bem ou pelo mal? (55)

Repousando como uma testemunha, [o Si Mesmo é] semelhante a um espelho em relação a todos os seus reflexos. Aquele que vê que Ele é o Indestrutível em meio às [coisas] destrutíveis, vê [verdadeiramente]. (56)

Explico que Eu sou este [mundo] e, não obstante, também não sou este [mundo]: assim, sou o Si Mesmo. Fica ciente de que sou o Si Mesmo de todas as coisas, ó Pândava. (57)

Todos esses processos de criação e dissolução ocorrem no Si Mesmo. A egoidade (*ahamtâ*) que repousa na consciência condicionada (*citta*) é semelhante à água que se move no oceano. (58)

Como a solidez das pedras, ou a dureza das árvores da Terra, ou a liqüidez das ondas, assim é a Ipseidade (*âtmatâ*) das coisas. (59)

Aquele que vê o Si Mesmo repousando em todos os seres e todos os seres no Si Mesmo, e [vê que] o Si mesmo não é um [ego] agente, vê [verdadeiramente]. (60)

Assim como a água das ondas de formas variegadas [é sempre a mesma], assim também, ó Arjuna, é o Si Mesmo numa caravana [no deserto], etc., ou nos seres dos áureos [Himalaias]. (61)

Assim como multidões de ondas diversas se agitam no [mesmo] oceano, assim também os seres dos áureos [Himalaias], ou das caravanas, etc., [subsistem] no supremo Si Mesmo. (62)

A totalidade (*jâta*) dos seres e das coisas, inclusive o grande [Deus Criador] Brahma, ó Bharata — fica ciente de que tudo isso é Um. Nem a menor separação existe. (63)

Como as modificações de estados nos três mundos podem ser vistas como tal? Onde estão elas? O que é o mundo [se não for pelo Si Mesmo]? Por que [ainda] permaneces inutilmente perplexo? (64)

"Minha forma é, eternamente, a da [Realidade] incriada. Sou impassível e imaculado. Sou puro. Sou desperto. Sou eterno. Sou poderoso."

— *Tejo-Bindu-Upanishad*[1] (3.42)

Capítulo 15
DEUS, VISÕES E PODER: OS YOGA-UPANISHADS

I. VISÃO GERAL

"Tu és isto" (*tat tvam asi*). "Eu sou o Absoluto" (*aham brahma-asmi*; escreve-se *aham brahmâsmi*). "Tudo isto é o Absoluto" (*sarvam brahma asti*; escreve-se *sarvam brahmâsti*). São estas as três grandes máximas metafísicas dos antigos sábios dos *Upanishads*. O que eles querem dizer é que a Realidade é una e única e que, portanto, na verdade nós não somos outra coisa senão esse único Ser infinito, incomparavelmente feliz e superconsciente. Os *Upanishads* chamam-No por muitos nomes, mas as designações mais comuns são o "Absoluto" (*brahman*) e o "Si Mesmo" (*âtman*). Essas máximas didáticas não são simples declarações de piedade. Em todos os mais de duzentos *Upanishads* que chegaram a nós, encontramos indícios esparsos de que, para os sábios que os compuseram e transmitiram, o Ser-Consciência-Beatitude não-dual era uma realidade viva, não uma crença ou uma mera hipótese abstrata.

O sistema filosófico de Patanjali foi — aparentemente, ao menos —, dentre as escolas de Yoga, uma das poucas que romperam com a metafísica não-dualista vedântica e postularam audaciosamente uma pluralidade de Si Mesmos transcendentes (*purusha*). Isso gerou um sem-número de controvérsias e debates dos quais os adeptos do Vedânta não-dualista saíram por fim vitoriosos, pois a tendência básica do Yoga hindu é nitidamente não-dualista. Até mesmo no Bhakti-Yoga, onde se prega uma relação de "eu e Tu" entre o devoto e a Divindade, a unidade de Deus é resolutamente afirmada. Em decorrência disso, a coletânea de aforismos de Patanjali, embora muito respeitada, passou a ser aproveitada mais pelo conteúdo prático do que pela doutrina. Vemos que muitos mestres posteriores de Yoga referem-se à sua definição dos oito membros do caminho yogue mas praticamente ignoram-lhe a metafísica, exceto para criticá-la.

É esse o caso dos chamados *Yoga-Upanishads*, que pregam, todos eles, uma espécie de Yoga vedântico. São obras calcadas nos *Upanishads* mais antigos mas compostas, em sua maioria, na era pós-patanjálica. Ainda não foram cuidadosamente estudadas nem foram objeto de edições críticas, e portanto suas datas de composição e os entre-relacionamentos entre eles ainda não nos são conhecidos. Não obstante, contêm explanações importantíssimas acerca do caminho yogue, e os praticantes de Yoga sem dúvida irão beneficiar-se de uma leitura atenta desses trabalhos, que estão todos disponíveis em traduções razoavelmente confiáveis para a língua inglesa.

Nas seções seguintes, apresentaremos resumos do conteúdo de vinte *Yoga-Upanishads*.[2] Começaremos com os cinco que se denominam *Bindu-Upanishads* ("Doutrinas Esotéricas do Ponto"): o *Amrita-Bindu-*, o *Amrita-Nâda-Bindu-*, o *Tejo-Bindu-*, o *Nâda-Bindu-* e o *Dhyâna-Bindu-Upanishad*, que propõem o uso de *mantras* como meio para a concentração e, por fim, a transcendência da mente. O som também desempenha papel importante nas doutrinas do *Hamsa-*, do *Brahma-Vidyâ-*, do *Mahâ-Vâkya-* e do *Pâshupata-Brahma-Upanishad*. A essas obras seguem-se o *Advaya-Târaka-* e o *Mandala-Brâhmana-Upanishad*, que expõem um Yoga baseado em fenômenos luminosos. Teremos então o *Kshurikâ-Upanishad*, curto mas instrutivo, que resume a essência de todas as formas de Yoga. A última categoria é a dos *Upanishads* que tratam do Kundalinî-Yoga de maneira mais extensa e completa, a saber, o *Yoga-Kundalî-*, o *Darshana-*, o *Yoga-Shikhâ-*, o *Yoga-Tattva-*, o *Yoga-Cûda-Manî-*, o *Varâha-*, o *Tri-Shikhi-Brâhmana-* e o *Shândilya-Upanishad*.

II. O SOM DO ABSOLUTO

> O mundo é som. Ressoa nos pulsares e nas órbitas dos planetas, no giro dos elétrons, nos *quanta* dos átomos e na estrutura das moléculas, no microcosmo e no macrocosmo. Ressoa também na esfera que medeia entre esses dois extremos, no mundo em que vivemos.[3]

É assim que Joachim-Ernst Berendt, famoso produtor de rádio e musicólogo alemão, começa um dos capítulos do seu belo livro *Nada Brahma*. Suas investigações acerca do mistério do que ele chama de som primordial, o som transcendental que dá origem a toda manifestação, mostram que as tradições religiosas e espirituais do mundo inteiro fizeram uso do som na busca da transmutação da consciência.

Na Índia, o som ou palavra (*mantra*) mais antigo e mais sagrado é sem dúvida alguma o monossílabo *om*, símbolo do Absoluto. É pronunciado com um *m* fortemente nasal, indicado no alfabeto sânscrito por um ponto (chamado *bindu* ou "ponto seminal") embaixo da letra *m*. Afirma-se que, enquanto a sílaba *om* em si representa a dimensão criativa ou manifesta da Divindade, o eco, ou *bindu*, do som *m* representa Deus em sua dimensão não-manifesta. Shyam Sundar Goswami, moderno praticante de Laya-Yoga, explica da seguinte maneira o significado esotérico do *bindu*:

> *Bindu* é um estado em que o poder atinge a sua máxima concentração. Quando a consciência mental encontra-se no estado de *bindu*, as diversas faculdades mentais ficam condensadas e altamente concentradas no dinamismo mental... *Bindu* — o ponto de poder — é um estado natural e indispensável, associado ao poder em sua operação. Ocorre tanto no campo mental quanto no material. O átomo é o *bindu* da matéria; o núcleo, o *bindu* de uma célula protoplásmica; e a consciência em *samâdhi*, o *bindu* da mente.[4]

Assim, o *bindu* é o poder concentrado e latente — quer seja o da consciência, quer o do som, quer o da própria Natureza. Os cinco *Bindu-Upanishads*,[5] que pregam uma espécie de Mantra-Yoga, baseiam-se todos nas antiqüíssimas especulações védicas acerca desse som sagrado. O yogólogo alemão Jakob Wilhelm Hauer chegou a pensar que esses textos foram escritos pouco tempo após o surgimento do Budismo, mas isso não parece provável. São, sem dúvida alguma, *Upanishads* menores, não foram comentados nem citados pelo grande mestre vedântico Shankara, o que significa que foram provavelmente escritos depois dele. A idéia generalizada é a de que Shankara viveu entre 788 e 820 d.C., mas Hajime Nakamura apresentou indícios convincentes que apontam para uma época anterior, de 700 a 750 d.C.[6] Como todos os *Bindu-Upanishads* constam da lista de 108 *Upanishads* fornecida pelo *Muktikâ-Upanishad*,[7] é óbvio que foram compostos antes deste último. Entretanto, a data de composição do *Muktikâ-Upanishad* também é incerta, embora se saiba que ele é citado no *Jîvan-Mukti-Viveka* do famoso sábio vedântico Vidyâranya, que nasceu mais ou menos em 1314 d.C. Aliás, nessa mesma obra, ele cita e refere-se repetidamente ao *Amrita-Bindu* e ao *Amrita-Nâda-Bindu-Upanishad*.

A noção esotérica de *bindu* parece derivada do vocabulário tântrico, e por isso é razoável situar a data de composição desses textos na era de ouro da tradição tântrica, talvez entre 900 e 1200 d.C. Aliás, mesmo no sentido mais comum de "gota [d'água]", a palavra *bindu* não consta de nenhum dos *Upanishads* mais antigos, e aparece pela primeira vez no *Maitrayanîya-Upanishad* (3.2), que é relativamente tardio.

Amrita-Bindu-Upanishad

O *Amrita-Bindu* ("Ponto Imortal")*-Upanishad*, também chamado *Brahma-Bindu-Upanishad*, é um texto curto, de apenas vinte e dois versículos. Traça uma distinção entre a prática da sílaba *om* tonal (*svara*) e a prática, mais excelsa, da sílaba não-tonal ou silenciosa (*asvara*), que só pode ser percebida por meios yogues. Essas duas realidades são também chamadas de o aspecto perecível (*kshara*), ou "dividido em letras", e o aspecto imperecível (*akshara*) ou "não dividido em letras" desse grande *mantra*. Assegura-se ao praticante que, se dedicar-se a meditar neste último aspecto, há de encontrar a paz de espírito. Aconselha-se também que, para tanto, deve deixar de lado todo o conhecimento livresco, como o agricultor que separa os grãos da palha. A suprema realização desse Mantra-Yoga é a identificação com o Absoluto sob a forma de Vasudeva ("Deus de Todas as Coisas"). Apresentamos uma tradução completa desta obra no Texto Original 3.

Amrita-Nâda-Bindu-Upanishad

Perfazendo trinta e oito versículos, o *Amrita-Nâda-Bindu-Upanishad* ("*Upanishad* do Ponto Sonoro Imortal") é pouco maior do que a obra anterior. Entretanto, dá-nos diversas informações importantes acerca do Mantra-Yoga. Em primeiro lugar, insere a meditação mântrica no contexto de um Yoga de seis membros (*shad-anga*) que compreende o recolhimento dos sentidos, a meditação, o controle da respiração, a concentração, a reflexão (*tarka*)[8] e o êxtase nessa ordem.

O controle da respiração (*prânâyâma*) é definido como a tríplice recitação do *gâyatrî-mantra* numa única exalação de ar. Esse famoso *mantra* védico, que inclui a sagrada sílaba *om*, foi apresentado no Capítulo 5 quando falamos do *Chândogya-Upanishad*. O controle da respiração da maneira exposta acima provoca uma mudança de consciência pela qual a atenção se torna cada vez mais aguda. Isso habilita o *yogin* a contemplar o Si Mesmo transcendente na prática da concentração (*dhâranâ*), que consiste em fundir a mente cheia de desejos com o Si Mesmo. Cada ciclo de *prânâyâma* descrito acima é chamado de uma "medida" (*mâtrâ*). A concentração prolonga-se por sete ou oito dessas medidas, ao passo que o estado de união (*yoga*), isto é, de realização extática (*samâdhi*), compreenderia doze medidas.

Outro ponto de interesse é a doutrina dos "sete portais" (*sapta-dvâra*) que podem conduzir o *yogin* à libertação. Eles são chamados respectivamente de "portal do coração" (*hrid-dvâra*), "portal do vento" (*vâyu-dvâra*), "portal da cabeça" (*mûrdha-dvâra*), "portal da libertação" (*moksha-dvâra*), "cavidade" (*bila*), "oco" (*sushira*) e "círculo" (*mandala*). Referem-se eles a diversas estruturas anatômicas acerca das quais o autor nada divulga. Os quatro últimos provavelmente são todos pontos esotéricos localizados na cabeça. O uso desses termos técnicos dá a entender que o autor desse *Upanishad* tinha conhecimentos esotéricos que iam muito além dos que são apresentados no texto que ele mesmo compôs. Ao *yogin* que dedicar-se diligentemente a esse Yoga, apresentado com torturante concisão, promete-se a libertação (*kaivalya*) ao cabo de seis meses.

TEXTO ORIGINAL 17

Amrita-Nâda-Bindu-Upanishad

Embora o sentido deste texto nem sempre seja claro, pois foi escrito num sânscrito deficiente, ele faz, mesmo assim, muitas afirmações interessantes que merecem ser levadas em consideração pelos estudiosos do Yoga. A tradição considera este texto sagrado o vigésimo primeiro no catálogo dos 108 *Upanishads*.

Depois de estudar as escrituras sagradas (*shâstra*) e praticar-lhes reiteradamente [a doutrina], o sábio que compreende o supremo Absoluto deve então descartá-las como [descartaria] uma lanterna [depois do nascer do sol]. (1)

Subindo à carruagem do som *om* e tomando Vishnu por cocheiro, aquele que deseja um lugar no mundo de Brahma e aspira a adorar a Rudra [que é uma forma de Shiva] (2)

deve guiar a carruagem [rumo ao Absoluto], desde que esteja no caminho da carruagem. Parando ao fim do caminho da carruagem e deixando esta para trás, ele vai [para o Absoluto]. (3)

Comentário: A metáfora da carruagem é uma das prediletas dos hindus. Já é usada no *Bhagavad-Gîtâ* para representar o corpo. Neste caso refere-se à sílaba *om*, apresentada como o veículo que leva a Deus. Hoje poderíamos usar a imagem de um elevador para ilustrar a mesma idéia: usamo-lo para chegar ao último andar, mas, quando lá chegamos, deixamo-lo para trás.

Deixando para trás o estado dos [três] símbolos das medidas e desembaraçando-se da expressão vocal, ele vai [adiante para] o Estado sutil por meio do som inaudível *m*. (4)

Comentário: As três partes manifestas (ou mínimas unidades prosódicas) da sílaba sagrada *om* são os sons vocalizados *a*, *u* e *m*. Quando termina o som nasal e audível *m*, o som inaudível *m*, isto é, o "eco" mental do som anterior, é usado como suporte de concentração. Esse quarto "som" é o *bindu* ("ponto seminal").

Deve ele considerar os cinco [tipos de] objetos dos sentidos — como o som — e a mente prodigiosamente inquieta como suas rédeas: a isso chama-se recolhimento dos sentidos. (5)

Recolhimento dos sentidos, meditação, controle da respiração, concentração, reflexão (*tarka*) e êxtase (*samâdhi*) são chamados o Yoga de seis membros. (6)

Assim como as impurezas do minério das montanhas são extraídas pelo fogo, assim também as máculas (*dosha*) causadas pelos órgãos dos sentidos são queimadas pela "concentração na respiração" (*prâna-dhâranâ*). (7)

Comentário: Os defeitos ou "máculas" de que aqui se fala são estados interiores como a ira, a tristeza, o ciúme, etc., engendrados pela nossa consciência exteriorizada.

Deve-se queimar os defeitos pelo controle da respiração e a culpa (*kilbisha*) [i.e., as cargas kármicas de emoções negativas] por meio da concentração. Depois de eliminar-se a culpa, deve-se considerar [a idéia de praticar] a retenção [da respiração]. (8)

A retenção (*rucira*), a exalação e a inspiração do ar (*vâyu*) são chamados de o tríplice controle da respiração; [são chamadas também de] esvaziar, encher e segurar (*kumbhaka*). (9)

Com a respiração prolongada (*âyâta-prâna*), deve-se recitar três vezes o *gâyatrî* junto com as fórmulas (*vyâhriti*), o *pranava* [i.e., a sílaba sagrada *om*] e o "cume" (*shiras*) — a isso se chama de controle da respiração. (10)

Comentário: Neste versículo há diversos termos técnicos que exigem explicação. Como já dissemos, o *gâyatrî* é o famoso mantra védico *tat savitur varenyam bhargo devasya dhîmahi dhiyo yo nah pracodayât*, "Contemplemos aquele esplendor celestial do deus Savitri para que Ele inspire nossas visões". As fórmulas introdutórias são *bhûh*, *bhuvah* e *svah*, que significam respectivamente a terra, a região intermediária ou atmosfera e o céu. O "cume" é a invocação *paro rajase'savad om*, "que está além de toda escuridão — *om*", e é freqüentemente anexado ao *gâyatrî-mantra*.

Exalando o ar no éter, esvaziando-se do que é extrínseco (*nirâtmaka*), deve-se levá-lo à força à condição de vácuo: tal é a descrição da expiração. (11)

Assim como o homem chupa a água com sua boca, por meio de um caulezinho [oco] de lótus, assim deve-se absorver o ar: tal é a descrição da inspiração. (12)

Não se deve expirar nem inspirar, nem se deve mover os membros. Assim deve-se obter à força a condição: essa é a descrição da retenção. (13)

Ver as coisas como veria um cego, ouvir as sons como ouviria um surdo, considerar o corpo como um tronco de árvore: tal é a descrição do estado de paz. (14)

Ciente de que a mente é cheia de volições, o sábio lança-a para dentro do Si Mesmo e assim concentra-se no Si Mesmo: a isto se chama de concentração. (15)

As inferências (*ûhana*) conformes à tradição são chamadas de reflexão (*tarka*). Aquilo que, quando se obtém, é tido como o mesmo [em todas as coisas] chama-se êxtase (*samâdhi*). (16)

[Sentado] no chão sobre um assento de erva *darbha*, num [lugar] agradável e livre de quaisquer máculas, guardando a própria mente e recitando a "carruagem" [i.e., a sílaba sagrada *om*] e as "rodas" [i.e., as fórmulas e o "cume" mencionados no versículo 10], (17)

assumindo a postura do Yoga (*yoga-âsana*), a postura do lótus (*padmaka*), a [postura] auspiciosa (*svastika*) ou até mesmo a postura abençoada (*bhadra-âsana*) e voltando-se para o norte, como é correto, (18) deve-se — depois de aspirar o ar (*marut*) bloqueando uma das narinas com o dedo — fixar a atenção no fogo [interior] e contemplar-se somente o som [*om*]. (19)

Om é o Absoluto monossilábico. Este *om* não deve ser expirado. Deve-se [praticar] reiteradamente por meio do divino *mantra* a fim de alcançar a liberdade em relação a [toda] impureza. (20)

A partir daí, o sábio (*budha*) que conhece o *mantra* deve aos poucos, como já explicou-se — e começando acima do umbigo —, contemplar o grosseiro e o sutil, começando pelo grosseiro. (21)

O [*yogin*] sumamente prudente (*mahâ-mati*) que desiste de olhar para os lados, para cima e para baixo e que permanece estável e imóvel deve praticar o Yoga constantemente. (22)

E a duração da concentração é a imobilização (*vinishkampa*) medida por um bater [de palmas]. Entretanto, [o estado extático] do Yoga é tido como a contenção por um período de doze medidas (*mâtrâ*). (23)

Aquele que não tem consoantes sonoras, que não tem consoantes, que não tem vogais, que não tem palatais, nem guturais, nem labiais, nem nasais, e que não tem igualmente nem as semivogais nem ambas as sibilantes: é esse o imperecível [som *om*] que não tem fim. (24)

A força vital (*prâna*) daquele que vê o caminho [que leva ao Absoluto] achega-se [ao Absoluto]. Por isso, deve-se praticar sempre aquele [Yoga] que faculta o transitar pela via [da Liberdade]. (25)

[Os *yogins*] conhecem o portal do coração, o portal do vento, o portal da cabeça e, do mesmo modo, o portal da libertação, bem como a "cavidade" (*bila*), o "buraco" (*sushira*) e o "círculo" (*mandala*). (26)

O medo, a ira, a preguiça, o excesso de sono, o excesso de vigília, o excesso no comer e o não-comer: o *yogin* deve evitar sempre todas essas coisas. (27)

Quando a prática é constante, progressiva e correta segundo as regras, a sabedoria surge por si mesma ao cabo de três meses. (28)

Contemplam-se os Deuses ao cabo de quatro [meses]; em cinco, o processo se eleva [ao nível do Criador]; em seis meses, [o *yogin*] alcança certissimamente a libertação (*kaivalya*), como desejava. (29)

A [contemplação] térrea tem cinco medidas, e a aquática, quatro medidas; a ígnea tem três medidas, e a aérea, duas medidas. (30)

A [contemplação] etérea tem uma medida. Mas o que se deve [de fato] contemplar é o sem-medida (*amâtrâ*): tendo estabelecido o vínculo com a mente, o homem deve contemplar o Si Mesmo dentro de si mesmo. (31)

A força vital tem [um tamanho de] trinta dedos e meio [quando sai do corpo com a respiração]; a partir daí, transfere-se para os [diversos] *prânas*. A isto se chama de a força vital que transcende a força vital externa. (32)

A respiração (*nishvâsa*) calculada para um dia e uma noite [perfaz] 13.180 mais 100.000 [expirações e inspirações]. (33)

Comentário: O total de 113.180 deve ser dividido por cinco, uma vez que para cada respiração contem-se os cinco *prânas*. Isso nos deixa com 22.636 respirações a cada 24 horas, ou 15,7 por minuto. Outros textos afirmam que o número ideal de respirações é de 21.600. Tanto num caso como no outro, o número se aproxima do número médio de respirações para uma pessoa adulta.

A primeira [forma da força vital, chamada de] *prâna*, localiza-se no coração; *apâna*, porém, está no ânus; *samâna* está na região do umbigo; *udâna* situa-se na garganta; (34)

vyâna sempre impregna todos os membros. Agora as cores dos cinco [tipos de força vital], como o *prâna*, segundo a sua ordem: (35)

Sabe-se que o vento *prâna* assemelha-se a uma pedra cor de sangue. *Apâna*, no meio deste [corpo], é parecido com a cochonilha. (36)

Samâna, no meio de ambos [i.e., entre *prâna* e *apâna*], assemelha-se ao branco leite da vaca. E *udâna* é amarelo-claro, ao passo que *vyâna* é como uma chama de fogo. (37)

Aquele cuja [força vital], tendo ultrapassado esse círculo (*mandala*) dos ventos, subir-lhe à cabeça, não renascerá, onde quer que venha a morrer; não renascerá. (38)

Comentário: Os *yogins* usam tanto a respiração quanto a recitação da sílaba *om* como meios de concentração da atenção, o que faz com que esta suba, ligada à força vital. A idéia é levar a força vital para cima até o topo da cabeça e fazê-la romper a fontanela (chamada *brahma-randhra* ou "fissura de Brahma"), saindo da cabeça rumo à beatitude infinita. Segundo o Tantra, a força vital é o que alimenta a *kundalinî-shakti*, energia muito mais potente que, por meio do *prâna*, é levada a penetrar no canal central e subir até o centro psicoenergético no topo da cabeça, onde se funde à infinitude da Consciência, sob a forma de Shiva.

Nâda-Bindu-Upanishad

O *Nâda-Bindu-Upanishad* ("*Upanishad* do Ponto Sonoro") tem cinqüenta e seis versículos. Começa com uma exposição do sentido esotérico da sílaba sagrada *om*, a qual compreenderia três "medidas" (*mâtrâ*) e meia, a saber, os sons *a*, *u* e *m* e a "meia-medida" (*ardha-mâtrâ*), que é o eco nasal do *m*, chamado "ponto seminal" (*bindu*) em outros contextos. Esse *mantra* é chamado *vairâja-pranava*, isto é, "murmúrio resplandecente". Os versículos 9-16 falam de doze dessas medidas e dos estados de consciência que lhes correspondem.

Há também um trecho que descreve a prática do som interior (*nâda*) que, durante a concentração meditativa, pode localizar-se no ouvido direito. Pela insistência na prática, esse som pode tornar-se tão forte que chega a eclipsar todos os sons externos. Gera também vários outros sons interiores que se assemelham aos sons produzidos pelo oceano, por uma cachoeira, por um tímpano, por um sino, por uma flauta, e assim por diante. O som percebido no interior vai-se tornando cada vez mais sutil, até que a mente une-se a ele a tal ponto que o indivíduo esquece de si mesmo. A mente que passa por esse processo é comparada a uma abelha que só tem interesse no néctar da flor, e não no aroma que a atraiu até lá. O estado final é um repouso absoluto da mente e uma indiferença perfeita à existência mundana. O *yogin* que chegou a esse sublime estado é chamado de *videha-mukta*, ou seja, aquele que atingiu a libertação fora do corpo.

Dhyâna-Bindu-Upanishad

O *Dhyâna-Bindu-Upanishad* ("*Upanishad* do Ponto de Meditação"), de 106 versículos, amplia as especulações místicas do *Nâda-Bindu-Upanishad*. Fazendo uso de uma antiga metáfora upanishádica, compara a sílaba *om* a um arco, o praticante à flecha e o Absoluto ao alvo. O indivíduo que de fato *realiza* o conteúdo supremo dessa metáfora se liberta vivendo ainda no corpo. Recomenda-se a meditação no lótus do coração — isto é, no centro esotérico que se localiza no coração — e apresentam-se prescrições para visualizá-lo.

A partir do versículo 41, que enumera os membros de um Yoga sêxtuplo, o texto muda de marcha e começa a parecer-se com um tratado de Hatha-Yoga. Encontramos nele, por exemplo, uma descrição dos demais centros psicoenergéticos (*cakra*) principais do corpo, como o "bulbo" (*kânda*), localizado no baixo abdômen, onde originar-se-iam os 72.000 canais ou correntes (*nâdî*) da força vital. Segue-se então uma discussão acerca dos dez tipos de força vital que animam o corpo e de como a força vital correlaciona-se com a dinâmica da psique (*jîva*).

हंस । सोऽहम् ॥

Hamsa, so'ham

Afirma-se que a psique recita ininterruptamente o que se chama de *hamsa-mantra* ("mantra do cisne"). O som *ham* é associado à inalação e o som *sa*, à exalação. A seqüência *hamsa-hamsa-hamsa* também pode compreender-se como *so'ham-so'ham-so'ham*, que tem o sentido esotérico de "Sou Ele", isto é, "Sou a Divindade". Portanto, o próprio corpo afirma constantemente a sua verdadeira essência. Essa recitação espontânea, efetuada pelo processo espontâneo da respiração, é chamada de *ajapa-gâyatrî*, isto é, o "*gâyatrî* que não é recitado". Os *yogins* de outras eras calcularam que nós normalmente inspiramos e expiramos cerca de 21.600 vezes por dia. A tarefa do *yogin* é a de facilitar esse processo natural por meio do controle da respiração e, logo, da mente.

Esse Yoga de seis membros é, sem dúvida, uma espécie de Kundalinî-Yoga. Empregam-se vários meios para fazer despertar o "poder da serpente" (*kundalinî-shakti*), entre os quais as "travas" (*bandha*) aplicadas aos músculos anais e abdominais e à garganta e práticas como o famoso "selo que se move no espaço" (*khecarî-mudrâ*) e o "grande selo" (*mahâ-mudrâ*), que serão ambos explicados no Capítulo 18. A meta deste Yoga também é o estado de solidão (*kaivalya*) ou libertação. O termo *kaivalya* foi emprestado do *Yoga-Sûtra* de Patanjali, mas neste contexto significa a união com Deus, e não a perfeita separação em relação à Natureza.

Tejo-Bindu-Upanishad

O *Tejo-Bindu-Upanishad* ("*Upanishad* do Ponto Radiante") tem seis capítulos e um total de 465 versículos. Parece que os Capítulos 2-4 e os 5-6 eram antes dois textos independentes. Só o primeiro capítulo e o começo do quinto justificam o título deste *Upanishad*; as outras partes tratam do não-dualismo vedântico e nada têm que ver com a prática do Mantra-Yoga.

O leitor é exortado a meditar no "cisne" (*hamsa*), que significa o Si Mesmo transcendente que está além dos três estados de consciência — a vigília, o sonho e o sono profundo. O autor anônimo apresenta um Yoga de quinze membros (*panca-dasha-anga-yoga*; escreve-se *pancadashângayoga*), que são os seguintes:

1. Disciplina (*yama*), definida como "a contenção dos sentidos pelo conhecimento de que todas as coisas são o Absoluto" (1.17).

2. Autocontrole (*niyama*), que é a "dedicação ao [Si Mesmo] intrínseco e a dissociação de tudo o que é de fora" (1.18); "o que é de fora" são todas as coisas percebidas como diversas do Si Mesmo.

3. Renúncia (*tyâga*), explicada como "o abandono do mundo dos fenômenos decorrente da contemplação do Si Mesmo verdadeiro e superconsciente" (1.19).

4. Silêncio (*mauna*), que neste contexto não é tanto o silêncio ritual, mas a imobilização da mente e da língua que decorre do sentimento de veneração provocado pelo surgimento do Si Mesmo no horizonte da consciência meditativa.

5. Lugar (*desha*), explicado esotericamente como "aquilo que impregna eternamente todo este [mundo]" (1.23) — isto é, o Espaço transcendente da Consciência.

6. Tempo (*kâla*), ao qual se dá igualmente uma explicação mística, não-convencional.

7. Postura (*âsana*), definida especificamente como a postura do adepto (*siddha-âsana*; escreve-se *siddhâsana*).

8. Trava da raiz" (*mûla-bandha*), prática de Hatha-Yoga que recebe aqui um sentido novo e oculto, pois o autor a interpreta como "a raiz do mundo" (1.27).

9. Equilíbrio corporal (*deha-sâmya*), explicado como uma fusão com o Absoluto; a interpretação convencional do termo — a prática de ficar de pé imóvel como uma árvore — é explicitamente rejeitada.

10. Estabilidade da visão (*drik-sthiti*), que não é a comum prática yogue de fixar a visão no ponto entre as sobrancelhas onde situa-se o "terceiro olho", mas o hábito de ver o mundo como o Absoluto.

11. Controle da respiração (*prâna-samyama*), definido como "a restrição de todas as flutuações [da consciência]" (1.31).

12. Recolhimento (*pratyâhâra*), que no caso não é compreendido como o recolhimento dos sentidos, mas como o estado mental de localizar o Si Mesmo nos objetos do mundo.

13. Concentração (*dhâranâ*), definida como o hábito de ver o Absoluto por onde quer que a mente venha a vaguear.

14. Contemplação do Si Mesmo (*âtma-dhyâna*), fonte de suprema felicidade.

15. Êxtase (*samâdhi*), definido como "o esquecimento completo das flutuações [da consciência] pela reiterada [identificação com a] forma do Absoluto, a flutuação imutável [da Consciência transcendente]" (l.37).

O *Tejo-Bindu-Upanishad* (l.42) afirma ainda que o estado de êxtase acarreta a realização do Absoluto como plenitude (*pûrnatva*), ao passo que a experiência do vazio (*shûnyatâ*) é considerada um obstáculo no caminho. Trata-se de uma refutação da doutrina dos budistas mahâyâna, que chamam a Realidade suprema de Vazio.

Os capítulos subseqüentes são mais formulísticos, apresentando centenas de variações em torno da grande máxima do não-dualismo — "Eu sou o Absoluto." O Capítulo 4 faz uma referência ao ideal de libertação em vida (*jîvan-mukti*). O adepto realizado no Si Mesmo que capta a sua perfeita identidade com Deus enquanto ainda caminha no corpo é chamado de *jîvan-mukta*. O *videha-mukta*, por seu lado, é definido como o que deixou para trás até mesmo o conhecimento de que é idêntico ao Absoluto.

O conjunto todo dos *Bindu-Upanishads* evidencia o alto grau de sofisticação que veio a caracterizar a psicotecnologia yogue e as especulações metafísicas da tradição pós-patanjálica, fortemente influenciada pelo Tantra.

> "É louvado como um cisne (*hamsa*) aquele que conhece o cisne sediado no coração e dotado do som inaudível, a Consciência-Beatitude que brilha por si mesma."
>
> — *Brahma-Vidyâ-Upanishad*
> 20b-21a

III. SOM, RESPIRAÇÃO E TRANSCENDÊNCIA

Nós normalmente não prestamos atenção à respiração, a menos que estejamos procurando controlá-la deliberadamente. Porém, logo que começamos a meditar, tomamos consciência do inconveniente barulho produzido pelos dois foles que temos no peito. Para os iniciantes, pode ser uma experiência perturbadora; para os *yogins*, porém, esse som rítmico tem a beleza de uma sinfonia, porque eles podem atrelar a ele a sua atenção até que a própria mente seja transcendida e eles penetrem no domínio silencioso da Realidade transcendente.

A respiração, chamada tecnicamente de *hamsa* ("cisne"), é vista pelos *yogins* como uma manifestação da Vida transcendente, do Si Mesmo, que também é chamado *hamsa*. Como vimos na seção anterior, as duas sílabas dessa palavra — *ham* e *sa* — representam respectivamente a inspiração e a expiração, bem como as correntes ascendente e descendente da força vital. Oculta-se nelas um grande segredo, pois o som contínuo da respiração transmite a mensagem de que "Eu sou Ele, Eu sou Ele, Eu sou Ele". Em outras palavras, a respiração é um lembrete constante da verdade absoluta de que nós somos idênticos à grande Vida do cosmos, ao Absoluto, ao Si Mesmo transcendente. Esta idéia criativa constitui o âmago da doutrina do *Hamsa-Upanishad*.

Hamsa-Upanishad[9]

Esta obra curta compreende vinte e um versículos. Aos que são incapazes de contemplar o Si Mesmo diretamente aconselha-se que recorram à arte da recitação silenciosa de *hamsa*, que envolve a observação consciente da "prece" espontânea da respiração. Por esse meio, segundo o texto, geram-se sons internos (*nâda*) de todo tipo. Distinguem-se entre eles dez níveis, e pede-se ao praticante que cultive somente o décimo nível, o mais sutil, no qual o som interno assemelha-se ao de uma nuvem de trovoada. Isso conduz à identificação com o Si Mesmo, à realização de Sadâ-Shiva, o "Shiva Eterno", que é o Fundamento pacífico e resplandecente de toda a existência.

Brahma-Vidyâ-Upanishad[10]

Esse Hamsa-Yoga é exposto de maneira mais elaborada no *Brahma-Vidyâ-Upanishad* ("*Upanishad* do Conhecimento do Absoluto"), obra de 111 versículos. A prática da recitação e meditação de *hamsa* é recomendada para pais de família, eremitas da floresta e *yogins* mendicantes. Afirma-se que ela produz tanto a perfeição espiritual quanto poderes paranormais. Essa forma de Hamsa-Yoga é associada a práticas cujo objetivo é despertar o poder da serpente e conduzi-lo ao centro psicoenergético mais elevado, situado no topo da cabeça.

Mahâvâkya-Upanishad[11]

À semelhança do *Tejo-Bindu-Upanishad*, o *Mahâvâkya-Upanishad* ("*Upanishad* do Grande Provérbio"), um tratado de doze versículos, afirma que a meta do processo yogue é a plenitude. Esse estado, segundo ele afirma, não é mero êxtase (*samâdhi*), nem a perfeição do Yoga, nem a dissolução da mente. É, antes, a perfeita identidade (*aikya*) com o Absoluto.

Pâshupata-Brahma-Upanishad[12]

O *Pâshupata-Brahma-Upanishad* é uma obra shaiva de setenta e oito versículos distribuídos em dois capítulos. Tira seu nome dos seguidores do deus Pashupati, que não é outro senão Shiva, o Senhor dos "animais" (*pashu*), ou almas viventes agrilhoadas. O texto toma por base o simbolismo sacrificial dos brâmanes e apresenta a prática do *hamsa-mantra* como uma forma de sacrifício mental ou interno. Este processo também se chama *nâda-anusamdhâna* ou "aplicação ao som [interior]" — expressão particularmente associada aos *yogins* da seita Kânphata. Está ligado à concepção esotérica de que existem no coração noventa e seis "raios solares". Esses raios, ou vínculos, têm sua origem no Si Mesmo transcendente, e através deles a Divindade pode operar criativamente no corpo e na mente do ser humano. "Este arcano do Absoluto não está revelado em nenhuma outra parte", afirma o texto (1.25). Afirma ainda que a libertação só é possível ao *yogin* capaz de meditar na identidade que existe entre o *hamsa* enquanto som e o *hamsa* enquanto Si Mesmo transcendente.

Quanto ao enigma filosófico de como a Realidade transcendente única pode dar origem ao mundo da multiplicidade, o autor anônimo sugere o silêncio como a melhor resposta. Em virtude da sua doutrina radicalmente não-dualista, chega ele a afirmar que só buscam a libertação os que se consideram presos. Pelo mesmo motivo, as restrições alimentares não se aplicam ao sábio liberto, pois, como ensina o antigo *Taittirîya-Upanishad*, o ser liberto é sempre e simultaneamente o alimento e aquele que consome o alimento: o Si Mesmo transcendente devora-se eternamente a Si Mesmo sob a forma dos múltiplos objetos do mundo dos fenômenos.

IV. O YOGA DA LUZ

O misticismo é associado em toda parte a fenômenos luminosos mais ainda do que a fenômenos sonoros. Com efeito, a própria Realidade transcendente é freqüentemente descrita como um esplendor infinito e é por isso comparada ao sol, ou chamada de "sol além do sol". A libertação também é comumente chamada de iluminação. Observam os autores de *The Common Experience*:

> Os iluminados são banhados de luz. Do mesmo modo, irradiam luz, representada pela aura que circunda a cabeça dos santos e *bodhisattvas* nas iconografias cristã e budista. Existe uma forma de luz sutil que é captada pelo olho interior e impregna todo o corpo. "Iluminação" não é um simples termo metafórico.[13]

Uma das passagens mais célebres do *Bhagavad-Gîtâ* é a descrição da visão que Arjuna teve de Krishna como o Ser supremo (veja o Texto Original 10). Assoberbado pela auto-revelação de Krishna, Arjuna exclama:

> Sem começo, nem meio, nem fim, infinitamente forte, dotado de infinitos braços, tendo por olhos a lua e o sol, contemplo-Te — [tua] boca consome em chama as oferendas, abrasando tudo isto com o teu fulgor. (11.19)

O príncipe Arjuna, que na época da sua visão não tinha ainda passado por todo o processo yogue, estava despreparado para esse encontro súbito com o deus-homem Krishna em seu aspecto transcendente. Por isso, pediu a Krishna que lhe devolvesse a sua consciência ordinária, para que pudesse de novo contemplá-Lo no corpo humano que tão bem conhecia. É sempre o medo — o medo de perder-se — que impede o advento supremo da libertação, mesmo nos que já estão adiantados no caminho espiritual. Assim, o *Livro Tibetano dos Mortos* — o *Bardo Thödol* — aconselha especificamente a pessoa que está se preparando para a grande passagem que é a morte a não ter medo da Clara Luz que há de perceber no estado *post-mortem*.

Os fenômenos de luz interior ocorrem muito antes de o *yogin* chegar ao ponto de maturidade espiritual que lhe facultará o encontro com a Luz transcendente, à qual a única reação viável será a entrega de si mesmo. Esses fenômenos, chamados de fotismos, podem ser encarados como ensaios gerais para a grande experiência da Luz das luzes. Podem ser grandes espetáculos internos de fogos de artifício, mas na maioria das vezes consistem simplesmente na visão de uma ou várias luzes não-físicas localizadas ou difusas. O fenômeno da "pérola azul" (*nîla-bindu*), freqüentemente mencionado pelo Swami Muktananda em sua autobiografia *The Play of Consciousness* ("O Jogo da Consciência"), é uma dessas manifestações preliminares do Supremo.

Assim como o Mantra-Yoga ou Nâda-Yoga faz uso das vibrações sonoras para interiorizar e transcender a consciência ordinária, o Târaka-Yoga vale-se das vibrações superiores da luz branca ou colorida. Além disso, inclui certos aspectos da prática do som interior (*nâda*).

A palavra *târaka* significa literalmente "aquele que atravessa, que conduz", como, por exemplo, um barqueiro através de um rio, ou também "libertador". Denota a Realidade suprema que é a verdadeira causa da libertação. O termo já se encontra no *Yoga-Sûtra* (3.54), no qual refere-se à gnose (*jnâna*) libertadora que decorre do discernimento (*viveka*) contínuo entre o Sujeito transcendente e o mundo objetivo, no qual inclui-se a mente. Nos textos vedânticos, o termo pode significar também o *om-kâra*, isto é, o som *om*. Mais tarde, *târaka* passou a designar o Yoga fotístico ou Yoga da Luz, que parece ter sido muito disseminado na Índia durante o período medieval e pode ter exercido influência considerável sobre o Taoísmo chinês.

Advaya-Târaka-Upanishad[14]

O *Advaya-Târaka-Upanishad* ("Upanishad do Libertador Não-Dual"), texto compacto de meros dezenove versículos, trata especificamente do Târaka-Yoga. O "libertador não-dual" é a Consciência transcendente que se revela ao *yogin* numa "multidão de fogos" — mais ou menos como o que aconteceu a Paulo de Tarso, que encontrou na estrada de Damasco uma "luz ofuscante" que mudou toda a sua vida. As manifestações fotísticas são encaradas como meios para alcançar-se a suprema Luz não-manifesta. Não têm outra função senão a de marcar e indicar o caminho.

Parece que este *Upanishad* serviu de modelo para o *Mandala-Brâhmana-Upanishad*, que é mais elaborado. Ao contrário deste último, o *Advaya-Târaka-Upanishad* não faz tentativa alguma de integrar os fenômenos luminosos com técnicas de Hatha-Yoga. É possível que os versículos de 14 a 18 tenham sido acrescentados posteriormente.

CAPÍTULO 15 — DEUS, VISÕES E PODER: OS YOGA-UPANISHADS

TEXTO ORIGINAL 18

Advaya-Târaka-Upanishad

Exporemos agora a doutrina secreta do Libertador não-dual para [o bem do] asceta [*yati*] que subjugou os sentidos e está repleto das seis virtudes, a saber, a tranqüilidade e as demais. (1)

Comentário: As seis virtudes exaltadas pelos adeptos do Vedânta são a tranqüilidade (*shama*), o domínio (*dama*) dos sentidos, a cessação (*uparati*) dos desejos e das atividades mundanas, a resignação (*titikshâ*), a serenidade ou concentração (*samâdhâna*) e a fé (*shraddhâ*).

Sempre ciente de que "Eu sou a mesma Consciência (*cit*)", de olhos fechados ou de pálpebras semicerradas, dirigindo o olhar interior para o ponto situado acima das sobrancelhas, ele contempla o Absoluto, o Supremo, na forma de um sem-número de fogos de Ser-Consciência-Beatitude, assume o aspecto [da luminosidade]. (2)

[Esta doutrina secreta é chamada de] Târaka-[Yoga] porque [habilita o *yogin*] a superar (*samtârayati*) o grande terror do ciclo de concepção, nascimento, vida e morte. Quando se compreende com absoluta certeza que a psique (*jîva*) e o Senhor (*îshvara*) são ilusórios e deixa-se para trás todas as diferenciações pela [compreensão do] "isto não, isto não" (*neti-neti*) — o que permanece é o Absoluto sem dualidade. (3)

Para realizar-se esse [Absoluto sem dualidade], deve-se prestar cuidadosa atenção (*anusamdhâna*) aos Três Sinais. (4)

No centro do corpo está *sushumnâ*, a "via do Absoluto", dotada da forma do sol e da luminosidade da lua cheia. Originando-se no sustentáculo da raiz (*mûlâdhâra*), ela [i.e., *sushumnâ*, a via central] vai até a "fissura de brahman". No meio dessa [*sushumnâ*], radiante como miríades de relâmpagos e sutil como as fibras da haste do lótus, está a famosa *kundalinî*. Tendo-a contemplado com o olho do espírito, o homem é purificado de todos os seus pecados (*pâpa*) e alcança a libertação. Se contempla ininterruptamente o esplendor (*tejas*) [da *kundalinî*] em virtude do fulgir do Târaka-Yoga numa área (*mandala*) específica da testa (*lalâta*), ele é um adepto. Então produz-se o som *phû* em ambos os seus ouvidos, [que devem estar] cerrados com a ponta dos dedos indicadores. Contemplando então num estado [elevado] da mente aquela região [na forma de] uma luz azul localizada entre os olhos, dirigindo para dentro o olhar, alcança ele uma incomparável sensação de gozo. Assim percebe o interior do seu coração. Tal é a percepção do Sinal Interno que deve ser praticada pelos que buscam a libertação. (5)

[Segue-se] agora a percepção do Sinal Externo. Se ele percebe à frente do nariz, a [uma distância de] quatro polegadas, depois de seis, depois de oito, depois de dez, depois de doze, o espaço (*vyoman*) duplamente dotado de uma cor amarelo-brilhante [ou senão] semelhante ao vermelho-sangue, [que às vezes] toma a aparência de um fulgor azul ou [azul]-escuro, ele é um *yogin*.

Desde o princípio há raios de luz na visão daquele [que pratica este Târaka-Yoga], quando lança seu olhar inquieto no seio do espaço. [Se ele] vê isso é um *yogin*. Quando vê raios de luz semelhantes ao ouro fundido no canto [do seu olhar] ou para baixo dele, no chão, [pode-se dizer que] essa visão se estabilizou. Alcança a imortalidade aquele que vê [isso] doze dedos acima da sua cabeça. É certamente um *yogin*, onde quer que esteja, aquele que, [depois de] firmar-se [nessa visão, tem] a visão do brilho do espaço no interior da cabeça. (6)

[Segue-se] agora a percepção do Sinal Intermediário. [O *yogin*] vê [fenômenos] semelhantes ao disco solar, resplandecendo, etc., com as cores da manhã, [ou senão] semelhantes a uma grande fogueira, [ou] semelhantes à "região intermediária" (*antarîksha*), [na qual predomina uma luz difusa e] que não tem essa [irradiação tão definida]. Ele adquire a forma da forma dessas coisas. Através da visão abundante desses [fenômenos luminosos], ele se torna o espaço (*âkâsha*) sem qualidades. [Então] torna-se o espaço supremo (*parama-âkâsha*),[15] semelhante a uma escuridão profunda que brilhasse com a forma radiante do Libertador [i.e., a do Ser-Consciência]. [Então] torna-se o grande espaço (*mahâ-âkâsha*),[16] semelhante à conflagração [do fim] dos tempos. [Então] torna-se o espaço da Realidade (*tattva-âkâsha*),[17] que rebrilha com a suma luminosidade que excede todas as coisas. Torna-se [por fim] o espaço solar (*sûrya-âkâsha*),[18] semelhante à glória resplandecente de cem mil sóis. Assim, o quíntuplo espaço, [que existe] por fora e por dentro, [constitui] o Sinal do Libertador. O que contempla essas coisas, liberto do fruto [de suas ações], torna-se como o espaço, semelhante àqueles [tipos de espaço radiante acima descritos]. Torna-se por isso o Libertador, o Sinal que dá o fruto da [Realidade] transmental ou sobre-humana (*amanaska*). (7)

Essa [realização] do Libertador tem duas formas: a primeira é o Libertador e a segunda, o [Estado] transmental. Sobre isto há um versículo: "Deve-se saber que esse [Târaka]-Yoga é dúplice e consiste num primeiro [estágio] e num [estágio] ulterior. O primeiro chama-se o Libertador, e o que lhe sucede, a [Realidade] que transcende a mente." (8)

Nas pupilas (*târa*), no interior dos olhos, há uma réplica do sol e da lua. Pelas pupilas (*târaka*) [vem] a percepção das esferas do sol e da lua, por assim dizer, no macrocosmo, e há um par [correspondente] de esferas solar e lunar no centro do crânio, no microcosmo. Depois de admitir-se isto, aquelas [esferas solar e lunar internas] devem ser percebidas por meio das pupilas. Também nisto [o *yogin*] deve meditar, jungindo a mente e considerando as duas coisas como idênticas, [pois se] não houvesse vínculo (*yoga*) entre esses [dois níveis da realidade], não haveria lugar tampouco para a atividade dos sentidos. Portanto, o Libertador deve ser procurado pela introspecção somente. (9)

Comentário: Esta passagem introduz um conceito fundamental de toda a filosofia esotérica — a saber, a idéia de que o macrocosmo e o microcosmo são imagens especulares um do outro. No caso, pede-se ao *yogin* que perceba-lhes diretamente a identidade por meio da introspecção, ou visão interior (*antar-drishti*). Faz-se também um jogo de palavras com *târa* ("pupila") e *târaka* ("libertador").

Esse Libertador é dúplice: o Libertador com forma e o Libertador sem forma. Aquilo que "termina" com os sentidos é "com forma". O que transcende as duas sobrancelhas é "sem forma".

CAPÍTULO 15 — DEUS, VISÕES E PODER: OS YOGA-UPANISHADS

Sempre, para determinar-se o sentido interior [de uma coisa], é desejável aplicar diligentemente a mente controlada. [Do mesmo modo], por meio do Târaka-[Yoga], através da visão do que sobrepassa [os sentidos], jungindo a mente e aplicando a introspecção (*antar-îkshana*), [o *yogin* descobre] o Ser-Consciência-Beatitude, o Absoluto em sua forma intrínseca (*sva-rûpa*). Assim, [de início], torna-se manifesto o Absoluto formado de um brilho branco. Esse Absoluto é conhecido pelo olhar dirigido pela mente na introspecção. Assim também [realiza-se] o Libertador "sem-forma". Através da mente jungida, através do olhar, tornam-se conhecidos o *dahara* e outros [fenômenos luminosos]. Como o processo de percepção, tanto para fora quanto para dentro, depende da mente e do olhar, é só pela conjugação do olhar, da mente e do Si Mesmo que a percepção pode acontecer. Portanto, a visão interior jungida à mente é [indispensável] para a manifestação do Libertador. (10)

Comentário: Nos contextos comuns, o termo *dahara*, mencionado no versículo acima, significa um camundongo ou um rato almiscarado. É derivado da raiz verbal *dabh*, que significa "ferir" ou "enganar". Entretanto, na sua aplicação esotérica, é mais provável que derive da raiz *dah*, que significa "queimar". Refere-se provavelmente ao minúsculo espaço interior do coração, que desde os tempos mais antigos é considerado um dos pontos de manifestação do Si Mesmo transcendente e esplendoroso. Esse *dahara* também é mencionado no versículo 10 do *Kshurikâ-Upanishad*, Texto Original 19.

[Deve-se fixar] o olhar na caverna, no ponto entre as sobrancelhas. Assim torna-se manifesto o brilho do alto — este é o Târaka-Yoga. Tendo "unido", com diligente esforço e a mente aplicada, o Libertador [à mente], [o *yogin*] deve elevar um pouco as duas sobrancelhas. Esse é o primeiro [tipo] de Târaka-Yoga. O segundo, porém, não tem forma e transcende a mente. Há um grande raio de luz na região que fica acima do céu da boca. Esse [raio] deve ser contemplado pelos *yogins*. Daí decorre o poder de miniaturização (*animan*), etc. (11)

Comentário: O poder de "miniaturização" (*animan*), ou de tornar-se pequeno como um átomo, é um dos oito poderes paranormais (*siddhi*) clássicos que se atribuem aos adeptos.

Quando ocorre a visão do Sinal Externo e do Sinal Interno sem que [os olhos] se fechem ou se abram — é este o verdadeiro *shâmbhavî-mudrâ*. Por ser o local de estadia dos gnósticos que "montaram" esse selo (*mudrâ*), a terra se purifica. Através da visão desses [adeptos], todas as esferas (*loka*) se purificam. Aquele que tiver a ventura de [prestar] homenagens a um desses grandes *yogins* também será liberto [do ciclo da existência condicionada]. (12)

Comentário: Veja no Capítulo 18 uma descrição do *shâmbhavî-mudrâ*.

O brilho radiante do Sinal Interno é a forma intrínseca (*sva-rûpa*) [da Realidade não-dual]. Mediante a instrução de um mestre superior, o Sinal Interno torna-se a luz radiante do [lótus das] mil [pétalas no topo da cabeça], ou a luz da Consciência (*cit*) oculta na caverna de *buddhi*, ou a Quarta Consciência que repousa no "décimo sexto fim" (*shodasha-anta*).[19] A visão dessa [suprema Realidade] depende de um mestre verdadeiro. (13)

Comentário: O *buddhi* é a "mente superior" ou espírito, a sede da sabedoria. O *shodasha-anta*, ou "décimo sexto fim", é um centro ou espaço psíquico localizado dezesseis dedos acima do topo da cabeça. Esse ponto psicoenergético secreto também é mencionado por alguns textos do Shaivismo de Caxemira.

O mestre [verdadeiramente competente] é versado nos *Vedas*, é um devoto de Vishnu, não tem ciúmes, é puro, conhece o Yoga, pratica ardorosamente o Yoga e identifica-se sempre à própria natureza do Yoga. (14)

Aquele que tem devoção pelo [seu próprio] mestre, que é especialmente um conhecedor do Si Mesmo — o que possui essas virtudes é chamado de mestre (*guru*). (15)

A sílaba *gu* [significa] a escuridão. A sílaba *ru*, o destruidor dessa [escuridão]. Em virtude da [capacidade] de destruir a escuridão, ele é chamado de *guru*. (16)

Só o mestre é o supremo Absoluto. Só o mestre é a suprema via. Só o mestre é o supremo conhecimento. Só o mestre é o supremo refúgio. (17)

Só o mestre é o supremo limite. Só o mestre é a suprema riqueza. Por ser ele o mestre dessa [Realidade além de toda dualidade], é o mestre maior do que [qualquer outro] mestre. (18)

Aquele que faz com que este [texto sagrado] seja recitado, [mesmo que] uma só vez, liberta-se do ciclo [da miséria da existência]. Nesse instante anulam-se os pecados cometidos em todas as suas existências, realizam-se todos os seus desejos [e ele] alcança a meta [suprema] de toda a humanidade. Aquele que conhece isto, [conhece em verdade] a doutrina secreta. (19)

Mandala-Brâhmana-Upanishad

Este "Brâhmana-Upanishad do Círculo" contém noventa e dois versículos distribuídos em cinco capítulos. Seus ensinamentos são atribuídos a Yâjnavalkya, que propõe um Yoga óctuplo cujos membros são definidos de maneira incomum. Afirma que a disciplina (*yama*), o primeiro membro, consiste nas seguintes quatro práticas:

1. Domínio do calor e do frio, da fome e do sono em todos os membros

2. Paz (*shânti*)

3. Estabilidade (*nishcalatva*) mental

4. Contenção dos sentidos em relação a seus objetos.

O autocontrole (*niyama*), segundo membro, compreende as seguintes nove práticas:

1. Devoção ao mestre (*guru-bhakti*)

2. Adesão ao caminho da verdade

3. Gozo do Real (*vastu*) quando se pode vislumbrá-lo nas experiências agradáveis

4. Contentamento

5. Desapego (*nihsangatâ*)

6. Viver em solidão (*ekânta-vâsa*)

7. Término da atividade mental

8. Desapego em relação ao fruto das ações

CAPÍTULO 15 — DEUS, VISÕES E PODER: OS YOGA-UPANISHADS

9. Impassibilidade (*vairâgya*), que provavelmente significa a renúncia à satisfação de todos e quaisquer desejos.

O "controle da postura" (*âsana-niyama*), terceiro membro do caminho óctuplo, é definido como qualquer postura confortável na qual o praticante possa conservar-se por bastante tempo. O controle da respiração (*prânâyâma*), por sua vez, divide-se em inalação (*pûraka*), retenção (*kumbhaka*) e exalação (*recaka*), às quais atribui-se, respectivamente, a duração de dezesseis, sessenta e quatro e trinta e duas "medidas" (*mâtrâ*). Em outras palavras, o ciclo de respiração segue o bem conhecido ritmo yogue 1:4:2.

O recolhimento dos sentidos (*pratyâhâra*) é definido como o ato de impedir que a mente se exteriorize em direção aos objetos ao passo que a concentração, sexto membro, é explicada como a estabilização da consciência na Consciência transcendente (*caitanya*). Modificando a definição de Patanjali, Yâjnavalkya define a meditação (*dhyâna*), o penúltimo aspecto do caminho, como o "fluxo unificado" (*ekatânatâ*) da atenção rumo à Consciência transcendente, que se oculta em todos os seres. Por fim, o êxtase (*samâdhi*) e o esquecer-se de si (*vismriti*) na meditação, o estado em que o "eu" desaparece e só resta o Ser-Consciência-Beatitude.

Essa jubilosa Realidade manifesta-se sob a forma de diversos fenômenos luminosos que podem ser vistos dentro e fora do ser. Como no *Advaya-Târaka-Upanishad*, as experiências fotísticas internas são chamadas "visões do sinal interno" (*antar-lakshya-darshana*), e as externas, "visões do sinal externo" (*bâhya-lakshya-darshana*). Esses fenômenos são associados à idéia de "espaço radiante" (*âkâsha*). Não se trata do espaço físico, tridimensional, mas da própria extensão da força vital e da consciência, que pode ser captada na meditação profunda.

Distinguem-se cinco tipos de espaços radiantes, que parecem ser outros tantos graus de experiências luminosas. Primeiro temos o espaço radiante (*âkâsha*) que existe tanto dentro quanto fora, e é qualificado como "delicada e primorosamente escuro". Talvez corresponda ao fenômeno do "espaço da consciência" que ocorre no começo da meditação. O segundo nível é o "espaço radiante superior" (*para-âkâsha*), resplandecente como o fogo que destruirá o cosmos no fim dos tempos. Vem a seguir o grande espaço radiante (*mahâ-âkâsha*), cujo esplendor supera toda medida. O quarto é o espaço radiante solar (*sûrya-âkâsha*) e o quinto é o supremo espaço radiante (*parama-âkâsha*), que penetra todas as coisas, é a fonte de um deleite incomparável e cuja luminosidade é perfeitamente indescritível.

Quanto ao sentido fenomenológico desses espaços luminosos, só nos resta conjecturar. São evidentemente suprafísicos e só de longe assemelham-se ao éter que, segundo os físicos de antigamente, era o meio de propagação da luz. As pessoas que meditam terão mais facilidade do que as que não meditam para saber com que podem parecer-se esses poderosos espaços radiantes.

Este *Upanishad*, além disso, distingue entre dois tipos de experiências fotísticas. O primeiro é o "libertador com forma" (*mûrti-târaka*), que permanece dentro do âmbito dos sentidos e consiste em manifestações de luz no espaço entre as sobrancelhas. O segundo tipo é o "libertador sem forma" (*amûrti-târaka*), que é a própria Luz transcendente.

O estado último a que se aspira nesse Yoga chama-se "transmentalidade" (*amanaskatâ*), ou "arrebatamento" (*unmanî*),[20] ou ainda "sono yogue" (*yoga-nidrâ*). O estado de *unmanî* é o produto da permanência prolongada no êxtase sem forma (*nirvikalpa-samâdhi*). Isso gera a dissolução da mente (*mano-nâsha*), com o que a Realidade transcendente fulgura em solitária majestade.

> Os *yogins* imersos no Oceano de Beatitude tornam-se esse [Absoluto]. (2.4.3)
>
> Comparados a essa [beatitude suprema], Indra e os outros [deuses] são apenas minimamente felizes. Assim, o que alcançou essa beatitude é um *yogin* supremo. (2.4.4)

A dissolução da mente — o termo *nâsha* na verdade significa "destruição" — não deve ser confundida com a obliteração deliberada, por parte da pessoa, de suas próprias faculdades racionais. Significa, muito pelo contrário, o processo yogue de transcendência da mente convencional, que gira em torno do pivô do sentido do ego. O *yogin* que chegou ao excelso estado transmental é chamado de "cisne supremo" (*paramahamsa*) e de *avadhûta*, isto é, aquele que lançou fora todas as coisas. "Até o ignorante que serve uma tal pessoa alcança a libertação", declara confiante o sábio Yâjnavalkya (5.9).

V. CORTANDO OS LAÇOS DA CONSCIÊNCIA COTIDIANA

O famoso truque indiano da corda é uma alucinação coletiva na qual os espectadores vêem o seguinte: Um faquir joga uma corda para o ar. A corda não cai, mas fica tesa, sem apoiar-se em nada. Então um menino sobe pela corda e nisso é seguido pelo próprio faquir, que leva na boca uma adaga. Ambos desaparecem. De repente, como que do nada, caem do céu os membros amputados do menino. O faquir reaparece e junta as partes do jovem. Quando a cabeça é colocada de volta sobre o pescoço, o menino revive com um largo sorriso nos lábios.

Embora o truque da corda seja geralmente feito para divertir o público, ele tem um sentido simbólico profundo, pois o esquartejamento é um símbolo da própria essência da vida espiritual, que é a morte do "antigo Adão" e o nascimento do "homem novo".

O mesmo tema faz-se presente no *Kshurikâ-Upanishad*[21] ("*Upanishad* da Adaga"). Trata-se de um texto curto que enfoca de maneira interessante a questão da concentração, descrevendo muito bem o miolo de toda a atividade yogue: o *yogin* corta todos os laços que o amarram à existência condicionada, começando pelos bloqueios "bioenergéticos", ou obstruções ao fluxo da força vital no corpo, e passando então às idéias e atitudes errôneas. Como uma lâmina afiada, o Yoga descrito neste *Upanishad* corta todos os liames e liberta o espírito, que voa como um pássaro rumo ao Absoluto.

Interessa-nos especialmente o conceito dos pontos vitais corporais (*marman*), que parecem ser lugares onde a energia vital fica estancada. Por meio de uma técnica que é o equivalente yogue do *body-work* de hoje em dia, o *yogin* liberta a força vital acumulada e aplica-a para estimular o fluxo de energia ao longo do eixo do corpo (chamado *sushumnâ*), conduzindo-a aos poucos até o centro secreto da caixa craniana.

TEXTO ORIGINAL 19

Kshurikâ-Upanishad

Revelarei a [doutrina da] "adaga", a concentração [da atenção] em vista da perfeição no Yoga. Jungindo ao Yoga, aquele que a alcançar não renascerá. (1)

Essa [doutrina] é o miolo e a meta dos *Vedas*, como declarou Svayambhû. Estabelecendo-se num local silencioso e pondo-se lá numa postura [adequada], (2)

recolhendo a mente no coração como a tartaruga que recolhe os seus membros — por meio do Yoga das doze medidas (*mâtrâ*) e do *pranava* (i.e., a sílaba *om*) —, muito aos poucos... (3)

...o homem deve, com todos os orifícios [do corpo] bloqueados [pelos dedos], encher [de força vital] todo o seu corpo (*âtman*) do peito à cabeça e dos quadris à nuca, com o peito levemente erguido. (4)

Comentário: Svayambhû, o "Que Existe por Si Mesmo", mencionado no versículo 2, é o Deus Criador, seja ele chamado de Brahma, Vishnu ou Shiva. O Yoga de doze medidas mencionado no versículo terceiro provavelmente diz respeito à retenção da respiração durante o tempo necessário para repetir doze vezes a sílaba *om*.

Deve-se então conter com firmeza as [diversas] forças vitais (*prâna*) que se movimentam através da narina. Tendo-se alcançado a respiração prolongada (*âyata-prâna*), deve-se expirar (*ucch-vâsa*)[22] aos poucos. (5)

Comentário: Para o *yogin*, a respiração (*shvâsa*) e a força vital são uma única e a mesma coisa. Ao passo que um dos termos ressalta mais o aspecto físico, o outro nos lembra da dimensão metafísica da qual a respiração participa. As diversas forças vitais são os cinco tipos de *prâna* que circulam no corpo humano.

Tendo-se feito estável e firme, [o *yogin* deve praticar o controle da respiração] usando o polegar [para tampar uma narina de cada vez], [e deve então aspirar a força vital] através dos tornozelos e também das panturrilhas, "três a três". (6)

Comentário: A expressão "três a três" (*trayas-trayah*) ficou clara. Pode ser uma referência às três partes do processo de controle da respiração, a saber, a inalação, a retenção e a exalação; ou, como quer um dos comentários em sânscrito, à contínua ligação da visão, da mente e da respiração.

Então [deve-se aspirar a força vital] através dos joelhos e das coxas, do pênis e do ânus, "três a três". [Por último] deve-se fazê-la fluir e repousar na região do umbigo, [depois de puxá-la] do apoio do ânus. (7)

Lá [no centro mais baixo do corpo] está o canal *sushumnâ*, rodeado de dez canais (*nâdî*) [principais] o vermelho, o amarelo, e os negros, os cor-de-cobre e os cor-de-fogo,... (8)

...[que são] muito finos e tênues. Deve-se levar a respiração a fluir rumo ao canal branco [a *sushumnâ*]. Então devem-se guiar as [várias] forças vitais como uma aranha [que sobe] pela sua teia. (9)

Então [o *yogin* atinge] aquele lótus vermelho resplandecente, o grande assento do coração, que é chamado de lótus *dahara* pelos [textos do] Vedânta. (10)

Tendo-o rompido e aberto, ele procede para a garganta, e diz-se que se deve encher esse canal [com a força vital]. A mente é o supremo mistério, a sabedoria sumamente imaculada. (11)

O ponto vital (*marman*) situado em cima do pé pode de fato ser contemplado como dotado desse caráter [de sabedoria imaculada]. Por meio da lâmina afiada da mente, constantemente dedicada à [prática do] Yoga,... (12)

...[deve-se proceder] ao corte do ponto vital das panturrilhas, que é chamado "o raio de Indra". Deve-se cortar esse [ponto vital] com o poderoso Yoga da meditação, através da concentração. (13)

Praticando os quatro [tipos de meditação, nos objetos externos e internos, grosseiros e sutis], deve ele, por meio do Yoga, cortar sem hesitação o ponto vital situado no meio das coxas, libertando [assim] a força vital [nesse lugar]. (14)

Então o *yogin* deve reunir [a força vital e conduzi-la] à garganta, [onde há] uma multidão de canais. Lá, entre os cem e acima dos cem, sumamente estável, está... (15)

... *sushumnâ*, ocultíssima, pura, corporificação do Absoluto. *Idâ* fica à esquerda e *pingalâ* à direita [da via *sushumnâ*]. (16)

Comentário: Esses três canais principais da força vital serão explicados no Capítulo 17.

Entre esses dois fica a morada suprema. Quem a conhece, conhece os *Vedas*. Dentre os setenta e dois mil canais secundários, *taitila*... (17)

... é cortado ao meio pelo Yoga da meditação, [isto é], pela lâmina pura e poderosa do Yoga, com sua energia flamejante. [Entretanto], *sushumnâ*, a solitária, não é cortada. (18)

> Nesse momento o *yogin* pode ver o *taitila*, que se assemelha à flor do jasmim. Pois o sábio, nesta existência, deve cortar os cem canais, porque são eles a causa [dos nascimentos futuros]. (19)
>
> *Comentário:* O sentido do termo *taitila* é obscuro. Pode significar "rinoceronte" e é também o nome de uma divindade. Em seu comentário, Upanishad Brahmayogin afirma que ele é "caracterizado por ir e vir", o que não ajuda muito.
>
> Assim, o homem deve dissociar-se das condições auspiciosas e nefastas [associadas a] esses canais. Os que o fazem ficam livres do renascimento. (20)
>
> Com a mente subjugada pela ascese, estabelecido num local solitário, desapegado, familiarizado com os membros do Yoga, sem desejos, [procedendo à prática] passo a passo — [assim deve o *yogin* caminhar para a libertação]. (21)
>
> Assim como um cisne (*hamsa*) que rompeu seus grilhões sobe direto para o céu — assim também a psique (*jîva*), depois de cortar os seus laços, atravessa inevitavelmente [o oceano da] existência (*samsâra*). (22)
>
> Assim como a lâmpada que gastou todo [o seu combustível] pára de funcionar no momento em que [a chama] se extingue — assim também o *yogin*, depois de esgotar todo o seu karma, deixa de existir [como um indivíduo separado de todos os outros seres]. (23)
>
> Tendo cortado os laços por meio da lâmina da medida (*mâtrâ*) [da meditação], bem afiada pelo controle da respiração e amolada na pedra da renúncia, o adepto do Yoga [já] não está agrilhoado. (24)

VI. A TRANSMUTAÇÃO DO CORPO — OS UPANISHADS DO HATHA-YOGA

O som, a luz e a respiração são instrumentos importantes para o *yogin*. Contam-se entre os elementos antigos da psicotecnologia indiana, e são dos que mais foram postos à prova. As possibilidades de transformação psicoespiritual neles contidas têm sido exploradas por dezenas de milhares de praticantes no decorrer dos séculos. Portanto, as obras sobre Yoga escritas em sânscrito e nas línguas populares são a fina flor de uma quantidade imensa de informações, embora ainda nos seja necessário, em muitos casos, encontrar a chave que lhes permitirá revelar-nos os seus segredos. O espírito de experimentação de que a ciência moderna tanto se orgulha é também uma característica intrínseca do Yoga. Os *yogins* sempre foram aventureiros destemidos que penetraram fundo no território — ainda desconhecido, em sua maior parte — do corpo e da mente do ser humano.

Esse espírito experimental nunca foi tão acentuado quanto nos séculos que assistiram ao nascimento e à ascensão do Tantra — no período compreendido entre os séculos V e XIV d.C. Foi nessa época que os "atletas do espírito" da Índia exploraram intensamente o potencial oculto do corpo humano. A curiosidade, a audácia e a perseverança desses adeptos possibilitaram a criação do que depois se passou a chamar de Hatha-Yoga, expressão que pode significar "Yoga Vigoroso" ou "Yoga da Força". No caso dessa segunda acepção, a "força" não é outra coisa senão o misterioso "poder da serpente" (*kundalinî-shakti*) que os Tantras tornaram célebre. É a energia vital universal enrodilhada no corpo humano, onde seria a responsável tanto pela servidão quanto pela libertação, dependendo de estar funcionando inconsciente ou conscientemente. O objetivo dos *hatha-yogins* é o de submeter a *kundalinî-shakti*, na medida do possível, ao seu controle consciente.

Deparamo-nos com essa formidável energia bioespiritual em diversos dos *Yoga-Upanishads* discutidos há pouco, que a mencionam de passagem. Todos os demais *Yoga-Upanishads* tratam de Hatha-Yoga e, portanto, de técnicas criadas para despertar e pôr sob controle a energia da *kundalinî* de modo a se poder conduzi-la com segurança até o centro bioespiritual localizado no alto da cabeça, gerando-se assim o feliz estado de união extática com a Divindade. Os *Upanishads* apresentados a seguir foram todos criados entre os séculos XII e XIII d.C. Vou fazer aqui uma apresentação sumária do seu conteúdo, pois não quero antecipar os temas que serão tratados nos Capítulos 17 e 18, nos quais discuto as tradições do Tantra e do Hatha-Yoga, que sempre lançaram sobre o corpo humano um olhar positivo.

> "O *yogirâj* não deve manifestar suas capacidades a ninguém. Antes, para que o mundo não venha a conhecê-las, deve ele portar-se como um tolo, um idiota, um surdo."
>
> — *Yoga-Tattva-Upanishad* 76b-77

Yoga-Kundalî-Upanishad[23]

O *Yoga-Kundalî-Upanishad*, que compreende três capítulos e um total de 171 versículos, trata desde o começo de explicar o poder da serpente, chamado de *kundalî* ou *kundalinî*. Ambas as palavras significam "a enrodilhada" e referem-se à força em seu estado latente. O *Upanishad* menciona diversas espécies de controle da respiração e as três "travas" (*bandha*) — na base da coluna, no abdômen e na garganta — que servem para conter a força vital dentro do corpo. O autor anônimo prega a libertação fora do corpo (*videha-mukti*), atingida quando o poder da serpente alcança o centro mais elevado do corpo humano, onde se une à força transcendental "masculina" de Shiva.

O segundo capítulo trata da prática altamente esotérica do "selo da que caminha no espaço" (*khecârî-mudrâ*), o qual, nunca será demais salientar, só pode ser aprendido com um mestre. Nele, usa-se a língua para bloquear a cavidade atrás do céu da boca — manobra bastante complicada que exige o alongamento artificial da língua. O terceiro capítulo especula acerca de assuntos esotéricos e também trata, de leve, de certos processos yogues superiores.

Yoga-Tattva-Upanishad[24]

O *Yoga-Tattva-Upanishad* ("*Upanishad* dos Princípios do Yoga"), obra vaishnava de 142 versículos, distingue e define sucintamente quatro tipos de Yoga: Mantra-Yoga, Laya-Yoga, Hatha-Yoga e Râja-Yoga. Trata-se de um texto bastante sistemático que nos dá definições úteis das práticas características do Hatha-Yoga, dos obstáculos no caminho e também dos poderes paranormais de que o *yogin* poderá gozar. Propõe uma combinação da gnose (*jnâna*) com a tecnologia yogue; o Hatha-Yoga seria uma preparação para o Râja-Yoga, que exige do praticante tanto a renúncia quanto o discernimento. Também neste caso o objetivo é a "solidão" (*kaivalya*), definida como a libertação fora do estado corporal (*videha-mukti*).

Yoga-Shikhâ-Upanishad[25]

Perfazendo um total de 390 versículos, o *Yoga-Shikhâ-Upanishad* ("*Upanishad* do Cume do Yoga") é o maior dos *Yoga-Upanishads*. Compreende seis capítulos, o último dos quais parece ter constituído, em época recuada, um tratado independente. Esta obra shaiva, à semelhança dos Tantras, apresenta-se como especialmente destinada aos buscadores espirituais que sofrem as dificuldades intrínsecas da atual era de trevas (*kali-yuga*). Assim como o *Yoga-Tattva-Upanishad*, propõe uma doutrina que associa a gnose ou sabedoria à prática yogue. Lembra reiteradamente ao leitor a importância da transformação do corpo até que este, nas palavras do versículo 168 (Capítulo 1), torne-se um verdadeiro "templo de Shiva" (*shiva-âlaya*).[26]

Por meio do fogo [do Yoga], [o *yogin*] deve estimular (*ranjayet*) o corpo composto dos sete elementos constituintes (*dhâtu*) [i.e., os humores corpóreos como o vento, a bile, a fleuma, o sangue, etc.]. (1.56a)

Cura-se de todas as suas enfermidades; que dirá então de cortes, arranhões, etc.? Adquire uma figura corpórea dotada da forma do supremo espaço radiante (*parama-âkâsha*). (l.57)

O adepto do Yoga não é somente realizado no Si Mesmo; seu corpo transmutado também recebe poderes paranormais (*siddhi*) de todo tipo, tidos como prova inequívoca da sua realização espiritual. "O homem que não tem poderes deve ser considerado preso", declara-nos o anônimo autor (1.160). Isto não invalida a doutrina certa de que o uso egoísta desses poderes é maléfico para o bem-estar espiritual do *yogin*. O autor, que evidentemente era ele mesmo um adepto, também critica asperamente o conhecimento livresco, e fala dos que se deixam iludir pelos parcos conhecimentos que adquirem na leitura dos compêndios (*shâstra*).

O *Yoga-Shikhâ-Upanishad* defende uma via que associa a sabedoria (*jnâna*) e o Yoga. Separados uma do outro, nem a sabedoria nem o Yoga podem conduzir à libertação. Juntos, eles podem "amadurecer" uma pessoa. O texto (1.24-27) faz uma distinção entre os seres "plenamente cozidos" (*paripakva*) e os "não-cozidos" ou "crus" (*apakva*). Só os primeiros têm um corpo que "não é insensível" (*ajada*). Em outras palavras, o corpo deles é impregnado da consciência disciplinada que os caracteriza e, por isso, é dotado do seu pleno potencial, o que inclui os poderes paranormais. Diz-se também que esses seres são livres do sofrimento (*duhkha*). Com efeito, como declaram os versículos 1.41-42, o corpo de um *yogin* não pode ser visto nem sequer pelas divindades, pois é mais puro que o espaço (*âkâsha*).

O segundo capítulo trata do Mantra-Yoga, e afirma que o som interior sutil (*nâda*) é o maior *mantra*. No terceiro capítulo, apresentam-se alguns aspectos metafísicos do Mantra-Yoga. Afirma-se que o som tem diversas dimensões de sutileza, a começar da Realidade última, que transcende todo som, e da sua forma inferior ou manifesta, o chamado *shabda-brahman* ("Absoluto sonoro"). Eis os estágios subseqüentes na progressiva manifestação do som:

1. *Parâ* ("transcendente"), que é a "semente" (*bindu*) do som.

2. *Pashyantî* ("visível"), que é o som num nível ainda inaudível, mas já perceptível pela introspecção yogue.

3. *Madhyamâ* ("médio"), que se pode ouvir ressoando "como uma trovoada" dentro do coração durante a meditação profunda.

4. *Vaikharî* ("áspero"), que é o som vocal (*svara*) criado pela vibração do ar.

O quarto capítulo do *Yoga-Shikhâ-Upanishad* volta-se para a exposição da doutrina vedântica da irrealidade do mundo e do corpo, que nada seriam se não fosse pelo Si Mesmo único e todo-englobante (*âtman*). O quinto capítulo diz-nos algo acerca das principais características da anatomia esotérica, como os canais (*nâdî*) e os centros psicoespirituais (*cakra*) do corpo. O capítulo final trata mais ou menos da mesma coisa, mas concentra-se sobretudo no canal central chamado de *sushumnâ-nâdî*. descrito como "o maior dos centros de peregrinação" (6.45). O *yogin* deve tomar o poder serpentino desperto e inseri-lo à força nesse canal, fazendo-o depois subir até a cabeça.

Varâha-Upanishad[27]

O *Varâha-Upanishad* ("Upanishad do Javali"), composição vaishnava tardia, tem 263 versículos distribuídos em cinco capítulos. Começa com uma enumeração das 96 categorias (*tattva*) da existência. Vishnu, representado como o Javali (uma de suas encarnações), situa-se além de todas as categorias. Os que nele se refugiam atingem a libertação vivendo ainda no estado corporal.

O segundo e o terceiro capítulos constituem um tratado de metafísica vedântica que culmina com a recomendação de contemplar-se Vishnu à maneira do Bhakti-Yoga. A devoção ao Senhor é proposta como o meio de libertação por excelência, mas o Kundalinî-Yoga também é recomendado.

O quarto capítulo explica os sete estágios da sabedoria, também mencionados no *Yoga-Vâsishtha* (do qual falamos no Capítulo 14). Descreve a natureza intrínseca e a vida do *yogin* que atinge a libertação já nesta existência corpórea. Fala de duas vias — a do pássaro seguida pelo sábio Shuka, e a da formiga, seguida pelo sábio Vâmadeva. A primeira leva à libertação instantânea (*sadyo-mukti*), ao passo que a segunda produz a libertação gradual (*krama-mukti*).

O quinto capítulo, que na origem era provavelmente um tratado independente que só depois foi aposto ao *Varâha-Upanishad*, trata mais longamente do Hatha-Yoga. Seu autor reconhece três tipos de Yoga: Laya-Yoga, Hatha-Yoga e Mantra-Yoga, todos os quais devem ser dominados. Esse Yoga composto tem oito membros idênticos aos especificados por Patanjali. Sua meta é a libertação ainda nesta vida.

Shândilya-Upanishad[28]

Esse mesmo Yoga óctuplo é ensinado pelo *Shândilya-Upanishad*, obra pouco mais curta que o *Varâha-Upanishad* e que mistura trechos em prosa e em verso. Segue mais ou menos a mesma linha dos outros textos que tratam dos conceitos e técnicas do Hatha-Yoga, mas insiste na complementaridade do autoconhecimento (*jnâna*) e da prática de Yoga. Dedica passagens bastante compridas aos canais (*nâdî*) da força vital. A purificação desses canais é encarada como uma preparação para as práticas mais elevadas da concentração e da meditação, pelas quais as vibrações (*spanda*) da mente são subjugadas. O texto inclui descrições interessantes dos métodos que o *yogin* deve usar para controlar e manipular a força vital (*prâna*) no corpo. Dá também uma longa lista de poderes paranormais.

Os dois últimos capítulos dos três que constituem este *Upanishad* parecem ter sido acrescentados numa data posterior. Os ensinamentos são atribuídos ao sábio Shândilya, que dá nome à obra.

Tri-Shikhi-Brâhmana-Upanishad[29]

O *Tri-Shikhi-Brâhmana-Upanishad* ("*Brâhmana-Upanishad* dos Três Tufos") é semelhante ao *Shândilya-Upanishad* no estilo e no conteúdo, embora tenha mais ou menos a metade do tamanho. Tira seu título do anônimo brâmane que dividia o cabelo em três tufos e recebeu os ensinamentos desta obra diretamente do deus Shiva. O *Upanishad* começa com uma exposição de metafísica vedântica e depois recomenda uma combinação de Jnâna-Yoga e Karma-Yoga (ou Kriyâ-Yoga) para o aspirante à libertação. Interpreta o Kriyâ-Yoga como a estrita observância das prescrições dadas nas escrituras sagradas, que no caso provavelmente são os textos de Hatha-Yoga, uma vez que o restante desta obra vaishnava trata mais ou menos da mesma coisa que os demais textos mencionados acima.

Darshana-Upanishad[30]

O *Darshana-Upanishad* ("*Upanishad* dos Sistemas ou Pontos de Vista"), que na tradução estende-se por cerca de trinta páginas, apresenta-se como a exposição dos ensinamentos dados pelo Senhor Dattâtreya ao sábio Samkriti. O título dá a entender que a obra se pretende uma espécie de sumário das doutrinas existentes, o que faz deste texto provavelmente um dos mais tardios deste gênero literário. O *Darshana-Upanishad* apresenta o Hatha-Yoga baseando-se no caminho óctuplo de Patanjali. Define todos os membros (*anga*) e enumera dez disciplinas morais (*yama*) e dez formas de autocontrole (*niyama*), em vez das cinco propostas por Patanjali. Sob a categoria *âsana*, descreve nove posturas que, com a exceção da postura do pavão, parecem ser todas, antes de mais nada, *âsanas* de meditação. O texto afirma, porém, que a postura do lótus (*padma-âsana*) pode vencer todas as enfermidades, e que a postura auspiciosa (*bhadra-âsana*) também é capaz de combater enfermidades e os efeitos do envenenamento.

Quanto ao *prânâyâma*, o *Darshana-Upanishad* (seção 4) dá uma descrição razoavelmente detalhada da anatomia sutil, sem oferecer nenhuma informação nova. Correlaciona, porém, a circulação da força vital no corpo com o caminho do sol pelo zodíaco, e chama os diversos focos de concentração somáticos de "centros de peregrinação" (*tîrtha*). Assim, Shrî-Parvata localiza-se na cabeça; Kedarâ, na testa; Varanasi (Benares), no ponto situado entre as sobrancelhas; Kurukshetra (o local sagrado onde travou-se a guerra dos Bharata), no peito; Prayâga (a confluência dos rios Gangâ, Yamunâ e Sarasvatî), no coração; Cidambara, no centro do coração; e Kamalâlaya, na base da coluna. Afirma ainda que esses centros de peregrinação internos são superiores a quaisquer centros de peregrinação externos, mas que só o Si Mesmo (*âtman*) é o *tîrtha* por excelência.

Além da definição convencional de recolhimento dos sentidos (*pratyâhârâ*), o *Darshana-Upanishad* (seção 7) também oferece muitas outras interpretações desse aspecto do caminho yogue. Explica-o, por exemplo, como "ver o Absoluto (*brahman*) em todas as coisas" e como é a limitação da força vital em certas partes do corpo. A concentração (*dhâranâ*) é compreendida como a fixação da atenção nos cinco elementos materiais na medida em que se manifestam no corpo, ou senão como a concentração no próprio Si Mesmo. A meditação (*dhyâna*), por sua vez, é a contemplação do Si Mesmo, que não é outra coisa senão o Absoluto. Por fim, o êxtase (*samâdhi*) é explicado como a realização da identidade da alma individual (*jîva-âtman*) com o Si Mesmo universal (*parama-âtman*). Essa identificação suprema resume-se na afirmação "Eu não sou outro senão Shiva" e revela que o mundo não passa de uma ilusão.

No geral, este texto segue uma ordem agradavelmente sistemática. Não obstante, é tardio e não acrescenta nada de especial ao nosso conhecimento do Hatha-Yoga.

Yoga-Cûdâ-Mani-Upanishad[31]

A última obra de que trataremos aqui é o *Yoga-Cûdâ-Mani-Upanishad* ("*Upanishad* da Suprema Jóia do Yoga"). Prega ele um Yoga sêxtuplo, mas não chega a descrever os estágios mais elevados da prática. O motivo é que ele na verdade é fragmento de um texto maior: é a primeira parte do *Goraksha-Paddhati*, importantíssimo manual de Hatha-Yoga (ver o Texto Original 21).

Com isso concluímos nosso exame sumário da psicotecnologia dos chamados *Yoga-Upanishads*. Seus ensinamentos revelados constituem uma excelente transição para o Tantra e o Hatha-Yoga, dos quais trataremos nos Capítulos 17 e 18. Mas, antes de nos voltarmos para essas tradições fascinantes e interdependentes, gostaríamos de concluir a Parte IV com uma rápida exposição do Yoga entre os Sikhs.

"Ó Bem-Amado! Sois deslumbrante, sois bem-parecido, sois vivificante, sois belo, sois radiante, sois afetuoso, sois compassivo, sois insondável, sois imensurável."

— Âdi-Granth (5.542)

Capítulo 16
O YOGA ENTRE OS SIKHS

I. VISÃO GERAL

O Sikhismo, que conta cerca de treze trilhões de membros, é a tradição religiosa e espiritual fundada pelo Guru Nânak (1469-1538 d.C.), que nasceu numa família da casta *kshatriya* (a casta guerreira) numa pequena vila perto de Lahore. A palavra prácrita *sikh* é relacionada com a sânscrita *shishya*, que significa "discípulo", e os sikhs definem-se como discípulos de Deus. Como afirmou o Guru Râm Dâs (1534-1581 d.C.):

Meu verdadeiro Guru é eterno e permanente.
É intocado pelo nascimento e pela morte.
É o Espírito imortal
e está em todas as coisas.

Os sikhs também se consideram discípulos dos grandes mestres da sua tradição, que, através da pureza de sua vida, foram objetos da plenitude da graça divina e entregaram-se completamente a Deus, que é normalmente chamado de Wâhi Guru ("Mestre do Granizo"). A doutrina desses mestres, portanto, é considerada imune à ignorância e ao egoísmo, de modo que pode guiar os outros com segurança no caminho de Deus.

Segundo a tradição, certo dia, durante as abluções matinais, o Guru Nânak desapareceu na água e foi dado como morto por afogamento. Esteve desaparecido por três dias e três noites e nesse meio tempo foi conduzido à presença de Deus, que encarregou-o da missão de ensinar a humanidade a rezar. Recebeu também

Guru Nânak

os encargos de louvar sempre o divino Nome (*nâm*; sânscrito: *nâma*) e praticar a caridade (*dân*; sânscrito: *dâna*), o serviço (*sevâ*), a oração (*simran*; sânscrito: *smarana*, "recordação") e a abluição (*ishnân*; sânscrito: *snâna*).

Quando Nânak voltou — tinha então trinta anos —, começou sua missão com as seguintes palavras: "Não há hindus nem muçulmanos." Essa frase caracteriza de modo pungente o sincretismo abrangente dos sikhs, que representa uma síntese do devocionalismo hindu com o sufismo muçulmano. O elemento hindu predomina, e o aspecto muçulmano do Sikhismo manifesta-se sobretudo no credo monoteísta e na rejeição da adoração de imagens e do sistema de castas.

Guru Nânak viveu numa época marcada pelas convulsões sociais, em que o norte da Índia era governado pelos afegãos de Lodhi, e o seu evangelho de paz e amor foi um dos produtos mais notáveis do grande movimento bháktico que tomou conta da Índia no período medieval. Foi especialmente influenciado por Kabîr, e alguns estudiosos aventaram a hipótese de Kabîr ter sido seu mestre. Muitos hindus consideram o Sikhismo uma parte do Hinduísmo, e é esse também o pensamento de muitos sikhs.

Seu sucessor imediato, Angad, e o terceiro *guru*, Amar Dâs, foram mestres competentes, mas não se destacam por nenhum motivo particular. Já o quarto *guru* da linhagem, Râm Dâs, ganhou fama por ter lançado as fundações do célebre Templo Dourado (chamado de Harimandir ou "Templo de Hari") no meio de um lago em Amritsar ("Lago da Imortalidade"), que é até hoje um dos grandes centros de peregrinação dos sikhs. Na época do quinto *guru*, Arjun Dev (1581-1606 d.C.), o tamanho e a influência da comunidade já haviam aumentado bastante, de modo que ele pôde organizar os sikhs num Estado do qual era ele o rei. Arjun Dev também reuniu os poemas religiosos dos seus predecessores e, juntando-os a composições de sua autoria, criou o *Âdi Granth* ("Livro Original"). Foi aprisionado pelos muçulmanos e matou-se por afogamento para evitar a ignomínia da execução.

Seu sucessor, Har Gobind (1606-1645 d.C.) tomou o caminho da vingança e moveu contra os Moguls uma feroz guerra de guerrilhas. As lutas externas e internas continuaram no decorrer dos reinados de todos os demais *gurus*, pondo fim à fase pacifista do Sikhismo. Em específico, Gobind Singh (1666-1708 d.C.), o último representante da linhagem original de dez *gurus*, transformou a comunidade sikh numa eficiente irmandade militar (*khalsa*) programada para defender a fé e a integridade político-cultural dos sikhs contra os muçulmanos. Proscreveu definitivamente o sistema de castas e exigiu que seus seguidores adotassem o sobrenome Singh (sânscrito: *simha*, leão") e, no caso dos homens, demonstrassem a sua fidelidade usando os "Cinco K's" (*panc-kakâr*; sânscrito: *panca-kakâra*): cabelos compridos (*kesh*; sânscrito: *kesha*), um pente (*kangha*), um bracelete de aço (*kara*), uma adaga (*kirpan*) e calças curtas (*kaccha*). Os que se recusaram a entrar em sua seita passaram a ser chamados de Sahajdhâris, que significa algo como: "os relaxados".

Govind Singh compôs o *Dasvan Pâdshâh Kâ Granth* ("O Livro do Décimo Rei"), que se deve distinguir cuidadosamente do *Âdi-Granth* e só foi considerado "oficial" pelos seguidores imediatos de Govind. Um único poema desse *guru* guerreiro entrou no *Âdi-Granth*. Com a independência da Índia, em 1947, a separação entre Bharat (a Índia) e o Paquistão dividiu brutalmente ao meio o Estado do Punjab, terra natal dos sikhs, e muitos membros da comunidade migraram do Estado islâmico paquistanês para Bharat, onde levam a vida em condições incertas.

Depois da morte de Govind Singh, foi ao livro sagrado, e não a um outro qualquer rei-sacerdote, que se atribuiu o papel de *guru*, e todos os sikhs têm o dever de venerar e seguir o *Âdi-Granth*, também chamado de *Guru-Granth-Sahib* ("Livro-Mestre do Senhor"). Todos os versículos do *Âdi-Granth* são musicados, o que o aparenta de certa maneira com o *Sâma-Veda* dos hindus. À semelhança dos antiquíssimos hinos védicos, os hinos sikhs são fruto de uma iluminação interior e por isso constituem um conhecimento revelado.

II. O YOGA DA UNIDADE

A fé sikh expressa-se já no primeiro hino do *Âdi-Granth*, chamado de *Japji* ou *Mûl-Mantra*, que deve ser recitado toda manhã pelos fiéis. Começa com as seguintes palavras:

> Só existe um Deus, que é chamado o Verdadeiro, o Criador, livre do temor e do ódio, imortal, ingênito, existente por si mesmo, grande e compassivo. O Verdadeiro era no princípio, o Verdadeiro era no passado distante. Ó Nânak, o Verdadeiro é no presente e será também no futuro.

Este hino, composto pelo Guru Nânak, enuncia claramente que Deus é ao mesmo tempo transcendente e imanente; é o puro Ser e simultaneamente o Criador. As dimensões visível e invisível da existência são ambas frutos da superabundância divina, e Deus é imanente nelas. Alterando levemente uma afirmação de Nânak, podemos dizer que Deus é o escritor, a tábua, a pena e a escrita. É também o único criador das três qualidades primárias (*guna*) da Natureza, através das quais a ilusão (*mâyâ*) e o engano (*moha*) entraram no mundo.

Como Deus compreende em verdade todas as coisas, sua unidade absoluta não se rompe quando se Lhe atribuem qualidades como a criatividade, a compaixão, o amor, a justiça e a igualdade. Não obstante, o Sikhismo rejeita peremptoriamente a idolatria da Divindade e proíbe a representação e a adoração de Deus por meio de qualquer imagem que o limite. O mistério de Deus é inexaurível e insondável.

Influenciados pela ilusão (*mâyâ*) e pelo ego (*haumai*; sânscrito: *ahamkâra*), nós não percebemos a unidade perfeita de Deus e enxergamos a dualidade onde só existe, na verdade, um único grande Ser. Para descobrir a verdadeira natureza de Deus, que é singular, temos de cultivar a recordação constante do Seu Nome (*nâm*; sânscrito: *nâma*), que é uma forma de Bhakti-Yoga. O nome divino tem importância crucial no Sikhismo e é chamado o "néctar" (*amrit*; sânscrito: *amrita*) mais doce que o mel e mais precioso que a mitológica pedra que atende a todos os desejos. Sem a recordação do nome divino (*nâm-simran*), o corpo humano pouco difere de um cadáver, e tudo o que fazemos não leva senão à servidão e ao sofrimento. Nânak escreveu na *Rag-Sorath*:

> O nome de Deus ainda é o senhor de todos
>   os meus desejos e o Guru revelou-me a
>   morada do Senhor
> dentro de minh'alma, que é completamente
>   pacífica.

Escreveu também na *Rag-Siri*:

> Só o Teu Nome permite que os homens cruzem o oceano da existência.
> É essa a minha única esperança, meu único sustentáculo.

E na *Rag-Asa*:

> Vivo pela repetição do Nome de Deus e morro quando o esqueço.

O curioso é que a prática da recordação do nome divino não é definida em lugar algum do cânone sagrado, e quem quiser aprendê-la terá de aproximar-se da comunidade de fiéis praticantes. Como no Budismo, o divino Guru é comparado a um médico que prescreve o remédio correto para combater a enfermidade do "ego" e assim lança os fundamentos da cura final do discípulo. Essa cura consiste na realização de que todos nós somos um único e o mesmo Ser, e em pôr essa realização em prática nos detalhes da vida cotidiana.

O discípulo tem de trilhar a via (*panth*; sânscrito: *patha*) por si mesmo, submetendo-se à vontade divina (*hukam*) manifesta nos textos sagrados. Isso consiste, antes de tudo o mais, em praticar diligentemente a presença de Deus, isto é, sentir que Deus está em toda parte e aspirar à realização das divinas qualidades de amor, compaixão, igualdade, etc., na própria vida. Isso inevitavelmente leva a pessoa a abraçar um estilo de vida íntegro, que inclui um meio de subsistência correto e honesto (*kirt karni*) e a generosa partilha do fruto do próprio trabalho com os demais, sem nada exigir em troca — prática chamada de *vand cakna*. Neste ponto, o Sikhismo concorda totalmente com o ideal do Karma-Yoga. Elemento imprescindível da moral sikh é a prática da igualdade, que ignora as regras de casta e os privilégios de classe. A reta conduta (*sat acar*; sânscrito: *sad-âcâra*), segundo Nânak, é ainda mais importante que a verdade, pois é por si mesma libertadora.

A recordação do Nome Divino assume freqüentemente, na prática, a forma de recitação (*japna*; sânscrito: *japa*) dos diversos nomes de Deus. Nânak declarou em seu *Sukhamani-Sahib* (16.5):

> O nome de Deus sustenta todas as criaturas,
> Sustenta o universo e suas figuras.
> O inferno e os céus ele sustém,
> Os homens e o lar onde residem.
> Foi a sede de Seu nome que inspirou
>   *Smritis*, *Vedas* e *Puranas*;
> São salvos pelo nome os que o ouvem,
>   e alcançam o Nirvana.
> É o nome quem ampara os três mundos
>   e sustenta as quatorze esferas;
> O homem será salvo se o ouvido
>   prestar ao nome santo aqui na terra.

> Nânak diz:
> Se, por graça de Deus, um homem acolhe o
>   nome,

Alcançará, decerto, do Espírito o ponto mais alto.[1]

Os sikhs têm o dever de recorrer diariamente ao poder de *sat-sangat* (sânscrito: *sat-sanga*), a companhia dos verídicos ou dos virtuosos, que os ajuda a aderir aos princípios do caminho e especialmente à consideração de que todas as pessoas são iguais. Como afirma Nânak na *Rag-Wadhans*, "Os que amam a Deus amam a todos". E Nânak rejeitou inflexivelmente o sistema de castas e as demais formas de disparidade social, como, por exemplo, a desigualdade entre homens e mulheres. Condenou especialmente a idéia ascética de que as mulheres são o mal, observando que sem as mulheres não haveria a raça humana e que só o próprio Senhor é independente do sexo feminino, como é independente também do masculino. A filosofia igualitária do Sikhismo encontra a sua melhor expressão no simbolismo arquitetônico do Templo Dourado, que tem portais dos quatro lados, dando a entender que está aberto a pessoas vindas de todas as direções (e de todos os estados de vida).

Sat-sangat também consiste em ouvir os cânticos de louvor (sânscrito: *samkirtana*), acompanhados de músicas que abrem o coração às grandes verdades da doutrina.

Para Guru Nânak, o Yoga consiste em meditar em Deus e em conservar o desapego e a objetividade em meio às atividades cotidianas. Ele dirigiu fortes críticas aos falsos ascetas, aos *yogins* milagreiros e aos que vivem isolados ou andam nus. No *Japji*, dirige-lhes a seguinte admoestação:

Que o contentamento lhes sirva de brincos,
a modéstia de tigela de esmolas,
a meditação de cinzas esfregadas sobre o
    corpo.

Que a meditação da morte seja as suas vestes
    remendadas,
a castidade a sua via,
a fé em Deus o bastão em que se apóiam para
    andar.

Que a fraternidade universal seja o objetivo
    supremo da sua ordem,
e que eles compreendam que, controlando a
    mente,
podem subjugar o mundo inteiro.

Embora a escritura sagrada dê preferência ao estilo de vida do pai de família sobre o do asceta, o Sikhismo também tem as suas ordens monásticas entre as quais destacam-se as dos Udâsîs, dos Nirmala-Sâdhus e dos Akalîs.

Os amantes de Deus têm de fazer o possível para pôr o ideal da unidade em ação em todos os seus pensamentos, palavras e realizações. No Sikhismo, é exatamente esse o sentido de *bhakti*. Não obstante, a disciplina espiritual não é o único requisito da santidade. É necessária também a graça de Deus (*nadar* ou *prasâd*; sânscrito: *prasâda*), que se derrama sobre o coração do discípulo. É só então que este pode progredir verdadeiramente no caminho. Esses estágios ou "domínios" (*khând*) são em número de cinco:

1. *Dharam-khând* (sânscrito: *dharma-khânda*, "domínio da virtude"): Aqui, o discípulo vive de acordo com a lei de causa e efeito, isto é, do mérito e do demérito, a qual é válida não só no mundo material como também na dimensão moral da vida.

2. *Gyân-khând* (sânscrito: *jnâna-khânda*, "domínio do conhecimento"): Através de uma compreensão cada vez maior da natureza da existência e da vastidão do cosmos, o discípulo vai perdendo o apego ao ego e sua vida passa a ser cada vez mais benigna.

3. *Saram-khând* (sânscrito: *shrama-khânda*, "domínio do esforço"): Neste estágio, o discípulo torna-se um adepto que irradia a iluminação espiritual.

4. *Karam-khând* (sânscrito: *karma-khânda*, "domínio da ação [divina]", isto é, "da graça"): É este o grau dos grandes mestres unidos a Deus que vivem em diversos estados celestes, radiantes de energia espiritual.

5. *Sac-khând* (sânscrito: *satya-khânda*, "domínio da verdade"): Mais do que um simples estágio no caminho, esta é a Morada suprema da própria Divindade, que é a Verdade absoluta.

Através da meditação profunda em Deus, o discípulo torna-se capaz de ouvir o "som não-tocado" (*anâhad shabad*; sânscrito: *anâhata-shabda*) que liqüida o ego e transforma o *manmukh* ("que olha para si"), o indivíduo egocêntrico, num *gurmukh* ("que olha para o *guru*"). É claro que, para Nânak, essa experiência representa um estágio muito avançado da prática yogue; por isso, não podemos confundir esse conceito com a noção homônima do Hatha-Yoga, onde representa um estágio mais baixo de êxtase.

Todos os métodos do Yoga Sikh têm o objetivo de superar a separação (sânscrito: *viyoga*) e cultivar a união (sânscrito: *samyoga*). Todas as disciplinas têm por finalidade vencer o ego, que cria a alteridade onde só existe a unidade. Os inúmeros egos são semelhantes a bolhinhas transparentes que sobem do mesmo oceano e refletem o mesmo sol. Ou seja, nós só estamos separados dos outros por uma fina camada de pele, que na realidade não tem importância alguma e pode ser facilmente eliminada pela realização do divino Ser. Essa realização põe abaixo todas as barreiras que separam as pessoas e elimina todos os conflitos. O homem em quem habita a divina unidade, ou o divino nome, transcende o bem e o mal e torna-se uma força espiritual intensa que provoca transformações à sua volta.

O Sikhismo almeja ao ideal da libertação em vida (sânscrito: *jîvan-mukti*), estado supremo ao qual Nânak deu o nome de *sahaj* (sânscrito: *sahaja*, "espontaneidade" ou "naturalidade"). Esse estado, que não é demarcado por forma alguma, é idêntico ao próprio Deus.

III. O YOGA NO SIKHISMO CONTEMPORÂNEO

Como vimos, o Guru Nânak incorporou à sua tradição algumas práticas fundamentais do Yoga, tornando-a sob certo ponto de vista uma espécie de Bhakti-Yoga; mas a maioria dos Sikhs do Oriente não considera o Yoga como parte de sua fé. A isso opõem-se radicalmente as numerosas ordens sikhs ocidentais, fundadas em 1969 por Harbhajan Singh Khalsa — mais conhecido como Yogi Bhajan (nascido em 1930).

Depois de emigrar da Índia, em 1968, o Yogi Bhajan criou a Healthy, Happy and Holy Organization (3HO — "Organização Saudável, Feliz e Santa") na cidade de Los Angeles. Três anos depois, levou oitenta e quatro discípulos norte-americanos a Amritsar numa peregrinação ao templo dourado. Tinha o objetivo de pôr os discípulos em contato com a herança espiritual do Guru Râm Dâs e lavá-los de seus pecados no lago construído pelo mesmo quarto Guru. O Yogi Bhajan havia passado quatro anos e meio lavando o chão do templo, e nesse processo havia purificado a própria mente.

O Yogi Bhajan não se considera um *guru*, pois isso, na tradição sikh, seria uma heresia. Não obstante, de diversas maneiras, seu papel de orientador corresponde ao que na tradição hindu seria considerado o papel de um *guru*. Atribui ele a sua missão no Ocidente às bênçãos e à orientação do próprio Guru Râm Dâs, e apresenta esse mesmo Guru como digno objeto de veneração e modelo a ser imitado.

O Yogi Bhajan lançou os fundamentos do Dharma Sikh no hemisfério ocidental e não só deu nova força ao Sikhismo como também acrescentou-lhe uma nova dimensão, a da prática do Yoga. Em particular, ele ensina posturas "brancas" que têm efeitos de Kundalinî-Yoga, vigorosos exercícios de respiração e práticas de meditação (geralmente associadas ao canto). Compreende o Kundalinî-Yoga como o "Yoga da consciência", por meio do qual "a pessoa passa a conhecer o seu pleno potencial".[2]

Para o Yogi Bhajan, a *kundalinî* representa o potencial criativo da pessoa. Para ele, a palavra deriva de *kundala* ("anel") e é explicada como "um cacho dos cabelos do Bem-Amado".[3] Essa força poderosa tem de ser "desenrodilhada" pela prática perseverante de *japa*. Quando se canta o nome divino, cria-se um "calor especial" que queima completamente o karma do praticante. Esse calor não é simplesmente figurativo; pode manifestar-se de maneira drástica no corpo do *yogin*. O Yogi Bhajan dá a cada um o direito de escolher que nome divino cantar, mas recomenda *sat nam* — pronuncia-se *sa ta na ma* —, mantra originalmente revelado por Guru Nânak e explicado por ele como "a Verdade manifesta". As sílabas, isoladamente, têm o seguinte significado: *sa* é a totalidade; *ta* é a vida; *na* é a morte; e *ma* é a ressurreição. "O quinto

© Kundalini Research Institute, Pomona, Califórnia
O Yogi Bhajan em sua juventude

som", explica o Yogi Bhajan, "é o som de *a* comum a esses quatro. É o som criativo do universo." Eis como se deve praticar o canto:

> Enquanto se canta, o polegar vai encostando nas pontas dos outros dedos segundo o ritmo do mantra, para canalizar a energia pelos terminais nervosos nos dedos que estão ligados aos centros cerebrais correlacionados à intuição, à paciência, à vitalidade e à comunicação. No som de Sa, encoste o polegar no indicador; em Ta, no dedo médio; em Na, no anular; e em Ma, no dedo mínimo.
>
> Cante o mantra de três maneiras: em voz alta, na voz do ser humano; murmurando, na voz do amante; e no silêncio da sua consciência, na voz de Deus. Das profundezas da sua meditação silenciosa, volte ao murmúrio e depois à voz normal. Em toda a meditação, cada sílaba do mantra deve ser projetada mentalmente da parte de cima e de trás da cabeça para baixo e depois para a frente até sair diretamente através do ponto do terceiro olho, que se localiza entre as sobrancelhas onde começa o nariz.
>
> Sente-se numa postura confortável, com as pernas cruzadas. Deixe a coluna reta. Cante o mantra em voz alta por cinco minutos; murmure-o por cinco minutos; e depois medite em silêncio, repetindo interiormente as sílabas por dez minutos. Cante murmurando novamente por cinco minutos e depois por mais cinco em voz alta. Agora, inspire o ar e estenda os braços para cima. Fique nessa mesma posição e solte o ar. Inspire de novo, expire de novo. Relaxe. Isso vai levar, ao todo, trinta e um minutos... Se você passar duas horas por dia meditando, Deus meditará em você o restante do dia.[4]

Nânak cria firmemente que, se a pessoa se entregar a Deus, o processo espiritual desenrolar-se-á naturalmente na vida dela. Rejeitava o atalho prometido por certas linhas de pensamento e recomendava uma atitude espontânea (*sahaj*; sânscrito: *sahaja*) perante a prática. Afirmava que cada um progride de acordo com a sua capacidade inata e que, por isso, a ascese forçada e o excesso de disciplina não são convenientes. Em todas as coisas, porém, a iniciativa deve ficar a cargo da própria pessoa. O papel do mestre é simplesmente o de lembrar o aspirante de que o tesouro que ele busca encontra-se dentro dele.

Parte V

PODER E TRANSCENDÊNCIA NO TANTRISMO

"Saúdo-Vos, ó Deusa, vós que dissipais os grandes temores, eliminais as grandes dificuldades (*durga*) e tendes a essência da grande compaixão."

— *Devî-Upanishad*[1] (25)

> "A prática (*prayoga*) é o instrumento [da libertação], ó Deusa. A erudição livresca não é um [tal] instrumento. A erudição (*shâstra*) se encontra facilmente em toda parte, mas é difícil levar a bom êxito a prática."
>
> — *Vînâ-Shikha-Tantra* (137)

Capítulo 17
O ESOTERISMO DO TANTRA-YOGA MEDIEVAL

I. O PRAZER CORPÓREO E A BEM-AVENTURANÇA ESPIRITUAL — O ADVENTO DO TANTRA

A busca da imortalidade e da liberdade é fundamental para a civilização humana. Vemo-la tanto nas pirâmides do Egito e nas catedrais da Europa medieval quanto na moderna busca dos médicos pelo elixir da juventude, na corrida espacial e na aspiração à criação da utopia na terra. Mas em nenhum outro lugar essa busca tornou-se um tema cultural tão evidente e tão comum a toda uma sociedade quanto na Índia. Já os videntes védicos procuravam descobrir o domínio imortal onde os Deuses habitam além de todo sofrimento, além mesmo dos paraísos de delícias dos espíritos ancestrais. Mais tarde, os sábios upanishádicos fizeram uma descoberta revolucionária: a imortalidade não é um apanágio do outro mundo — até os deuses têm de morrer —, mas um traço essencial da Realidade suprema, do Fundamento último de toda a existência. Conseqüentemente, ensinaram que basta-nos realizar a nossa natureza íntima para poder gozar do Si Mesmo, da Identidade de todos os seres — aqui e agora.

Os sábios acreditavam que o Si Mesmo imortal (*âtman*) não poderia ser conhecido, pois não é um objeto, mas poderia ser *realizado* pela identificação direta. Essa realização consiste numa mudança radical da consciência que temos da nossa identidade, de quem julgamos ser. Ao passo que o comum dos mortais concebe-se como um corpo e uma mente específicos e limitados, o ser que realizou o Si Mesmo já não se identifica com o indivíduo limitado pela pele, mas com a quintessência eterna de todos os seres e coisas.

A via que leva a essa sublime realização, ao ver dos antigos sábios, é o árduo caminho da renúncia e da ascese. Afirmavam eles que o esplendor da Realidade transcendente só se revela aos que retiram sua atenção dos assuntos mundanos e, mediante o exercício de um controle consciente sobre o corpo e a mente, concentram-na como um raio *laser* sobre o objetivo último, que é a realização do Si Mesmo. Em última análise, para *se tornar* o absoluto (*brahman*), a pessoa tem de transcender a condição humana e os condicionamentos humanos. Tem de desistir de investir as próprias energias nos assuntos comuns pelos quais as pessoas reforçam a ilusão de que são entidades isoladas.

É verdade que o ideal upanishádico da libertação em vida (*jîvan-mukti*), do gozo da beatitude eterna do Si Mesmo ainda neste corpo humano, foi um passo importante para a evolução da espiritualidade da Índia, mas não superou de todo o hábito do pensamento dualista. Essa idéia suscitou a seguinte pergunta: Se só o único Si Mesmo existe, porque é necessário esforçar-se tanto para realizá-lo? Em outras palavras, por que temos de conceber o mundo e o corpo-mente como inimigos a ser vencidos? Ou, para dizê-lo de maneira ainda mais concreta: Por que temos de abandonar o prazer para realizar a bem-aventurança eterna?

A Nova Atitude do Tantra

Os mestres do Tantra, ou Tantrismo, que surgiram no decorrer dos primeiros séculos do primeiro milênio d.C., vieram com uma nova resposta e um novo estilo de espiritualidade. Os ensinamentos deles estão contidos nos *Tantras*, obras semelhantes aos *Âgamas* dos shaivas e às *Samhitâs* dos vaishnavas, mas dedicadas ao princípio psicocósmico feminino, à Shakti.[1] Às vezes é difícil distinguir entre um *Âgama* e um *Tantra*, porque a fronteira que separa o Shaivismo do Shaktismo não é muito sólida.

O culto da Deusa, que está no âmago de muitas escolas tântricas, já existia no princípio da época védica. Os mestres e praticantes do Tantra só aproveitaram-se das histórias sagradas e elementos rituais já existentes que tinham por objeto a Deusa, e que sobreviveram até hoje, especialmente nas comunidades rurais da Índia. Alguns estudiosos, por isso, atribuíram ao Tantra uma antigüidade tão grande quanto a dos *Vedas*, senão mesmo maior. Enquanto fenômeno literário, porém, o Tantra não parece ter surgido muito antes da metade do primeiro milênio d.C.

Segundo a opinião mais comum, os *Tantras* budistas surgiram primeiro e foram seguidos de perto pelos seus equivalentes hindus, mas alguns estudiosos afirmam com veemência o contrário. De qualquer modo, o *Manjushrî-Mûla-Kalpa* ("Normas Fundamentais de Manjushrî") e o *Guhya-Samâja-Tantra* ("Tantra da Comunhão Secreta"), textos budistas, foram provavelmente coligidos entre 300 e 500 d.C. No primeiro capítulo do *Mahâcîna-Âcâra-Krama* ("Caminho e Conduta de Mahâcîna"),[2] a Deusa aconselha o sábio Vâshishtha a fazer uma peregrinação a Mahâcîna (o Tibete, a Mongólia ou mesmo a China), onde poderia estudar com Janârdana na forma do Buda.

Parece que os primeiros *Tantras* hindus foram perdidos, e só os conhecemos por meio de referências feitas em outras obras. É importante observar que o santo sul-indiano Tirumûlar, do século VII, refere-se a um grupo de vinte e oito *Tantras*. O *Vînâ-Shikha-Tantra* (9), datado de mais ou menos 1200 d.C., e que é o único texto tântrico de esquerda ainda existente, já menciona o conjunto clássico de sessenta e quatro. Isso mostra que os mestres tântricos dos séculos precedentes dedicaram-se intensamente à atividade literária, especialmente porque sabemos que, já naquela época, o número de *Tantras* era na verdade muito maior. Um dos *Tantras* mais antigos ainda existentes é o *Sarva-Jnâna-Uttara-Tantra* (escreve-se S*arvajnânottaratantra*), que provavelmente foi escrito no século IX d.C. Essa obra apresenta-se como o resumo da essência de muitos textos tântricos anteriores.

O típico *Tantra* original apresenta-se em forma de diálogo e não é atribuído a nenhum autor humano, mas à própria Divindade. Na maioria das vezes, seu sânscrito é medíocre e deficiente dos pontos de vista gramático e métrico. As obras posteriores, os resumos em especial, tendem a ser atribuídas a autores humanos e, no geral, têm mais qualidade gramática e estilística.

Uma vez que o Tantrismo — quer budista, quer hindu — é um campo de estudo amplo, complexo e praticamente inexplorado, limitar-me-ei aqui aos *Tantras* hindus, que dizem respeito de modo mais imediato à tradição yogue que nasceu do legado védico.[3] Deve-se observar, porém, que os *Tantras* budistas — preservados na língua tibetana e, em menor medida, em sânscrito — também são fontes bibliográficas muito importantes para a compreensão de certos processos yogues, especialmente a visualização meditativa (*dhyâna, bhâvanâ*) e outros estágios elevados da prática espiritual e dos rituais que a acompanham.

Como indicamos acima, a tradição hindu afirma que existem sessenta e quatro *Tantras*, mas o verdadeiro número dessas obras é muito maior. Só uns poucos dentre os textos mais importantes desse gênero literário hindu foram traduzidos para línguas européias. Dentre eles destacam-se o *Kula-Arnava-*, o *Mahânirvâna-* e o *Tantra-Tattva-Tantra*. É considerável o número de temas de que tratam os *Tantras*. Eles falam da criação e da história do mundo; dos nomes e funções de um largo rol de divindades masculinas e femininas e de outros seres superiores; dos tipos de adoração ritual (especialmente a adoração dirigida às deusas); de magia, feitiçaria e artes divinatórias; de "fisiologia" esotérica (o mapeamento do corpo sutil ou psíquico); do despertar do misterioso poder da serpente (*kundalinî-shakti*); de técnicas de purificação corpórea e mental; da natureza da iluminação; e, não menos importante, da sexualidade sagrada.

A espiritualidade revolucionária do Tantra se evidencia da melhor maneira possível na definição do termo *tantra* dada pelo antigo texto budista *Guhya-Samâja-Tantra*. Segundo ele, "tantra é continuidade". A palavra é derivada da raiz *tan*, que significa "estender, esticar". É comumente interpretada como "aquilo pelo qual o conhecimento ou compreensão se expandem ou se espalham" (*tanyate vistaryate jnânam anena*).

Um dos sentidos secundários da palavra *tantra* é simplesmente o de "livro" ou "texto", como em *Panca-Tantra* ("Cinco Tratados"), que é uma famosa coletânea indiana de fábulas. Assim, pode-se definir um *Tantra* como um texto que amplia a compreensão a ponto de permitir o nascimento da verdadeira sabedoria. Todos os adeptos do Tantra concordam em que a libertação só se torna possível pelo nascer da sabedoria (*vidyâ*). A sabedoria é libertadora porque firma o praticante do Tantra na "continuidade" que existe entre as dimensões finita e infinita, como observamos acima. A idéia de continuidade expressa bem a natureza do Tantra porque essa tradição pan-indiana busca superar de diversas maneiras o dualismo entre a Realidade suprema (i.e., o Si Mesmo) e a realidade condicionada (i.e., o ego), insistindo na continuidade que existe entre o próprio processo do mundo e o processo da libertação ou iluminação.

A grande fórmula do Tantra, fundamental também para o Budismo Mahâyâna, é "*samsâra é nirvâna*". Ou seja, o mundo condicionado ou fenomênico é coessencial ao Ser-Consciência-Beatitude transcendente. Portanto, a libertação não é uma questão de deixar o Mundo para trás ou eliminar os próprios impulsos naturais. Antes, é uma questão de ver que a realidade inferior está contida na superior e é idêntica a ela, e de deixar que a superior transforme a inferior. Por isso, a característica básica do Tantra é a integração — a integração do eu com o Si Mesmo, da existência corpórea com a Realidade espiritual. Ananda Coomaraswamy, orientalista e historiador da arte, fez esta observação muito pertinente:

> A realização última de todo pensamento é o reconhecimento da identidade que existe entre o espírito e a matéria, o sujeito e o objeto; e essa fusão é o matrimônio do Céu e do Inferno, o caminhar de um universo contraído rumo à liberdade, em resposta ao amor da Eternidade pelos produtos do tempo. Depois disso não há mais sagrado nem profano, espiritual nem sensual; tudo o que vive é puro e diáfano. Este mesmo mundo da geração e da corrupção é também o grande Abismo.[4]

É importante perceber que a revolução tântrica não decorreu da mera especulação filosófica. Embora esteja vinculado a uma imensa estrutura de conceitos e doutrinas antigos e novos, o Tantrismo é intensamente prático. É, acima de tudo, uma prática de realização, ou o que se chama de *sâdhana*. Por isso, nele, o Yoga é um elemento central. Do ponto de vista histórico, o Tantra pode ser compreendido como uma reação dialética à atitude amplamente abstrata do Advaita Vedânta, que era e ainda é a doutrina dominante entre a elite hindu. O Tantra foi um movimento de base; dentre os seus primeiros protagonistas, muitos, senão quase todos, provinham das castas que compõem o chão da pirâmide social da Índia — pescadores, tecelões, caçadores, vendedores ambulantes, lavadeiras. Estavam atendendo a uma necessidade que muita gente sentia: a de um caminho mais prático, que integrasse as excelsas intuições metafísicas do não-dualismo a um método acessível de santificação da vida, e que não acarretasse necessariamente o abandono da crença nas divindades locais e nos ritos antiqüíssimos pelos quais elas eram adoradas.

Portanto, os ensinamentos dos *Tantras* são marcados por uma admirável síntese entre teoria e prática, baseada num ecletismo vibrante com uma forte tendência ao ritualismo. Esses ensinamentos foram feitos sob medida para atender às necessidades espirituais da "era de trevas" que supostamente começou com a morte do Senhor Krishna ao fim da grande batalha relatada na epopéia Mahâbhârata. A psicotecnologia que os Tantras descrevem — ou melhor, na maioria das vezes, apenas insinuam — foi inventada para os que são quase incapazes de dirigir a Deus suas aspirações e se deixam distrair facilmente pelas suas idéias e expectativas convencionais.

Conformes à tendência não-dualista básica do Tantrismo, os adeptos dessa forma de espiritualidade inventaram todo um arsenal de métodos que até então tinham sido excluídos do repertório espiritual do Hinduísmo ortodoxo — com destaque para o culto da Deusa e a sexualidade ritual. Os *tântrikas*, praticantes do Tantra, rejeitaram a atitude purista da ortodoxia hindu e budista e procuraram ancorar na realidade corpórea a busca espiritual. Foi a introdução da sexualidade que, como se pode facilmente compreender, suscitou a maior oposição nas rodas hindus e budistas convencionais; os praticantes do Tantra foram acusados de entregar-se ao hedonismo sob a coberta da espiritualidade. Não há dúvida de que, em alguns casos, as acusações de libertinagem tinham a sua razão de ser; mas tais casos eram a exceção, e não a regra. Hoje em dia, o Tantra é tido em pouco apreço na Índia, e as reuniões tântricas de esquerda (que envolvem ritos sexuais) são ativamente reprimidas pelo governo indiano.

Não fosse por *Sir* John Woodroffe (também conhecido como Arthur Avalon), inglês, juiz do Supremo Tribunal de Calcutá, que estudou os *Tantras* com os sábios de Bengala, nós talvez ainda partilhássemos dessa mesma postura preconceituosa. No começo do século XX, Woodroffe teve a audácia de não fazer caso da atitude hostil ao Tantra. Em vários estudos pioneiros, ele abriu caminho para que outras pessoas compreendessem e apreciassem mais esse movimento multifacetado. Sob diversos aspectos, seus escritos e a tolerância que os caracteriza ainda não foram superados.

A chamada "revolução sexual" dos anos 1960 e 1970 contribuiu, entre outras coisas, para inserir o Tantra no contexto da cultura ocidental contemporânea. Não obstante, o Tantra ainda é muito malcompreendido e costuma ser confundido pelos ocidentais com as artes eróticas (*kâma-shâstra*) do Hinduísmo. As práticas sexuais — que só são realizadas literalmente pelas escolas de esquerda, pois os *tântrikas* de direita as compreendem simbolicamente — são apenas um dos aspectos do Tantra-Yoga.

É verdade que, hoje em dia, nós não nos deixamos impressionar tão facilmente pelos traços mais controversos do Tantra; mas os mestres tântricos, especialmente os que ensinam segundo os ditames da sabedoria da loucura, ainda conseguem pôr à prova até mesmo as nossas atitudes mais liberais. Eles são os radicais da espiritualidade, e, apesar de toda a nossa "revolução sexual", parece-me que a maioria das pessoas ainda leva na cabeça uma imagem bastante idealizada de como deve ser um mestre espiritual. Nossa tendência ainda é a de considerar a sexualidade e a espiritualidade como incompatíveis e, por isso, os *gurus* sexualmente ativos podem nos causar grande desconforto.

Como reagiríamos, por exemplo, perante Candîdâs, adepto bengalês do século XIV? Ele conseguiu

> "Certo dia, quando estava com minha cunhada, pensei em Shyâma e meu coração se tomou de emoção. Fiquei petrificado e meu corpo tremia descontroladamente."
>
> — *Candîdâs*

escandalizar todos os seus contemporâneos porque, sendo brâmane, apaixonou-se por uma jovem chamada Ramî quando a viu lavando roupas na margem do rio. Seus olhos se encontraram e Candîdâs ficou tão enfeitiçado por ela que chegou a abandonar seus deveres de sacerdócio. Primeiro foi repreendido; mas continuou, à vista de todos, a dedicar a Ramî canções de amor, e então foi destituído de seu cargo no templo local e "excomungado". (Porém, como o Hinduísmo não se organiza à maneira de uma Igreja, a excomunhão, a rigor, é impossível.)

Finalmente, o irmão de Candîdâs conseguiu obter uma audiência oficial, na qual se daria ao adepto a oportunidade de renunciar publicamente à sua obsessão e ser perdoado pela sua loucura. Quando a jovem foi informada disso, dirigiu-se à audiência. Ao vê-la, Candîdâs esqueceu-se completamente das promessas que havia feito à sua família, e aproximou-se de Ramî com as mãos postas em atitude de adoração. O que os juízes e acusadores de Candîdâs não conseguiram perceber foi que, para ele, a jovem tornara-se uma encarnação da Divina Mãe. Seu amor era dirigido à Deusa em forma humana. Era uma emoção de adoração desencadeada pela beleza de uma jovem.

É claro que o liberalismo dos mestres tântricos — que se costuma confundir com hedonismo — não é um caso único na história das religiões. O amor erótico integrou a dimensão ritual de muitas tradições fora da Índia — em especial o Taoísmo chinês —, e também nesses outros lugares deu margem a excessos ocasionais e a freqüentes acusações de libertinagem. Os excessos orgíacos tornavam-se mais prováveis nos casos em que a prática ritual separava-se da metafísica e associava-se a intenções mágicas. Encontramos um bom exemplo disso na história recente, no ocultismo improvisado de Aleister Crowley, que encorajava seus seguidores a praticar o homossexualismo, o sexo antes e fora do casamento, e até mesmo a bestialidade.

O Culto da Deusa

Os adeptos do Tantra tornaram a incluir no processo espiritual todos os aspectos da existência que as tradições estabelecidas haviam excluído pela via da renúncia — a sexualidade, o corpo e o universo físico em geral. Do ponto de vista junguiano, podemos compreender esse processo como uma tentativa deliberada de reinstalar a *anima*, o princípio psíquico feminino, no seu devido lugar.[5] Essa interpretação é confirmada pelo fato de que o elemento que unifica todas as escolas de Tantra é exatamente a atenção que prestam ao princípio feminino, chamado *shakti* ("poder") no Hinduísmo e representado na iconografia por deusas como Kâlî, Durgâ, Pârvatî, Sîtâ, Râdhâ e centenas de outras divindades.

O princípio feminino é freqüentemente chamado apenas de *devî* ("a resplandecente") — a Deusa.[6] A Deusa é, acima de tudo, a Mãe do universo, a esposa do divino Masculino, seja ele invocado como Shiva, Vishnu, Brahma, Krishna ou simplesmente Mahâdeva ("Grande Deus").

De acordo com algumas escolas, a Deusa manifesta-se em dez formas. Essas formas são chamadas de "Grandes Sabedorias" (*mahâ-vidyâ*) e apresentam analogias interessantes com a noção greco-gnóstica de *sophia*. São as seguintes:

1. Kâlî — que é a forma primária da Deusa. É representada como uma figura escura e imprevisível. Opera por meio do tempo (*kâla*), que destrói todos os seres e coisas. Porém, para seus devotos, é uma mãe amorosa que nunca deixa de protegê-los e cuidar deles.

2. Târâ — que é o aspecto salvador da Deusa. Sua função é a de conduzir o devoto em segurança até a "outra margem" do oceano, a da existência condicionada. Não obstante, à semelhança de Kâlî, Târâ também é representada muitas vezes como uma divindade terrível que dança sobre um cadáver e segura uma cabeça cortada numa de suas quatro mãos — um lembrete de que a graça exige o sacrifício do devoto.

3. Tripurâ Sundarî — que representa a beleza essencial da Deusa. É chamada Tripurâ ("Três Cidades") porque domina sobre os três estados de consciência — a vigília, o sonho e o sono profundo.

4. Bhuvaneshvarî — que, como indica o seu nome, é a soberana (*îshvarî*) do mundo (*bhuvana*). Se Kâlî representa o tempo infinito, Bhuvaneshvarî representa o espaço e a criatividade infinitos.

5. Bhairavî — que é o aspecto feroz e aterrorizante da Deusa, a qual exige a transformação do devoto. Costuma ser representada como uma mulher ensandecida, com os seios nus e manchados de sangue. Não obstante, sua ira é divina e é sempre construtiva. Seu poder libertador é indicado pelo fato de que duas de suas mãos fazem o gesto da transmissão de conhecimento, enquanto as outras duas fazem o gesto da proteção.

6. Chinnamastâ — o aspecto da Deusa que estilhaça a mente. É representada com a cabeça (*masta*) cortada (*chinna*). Essa imagem medonha deixa claro aos devotos que eles têm de ir além da mente e perceber a Realidade diretamente.

7. Dhûmâvatî — que é o aspecto da Deusa que funciona como uma divina cortina de fumaça sob a forma da velhice e da morte, donde o seu nome "Enfumaçada". Só o devoto fervoroso é capaz de vislumbrar a promessa de imortalidade da Deusa por trás do medo da morte.

Târâ

8. Bagalâmukhî — que, embora seja de uma beleza sem par, leva um bordão com o qual esmaga as ilusões e concepções errôneas dos seus devotos.

9. Mâtangî — que, sendo a padroeira das artes e especialmente da música, conduz o devoto à contemplação do som primordial e sem causa.

10. Kamalâtmikâ[7] — que é a Deusa na plenitude do seu aspecto gracioso. É representada sentada sobre um lótus (*kamala*), símbolo da pureza.

As dez formas da Deusa, quer graciosas, quer terríveis, são adoradas como a Mãe universal. No *Ânanda-Laharî* ("Onda da Bem-Aventurança"), poema atribuído a Shankara, encontramos este versículo que expressa de maneira típica a atitude tântrica:

> Aquele que Vos contempla, ó Mãe, junto com Vashinî e as outras [divindades femininas que constituem o vosso séquito], brilhantes como a pedra da lua, torna-se um criador de grandes poemas repletos de belas metáforas; sua fala é [inspirada] por Savitri e suas palavras são tão doces quanto a fragrância da boca de lótus daquela Deusa. (17)

Devî não é somente a que cria e sustenta, aquela cuja beleza ultrapassa toda imaginação; é também a Força terrível que elimina o universo quando chega a hora marcada. No corpo-mente humano, Devî particulariza-se no "poder enrodilhado" (*kundalinî-shakti*) cujo despertar constitui o fundamento mesmo do Tantra-Yoga. Daqui a pouco falaremos mais a esse respeito.

Mas Shakti, ou Devî, nada seria sem o pólo masculino da existência. Costuma-se representar Shiva e sua eterna esposa unidos em êxtase num abraço — o que os tibetanos chamam de *yab-yum*, que significa "Mãe-Pai". Eles pertencem um ao outro. No plano transcendente, deleitam-se eternamente um com o outro no êxtase da sua união. Esse casamento transcendente é o arquétipo da correlação empírica que existe entre a mente e o corpo, a consciência e a matéria, o masculino e o feminino. Segundo um ditado tântrico bem conhecido, "Sem Shakti, Shiva é morto". Isto é, Shiva não pode criar.

Mas o mesmo se pode dizer da Shakti sozinha, e é esse o ponto salientado pelos *Tantras* budistas, que atribuem dinamismo não ao princípio feminino, mas ao masculino. No Tantra hindu, Shiva representa o Estado primordial em seu aspecto não-qualificado, de pura Luz ou Consciência. A Shakti representa essa mesma Realidade em seu movimento dinâmico, no seu perene "holomovimento", para usar a expressão que David Bohm introduziu na física quântica. A Shakti é a Força Vital por excelência, a força movente de toda mudança e de toda evolução. É a Energia universal da Consciência. Por isso, a metafísica tântrica concebe a existência como um processo bipolar. A criação é o simples efeito da predominância do pólo feminino ou Shakti, ao passo que a transcendência está associada à predominância do pólo masculino ou Shiva.

A Escola Tântrica Anti-Ritualista

O Tantra é um movimento amplo o suficiente para trazer em si a sua própria antítese. Dessa maneira, o forte ritualismo que caracteriza a maioria das escolas tântricas é superado e até mesmo criticado, por exemplo, nas escolas do Budismo Sahajayâna, o "Veículo da Espontaneidade". Os adeptos dessa corrente entendem o mais literalmente possível a doutrina da identidade entre o mundo condicionado e a Realidade suprema. Não prescrevem nem um caminho nem uma meta, uma vez que, do ponto de vista da espontaneidade (*sahaja*), nós nunca estamos de fato separados da Realidade. Nosso nascimento, a aventura toda da nossa vida e por fim a nossa morte decorrem perante o pano de fundo eterno do Real. Somos semelhantes a peixes que não sabem que vivem dentro d'água e, no entanto, são continuamente sustentados por ela.

O termo *sahaja* significa literalmente "nascido (*ja*) junto (*saha*)" ou "conato" — uma referência ao fato de que a realidade empírica e a Realidade transcendente são coessenciais. A palavra passou a ter a conotação de "espontaneidade", a atitude natural perante a existência antes da interferência do pensamento com seus construtos acerca da Realidade. O *sahaja-yogin* leva a vida do ponto de vista da iluminação, da Realidade. Quando respiramos, é Deus quem respira em nós. Quando pensamos, é Deus que pensa em nós. Quando amamos e odiamos, é Deus quem ama e odeia em nós. Não obstante, nós passamos a vida inteira à procura de uma Realidade "superior", e essa mesma busca só faz reforçar a ilusão de estarmos separados dessa

Realidade. Os adeptos da tradição Sahaja, portanto, recusam-se a apresentar um programa qualquer de busca da libertação. É como diz Lohipâda, adepto do século IX, em uma de suas canções (dohâ):

> De que valem todos os processos de meditação? Apesar deles, terás de morrer na alegria e na tristeza. Separa-te de todas as complexíssimas práticas de controle yóguico (bandha), dá de mão à falsa esperança dos enganadores dons sobrenaturais e passa a considerar como teu o lado do vazio.[8]

E Sarahapâda, grande mestre budista do século VIII d.C., declara em seu "Cântico Real":

> Não há nada a ser negado, nada
> A ser afirmado ou apreendido; pois Aquilo não pode ser concebido.
> Os iludidos são agrilhoados pelas fragmentações do intelecto;
> A espontaneidade permanece pura e indivisa.[9]

Os cânticos do adepto Kanhapâda, que viveu no século XII d.C., contêm afirmações muito semelhantes. Ele aconselhava os praticantes a seguir o exemplo das consortes tântricas, que vendiam seus teares e cestos trançados para agregar-se aos grupos tântricos. "Teares" e "cestos" foram interpretados alegoricamente como símbolos dos construtos discursivos e das idéias supersticiosas, respectivamente. Aquele que segue o caminho da espontaneidade tem de renunciar ao hábito mental de enxergar o mundo a partir do cárcere da sua própria mentalidade. Isso inclui, entre outras coisas, a renúncia ao pensamento mágico e à idéia de que as coisas têm de acontecer como nós queremos — hábitos tão disseminados entre os tântrikas quanto entre os membros da maior parte das demais tradições espirituais.

Se as escolas de tendência prática (ritualistas) do Tantra representaram uma reação contra o abstracionismo do Advaita Vedânta, o Sahaja talvez possa ser considerado uma crítica ao extremo ritualismo da maioria das escolas tântricas. Mas os sâhajîyas, ou sahaya-yogins, criticavam a erudição tanto quanto censuravam o formalismo religioso. Com coerência inigualável, viviam e pregavam a verdade do não-dualismo.

A rigor, esse anticaminho não pode ser caracterizado como uma psicotecnologia. Antes, o Sahaja concebe-se como a negação de toda techne (sânscrito: upâya), de todos os "meios hábeis". É, sem dúvida, a síntese do movimento tântrico. Entretanto, o princípio de sahaja, de espontaneidade, está presente em todos os ensinamentos tântricos. Afinal de contas, até o mais humilde dos ritos tem a finalidade de ajudar o praticante a transcender a divisão artificial operada pela mente não-iluminada e recompor a integridade que existe entre a transcendência e a imanência, a bem-aventurança e o prazer.

A Literatura Tântrica

Além dos numerosos Tantras, que constituem a base da literatura tântrica, há uma quantidade enorme de outras obras, tanto comentários quanto composições originais. Estas compreendem monografias (prakarana), manuais (paddhati), resumos (nibandha, nirnaya), dicionários (niganthu), hinos (stotra) e obras de magia (kavaca). Quando lançamos sobre ela um olhar amplo, a tradição tântrica também engloba composições aforísticas, como o Shiva-Sûtra de Vasugupta, e textos upanishádicos como o Tripurâ-Upanishad (escreve-se Tripuropanishad). Os textos tântricos podem levar o título de Tantra, Âgama, Yâmala, Rahasya, Samhitâ, Arnava, Shikhâ, Purâna, etc.

Uma das mais importantes obras tântricas é o monumental Tantra-Âloka (escreve-se Tantrâloka) do erudito adepto caxemir Abhinava Gupta. Esse texto,

Reproduzido de *Abhinavagupta: An Historical and Philosophical Study*

Abhinava Gupta, adepto e teólogo

por enquanto, só foi traduzido para a língua italiana. Embora o autor o considere um comentário, ele é, na verdade, uma obra original, que supera em muito os requisitos que a tradição enumera para os comentários. Além disso, de acordo com o discípulo Kshemarâja, Abhinava Gupta compôs o *Tantra-Âloka* no estado de meditação, o que o aproxima da literatura inspirada. A obra tem quase seis mil versículos e traz referências e citações de muitos outros textos tântricos (quase duzentos são mencionados pelo nome).[10]

Abhinava Gupta (ao que parece, esse era o seu nome iniciático, e não o nome com que foi chamado pelos pais) nasceu em meados do século X d.C. Foi o autor de uma imensa quantidade de textos, dos quais quarenta nos são conhecidos de nome. Depois do *Tantra-Âloka*, os mais notáveis são o *Tantra-Sâra* e o *Parâ-Trimshikâ-Vivarana*. Abhinava Gupta era conhecido não só pela erudição como também, e principalmente, pela realização espiritual e pelos poderes milagrosos. Realizou o Si Mesmo pela graça de seu mestre Shambhu Nâtha, que o iniciou nos segredos e nos textos da escola Kaula; mas recebeu, de muitos outros mestres, ensinamentos sobre os mais diversos assuntos, e fundou ele mesmo uma grande escola, da qual o falecido Swami Lakshmanjoo foi o maior representante no século XX.

As doutrinas tântricas da Caxemira tornaram-se mais conhecidas no Ocidente através dos estudiosos que foram discípulos de Swami Lakshmanjoo, entre os

Swami Mehtabhak, guru de Swami Lakshmanjoo

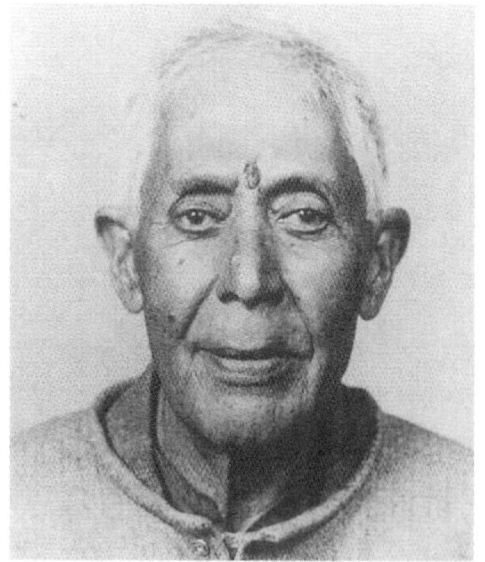

quais destaca-se Jaideva Singh, que traduziu várias obras de suma importância.[11]

O análogo sul-indiano da tradição caxemir é a disseminada tradição Shrî-Vidyâ, cujos tesouros espirituais vêm sendo aos poucos descobertos pelo labor diligente de estudiosos como Douglas Renfrew Brooks.[12] Brooks observa que a tradição Shrî-Vidyâ conta-se entre os poucos ramos do Tantrismo hindu que não têm apenas textos, mas também praticantes vivos que são capazes de expor seus ensinamentos esotéricos.[13] O texto mais respeitado da tradição Shrî-Vidyâ é o *Vâmaka-Îshvara-Tantra* (escreve-se *Vâmakeshvaratantra*), que já foi traduzido para o inglês.[14] Outra obra disponível em inglês é o *Tripurâ-Upanishad* (escreve-se *Tripuropanishad*). O *Tantra-Râja-Tantra* e o *Jnâna-Arnava-Tantra* (escreve-se *Jnânârnavatantra*) são textos muito influentes mas ainda não traduzidos. Dentre os textos importantes, temos de mencionar também o *Shrî-Vidyâ-Arnava-Tantra*, do século XVI. Dentre os posteriores e já traduzidos para o inglês, damos destaque para o *Kâma-Kalâ-Vilâsa*.[15]

Uma terceira corrente do Tantrismo, chamada Kaula ou Kaulismo, também vem se tornando acessível aos estudiosos ocidentais, especialmente através das publicações de Mark S. G. Dyczkowski e Paul Eduardo Muller-Ortega.[16] O Kaulismo é um dos ramos mais antigos do Tantra e ficou famoso (ou, de um outro ponto de vista, famigerado) pelo ritual dos "Cinco M's". Algumas escolas do Kaulismo, talvez a maioria,

Swami Lakshmanjoo, considerado uma reencarnação de Abhinava Gupta

CAPÍTULO 17 — O ESOTERISMO DO TANTRA-YOGA MEDIEVAL ॐ

Swami Ram, guru de Swami Mehtabhak

um epíteto de Shiva, é um nome razoavelmente comum entre os preceptores espirituais. A mesma dúvida paira sobre a atribuição a Shankara da autoria do volumoso *Prapanca-Sâra-Tantra*.

Os milhares de textos tântricos escritos em sânscrito, em tâmil e nas línguas populares evidenciam a incrível versatilidade da doutrina e da prática de muitas gerações de adeptos. Os estudiosos ocidentais dessa tradição ramificada mal começaram a conhecer-lhe a literatura; que dizer então da sofisticada psicotecnologia que essa literatura descreve? Por isso, temos a obrigação de não ser precipitados no emitir juízos sobre essa tradição. O estudioso budista Herbert V. Guenther nos lembra de que "O que os *Tantras* dizem tem de ser vivido para ser compreendido".[18] E David Gordon White, que escreveu uma monografia definitiva sobre o movimento medieval dos Siddhas, caracterizou o Tantra como "uma onda de gênio... que ainda não atingiu a consumação de seu movimento".[19]

não compreendiam esse ritual literalmente, mas simbolicamente. Entretanto, no decorrer dos séculos, os críticos sempre dirigiram a sua atenção para a corrente de esquerda (literalista), deixando passar em branco a tendência convencional (*samâya*) do Tantra, que dá saliência ao cumprimento puramente simbólico do ritual dos "Cinco M's" (*panca-makâra*), do qual falaremos em breve.

Dentre os textos kaulas já traduzidos, os mais extraordinários são o *Kula-Arnava-Tantra*, o *Kaula-Jnâna-Nirnaya* atribuído a Matsyendra Nâtha e o *Mahânirvâna-Tantra*.

A tradição Kubjikâ, que pode ter se desenvolvido depois da tradição Kaula original e liga-se de perto a esta, deu origem a um grande número de textos, a maioria dos quais parece ter sido perdida. Das obras restantes, as mais significativas são o *Kubjikâ-Mata-Tantra* e a *Goraksha-Samhitâ* (que não é o manual de Hatha-Yoga). Nenhuma das duas foi traduzida.

Temos de mencionar novamente a *Ânanda-Laharî* de Shankara, acerca da qual já falamos, em virtude da sua grande influência. Trata-se de um hino devocional dedicado à deusa Tripurâ. O grau da sua importância pode ser medido pelo fato de ainda haver trinta e seis comentários sobre o poema. A *Ânanda-Laharî* foi traduzida para o inglês junto com seu complemento, a *Saundarya-Laharî*, também atribuída a Shankara, o famoso mestre do Advaita.[17] Essa atribuição é questionada por muitos estudiosos, pois Shankara, além de ser

II. A REALIDADE OCULTA

Todas as correntes do pensamento esotérico partem da premissa de que o mundo que percebemos através dos sentidos corpóreos é uma fatia minúscula de uma realidade infinitamente maior, e existem, portanto, muitos planos de existência mais sutis. Hoje em dia, podemos compreender essa idéia através da metáfora das faixas espectrais de ondas ou freqüências de vibração. Os diversos níveis de existência postulados pelo esoterismo tradicional podem ser vistos como diferentes aspectos de um mesmo cosmos, que vibram em diferentes freqüências. Assim, a psique e a mente, que existem no plano "sutil", vibrariam muitas vezes mais rápido do que os objetos materiais do plano "grosseiro" do espaço-tempo. A dimensão ou as dimensões sutis da realidade constituiriam um quinto eixo que viria se acrescentar aos quatro eixos do espaço e do tempo ordinários: o comprimento, a largura, a altura e a duração.

Talvez nos seja mais fácil compreender essas dimensões "superiores" e invisíveis da existência se nos remetermos à nova visão de mundo formulada pela física quântica. A física quântica não tem dificuldade alguma em operar com as noções de elétron e de outras partículas atômicas; não obstante, ninguém jamais viu essas coisas diretamente. O físico britânico Harold Schilling sugeriu que a realidade seja encarada como "uma rede cibernética de circuitos... mais parecida com

A TRADIÇÃO DO YOGA

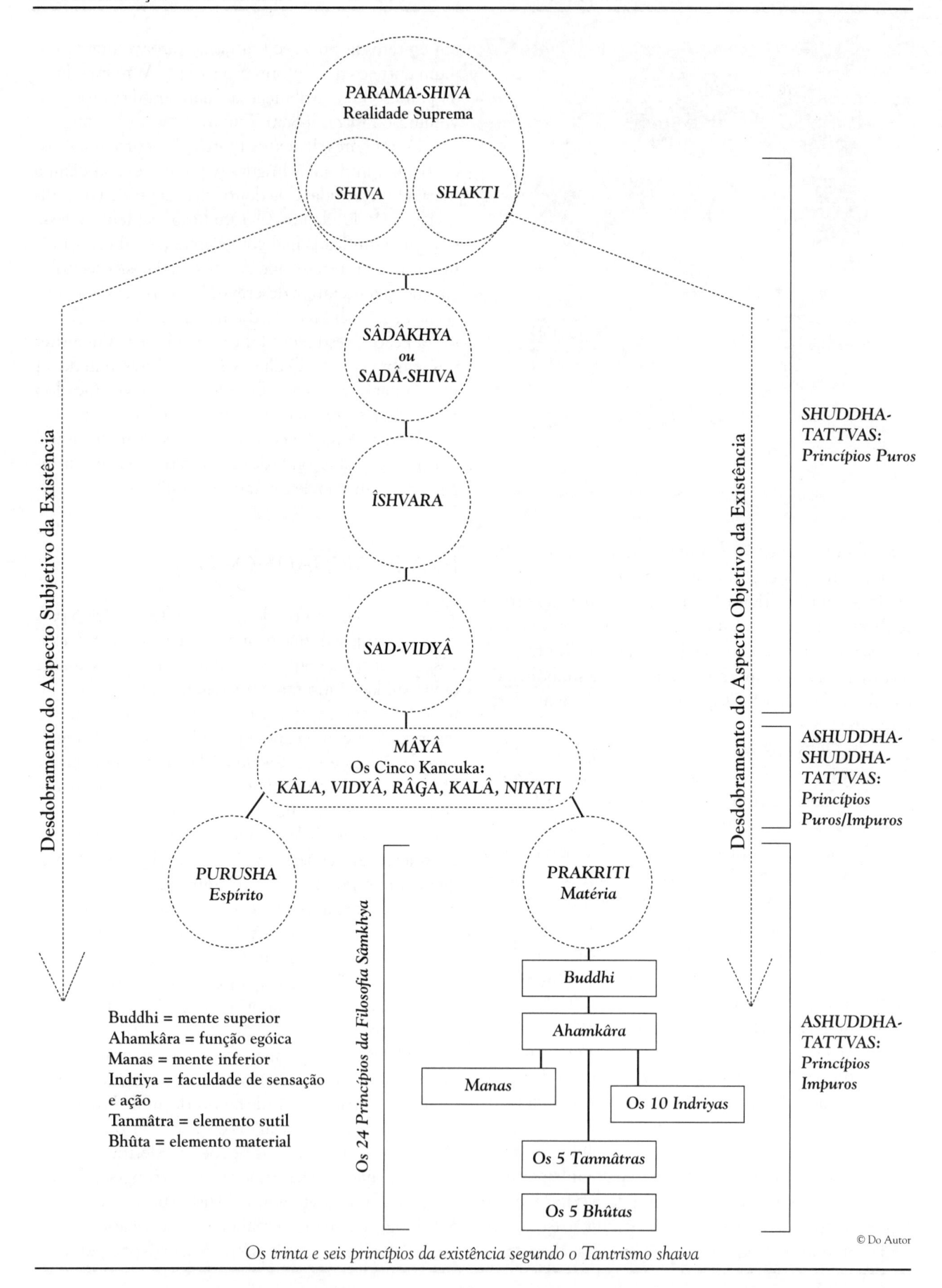

```
                    PARAMA-SHIVA
                    Realidade Suprema

                    SHIVA    SHAKTI


                      SÂDÂKHYA
                         ou
                      SADÂ-SHIVA


                       ÎSHVARA


                      SAD-VIDYÂ


                         MÂYÂ
                   Os Cinco Kancuka:
            KÂLA, VIDYÂ, RÂGA, KALÂ, NIYATI


        PURUSHA                    PRAKRITI
        Espírito                    Matéria


                          Buddhi

                         Ahamkâra

               Manas              Os 10 Indriyas

                        Os 5 Tanmâtras

                         Os 5 Bhûtas
```

Desdobramento do Aspecto Subjetivo da Existência

Desdobramento do Aspecto Objetivo da Existência

SHUDDHA-TATTVAS: *Princípios Puros*

ASHUDDHA-SHUDDHA-TATTVAS: *Princípios Puros/Impuros*

ASHUDDHA-TATTVAS: *Princípios Impuros*

Buddhi = mente superior
Ahamkâra = função egóica
Manas = mente inferior
Indriya = faculdade de sensação e ação
Tanmâtra = elemento sutil
Bhûta = elemento material

Os 24 Princípios da Filosofia Sâmkhya

Os trinta e seis princípios da existência segundo o Tantrismo shaiva

© Do Autor

um tecido delicado do que com um edifício de tijolos e argamassa".[20] Trata-se, porém, de uma rede dotada de "profundidade interior". Com efeito, quando examinamos a hierarquia interior da realidade, percebemos, nas palavras de Schilling, "uma profundidade dentro de outra profundidade dentro de outra profundidade" — como se a existência fosse um poço misterioso e, em última análise, insondável.

Como vimos, também a filosofia de Patanjali concorda com a idéia de que o universo tem uma dimensão "interior": os objetos que vemos são dotados de uma profundidade invisível. Essa profundidade vai se revelando progressivamente aos *yogins* por meio do esforço de interiorização da consciência. Eles captam domínios sutis e entidades não-materiais acerca das quais a ciência moderna não sabe praticamente nada, embora os tanatologistas (pesquisadores da morte) deparem-se com idéias semelhantes nos relatos de indivíduos que passaram muito perto da morte.

A dimensão oculta da existência macrocósmica, do universo em geral, espelha-se perfeitamente no microcosmo do corpo-mente do ser humano. As "estruturas profundas" do corpo estão ligadas às "estruturas profundas" do ambiente exterior. Todas as tradições esotéricas afirmam uma correspondência entre a realidade interior e a exterior, e encontramos essa mesma idéia na noção junguiana de sincronicidade, que na verdade é uma tentativa de explicar por que os eventos externos às vezes coincidem de maneira surpreendente com as condições psíquicas. É o que acontece, por exemplo, quando contamos a um amigo que, na noite passada, sonhamos com uma espécie rara de borboleta, e, quando estamos descrevendo a borboleta, o amigo nos dá um presente. Quando abrimos o pacote, encontramos um livro que tem na capa um desenho do mesmo tipo de borboleta.

O Corpo Sutil

O mais antigo modelo explícito da hierarquia interior é o dos cinco "invólucros" (*kosha*) — como já vimos, uma doutrina exposta no antigo *Taittirîya-Upanishad*. Esse modelo é aceito, em geral, pelas escolas vedânticas e por outras tradições não-dualistas, como o Tantra. De qualquer modo, é doutrina comum, tanto dentro quanto fora da Índia, que o corpo físico tem um correspondente sutil que não é feito de matéria grosseira, mas de uma substância mais refi-

चक्र । नाडी । कुण्डलिनी ॥

Cakra, nâdî, kundalinî

nada, uma energia. A "anatomia" e a "fisiologia" dessa imagem suprafísica do corpo físico — o chamado "corpo astral" ou "corpo sutil" (*sûkshma-sharîra*) — tornaram-se os objetos de uma investigação intensa por parte dos yogues, especialmente nas tradições do Hatha-Yoga e do Tantra em geral.

A literatura tântrica é repleta de descrições dos "centros" (*cakra*) e das "correntes" ou "canais" (*nâdî*) que são as estruturas básicas do corpo sutil. Daqui a pouco examinaremos essas coisas de maneira mais detalhada. Os médicos modernos, em geral, consideram esses "órgãos" uma pura e simples ficção, produtos de uma imaginação aberrante ou de um conhecimento insuficiente de anatomia. Outros afirmam que eles não passam de "mapas" da concentração e da medi-

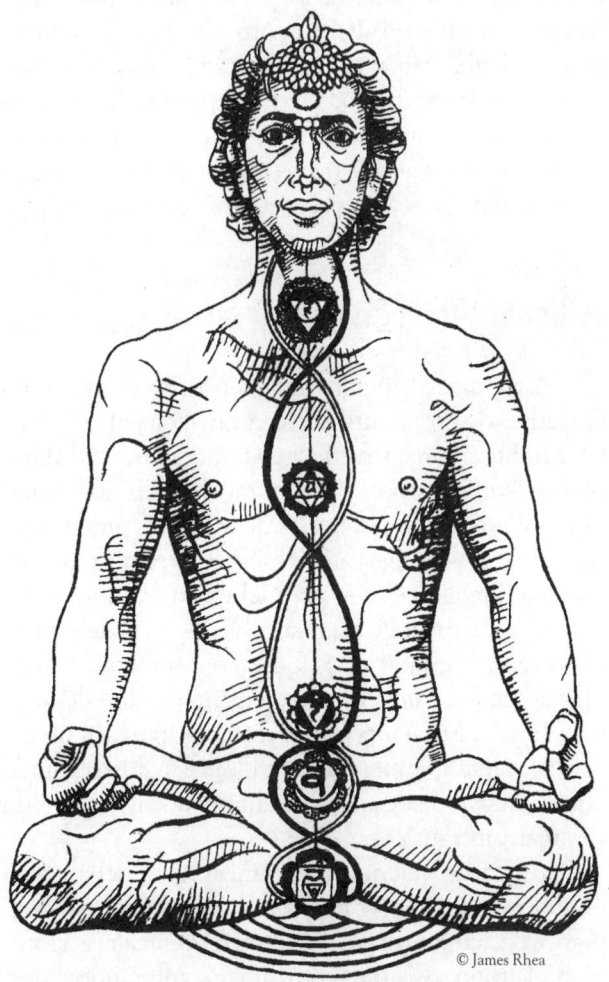

Os sete centros psicoenergéticos (cakra) do corpo

tação, ou que os *cakras* se criam na consciência em conseqüência da visualização. Esse ponto de vista parece ser inclusive o de algumas obras tântricas, entre as quais a *Ânanda-Laharî*. A concepção geral, porém, é a de que os órgãos do veículo sutil são tão reais quanto os do corpo físico. Por isso, são visíveis a quem é dotado de clarividência.

Mas os *cakras* e *nâdîs* são muito mais sujeitos a variações do que o coração, os pulmões ou o fígado do corpo físico. Às vezes são mais ativos, às vezes menos; às vezes são mais definidos, às vezes menos. Essas diferenças refletem o estado psicoespiritual da pessoa. Isso explica, ao menos em parte, por que as enumerações e descrições dos *cakras* dadas em vários textos nem sempre coincidem. Outra razão dessas variações textuais é que as descrições têm a finalidade de ser modelos para o *yogin*. Podemos encará-las como imagens idealizadas de estruturas que de fato existem no corpo sutil, imagens essas que servem para orientar a visualização e a contemplação do *yogin*. Assim, a imagem dos *cakras* como flores de lótus em cujas pétalas estão inscritas as letras do alfabeto sânscrito é evidentemente uma idealização, não uma observação empírica; mas é uma idealização baseada na percepção real. Os *cakras* ativados são, como indica a própria palavra sânscrita, "rodas" de energia cujos raios assemelham-se a pétalas de lótus e podem ser representados como tais.

A Força Vital (Prâna)

A forma de "energia" que constitui os *cakras* e as correntes do corpo sutil não é conhecida pela ciência. Os hindus chamam-na de *prâna*, que significa literalmente "vida", isto é, "força vital". Os chineses chamam-na de *chi*, os polinésios de *mana*, os ameríndios de *orenda* e os antigos alemães de *od*. Trata-se de uma energia "orgânica" que preenche todo o corpo. Na época moderna, foi o psiquiatra Wilhelm Reich quem procurou ressuscitar essa noção com seu conceito de orgone, mas o *establishment* científico só lhe dedicou hostilidade. Em tempos mais recentes, parapsicólogos russos inventaram a noção de bioplasma, explicando como um campo de energia radiante que interpenetra os organismos físicos.

Enquanto a ciência ocidental ainda se debate para encontrar explicações para fenômenos como os meridianos da acupuntura, o despertar da *kundalinî* e a fotografia Kirlian, os *yogins* continuam explorando e desfrutando da pirotecnia do corpo sutil, como têm feito

प्राण । अपान । व्यान । समान । उदान ॥

Prâna, apâna, vyâna, samâna, udâna

há centenas de gerações. Algumas de suas idéias já fertilizaram as atuais pesquisas pioneiras que se fazem sobre a bioenergia, e, na minha opinião, será somente uma questão de tempo até que o novo paradigma científico crie um modelo amplo dos campos bioenergéticos, que nos ajudará também a compreender e a adquirir domínio sobre algumas das práticas mais estranhas do Hatha-Yoga.

Segundo as autoridades em Yoga, a força vital universal concentra-se no corpo sutil individual, onde ramifica-se em cinco fluxos primários e cinco fluxos secundários de energia, cada um dos quais é dotado da sua função própria.

1. *Prâna* ("respiração" ou "inspiração"; lit. "prospiração") — traz a força vital para dentro do corpo (principalmente pelo ato da inalação); segundo a doutrina mais comum, localiza-se na metade superior do tronco, especialmente na região do coração, mas também na cabeça.

2. *Apâna* ("expiração") — expele a força vital (principalmente pelo ato da exalação); está associado com o umbigo e o abdômen, mas também com a região genital.

3. *Vyâna* ("perspiração") — distribui e faz circular a força vital (principalmente pela ação do coração e dos pulmões); está sempre presente, mesmo quando a atividade de *prâna* e *apâna* por algum motivo se suspende; segundo a opinião geral, distribui-se pelo corpo inteiro.

4. *Samâna* ("respiração média") — responsável pela assimilação dos nutrientes; localiza-se no sistema digestivo.

5. *Udâna* ("respiração ascendente") — é responsável principalmente pela fala, mas também pelo ato de arrotar (que sempre foi encarado como um sinal positivo de que a comida ou a bebida estão sendo bem digeridas); é especificamente ligado à garganta.

Os diversos textos explicam essas cinco energias de maneiras um pouco diferentes e também dão-lhes localizações diversas dentro do corpo. A versão acima é a mais comum.

As cinco funções bioenergéticas auxiliares, ou *upa-prânas*, são as seguintes:

1. *Nâga* ("serpente") — causa o vômito ou o arrotar.

2. *Kûrma* ("tartaruga") — causa o abrir e o fechar das pálpebras.

3. *Kri-kâra* ("o que faz o *kri*") — causa a fome.

4. *Deva-datta* ("dado por um deus") — provoca o bocejar e o sono.

5. *Dhanam-jaya* ("conquistador de riquezas") — é responsável pela desintegração do organismo morto.

Também neste caso não há unanimidade acerca das funções precisas das energias subsidiárias do corpo. É evidente que as duas espécies mais importantes de força vital são *prâna* e *apâna*, que subjazem ao próprio processo respiratório. A atividade incessante dessas forças é vista como a causa principal da inquietude da mente, e a sua imobilização é o objetivo principal do controle da respiração (*prânâyâma*). No Capítulo 18 exporemos mais detalhes, ligados ao caminho de realização do Hatha-Yoga.

Os Circuitos do Corpo Sutil

A força vital (*prâna*) condensada no corpo sutil é parecida com a eletricidade, pois se move ao longo de caminhos chamados *nâdî* em sânscrito. Essa palavra significa "duto" ou "conduto", mas os *nâdîs* não devem ser concebidos como estruturas tubulares, muito embora alguns textos tradicionais de Yoga dêem essa impressão. Não são tampouco idênticos às veias e artérias, e nem mesmo aos nervos. Os *nâdîs* são correntes energéticas, padrões de fluxo definidos dentro desse campo luminoso de energia que é o corpo sutil. Os desenhos clássicos da rede de *nâdîs* não chegam a representar fielmente o esplendor vivo e vibrante do veículo suprafísico, que, para o olhar experimentado, tem o aspecto de uma massa de luz móvel e tremulante dotada de focos de diversas cores e, às vezes, de áreas escuras que demarcam os pontos fracos do corpo e às vezes até uma doença.

Em geral, os textos de Yoga dizem que os *nâdîs* são 72.000 ao todo. Alguns falam de até 300.000. Vários *Yoga-Upanishads* especificam os nomes de dezenove *nâdîs* e revelam-lhes as localizações; os nomes e posições, porém, nem sempre são os mesmos. O diagrama abaixo mostra a disposição dos treze principais *nâdîs* segundo vários textos de Hatha-Yoga. No desenho, os *nâdîs* estão vistos de cima, como se olhássemos para baixo em direção ao corpo.

Todos os *nâdîs* originam-se no "bulbo" (*kanda*, *kânda*), uma estrutura que tem a forma de "um ovo de galinha" e que, de acordo com alguns textos, situa-se entre o ânus e o pênis (ou o clitóris) e, de acordo com outros, localiza-se na região do umbigo.

Os Três Circuitos Principais: Sushumnâ, Idâ e Pingalâ

Existem três canais principais que são universalmente reconhecidos pelos textos de Yoga. O canal central ou axial, que corre ao longo da coluna vertebral, chama-se *sushumnâ-nâdî*, que significa "a graciosíssima". Chama-se também *brahma-nâdî*, pois é a trajetória da *kundalinî-shakti* em sua subida, do desperto "poder da serpente" que conduz à libertação no Absoluto (*brahman*).

Algumas obras falam que existe um canal dentro de *sushumnâ*, canal esse chamado de *vajrâ-nâdî* ("canal do raio"), e dentro dele um outro ainda mais sutil, chamado *citrinî-nâdî* ("canal brilhante"). Esse termo manifesta a idéia de que, dentro desse duto ou fluxo mais interior, o *yogin* localiza o esplendor da própria Consciência (*cit*).

À esquerda da corrente axial fica o *idâ-nâdî* e, à direita, o *pingalâ-nâdî*. O primeiro tira seu nome do fato de ser "lívido" e o segundo, de ser "avermelhado". São simbolizados respectivamente pela lua, fria, e pelo sol, quente. Os dois canais enrodilham-se em volta da *sushumnâ*, formando uma rampa helicóide. Encontram-se em cada um dos seis *cakras* inferiores e terminam no centro situado entre as sobrancelhas e atrás delas. Só a *sushumnâ* percorre o caminho inteiro desde o *cakra* de baixo até o centro coronário.

A tarefa principal do *yogin* tântrico é a de estabilizar o fluxo de bioenergia no canal central. En-

सुषुम्णा । इडा । पिङ्गला ॥

Sushumnâ, idâ, pingalâ

PÛSHÂ	SARASVATÎ	GÂNDHARÎ
	PAYASVINÎ	YASHASVINÎ
PINGALÂ	<u>**SUSHUMNÂ**</u>	**IDÂ**
	SHANKHINÎ	VÂRUNÎ
ALAMBUSÂ	KUHÛ	HASTIJIHVÂ

© Do Autor

Disposição dos principais canais sutis (nâdî) vistos de cima

quanto a força vital fica oscilando para cima e para baixo em *idâ* e *pingalâ*, a atenção permanece exteriorizada, ou seja, a consciência do *yogin* permanece dominada pelas forças "lunar" e "solar". Quando força a energia vital (*prâna*) a entrar no canal axial, o *yogin* estimula a energia latente da *kundalinî* até fazê-la subir como uma erupção vulcânica, inundando o centro coronário e produzindo assim o desejado estado de êxtase (*samâdhi*). De acordo com uma explicação esotérica bastante disseminada, a palavra *hatha* significa a união de "sol" e "lua", isto é, a convergência da força vital que normalmente se move ao longo dos canais *idâ* e *pingalâ*.

Nestas páginas mencionamos reiteradamente a *kundalinî*, e daqui a pouco falaremos mais a respeito dela. Por enquanto, é importante observar que tanto a força vital — responsável pelo funcionamento do corpo e da mente — quanto a *kundalinî-shakti* são aspectos de Shakti, o Divino Poder. Se compararmos a força vital à eletricidade, a *kundalinî* será semelhante a uma carga elétrica de altíssima voltagem. Se concebermos a força vital como uma brisa agradável, a *kundalinî* será comparável a um furacão.

Quando o poder da *kundalinî* se desencadeia no corpo, produz mudanças profundas no ser físico e mental da pessoa. Os adeptos do Tantra e do Hatha-Yoga nos garantem que esse poder, se for bem conduzido, pode transformar o corpo-mente num veículo "divino", numa forma transubstanciada capaz de feitos incríveis.

No Hatha-Yoga, o conhecimento do funcionamento dos *nâdîs idâ* e *pingalâ* é considerado elementar. A atividade deles governa, no nível físico, as reações dos sistemas nervosos simpático e parassimpático, respectivamente. Assim, quando a força vital é conduzida para *pingalâ* por meio do controle da respiração, os *yogins* podem fazer aumentar o batimento cardíaco e o metabolismo e melhorar o estado dos olhos e ouvidos. Do outro lado, quando a força vital é conduzida para *idâ*, também através do controle da respiração, os *yogins* podem tornar seu metabolismo muito mais lento. Essa prática pode ser aperfeiçoada a tal ponto que, como em diversas ocasiões já se demonstrou de maneira conclusiva, um *yogin* experiente pode passar horas e até dias fechado num recipiente hermeticamente vedado debaixo da terra.

Mas o sentido do controle da respiração (*prânâyâma*) é outro: os *yogins* autênticos não têm o objetivo de simplesmente parar a respiração e o batimento cardíaco e ficar hibernando, mas de transcender a própria condição humana. Querem ir além do condicionamento do corpo-mente e chegar ao domínio do Ser-Consciência-Beatitude transcendente. Para tanto, precisam concentrar a força vital como um raio *laser* e fazê-la subir pelo eixo da coluna até o topo da cabeça, onde se localiza um grande centro esotérico.

Os Sete Centros Psicoenergéticos (Cakras)

Existem ao todo sete grandes *cakras*, que dispõem-se verticalmente ao longo do canal axial. São coágulos de energia vital que vibram em diferentes freqüências. Cada *cakra* é associado com funções psicossomáticas específicas, mas não se deve confundir esses remoinhos de energia com os plexos nervosos do corpo físico, aos quais, porém, estão correlacionados. A seqüência dos *cakras*, a partir da base, é a seguinte:

CAPÍTULO 17 — O ESOTERISMO DO TANTRA-YOGA MEDIEVAL

Mûlâdhâra-cakra

1. *Mûlâdhâra* ("apoio da raiz", de *mûlâ*, "raiz", e *âdhâra*, "apoio") — Situado no períneo, este centro, que também é chamado simplesmente de *âdhâra*, está ligado ao elemento terra, ao sentido do olfato, aos membros inferiores, ao mantra sânscrito *lam* e ao elefante (símbolo da força). As divindades que o regem são Brahma (o Deus Criador) e a deusa Dâkinî. É representado, em geral, como um lótus vermelho-escuro de quatro pétalas; é a sede da *kundalinî-shakti* em estado latente e o ponto de partida da *sushumnâ*.

2. *Svâdhishthâna* ("própria base", de *sva*, "próprio", e *adhishthâna*, "base") — Localizado nos órgãos genitais, este *cakra* está ligado ao elemento água, ao sentido do paladar, às mãos, ao mantra *vam* e a um monstro aquático semelhante a um crocodilo (símbolo da fertilidade). As divindades que o regem são Vishnu e a deusa Râkinî. Este centro é representado como um lótus carmim de seis pétalas.

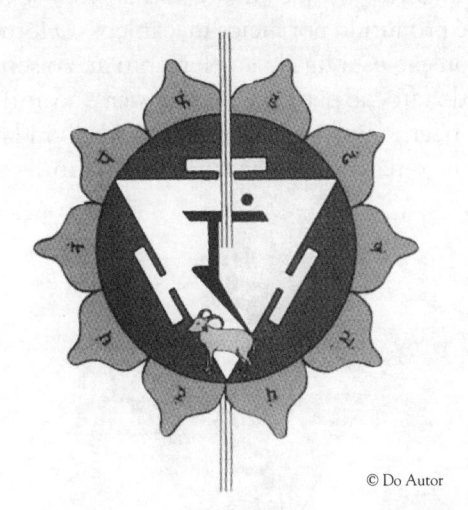

Manipura-cakra

3. *Manipura* ("cidade da jóia", de *mani*, "jóia", e *pura*, "cidade/fortaleza") — Situado no umbigo, é chamado também de *nâbhi-cakra* ("roda do umbigo"). Este centro psicoenergético está ligado ao elemento fogo, ao sentido da visão, ao ânus, ao mantra *ram* e ao carneiro (símbolo da energia ígnea). As divindades que o regem são Rudra e a deusa Lâkinî. Este centro é representado como um lótus amarelo-forte de dez pétalas.

4. *Anâhata* ["não-tocado", "não-tangido") — Este centro localiza-se no coração e por isso é comu-

Svâdhishthâna-cakra

Anâhata-cakra

mente conhecido como *hrid-padma* ("lótus do coração"), um lótus azul de doze pétalas. O nome *anâhata-cakra* vem do fato esotérico de ser o coração o lugar onde se pode ouvir o "som" (*nâda*) transcendental — a "música das esferas" de Pitágoras —, que "não é tocado", ou seja, não é produzido por meios mecânicos. O lótus do coração está ligado ao elemento ar, ao sentido do tato, ao pênis, ao mantra *yam* e ao antílope negro (símbolo da presteza). As divindades que o regem são Îsha e a deusa Kâkinî.

Âjnâ-cakra

Vishuddha-cakra

5. *Vishuddha* ("puro") ou *vishuddhi* ("pureza") — Situado na garganta e representado como um lótus de dezesseis pétalas e cor violácea escura, este *cakra* está ligado ao elemento éter, ao sentido da audição, à boca e à pele, ao mantra *ham* e ao elefante branco (símbolo da força pura). As divindades que o regem são o andrógino Ardhanarîshvara (Shiva/Pârvatî) e a deusa Shâkinî. É neste centro que se sente o gosto da misteriosa secreção chamada *soma*, que sai do *lalanâ-cakra*, estrutura secundária localizada atrás do *vishuddhi-cakra*. A produção desse néctar da imortalidade é estimulada sobretudo pela prática do *khecârî-mudrâ* ("selo da que anda no espaço"), o qual será descrito no Capítulo 18.

6. *Âjnâ* ("comando") — Localizado no cérebro, no espaço intermediário entre os olhos, este centro psicoenergético também é chamado de "terceiro olho". Tem o nome de *âjnâ* porque é através dele que o discípulo recebe comunicações telepáticas do mestre. Por esse motivo, chama-se também *guru-cakra*. Este centro está ligado a *manas*, ao aspecto da mente que cuida do processamento das informações colhidas pelos sentidos. O *âjnâ-cakra* também está ligado ao sentido de individualidade (*ahamkâra*) e ao mantra *om*. As divindades que o presidem são Parama-Shiva e a deusa Hâkinî. É representado como um lótus de duas pétalas e cor branca ou cinza-claro. Contém uma representação simbólica do falo dentro de um triângulo que aponta para baixo (o desenho todo significa a polaridade Shiva/Shakti).

7. *Sahasrâra* ("de mil pétalas", de *sahasra*, "mil", e *ara*, "pétala" ou "raio (de roda)") — Situado no topo da cabeça, este *cakra* tira seu nome das miríades de filamentos luminosos que o com-

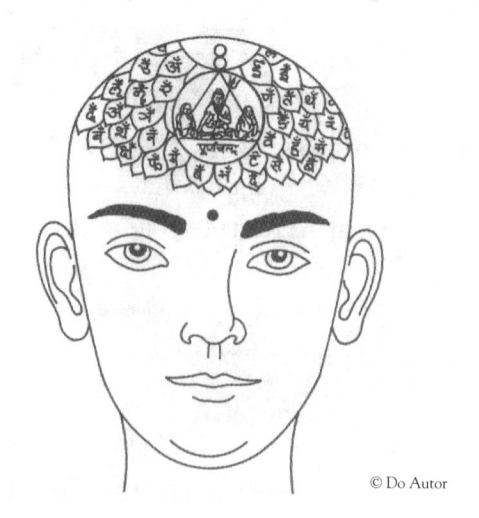

Sahasrâra-cakra

põem. A rigor, não faz parte do sistema de *cakras*; é um ponto que transcende o corpo, um ponto que parece fazer a ligação entre a Consciência e a forma humana. Essa idéia é indicada pelo *linga* luminoso, símbolo de Shiva, colocado no meio deste lótus. Os elementos simbólicos ligados a cada *cakra* servem para ajudar os *yogins* a elaborar visualizações complexas que mantêm a mente estável e geram vários poderes paranormais (*siddhi*), bem como o êxtase.

Nos manuais modernos de Hatha-Yoga, os sete *cakras* também costumam ser associados a certas funções psicomentais. Assim, o mais baixo dos *cakras* estaria ligado ao medo, o *cakra* da região genital à tristeza, o *cakra* do umbigo à ira e o *cakra* do coração ao amor. Os *kundalinî-yogins* sempre cuidam de elevar o poder da serpente pelo menos até o centro do coração, pois a ativação dos *cakras* inferiores pode ter efeitos indesejáveis sobre a vida instintiva do indivíduo. O centro da garganta às vezes é associado a atitudes positivas ou negativas em relação à vida; *âjnâ-cakra*, ao espírito fundamental de desconfiança ou confiança na existência; e o *sahasrâra-cakra*, no topo da cabeça, ao nosso sentimento de estarmos unidos à Realidade ou separados dela.

Algumas escolas postulam a existência de *cakras* além do *sahasrâra*, correspondentes a diversos níveis de realização transcendente. Assim, os *Âgamas* dos adoradores de Shiva referem-se ao chamado *dvâdasha-anta* (escreve-se *dvâdashânta*), ponto situado, como seu nome indica, "doze dedos" acima do topo da cabeça. Não há dúvida de que essa idéia foi concebida em decorrência de certas experiências avançadas de Yoga, e só poderá ser realmente compreendida por quem conseguir reproduzir essas experiências.

O mesmo vale para o conceito raro de "canal da imortalidade" (*amrita-nâdî*), mencionado por Ramana Maharshi, o grande sábio de Tiruvannamalai, no sul da Índia, e, depois dele, pelo yogue ocidental Da Free John.[21] Este último diz que esse canal secreto é a "matriz" da *sushumnâ-nâdî*. Só se manifesta na plenitude da iluminação, ou *sahaja-samâdhi*, e cria nessa hora um vínculo entre a *sushumnâ-nâdî*, que sobe, e o centro sutil localizado no coração. Escreve Da Free John:

> É como se uma linha de Luz se estendesse entre o centro profundo do anel superior (do meio do cérebro ao topo da cabeça) e o centro profundo do anel inferior (abaixo e atrás do umbigo). Não só o sahasrar, mas o corpo inteiro se enche de Luz ou de uma Felicidade Radiante. Essa Plenitude toda é o reflexo do Coração [i.e., do Si Mesmo transcendente]. Tudo isso é Amrita Nâdî.[22]

Os Nós e os Pontos Vitais

A literatura clássica do Hatha-Yoga também menciona os "nós" (*granthi*), constrições bioenergéticas que efetivamente impedem a ascensão da força vital e da *kundalinî-shakti* pelo eixo da coluna. O primeiro nó, chamado *brahma-granthi*, fica no centro da base ou no do umbigo; o *vishnu-granthi* fica na garganta e o *rudra-granthi*, no centro entre as sobrancelhas. Esses nós têm de ser atravessados pela força vital de modo que a *kundalinî* possa subir sem impedimentos até o centro coronário. Os textos também falam do nó ou dos nós do coração, que consistem antes de mais nada em dúvidas (acerca da existência de uma realidade não-material, acerca de si mesmo, etc.).

Algumas das obras posteriores sobre Hatha-Yoga reconhecem a existência de focos psicossomáticos de energia vital, chamadas *marman*. São os pontos vulneráveis do corpo, que podem ter um efeito decisivo sobre o bem-estar da pessoa. São sobrecarregados de bioenergia e em geral manifestam-se como bloqueios locais que têm de ser removidos por meio da concentração e da respiração orientada, como ensina por exemplo, o *Kshurikâ-Upanishad*.

O Poder da Serpente (Kundalinî-Shakti)

O aspecto mais significativo do corpo sutil é a força psicoespiritual chamada *kundalinî-shakti*. O que seria essa misteriosa presença no corpo humano? Sob o ponto de vista metafísico, a *kundalinî* é uma manifestação microcósmica de Shakti, a Energia primordial. É o Poder universal na medida em que se liga ao corpo e à mente finitos. Às vezes, por uma interpretação errônea, Shakti é considerada como simples "Força" e depois, por comodidade, é contrastada com o princípio do Amor. Mas, como observou *Sir* John Woodroffe há muito tempo, Shakti é o Poder ou a Capacidade cósmica e, enquanto tal, é Beatitude ou Felicidade (*ânanda*), Supraconsciência (*cit*) e Amor (*pre-*

ma).²³ Algumas autoridades chama-na de "Inteligência Divina".

Portanto, em certo sentido, a expressão "energia *kundalinî*" não é a mais apropriada, pois a nossa tendência é a de considerar a energia como uma força física neutra. O termo *shakti*, em contrapartida, significa algo muito mais positivo e criativo. *Shakti* é, acima de tudo, uma força consciente e inteligente. Não obstante, convém às vezes usar na língua portuguesa os equivalentes "poder" e "energia".

O termo *kundalinî* significa "a enrodilhada" e refere-se ao fato de que a *kundalinî*, ou *kundalî*, é representada como uma serpente adormecida e enrodilhada três vezes e meia em volta de um falo (*linga*) no centro bioenergético mais baixo do corpo humano. Essa serpente bloqueia, com a boca, o canal central na altura do primeiro nó. Esse simbolismo todo simplesmente nos dá a entender que a *kundalinî* permanece normalmente num estado de dormência ou latência.

Como já dissemos, no corpo humano a Energia primordial polariza-se em energia potencial (i.e., a *kundalinî-shakti* indiferenciada) e energia dinâmica

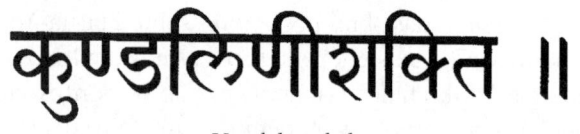

कुण्डलिनीशक्ति ॥

Kundalinî-shakti

(i.e., o *prâna* ou *prâna-shakti* diferenciado). Regulando-se o fluxo do *prâna*, a energia potencial pode ser mobilizada, o que resulta no conhecido fenômeno do despertar da *kundalinî*. Portanto, o *prâna* é usado para sacudir a *kundalinî* dormente e pô-la em ação. Trata-se de algo análogo ao bombardeamento do núcleo atômico com partículas de alta energia. O átomo se desestabiliza e libera uma quantidade imensa de energia.

Através da respiração controlada, a energia vital (*prâna*) é tirada dos *nâdîs* da esquerda e da direita e forçada a entrar na via central; assim desperta-se a "princesa adormecida". Esse processo é explicado muitas vezes como um "aquecimento" da *kundalinî* e pode ser comparado ao desencadear de uma reação atômica por meio da explosão de uma bomba convencional. Não se trata de uma comparação extravagante, e isso se comprova pela descrição que Gopi Krishna faz do momento do despertar da *kundalinî*, que, ao menos sob o ponto de vista subjetivo, reduz-se a uma explosão fenomenal de energia:

De repente, com um rugido semelhante ao de uma catarata, senti uma corrente de luz líquida penetrando no meu cérebro — através da medula espinhal. Eu não estava em absoluto preparado para esse acontecimento e fui completamente pego de surpresa; mas, recuperando instantaneamente o autocontrole, continuei sentado na mesma postura e com a mente voltada para o objeto de concentração. A iluminação foi ficando cada vez mais brilhante, o rugido cada vez mais forte, eu me senti como se estivesse balançando e depois percebi-me saindo do corpo, completamente envolvido por um halo de luz.²⁴

No caso de Gopi Krishna, o fenômeno foi inesperado e não foi posto sob controle. A meta do Tantra-Yoga e do Hatha-Yoga, por sua vez, é de induzir esse despertar em condições controladas, de modo que o praticante não venha a sofrer os efeitos colaterais desastrosos que Gopi Krishna e muitos outros meditantes e não-meditantes tiveram de suportar, às vezes por períodos prolongados. Os sintomas de uma *kundalinî* que despertou espontaneamente e da maneira errada podem ser muito graves e vão desde insuportáveis dores de cabeça até acessos psicóticos.

Segundo o modelo tradicional, quando a latente *kundalinî-shakti* desperta, ela sobe até o centro coronário, onde ocorre a feliz união de Shiva e Shakti. Fica

© Chuck Robison and Kundalini Research Foundation

Gopi Krishna

implícito nessa idéia que a *kundalinî* tem de estar completamente dinamizada e que o corpo do *yogin* passa então a ser sustentado pelos "néctar" (*amrita*) que flui da união dos dois pólos da Realidade. Os ocidentais que estudam o Kundalinî-Yoga têm dificuldade para aceitar esse modelo e inventaram outras soluções, calcadas nas leis da física.

Um dos concorrentes mais fortes é o modelo que compara o corpo a um ímã bipolar. A concentração intensa e o controle da respiração produzem uma "supersaturação" que causa um processo de indução no pólo estático (i.e., o *mûlâdhâra-cakra*). Ou seja, a energia vital passa a sair desse *cakra*. A energia liberada é equivalente à energia que o *cakra* recebe, mas de tipo "oposto"; e jamais se esgota.

Os curiosos fenômenos físicos associados ao despertar da *kundalinî*, como as sensações intensas de calor, luz, som, pressão e até dor, não devem ser confundidos com a *kundalinî* em si mesma. Por isso, o psiquiatra norte-americano Lee Sannella deu a esse fenômeno o nome genérico de "físio-*kundalinî*".[25] Esse aspecto da *kundalinî* pode ser compreendido segundo a neurofisiologia, e até agora o modelo desenvolvido por Isaac Bentov e aplicado por Sannella é o mais sofisticado que temos. Bentov compreende o processo da *kundalinî* a partir de um ponto de vista mecânico. Segundo ele, o corpo contém, especialmente no crânio e no coração, sistemas fixos de ondas eletromagnéticas. Essas ondas levariam o cérebro a produzir as experiências visíveis, audíveis, e, genericamente, sensoriais, que caracterizam o despertar da *kundalinî*. Não há dúvida de que a maioria dos fenômenos psíquicos e místicos têm uma base fisiológica, mas além dessas manifestações fisiológicas da *kundalinî* existe o domínio misterioso da *kundalinî* enquanto Consciência e Beatitude mística.

Podemos presumir que o fenômeno da *kundalinî* existe desde que a humanidade descobriu a dimensão espiritual, muito embora o sentido especial dessa experiência só tenha sido descoberto no alvorecer do Tantra. O Kundalinî-Yoga é o fruto maduro de uma longa história de experiências psicoespirituais e pressupõe a descoberta do corpo como uma manifestação ou "templo" de Deus.

Foi o pândita Gopi Krishna, de Caxemira, que, mais do que qualquer outra pessoa, colaborou para democratizar o fenômeno da *kundalinî*. Primeiro, tornou-o largamente conhecido no mundo moderno e promoveu investigações científicas a respeito. Depois, viu nesse fenômeno o motor que está por trás de toda a nossa evolução psicoespiritual. Por um lado, Gopi Krishna tinha certeza absoluta de que a *kundalinî* é uma realidade espiritual; por outro, afirmava convictamente ser ela o mecanismo biológico responsável igualmente pela santidade, pela genialidade e pela loucura. Em suas palavras:

> O que a minha própria experiência me revelou claramente é o fato impressionante de que, embora o fenômeno da Kundalinî seja todo conduzido por uma Superinteligência que, posto que invisível, é percebida ao mesmo tempo de modo inequívoco como a regente de toda a operação, ele é inteiramente biológico em sua natureza.[26]

Isso resume todo o problema. A *kundalinî* não pode ser *ao mesmo tempo* uma realidade espiritual e um fenômeno inteiramente biológico, segundo o sentido convencional do termo "biológico". É claro que do ponto de vista tântrico, segundo o qual a imanência e a transcendência são coessenciais, a distinção rigorosa entre a matéria e o espírito quase não faz sentido; mas, para que esse ponto de vista seja válido, ele tem de ser a nossa verdade vivida. Enquanto não alcançamos de fato a iluminação e permanecemos na condição de seres individuados, temos de admitir a utilidade das distinções práticas. Muito embora a obra de Gopi Krishna tenha contribuído muito para a formulação de uma fenomenologia da experiência da *kundalinî*, precisamos realmente de mais pesquisas e, principalmente, de esclarecimentos conceituais.

Como vimos, o despertar da *kundalinî*, da princesa adormecida, é o coração do Tantra. Voltaremos agora para o próprio caminho tântrico tal como se codificou no Hatha-Yoga, que tem por único objetivo o despertar da Deusa oculta e o levá-la a abraçar-se e fundir-se com o Deus igualmente oculto, Shiva, que reside no cume solitário do Monte Meru no microcosmo do corpo humano.

III. PRÁTICAS RITUAIS TÂNTRICAS

A *Purificação dos Elementos* (*Bhûta-Shuddhi*)

Naquele conhecidíssimo conto de fadas, antes que o príncipe pudesse beijar a princesa adormecida, ele teve de combater dragões e abrir caminho até o castelo. Do mesmo modo, antes que o sagrado matrimônio de Shiva e Shakti possa acontecer no corpo-mente do ser humano, o *yogin* tem de remover obstáculos de todo tipo. Por isso, o caminho de realização (*sâdhana*) é muitas vezes concebido como um caminho de purificação (*shodhana*). Com efeito, o próprio processo de ascensão da *kundalinî* é compreendido como uma purificação progressiva dos elementos (*bhûta*) que compõem o corpo — a terra, a água, o fogo, o ar e o éter. Essa purificação é chamada de *bhûta-shuddhi*.

À medida que a *kundalinî* é conduzida para cima ao longo do canal axial (*sushumnâ-nâdî*), ela aos poucos "dissolve" o elemento dominante de cada região somática, ou *cakra*. Assim, quando chega por fim ao sexto *cakra*, ao *âjnâ*, a *kundalinî* já dissolveu os cinco elementos: terra, água, fogo, ar e éter. O que isso significa na prática é que a retirada da força vital do corpo gera um estado de frio e insensibilidade no tronco e nos membros. Quando a *kundalinî* sobe mais e chega ao topo da cabeça, ao *sahasrâra-cakra*, provoca a dissolução temporária da mente (*manas*) no estado de êxtase "sem forma" ou *nirvikalpa-samâdhi*, marcado pela cessação completa da consciência individuada que os *yogins* têm do ambiente à sua volta e inclusive do próprio corpo. A consciência de sua identidade repousa então na Identidade Absoluta do Si Mesmo transcendente, que é indescritivelmente feliz.

Num nível inferior, *bhûta-shuddhi* é um ritual que se cumpre como prática preliminar à adoração da divindade ou das divindades escolhidas, no contexto do estilo de vida tântrico. É a dissolução simbólica dos elementos do corpo. Esse procedimento, descrito no *Mahânirvâna-Tantra* (5.93 *et seq.*), envolve a visualização em ordem inversa do processo de criação dos elementos. Assim, o *yogin* imagina o elemento mais baixo, a terra, ligada ao *cakra* da base da coluna, dissolvendo-se no elemento água no segundo *cakra*; imagina a água dissolvendo-se no elemento fogo no *cakra* do umbigo, o fogo dissolvendo-se no elemento ar no lótus do coração, o ar dissolvendo-se no éter na garganta e o éter dissolvendo-se no espaço infinito da Consciência no *cakra* coronário. Nesse ponto, o corpo e a mente do praticante estariam perfeitamente purificados.

A esse ritual deve seguir-se uma série de outras práticas pelas quais o corpo é aos poucos convertido num templo ou num monte sagrado prontos para receber o grande Ser sob a forma da divindade escolhida (*ishta-devatâ*) pela pessoa. Assim, através da prática de "infusão de vida" (*jîva-nyâsa*), os *yogins* assimilam a força vital da divindade por eles escolhida (*ishta*). Isso se faz pela transmissão de poder a certas partes do corpo através do toque; essas partes são preenchidas com a vida do Deus ou da Deusa prediletos. Outra forma de "infusão", "instalação" ou "colocação" (*nyâsa*) é a *mâtrikâ-nyâsa*, através da qual os cinqüenta sons sagrados do alfabeto sânscrito são colocados no corpo do *yogin*. As "matrizes" ou "mãezinhas" (*mâtrikâ*), como se chamam os sons alfabéticos do sânscrito, são concebidas como filhas do som primordial (*shabda*) do Absoluto. Imagina-se que as partes do corpo da divindade escolhida são feitas das diversas letras do alfabeto, que por sua vez são visualizadas nas regiões correspondentes do corpo do *yogin*.

Entre os ritos do mesmo tipo temos a "instalação dos videntes" (*rishi-nyâsa*), a "instalação" dos seis membros" (*shad-anga-nyâsa*), que se faz colocando-se as mãos sobre seis diferentes partes do corpo e transmitindo-lhes poder, e a "instalação das mãos" (*kara-nyâsa*), que é o mesmo tipo de exercício feito somente nos dedos e palmas das mãos. Nos períodos que medeiam entre as práticas dos diversos ritos encaixam-se práticas complexas de visualização (chamadas *dhyâna*), geralmente da divindade e do seu paraíso celestial. Tudo isso se resume em energias sutis captadas pelo adepto que se identifica com a divindade da sua eleição. Cada divindade em si representa uma qualidade energética particular. Essa prática tântrica é associada a muitas recitações de *mantras*, normas de respiração e concentração intensa. Já falei dos *mantras* no Capítulo 2 quando apresentamos o Mantra-Yoga, e são eles também o principal instrumento do praticante do Tantra.

A Prática dos Mantras

Sob a égide do Tantra, a antiqüíssima prática da recitação de *mantras* tornou-se uma arte muito sofisticada. Os ensinamentos tântricos são também chamados de *mantra-shâstra*, pois o tema sobre o qual mais versam é a "ciência dos *mantras*" (*mantra-vidyâ*). O Budismo Tântrico do Tibete é chamado de Mantrayâna. A palavra *mantra* é explicada esotericamente como derivada dos termos *manana* ("pensamento") e *trâna* ("libertação"). Ou seja, um *mantra* é um pensamento

भूतशुद्धि ॥

Bhûta-shuddhi

dotado de poder, um instrumento da intenção consciente.

> Como o *mantra* é a expressão de uma consciência mais evoluída, proporciona um vínculo especialíssimo com esse nível mais elevado. Por isso, não se limita a tornar mais claro o caminho que leva à consciência superior, na medida em que substitui os pensamentos contrários; a sua gradativa assimilação também puxa a consciência até aquele estado.[27]

Falando de modo geral, os *mantras* são sons carregados de um poder sagrado. Agehananda Bharati, monge da Ordem Dashanami de tendências tântricas, observou que os *mantras* podem ter três finalidades.[28] Podem ser usados para pacificar as forças do universo (de modo a afastar os acontecimentos desagradáveis e atrair os agradáveis), para adquirir coisas por meio de magia e para promover a identificação entre a pessoa que os recita e um aspecto da realidade (como uma divindade específica) ou a Realidade em si.

Os *Tantras* deixam muito claro que os *mantras* não são invenções arbitrárias. São sons revelados aos adeptos do Yoga em estados elevados de consciência e a sua eficácia depende completamente da adequada iniciação (*dikshâ*). Segundo as tradições esotéricas da Índia, a simples repetição do arquetípico *mantra om*, por exemplo, não terá efeito espiritual nenhum se a sua recitação não for potencializada por um mestre qualificado. O *Kula-Arnava-Tantra* (Capítulo 11) declara que existem inúmeros *mantras* que não fazem senão distrair a mente. Para que o *mantra* dê frutos, é preciso que tenha sido recebido pela graça de um mestre. Pensa-se que a recitação de um *mantra* que se ouviu por acaso ou que foi adquirido por acidente ou por fraude só pode levar à infelicidade.

A recitação (*japa*) de *mantras* pode ser feita em voz alta (*vâcika*), em voz baixa (*upâmshu*) ou mentalmente (*mânasa*), sendo esta última considerada a melhor, por ser a mais potente. Os *mantras* devem ser enunciados com o máximo cuidado e nunca com desleixo. A quarta maneira de beneficiar-se de um *mantra* é escrevendo-o; chama-se a isso de "recitação escrita" (*likhita-japa*).

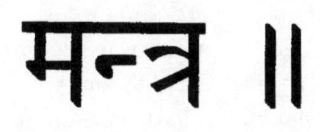

Mantra

Qualquer que seja a forma de *japa* escolhida, só a prática conscienciosa e intensamente consciente pode despertar a potência do *mantra* e levar ao sucesso. Cada *mantra* é associado a um estado específico de consciência (*caitanya*) e a recitação é considerada bem-sucedida quando esse estado se realiza. Sem a realização em ato, o *mantra* é um simples som sem nenhum poder de transformação. De um outro ponto de vista, porém, o *mantra* é a manifestação do Absoluto como Som (*shabda-brahman*). O som eterno e não-manifesto é o princípio radical de todos os sons manifestos — conceito semelhante à idéia grega de *logos*, enunciada na abertura do Evangelho de São João. *Shabda* é o aspecto cinético do Absoluto. Em seu estado puramente transcendente, o Absoluto é concebido como estático e não-criativo; é através do seu aspecto de som, ou vibração que ele gera os domínios finitos da existência, como o nosso universo espaço-temporal.

À semelhança do mundo das formas, o som procede do Absoluto segundo uma série de etapas distintas. O Tantrismo propõe para a fala (*vâc*; latim, *vox*) um modelo de quatro fases:

1. "Fala suprema" (*para-vâc*) — o som como pura potencialidade, idêntico à pura ideação cósmica (*shrishti-pratyaya*) do Criador, ou seja, à vontade divina, que nasce da união de Shiva e Shakti. Este é o nível do som interior sutil (*nâda*).

2. "Fala visível" (*pashyantî-vâc*) — o som como imagem mental anterior ao pensamento. É este o nível do ponto seminal (*bindu*) que nasce do som sutil.

3. "Fala intermediária" (*madhyamâ-vâc*) — o som como pensamento, correspondente às matrizes (*mâtrikâ*) a partir das quais são criados os sons audíveis distintos.

4. "Fala manifesta" (*vaikharî-vâc*) — o som audível (*dhvani*), também chamado "som grosseiro" (*sthûla-shabda*), etapa final no processo de "adensamento" crescente.

No Oriente, há muitas gerações que os *mantras* não são empregados somente em contextos sagrados, mas também como palavras mágicas para fins profanos, como a cura e, às vezes, a magia negra. Entretanto, são importantes principalmente como meios de interiorização e intensificação da consciência até o ponto em que todos os conteúdos desta são transcendidos. É impossível fazer jus aqui à magnitude desse tema recôndito, e, caso queira conhecer um sem-número de detalhes técnicos, o leitor deve procurar as obras de Sir John Woodroffe, especialmente *The Garland of Letters* ("Grinalda de Letras").[29]

Além dos *mantras*, a prática do Tantra conta também com dois outros elementos importantes, a saber, os gestos de mãos (*mudrâ*) e as representações geométricas dos diversos níveis e energias do psicocosmo, chamados de "esquemas" (*yantra*).

Vishnu-mudrâ   *Jnâna-mudrâ*

Os Gestos Simbólicos (Mudrâ)

A palavra *mudrâ* é derivada da raiz *mud* "alegrar-se, gozar", porque os *mudrâs* dão prazer (*mudâ*) às divindades e causam a dissolução (*drava*) da mente. Mas o termo *mudrâ* também quer dizer "selo" e é empregado nesse sentido nos contextos tântricos, pois os gestos das mãos (ou, no Hatha-Yoga, as posturas do corpo) "selam" o corpo e assim geram alegria. São meios de controle da energia no corpo. São também representações simbólicas de estados interiores. Aqueles que têm uma mínima sensibilidade às energias corpóreas podem verificá-lo facilmente: pelo simples ato de juntar as mãos espalmadas, opera-se uma mudança de humor e começamos a nos sentir mentalmente mais calmos. Com um pouco de experiência, os diversos estados interiores associados aos *mudrâs* tornam-se claramente reconhecíveis.

Mudrâ

Diz-se que existem 108 gestos das mãos — sendo o 108 um dos números sagrados prediletos dos hindus. Na realidade, o número de gestos é muito maior, embora o *Nirvâna-Tantra* (11) afirme que são cinqüenta e cinco os mais comumente utilizados. A origem dos gestos das mãos usados nos rituais tântricos é obscura. Eles provavelmente remontam aos tempos védicos, quando as cerimônias sacrificiais exigiam a manipulação meticulosa de objetos como a concha com que se faz a libação de soma. A cerimônia japonesa do chá é um bom exemplo de um ritual desse tipo, que requer uma conduta intensamente consciente. Outra fonte de inspiração posterior foi a dança indiana, que tem um enorme repertório de *mudrâs*. Não podemos, porém, excluir a possibilidade de os *mudrâs* tântricos terem também fertilizado a arte da dança na Índia. O *Natya-Shâstra* ("Tratado de Dança"), criado por volta de 200 d.C. mas atribuído ao antigo sábio Bharata, menciona trinta e sete posições das mãos e também trinta e seis modos específicos de olhar, fechar os olhos ou posicionar as sobrancelhas.

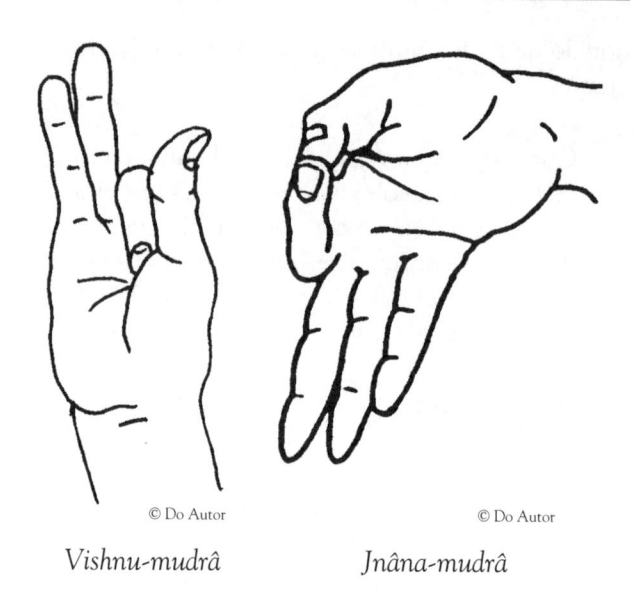

O gesto de mão mais usado no Tantra — e também largamente usado como gesto de meditação no Yoga — é o *jnâna-mudrâ* ("selo da sabedoria") ou *cin-mudrâ* ("selo da consciência"), representado acima.

Nos vários rituais tântricos, são muitos os outros *mudrâs* que se utilizam. Muitas vezes, são *mudrâs* específicos das divindades invocadas. Assim, segundo o *Mantra-Yoga-Samhitâ* (53), dezenove selos são necessários para a adoração de Vishnu, dez para Shiva e a deusa Tripurâ Sundarî, nove para Durgâ, sete para Ganesha, cinco para Târâ, quatro para Sarasvatî, dois para Râma e Parashu-Râma e somente um para Lakshmî. Na tradição Shrî-Vidyâ, a deusa Tripurâ Sundarî é invocada por meio de dez gestos de mãos, que estão simbolicamente relacionados com os nove conjuntos (chamados *cakra*) de triângulos secundários que compõem o famoso *shrî-yantra* (ou *shrî-cakra*); o décimo *mudrâ* representa o *yantra* e a Deusa como um todo.

CAPÍTULO 17 — O ESOTERISMO DO TANTRA-YOGA MEDIEVAL

Gestos de mão rituais comuns

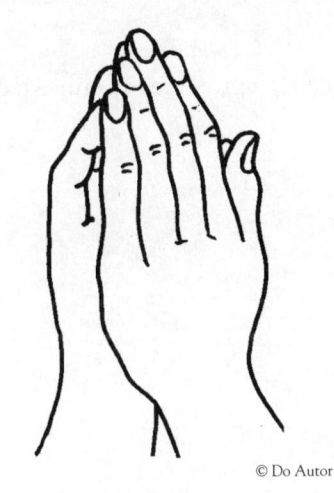

1. *Anjali-mudrâ* ("selo da veneração"): junte as palmas das mãos bem em frente ao coração, com os dedos apontados para cima. Quando é feito no nível da testa, em particular, esse gesto é usado para dar as boas-vindas à divindade.

2. *Âvâhani-mudrâ* ("selo do convite"): junte as mãos com as palmas para cima e forme com elas uma bacia de oferendas, com os polegares dobrados e os outros dedos estendidos. Este gesto se usa, por exemplo, ao oferecer-se uma flor à divindade.

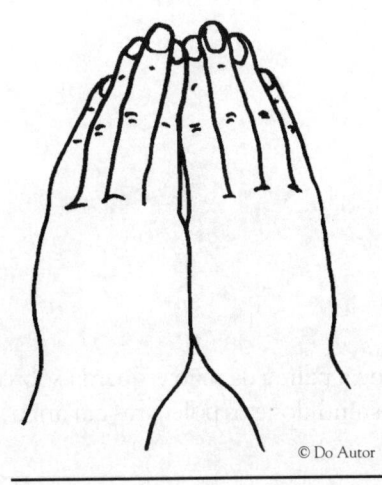

3. *Sthâpana-karmanî-mudrâ* ("selo de fixação da ação"): junte as mãos com as palmas para baixo e os polegares flexionados e postos junto às palmas. É essencialmente o mesmo gesto acima, mas com as mãos viradas para baixo.

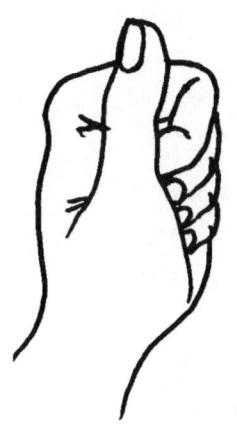

4. *Samnidhâpanî-mudrâ* ("selo da aproximação"): aproxime os punhos fechados com os polegares postos em cima.

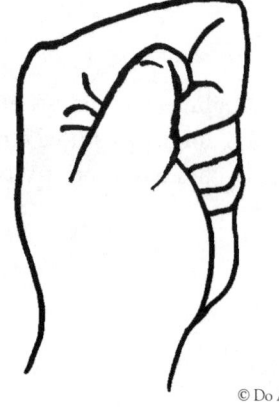

5. *Samnirodhanî-mudrâ* ("selo do controle pleno"): gesto idêntico ao precedente, mas com os polegares inseridos dentro dos outros dedos.

6. *Dhenu-mudrâ* ("selo da vaca"), também chamado *amritî-karana-mudrâ* ("selo que cria o néctar da imortalidade"): junte a ponta do indicador direito à ponta do dedo médio esquerdo, a ponta do dedo médio direito à ponta do indicador esquerdo, a ponta do anular direito à ponta do dedo mínimo esquerdo e a ponta do dedo mínimo direito à ponta do anular esquerdo.

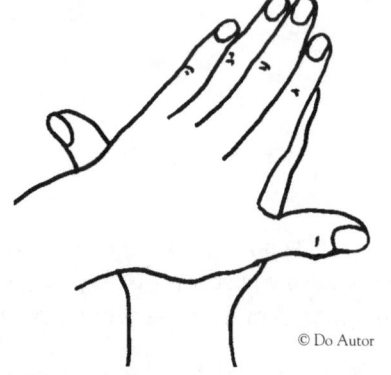

7. *Matsya-mudrâ* ("selo do peixe"): coloque a palma da mão esquerda sobre as costas da mão direita com os dedos estendidos e os polegares em ângulo reto em relação aos outros dedos.

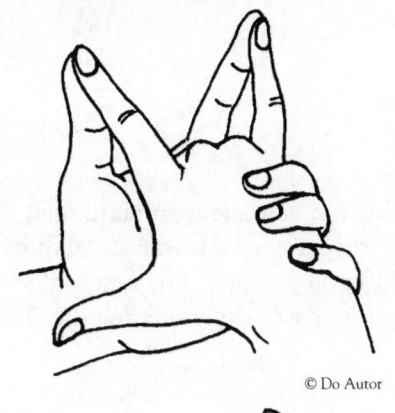

CAPÍTULO 17 — O ESOTERISMO DO TANTRA-YOGA MEDIEVAL

8. *Kûrma-mudrâ* ("selo da tartaruga"): junte as palmas das mãos de tal modo que o polegar direito repouse sobre o pulso esquerdo, o indicador direito toque na ponta do polegar esquerdo e as pontas do dedo mínimo direito e do indicador esquerdo se encostem.

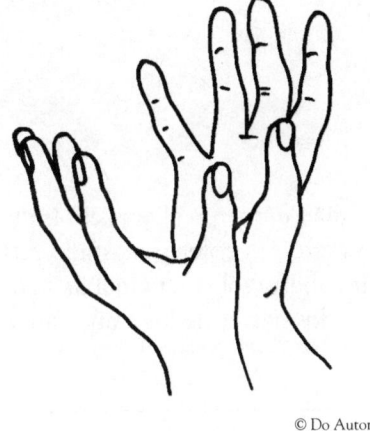

9. *Padma-mudrâ* ("selo do lótus"): junte os pulsos e faça com os dedos as pétalas de uma flor de lótus. As pontas dos dedos não se tocam.

10. *Yoni-mudrâ* ("selo do útero ou da vulva"): junte as mãos com as palmas para cima. Entrelace os dedos mínimos. Passe os anulares por trás dos dedos médios, que estão retos, voltados para cima e tocando-se um ao outro nas pontas. Os anulares são seguros pelos indicadores. É este o símbolo clássico da Deusa.

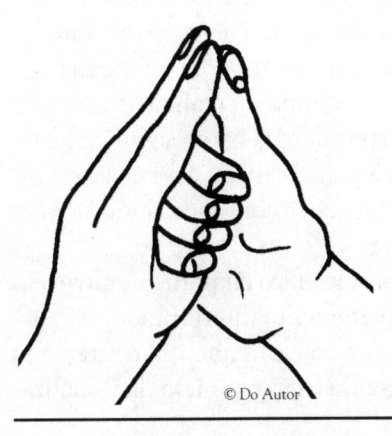

11. *Shanka-mudrâ* ("selo da trombeta"): segure o polegar da mão esquerda com os quatro dedos paralelos da direita e encoste o polegar direito nos dedos estendidos da mão esquerda.

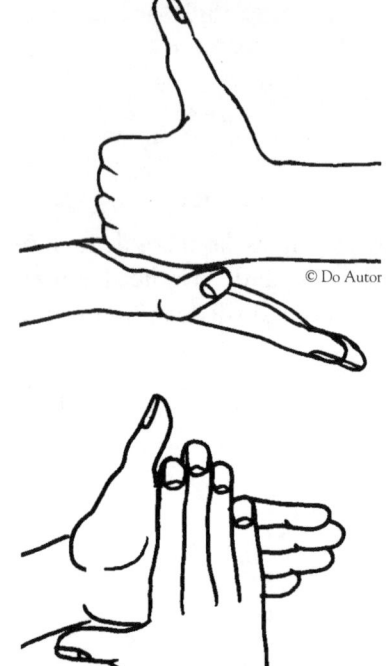

12. *Shiva-linga-mudrâ* ("selo do sinal de Shiva"): coloque a palma da mão esquerda voltada para cima e junto ao peito; cerre o punho direito e coloque-o sobre a palma da mão esquerda. O polegar direito fica estendido para cima. (Esta ilustração mostra o gesto a partir do ponto de vista de um observador.)

13. *Cakra-mudrâ* ("selo da roda"): coloque a mão esquerda aberta em frente ao peito, com a palma voltada para o peito e o polegar afastado dos outros dedos. Então coloque a mão direita aberta sobre a palma da mão esquerda, de novo com o polegar afastado dos outros dedos e encostando no pulso esquerdo.

O Tantrismo também conhece *mudrâs* terapêuticos que funcionam com base no princípio de que o corpo é um espelho da realidade macrocósmica e que a doença é causada por um desequilíbrio dos cinco elementos materiais (terra, água, fogo, ar e éter/espaço).[30] O *jnâna-mudrâ*, acima mencionado, é considerado excelente para combater a insônia, a tensão nervosa e a memória fraca. O *prâna-mudrâ* é recomendado no caso de um ataque do coração. Para fazê-lo, aperte o indicador contra o monte de Vênus, abaixo do polegar, e faça força com os outros dedos sobre o indicador. O *shûnya-mudrâ* ("selo do vazio"), recomendado para a cura da surdez, é feito colocando-se o dedo médio na raiz do polegar. O *sûrya-mudrâ* ("selo solar"), indicado quando a pessoa se sente pesada, é feito colocando-se o anular na raiz do polegar. Em todos esses casos, os selos devem ser feitos com as duas mãos ao mesmo tempo.

Esquemas Geométricos para a Meditação (Yantra)

Um *yantra* é um esboço dos níveis e energias do universo — personalizado na forma de uma determinada divindade (*devatâ*) — e, logo, do corpo humano (que é a réplica microcósmica do macrocosmo). O *yantra* pode ser desenhado em papel, madeira, tecido ou qualquer outro material, ou até na areia, se não houver outra alternativa. Conhecem-se também modelos tridimensionais feitos de argila ou metal. O *yantra* tem função semelhante à da *mandala* ("círculo") usada no Tantrismo tibetano. A diferença é que a *mandala* tende a ser mais figurativa (isto é, inclui desenhos de seres e objetos) e se baseia num arranjo circular dos elementos constituintes. O típico *yantra* consiste numa orla quadrada que envolve círculos, pétalas de lótus, triângulos e, no centro, o "ponto seminal" (*bindu*). Cada componente tem um simbolismo de variável complexidade. Assim, o triângulo que aponta para cima significa Shiva, o pólo masculino da realidade, ao passo que o triângulo que aponta para baixo significa *Shakti*, o pólo feminino. O ponto central é a matriz criativa do universo, o portal que se abre para a própria Realidade transcendente.

Nos estágios mais elevados da prática tântrica, o *yantra* deve ser completamente interiorizado, ou seja, o *yogin* deve ser capaz de construir mentalmente o seu complexo desenho geométrico por meio da visualiza-

CAPÍTULO 17 — O ESOTERISMO DO TANTRA-YOGA MEDIEVAL

ção. O *yantra* pode ser criado do ponto interno para fora — segundo o processo da evolução macrocósmica — ou da circunferência exterior para o centro — de acordo com o processo microcósmico de involução meditativa. Depois de construir interiormente o *yantra* em todos os seus detalhes, o *yogin* passa a decompô-lo novamente. Como a consciência dele identifica-se à estrutura do *yantra*, essa decomposição implica necessariamente a extinção dele enquanto sujeito da experiência. Em outras palavras, quando o *yogin* obtém êxito nessa prática avançada, ele transcende a sua mente condicionada e é lançado no puro Ser-Consciência-Felicidade, onde não existe a distinção entre sujeito e objeto.

Tripurâ-sundarî-yantra

dente que preenche todo o universo. O lótus seguinte, de dezesseis pétalas, representa a obtenção do objeto desejado — em particular, para os *yogins*, o poder sobre a mente e os sentidos. Ao redor desse lótus temos quatro linhas concêntricas que se ligam simbolicamente aos dois lótus. A orla feita de três linhas é chamada de "cidade da terra" (*bhû-pura*) e representa o lugar consagrado, que pode ser todo o universo ou, por analogia, o corpo humano.

Alguns *yantras* rituais também são empregados para fins terapêuticos. Além disso, para a obtenção de curas mágicas, podem-se criar *yantras* específicos para uma

Kâlî-yantra

O Tantrismo emprega um grande número de *yantras*. O Capítulo 20 do *Mantra-Mahodadhi* ("Grande Oceano dos *Mantras*") descreve vinte e nove *yantras*. O mais famoso de todos é, sem dúvida, o *shrî-yantra*, reproduzido a seguir. O nome *shrî* refere-se a Lakshmî, deusa da boa fortuna. Este *yantra* é composto de nove triângulos justapostos que se dispõem de tal modo que, juntos, produzem um total de quarenta e três triângulos menores. Dos nove triângulos principais, quatro apontam para cima e representam a energia cósmica masculina (Shiva); cinco apontam para baixo e representam o poder feminino (Shakti). Esses triângulos são rodeados por um lótus de oito pétalas que simboliza o deus Vishnu, o qual se identifica à tendência ascen-

Shrî-yantra

doença ou uma pessoa, que são usados como amuletos. Em todos os casos, a eficácia do *yantra* depende da qualidade da concentração e da visualização do adepto, bem como do seu domínio sobre as energias sutis.

O Ritual dos "Cinco M's"

O termo *mudrâ*, do qual falamos acima, aplica-se também a uma outra prática do Tantrismo. Refere-se a um dos elementos do ritual tântrico dos "Cinco M's" (*panca-makâra*), que ocupa nessa espiritualidade um lugar central. Essas cinco práticas, cujos nomes em sânscrito começam todos com a letra m, são as seguintes: (1) *madya*, vinho; (2) *matsya*, peixe; (3) *mâmsa*, carne; (4) *mudrâ*, cereais tostados; (5) *maithunâ*, relação sexual. Esses cinco elementos são compreendidos metaforicamente pelas escolas de direita e praticados literalmente pelas de esquerda.

Segundo o *Kula-Arnava-Tantra* (Capítulo 4), o vinho é usado nos rituais de esquerda como agente catártico, livrando a mente das preocupações e cuidados da vida cotidiana. O objetivo, porém, não é a embriaguez, que se caracteriza pelo estupor e não pela clareza. Do mesmo modo, o consumo de carne e de peixe, que são tão proibidos para os hindus quanto o vinho, tem o único objetivo de levar a consciência a um estado superior. Os cereais tostados, à semelhança do vinho, da carne e do peixe, teriam propriedades afrodisíacas — sendo também, portanto, agentes de alteração da consciência. A literatura clássica e exegética não explica em lugar nenhum por que os cereais tostados têm essa propriedade, mas é possível que ela tenha algo que ver com a ergotina, que também era usada no antigo culto grego de Deméter.

Os narcóticos (*aushadhi*) não fazem parte dos "Cinco M's", mas também são muito usados nos ritos tântricos. Ao comentar o quão difundido é o uso de drogas que alteram a consciência ou o humor, o Swami Satyananda Saraswati de Bihar observou que, até hoje, os espirituais da Índia usam drogas como a *ganja* (maconha) e o estramônio, enquanto o *bhang* (um preparado à base de maconha) é consumido por todos durante o festival de Shivaratri, no qual celebra-se o casamento de Shiva e Parvatî. Entretanto, o Swami não deixa de nos lembrar que as drogas "permitem-nos sentir o gosto do além, mas não nos tornam senhores do transcendente".[31]

Os adeptos do caminho da esquerda (*vâma-mârga*) — *vâma* significa "esquerda" e "mulher" — sabem que estão rompendo com tabus sociais profundíssimos, e a única justificativa que têm para a sua conduta é a de não estar buscando a satisfação dos sentidos, mas a autotranscendência no contexto da existência corpórea. A filosofia do Tantrismo resume-se nas seguintes palavras do *Mahâcîna-Âcâra-Krama-Tantra*:

> O *yogin* não pode ser um sensualista (*bhogin*), e o sensualista não recebeu a graça do Yoga. Por isso se diz que o *kaula* cuja essência é o Yoga e a sensualidade é superior a todos.[32]

A Sexualidade Ritual (Maithunâ)

Os *Tantras* deixam claro que, para obter êxito neste caminho perigoso, o praticante (homem) não pode sofrer a dúvida, nem o medo, nem a luxúria. Tem de ser um "herói" (*vîra*). Isto é especialmente importante na execução da quinta prática, que é a relação sexual — prática que os *Tantras* geralmente põem a cargo dos homens. A mulher que participa do rito tem de ser devidamente consagrada pelo banho ritual e outras cerimônias de purificação, e o ideal é que também ela siga o caminho da espiritualidade. O *yogin* não deve ver nela uma pessoa do sexo oposto, mas sim a Deusa, Shakti, e do mesmo modo deve identificar-se com Shiva. A parceira ideal deve ser bonita e bastante desinibida. Pode ser qualquer mulher, exceto a mãe do praticante. Entretanto, num apêndice ao *Yoga-Karnikâ* ("Brinco do Yoga"), obra do século XVIII, o próprio Shiva instrui-nos o seguinte:

> O praticante deve colocar o pênis na vagina de sua mãe e apoiar as sandálias sobre a cabeça do pai, enquanto acaricia [ou lambe] os seios de sua irmã e beija as suas belas nádegas. Aquele que faz isso, ó grande Deusa, alcança a Morada da Extinção. Aquele que passa o dia e a noite adorando uma atriz, uma porta-caveiras, uma prostituta, uma mulher de casta inferior, a esposa de um lavadeiro — ele em verdade [se identifica com] o abençoado Sadâ-Shiva.

O mais provável é que até os *tântrikas* de extrema esquerda interpretem metaforicamente a primeira frase. O Tantrismo desenvolveu em alto grau uma "linguagem crepuscular" (*sandha-bhâsha*), uma linguagem simbólica secreta, que pode desorientar bastante os

CAPÍTULO 17 — O ESOTERISMO DO TANTRA-YOGA MEDIEVAL

não-iniciados. Os iniciados têm de aprender com um mestre competente a compreender o simbolismo da própria tradição, para que não venham a naufragar nos rochedos do literalismo.

No Tantrismo de esquerda, o termo *mudrâ* também designa a parceira do rito meta-sexual. Ela é chamada igualmente de *vâma*, que significa simplesmente "mulher bonita". O rito de *maithunâ*, que aliás tem antecedentes védicos, leva freqüentemente o nome de *yoni-pûjâ* ou "adoração da vulva". Isso dá a entender que esse rito é uma atividade sagrada. Com efeito, pode ser um processo extremamente complexo, com horas e horas de meticulosa preparação cerimonial seguidas pela relação sexual propriamente dita, cuja forma é igualmente determinada em todos os seus detalhes. Em geral, esse rito é feito no meio de uma roda (*cakra*) de iniciados, estando o mestre também presente. Os parceiros se unem na qualidade de divindades masculina e feminina, não de comuns mortais. É claro que eles sentem prazer, uma vez que a própria finalidade do rito é a geração do gozo (*ânanda*) por meios corpóreos; mas não devem pensar em si, não devem tirar da experiência uma satisfação egoísta.

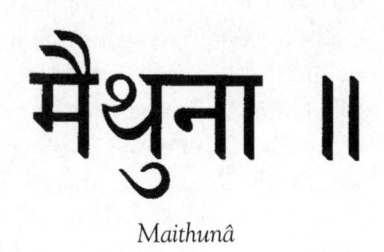

Cabe ao *yogin* impedir a todo custo a ejaculação. O sêmen (*bindu, retas*) é considerado um dos produtos mais preciosos da força vital e deve ser preservado. O objetivo do *coitus reservatus* é que o esperma seja transmutado numa substância mais sutil chamada *ojas*, que alimenta os centros superiores do corpo e assim facilita a difícil tarefa de transformação psicossomática, que é a finalidade do Tantrismo. Desde épocas muito antigas, o praticante espiritual que é capaz de operar essa alquimia interior é chamado de *ûrdhva-retas*, "aquele cujo sêmen flui para cima". O indivíduo pode inclusive sentir esse processo acontecendo literalmente, como se evidencia pelas palavras de Gopi Krishna:

> Meu sistema nervoso estava sofrendo, sem dúvida, uma mudança extraordinária, e um novo tipo de força fluía pelo meu organismo. Essa força vinculava-se de modo inequívoco aos órgãos sexuais, que também pareciam ter desenvolvido uma nova espécie de atividade que antes eu não percebia. Os nervos que revestem esses órgãos e toda a região circundante estavam num estado de intensa estimulação, como se um mecanismo invisível os forçasse a produzir a semente vital numa quantidade muito maior do que a normal, a fim de que essa semente fosse absorvida pela rede nervosa da extremidade inferior da coluna e depois levada até o cérebro pela medula espinhal. O esperma sublimado era um elemento fundamental da energia radiante que tanto me maravilhava e acerca da qual eu não era ainda capaz de especular com nenhum grau de certeza.[33]

O clímax do Yoga Tântrico não é o orgasmo, mas o êxtase — a identificação do praticante com o Si Mesmo transcendente, além da personalidade egóica. A mulher, porém, pode chegar ao orgasmo durante o rito de *maithunâ*. Sua excitação sexual a leva a produzir uma secreção vaginal muito apreciada, que o *tântrika* competente sabe absorver através do pênis. Essa evacuação feminina seria benéfica para o sistema hormonal do *yogin*. Essa prática chama-se *vajrolî-mudrâ* e pertence ao repertório do Hatha-Yoga. Mas a interação entre o *yogin* e a *yoginî* é, antes de mais nada, uma troca de energias que supera em muito o que acontece na relação sexual comum.

Os "Cinco M's", mais do que qualquer outro traço do Tantrismo, incorporam o seu espírito de contradição: os praticantes do Tantra rompem deliberadamente com a vida comum. A conduta deles baseia-se no princípio da inversão (*viparîta*). Eles parecem estar gozando do prazer sensual (*bhoga*), mas na realidade cultivam a beatitude transcendental (*ânanda*). Desse modo, dão um sentido novo e esotérico a todas as suas ações aparentemente mundanas. No Hatha-Yoga, é a parada-de-ombros que melhor simboliza esse princípio da inversão. Todos os procedimentos tântricos têm a finalidade de construir uma nova realidade para o *yogin* ou a *yoginî* — uma realidade sagrada análoga à Realidade transcendente: o corpo do praticante torna-se o corpo da divindade de sua eleição (*ishta-devatâ*). Ou seja, é pela identificação com essa divindade específica que o *yogin* ou a *yoginî* aproxima-se da transcendência de todas as formas, até unir-se por fim com a Divindade suprema, que é o puro Ser.[34]

मैथुना ||
Maithunâ

IV. A MAGIA DOS PODERES

O objetivo do Tantrismo, ou Tantra, é o *siddhi* ("consecução, realização"), tanto no sentido de libertação suprema quanto de poder mágico. Como o ponto de vista tântrico não nega o mundo dos fenômenos, encara também de maneira positiva o cultivo do potencial psicofísico intrínseco do corpo e da mente. Ao contrário de certas escolas vedânticas que procuram evitar por todos os meios o uso das capacidades

सिद्धि । विभूति ॥

Siddhi, vibhûti

paranormais (*siddhi, vibhûti*), o Tantrismo vê nessas coisas uma vantagem, pois permitem aos praticantes que alcancem os seus objetivos espirituais no mundo de modo mais rápido e pleno. Como seria de se esperar, porém, os *tântrikas* também cultivaram esses poderes para fins menos nobres, e existem Tantras inteiros que versam sobre práticas repugnantes cujo objetivo explícito é o de controlar ou fazer mal aos outros. Essa tendência é chamada às vezes de "Tantrismo inferior" e opõe-se ao "Tantrismo superior", cuja motivação é a libertação e a edificação espiritual dos outros seres humanos e não-humanos.

Os textos do Yoga e do Tantra mencionam numerosas capacidades paranormais, que são apresentadas como elementos do armazém de meios hábeis adquiridos pelo adepto realizado. Afirma o *Yoga-Bîja* (54):

> O *yogin* é dotado de poderes incríveis. Aquele que dominou os sentidos pode, pela sua própria vontade, assumir várias formas e fazê-las desaparecer novamente.

De acordo com o *Yoga-Shikhâ-Upanishad* (1.156), essas capacidades são o sinal distintivo do verdadeiro adepto do Yoga e são como que "encontradas" no decorrer da prática espiritual como o peregrino que se dirige à cidade sagrada de Kâshî (a moderna Benares/Varanasi) passa, em caminho, por diversos lugares sagrados (*tîrtha*). Do mesmo modo (1.160), pode-se considerar agrilhoada a pessoa que não tem essas capacidades.

Esse texto (1.151-155) traça uma distinção entre dois tipos fundamentais de capacidades paranormais: as artificiais (*kalpita*) e as não-artificiais (*akalpita*), ou seja, as que surgem espontaneamente. As primeiras são produzidas por meio de poções feitas de ervas (*aushadhi*), rituais (*kriyâ*), magia (*jâla*), recitação de *mantras* e elixires alquímicos (*rasa*). Num aforismo que provavelmente foi acrescentado *a posteriori*, o *Yoga-Sûtra* (4.1) também explica que os *siddhis* podem ser decorrentes do nascimento (*janman*), de poções feitas de ervas (*aushadhi*), da recitação de *mantras*, da ascese (*tapas*) e do êxtase (*samâdhi*). O *Yoga-Shikhâ-Upanishad* afirma que as capacidades não-artificiais, ou espontâneas, nascem da autoconfiança (*svatantrya*) e são permanentes, sumamente eficazes e agradáveis ao Senhor (*îshvara*). Manifestam-se naturalmente nos que se libertaram dos desejos.

O terceiro capítulo do *Yoga-Sûtra* de Patanjali traz uma longa lista de *siddhis* e por isso leva o título de *vibhûti-pâda*. O termo *vibhûti* significa "manifestação" e provavelmente tem a sua origem no *Bhagavad-Gîtâ* (10.16), que fala dos extensíssimos poderes do Senhor Krishna. O adepto plenamente realizado e unido a Deus tem acesso a todos os poderes divinos. É um *mahâ-siddha* ("grande adepto") e goza dos *mahâ-siddhis* ou grandes poderes.

Em geral os poderes mencionados são em número de oito. De acordo com o *Yoga-Bhâshya* (3.45), são os seguintes:

1. *Animan* ("miniaturização") — a capacidade de reduzir-se até o tamanho de um átomo (*anu*). Segundo o *Yoga-Sûtra* (3.44), este poder resulta do domínio dos elementos materiais. O *Yoga-Bhâshya-Vivarana* (3.45) afirma que, por meio de *animan*, a pessoa torna-se mais sutil que o sutil e portanto não pode mais ser vista.

2. *Mahiman* ("engrandecimento") — a capacidade de alcançar um grande tamanho. No *Tattva-Vaishâradî* (3.45), Vâcaspati Mishra explica *mahiman* como a capacidade de tornar-se tão grande quanto um elefante, uma montanha, uma cidade inteira, etc. Entretanto, o *Mani-Prabhâ* (3.45) define *mahiman* como "onipresença" (*vibhûtva*), dando a entender que o que se expande não é o corpo físico, mas o corpo sutil ou a mente.

3. *Laghiman* ("levitação") — a capacidade de ficar tão leve "quanto o algodão" (*Tattva-Vaishâradî* 3.45).

4. *Prâpti* ("extensão") — a capacidade de vencer instantaneamente grandes distâncias. O *Yoga-Bhâshya* (3.45) afirma peremptoriamente que, por meio deste poder, o *yogin* pode tocar a lua com as pontas dos dedos.

5. *Prâkâmya* ("vontade [irresistível]") — a capacidade de realizar a própria vontade. O *Yoga-Bhâshya* (3.45) dá o exemplo de alguém que mergulha na terra sólida como se fosse líquida.

6. *Vâshitva* ("domínio") — o completo domínio dos elementos materiais (*bhûta*) e dos seus produtos, ou, nas palavras do *Yoga-Bhâshya-Vivarana* (3.45), o domínio sobre todos os mundos.

7. *Îshitritva* ("soberania") — a soberania absoluta sobre as causas sutis do mundo material, o que torna o *yogin* tão poderoso quanto o próprio Criador (Brahma).

8. *Kâmâ-avasâyitva* ("realização de [todos os] desejos"; escreve-se *kamâvasâyitva*) — a capacidade perfeita de fazer com que aconteça o que quer que se queira. O *Yoga-Bhâshya* (3.45), porém, deixa claro que a vontade do adepto não vai contra a vontade do Senhor (*îshvara*). Assim, como explica o *Yoga-Bhâshya-Vivarana* (3.45), ele respeita a ordem preestabelecida das coisas e por isso não faz com que o fogo se torne frio.

Além dos oito *siddhis* clássicos que variam um pouco de escola para escola, o Tantrismo também reconhece um conjunto de seis ações mágicas (*shat-karman*), que são o tema de muitos Tantras mais curtos. Um dos textos mais conhecidos (e de tamanho médio) que trata dos *shat-karmans* é o *Dattâtreya-Tantra*, de setecentos versículos. O *Shat-Karma-Dîpikâ* ("Luz sobre as Seis Ações"), de autoria do famoso adepto bengalês Krishnânanda Vidyâvâgîshvara, do século XVI, é ainda mais popular. O mesmo autor compôs o *Tantra-Sâra* (que se deve distinguir da obra de mesmo título escrita por Abhinava Gupta numa época anterior). As seis ações mágicas são as seguintes:

1. *Shânti* ("paz") — a capacidade de pacificar outro ser por meios mágicos, como *mantra*, *yantra* e visualização. O *Kalpa-Cintâmani*, resumo do *Mahâkalpa-Cintâmani*, afirma em seu capítulo sobre *shânti* que esse poder pode ser usado para fazer passar a febre.

2. *Vashîkarana* ("sujeição") — a capacidade de obter o controle absoluto sobre outro ser e torná-lo tão servil quanto um escravo.

3. *Stambhana* ("paralisação") — a capacidade de imobilizar completamente um outro ser ou impedir que uma determinada coisa se realize.

4. *Uccâtana* ("erradicação") — a capacidade de destruir outro ser a distância e sem nenhum meio visível.

5. *Vidveshana* ("causar discórdia") — a capacidade de criar a discórdia entre as pessoas.

6. *Mârana* ("morte") — a capacidade de matar a distância.

Essas práticas não passam de formas de magia negra e parecem não alcançar o elevado ideal tântrico da libertação através da gnose e da edificação espiritual. Não há dúvida que vêm sendo empregadas há milênios; ainda hoje, não é difícil encontrar um *tântrika* disposto a usar suas capacidades mágicas para fazer mal a outra pessoa em troca de poucas rúpias. Nesse ponto, a Índia não é nem um pouco diferente de outros países cuja base cultural tem um forte elemento pré-moderno. Essas práticas degeneradas, por outro lado, não caracterizam o Tantrismo superior, que é antes de mais nada um caminho de libertação baseado numa elevada disciplina moral.

Como devemos compreender essas capacidades? Serão elas o simples produto de uma imaginação fértil alimentada pelo excesso de introspecção solitária? Ou serão manifestações de uma dimensão psíquica da realidade que a ciência ainda não descobriu? No decorrer dos séculos, chegaram-nos relatos de todo tipo acerca dos poderes incomuns dos *yogins* e dos estranhos fenômenos testemunhados ao redor deles. É certo que hoje nós temos provas inequívocas do incrível controle que os *yogins* têm sobre funções corpóreas e mentais que há muito tempo se supunha estarem fora do alcance da vontade humana, mas, por outro lado, suas supostas capacidades paranormais quase não foram ainda pesquisadas. Porém, o peso cumulativo das descobertas feitas pela parapsicologia em suas pesquisas com não-yogues nos dá cada vez mais motivos para crer em pelo menos algumas das afirmações feitas pelos adeptos do Yoga.

Em vez de emitir um juízo precipitado sobre os *siddhis* e pô-los de lado como mera fantasia, o mais prudente seria encará-los como uma parte inalienável do mundo em que vivem os *yogins* e considerá-los como uma realidade que merece ser investigada imparcialmente. O sem-número de indícios acumulados pela parapsicologia deixam claro que o potencial humano é extraordinário. Todo aquele que se dispuser a ler, de mente aberta, *The Future of the Body* ("O Futuro do Corpo"), de Michael Murphy, por exemplo, não deixará de impressionar-se com a quantidade de provas científicas e narrativas da existência das capacidades paranormais.[36]

TEXTO ORIGINAL 20

Kula-Arnava-Tantra (Trechos Escolhidos)

O *Kula-Arnava-Tantra* (escreve-se *Kulârnavatantra*), um dos textos mais importantes da tradição Kaula, provavelmente foi composto entre 1000 e 1400 d.C. De acordo com o seu próprio testemunho, a versão existente hoje, de pouco mais de 2.000 versículos, constituía somente o capítulo quinto de um texto original de 125.000 versículos, que já não existe (se é que algum dia existiu em forma tão ampla). Damos a seguir uma tradução do Capítulo 9, que traz muitas definições preciosas do caminho kaula.

Shrî Devî disse:
Ó Senhor de Kula! Queria eu ouvir acerca do Yoga, das características do melhor entre os *yogins* e do fruto da adoração para o adorador de *kula*. Revelai-me isso, ó encarnação (*nidhi*) da compaixão! (1)

Disse o Senhor (îshvara):
Ouve, ó Deusa! Revelar-te-ei o que me pediste. O Yoga revela-se diretamente a quem simplesmente ouve isto. (2)

Diz-se que a meditação tem duas espécies, determinadas pela diferença entre os [objetos] grosseiros (*sthûla*) e sutis (*sûkshma*). A [meditação] grosseira é chamada "com forma" e a sutil, "sem forma". (3)

Comentário: Esta distinção encontra-se também nos textos do Hatha-Yoga, nos quais a meditação grosseira é a que se baseia na imagem visualizada de uma divindade, do mestre, etc. O *Gheranda-Samhitâ* (6.9) identifica a meditação sutil com o *shâmbhavî-mudrâ* ("selo de Shambhu"), que consiste na experiência direta da união entre Shambhu (i.e., Shiva) e Shakti.

Quando a mente tem um objeto estável [em que se concentrar], alguns chamam isso de "meditação grosseira". A mente deve permanecer imóvel na [meditação] grosseira e, do mesmo modo, imóvel na [meditação] sutil. (4)

Deve-se contemplar o Senhor supremo [que é] Ser-Consciência-Beatitude sem partes, sem mãos, sem pés, sem abdômen, sem rosto, etc., e consiste inteiramente de Luz [não-manifesta]. (5)

Ele não sobe nem desce; não cresce nem diminui. Sendo luminoso por si mesmo, ilumina os outros sem realizar [ação alguma]. (6)

Quando a mente capta diretamente o Ser infinito, luminoso, puro e transcendente (*agocara*), a sabedoria [que surge] é chamada o Absoluto (*brahman*). (7)

Comentário: Do ponto de vista da iluminação, não há distinção alguma entre o Absoluto, ou Si Mesmo, e o conhecimento que d'Ele tem o ser iluminado.

O *yogin* que conhece o esplendor (*dhâman*) singular da suprema entidade (*jîva*) — [que é] imóvel como as pedras [ou como] o ar na ausência de vento — é chamado um conhecedor do Yoga. (8)

Aquela meditação que, embora vazia de essência, é dotada de luz própria e tranqüila como o oceano sem ondas é chamada de "êxtase" (*samâdhi*). (9)

Comentário: Este versículo é um eco do *Yoga-Sûtra* (3.2-3). A "essência" (*sva-rûpa*) da meditação é a contemplação de um objeto determinado, o que implica a cisão entre sujeito e objeto. No estado extático, essa cisão é superada e o *yogin* identifica-se por inteiro com o objeto de contemplação, que no caso é a própria Divindade.

A Realidade [suprema] brilha por si mesma, e não por um qualquer esforço mental (*cintana*). Quando a Realidade brilha por si mesma, deve-se assumir imediatamente a Sua forma. (10)

Aquele que como que dorme igualmente no sonho e na vigília, sem inspirar nem expirar, é sem dúvida um ser liberto. (11)

Comentário: Aqui, a libertação é identificada ao estado de êxtase com transe. A realização máxima, porém, é o estado de *sahaja-samâdhi*, no qual o adepto fica de olhos abertos e o mundo exterior é abarcado pela perfeita bem-aventurança da iluminação.

Aquele que se assemelha a um cadáver, que tem o "vento" [i.e., a respiração e a energia vital sutil] e a mente imersos em Si Mesmo, que tem imóvel o exército dos sentidos, é chamado sem dúvida alguma de "liberto em vida". (12)

Comentário: A suprema realização da libertação em vida (*jîvan-mukti*) é identificada aqui ao estado de êxtase semelhante ao transe que corresponde ao *asamprajnâta-samâdhi* do Yoga Clássico de Patanjali. Em outras escolas, a libertação em vida é equiparada ao *sahaja-samâdhi*.

[O *yogin* em estado de êxtase] não ouve, não cheira, não toca, não vê nem sente prazer ou dor, e sua mente não forma conceitos. (13)

Ele nada percebe e, como um tronco de árvore, nada compreende. Assim, com o seu ser [individual] mergulhado em Shiva, [o *yogin*] é aqui chamado de "fixado no êxtase" (*samâdhi-stha*). (14)

Assim como não se distingue a água que se misturou à água, o leite que se misturou ao leite ou a manteiga líquida que se misturou à manteiga líquida, assim também [não se distingue] o ser individual [que se fundiu] ao supremo Si Mesmo. (15)

Comentário: Esta definição do êxtase ou do objetivo do Yoga é muito comum nos *Tantras* e nos *Purânas*, bem como nos textos do Vedânta.

Assim como a larva transforma-se em abelha pelo poder da meditação, assim também o homem, pelo poder do êxtase, assume a natureza do Absoluto (*brahman*). (16)

Comentário: Os antigos hindus acreditavam que a larva transforma-se em abelha em virtude da sua concentração mental.

Assim como a manteiga extraída do leite, que não torna ao estado anterior quando misturada neste, assim é o ser [individual] aqui [neste mundo], que se distingue [do Si Mesmo transcendente] pelas qualidades (*guna*) [da Natureza]. (17)

Comentário: As três qualidades são *sattva* (princípio de lucidez), *rajas* (princípio de dinamismo) e *tamas* (princípio de inércia). Elas definem o corpo-mente da pessoa e criam a ilusão de que o ser individual é separado de todos os outros seres individuais e também da própria Origem divina. Com a iluminação, essa idéia deixa de existir e o *yogin* realiza o supremo Si Mesmo que é chamado *nirguna*, ou seja, superior às qualidades e inqualificado por elas.

Assim como o homem completamente cego nada percebe aqui, assim também o *yogin* não percebe o mundo manifesto (*prapanca*), [que é] invisível [para ele]. (18)

Assim como o homem não percebe o mundo manifesto com [as pálpebras] fechadas (*nimîlana*), assim será [a consciência do *yogin*] com [as pálpebras] abertas (*unmîlana*); isto é um sinal de meditação. (19)

Comentário: No estado de meditação profunda ou de êxtase, os *yogins* não percebem o mundo exterior, quer estejam com os olhos abertos, quer com eles fechados. Seu campo de visão é o próprio Si Mesmo infinito.

Assim como uma pessoa sente uma coceira no corpo, assim aquele que é coessencial (*sva-rûpin*) com o supremo Absoluto conhece o movimento do mundo. (20)

Comentário: Para o *yogin* que realizou Deus, isto é, identificou-se com Shiva, o mundo é o que o corpo é para a mente.

Quando se conhece a Realidade (*tattva*) suprema e imutável, que transcende [todas] as letras (*varna*), os *mantras* caem em servidão junto com seus regentes [i.e., as divindades]. (21)

Quando aquele que se fixou no estado do único Si Mesmo [dedica-se] a qualquer atividade, isto é adoração (*arcana*). Quando conversa sobre qualquer assunto, é esse o verdadeiro *mantra*. O que se chama de "meditação" é a introspecção (*nirîkshana*). (22)

Quando a identificação com o corpo deixa de ser e o supremo Si Mesmo é conhecido, a mente [permanece em] êxtase (*samâdhi*) aonde quer que vá. (23)

Com a visão desse supremo Si Mesmo, o nó do coração se desfaz, todas as dúvidas são eliminadas e o seu karma desaparece. (24)

Se o maior entre os *yogins* chegar ao puro estado supremo, não será mais cativado, mesmo que chegue ao estado das divindades e *asuras*.[37] (25)

Para aquele que vê o Si Mesmo (*âtmaka*) onipresente, tranqüilo, bem-aventurado e imutável, nada é inalcançável e nada resta a ser conhecido. (26)

Quando se alcança a sabedoria, o conhecimento e o Objeto (*jneya*) que reside no coração, quando se alcança o estado da tranqüilidade, ó Deusa, já não [há] Yoga nem concentração. (27)

Comentário: Com a plena realização do Si Mesmo, que pode ser encontrado no coração, a obra do Yoga se cumpre e todos os meios yogues, a concentração e a meditação inclusive, são transcendidos.

Quando o supremo Absoluto é conhecido, [o *yogin*] dá de mão a todas as regras, medidas e regulamentos. De que serve um leque de folhas de palmeira quando sopra o vento do [Monte] Malaia? (28)

Para aquele que se vê como *om* [i.e., como o Si Mesmo], não há controle da força vital (*âsikâ*) nem controle das narinas (*nâsikâ*); não há disciplina (*yama*) nem autocontrole (*niyama*). (29)

O Yoga não [é alcançado] nem pelo sentar-se na postura do lótus nem por fixar-se o olhar na ponta do nariz. O Yoga, segundo os especialistas em Yoga, é a identidade (*aikya*) da psique (*jîva*) com o Si Mesmo [transcendente]. (30)

Quando o Supremo é contemplado com fé aqui [na Terra], mesmo que só por um instante, o mérito que assim se obtém é incalculável. (31)

Aquele que pratica a reflexão "Eu sou o Absoluto", mesmo que só por um instante, apaga todos os pecados, como o nascer do sol [dissipa] as trevas. (32)

O conhecedor da Realidade (*tattva*) obtém dez milhões[38] de virtudes, que são o fruto de votos, ritos, penitências, peregrinações, dádivas, cultos de adoração prestados às divindades, etc. (33)

O estado natural (*sahaja-avasthâ*) é o mais alto; a meditação e a concentração são médias; a recitação e a louvor são baixos; e o mais baixo é a adoração sacrificial. (34)

Pensar (*cintâ*) na Realidade é o mais alto; pensar na recitação é médio; pensar nos compêndios de doutrina (*shâstra*) é baixo; e o mais baixo é pensar no mundo. (35)

Dez milhões de ritos de adoração (*pûjâ*) equivalem a um hino de louvor (*stotra*); dez milhões de hinos de louvor equivalem a uma recitação (*japa*); dez milhões de recitações equivalem a uma meditação; e dez milhões de meditações equivalem a um [momento de completa dissolução (*laya*) [no Si Mesmo transcendente]. (36)

O *mantra* não é superior à meditação; uma divindade não é superior ao Si Mesmo; a adoração não é superior à aplicação [dos membros do Yoga]; a recompensa não é superior ao contentamento. (37)

A inação é a adoração suprema; o silêncio é a recitação suprema; o não-pensar é a meditação suprema; a ausência de desejos (*anicchâ*) é o fruto supremo. (38)

Todos os dias, o *yogin* deve praticar a adoração ao alvorecer sem abluções e *mantras*, [deve praticar] a ascese (*tapas*) sem sacrifícios (*homa*) e rituais de adoração (*pûjâ*), e a adoração sem grinaldas de flores. (39)

[Aquele que é] indiferente, desapegado, liberto dos desejos (*vâsana*) e do hábito da superposição (*upâdhi*), absorto na essência do seu [poder] intrínseco, é um *yogin*, um conhecedor da suprema Realidade. (40)

Comentário: O termo *upâdhi* é do Vedânta e significa o habito mental de atribuir aspectos finitos ao Infinito.

O corpo é a morada (*âlaya*) de Deus (*deva*), ó Deusa! A psique é o Deus Sadâ-Shiva. O homem deve deixar para trás os restos da oferenda da ignorância; deve adorar com o pensamento "Eu sou Ele". (41)

Comentário: A psique (*jîva*) é a consciência individuada que se considera separada do Deus onipresente. É movida pela força vital (*prâna*), que por sua vez é impelida pela bagagem kármica do indivíduo. Na verdade, porém, a psique não é uma consciência limitada e agrilhoada a um corpo material, mas o próprio Ser-Consciência omniabrangente, o eterno Shiva. Este versículo e o seguinte baseiam-se na assonância entre *jîva* e Shiva.

A psique é Shiva; Shiva é a psique. A psique é Shiva somente. A psique [não-iluminada] é comparada a um animal (*pâshu*) agrilhoado. Sadâ-Shiva é o que é livre de [todos os] vínculos (*pâsha*). (42)

O arroz está preso na casca; quando se tira a casca, o grão [torna-se visível]. [Do mesmo modo], a psique é presa pelo karma; Sadâ-Shiva é [a Realidade eternamente] livre [da "casca"] do karma. (43)

Deus habita no fogo, no coração dos adoradores (*vipra*)[39] devotos que despertaram para a semelhança (*pratimâ*) [interior], que vêem o Si Mesmo em toda parte. (44)

Comentário: A semelhança interior não é outra coisa senão o Si Mesmo.

Aquele que é o mesmo nos encômios e vitupérios, no frio e no calor, na alegria e na tristeza, e [que é sempre o mesmo] para com os amigos e inimigos, é o primeiro dentre os *yogins*. Está além do entusiasmo e do não-entusiasmo. (45)

Conhece a suprema Realidade o *yogin* que não tem desejos e vive sempre contente, vê [em todos] a mesma coisa, controla os sentidos e considera a vida no corpo como uma breve estada. (46)

O que vive livre dos pensamentos, livre das dúvidas, imaculado pelo desejo e pelo hábito da sobreposição (*upâdhi*) e mergulhado em sua essência intrínseca é um *yogin* conhecedor da suprema Realidade. (47)

Como vivem os aleijados, os cegos, os surdos, os tímidos, os doidos, os retardados, etc., ó Soberana de Kula, assim [vive] o *yogin* conhecedor da Realidade [última]. (48)

O que mais aprecia a suprema bem-aventurança gerada pelos cinco selos (*mudrâ*) é o primeiro entre os *yogins*; percebe o Si Mesmo dentro de si mesmo. (49)

Comentário: No sânscrito não há letras maiúsculas e minúsculas. Por isso, a frase *pashyaty âtmânam âtmani* poderia também ser traduzida por "percebe a si mesmo dentro do Si Mesmo" ou "percebe o si mesmo dentro do si mesmo". Mas *âtman* também pode significar simplesmente "o próprio ser". Os cinco selos aqui mencionados são mais conhecidos como os "Cinco M's", que são os elementos centrais dos ritos kaulas: vinho, carne, peixe, cereais tostados (supostamente dotados de propriedades afrodisíacas) e relações sexuais.

Ó Bem-Amada, a alegria que vem do vinho (*ali*), da carne e das relações sexuais é libertação para os sábios e pecado (*pâtaka*) para os ignorantes. (50)

Chama-se *kula-yogin* o que sempre desfruta da carne e da bebida alcoólica, sempre cuida da prática [ritual] e vive sempre livre de dúvidas. (51)

Bebendo bebidas alcoólicas, comendo carne, disposto a comportar-se segundo a sua vontade, contemplando a identidade entre "eu" e "Isto", ele deve viver feliz. (52)

Sem dúvida, aquele que não tem em sua boca o aroma da carne e da bebida alcoólica não passa de um "animal" que deve fazer expiações e de quem se deve fugir. (53)

Enquanto tiver [no seu hálito] o aroma da bebida alcoólica, o "animal" é o próprio Pashupati [i.e., Shiva]. Sem o aroma de carne e vinho, até Pashupati não passa de um "animal". (54)

No mundo, os humildes são exaltados e os exaltados são humilhados: Bhairava, o grande Si Mesmo, declarou ser este o caminho de Kula. (55)

A má conduta é boa conduta; o que não se deve fazer é o melhor do que se deve fazer. Ó Soberana de Kula, para os *kaulikas*, a falsidade é verdade. (56)

Ó Soberana de Kula, os *kaulikas* devem beber bebidas proibidas, comer alimentos proibidos e gozar de relações sexuais ilícitas. (57)

Ó Soberana de Kula, para os *kaulikas* não há regra, não há proibição, não há virtude, não há vício, não há paraíso e não há inferno. (58)

Ó Senhora de Kula, os *kaulikas* são sábios mesmo que sejam ignorantes, são ricos mesmo que sejam pobres e prosperam mesmo quando arruinados. (59)

Ó Soberana de Kula, até os inimigos são amigos dos *kaulikas*, os reis servem-nos e todas as pessoas são-lhes leais. (60)

Ó Soberana de Kula, os indiferentes tomam o partido dos *kaulikas*, os arrogantes prestam-lhes homenagens e os inoportunos tornam-se solícitos. (61)

Ó Soberana de Kula, para os *kaulikas* as [coisas] mais ignóbeis são dotadas de qualidades (*guna*) [excelentes]; o que é *akula* é adequado para o *kula* e as qualidades não-virtuosas são virtuosas. (62)

Comentário: Sendo um ramo do Tantrismo, a tradição Kaula é adepta do princípio da inversão (*parâvritti*), pelo qual qualidades aparentemente mundanas são vistas como espirituais. No linguajar budista, o mundo da mudança é a Realidade imutável; *samsâra* é *nirvâna*.

Ó Deusa, para os *kaulikas* a morte é na verdade um médico, o lar é o paraíso e as relações sexuais com uma mulher são meritórias, ó Soberana de Kula. (63)

Ó Bem-Amada, para que dizer mais? Os *kula-yogins* perfeitos têm todos os seus desejos atendidos. Não se deve duvidar disto. (64)

Ó Soberana de Kula, qualquer que seja o estado de vida (*âshrama*) do *kula-yogin*, ele não é maculado pela aparência (*vesha*) [que toma]. (65)

Desejosos do bem dos seres humanos, os *yogins* vagam pela terra sob diversas aparências, e sua verdadeira natureza não é reconhecida. (66)

Ó Soberana de Kula, eles não divulgam o conhecimento que têm do Si Mesmo; pelo contrário, vivem em meio ao povo como se fossem bêbados, surdos-mudos, imbecis. (67)

Comentário: Os *kula-yogins* mantêm oculta a sua realização espiritual e não se importam de parecer tolos aos olhos alheios. Isso mostra o quão elevada é a sua realização, o seu contentamento e a sua certeza interior.

Assim como as constelações e planetas tornam-se invisíveis no mundo quando ocorre a conjunção do sol e da lua [i.e., um eclipse], assim também a conduta dos *yogins* [é sutil demais para ser compreendida]. (68)

Assim como não se pode ver o rastro das criaturas aquáticas na água ou dos pássaros no céu, assim também a conduta dos *yogins* [é invisível, ou ininteligível, para a pessoa comum]. (69)

Ó Bem-Amada, os entendidos em *kula-yoga* falam como mentirosos, comportam-se como imbecis e têm a aparência de malfeitores. (70)

Comportam-se dessa maneira para que as pessoas os desprezem, não lhes busquem a companhia e nada [lhes] digam. Assim vive o *yogin*. (71)

Ó Grande Deusa, o gnóstico *kula-yogin*, embora liberto e mestre da Kula, brinca como uma criança, comporta-se como um simplório e fala como um louco. (72)

Assim como o povo ridiculariza e despreza o que vem de longe [i.e., as coisas do estrangeiro], assim acontece com o *yogin*. (73)

O *yogin*, cobrindo-se de vestimentas (*vesha*) várias, vaga pela terra às vezes [como uma pessoa] honrada e às vezes [como uma pessoa] oprimida, ou como um demônio, ou como um espírito. (74)

Não é pelo desejo que o *yogin* goza das coisas boas, mas pelo bem do mundo. Fazendo o bem a todos, ele brinca [livremente] sobre a face da terra. (75)

Assim como o sol seca todas as coisas, assim como o fogo consome todas as coisas, assim também o *yogin* goza de todas as coisas boas mas não é maculado pelo pecado. (76)

Assim como o vento toca em todas as coisas, assim como o espaço (*âkâsha*) está presente em toda parte, assim como [são puros] os que se banham nos rios [para as abluções cotidianas], assim também o *yogin* é sempre puro. (77)

Assim como a água saída de um povoado torna-se pura quando entra num rio, assim também as coisas que foram manipuladas por um bárbaro (*mleccha*), etc., tornam-se puras nas mãos de um *yogin*. (78)

Ó primeira entre as Deusas, assim como não se agitam os mestres da sabedoria *kula*, assim honram o Si Mesmo os sábios que aspiram ao bem (*hita*) [supremo]. (79)

Assim como se chama de Oriente ao canto onde nasce o sol, assim também chama-se de caminho supremo a via palmilhada pelos mestres *yogins*. (80)

Aonde quer que vá o elefante, há um [novo] caminho. Do mesmo modo, ó Soberana de Kula, aonde quer que vá o *kula-yogin*, lá está o caminho [da libertação]. (81)

Quem será capaz de endireitar as curvas de um rio ou fazê-lo parar de correr? Do mesmo modo, quem será capaz de deter [o *yogin*] que vaga em paz e à vontade? (82)

CAPÍTULO 17 — O ESOTERISMO DO TANTRA-YOGA MEDIEVAL

Assim como um [encantador de serpentes], fortalecido pelos *mantras*, não é picado pelos seres com que se diverte, assim também não é picado o gnóstico (*jnânin*) que brinca com as serpentes dos sentidos. (83)

Superiores ao sofrimento, contentes, superiores aos opostos e livres da inveja, os pacíficos *kaulikas* são dedicados à sabedoria *kula* e a Ti. (84)

Livres do orgulho, da ira, da arrogância, da esperança e do egoísmo (*ahamkâra*), verazes em suas palavras, os melhores dentre os *kaulikas* não são dominados pelos sentidos e são estáveis. (85)

Ó Deusa, aqueles cujos pêlos se arrepiam, cujas vozes se embargam [de emoção] e derramam lágrimas de alegria quando [o modo de vida da] *kula* é louvado são os melhores dentre os *kaulikas*. (86)

Aqueles que consideram a doutrina (*dharma*) da *kula* — proveniente de Shiva — como a melhor das doutrinas são os melhores dentre os *kaulikas*. (87)

Ó Bem-Amada, só é um *kaulika* aquele que conhece a verdade da *kula*, é um profundo conhecedor da doutrina *kula* e sente profundo gosto pela adoração *kula*. (88)

Aquele que se alegra de encontrar devotos da *kula* [dotados] da sabedoria *kula*, [seguidores] da conduta *kula* e [praticantes] dos votos *kula* é um dos *kaulikas* que Eu [i.e., Shiva] amo. (89)

Aquele que tem devoção pelo *guru* e pela divindade e que conhece a realidade dos três princípios (*tattva*), o caminho sagrado (*carana*) e o significado do *mantra*-raiz é um *kaulika* pela iniciação. (90)

Ó Bem-Amada, a visão (*darshana*) de um mestre da *kula* é algo difícil de obter em todos os mundos. Só pode ser obtida pelo amadurecimento do mérito [kármico acumulado em existências anteriores], e de nenhum outro modo. (91)

Basta que seja lembrado, louvado, visto ou cumprimentado, ou que simplesmente se fale com ele, para que um adepto da doutrina *kula* purifique instantaneamente até mesmo um *cândâla*.[40] (92)

Ó Deusa, onde quer que haja um gnóstico da *kula*, seja ele onisciente ou um tolo, o mais vil ou o mais exaltado, lá estarei Eu [Shiva] convosco. (93)

Eu não moro em Kailâsa, nem no Meru, nem em Mandara, ó Bhâvini. Estou onde quer que morem os gnósticos da *kula*. (94)

Mesmo que esse povo do Grande Senhor esteja muito longe, é preciso dirigir-se a eles e [empenhar todos os] esforços para chegar a vê-los, pois Eu estou próximo [deles]. (95)

Deve-se procurar ver um mestre da *kula* mesmo que ele more muito longe. Mas um animal [i.e., um não-iniciado], ó Bem-Amada, deve ser ignorado mesmo que esteja bem perto. (96)

Onde quer que more um gnóstico da *kula*, esse é um lugar abençoado. Por contemplá-lo e venerá-lo, vinte e uma gerações (*kula*) se edificam. (97)

Quando os antepassados contemplam um gnóstico da *kula* morando na casa da família, louvam-no [dizendo]: "Iremos ao Estado supremo." (98)

Assim como os agricultores [apreciam] a abundância de chuvas, assim também os antepassados acolhem em suas famílias um neto ou bisneto que seja um *kaulika*. (99)

Ó Bem-Amada, o homem sem pecado de quem os mestres da *kula* aproximam-se com prazer (*mudrâ*) é verdadeiramente rico neste mundo. (100)

Ó Deusa, quando está presente um dos melhores dentre os *kaulikas*, *yogins* e *yoginîs* aproximam-se com prazer da morada do *kaulika*. (101)

Os antepassados e as divindades adoram o que se reuniu ao melhor dentre os *kula-yogins*. Portanto, os que sentem profundo gosto pela sabedoria *kula* devem ser adorados com devoção [por todas as pessoas]. (102)

Os pecadores que veneram os devotos teus que te adoraram, ó Deusa, não devem tornar-se receptáculos da tua graça. (103)

Ó [Deusa] dos olhos de lótus, tu aceitas as oferendas colocadas diante de ti e eu me alimento da essência delas, [tirada] da língua dos devotos [que entoam os *mantras* sagrados]. (104)

Ó Deusa, com certeza sou Eu o adorado pela adoração dos teus devotos. Portanto, aquele que busca os meus favores deve adorar, em verdade, os teus devotos. (105)

O que se faz em benefício dos que confiam na *kula* faz-se em favor das divindades. Todas as divindades querem bem à *kula*. Portanto, deve-se adorar o *kaulika*. (106)

Assim como Eu não me agrado a menos que seja propriamente adorado com devoção, assim também agrado-me ao máximo, ó Pârvatî, quando o primeiro dentre os *kaulikas* é adorado. (107)

O fruto obtido pela adoração dos melhores *kaulikas*, esse fruto, ó Bem-Amada, não pode ser adquirido por meio de peregrinações, nem de penitências, nem da caridade, nem de sacrifícios, nem de votos. (108)

Ó Ambikâ, quando se despreza um gnóstico da *kula*, [tudo o que a pessoa] dá, oferece, sacrifica, as penitências que faz, [o quanto] adora ou recita torna-se sem utilidade alguma para o *kaulika*. (109)

Ó Deusa, o que penetra nas doutrinas da *kula* mas não conhece o caminho de *kula* é um pecador, um vil comedor de cães, e sua casa é um cemitério. (110)

Ó Deusa, se alguém deixa de lado os adeptos da *kula* e dá dos seus bens a outros, sua caridade não dá frutos e ele mesmo vai para o inferno. (111)

O dom que se faz a quem não é um *kaulika* é como a água que se derrama num vaso quebrado, a semente semeada na rocha ou a manteiga lançada sobre as cinzas [e não sobre o fogo do sacrifício]. (112)

Tudo o que se oferece a um *kula-yogin* com amor, de acordo com as capacidades de quem dá e em dias específicos, [gera] frutos imaculados. (113)

Ó Deusa, o que busca a sabedoria de *kula* em dias auspiciosos, adora — atencioso às divindades — com flores perfumadas, cereais, etc... (114)

...e com devoção, satisfaz plenamente [as divindades] por meio dos cinco selos que começam com [a letra] "m". Todas as divindades satisfazem-se com esses tais, e Eu satisfaço-me também. (115)

Ó primeira dentre as Deusas, é incalculável o mérito do que oferece a irmã, a filha ou a esposa a um *kula-yogin* embriagado. (116)

O "mel" (*madhu*) [i.e., o vinho] que corre livremente na roda dos heróis (*vîra-cakra*) facilita o caminhar para o outro mundo. (117)

O "mel", associado à má conduta e rejeitado pelo mundo inteiro gera, quando oferecido a um *kula-yogin*, a [preciosa] substância *kula*. (118)

Ó Deusa, é puro o país onde reside um herói (*vîra*) apreciador da adoração *kula*. Que melhor lugar para viver? (119)

Por comer-se apenas uma vez [do alimento de] um dos melhores dentre os *kaulikas*, adquirem-se dez milhões de méritos. Como se há de calcular o mérito do que come repetidamente [à mesa de um dos melhores dentre os *kaulikas*]? (120)

Portanto, o que quer bem à doutrina *kula* deve venerar o gnóstico da *kula* com todas as suas forças, em todas as situações e em todo tempo. (121)

Quer seja sábio, quer ignorante, enquanto detiver um corpo [físico] deve o homem observar a conduta [própria da sua] casta (*varna*) e [do seu] estado de vida (*âshrama*) a fim de libertar-se do karma. (122)

Quando a ignorância é erradicada pela ação [perfeita], alcança-se o Estado de Shiva (*shivatâ*) pela sabedoria. A libertação está em Shiva. Por isso, deve-se cultivar a ação [perfeita]. (123)

Convém dedicar-se às ações que não acarretam culpa e cumprir as ações cotidianas [prescritas]. Quando se dedica à ação [apropriada], deseja a alegria e conserva-se livre [em meio à] ação, o homem encontra a alegria. (124)

Não é possível ao ser dotado de corpo (*deha-dhârana*) abandonar todas as ações. O que abre mão do fruto de suas ações é chamado um [verdadeiro] renunciante (*tyâgin*). (125)

Lançando fora o sentimento-do-eu (*aham-bhâva*), deve o homem pensar que [só] os seus órgãos estão engajados em suas funções respectivas. Não é maculado o que assim procede. (126)

As ações feitas depois de alcançada a sabedoria não tocam o conhecedor da Realidade, do mesmo modo que a água [barrenta não mancha] as folhas do lótus. (127)

As ações meritórias e demeritórias já não existem para o que se firmou nesta [atitude de transcendência do ego]. Elas prosseguem mas não o maculam; o mesmo vale para as outras ações. (128)

Ó Bem-Amada, o sábio que deu de mão a todos os pensamentos (*samkalpa*) e que se deleita no conhecimento da bem-aventurança espontânea deve renunciar a [todas as] ações. (129)

Ó Bem-Amada, o ignorante que, fingindo sabedoria, deixa de lado a parte ativa [da revelação védica], é tão inútil quanto os impostores fadados ao inferno. (130)

Comentário: Afirma-se que a revelação védica consiste em duas partes (*kânda*). A *karma-kânda* diz respeito às ações rituais que conservam a ordem social, ao passo que a *jnâna-kânda* diz respeito à sabedoria libertadora.

Assim como a árvore, com indiferença, deixa cair as flores quando gera seus frutos, assim também o *yogin* que alcançou a Realidade (*tattva*) deixa de lado o gosto pelos rituais. (131)

Aqueles em cujo coração o Absoluto (*brahman*) fixou-se [com firmeza] não são afetados pelo mérito decorrente da [participação no] sacrifício do cavalo, [que é imensamente meritório], nem pelo demérito decorrente do assassinato de um brâmane. (132)

Na Terra, as ações se operam por meio da língua, dos órgãos genitais, [etc.] O que pode ter a ver com as ações o homem que renunciou à língua e aos órgãos genitais? (133)

Comentário: Este versículo exprime o grandioso ideal da inalação na ação (*naishkarmya-karman*), formulado pela primeira vez no *Bhagavad-Gîtâ*. É esse o conceito fundamental do Karma-Yoga. De acordo com ele, não temos de evitar o envolvimento com o nexo kármico se cuidarmos de não carregar nossas ações com intenções egoístas e conservarmos o desapego enquanto fazemos tudo o que é necessário e apropriado.

Assim revelei-te em breves palavras algumas características do Yoga e do melhor dentre os *yogins*. Ó Soberana da Kula, o que mais desejas ouvir? (134)

"Quando a mente é estabilizada, a respiração (*vâyu*) e o sêmen (*bindu*) também ficam estáveis. A estabilidade do semên, por sua vez, sempre gera na verdade a estabilidade do corpo."

— *Goraksha-Vacana-Samgraha* (132)

Capítulo 18
O YOGA COMO ALQUIMIA ESPIRITUAL: A FILOSOFIA E A PRÁTICA DO HATHA-YOGA

I. A ILUMINAÇÃO DO CORPO: AS ORIGENS DO HATHA-YOGA

O corpo-mente do ser humano não é o que parece ser: um limitado tubo digestivo ambulante. Basta-nos relaxar ou meditar para descobrir que esse popular estereótipo materialista não é verdadeiro, pois é nessas condições que começamos a perceber a dimensão energética do corpo e o "espaço profundo" da consciência. Quando se dissolvem os limites rígidos que traçamos ao nosso redor, começamos a nos sentir mais vivos e ingressamos num mundo em que as experiências são mais intensas. O relaxamento e a meditação substituem a imagem que normalmente temos do corpo por uma percepção do fato de que nós somos um processo fluídico intimamente ligado a um todo maior e vibrante. Nessa experiência, os limites do ego perdem a sua rigidez. A física quântica nos diz que todas as coisas são interligadas e que a idéia de que "eu" sou uma entidade física isolada não passa de uma ilusão. Diz-nos, além disso, que o chamado mundo objetivo é uma "alucinação", uma projeção do imaginário ponto de subjetividade que temos dentro de nós. Temos sido muito lentos em assimilar as profundas implicações práticas da visão de mundo físico-quântica, sem dúvida porque ela nos obriga a operar mudanças extensas e profundas no modo pelo qual concebemos a nós mesmos e ao nosso universo. A perspectiva da física quântica, porém, não é tão nova quanto gostaríamos de acreditar. Está por trás de toda a tradição tântrica e especialmente das escolas de Hatha-Yoga, que nasceram do Tantrismo.

É a imagem da "dança de Shiva" que melhor exprime essa idéia: Shiva, na qualidade de Nata-Râja ou "Senhor da Dança", cria perpetuamente, com o seu dançar, os ritmos do universo — os ciclos de criação (*sarga*) e destruição (*pralaya*). É o mestre tecelão do espaço e do tempo. Essa imagem do Hinduísmo clássico fascinou diversos físicos quânticos. O primeiro a chamar-nos a atenção para ela foi Fritjof Capra, no seu conhecidíssimo livro *O Tao da Física*:

© *Hinduism Today*

Shiva Nata-Râja

As idéias de ritmo e de dança vem-nos naturalmente à memória quando procuramos imaginar o fluxo de energia que percorre os padrões que constituem o mundo das partículas. A física moderna mostrou-nos que o movimento e o ritmo são propriedades essenciais da matéria — que toda matéria, quer aqui na terra, quer no espaço sideral, está envolvida numa contínua dança cósmica. Os místicos orientais têm uma visão dinâmica do universo, semelhante à da física moderna; conseqüentemente, não é de surpreender que também eles tenham usado a imagem da dança para comunicar a intuição que tinham da natureza.[1]

Foram os adeptos do Tantrismo que apresentaram pela primeira vez essa visão dinâmica do universo, e foram eles também que inauguraram uma nova atitude em relação ao corpo humano e à existência corpórea em geral. Na era pré-tântrica, o corpo era costumeiramente encarado, à moda gnóstica, como a fonte da corrupção e o inimigo do espírito. Foi essa atitude que levou o autor anônimo do *Maitrâyanîya-Upanishad* a compor a seguinte litania:

> Ó Venerável, neste corpo malcheiroso e insubstancial, [que não passa de] um aglomerado de ossos, pele, tendões, músculos, medula, carne, sêmen, sangue, muco, reuma, fezes, urina, vento, bile e fleuma — de que vale o gozo dos desejos? Neste corpo afligido pelo desejo, pela ira, pela cobiça, pela ilusão, pelo medo, pelo desânimo, pela inveja, pela separação em relação às coisas queridas e a proximidade das não-queridas, pela fome, pela sede, pela velhice, pela morte, pela doença, pela tristeza e outras coisas semelhantes a essas — de que vale o gozo dos desejos? (1.3)

Talvez o tom pessimista dessa passagem nos pareça estranho e exagerado, mas ele expressa muito bem o ponto de vista materialista da nossa própria cultura. Enquanto considerarmos o corpo um simples sistema digestivo ambulante, não teremos motivo para ver a busca do prazer como um consolo, pois todo prazer que o corpo pode nos dar é inevitavelmente limitado quanto à intensidade e quanto à duração e, em geral, só é obtido a duras penas. Além disso, a busca do prazer não nos pode salvar da morte. A revolução tântrica afastou-se da concepção do corpo como "uma bolha de pele."[2] "No tantrismo," observou Mircea Eliade, historiador das religiões, "o corpo humano adquire uma importância que nunca havia tido antes na história espiritual da Índia."[3] Essa nova atitude se expressa sinteticamente no *Kula-Arnava-Tantra*, importante texto tântrico hindu:

> Sem o corpo, como realizar o [mais elevado] objetivo humano? Portanto, depois de adquirir uma morada corpórea, o ser deve realizar ações meritórias (*punya*). (1.18)

> Dentre os 840.000 tipos de seres corpóreos, o conhecimento da Realidade não pode ser adquirido senão pelo [corpo] humano. (1.14)

Os mestres tântricos aspiravam, isto sim, à criação de um corpo transubstanciado, que chamavam de "adamantino" (*vajra*) ou "divino" (*daiva*) — um corpo feito não de carne, mas da substância imortal, de Luz. Em vez de ver o corpo como um tubo alimentar fadado à doença e à morte, eles o viam como a morada de Deus e como o caminho alquímico em que se haveria de realizar a perfeição espiritual. Para eles, a iluminação era um acontecimento do corpo inteiro. Nas palavras do *Yoga-Shikhâ-Upanishad*:

> Aquele cujo corpo (*pinda*) é incriado e imortal está liberto já nesta vida (*jîvan-mukta*). O gado, os galos, os vermes e outros que tais deparam-se com a morte.

> Como podem eles chegar à libertação desfazendo-se do corpo, ó Padmaja? A força vital [do *yogin*] não se expande para fora, [mas concentra-se no canal axial]. Como então pode [ele] desfazer-se do corpo?

> A libertação que se alcança pelo desfazer-se do corpo — que valor tem ela? Assim como o sal-gema [dissolve-se] na água, assim também o Absoluto (*brahman*) expande-se para o corpo [do *yogin* iluminado].

> Quando ele chega à [condição de] não-alteridade (*ananyatâ*), diz-se que se libertou. [Mas os outros continuam a] distinguir entre diferentes corpos e órgãos.

> O Absoluto incorporou-se (*dehatva*), como a água faz bolhas. (1.161-165a)

A incorporação dos mestres iluminados não tem por único objeto o organismo físico com o qual eles parecem estar especificamente associados. O corpo deles na verdade é o Corpo de todas as coisas e, portanto, eles podem tomar a forma que quiserem — façanha atribuída a muitos adeptos antigos e modernos. Esse corpo transubstanciado também é chamado de *ativâhika-deha* ou "corpo supercondutivo". Esse veículo luminoso e onipresente é dotado dos grandes poderes paranormais (*siddhi*) de que falam todos os textos do Tantra e do Yoga. No *Yoga-Bîja*, encontramos os seguintes versículos:

O fogo do Yoga aos poucos cozinha o corpo composto dos sete elementos constituintes [como os ossos, a medula óssea, o sangue, etc.].

Nem mesmo as divindades podem adquirir esse corpo yogue prodigiosamente poderoso. [O *yogin*] liberta-se dos vínculos corpóreos, adquire diversos poderes (*shakti*) e é supremo.

O corpo [do *yogin*] é semelhante ao éter, até mais puro do que o éter. Seu corpo é mais sutil do que os [objetos] mais sutis, mais grosseiro do que qualquer [objeto] grosseiro, mais insensível [à dor, etc.] do que os [mais] insensíveis (*jada*).

O [corpo do] senhor dos *yogins* obedece à sua vontade. É auto-suficiente, autônomo e imortal. Ele se diverte com brincadeiras, onde quer que esteja nos três mundos [i.e., na Terra, na região intermediária e nos mundos celestiais].

O *yogin* é dotado de poderes incríveis. Aquele que dominou os sentidos pode, pela sua própria vontade, assumir várias formas e fazê-las desaparecer novamente. (50b-54)

Isso quer dizer que o adepto não é simplesmente um ser iluminado, mas sim um teurgo, um mago, parceiro do Deus Criador. São poucos os textos do Yoga ou do Tantra que não fazem referência a esse aspecto misterioso do modo de vida yogue, e os textos do Hatha-Yoga não são exceção a essa regra.

O Movimento dos Siddhas

O ideal do corpo de diamante estava no âmago de um amplo movimento cultural comparável, talvez, ao movimento de "culto ao corpo" dos anos 1970 e 1980. Foi o chamado culto dos Siddhas, que floresceu entre os séculos VIII e XII e foi um dos fatores essenciais para a conclusão da grande síntese pan-indiana dos ensinamentos espirituais do Hinduísmo, do Budismo e do Jainismo, bem como da alquimia e da magia popular.

O nome *siddha* significa "realizado" ou "perfeito" e refere-se ao adepto do Tantra que alcançou a iluminação, ou seja, a perfeição (*siddhi*) suprema, e possui também poderes paranormais (*siddhi*) de todo tipo. O adepto sul-indiano Tirumûlar definiu o *siddha*, ou *cittar* em língua tâmil, como alguém que realizou, através do êxtase yogue, a Luz e o Poder (*shakti*) transcendentes.

O *siddha* é um alquimista espiritual que opera sobre a matéria impura, o corpo-mente do ser humano, e a transmuta em ouro puro, na essência espiritual imortal. Entretanto, diz-se que ele é capaz também de transmutar literalmente a matéria, e o famoso indologista tcheco Kamil V. Zvelebil escreveu acerca da desconcertante manifestação desse poder por parte de um dos seus mestres *siddhas*.[4] O processo yogue que caracteriza essa tradição tântrica, comum ao Hinduísmo e ao Budismo, chama-se *kâya-sâdhana* ou "cultivo do corpo". Foi daí que nasceu o Hatha-Yoga.

As escolas mais importantes do movimento siddha foram as dos Nâthas e dos Maheshvaras. Os primeiros residiam no norte do subcontinente, especialmente em Bengala. Os segundos eram do sul. Os *Tantras* budistas falam de um panteão de oitenta e quatro grandes adeptos, ou *mahâ-siddhas*, muitos dos quais são até hoje venerados como semideuses. Eram, em sua maioria, "camponeses que não tinham muito gosto pela erudição e tampouco pretendiam-se eruditos",[5] mas encontramos também, entre eles, vários reis e grandes estudiosos. As fontes tibetanas, baseadas em obras escritas em sânscrito e hoje perdidas, dão-nos esboços biográficos desses adeptos. É certo que a maior parte desse material é legendária, mas temos bons motivos para crer que os indivíduos de que tratam essas narrativas maravilhosamente imaginosas existiram de fato. Temos até obras literárias e canções místicas escritas por alguns deles.

Segundo a tradição tibetana, o primeiro e o maior dos oitenta e quatro *siddhas* foi Luipâ, que alguns estudiosos identificam com Matsyendra Nâtha, famoso

A TRADIÇÃO DO YOGA

mestre do famosíssimo Goraksha Nâtha. Inúmeras lendas e canções relatam as realizações mágicas e espirituais desses dois grandes mestres (veja a seguir). Outro notável entre os *siddhas* foi o budista Nâgârjuna, mestre de Tilopa, que por sua vez iniciou Nâropa, que foi o *guru* de Marpa, que foi o instrutor do ilustre *yogin* e poeta Milarepa. A lista tibetana dos *mahâ-siddhas* inclui vários nomes que os hindus também reconhecem.

A tradição tâmil do sul da Índia rememora dezoito *siddhas*, alguns dos quais eram de origem chinesa e singalesa; diz-se que um deles veio do Egito. O número dezoito é tão simbólico quanto o número oitenta e quatro é para os *siddhas* do norte, e ambos significam a perfeição, a completude. Dentre os *siddhas* do sul, aqueles cujos ensinamentos e façanhas mágicas mais cativaram a imaginação do povo foram Akkattiyar (sânscrito: Agastya), Tirumûlar, Civavakkiyar e Bhogar.

Bhogar, adepto, alquimista e poeta do século XVII, nascido na casta dos ceramistas, supostamente imigrou da China junto com seu mestre Kalangi Nâthar. Compôs uma importante obra sobre Kundalinî-Yoga em 7.000 versículos. Layne Little, estudioso norte-americano da língua tâmil, começou a traduzir esse texto difícil e extenso. No versículo 20 do seu poema místico, Bhogar declara:

> Tempo houve em que desprezei o corpo;
> mas então vi o Deus dentro de mim.
> Percebi que o corpo é o
>   templo do Senhor,
> E comecei a preservá-lo
>   com infinito cuidado.

Esse sentimento expressa perfeitamente a concepção tântrica da "corporificação". No século XIX, foi Râmalingar quem reiterou e, além disso, demonstrou a tradição de transmutação do corpo. Em virtude da sua profunda realização espiritual, Râmalingar foi capaz de descrever a via da liberdade com admirável conhecimento de causa. Em seu *Tamil Literature* ("Literatura Tâmil"), Kamil V. Zvelebil chama-o, com toda razão, "o grande poeta tâmil do século XIX". Começou a compor poemas místicos e devocionais aos nove anos de idade e continuou sendo uma fonte abundante de palavras inspiradas até o seu misterioso desaparecimento, em 1874. Diz-se que ele alcançara um grau tão elevado de realização espiritual que foi capaz de dissolver na luz o seu corpo físico sem deixar dele sequer um vestígio.

Agastya

Parece que o ramo meridional do difuso movimento siddha tendia a ser mais radical do que o ramo setentrional na rejeição do ritualismo e de outros valores estabelecidos.[6] Eis o que lemos num dos poemas de Civavakkiyar:

> Por que, ó tolo, tu recitas mantras, murmurando-os, sussurrando, circundando a pedra imóvel como se ela fosse deus, adornando-a de grinaldas de flores? Será a pedra imóvel capaz de falar — como se o Senhor estivesse dentro dela? Serão a panela ou a colher capazes de sentir o sabor do curry?[7]

Bhogar

464

Mas também entre os *siddhas* do Norte encontramos essa rejeição das formas populares de adoração, que muita vezes não passam de idolatria. Isso acontecia sobretudo entre os seguidores da tradição Sahajîyâ budista e entre os Bauls de Bengala, que até hoje vagam pelos campos cantando seus cânticos iniciáticos. É claro que os *siddhas* não repudiavam o sentimento de devoção enquanto tal. Dirigiam suas críticas a todo e qualquer tipo de automatismo de conduta, quer no campo secular, quer no religioso. Até o sentimento de devoção pode se transformar num "ismo" que destrói a alma e obscurece, em vez de revelar, a Realidade metamental.

Não obstante as acerbas críticas dos *siddhas*, podemos detectar uma certa tendência ao "tecnologismo" entre os membros da seita Nâtha, que põem os rituais mágicos e as práticas de Hatha-Yoga acima da transcendência do ego, deixando pouco espaço para o cultivo de valores e atitudes espirituais autênticos. Quando se dá à aquisição de poderes prioridade sobre a autotranscendência, é fácil sucumbir à vaidade e ao endurecimento do coração. Ou, para dizê-lo de outro modo, quando a *kundalinî* produz o seu característico caleidoscópio de fascinantes fenômenos interiores, é fácil esquecer que a *kundalinî* é, em última análise, a própria Deusa, e que a pirotecnia interior é só a fachada dessa Deusa. Como a moderna tecnologia científica, a psicotecnologia indiana tem lá os seus perigos. Ao perder-se de vista o supremo valor da autotranscendência, toda tecnologia corre o risco de passar a servir simplesmente a fins egoístas.

O próprio Jnânadeva, grande adepto de Maharashtra que viveu no século XIII, criticou os *hatha-yogins* que "dia e noite medem o vento com os braços erguidos" mas não têm, infelizmente, nem o mesmo grau de devoção. Previa ele que esses só haveriam de encontrar sofrimentos e tribulações no caminho. Jnânadeva fora iniciado no Hatha-Yoga por seu irmão mais velho, Nivritti Nâtha, que parece ter sido discípulo de Goraksha. O *Jnâneshvarî* de Jnânadeva, composto na melodiosa língua marati, é um dos mais esclarecidos comentários independentes sobre o *Bhagavad-Gîtâ*. Foi uma tentativa bem-sucedida de combinar os ensinamentos de Hatha-Yoga que Jnânadeva recebeu de sua família com a via do coração ensinada na antigüidade pelo Senhor Krishna. É difícil ler essa obra sem deixar-se tocar profundamente pela sua sabedoria e pela sua beleza lírica.

Matsyendra Nâtha

Matsyendra e Goraksha

A tradição hindu associa a criação do Hatha-Yoga a Goraksha Nâtha (hindi: Gorakhnâth) e ao mestre deste, Matsyendra Nâtha, ambos nascidos em Bengala. No *Tantra-Âloka*, Abhinava Gupta presta homenagem a Matsyendra como a seu *guru*, o que significa que Matsyendra deve ter vivido antes da metade do século X d.C.[8] Matsyendra foi um dos maiores representantes, senão mesmo o criador, do que se convencionou chamar Nâthismo. Mas o próprio Shiva é considerado o originador da linhagem Nâtha e é invocado como Âdinâtha ou "Senhor Primordial". O termo *nâtha* significa simplesmente "senhor" ou "mestre" e refere-se ao yogue adepto que goza ao mesmo tempo da libertação (*mukti*) e de poderes paranormais. Esses *nâthas* são concebidos como seres imortais que vagam pela região do Himalaia. O próprio Matsyendra é venerado como a divindade protetora de Katmandu, sob a forma de Shveta Matsyendra ("Matsyendra Branco"), cuja essência transcendente é o *bodhisattva* Avalokiteshvara. Os seguidores desses mestres — especialmente os de Goraksha — também são chamados de *nâthas*, e o Nâthismo é reconhecido como um dos fios que constituem a tapeçaria do Tantrismo contemporâneo.

Matsyendra ("Senhor do Peixe", de *matsya*, "peixe", e *indra*, "senhor") também é chamado de Mîna, que tem a mesma conotação. Também é possível que esse nome seja uma referência à sua profissão: pescador. Segundo o relato legendário do *Kaula-Jnâna-Nirnaya* ("Verificação da Gnose Kaula"), que foi escrito no século XI e é a mais antiga fonte de informação acerca do Kaulismo, Matsyendra recuperou o cânone de escrituras sagradas dos kaulas (chamado *kula-âgama* ou *kulâgama*) das entranhas de um grande peixe que o havia engolido. Alguns estudiosos compreendem simbolicamente o nome de Matsyendra e dizem que ele significa um grau de realização espiritual; isso é possível e não exclui necessariamente a possibilidade de que ele tirasse o seu sustento do mar. De acordo com certas tradições, a pessoa que leva a alcunha de *matsyendra* é a que dominou a prática de suspender a respiração e o movimento da mente por meio do "selo da que caminha no espaço" (*khecârî-mudrâ*), um dos selos corpóreos mais importantes do Hatha-Yoga.

Os tibetanos chamam Matsyendra de Jowo Dzamling Karmo ("Branco Senhor do Mundo"). Seria ele um dos quatro irmãos exaltados que, segundo alguns, viveram no século VII. É especificamente associado à seita Kaula do movimento Siddha, dentro da qual pode ter fundado o ramo Yoginî-Kaula. Essa seita tântrica tira seu nome do seu primeiro princípio doutrinal, a *kula*. Essa *kula* é a Realidade suprema em seu aspecto dinâmico ou feminino, a Shakti ou, mais especificamente, *kundalinî-shakti*. O sentido literal da palavra *kula* é o de "bando", "rebanho" ou "multidão", mas também o de "família" e "lar", que é mais importante. Assim, o termo evoca ao mesmo tempo os sentidos de diferenciação e de proteção, o que tem muito que ver com o poder serpentino, visto que a *kundalinî* é ao mesmo tempo a origem do universo da multiplicidade e o refúgio supremo dos *yogins* que conhecem o segredo de *kula*. Nessa escola, Shiva é freqüentemente chamado de *akula* — o princípio que transcende toda diferenciação. O conceito correlato de *kaula* significa o estado de iluminação ou libertação, obtido graças à união de Shiva e Shakti. Essa palavra, porém, também designa o praticante que segue esse caminho esotérico. Algumas listas de mestres apresentam Matsyendra e Mîna como dois indivíduos diferentes, mas, embora isso seja possível, não é muito provável. Outras fontes identificam-no com Luipâ, o qual, porém, é para os tibetanos um outro adepto ainda. Em todo o norte da Índia encontramos histórias populares acerca de Luipâ — o nome tibetano significa algo como "o que come as entranhas dos peixes". Os relatos retratam-no como um *yogin* que gostava de comer as barrigadas dos peixes. Para algumas autoridades, esse nome é derivado de *lohi-pâda*, que significa "procedente de Lohit" (o nome assamês do rio Brahmaputra, cujas águas têm cor avermelhada). Afirma-se que Luipâ escreveu um livro junto com o adepto e sábio budista Dîpamkara Shrîjnâna (=Atîsha), que nasceu em 980 d.C.

Nas hagiografias tibetanas dos oitenta e quatro *mahâ-siddhas*, encontramos a seguinte história acerca de Mîna Nâtha (que provavelmente é o próprio Matsyendra). Sendo pescador, ele passava a maior parte do tempo no seu pequeno barco na baía de Bengala. Certo dia, fisgou um peixe enorme que puxou a linha com tanta força que fê-lo cair no mar. Como o profeta Jonas do relato bíblico, Mîna foi parar dentro do enorme estômago do peixe, protegido pelo seu bom karma.

Aconteceu naquela época que o Senhor Shiva estava transmitindo à sua divina esposa Umâ certas doutrinas secretas que até então não revelara a ninguém. Ela criara, no fundo do oceano, um recinto especial para que ninguém mais pudesse ouvir, por acaso, as palavras do Deus. Muitos peixes, porém, foram atraídos para a luminosa estrutura submarina, e entre eles o leviatã que engolira Mîna. Sucedeu então que o pescador pôde ouvir, incógnito, as instruções secretas de Shiva. A certa altura, a Deusa caiu no sono. Quando Shiva perguntou: "Estás ouvindo?", um sonoro "Sim!" fez-se ouvir de dentro da barriga do peixe. Usando o terceiro olho, Shiva penetrou com o olhar o estômago do monstro marinho e lá encontrou Mîna. Alegrou-se imenso com a descoberta, dizendo: "Agora vejo quem é o meu verdadeiro discípulo." Voltando-se para a esposa sonolenta, declarou: "Vou passar a iniciação a ele, e não a ti."

Mîna, agradecido, recebeu a iniciação e passou os doze anos seguintes — sem sair da barriga do peixe — dedicando-se exclusivamente às práticas esotéricas que lhe tinham sido transmitidas pelo próprio grande Deus. Ao cabo desse período, outro pescador pegou o peixe e abriu-lhe a barriga, de onde saiu Mîna já como um mestre plenamente realizado.

Goraksha Nâtha

CAPÍTULO 18 — O YOGA COMO ALQUIMIA ESPIRITUAL...

O maior discípulo de Mîna ou Matsyendra foi Goraksha. Segundo a lenda, certa vez uma camponesa implorou a Shiva que lhe desse um filho. Emocionado com as preces fervorosas da mulher, o grande Deus deu-lhe para comer uma cinza mágica, que lhe garantiria a gravidez. Ela, porém, em sua ignorância, lançou fora essa dádiva sem preço, atirando-a num monte de esterco. Doze anos depois, Matsyendra ouviu por acaso uma conversa entre Shiva e sua divina esposa Pârvatî. Desejoso de que a camponesa tivesse por fim o filho, Matsyendra foi visitá-la. Encabulada, ela confessou o que fizera com a dádiva misericordiosa de Shiva. O *siddha*, sem se perturbar, ordenou que ela revirasse de novo o monte de esterco e eis que, ao fazê-lo, ela encontrou lá dentro um menino de doze anos, a quem deu o nome de Goraksha ("Protetor das Vacas").

Matsyendra tomou Goraksha como discípulo e, pouco tempo depois, a fama deste já era maior que a do mestre. Segundo alguns relatos, Goraksha usou seus fortíssimos poderes mágicos para o bem de seu *guru*. De acordo com uma lenda, por exemplo, Matsyendra fez uma viagem ao Ceilão, onde apaixonou-se pela rainha. Ela convidou-o a ir morar com ela no palácio e, em pouco tempo, Matsyendra já estava completamente seduzido pela vida na corte. Quando Goraksha tomou conhecimento da situação do mestre, foi imediatamente resgatá-lo. Tomou uma forma de mulher para que pudesse entrar no harém do rei para confrontá-lo. Graças à intervenção oportuna do discípulo, Matsyendra voltou a si e tomou o caminho de volta para a Índia, levando consigo seus filhos Parasnâth e Nimnâth (dois nomes da língua hindi).

Mais tarde, segundo um outro relato, Goraksha matou os filhos de Matsyendra e depois devolveu-lhes a vida. É claro que todas essas lendas têm um profundo significado simbólico. Por exemplo, o assassinato dos dois meninos pode ser interpretado como o ato yogue de retirar a força vital (*prâna*) do *idâ-nâdî* e do *pingalâ-nâdî*, as correntes que ficam à esquerda e à direita da corrente axial (*sushumnâ-nâdî*), para concentrá-la no centro energético esotérico localizado na base da coluna, de onde a *kundalinî* desperta pode subir até o *cakra* coronário.

Goraksha, que viveu entre a segunda metade do século X e a primeira do século XI d.C., é lembrado como o maior de todos os taumaturgos. Era, sem dúvida alguma, um adepto realizado e um personagem carismático que teve influência considerável sobre a sociedade. Não obstante, segundo a maioria dos relatos tradicionais, provinha de uma das classes sociais mais baixas, senão da mais baixa. Todos esses relatos concordam, além disso, em que ele entrou muito jovem na vida ascética e foi celibatário durante toda a sua existência. Parece ter sido um indivíduo muito belo e carismático, que viajou muito pela Índia. Kabîr, que tinha poucas coisas boas a dizer acerca dos *yogins* de seu tempo, elogiou Goraksha, Bhartrihari e Gopîcanda como mestres unidos a Deus. Reconheceu, além disso, sua gratidão por ter aprendido deles a doutrina dos seis centros psicoespirituais (*cakra*) do corpo humano e os ensinamentos do Yoga do som (*shabda-yoga*).

Muitas vezes, a invenção do Hatha-Yoga é atribuída a Goraksha somente, apesar de muitos dos princípios e práticas dessa escola já existirem bem antes da época dele.[9] Afirma-se também que Goraksha fundou a ordem Kânphata ("Orelha Pendida") dos Nâthas, cujo curioso nome vem de uma das marcas distintivas dos seus membros: os lóbulos auriculares fendidos, onde se encaixam grandes argolas chamadas de *mudrâ* ou *darshana*. Alguns membros da ordem asseveram que essa fenda afeta um importante canal (*nâdî*) da força vital localizado na orelha, o que facilita a aquisição de certos poderes mágicos.

A ordem Kânphata, cujos membros são chamados *jogîs*, existe em toda a Índia e abarca eremitas, grupos de monges e um pequeno número de homens e mulheres casados. O censo indiano de 1901 registrou

Reproduzido de *Gorakhnath and the Kamphata Yogis*

*Um yogin da Ordem Kânphata em meditação;
a postura curvada é atípica*

45.463 nâthas, quase a metade dos quais eram mulheres. Em geral, a posição social deles é baixa; e, no dizer de George Weston Briggs, eles

> fazem feitiços para o seu uso próprio e alguns os vendem a outras pessoas; lançam maldições, praticam a quiromancia e o malabarismo, prevêem o futuro e interpretam sonhos; vendem um amuleto de madeira para proteger as crianças do mau-olhado; e fingem [?] curar doenças, recitando textos sobre os enfermos, praticando a medicina e o exorcismo e vendendo medicamentos.[10]

A imagem que Briggs e outros nos transmitiram dá a entender que a ordem fundada por Goraksha está em franca decadência, e muitos de seus membros são desprezados e temidos pelos seus poderes mágicos — reais ou imaginários — e pela prontidão em lançar maldições. Mas também há aqueles que continuam a instruir os camponeses sobre assuntos espirituais e mundanos e que, como os da linhagem de Bhartri Nâtha, alegram-nos e edificam-nos com suas músicas e canções. É verdade que o risco do narcisismo se esconde por trás de todas as vias que se centram no corpo; por outro lado, também é verdade que o amor autotranscendente não está ausente de nenhum caminho espiritual verdadeiro, nem mesmo do Hatha-Yoga.

Outros Mestres do Nâthismo

Depois de Goraksha, os maiores adeptos do Nâthismo foram Jâlandhari (discípulo de Matsyendra), Bhartrihari (discípulo de Jâlandhari), Gopîcandra (discípulo de Jâlandhari ou de Kanhu), Caurangî (cuja madrasta o abandonou na floresta depois de cortar-lhe as mãos e os pés, e que depois tornou-se discípulo de Matsyendra), Carpata (ou Carpati) e Gahini (ambos os quais foram discípulos de Goraksha).

Antes de renunciar ao mundo, Jâlandhari foi rei da grande cidade de Hastinâpura, no noroeste da Índia. No leste, em Bengala, ele também é chamado de Hâdipâ, o que dá a entender que também foi um trabalhador braçal de posição social inferior. Diz a lenda que esse grande *siddha* cobiçou a própria esposa de Shiva e que, por isso, ela o condenou a viver como um *hâdi* a serviço da belíssima rainha Maynâmati, em Comilla (situada na atual Bangladesh). É lembrado como um grande taumaturgo, capaz até de ressuscitar os mortos — habilidade que aplicou em seu discípulo mais famoso, o rei Gopîcandra (veja a seguir).

Bhartrihari era o rei de Ujjain e, segundo algumas lendas, irmão da rainha Maynâmati, mãe de Gopîcandra. Foi iniciado por Jâlandhari e é tido também como discípulo de Goraksha. Depois que Bhartrihari abdicou, seu irmão Vikramâditya (Candragupta II) ascendeu ao trono e reinou de 1079 e 1126 d.C. Uma das subseitas da ordem Kânphata leva o nome de Bhartrihari, cuja abdicação, motivada pela morte de sua amada esposa Pingalâ, ainda é celebrada em canções populares, especialmente na Índia Ocidental.

Um dos doze principais discípulos de Goraksha foi Baba Ratan Haji, um muçulmano, que ainda tem seguidores em Kabul e pode ter sido o autor do *Kafir-Bodha* (também atribuído a Goraksha). Parece, porém, ter morrido no final do século XII, o que excluiria a possibilidade de ter tido contato direto com Goraksha, a menos que este tenha sido extremamente longevo.

Caurangî, filho do rei Devapâla, da dinastia Pâla de Bengala, é o tradicional autor do *Prâna-Sankali* (escrito em língua hindi). A hagiografia tibetana dos oitenta e quatro grandes adeptos conta que sua madrasta procurou seduzi-lo e foi por ele rejeitada. Sentindo-se humilhada, jurou vingança. Certo dia, feriu de arranhões o próprio corpo e apresentou Caurangî como o culpado. O rei Devapâla, que não tinha motivo algum para descrer da nova esposa, ordenou aos carrascos que abandonassem o príncipe na floresta depois de dece-

Jâlandhari

Caurangî

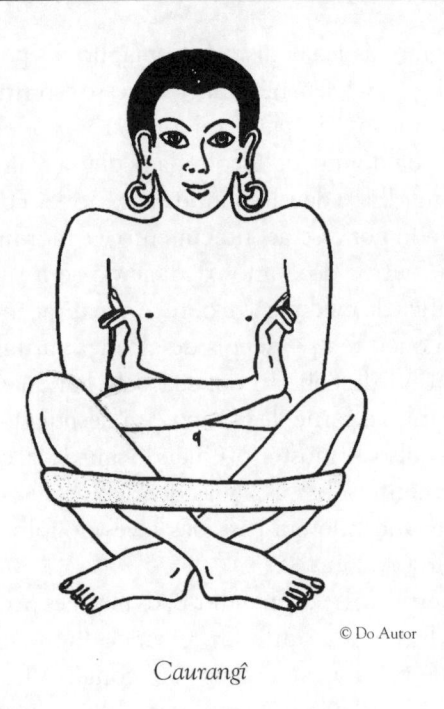

par-lhe os braços e as pernas. Antes de Caurangî morrer devido à hemorragia, Mîna Nâtha apareceu à frente dele. Iniciou o príncipe moribundo em seu Yoga e prometeu que, depois que ele completasse com êxito as práticas que lhe haviam sido transmitidas, seus membros cresceriam novamente.

Certa noite, depois de doze longos anos, uma caravana carregada de ouro e pedras preciosas acampou nas proximidades. Caurangî, oculto pela escuridão, chamou-os e perguntou quem eram. Amedrontados, identificaram-se eles como simples mercadores de carvão. "Assim seja", respondeu o santo. Ao nascer do sol, os caravaneiros descobriram horrorizados que todas as suas arcas e sacas estavam cheias de carvão. Lembraram-se da voz espectral da noite anterior e saíram em busca de Caurangî. Ficaram atônitos ao ver-lhe o corpo sem membros apoiado numa árvore, mas perceberam também que se tratava de um homem dotado de grande poder e, por isso, confessaram sua mentirazinha e pediram-lhe o auxílio. Caurangî explicou-lhes que suas palavras provavelmente nada tinham a ver com o ocorrido, mais disse também que, se tivesse sido ele o responsável pelo desastre, o carvão transformar-se-ia novamente em ouro e pedras preciosas naquele mesmo instante. Quando os mercadores foram examinar as arcas e sacas, constataram, satisfeitíssimos, que seus bens haviam readquirido a forma original. Caurangî, porém, ficou tão surpreso quanto eles. Lembrou-se da promessa de Mîna Nâtha e, pelo simples poder da visualização fez crescer de novo os seus membros naquele mesmo dia.

Carpata, ou Carpati, foi o mestre espiritual do rei de Chamba, Sahila Varma, que viveu no começo do século X d.C. Atribui-se a Carpata a autoria de uma obra chamada *Carpata-Shataka* (ou *Carpata-Paddhati*), que evidencia uma forte influência jaina. De acordo com alguns estudiosos, porém, ele foi um alquimista que seguira o Budismo mas depois tornou-se discípulo de Goraksha. O *Carpata-Shataka* e outras doutrinas do Nâthismo deixam claro que esse movimento surgiu da confluência entre Hinduísmo, Budismo e Jainismo. Existe também um *Carpata-Panjarikâ-Stotra* — erroneamente atribuído a Shankara — que parece ter tomado o *Shataka* por modelo.[11] As fontes tibetanas, que incluem Carpati entre os oitenta e quatro grandes adeptos, chamam-no de Carbaripâ. Afirmam que ele tinha a peculiar capacidade de transformar pessoas em estátuas de pedra do Buda. Segundo a lenda, essas estátuas ganham vida ocasionalmente para cuidar dos praticantes enfraquecidos até fazê-los recuperar a lucidez e a motivação.

Gahini (marati: Gaini), de Maharashtra, teria sido discípulo de Goraksha. Segundo a tradição, nasceu em 1175 d.C., data muito tardia para Goraksha. É possível, porém, que Goraksha tenha sido seu *parama-guru*, o mestre de seu mestre. Gahini Nâtha foi quem deu a iniciação a Nivritti (ver abaixo).

Gopîcandra, antigo rei de Bengala (atual Bangladesh), é o tema de numerosas lendas e baladas populares que ainda são recitadas no norte da Índia. Alguns estudiosos identificam-no com Pattikânâgara de Tripura (distrito de Chittagong, na Baía de Bengala), e não com a dinastia Pâla de Bengala. Parece que a sua família arrendou uma parte desse território. Casou-se ele com as duas filhas do rei Harishchandra, que pode ter sido o soberano de Savar, no distrito de Dacca, Bengala.

Segundo um certo relato, Gopîcandra nasceu em virtude da graça de Shiva somente, pois no destino de sua mãe, a rainha, não estava previsto um filho. A rainha Maynâmati, esposa do rei Manikcandra, soube então que seu filho recém-nascido era discípulo do adepto Jâlandhari, e teria de voltar a servir o mestre depois de reinar por doze anos. Disseram-lhe também que, se Gopîcandra se submetesse a seu *guru* nesse momento, adquiriria a imortalidade. Se, porém, rejeitasse o mestre e não abandonasse o mundo, estaria fadado a morrer instantaneamente.

Gopîcandra foi criado no conforto, sem nenhuma preocupação mundana, e tornou-se um excelente rei. No décimo segundo ano de seu reinado, Jâlandhari (disfarçado como um varredor de ruas de casta inferior chamado Hâdi) chegou aos jardins do palácio e exigiu o que era seu por direito. A rainha-mãe, que já era discípula de Jâlandhari, deu a notícia a Gopîcandra. Depois de fazer-lhe muitas perguntas, ele tomou uma decisão. Foi de encontro a Jâlandhari/Hâdi e, para o horror de todos, lançou o adepto no fundo de um poço. Tampou o poço com uma pedra enorme e, em cima da pedra, fez descarregar setecentas carroças de esterco.

Como Jâlandhari havia profetizado muito tempo antes, Gopîcandra viu-se instantaneamente na agonia da morte. Jâlandhari, que não se havia deixado perturbar em absoluto pela crueldade do discípulo, apareceu então na frente dele. Com seus imensos poderes, fez com que a alma de Gopîcandra voltasse ao corpo. Embora estivesse contente por estar vivo, o rei só aceitou a vida de monge com muita relutância. Com efeito, Jâlandhari teve de intervir no caminho de seu discípulo muitas vezes ainda, pois Gopîcandra tinha forte apego por suas mil e cem esposas, mil e seiscentas concubinas e os filhos de todas elas, bem como pela pompa, o poder e a glória reais. Foi provavelmente o discípulo mais rebelde de toda a história do Yoga e teve muitos sofrimentos no decorrer do seu discipulado. Não obstante, em virtude da graça do *guru*, do seu próprio bom karma e, não menos, da sua própria perseverança, ganhou por fim o grande prêmio da libertação em vida.

Além dos mestres acima mencionados, o *Hatha-Yoga-Pradîpikâ* (1.5-9) cita Shâbara, Ânanda Bhairava, Mîna (que não seria Matsyendra), Virûpâksha, Bileshaya, Manthâna Bhairava Yogin, Siddhi, Buddha, Kanthadi, Korantaka, Surânanda, Siddhipâda, Kânerin, Pûjyapâda, Nitya Nâtha, Niranjana, Kapâlin, Bindu Nâtha, Kâkacandîshvara, Allâma Prabhudeva, Ghodâcolin, Tintini, Bhânukin, Nâradeva, Khanda, Kâpâlika. Quase nada sabemos acerca da maioria desses personagens, mas muitas lendas se contam acerca dos mais importantes dentre esses adeptos.

Se Ânanda Bhairava for o mesmo Bhairava Ânanda mencionado no *Karpura-Manjari* do rei Shekhara, podemos situá-lo no começo do século X.

Virûpâksha pode ser o mesmo adepto Virûpa que as fontes tibetanas incluem entre os oitenta e quatro *mahâ-siddhas*. Nasceu em Bengala durante o reinado do rei Devapâla e entrou ainda bem jovem na universidade monástica budista de Somapuri. Depois de doze anos de prática sem nenhum progresso espiritual, cheio de frustração, Virûpa jogou fora o rosário. Na mesma noite, sua divindade escolhida, a deusa Vajra Varahi, apareceu-lhe e deu-lhe um rosário novo. Fortemente motivado por esse acontecimento extraordinário, ele passou outros doze anos dedicando-se à sua prática específica de meditação e obteve a realização tão desejada. Pouco tempo depois de alcançar a iluminação, Virûpa foi descoberto em sua cela banqueteando-se com vinho e carne de pombo. Foi despojado do hábito e expulso do mosteiro. Quando saiu de lá, caminhou alegremente sobre as águas do lago até a outra margem, avançando em passadas leves de folha de lótus em folha de lótus.

Perplexos e arrependidos, os monges pediram que ele voltasse, e assim o fez. Quando lhe perguntaram por que matara os pombos para comer, Virûpa explicou que tudo não passara de uma ilusão, como ilusórias são todas as coisas. Estralou os dedos e os pombos ressuscitaram. Depois dessa pequena demonstração, abandonou definitivamente o mosteiro para vagar livremente pelos campos.

Pode ser que Kanthadi seja o mesmo *siddha* que o rei Mûlrâj I (941-996 d.C.), da dinastia Chalukya, encontrou vivendo às margens do rio Sarasvatî.

Pûjyapâda pode ser o mesmo filósofo e médico que, nascido de família jaina, viveu em Karnataka por volta de 600 d.C. Seu nome original era Devanandi; escreveu ele uma obra de medicina chamada *Kalyana Kâraka*. Não sabemos se ele é o mesmo Pûjyapâda a quem atribuem-se vários livros sobre medicina escritos no alfabeto telugu, entre os quais o *Samâdhi-Shataka*.

Goraksha com duas vacas (de uma xilogravura)

Nitya Nâtha era o nome de um grande adepto do século XV, autor do *Rasa-Ratna-Âkâra* (escreve-se *Rasaratnâkâra*), tratado de mil páginas que se apresenta como um resumo de todas as anteriores obras ayurvédicas. Atribui-se também a ele a autoria do *Kaksha-Pûta-Samhitâ* (um manual de feitiçaria) e do *Siddha-Siddhânta-Paddhati*.

Kapâlin pode ser idêntico ao Kapâlapâ mencionado na hagiografia dos oitenta e quatro *mahâ-siddhas*. Diz-se ter sido ele um operário de Râjapuri, onde uma epidemia levou-lhe a amada esposa e os cinco filhos. Foi iniciado na tradição budista por Krishnâcârya, que converteu o crânio da esposa de Kapâlapâ numa tigela e esculpiu objetos rituais a partir dos ossos das cinco crianças. Instruiu o triste operário a meditar no vazio da tigela-crânio. Depois de nove anos, Kapâlapâ obteve êxito e tornou-se por fim um mestre renomado, com seiscentos discípulos.

Bindu Nâtha pode ter sido o autor do *Rasa-Paddhati*, obra de medicina.

Kâkacandîshvara foi o autor de diversas obras sobre Yoga e do texto médico *Kâkacandîshvara-Kalpa*.

Allâma Prabhudeva foi um contemporâneo de Basava (1120-1168 d.C.) e chefe de uma ordem na qual havia trezentos praticantes realizados, sessenta dos quais teriam sido mulheres. A história da sua vida está relatada na *Prabhulinga-Lîlâ*, obra de meados do século XVI, de acordo com a qual o próprio Goraksha foi iniciado por Allâma. Em decorrência das práticas que Allâma lhe transmitiu, Goraksha tornou-se imune a todas as armas. Orgulhoso, demonstrou ao mestre o poder paranormal recém-adquirido. Para ensinar ao discípulo uma lição de humildade, Allâma pediu a Goraksha que o golpeasse com uma espada. Goraksha descobriu, perplexo, que a espada atravessou o grande *siddha* como se este fosse feito de espaço vazio. Allâma explicou que todas as formas não passam de sombras congeladas produzidas pela ilusão (*mâyâ*). Quando o nó do coração se desfaz e o encanto de *mâyâ* desvanece, percebe-se que o corpo não é outra coisa senão a própria Realidade única e onipresente. Allâma despojou-se de seu corpo de sombra em 1196 d.C.

II. ANDANDO NO FIO DA NAVALHA — O CAMINHO DO HATHA-YOGA

O corpo é a morada de Deus, ó Deusa. A psique (*jîva*) é o Deus Sadâ-Shiva. O homem deve deixar para trás os restos da oferenda da ignorância; deve adorar com o pensamento "Eu sou Ele".

Essa citação do *Kula-Arnava-Tantra* (9.41) afirma o objetivo último do Hatha-Yoga, que é a realização de Deus, a iluminação, aqui e agora, num corpo divinizado ou imortal. Muitas vezes essa realidade é expressa com o símbolo do estado de equilíbrio ou harmonia (*samarasa*) no corpo, no qual a energia vital, costumeiramente difusa, estabiliza-se por fim no canal central. Essa idéia está presente no próprio termo *hatha-yoga*, que se explica esotericamente como a união (*yoga*) do "sol" e da "lua", a conjunção dos dois grandes princípios ou aspectos dinâmicos do corpo-mente.

A força vital (*prâna*) polariza-se ao longo do eixo da coluna. Afirma-se que o pólo dinâmico (representado por Shakti) fica na base da coluna e o pólo estático (representado por Shiva), no topo da cabeça. A obra do *hatha-yogin* consiste em unir Shakti e Shiva. Para que aconteça esse casamento, porém, é preciso antes estabilizar a corrente alternada de força vital que anima o corpo. Esse fluxo dinâmico (comumente chamado de *hamsa*) tem um pólo positivo e um negativo; sobe e desce pelo lado esquerdo e o lado direito do corpo 21.600 vezes por dia.[12] A corrente positiva tem o efeito de esquentar, e a negativa, o de esfriar. No nível material, elas correspondem respectivamente aos sistemas nervosos simpático e parassimpático.

Segundo o modelo tântrico do corpo humano, o canal axial (chamado *sushumnâ*) é circundado pelos *nâdîs idâ* e *pingalâ*, de forma helicóide. O *idâ* é o conduto ou o fluxo da força lunar, à esquerda do eixo do corpo, e o *pingalâ* é o condutor ou fluxo da força solar, à direita. A sílaba *ha* na palavra *hatha* também representa a força solar do corpo e a sílaba *tha* representa a força lunar.[13] A palavra *yoga* significa a conjunção das duas, que é o estado extático de identidade entre o sujeito e o objeto.

O objetivo primeiro do *hatha-yogin* é o de interceptar as correntes da esquerda e da direita e concentrar a energia bipolar no canal central, que começa no *cakra* do ânus ou *mûlâdhâra-cakra*, onde se diz que a *kundalinî* permanece adormecida. Esse esforço perseverante de redirecionar a força vital tem efeito sobre a *kundalinî*, que fica então mobilizada. Essa ação pode ser comparada à de um malho que golpeia repetidamente a bigorna; por isso, o sentido comum e exotérico da palavra *hatha* é "força". O Hatha-Yoga é uma obra de força na qual a força vital intrínseca ao corpo é usada para a transcendência do ego.

Técnicas de Purificação

O controle da respiração (*prânâyâma*), que é a maneira pela qual a força vital pode ser mais imediatamente afetada, está no âmago da prática do Hatha-Yoga. Porém, no decorrer das longas experiências que fizeram com a respiração, os *yogins* de antigamente descobriram que os aspirantes devem dedicar-se a uma purificação mais ou menos extensa antes de começar a controlar a respiração. Inventaram, por isso, uma grande quantidade de técnicas purificatórias destinadas a preparar o corpo para os estágios superiores da prática. O *Gheranda-Samhitâ* traz os seguintes versículos muito pertinentes:

> A purificação, o fortalecimento, a estabilização, a tranqüilidade, a leveza, a percepção [do Si Mesmo] e o imaculado [estado de libertação] são as sete formas do [Yoga do] jarro (*gatha*) [i.e., do corpo]. (1.9)

> A purificação [realiza-se] pelos seis atos; [o *yogin*] torna-se forte pelas posturas (*âsana*); a estabilidade [é adquirida] pelos selos (*mudrâ*) e a tranqüilidade, pelo recolhimento dos sentidos (*pratyâhâra*). (1.10)

> A leveza [resulta] do controle da respiração (*prânâyâma*); a percepção do Si Mesmo, da meditação (*dhyâna*); e o [estado] imaculado, do êxtase (*samâdhi*); [este estado] é, sem dúvida alguma, a libertação (*mukti*). (1.11)

O sábio Gheranda passa então a descrever os "seis atos" (*shat-karman*), que são as seguintes seis práticas purificatórias:

1. *Dhauti* ("limpeza") consiste nas seguintes quatro técnicas:

    (i) *Antar-dhauti* ("limpeza interna") pode ser de quatro tipos: a primeira técnica consiste em engolir o ar e expeli-lo pelo ânus; a segunda, em encher completamente o estômago de água; a terceira, em estimular o "fogo" do abdômen pela reiterada contração dos músculos deste, de modo a aproximar ao máximo o umbigo da coluna vertebral; a quarta, em proceder à lavagem dos intestinos depois de provocar o prolapso destes (tarefa perigosa). Essas técnicas chamam-se respectivamente *vâta-sâra-antar-dhauti* ("purificação interna relativa ao ar"), *vâri-sâra-antar-dhauti* ("relativa à água"), *vahni-sâra-antar-dhauti* ("relativa ao fogo") e *bahish-krita-antar-dhauti* ("feita no exterior").

    (ii) *Danta-dhauti* ("limpeza dos dentes") inclui a purificação dos dentes, da língua, dos ouvidos e dos sinos frontais. Para limpar a língua deve-se untá-la com manteiga e depois apertá-la e puxá-la. Assim o *yogin* se prepara para o *khecârî-mudrâ*, no qual a ponta da língua deve ser inserida na abertura nasal atrás do céu da boca. Alguns *yogins* chegam a usar instrumentos de metal para alongar a língua.

    (iii) *Hrid-dhauti* ("limpeza do coração") consiste na limpeza da garganta, por meio de um talo de bananeira ou de açafrão-da-índia, de uma vareta de bambu, de um pedaço de tecido ou do vômito induzido. Essa limpeza é benéfica para os que sofrem de males do peito ("coração"). A limpeza da garganta e do estômago por meio de um tecido de dez centímetros de larguras é chamada *vâso-dhauti*; afirma-se que esse procedimento cura tumores, inchação do baço, doenças de pele e vários distúrbios da fleuma e da bile.

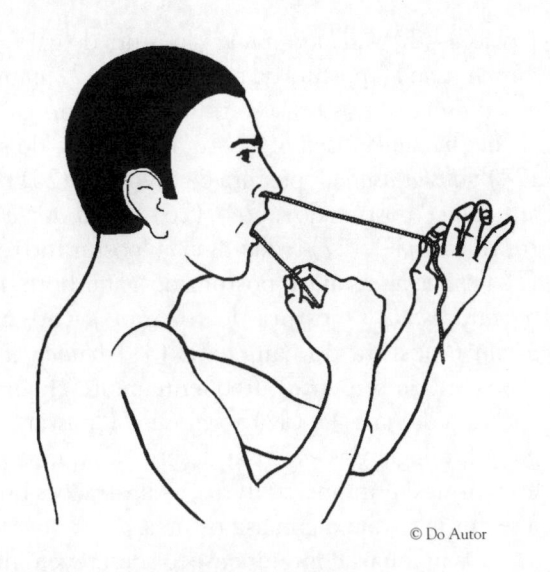

CAPÍTULO 18 — O YOGA COMO ALQUIMIA ESPIRITUAL... ॐ

Sûtra-neti, limpeza da nariz por meio de um fio

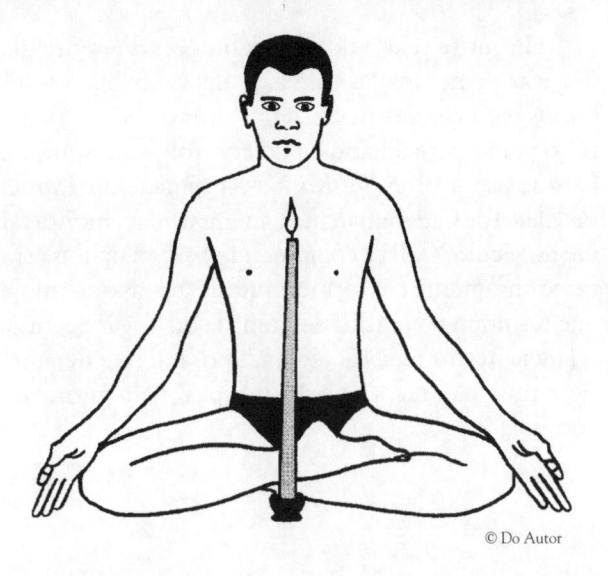

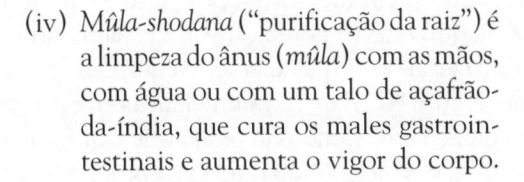

Trâtaka

(iv) *Mûla-shodana* ("purificação da raiz") é a limpeza do ânus (*mûla*) com as mãos, com água ou com um talo de açafrão-da-índia, que cura os males gastrointestinais e aumenta o vigor do corpo.

2. *Vasti* ou *basti* ("bexiga") consiste na contração e dilatação do músculo esfíncter para curar constipação, flatulência e distúrbios urinários. Pode ser feita também dentro d'água. Às vezes a pessoa insere um tubo no reto enquanto se senta em *utkata-âsana*: é o enema yogue.

3. *Neti* (intraduzível) é um fio fino de cerca de vinte centímetros que é inserido em uma narina de cada vez e passado pela boca para remover a fleuma e, em virtude dos efeitos que tem sobre o *âjnâ-cakra*, provocar a clarividência (*divya-drishti*).

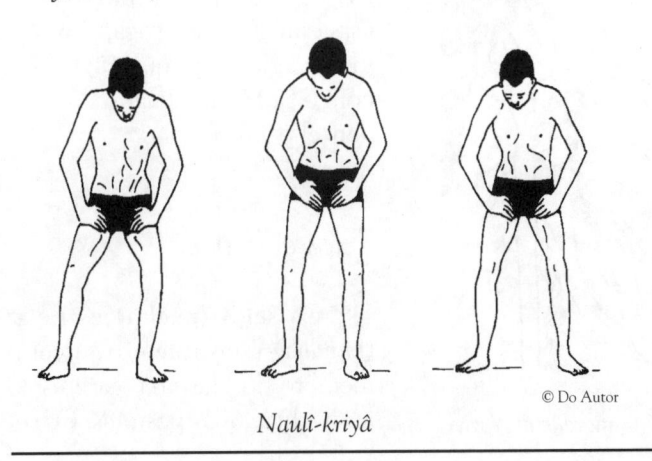

Naulî-kriyâ

4. *Lauli* ou *laulikî* ("movimento de ir e vir"), chamado também *naulî* ou *naulî-kriyâ*, consiste em provocar um movimento ondulatório nos músculos abdominais a fim de massagear os órgãos internos. Esta técnica teria o efeito de curar uma série de doenças.

5. *Trâtaka* (intraduzível) é o ato de olhar fixa e tranqüilamente para um objeto pequeno até as lágrimas começarem a correr; diz-se que esta prática cura as doenças dos olhos e também gera a clarividência.

6. *Kapâla-bhâti* ("brilho do crânio") compreende três práticas que, segundo a tradição, eliminam a fleuma; a última delas, além disso, tornaria o *yogin* tão belo quanto o deus do amor, Kâmadeva:

(i) O "processo de esquerda" (*vâma-krama*) consiste em inspirar pela narina esquerda e expirar pela direita, e vice-versa.

(ii) O "processo invertido" (*vyut-krama*) consiste em aspirar água pelo nariz e soltá-la pela boca.

(iii) O "processo de *shît*" (*shît-krama*) consiste em aspirar água pela boca e expeli-la pelo nariz. A palavra *shît* é uma onomatopéia baseada no som produzido por essa prática.

Há outros textos que dão definições diferentes das práticas mencionadas acima, e alguns arrolam ainda outras técnicas destinadas a purificar o corpo e prepará-lo para a arte adiantada do controle da respiração. Destaca-se a obra *Sat-Karma-Samgraha* (ou *Karma-Paddhati*) de Cidghanânanda, manual que remonta talvez ao século XVIII e compreende 149 versículos. Trata extensamente das técnicas purificatórias e dos males que resultam da prática descuidada do Yoga. Segundo o *Hatha-Yoga-Pradîpikâ* (2.21), só os fracos e fleugmáticos precisam recorrer às "seis ações" para purificar o corpo.

Posturas

Segundo o sábio Gheranda, o Hatha-Yoga não teria oito, mas sete membros; as posturas (*âsana*) e os selos (*mudrâ*) seriam respectivamente o segundo e o terceiro membros, e as normas morais (isto é, *yama* e *niyama*) reúnem-se num membro só. A *Gheranda-Samhitâ* (2.1) afirma que existem tantas âsanas quantas são as espécies de animais. Segundo Gheranda, Shiva ensinou até 840.000 posturas, das quais 84 são consideradas importantes pelos *yogins*. Já segundo o *Hatha-Yoga-Pradîpikâ* (l.33), Shiva ensinou somente oitenta e quatro posturas. Dessas, as seguintes trinta e duas são descritas na *Gheranda-Samhitâ*: (i) *Siddha-âsana* ("postura do adepto"), (2) *Padma-âsana* ("postura do lótus"), (3) *bhadra-âsana* ("postura auspiciosa"), (4) *mukta-âsana* ("postura liberta"), (5) *vajra-âsana* ("postura do diamante"), (6) *svastika-âsana* ("postura *svastika*"), (7) *simha-âsana* ("postura do leão"), (8) *go-mukha-âsana* ("postura da cara-de-vaca"), (9) *vîra-âsana* ("postura do herói"), (10) *dhanur-âsana* ("postura do arco"), (11) *mrita-âsana* ("postura do cadáver"), (12) *gupta-âsana* ("postura oculta"), (13) *matsya-âsana* ("postura do peixe"), (14) *matsyendra-âsana* ("postura de Matsyendra"), (15) *goraksha-âsana* ("postura de Goraksha"), (16) *pashcimottana-âsana* ("postura de extensão das costas"), (17) *utkata-âsana* ("postura extraordinária"), (18) *samkata-âsana* ("postura perigosa"), (19) *mayûra-âsana* ("postura do pavão"), (20) *kukkuta-âsana* ("postura do galo"), (21) *kûrma-âsana* ("postura da tartaruga"), (22) *uttâna-kûrmaka-âsana* ("postura estendida da tartaruga", (23) *uttâna-manduka-âsana* ("postura estendida do sapo"), (24) *vriksha-âsana* ("postura da árvore"), (25) *manduka-âsana* ("postura do sapo"), (26) *garuda-âsana* ("postura da águia"), (27) *vrisha-âsana* ("postura do touro"), (28) *shalabha-âsana* ("postura do gafanhoto"), (29) *makara-âsana* ("postura do tubarão"), (30) *ushtra-âsana* ("postura do camelo"), (31) *bhujanga-âsana* ("postura da serpente", freqüentemente chamada de "postura da naja") e (32) *yoga-âsana* ("postura do Yoga"). Em lugar das extensas descrições, que se podem encontrar em inúmeros livros, as ilustrações que vêm a seguir mostram algumas posturas.

Os manuais contemporâneos descrevem mais de mil posturas. Algumas — como as posturas do lótus e do adepto — têm a nítida finalidade de possibilitar que a pessoa sente-se em meditação por períodos prolongados. A maioria delas, porém, foi criada para harmonizar a força vital no corpo de modo a equilibrá-lo, fortalecê-lo e curá-lo. Parece que o Hatha-Yoga teve desde o começo uma dimensão terapêutica, que atualmente está se transformando numa profissão: a "yoga-terapia".[14]

Pode-se dizer que até as posturas de meditação têm um certo efeito terapêutico, e os textos sânscritos às vezes fazem afirmações exageradas a esse respeito. Tanto no Ocidente quanto no Oriente, os meios yogues muitas vezes dão uma ênfase excessiva à postura; quanto a isso, cabe citar a seguinte observação do *Kula-Arnava-Tantra*:

> O Yoga não é [realizado] nem pelo sentar-se na postura do lótus nem por fixar-se o olhar na ponta do nariz. O Yoga, segundo os especialistas em Yoga, é a identidade da psique (*jîva*) com o Si Mesmo [transcendente]. (9.30)

Shiva, o mestre primordial do Yoga
© Hinduism Today

Selos e Travas

Os selos (*mudrâ*) e travas (*bandha*) constituem o terceiro membro do Hatha-Yoga e estão muito ligados às posturas. Os se-

CAPÍTULO 18 — A YOGA COMO ALQUIMIA ESPIRITUAL... 🕉

piccha-mayûra-âsana
("postura do pavão emplumado")

vrishcika-âsana
("postura do escorpião")

baka-âsana
("postura do pelicano")

ashtâvakra-âsana
("postura de Ashtâvakra")

nata-râja-âsana
("postura do Rei da Dança")

pârshva-baka-âsana
("postura lateral do pelicano")

râja-kapota-âsana
("postura do pombo-rei")

tittibha-âsana
("postura da libélula")

yoga-danda-âsana
("postura do bastão yogue")

marîci-âsana
("postura de Marîci")

hanumân-âsana
("postura de Hanumat")

© Do Autor

Algumas posturas avançadas de Hatha-Yoga

475

los são técnicas mais avançadas que, como se poderá depreender das cinco últimas técnicas, chegam a fundir-se com as práticas meditativas. "São divinos", afirma Svâtmârâma, autor do *Hatha-Yoga-Pradîpikâ* (3.8), "e geram os oito [grandes] poderes [paranormais]. São apreciados por todos os adeptos e difíceis de realizar até mesmo para as divindades." Svâtmârâma afirma ainda que devem ser conservados em segredo, do mesmo modo que — para usar a comparação que ele mesmo faz — não se deve revelar que mantivemos ocultamente relações sexuais com uma mulher de casta superior. As travas (*bandhas*) são movimentos especiais do corpo criados para reter a força vital dentro do tronco e, com isso, estimulá-lo. Na *Gheranda-Samhitâ* (Capítulo 3), os vinte e cinco *mudrâs* seguintes — que incluem os *bandhas* — são descritos nesta ordem:

1. *maha-mudrâ* ("grande selo"): pressiona-se o calcanhar esquerdo contra o períneo e conservando-se a perna direita estendida, seguram-se os dedos do pé direito; a garganta fica contraída;

2. *nabho-mudrâ* ("selo celestial"): volta-se a língua para cima e de modo que ela toque o céu da boca; pode ser feito durante qualquer outra atividade;

3. *uddîyâna-bandha* ("trava ascendente"): encolhe-se o abdômen para trás;

Padma-âsana

Siddha-âsana

Svastika-âsana

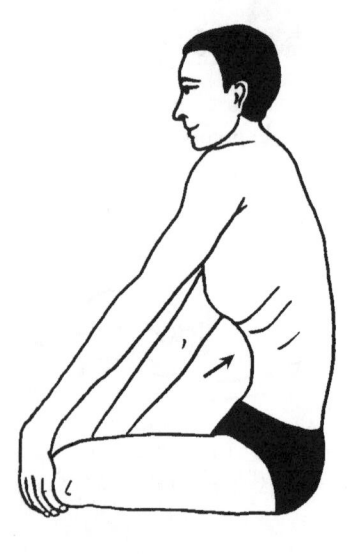

Uddîyâna-bandha

4. *jalandhara-bandha* ("trava de Jalandhara"): contrai-se a garganta;

5. *mûla-bandha* ("trava da raiz"): contrai-se o esfíncter anal;

6. *mahâ-bandha* ("grande trava"): pressiona-se o tornozelo esquerdo contra o períneo, coloca-se o pé direito sobre o esquerdo e contrai-se o esfíncter anal;

7. *mahâ-vedha* ("grande penetrador"): faz-se o *uddîyâna-bandha* durante a execução do grande selo;

8. *khecârî-mudrâ* ("selo daquela que anda no espaço"): técnica muito importante que consiste em inserir a língua alongada na passagem do ar que fica acima do céu da boca e fixar o olhar no ponto intermédio entre as sobrancelhas; afirma-se que com isso libera-se o "néctar da imortalidade" (*amrita*), que por sua vez gera a saúde, a longevidade e um sem-número de poderes paranormais; a *amrita* é uma saliva de sabor doce;

9. *viparîta-karî-mudrâ* ou *viparîta-karanî-mudrâ* ("selo de ação invertida"), também chamado parada de cabeça ou parada de ombros: impede que a ambrosia (*amrita*, *soma*) pingue no "fogo" do abdômen;

10. *yoni-mudrâ* ("selo uterino"): senta-se na postura do adepto e tampam-se os olhos, os ouvidos, as narinas e a boca com os dedos; segue-se a retenção do ar e, ao mesmo tempo, a contemplação dos seis *cakras*; esta prática chama-se também *shan-mukhi-mudrâ*;

11. *vajrolî-mudrâ* ("selo do raio"): consiste em levantar-se do chão com as mãos enquanto cruzam-se as pernas ao redor do pescoço; outros textos, porém, dão para essa prática uma expli-

Shan-mukhi-mudrâ, também chamado yoni-mudrâ

Viparîta-karanî-mudrâ, também chamado sarva-anga-âsana

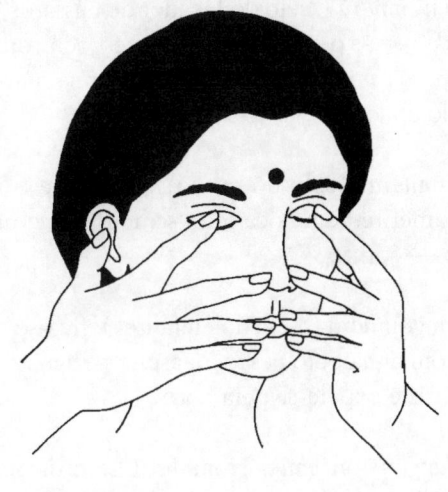

cação completamente diferente: seria o ato de sugar líquidos com o pênis;

12. *shakti-câlanî-mudrâ* ("selo que desperta o poder"): com força, junta-se a força vital do peito à do abdômen e contrai-se o esfíncter anal por meio do *ashvinî-mudrâ*; a postura deve ser a do adepto;

13. *tâdâgî-mudrâ* ("selo do lago"): deitado de costas, contrai-se o abdômen para trás;

14. *mândukî-mudrâ* ("selo do sapo"): mexe-se a língua até que o "néctar" passe a fluir em profusão; então, o néctar é engolido;

15. *shâmbhavî-mudrâ* ("selo de Shambhu"): técnica importantíssima que consiste em fixar o olhar no ponto entre as sobrancelhas enquanto se contempla interiormente o Si Mesmo transcendente; Shambhu é um dos nomes do deus Shiva, e o *yogin* que domina esta técnica é dito semelhante ao próprio grande Deus;

16. *ashvinî-mudrâ* ("selo do cavalo do amanhecer"): contrai-se repetidamente o esfíncter anal;

17. *pâshinî-mudrâ* ("selo do laçador de pássaros"): cruzam-se as pernas por trás do pescoço como no *vajrolî-mudrâ*, sem porém erguer-se o corpo do chão;

18. *kâkî-mudrâ* ("selo do corvo"): aspira-se o ar lentamente pela boca feita semelhante a um bico de corvo;

19. *mâtangî-mudrâ* ("selo do elefante"): fica-se de pé com água pelo pescoço, aspira-se água pelo nariz e expele-se pela boca;

20. *bhujanginî-* ou *bhujangî-mudrâ* ("selo da serpente"): aspira-se o ar pela boca fazendo-se com a garganta um som levemente áspero;

21-25. as cinco concentrações (*dhâranâ*) nos elementos materiais: a força vital e a mente são concentradas em cada elemento por duas horas enquanto o *yogin* imagina as diversas formas simbólicas associadas ao elemento (a divindade que o rege, seu mantra-raiz, etc.). Os cinco elementos são a terra, a água, o fogo, o ar e o éter ou espaço (*âkâsha, kha*). O fato de essas práticas de concentração estarem catalogadas sob a categoria dos *mudrâs* é bastante curioso, mas evidencia a íntima relação que existe, no Yoga, entre as práticas físicas e a concentração mental.

Recolhimento dos Sentidos

Segundo a via de Gheranda, o quarto membro do Hatha-Yoga é o recolhimento dos sentidos (*pratyâhâra*), do qual ele trata sumariamente. Consiste simplesmente em tirar a atenção dos objetos externos ou sensoriais. O fato de essa prática estar colocada antes do controle da respiração, que é o quinto membro, mostra que a respiração yogue exige um alto grau de disciplina mental.

Controle da Respiração

O controle da respiração (*prânâyâma*) é a cuidadosa ordenação da força vital (*prâna*) em suas diferentes formas. Do ponto de vista do *hatha-yogin*, é impossível realizar a obra do Yoga sem dominar a respiração ou força vital. Nas palavras do *Yoga-Bîja*:

> O que deseja a união (*yoga*) sem controlar a respiração (*pavana*) é, para os *yogins*, semelhante a alguém que quisesse cruzar o oceano num barco [de barro] não-cozido. (77)

E nas palavras do *Hatha-Yoga-Pradîpikâ*:

> Quando a respiração se move, move-se [também] a consciência (*citta*). Quando fica imóvel, [a consciência também] fica imóvel e o *yogin* alcança a estabilidade. Portanto, deve-se conter a respiração.
>
> Diz-se que, enquanto houver respiração no corpo, haverá vida. O fim da respiração é a morte. Portanto, deve-se conter a respiração. (2.2-3)

Antes de descrever as diversas técnicas de controle da respiração, o sábio Gheranda sublinha a importância da alimentação correta e do ambiente correto para a prática. Afirma, entre outras coisas, que o *yogin* deve começar a praticar o *prânâyâma* na primavera ou no outono, quando o tempo não é nem extremamente quente nem excessivamente frio. Frisa também a importância da purificação dos "condutos" (*nâdî*), os canais ao longo dos quais flui a força vital. Esse processo de purificação seria de duas espécies, tecnicamente conhecidas como *samanu* e *nirmanu* (nomes intraduzíveis). O primeiro é um exercício de meditação no qual as divindades que regem os diversos centros ocultos (*cakra*) do corpo são invocadas e "instaladas" em seus respectivos lugares. A esse processo associa-se a recitação dos *bîja-mantras*, ou mantras-raiz, desses *cakras*. A purificação *nirmanu* é a prática da limpeza (*dhauti*), descrita acima sob os "seis atos" (*shat-karman*).

Gheranda distingue os seguinte oito tipos de controle da respiração, que ele chama de "retenções" (*kumbhaka*, lit. "jarro, pote"):

1. *Sahita-kumbhaka* ("retenção conjunta"): técnica complexa de respiração que envolve a visualização de diversas divindades durante a inalação, a retenção e a exalação do ar; o ritmo é 1:4:2. Portanto, se a inalação durar cinco segundos, o ar tem de ser retido por vinte segun-

dos e a exalação dura dez segundos. O ritmo é medido em unidades chamadas *mâtras*; cada *mâtra* dura alguns segundos. A duração máxima seria a de 20:80:40 *mâtras*, e, dependendo do sistema que se utiliza, o tempo total pode ser de mais de sete minutos. Respira-se alternadamente pelas narinas esquerda e direita. Depois da inalação e antes da retenção, o *yogin* executa a trava abdominal (*uddîyâna-bandha*).

Svâtmârâma, autor do *Hatha-Yoga-Pradîpikâ*, compreende *sahita-kumbhaka* de outra maneira. Para ele, esse é um termo genérico que designa todas as formas de *prânâyâma* que envolvem a inalação e a exalação do ar, e opõe-se à *kevala-kumbhaka* ou retenção total da respiração, que os *yogins* adiantados são capazes de executar por horas a fio. Segundo o *Gheranda-Samhitâ*, porém, há dois tipos de *sahita-kumbhaka*:

(i) *Sagarbha* ("com semente"), a qual se faz enquanto se repete mentalmente um "mantra-raiz" ou *bîja-mantra*, como *om*, *ram* ou *yam*.

(ii) *Nigarbha* ("sem semente"), que se faz sem o auxílio do *bîja-mantra*.

2. *Sûrya-bheda-kumbhaka* ("retenção que penetra o sol"): leva o nome porque nesta técnica os *yogins* inspiram exclusivamente pela narina direita (solar) e expiram exclusivamente pela esquerda (lunar); entrementes executam a trava da garganta (*jalandhara-bandha*) e retêm o ar à força nos pulmões até começarem a sentir calor na raiz dos cabelos e nas pontas dos dedos.

3. *Ujjâyî-kumbhaka* ("retenção vitoriosa"): inspira-se por ambas as narinas; o ar (ou a força vital) é retido no nariz e depois puxado para a boca, onde é conservado por tanto tempo quanto for possível por meio da trava da garganta (*jalandhara bandha*). Segundo o *Hatha-Yoga-Pradîpikâ* (2.51), esta prática é feita de tal modo que, durante a inalação, produz-se um som bem alto na garganta.

4. *Shîtalî-kumbhaka* ("retenção refrescante"): o ar é inspirado pela boca e exalado por ambas as narinas ao cabo de um curto período de retenção. Segundo o *Hatha-Yoga-Pradîpikâ* (2.54), deve-se enrolar a língua para praticar esta técnica. Outra técnica correlata, também descrita no *Pradîpikâ* (2.54), é a *sîtkarî* ("a que faz *sît*"), na qual deve-se produzir um som sibilante (*sît*) durante a inalação pela boca; exala-se o ar pelas narinas.

5. *Bhastrikâ-kumbhaka* ("retenção do fole"): inala-se e exala-se rapidamente pelas duas narinas ao mesmo tempo; o ciclo deve ser repetido três vezes; diz-se que esta prática desperta rapidamente a força da *kundalinî*.

6. *Bhrâmarî-kumbhaka* ("retenção semelhante à abelha"): consiste na inalação e na prolongada retenção do ar enquanto se tampam os dois ouvidos e presta-se atenção aos diversos sons interiores gerados no ouvido direito; segundo o *Hatha-Yoga-Pradîpikâ* (2.68), produz-se um som semelhante ao de uma abelha durante a inalação e a exalação.

7. *Mûrcchâ-kumbhaka* ("retenção desfalecida"): uma retenção suave efetuada pela trava da garganta (*jalandhara-bandha*) enquanto fixa-se a atenção no ponto entre as sobrancelhas e o *yogin* desapega-se de todos os objetos; a isto segue-se uma exalação lenta. Esta técnica produz um estado de euforia.

8. *Kevalî-kumbhaka* ("retenção absoluta"): é simplesmente a retenção da respiração pelo maior tempo possível. Deve ser feita de cinco a oito vezes por dia e repetida até sessenta e quatro vezes a cada sessão.

O controle da respiração tem diversos efeitos fisiológicos e psicológicos, e Gheranda distingue três níveis de maestria: no primeiro, o *prânâyâma* gera calor no corpo; no segundo, causa tremor nos membros e especialmente na coluna; no mais alto, produz a levitação ("sair do chão").

Afirma-se, além disso, que o *prânâyâma* cura as mais diversas doenças, faz despertar o poder da serpente e gera estados gozosos de consciência.

Meditação

No Hatha-Yoga e no Tantrismo em geral, *dhyâna* é tipicamente compreendida como "visualização". O *Gheranda-Samhitâ* (6.1) fala de três tipos de *dhyâna*: (1) a visualização de um objeto "grosseiro" (*sthûla*); (2) a visualização de um objeto "sutil" (*sûkshma*), especificamente o Absoluto sob a forma do transcendente ponto original (*bindu*) do universo, como explicamos quando falamos do Tantrismo; e (3) a contemplação do Absoluto como Luz (*jyotis*). Afirma o *Gheranda-Samhitâ*:

> A contemplação da luz (*tejo-dhyâna*) é cem vezes melhor que a visualização grosseira (*sthûla-dhyâna*). A visualização sutil (*sûkshma-dhyâna*), a maior de todas, é cem mil vezes melhor que a contemplação da luz. (6.21)

Na contemplação ou visualização sutil, a atenção é simplesmente voltada para dentro, para a essência interior, o Si Mesmo (*âtman*), e um grau de consciência unitiva é assim atingido. O sábio Gheranda, para explicar esse processo, afirma que a *kundalinî* desperta une-se ao Si Mesmo e sobe até o *cakra* do topo da cabeça, o que nos leva à realização máxima dos *hatha-yogins*.

Êxtase

A subida da *kundalinî* ao centro coronário é o sinal de que o *yogin* transcendeu a consciência egóica no estado de êxtase ou *samâdhi*, que é o sétimo e último membro do Hatha-Yoga. O *Gheranda-Samhitâ* nos apresenta, a título de definição, estes pertinentes versículos:

> Separando a mente do "jarro" [i.e., do corpo], o homem deve identificá-la com o Si Mesmo transcendente (*parama-âtman*):[15] a isto se chama êxtase (*samâdhi*), que é a libertação em relação aos estados [de consciência], etc.[16]
>
> Eu sou o Absoluto (*brahman*) e não outra coisa. Em verdade, sou o Absoluto e não o sofredor. Tenho a forma do Ser-Consciência-Beatitude, eternamente livre, subsistente por si mesmo (*svabhâvavat*). (7.3-4)

Sri Ramakrishna, mestre consumado do savikalpa-samâdhi e do nirvikalpa-samâdhi

O *Hatha-Yoga-Pradîpikâ* oferece as seguintes explicações, que são muito úteis:

> Assim como o sal torna-se idêntico à água pela união [com ela], assim também chama-se "êxtase" (*samâdhi*) à identidade (*aikya*) da mente com o Si Mesmo.
>
> Quando a mente e a força vital fundem-se e dissolvem-se, o [resultante estado de] equilíbrio (*samarasatva*) chama-se "êxtase".
>
> Este [estado de] equilíbrio, que é a identidade do centro do ser individual (*jîva-âtman*) com o centro do Ser Total (*parama-âtman*), no qual todas as conceitualizações (*samkalpa*) desaparecem, chama-se "êxtase". (4.5-7)

Fica claro que o êxtase, nesse caso, não é uma das espécies inferiores de *samâdhi*, associadas a pensamentos e imagens que surgem espontaneamente; é, isto sim, a realização absoluta da perfeita identidade com a Realidade transcendente. Ou seja, o *samâdhi* de que se trata é o *nirvikalpa-samâdhi* ou "êxtase sem forma", considerado idêntico à própria libertação ou iluminação.

Portanto, ao cabo de uma jornada longa e áspera, o *hatha-yogin* atinge o mesmo estado de absoluta simplicidade ao qual o *râja-yogin* também aspira. Os aparentes desvios pela trilha do Kundalinî-Yoga, que visa a realização do potencial psicoespiritual do corpo, têm porém a sua razão de ser, pois o *yogin* não vê a realização do Si Mesmo como um acontecimento separado da vida no mundo terrestre. Afirma-se inclusive que a realização do *hatha-yogin* é mais completa que a do *râja-yogin*, simplesmente porque inclui o corpo. O excesso de perigos e dificuldades do Kundalinî-Yoga é compensado pela vantagem de levar a iluminação também ao corpo e à existência física em geral, o que se expressa na fórmula tântrica segundo a qual a libertação (*mukti*) e o gozo (*bhukti*) são a mesma coisa. Para o *yogin* tântrico, o corpo é de fato uma manifestação da Realidade absoluta. Nas palavras de *Sir* John Woodroffe, pioneiro dos estudos do Tantrismo:

> Ele [o *yogin*] percebe nos batimentos do seu coração o mesmo ritmo que marca e manifesta a vida universal. Negar as necessidades do corpo ou descuidar delas, considerar o corpo como algo menos do que divino, equivale a negar e descuidar dessa vida maior da qual ele faz parte; equivale, em suma, a negar a grande doutrina da unidade de todas as coisas e da identidade entre a Matéria e o Espírito. Com base nesse conceito, até as mais vis necessidades físicas adquirem uma significação cósmica. O corpo é a Shakti. Suas necessidades são as necessidades de Shakti; quando o homem goza, é a Shakti quem goza através dele. Em tudo o que ele vê e faz, é a Mãe quem vê e faz. Seus olhos, suas mãos, são d'Ela. O corpo inteiro, com todas as suas funções, é uma manifestação d'Ela. Quando o homem A percebe como tal, aperfeiçoa essa manifestação particular d'Ela, que é ele mesmo.[17]

No Hatha-Yoga, a esperança de imortalidade física funde-se à aspiração espiritual pela libertação dos grilhões da mente egocêntrica. É verdade que o sonho de um corpo terrestre incorruptível não passa mesmo de um sonho, mas a tradição do Hatha-Yoga dispõe de uma quantidade imensa de informações, obtidas a muito custo, acerca do potencial oculto do corpo-mente do ser humano — informações das quais muito podemos nos beneficiar em nossa busca pela felicidade e pelo conhecimento perfeitos. A medicina e a psicologia modernas, auxiliadas pelos conceitos, métodos e instrumentos da ciência avançada, estão aos poucos redescobrindo alguns dos fatos surpreendentes que os *yogins* realizam e comentam há tantos séculos.

Também é evidente que, quando for superada a tendência materialista da ciência oficial, seremos capazes não somente de confirmar muitas teorias yogues e impor um carimbo de validade às práticas a elas associadas, como também de ir além delas. O estudo cuidadoso do Hatha-Yoga e especificamente do fenômeno da *kundalinî* poderia ampliar muitíssimo o conhecimento que temos do corpo-mente do ser humano e das suas capacidades. É claro que temos de estar dispostos a entrar no laboratório dos *yogins* e a reproduzir esses experimentos na nossa própria pessoa. Neste caso, a prova subjetiva é uma abordagem razoável; é, inclusive, a única maneira lógica de atender à corrente ideal científica da "objetividade".

III. OS TEXTOS DO HATHA-YOGA

Os *yogins* sempre desconfiaram da palavra escrita; dentre eles, os que registraram por escrito seus conhecimentos e experiências, foram a exceção e não a regra. Mas, como procurei demonstrar neste livro, dispomos mesmo assim de uma extensa literatura yogue. Ela existe sobretudo na forma de manuscritos, e as edições e traduções impressas não passam de uma pequena fração do que se esconde nas bibliotecas e nas casas da gente culta da Índia. Não é pequena a porção dessas obras que trata de Hatha-Yoga. Os *Yoga-Upanishads* foram discutidos no Capítulo 15 e vários dentre eles tratam do Kundalinî-Yoga, que é mais ou menos idêntico ao Hatha-Yoga na medida em que o poder serpentino (*kundalinî-shakti*) é o elemento central das práticas hatha-yogues avançadas. Nas sessões seguintes, vou apresentar sumariamente os textos mais importantes de Hatha-Yoga que vêm acrescentar-se aos chamados *Yoga-Upanishads*.

Os Escritos de Goraksha

Pode ser que a obra mais antiga desse ramo da tradição yogue seja o texto intitulado *Hatha-Yoga*, atribuído ao próprio Goraksha. Infelizmente, ele não existe mais, embora seja muito possível que alguns de seus versículos tenham chegado a nós através de outras obras. Com efeito, os textos de Hatha-Yoga existentes têm muitos versículos em comum. Atribui-se também a Goraksha a autoria de diversos outros textos, entre os quais o *Goraksha-Paddhati* ("Rastros de Goraksha"), traduzido a seguir, que delineia em 200 versículos o caminho hatha-yogue; o *Goraksha-Shataka* ("Centúria [de Versículos] de Goraksha"), um fragmento da obra anterior; o *Goraksha-Samhitâ* ("Coletânea de Goraksha"), que parece ser idêntico ao *Paddhati* e diverso do tratado alquímico de mesmo nome, a *Hatha-Dîpikâ* ("Lâmpada do Hatha"), da qual nada se sabe; o *Jnâna-Amrita* ("Néctar da Gnose"), obra que trata dos deveres sagrados do *hatha-yogin*; o *Amanaska-Yoga* ("Yoga Transmental"), de 211 versículos; o *Amaraugha-Prabodha* ("Conhecimento da Inundação Imortal"), obra de 74 versículos que define o Mantra-Yoga, o Laya-Yoga, o Râja-Yoga e o Hatha-Yoga e apresenta o *bindu* e o *nâda* como os dois grandes elixires presentes em todo corpo humano que, só eles, podem salvar o *yogin* da morte; e o *Yoga-Mârtanda* ("Sol do Yoga"), de 176 versículos, muitos dos quais são idênticos aos do *Hatha-Yoga-Pradîpikâ*.

TEXTO ORIGINAL 21

Goraksha-Paddhati

A importância do *Goraksha-Paddhati* ("Rastros de Goraksha") pode ser medida pelo fato de que muitos dos seus versículos acham-se dispersos pelos textos posteriores de Hatha-Yoga. Não é provável, porém, que tenha sido escrito pelo próprio Goraksha, pois seus conceitos e sua linguagem encaixam-se mais nos séculos XII ou XIII do que no século X. O texto é agora traduzido na íntegra pela primeira vez, a partir da edição em sânscrito de Khemarâja Shrîkrishnadâsa (Bombaim).

Parte I

Prostrando-se perante o abençoado Âdinâtha — seu próprio mestre, Hari, sábio e *yogin* —, Mahîdhara forcejou por apresentar um comentário à doutrina (*shâstra*) de Goraksha, que proporciona o reto entendimento do Yoga. (1.1)

Comentário: Este versículo de abertura deve ser uma interpolação, pois no terceiro versículo o autor é identificado como Goraksha. O nome Mahîdhara, que significa "Sustentador da Terra", pode referir-se ao famoso mestre de Yoga do século XVI que escreveu o *Mantra-Mahodadhi* junto com o comentário a esse mesmo texto, a *Naukâ*. A literatura do Hatha-Yoga é cheia de incongruências e muitos textos contêm fragmentos de outros escritos.

Venero o mestre bendito, a bem-aventurança suprema (*parama-ânanda*)[18] que é uma encarnação da bem-aventurança intrínseca (*sva-ânanda*)[19] e cuja simples proximidade basta para que [meu] corpo fique feliz e consciente. (1.2)

Comentário: A tradição afirma em uníssono que o mestre de Goraksha foi Matsyendra. Neste versículo, ele é equiparado à bem-aventurança sem mistura da Realidade suprema, a menos que interpretemos *parama-ânanda* como o nome próprio de um outro indivíduo, que não Matsyendra.

Saudando devotamente seu mestre como à suma sabedoria, Goraksha expõe o que se deve fazer para provocar a suprema bem-aventurança nos *yogins*. (1.3)

Desejoso de fazer o bem aos *yogins*, manifesta ele o *Goraksha-Samhitâ*. Quem o compreender chegará sem dúvida ao Estado supremo. (1.4)

É ele uma escada que leva à libertação, um [meio de] enganar a morte, pela qual a mente é afastada dos prazeres (*bhoga*) e vinculada ao Si Mesmo transcendente (*parama-âtman*).[20] (1.5)

Os melhores dentre os melhores recorrem ao Yoga, que é o fruto da árvore da revelação (*shruti*) que atende a todos os desejos, cujos ramos abrigam os nascidos duas vezes, que pacifica as tribulações da existência. (1.6)

Comentário: Temos neste versículo um jogo com a palavra *dvija*, que significa "nascido duas vezes" e "pássaro". Os nascidos duas vezes são os que receberam devidamente o cordão sagrado e têm o direito de estudar as Escrituras reveladas. À semelhança de pássaros, eles repousam nos ramos do conhecimento védico e alimentam-se do fruto delicioso da sabedoria perene.

Afirmam eles que os seis membros do Yoga são a postura, a contenção da respiração (*prâna-samrodha*), o recolhimento dos sentidos, a concentração, a meditação e o êxtase. (1.7)

Existem tantas posturas quantas são as espécies de seres. [Só] Maheshvara[21] [i.e., Shiva] conhece-lhes toda a variedade. (1.8)

Das 840.000, mencionou-se uma para cada [10.000]. Assim, criou Shiva oitenta e quatro assentos (*pîtha*) [para os *yogins*]. (1.9)

Dentre todas as posturas, duas são especiais. A primeira é chamada a postura do herói (*siddha-âsana*)[22] e a segunda é a postura do lótus (*kamala-âsana*). (1.10)

[O *yogin*] deve pôr firmemente um calcanhar [i.e., o esquerdo] junto ao períneo (*yoni-sthâna*) e o outro sobre o pênis, encostando o queixo no peito (*hridaya*). Contendo os sentidos como um tronco de árvore, deve dirigir fixamente o olhar para o [terceiro olho] entre as sobrancelhas. Esta é chamada a postura do herói, que abre as portas da libertação. (1.11)

Colocando a perna direita sobre a [coxa] esquerda e a [perna] esquerda sobre a [coxa] direita, segurando com força os dedões dos pés com as mãos cruzadas por trás das costas, juntando o queixo ao peito, deve ele fixar o olhar na ponta do nariz. Esta é chamada a postura do lótus [*baddha* ou "travada"], que elimina doenças de várias espécies. (1.12)

Como podem chegar a bom êxito os *yogins* que não conhecem as seis rodas, os dezesseis apoios ou suportes, os 300.000 [canais][23] e os cinco éteres/espaços no próprio corpo? (1.13)

Comentário: As seis "rodas" ou centros psicoenergéticos (*shat-cakra*) são os famosos *mûlâdhâra* (na base da coluna), *svadhishthâna* (nos órgãos genitais), *manipûra* (no umbigo), *anâhata* (no coração), *vishuddha* (na garganta) e *âjnâ* (no meio da cabeça). O *Siddha-Siddhânta-Paddhati* (2.10) menciona os seguintes dezesseis suportes (*shodasha-âdhâra*; escreve-se *shodashâdhâra*): os dois dedões dos pés, o períneo (*mûla*), o ânus, o pênis, o baixo abdômen (*udyâna*), o umbigo, o coração, a garganta, o "sino" (*ghantikâ*, que corresponde à úvula), o céu da boca, a língua, o ponto médio entre as sobrancelhas, o nariz, a base do nariz e a testa. Os 300.000 canais (*nâdî*) que tecem o corpo sutil são os dutos da força vital. Dentre eles, os mais importantes são o canal central (*sushumnâ*), o canal lunar (*idâ*) e o canal solar (*pingalâ*). Os cinco éteres ou espaços (*vyoman*) são outras tantas percepções yogues do espaço da consciência.

Como podem chegar ao sucesso os *yogins* que não sabem que seu corpo é uma morada de um único pilar como nove aberturas e cinco divindades (*adhidaivata*)? (1.14)

Comentário: O pilar único é o tronco e as nove aberturas são os olhos, os ouvidos, as narinas, a boca, o ânus e a uretra. As cinco divindades são os cinco sentidos.

O "apoio" [i.e., o lótus *mulâdhâra* na base da coluna] tem quatro pétalas. O *svâdhishthana* tem seis pétalas. No umbigo há um lótus de dez pétalas e, no coração, [um lótus que tem tantas] pétalas quantos são os [meses] solares, [i.e., doze]. (1.15)

Na garganta há um [lótus] de dezesseis pétalas e, entre as sobrancelhas, um [lótus] de duas pétalas. Na fissura de Brahma (*brahma-randhra*), no grande caminho, [há um lótus] chamado "das mil pétalas". (1.16)

O "apoio" (*âdhâra*) é o primeiro centro; *svâdhishthana* é o segundo. Entre eles fica o períneo, chamado *kâma-rûpa*. (1.17)

Comentário: O nome *kâma-rûpa* significa literalmente "formado de desejo". É também a denominação de uma certa região geográfica famosa pela intensidade da prática e do estudo do Tantra, identificada como o Assam. No corpo humano, esse nome também designa um lugar sagrado, um ponto de poder, que abriga em si tanto o potencial de libertação quanto o de autodestruição.

O lótus de quatro pétalas chamado "apoio" fica no lugar do ânus (*guda-sthâna*). Afirma-se que no meio dele fica o "útero" (*yoni*) que os adeptos reverenciam sob o nome de desejo (*kâma*). (1.18)

Comentário: O termo técnico *yoni* pode significar tanto o períneo quanto uma estrutura energética esotérica associada à *kundalinî*. Neste último caso, é o "útero" que recebe o falo ou o símbolo (*linga*) de Shiva, como afirma o versículo seguinte.

No meio do "útero" fica o grande falo ou símbolo [de Shiva], voltado para trás. Aquele que conhece o disco que, na cabeça deste [falo], é como uma jóia [brilhante], é um conhecedor do Yoga. (1.19)

Comentário: *Yoni* e *linga* representam respectivamente Shakti e Shiva. O simbolismo sexual oculta uma majestosa realidade cósmica: a eterna interação entre o poder feminino e a consciência masculina, que estão sempre unidos no nível transcendente mas parecem separados no nível empírico. O disco ou espelho luminoso (*bimba*) mencionado neste versículo é representado como atado à "cabeça" (*mastaka*) do falo simbólico de Shiva. Provavelmente significa a luminosidade intrínseca do *linga*, que se reflete sobre ele mesmo — um sinal da perfeita autonomia de Shiva.

Abaixo do pênis fica a triangular cidade do fogo,[24] fulgurante como o raio e semelhante ao ouro derretido. (1.20)

Quando, [imerso] no grande Yoga, no êxtase, [o *yogin*] vislumbra a Luz suprema, infinita e onipresente, [já] não sofre do ir e vir [i.e., nascimentos e mortes no mundo finito]. (1.21)

A força vital desperta com o som *sva*. O local de repouso dessa [força vital] é o *svâdhishthâna[-cakra]*. Desse local o pênis, chamado *svâdhishthâna*, tira seu nome. (1.22)

O local onde o "bulbo" (*kanda*) afixa-se à *sushumnâ* [i.e., ao canal central] como uma pérola num fio é chamado *manipûraka-cakra*.²⁵ (1.23)

Enquanto a psique (*jîva*) vagar pela grande roda de doze raios [no coração], que é livre do mérito (*punya*) e do demérito (*pâpa*), não poderá encontrar a Realidade. (1.24)

Comentário: Afirma-se que a psique, a consciência individuada, vaga inquieta pelas pétalas do lótus do coração, movida pelo próprio karma e agrilhoada pela própria ignorância (*avidyâ*). Essa ignorância é o fato de a psique não saber que, na verdade, é o próprio Si Mesmo. Quando raia a sabedoria, cessa o movimento centrífugo de *jîva* e a consciência encontra a sua verdadeira origem no centro do coração, que é a pura e bem-aventurada consciência do Si Mesmo. Para o indivíduo liberto, não existem nem o mérito nem o demérito, que são realidades kármicas que só dizem respeito ao estado de não-iluminação.

Abaixo do umbigo e acima do pênis fica o "bulbo" (*kanda*), o "útero" (*yoni*), semelhante a um ovo de galinha. Nele originam-se os 72.000 canais. (1.25)

Dentre esses milhares de canais, setenta e dois são descritos. Do mesmo modo, dentre esses dutos da força vital, dez são ditos principais. (1.26)

Idâ e *pingalâ*, sendo *sushumnâ* o terceiro; e, além desses, *gândhârî*, *hasti-jihvâ*, *pûshâ*, *yashasvinî*... (1.27)

... *alambushâ*, *kuhû* e *shankhinî* — o décimo — são mencionados. Os *yogins* devem sempre compreender essa rede (*cakra*) composta de canais. (1.28)

Idâ localiza-se no lado esquerdo; *pingalâ* localiza-se no direito. *Sushumnâ* fica ao centro, enquanto *gândhârî* fica no olho esquerdo. (1.29)

Hasti-jihvâ fica no olho direito e *pûshâ* no ouvido direito, enquanto *yashasvinî* fica no ouvido esquerdo e *alambushâ*, na boca. (1.30)

Kuhû fica no lugar do pênis (*linga*) e a *shankhinî* no lugar do ânus. Existem, portanto, dez canais, [cada um dos quais está] ligado a um orifício. (1.31)

Idâ, *pingalâ* e *sushumnâ* estão ligados ao caminho da força vital. Os [dez] conduzem sempre a força vital [e são associados, cada qual a seu modo, com] as divindades da lua (*soma*), do sol e do fogo. (1.32)

Prâna, apâna, samâna, udâna e *vyâna* são os "ventos" [principais]. *Nâga, kûrma, kri-kala, deva-datta* e *dhanam-jaya* [são os tipos secundários da força vital no corpo]. (1.33)

Comentário: Esses dez nomes são termos técnicos do Yoga que não se prestam facilmente à tradução. Representam os diversos aspectos ou funções da força vital manifesta no corpo humano.

Prâna reside no coração; *apâna* está sempre na região do ânus; *samâna* localiza-se no umbigo; *udâna* fica no meio da garganta;... (1.34)

... *vyâna* abarca o corpo [inteiro]. [São estes] os cinco "ventos" principais. Os cinco que começam com *prâna* e os [outros] cinco "ventos" que começam com *nâga* são bem conhecidos. (1.35)

Afirma-se que *nâga* [manifesta-se] na eructação; *kûrma* [manifesta-se] no abrir [dos olhos]; sabe-se que *kri-kâra* [ou *kri-kala*] causa o espirrar; *deva-datta* [manifesta-se] no bocejar. (1.36)

Dhanam-jaya está em toda parte e não sai nem mesmo do cadáver. Essas [dez formas da força vital] vagam por todos os canais sob a guisa da psique (*jîva*). (1.37)

Assim como voa para cima a bola golpeada com um bastão curvo, assim também não fica parada a psique quando golpeada por *prâna* e *apâna* [sob a forma da inspiração e da expiração]. (1.38)

Movida por *prâna* e *apâna*, a psique sobe e desce pelos canais da esquerda e da direita, [muito embora] não possa ser vista em virtude da sua mobilidade. (1.39)

Assim como o falcão amarrado por um fio pode ser trazido de volta depois de levantar vôo, assim também a psique, amarrada pelas qualidades (*guna*) [da Natureza], pode ser trazida de volta por meio [do controle] de *prâna* e *apâna*. (1.40)

Apâna puxa o *prâna* e o *prâna* puxa *apâna*. [Essas duas formas da força vital] situam-se [respectivamente] acima e abaixo [do umbigo]. O conhecedor do Yoga une a ambas [para despertar o poder da serpente]. (1.41)

[A psique] sai [do corpo] com o som *ham* e entra de novo nele com o som *sa*. A psique recita continuamente o mantra "*hamsa hamsa*". (1.42)

Comentário: Essa recitação natural e espontânea causada pela sucessão da inspiração e da expiração, é chamada *ajapa-gâyatrî*. Quando o *yogin* empreende conscientemente essa recitação, *hamsa hamsa hamsa* converte-se no *mantra* "*so'ham so'ham so'ham*", que significa "Eu sou Ele; Eu sou Ele; Eu sou Ele".

A psique recita continuamente esse manta 21.600 vezes a cada dia e noite. (1.43)

O *gâyatrî*[-*mantra*] chamado *ajapa* dá a libertação aos *yogins*, e pelo simples desejo [de recitá-lo] o homem é liberto de todos os pecados. (1.44)

Um conhecimento como este, uma recitação (*japa*) como esta e uma sabedoria como esta não existiram [antes] nem jamais existirão [novamente]. (1.45)

O vivificante *gâyatrî* nasce da *kundalinî*. Quem detém o conhecimento da força vital, da grande ciência, é um conhecedor dos *Vedas*. (1.46)

Comentário: A ciência yogue da respiração ou da força vital é apresentada aqui como a quintessência da revelação védica. Isso não está muito longe da verdade, pois o controle da respiração associado à contenção da mente foram a mais antiga forma de Yoga, praticada já nos tempos védicos. Eram elementos fundamentais dos ritos védicos, especialmente no que diz respeito à disciplina de cantar os hinos sagrados.

O poder da *kundalinî*, enrodilhada em oito anéis, reside perpetuamente acima do "bulbo", fechando com a face a abertura do "portal de Brahma" (*brahma-dvâra*). (1.47)

Comentário: Os oito anéis do poder da serpente recebem, no *Yoga-Vishaya* (22), os seguintes nomes: *pranavâ, guda-nâlâ, nalinî, sarpinî, vanka-nâlî, kshayâ, shaurî* e *kundalî*.

É por esse portal que se deve passar para chegar-se ao estado do Absoluto[26] que está além de todo o mal, [mas] Parameshvarî está adormecida, cobrindo o portal com sua face. (1.48)

[Quando a *kundalinî*] é despertada por meio do *buddhi-yoga* associado à mente e à respiração (*marut*), sobe pela *sushumnâ* como uma agulha puxando um fio. (1.49)

Comentário: O termo *buddhi-yoga* significa o exercício disciplinado da mente superior (*buddhi*), pelo qual a mente inferior (*manas*) torna-se dócil o suficiente para que a atenção se vincule ao movimento da força vital ou da respiração. Pela ação combinada desses fatores, a *kundalinî* adormecida acaba por despertar e por ser guindada aos poucos ao longo do eixo da coluna até chegar ao *cakra* coronário.

[Quando a *kundalinî*] — que tem a forma de uma serpente adormecida e é esplêndida como a fibra do lótus — é despertada pelo *vahni-yoga*, sobe pela *sushumnâ*. (1.50)

Comentário: O composto *vahni-yoga*, ou "Yoga do fogo", refere-se à combustão criada pela união da mente (isto é, da atenção) com a força vital (isto é, a respiração). É o equivalente fisiológico do *buddhi-yoga*.

Assim como um homem, com força, abre uma porta usando a chave, assim também o *yogin* deve escancarar as portas da libertação por meio da *kundalinî*. (1.51)

Comentário: Temos aqui um jogo com a palavra *hatha* ("força"), que, no ablativo *hathât*, significa "à força" ou "com força". O processo da *kundalinî* é quintessencial no Hatha-Yoga, que é o Yoga da força.

CAPÍTULO 18 — O YOGA COMO ALQUIMIA ESPIRITUAL... ॐ

Com as mãos firmemente postas em concha, sentando-se na postura do lótus, encostando com força o queixo ao peito e [praticando] a meditação na mente (*cetas*), deve ele expelir repetidamente o ar *apâna* para cima, depois de ter preenchido [com ele o peito]. [Assim], ao libertar a força vital, ele adquire um conhecimento (*bodha*) inigualável por meio do despertar do poder (*shakti*). (1.52)

Deve esfregar seus membros com o líquido [i.e., o suor] produzido pelo esforço. Deve tomar leite e abster-se de [alimentos] amargos, azedos e salgados. (1.53)

Aquele que pratica [este tipo de] Yoga deve ser celibatário (*brahmacârin*) e deve praticar a renúncia (*tyâgin*), vivendo de uma alimentação simples (*mita-âhârin*).[27] Tornar-se-á um adepto ao cabo de um ano. Quanto a isto não se deve ter a menor dúvida. (1.54)

Comentário: Enquanto se dedicam ao árduo processo da *kundalinî*, os *yogins* precisam tomar muito cuidado com a alimentação. Não se recomendam nem o jejum nem os excessos no comer.

Aquele que consome[28] alimentos doces e ricos em óleo, saboreando-lhes o gosto e deixando uma quarta parte, é chamado um homem que se alimenta simplesmente (*mita-âhârin*). (1.55)

Comentário: A recomendação tradicional é que se encham duas partes do estômago com alimento e uma com água, deixando vazia a quarta parte. Aliás, um quarto da comida deve ser oferecido às divindades e aos antepassados antes da refeição.

Aquele que conhece a *kundalinî-shakti* [situada] acima do "bulbo", que concede a esplêndida libertação mas [é causa de maior] servidão para os tolos, é um conhecedor dos *Vedas*. (1.56)

Comentário: O poder da serpente é uma faca de dois gumes. Para os praticantes sábios, dá por fim o fruto da libertação; mas, para os outros, só faz com que se aprofunde o seu envolvimento ignorante com o doloroso ciclo da existência (*samsâra*).

Participa da libertação o *yogin* que conhece o *mahâ-mudrâ*, o *nabho-mudrâ*, o *uddîyâna*[*-bandha*], o *jâlandhara* [*-bandha*] e o *mûla-bandha*. (1.57)

Unindo o queixo ao peito, pressionando sempre o calcanhar esquerdo contra o períneo (*yoni*) e segurando com as mãos o pé direito estendido à frente, [o *yogin*], depois de inalar o ar e contê-lo nos dois lados do peito, deve exalá-lo aos poucos. Afirma-se que este grande selo [i.e., *mahâ-mudrâ*] elimina as doenças das pessoas. (1.58)

Comentário: A expressão *kakshi-yugalam*, traduzida aqui por "nos dois lados do peito", corresponde à sensação de encher os pulmões ao máximo de modo que a caixa torácica se expanda.

Depois de praticar [o *mahâ-mudrâ*] com a parte lunar [i.e., a narina esquerda], deve ele praticá-lo com a parte solar [i.e., a narina direita]. Deve sair da posição deste selo depois de chegar a um número igual [de repetições]. (1.59)

[Para o adepto que chegou a bom êxito na prática do *mahâ-mudrâ*], não há mais [alimentos] adequados e inadequados. Todos os sabores, com efeito, perdem o sabor. Até mesmo um veneno virulento, quando ingerido, é digerido como se fosse néctar (*pîyûsha*). (1.60)

[Todas] as doenças são eliminadas para o praticante do *mahâ-mudrâ*, especialmente a tuberculose, a lepra, a constipação,[29] o inchaço do abdômen e a decrepitude. (1.61)

Este *mahâ-mudrâ* que descrevemos proporciona às pessoas grandes realizações. Deve ser conservado com o máximo zelo e não deve ser revelado a ninguém. (1.62)

Comentário: A expressão *mahâ-siddhi*, traduzida aqui por "grandes realizações", pode ser entendida também no singular como a Realização por excelência, a libertação. Pode, por outro lado, ser uma referência aos oito grandes poderes paranormais tradicionalmente atribuídos aos adeptos plenamente realizados.

O *khecârî-mudrâ* consiste em virar a língua para trás e encaixá-la no oco do crânio, fixando-se entrementes o olhar entre as sobrancelhas. (1.63)

O conhecedor do *khecârî-mudrâ* não sofrerá o sono, nem a fome, nem a sede, nem o desfalecimento, nem a morte por motivo de doença. (1.64)

O conhecedor do *khecârî-mudrâ* não será atormentado pela tristeza, nem maculado pelas ações [ou pelo karma], nem agrilhoado por coisa alguma. (1.65)

Porque a língua toma a forma do *khecârî*, a mente (*citta*) não se move. Por isto, o *khecârî* perfeito é adorado por todos os adeptos. (1.66)

O sêmen (*bindu*) é a raiz de [todos os] corpos dotados de veias [i.e., de canais da força vital]. Elas constituem [todas] as veias [i.e., de canais da força vital]. Elas constituem [todos] os corpos, da cabeça às solas dos pés. (1.67)

O sêmen não se perde para aquele que [penetra] a cavidade acima da úvula por meio do *khecârî-mudrâ*, [mesmo que ele seja] abraçado por uma mulher. (1.68)

Comentário: Pelo domínio do *khecârî-mudrâ*, o *yogin* pode dedicar-se à atividade sexual sem correr o risco da ejaculação, que é tradicionalmente evitada por acarretar o esgotamento da energia vital (*ojas*).

Enquanto o sêmen permanecer no corpo, quem terá medo da morte? Enquanto se conserva o *nabho-mudrâ*, o sêmen não desperta. (1.69)

Comentário: O *nabho-mudrâ* é o mesmo que o *khecârî-mudrâ*. A palavra *nabhas*[30] é sinônimo do *kha* de *khecârî*; ambas significam "éter" ou "espaço".

Mesmo que o sêmen caia no [útero feminino] que "consome os sacrifícios" (*huta-âshana*), ele é recuperado e volta ao seu lugar de origem quando é contido pelo poder do *yoni-mudrâ*. (1.70)

Comentário: O *yoni-mudrâ* consiste numa determinada forma de contrair o períneo.

Além disso, há duas espécies de sêmen: o branco e o vermelho. O branco é chamado *shukra*, ao passo que o vermelho é chamado *mahâ-rajas*. (1.71)

Comentário: O *shukra*, o branco, é o sêmen do homem, e o *mahâ-rajas*, o vermelho, é a secreção vaginal da mulher, às vezes confundida (erroneamente) com o sangue da menstruação.

O *rajas* localiza-se na região do umbigo e assemelha-se a um líquido vermelho. O *bindu* localiza-se na região da lua [i.e., no céu da boca]. É difícil unir os dois. (1.72)

Comentário: Este versículo deixa claro que, do ponto de vista yogue, o *bindu* não é somente o esperma produzido nos testículos, assim como o *rajas* não é somente a secreção genital feminina. Ambos têm também os seus aspectos energéticos. Assim, o *rajas* é associado ao elemento solar situado no abdômen e o *bindu*, ao elemento lunar localizado na cabeça.

O *bindu* é Shiva; o *rajas* é Shakti. O *bindu* é a lua; o *rajas* é o sol. Somente pela união dos dois chega [o *yogin*] ao Estado supremo. (1.73)

Quando o *rajas* é ativado pelo estímulo do poder [da *kundalinî*] através da respiração (*vâyu*), alcança ele a união com o *bindu*, e com isso o corpo se diviniza. (1.74)

Comentário: A criação de um corpo divino (*divya-deha*), dotado de todos os grandes poderes paranormais, é o objetivo do Hatha-Yoga. Este versículo resume o processo esotérico pelo qual esse fim é alcançado.

O *shukra* está ligado à lua; o *rajas* está ligado ao sol. Aquele que conhece a unidade intrínseca dos dois é um conhecedor do Yoga. (1.75)

Comentário: A expressão *samarasa-ekatva* (escreve-se *samarasaikatva*), traduzida aqui por "unidade intrínseca", refere-se à fusão dos aspectos energéticos dos dois tipos de sêmen — o masculino e o feminino. *Samarasa* é um conceito muito importante no Tantrismo e no Hatha-Yoga. Significa a realização da identidade fundamental de todas as coisas diferenciadas, ou seja, a não-dualidade na dualidade.

À purificação da rede (*jâla*) de canais e ao despertar do sol e da lua, bem como ao esgotamento dos líquidos [corpóreos nocivos], chama-se *mahâ-mudrâ*. (1.76)

Comentário: A transformação à qual o *hatha-yogin* aspira exige uma reformulação total da química do corpo. Os *rasas* ou líquidos mencionados neste versículo são, provavelmente, fluidos corpóreos que padecem de um desequilíbrio químico.

Assim como um grande pássaro não se cansa ao levantar vôo, assim também esta [prática do] *uddîyâna*[*-bandha*] transforma-se num leão perante o elefante da morte. (1.77)

Comentário: Esta metáfora pitoresca baseia-se na assonância entre o *uddîna* ("levantar vôo") do pássaro e o *uddîyâna* ("pairar") do *yogin*, que consiste em contrair fortemente o abdômen para dentro de modo a conduzir o ar ou a força vital para cima e fazer *jîva* voar como um pássaro. Afirma-se que esta técnica yogue é capaz de vencer a morte, do mesmo modo que o leão é capaz de matar um elefante muito maior do que ele.

Esta trava ascendente (*uddîyâna-bandha*) é [feita] abaixo do umbigo e na metade posterior do abdômen. Aí se diz que a trava [é aplicada]. (1.78)

A *jâlandhara-bandha* [ou trava da garganta] bloqueia a rede de condutos (*shiras*) de modo que a água do céu [i.e., o néctar produzido pelo núcleo secreto da cabeça] não caia [no abdômen]. Por isso, [essa prática] elimina um sem-número de males da garganta. (1.79)

Quando se executa o *jâlandhara-bandha*, caracterizada pela constrição [deliberada] da garganta, o néctar não cai no fogo e o ar não se agita. (1.80)

Pressionando o calcanhar esquerdo contra o períneo, [o *yogin*] deve contrair o ânus enquanto puxa para cima a [força] *apâna*. [Assim] se deve executar a "trava da raiz" (*mûla-bandha*). (1.81)

Com a unificação de *prâna* e *apâna*, reduz-se a quantidade de urina e de fezes. Mesmo que seja velho, ele fica de novo jovem pela [prática] constante da trava da raiz. (1.82)

Sentando-se na posição do lótus, mantendo eretos o corpo e a cabeça e fixando o olhar na ponta do nariz, deve ele recitar na solidão (*ekânta*) o imperecível som *om*. (1.83)

A Luz suprema é *om*, em cujas mínimas unidades fonéticas (*mâtrâ*) residem as divindades da lua, do sol e do fogo, [bem como] os graus da manifestação [simbolizados pelas palavras] *bhûh*, *bhuvah* e *svah*. (1.84)

Comentário: A sílaba sagrada *om* simboliza o Absoluto, mas os elementos que a constituem (*a*, *u* e *m*) representam os chamados três mundos (*loka*), representados pelas palavras *bhûh*, *bhuvah* e *svah*, que são respectivamente a terra, a atmosfera e o céu.

A Luz suprema é *om*, onde residem os três tempos [i.e., o passado, o presente e o futuro], os três *Vedas* [i.e., o *Rig-Veda*, o *Yajur-Veda* e o *Sâma-Veda*], os três mundos, as três entoações (*svara*) e as três divindades [i.e., Shiva, Vishnu e Brahma?]. (1.85)

A Luz suprema é *om*, onde reside o tríplice poder (*shakti*) [que se manifesta em] ação, vontade e sabedoria, ou *brâhmî*, *raudrî* e *vaishnavî*. (1.86)

Comentário: O aspecto feminino da Divindade, significado pelo termo *shakti*, compreenderia três funções: a ação criadora (*kriyâ*), a vontade criadora (*icchâ*) e a sabedoria criadora (*jnâna*). Essas três funções também são designadas pelas formas adjetivais dos nomes das três grandes divindades: Brahma, Rudra (ou seja, Shiva) e Vishnu.

A Luz suprema é *om*, onde residem as três unidades fonéticas, a saber, a sílaba *a*, a sílaba *u* e a sílaba *m*, chamada de "ponto seminal" (*bindu*). (1.87)

A Luz suprema é *om*. Deve ele recitar em palavras sua sílaba-semente (*bîja*), praticá-la com o corpo e recordá-la com a mente. (1.88)

Aquele que recitar constantemente o *pranava*, quer seja puro ou impuro, não será maculado pelo pecado, assim como a folha de lótus [não é tocada] pela água. (1.89)

Quando o "vento" se move, move-se também o sêmen. Quando não se move, tampouco se move [o sêmen]. [Se] o *yogin* [quiser] desenvolver o poder da absoluta imobilidade (*sthânutva*), deverá conter o "vento" [i.e., a respiração/força vital]. (1.90)

Enquanto o "vento" permanece no corpo, a psique não se liberta. A saída dele [provoca] a morte. Por isso, deve ele conter o "vento". (1.91)

Enquanto o ar fica contido no corpo, a mente permanece livre do mal. Enquanto o olhar [for habilmente fixado] entre as sobrancelhas, quem terá medo da morte? (1.92)

Portanto, por medo da morte, [até] Brahma dedica-se diligentemente ao controle da respiração, como o fazem também os *yogins* e os sábios. Por isso, deve-se conter o "vento". (1.93)

Pelos caminhos da esquerda e da direita [i.e., as narinas], *hamsa* avança (*prayâna*) [a uma distância de] trinta e seis dedos para fora [do corpo], e por isso se chama *prâna*. (1.94)

Quando toda a rede de canais, cheios de impurezas, é por fim purificada, o *yogin* torna-se capaz de controlar (*samgrahana*) a força vital. (1.95)

O *yogin* [colocado] na postura travada do lótus deve preencher-se de força vital pela [narina] lunar e, depois de contê-la segundo a sua capacidade, deve expeli-la de novo pela [narina] solar. (1.96)

Meditando no disco lunar, no néctar que se assemelha à coalhada, ao leite de vaca ou à prata, o praticante do controle da respiração deve alegrar-se. (1.97)

Comentário: O texto usa a palavra *prânâyâmin* para designar o praticante do *prânâyâma*. O disco (*bimba*) lunar é visualizado na cabeça, no local de onde promana o néctar da imortalidade, acima do céu da boca.

Aspirando o ar (*shvâsa*) pela [narina] direita, deve ele preencher aos poucos o abdômen. Depois de retê-lo segundo as regras, deve expeli-lo pela [narina] lunar. (1.98)

Meditando no disco solar, que é um coágulo de chamas ardentes e brilhantes localizado no umbigo, o praticante do controle da respiração deve alegrar-se. (1.99)

Quando a respiração é filtrada por *idâ* [i.e., pela narina esquerda], ele deve expeli-la de volta pela outra [narina]. Aspirando o ar pela *pingalâ* [i.e., pela narina direita], deve ele, depois de retê-lo, expirá-lo pela [narina] esquerda. Pela meditação nos dois discos — o solar e o lunar —, sempre segundo as regras, toda a multidão dos canais se purifica ao cabo de três meses. (1.100)

Pela purificação dos canais, [o *yogin*] obtém a saúde, a manifestação do som [sutil interior] (*nâda*), [a capacidade de] conter o "vento" de modo a preencher totalmente os pulmões e a ignição do fogo [interior]. (1.101)

Comentário: O fogo interior (*anala*) é o calor abdominal (*udâra-agni*; escreve-se *udârâgni*), que é essencial para o processo de despertar o poder da serpente.

Parte II

Pela contenção da expiração (*apâna*), o ar, a força vital (*prâna*) permanece no corpo. Com uma única respiração, [o *yogin*] deve abrir o caminho que leva ao "espaço" (*gagana*) [no topo da cabeça]. (2.1)

Comentário: A força vital (*prâna*) manifesta-se no corpo humano sob cinco aspectos funcionais, dos quais *apâna* e *prâna* são os que principalmente constituem o motor da nossa vida psicofísica. O primeiro está ligado à expiração, o segundo à inspiração. Ao imobilizar a força vital exteriorizante, o *yogin* acumula a energia prânica no corpo; esta, quando adequadamente direcionada, pode escancarar a porta que se oculta no topo da cabeça. É então que a força vital individuada reúne-se à força vital cósmica.

A exalação, a inalação e a retenção [yogues] têm a natureza do "murmúrio" (*pranava*) [i.e., a sagrada sílaba *om*]. O controle da respiração é tríplice e tem doze medidas (*mâtrâ*). (2.2)

Comentário: No Hatha-Yoga, o controle da respiração freqüentemente se associa à prática da recitação de *om*, recitação essa que é contada em "medidas". A *mâtrâ* é uma unidade de tempo, definida de várias maneiras. Assim, o *Brihad-Yogi-Yâjnavalkya-Smriti* (8.112) explica-a como o tempo necessário para estralar os dedos três vezes, passar a mão em roda sobre o joelho uma vez e bater palmas três vezes. Neste texto, a *mâtrâ* é identificada à duração do próprio som *om* — que dura alguns segundos.

O sol e a lua [internos] estão ligados às doze medidas; não são presos à rede de defeitos (*dosha*). O *yogin* deve sempre conhecer [esses dois princípios]. (2.3)

Comentário: O corpo humano é um espelho do conjunto da realidade macrocósmica. "O que está embaixo é como o que está em cima." Portanto, também há um sol e uma lua dentro do corpo. Afirma-se que o primeiro localiza-se na região do umbigo e a segunda, na cabeça.

Durante a inalação, deve ele executar doze medidas [da sílaba *om*]. Durante a retenção, deve executar dezesseis medidas e, durante a exalação, dez sons *om*. A isso se chama de "controle da respiração" (*prânâyâma*). (2.4)

No [estágio] inicial [do controle da respiração devem-se executar] doze medidas; no [estágio] intermediário, duas vezes isso; e no [estágio] superior, prescreve-se três vezes isso. Tal é a qualificação do controle da respiração. (2.5)

No [estágio] inferior, a "substância" (*dharma*) [i.e., o suor] é forçada a sair; no [estágio] intermediário, ocorrem tremores; no [estágio] superior, o *yogin* se eleva [do chão]. Por isso, deve ele conter [cuidadosamente] o ar (*vâyu*). (2.6)

O *yogin*, [sentado na] postura travada do lótus, prestando homenagem ao mestre e a Shiva, deve praticar o controle da respiração na solidão (*ekânta*), fixando o olhar no meio das sobrancelhas. (2.7)

Comentário: A postura do lótus travada (*baddha-padma-âsana*) consiste em sentar-se na postura do lótus comum, cruzar os braços por trás das costas e segurar com as mãos os dedos dos pés.

Trazendo para cima o ar *apâna*, deve ele uni-lo ao *prâna*. Quando *apâna* é conduzido para cima junto com o poder [da *kundalinî*], libera-se o *yogin* de todos os pecados. (2.8)

Fechando os nove portais (*dvâra*) [i.e., os orifícios do corpo], inalando o ar e contendo-o firmemente, conduzindo-o ao "espaço interior" (*âkâsha*) [do coração?] junto com o *apâna* e o fogo (*vahni*) [abdominal], despertando o poder [da *kundalinî*] e colocando-o na cabeça — seguindo esta regra, enquanto [o *yogin*] unido à morada do Si Mesmo [no topo da cabeça] assim permanecer, será certissimamente louvado pela multidão dos grandes seres. (2.9)

Comentário: O processo de despertar da *kundalinî* é normalmente descrito como uma ação conjunta do *prâna*, do *apâna* e do fogo abdominal. Juntos, eles geram energia em quantidade suficiente para acordar a *kundalinî* que jaz adormecida na base da coluna.

Portanto, o controle da respiração é um fogo [que se alimenta] do combustível das transgressões (*pâtaka*). Os *yogins* sempre chamam-no de "a grande ponte" [que cruza] o oceano da existência [condicionada]. (2.10)

Comentário: Desde a época dos *Brâhmanas*, o controle da respiração foi exaltado como o meio por excelência através do qual se podem consumir os depósitos kármicos resultantes dos pensamentos e ações demeritórios.

Através da postura, eliminam-se as doenças; através do controle da respiração, [expiam-se] as transgressões; através do recolhimento dos sentidos, o *yogin* se liberta de [todas as] modificações (*vikâra*) mentais. (2.11)

O amor pela concentração [causa] a estabilidade (*dhairya*); através da meditação, [o *yogin* obtém] um [estado de] consciência maravilhoso. No [estado de] êxtase (*samâdhi*), lançando fora o karma propício e nefasto, ele alcança a libertação. (2.12)

Diz-se que o recolhimento dos sentidos [ocorre] depois de duas vezes seis controles da respiração; afirma-se que a concentração auspiciosa [ocorre] depois de duas vezes seis recolhimentos dos sentidos. (2.13)

Os especialistas em meditação asseveram que a meditação são doze concentrações. Afirma-se ainda que o êxtase (*samâdhi*) [ocorre] ao cabo de doze meditações (2.14)

Quando se contempla nesse êxtase a suprema Luz — infinita, irradiando-se em todas as direções —, já não há atividade nem karma passado ou presente. (2.15)

Tendo-se colocado na postura com o pênis [entre] os dois calcanhares, fechando com os dedos os orifícios dos olhos, dos ouvidos e das vias nasais, inalando o ar pela boca e contemplando [o *prâna*] no peito junto com o fogo [abdominal] e o *apâna*, deve ele contê-los todos estáveis na cabeça. Assim, o senhor dos *yogins*, cuja forma é a daquela [Realidade], alcança a identificação (*samatâ*) com a Realidade (*tattva*) [i.e., Shiva]. (2.16)

Quando o ar alcança o "espaço" (*gagana*) [dentro do coração?], produz-se um som poderoso [que se assemelha ao de] um instrumento musical como um sino. Então, a perfeição (*siddhi*) está próxima. (2.17)

[O *yogin*] jungido pelo controle da respiração [garante] a eliminação de todas as [espécies de] doenças. [Aquele que] não está jungido pela prática do Yoga [atrai para si] a manifestação de todas as [espécies de] doenças. (2.18)

Várias doenças, [tais como] soluços, tosse, asma e males da cabeça, dos ouvidos e dos olhos, são causadas pelo descontrole (*vyatikrama*) do ar. (2.19)

Assim como o leão, o elefante e o tigre são domados muito aos poucos, para que não venham a matar o domador — assim também o ar [só deve ser] manipulado [com a máxima disciplina]. (2.20)

Deve ele deixar o ar sair bem devagar, e deve também inalá-lo bem devagar. Além disso, deve conter [a respiração] bem devagar. Então, a perfeição está próxima. (2.21)

Os olhos e os outros [sentidos] vagam entre os seus respectivos objetos. Quando retiram-se deles, a isto chama-se "recolhimento dos sentidos" (*pratyâhâra*). (2.22)

Assim como o sol deixa de brilhar quando atinge o terceiro [quartel do seu] ciclo, assim também o *yogin* que recorre ao terceiro membro [do Yoga] [deve apagar todas as] modificações mentais (*vikâra*). (2.23)

Assim como a tartaruga recolhe os membros para dentro do casco, assim deve o *yogin* recolher os sentidos dentro de si. (2.24)

Reconhecendo que o quanto ouve com os ouvidos, seja agradável, seja desagradável, é sempre o Si Mesmo — o conhecedor do Yoga recolhe [a audição]. (2.25)

Reconhecendo que o que quer que cheire com o nariz, seja perfumado, seja malcheiroso, é sempre o Si Mesmo — o conhecedor do Yoga recolhe [o olfato]. (2.26)

Reconhecendo que o quanto vê com os olhos, seja puro, seja impuro, é sempre o Si Mesmo — o conhecedor do Yoga recolhe [a visão]. (2.27)

Reconhecendo que o quanto sente com a pele, quer tangível, quer intangível, é sempre o Si Mesmo — o conhecedor do Yoga recolhe [o tato]. (2.28)

Reconhecendo que o quanto saboreia com a língua, quer salgado, quer insosso, é sempre o Si Mesmo — o conhecedor do Yoga recolhe [o paladar]. (2.29)

O sol recolhe a chuva feita de néctar (*amrita*) lunar. Ao recolhimento dessa [chuva] chama-se "recolhimento dos sentidos". (2.30)

A mulher única, que vem da região lunar, é desfrutada por dois, ao passo que o terceiro, [além] dos dois, é o que sofre a velhice e a morte. (2.31)

Comentário: O sentido deste versículo é obscuro.

Na região do umbigo reside o sol único, cuja essência é o fogo. E a lua, cuja essência é o néctar, situa-se sempre na raiz do palato. (2.32)

A lua, voltada para baixo, faz chover [néctar]; o sol, voltado para cima, devora [esse néctar lunar]. Para isto deve-se conhecer a postura [invertida] (*karanî*) para que a ambrosia seja obtida. (2.33)

[Quando] o umbigo está em cima e o céu da boca está embaixo, [ou seja, quando] o sol está em cima e a lua está embaixo, a isto se chama de postura invertida. Deve ela ser aprendida pelo ensinamento de um mestre. (2.34)

Comentário: A postura invertida (*viparîta-karanî*) pode ser a parada de ombros ou a parada de mãos.

Lá onde o touro três vezes agrilhoado solta um mugido poderosíssimo, devem os *yogins* saber que está [situado] o *cakra* do "[som] não-tocado" (*anâhata*), no coração. (2.35)

Comentário: O "touro três vezes agrilhoado" (*tridhâ baddho vrishah*) é a psique (*jîva*), presa pelas três qualidades (*guna*) da Natureza — *sattva*, *rajas* e *tamas*.

Quando a força vital alcança o grande lótus [do topo da cabeça], depois de ter-se aproximado do *manipûraka* e ter passado para o *anâhata*, o *yogin* alcança a imortalidade (*amrita*). (2.36)

Deve [o *yogin*] contemplar o supremo Poder (*shakti*) inserindo a língua na cavidade [brâhmica] superior, segundo as prescrições. [O néctar] que goteja do lótus de dezesseis pétalas situado acima é obtido pela elevação forçada [da língua, até que encoste no fundo do céu da boca]. Esse *yogin* impecável, que bebe da morada (*kula*) da língua a [especial] décima sexta parte da água limpidíssima da onda de *kalâ*, [que escorre] daquele [lótus], vive por muito tempo com um corpo tão jovem e flexível quanto um talo de lótus. (2.37)

Deve ele beber do fresco vagalhão [de ar] [fazendo] com a boca um bico como o de um corvo. Ordenando o *prâna* e o *apâna*, o *yogin* não envelhece. (2.38)

Aquele que bebe o ar do *prâna* com a língua [colada na] raiz do palato verá todas as suas doenças desaparecer dentro de seis meses. (2.39)

Depois de contemplar todo o néctar no quinto *cakra*, [chamado] "o puro" (*vishuddha*), ele parte pelo caminho ascendente, passando ileso pelas mandíbulas do sol [interior localizado no umbigo]. (2.40)

O som *vi* significa o "cisne" (*hamsa*) [i.e., a respiração espontânea]; *shuddhi* [ou "pureza"] chama-se "imaculado". Por isso, os conhecedores dos *cakras* sabem que o *cakra* da garganta é chamado *vishuddha*. (2.41)

[A força vital], depois de escapar às mandíbulas do sol [interior], sobe por si mesma até a cavidade na base do nariz, [desde que o *yogin*] tenha preenchido de néctar essa cavidade. (2.42)

Coletando a água limpidíssima da *kalâ* da lua, [que cai em forma de chuva] de cima da região da garganta, deve ele conduzi-la para a cavidade na base do nariz e depois para toda parte, por meio do "espaço" [situado no topo da cabeça]. (2.43)

O conhecedor do Yoga que bebe o néctar (*soma*) por mover com firmeza a língua para cima, [encostando-a no céu da boca], conquista indubitavelmente a imortalidade ao cabo de meio mês. (2.44)

Aquele que controla o orifício da raiz supera [todos os] obstáculos e alcança [o estado que se situa] além da velhice e da morte, como o Hara de cinco faces [i.e., Shiva]. (2.45)

Pressionando a ponta da língua contra a grande cavidade do "dente real" (*râja-danta*) [i.e., a úvula ou "campainha"] e contemplando a Deusa ambrosíaca, torna-se ele um sábio-poeta (*kavi*) ao cabo de seis meses. (2.46)

Comentário: Essa técnica também é chamada de *lambikâ-yoga*. A palavra *lambikâ* significa "penduricalho" e refere-se à úvula, que é estimulada pela língua para aumentar a produção de saliva, cujo correspondente sutil é o límpido néctar da imortalidade.

O grande fluxo vindo de cima [da úvula] bloqueia todos os [outros] fluxos [do corpo]. Todo o que não produz o néctar [deve praticar antes] os caminhos das cinco concentrações. (2.47)

Se a língua beijar constantemente a extremidade do "penduricalho" [i.e., a úvula], provocando o fluxo de um líquido (*rasa*) [de sabor] salgado, picante ou azedo, ou que se assemelha ao leite, ao mel e à manteiga líquida, as doenças, a velhice e a morte desaparecerão; as doutrinas (*shâstra*) e seus membros auxiliares serão celebradas,[31] e ele alcançará a imortalidade e os oito poderes [paranormais] e atrairá para si as consortes (*anga*) dos adeptos (*siddha*). (2.48)

Ao cabo de dois ou três anos, o *yogin* cujo corpo está cheio de néctar vê o seu sêmen (*retas*) subir e [assiste ao] surgimento de poderes [paranormais], como o de miniaturização (*animan*). (2.49)

Comentário: A subida do aspecto sutil do fluido reprodutivo masculino é o equivalente yogue do que, em linguagem psicológica, se chama "sublimação". A rigor, trata-se de uma forma de "sobreliminação", pois o processo consiste numa ultrapassagem dos limites (latim: *limen*) da condição psicofísica ordinária. Este estado, raro, é chamado de *ûrdhva-retas*.

Assim como o fogo existe [enquanto existe o] combustível; assim como a luz existe [enquanto existem] o óleo e o pavio — assim também a [psique] encarnada não deixa o corpo enquanto ele está repleto da parte (*kalâ*) lunar. (2.50)

Para o *yogin*, cujo corpo é cotidianamente preenchido com a parte lunar, os venenos não se espalham, mesmo que ele seja picado pelo próprio Takshaka [o rei das serpentes]. (2.51)

[Quando o *yogin* estiver] experimentado na postura, firmemente unido ao controle da respiração e dotado do recolhimento dos sentidos, deve praticar a concentração. (2.52)

A concentração é definida como a estabilidade da mente e a concentração nos cinco elementos, um a um, no coração. (2.53)

O [elemento] terra, sediado no coração, é um quadrado amarelo ou amarelado resplandecente, com a sílaba *la* e o [deus Brahma] sentado na posição do lótus. Dissolvendo lá [i.e., no coração] as energias vitais junto com a mente, deve ele concentrar-se por cinco *ghatikâs* [i.e., duas horas]. Deve sempre praticar a concentração terrestre, de efeito estabilizante, para dominar a terra. (2.54)

O elemento água (*ambu-tattva*), semelhante à meia-lua ou ao jasmim branco, localiza-se na garganta, é dotado da sílaba-semente do néctar (*pîyûsha*), *va*, e é sempre associado a Vishnu. Dissolvendo lá [i.e., no coração] as energias vitais junto com a mente, deve ele concentrar-se por cinco *ghatikâs* [i.e., duas horas]. Deve praticar sempre a concentração aquática, que consome o sofrimento para sempre. (2.55)

O elemento fogo, triangular, localizado no céu da boca e semelhante à cochonilha [vermelha], é luminoso e associado a *repha* [i.e., à sílaba *ra*], é brilhante como o coral e vive na boa companhia de Rudra. Dissolvendo lá [i.e., no coração] a força vital junto com a mente, deve ele concentrar-se por cinco *ghatikâs* [i.e., duas horas]. Deve dedicar-se[32] sempre à concentração ígnea a fim de dominar o fogo. (2.56)

Comentário: Em geral, afirma-se que o elemento fogo se localiza no umbigo.

O elemento aéreo, localizado entre as sobrancelhas, assemelha-se ao colírio negro e está associado à letra *ya* e a Îshvara como divindade [regente]. Dissolvendo lá [i.e., no coração] a força vital junto com a mente, deve ele concentrar-se por cinco *ghatikâs* [i.e., duas horas]. O *yamin* deve praticar a concentração aérea para poder cruzar os céus. (2.57)

Comentário: O domínio sobre o elemento ar dá ao *yamin*, ou *yogin*, a capacidade do vôo mágico (*khecara*), que é um tema ao qual não só a literatura yogue, mas também as tradições xamânicas do mundo inteiro se referem com freqüência.

O elemento éter ou espaço, localizado na "fissura de Brahma" (*brahma-randhra*) [no topo da cabeça] e semelhante à agua muito límpida, está ligado a Sadâ-Shiva, ao som [interior] (*nâda*) e à sílaba *ha*. Dissolvendo lá [i.e., no coração] a força vital junto com a mente, deve ele concentrar-se por cinco *ghatikâs* [i.e., duas horas]. Diz-se que a concentração etérea abre de par em par as portas da libertação. (2.58)

As cinco concentrações nos elementos [têm, respectivamente, os poderes de] bloquear, inundar, abrasar, desestabilizar e dessecar. (2.59)

As cinco concentrações são difíceis de realizar por meio da mente, da fala e da ação. O *yogin* conhecedor [do uso dessas técnicas] é liberto de todos os sofrimentos. (2.60)

A memória (*smriti*,) alcança o elemento único (*dhâtu*) de todos os pensamentos. A meditação é definida como a ideação (*cintâ*) pura na mente. (2.61)

A meditação é de duas espécies: composta (*sakala*) e sem partes (*nishkala*). É composta em virtude das diferenças de execução; já a [meditação] sem partes está acima de todas as qualificações (*nirguna*). (2.62)

Sentando-se numa postura confortável (*sukha-âsana*), com a mente interiorizada e o olhar (*cakshus*) exteriorizado voltado para baixo, contemplando concentrado a serpente (*kundalinî*), ele fica livre da culpa (*kilbisha*). (2.63)

O primeiro *cakra*, [chamado] "apoio" (*âdhâra*), tem quatro pétalas e assemelha-se ao ouro. Contemplando concentrado a serpente (*kundalinî*) [nesse lugar do corpo], ele fica livre da culpa (*kilbisha*).[33] (2. 64)

Comentário: O "apoio" também é chamado de *mûlâdhâra-cakra* e localiza-se na base da coluna, o caldeirão alquímico do corpo humano.

Contemplando o Si Mesmo na "base própria" (*svâdhishthâna*) de seis pétalas, [o *cakra* localizado na altura dos órgãos genitais], que se assemelha a uma jóia genuína, o *yogin*, fixando o olhar na ponta do nariz, fica [perfeitamente] feliz. (2.65)

Contemplando o Si Mesmo no *cakra* da cidade das jóias, luminoso como o sol nascente, [o *yogin*], fixando o olhar na ponta do nariz, abala o mundo. (2.66)

Comentário: Faz-se referência aqui ao centro psicoenergético do umbigo, chamado *manipûra-cakra* ou *manipûraka-cakra* porque, para a visão yogue, ele assemelha-se a uma cidade feita de pedras preciosas.

Contemplando Shambhu, sediado no espaço íntimo (*âkâsha*) do coração e luminoso como o sol indomável, e fixando o olhar na ponta do nariz, ele assume a forma do Absoluto (*brahman*). (2.67)

Comentário: Shambhu ("O Benigno") não é outro senão Shiva, que reside no lótus do coração, o *hridaya-cakra* ou *anâhata-cakra*.

Contemplando o Si Mesmo no lótus do coração fulgurante como o relâmpago, enquanto [executa] várias [formas de] controle da respiração e fixa o olhar na ponta do nariz, ele assume a forma do Absoluto. (2.68)

Contemplando constantemente o Si Mesmo no meio do "sino" (*ghantikâ*), no [*cakra*] puro (*vishuddha*) que brilha como uma lâmpada, ele assume a forma da bem-aventurança espiritual (*ânanda*). (2.69)

Comentário: O termo *ghantikâ* significa "sininho" e pode referir-se aqui à glândula tireóide ou à cartilagem tireoidal, ou talvez à epiglote. Como o versículo 2.75 distingue entre a *ghantikâ* e a *lambikâ*, a primeira não pode ser a úvula.

Contemplando o Si Mesmo, o Deus localizado entre as sobrancelhas e semelhante a um diadema genuíno, fixando o olhar na ponta do nariz, ele assume a forma da bem-aventurança espiritual. (2.70)

O *yogin* que dominou a força vital e que contempla perenemente o Si Mesmo, o Senhor supremo de aspecto azul no ponto entre as sobrancelhas, fixando o olhar na ponta do nariz, alcança a [meta suprema do] Yoga. (2.71)

Comentário: O texto refere-se aqui ao *âjnâ-cakra*, que em algumas tradições é associado ao ponto seminal azul (*nîla-bindu*) ou "pérola azul", como o chamou no século XX o grande *siddha* Swami Muktananda.

Contemplando o [Ser supremo] não-qualificado, tranqüilo, benévolo (*shiva*), onisciente, no espaço [do centro psicoenergético do topo da cabeça], fixando o olhar na ponta do nariz, ele assume a forma do Absoluto. (2.72)

Comentário: O espaço (*gagana*) mencionado aqui é o espaço infinito ao qual os *yogins* podem ter acesso depois de cruzar o portal do topo da cabeça, que é chamado de "fissura de Brahma" (*brahma-randhra*) ou "roda de mil raios" (*sahasrâra-cakra*).

Lá onde o som [interior se faz ouvir] no éter/espaço, é o que se chama de "*cakra* do comando" (*âjnâ-cakra*). Contemplando lá o Si Mesmo benigno (*shiva*), o *yogin* alcança a libertação. (2.73)

Contemplando o Si Mesmo onipresente, que é puro, semelhante ao éter e esplendoroso como um líquido faiscante,[34] o *yogin* alcança a libertação. (2.74)

O ânus, o pênis, o umbigo, o lótus do coração, o que está acima deste [i.e., a garganta], o sino, a região do "penduricalho" [i.e., da úvula], o ponto entre as sobrancelhas e a cavidade espacial [no topo da cabeça]... (2.75)

Comentário: São nove pontos do corpo (*sthâna* ou *desha*) bem conhecidos que podem servir como suporte para a concentração da mente.

... dizem os *yogins* que esses nove pontos (*sthâna*) de meditação libertam o ser da realidade limitada e provocam o surgimento dos oito poderes [paranormais]. (2.76)

Contemplando e conhecendo a luz insuperável do esplêndido Shiva, que é idêntico ao Absoluto, ele se liberta. Assim falou Goraksha. (2.77)

Comentário: Neste contexto, "conhecer" significa "realizar", ou seja, *identificar-se* ou *unir-se* com a luminosidade todo-abrangente de Shiva, que é a Realidade que está por trás de todos os seres e coisas.

Controlando a circulação do ar no umbigo e contraindo à força a raiz de *apâna*,[35] que fica abaixo, assemelha-se ao veículo dos sacrifícios [i.e., o fogo][36] e cuja forma é sutil como a de um fio; e, além disso, contraindo o lótus do coração e penetrando o *dalanaka*, o céu da boca e a fissura brâhmica — eles alcançam o Vazio onde o deus Mahesha [i.e., Shiva] ingressa no éter/espaço (*gagana*). (2.78)

Comentário: Este versículo um tanto obscuro fala do processo da *kundalinî*, que envolve o controle da força vital no corpo através das conhecidíssimas travas musculares (*bandha*). O *dalanaka* ("triturador") parece ser uma das estruturas psicoenergéticas que têm de ser penetradas e ultrapassadas pelo poder da serpente em sua ascensão, para que possa chegar ao lótus das mil pétalas no topo da cabeça. Talvez trate-se de um nome esotérico do centro psicoenergético da garganta.

Acima do resplandecente lótus do umbigo fica o puro círculo (*mandala*) do sol quente (*candarashmi*). Venero o selo da sabedoria (*jnâna-mudrâ*) das *yoginîs*, que elimina o medo da morte, é feito de sabedoria, tem a mesma forma que o mundo (*samsâra*) e é a mãe do triplo universo, é a concessora do *dharma* para os seres humanos, é Chinnamastâ, digna de louvores, no tríplice fluxo sutil que percorre o centro do tríplice caminho. (2.79)

Comentário: A *yoginî-jnâna-mudrâ*, ou "selo da sabedoria das *yoginîs*", não é outra coisa senão a própria *kundalinî*, o poder divino manifesto no corpo humano. Ele corre pelo canal central localizado entre os *nâdîs idâ* e *pingalâ*; os três, juntos, formam o chamado "tríplice caminho". Esse poder, além disso, corta o fluxo de energia vital (*prâna*) nos três condutos e firma a consciência do *yogin* no espaço infinito que fica além do corpo e da mente. Esse poder de transformação (*shakti*) recebe aqui o nome da deusa Chinnamastâ, que é representada com a cabeça cortada e uma fonte de sangue jorrando do pescoço — um maravilhoso símbolo yogue. Ela é a maior das *yoginîs*, a grande administradora do poder do Yoga.

Mil sacrifícios de cavalos ou cem libações gloriosas (*vâjapeya*) não equivalem a um dezesseis avos de uma única meditacão yogue. (2.80)

Comentário: Os dois tipos de sacrifício mencionados neste versículo são processos extensos e elaboradíssimos que só podiam ser promovidos por grandes reis e que, segundo a tradição, trazem grandes méritos aos seus patrocinadores e executores.

Explica-se que a realidade dual é [devida à] sobreposição (*upâdhi*). A sobreposição é considerada um invólucro (*varna*), e a Realidade (*tattva*) é chamada de o Si Mesmo. (2.81)

Comentário: O termo *varna* ("invólucro") também pode significar "letra" e "cor", o que dá a entender que a Realidade é distorcida ou matizada pelas nossas categorias verbais.

Por meio da constante aplicação atenta (*abhyâsa*), o conhecedor da sobreposição sabe que a condição da Realidade [revelada pela sabedoria] é diferente do [mundo das aparências que surge como que por encanto por obra da] sobreposição. (2.82)

Enquanto o potencial (*tanmâtra*) do som, etc., se apresenta aos ouvidos e aos outros [órgãos dos sentidos], o que existe é a recordação (*smriti*), [que é o estado de] meditação. Depois haverá o êxtase. (2.83)

A concentração [se estabelece] ao cabo de cinco *nâdis* [i.e., duas horas]; a meditação [se estabelece] ao cabo de sessenta *nâdis*[37] [i.e., vinte e quatro horas]. Se a força vital for controlada por doze dias, haverá o êxtase. (2.84)

Comentário: O *Yoga-Tattva-Upanishad* (104b) chega a afirmar que dois dias inteiros são necessários para que se possa dizer que a meditação se estabeleceu com firmeza. Isso mostra o grau de experiência que se exige dos *yogins* para que possam alcançar o estado de êxtase.

O êxtase (*samâdhi*) é definido como o desaparecimento de toda e qualquer ideação (*samkalpa*) e a [realização da] identidade (*aikya*) entre todos os pares de opostos (*dvandva*) e entre o eu individual e o supremo Si Mesmo. (2.85)

O êxtase é definido como a [realização da] identidade entre a mente e o Si Mesmo, como a água se torna idêntica ao oceano quando se une a ele. (2.86)

O êxtase é definido como o equilíbrio das essências (*samarasatva*), [estado no qual] a força vital se dissolve e a mente é absorvida. (2.87)

O *yogin* jungido (*yukta*) pelo êxtase não [percebe] a si mesmo nem aos outros, nem [percebe] os aromas, os sabores, as formas, as texturas e os sons. (2.88)

O *yogin* jungido pelo êxtase não pode ser afetado por *mantras* e *yantras* e não pode ser penetrado por nenhuma arma nem ferido por nenhum ser. (2.89)

Comentário: Este versículo é um sinal de o quanto é difundido na Índia o costume de usar os *mantras* e *yantras* como meios mágicos para influenciar os outros, muitas vezes de forma negativa. O *yogin* consumado no êxtase é completamente imune a todas essas influências.

O *yogin* jungido pelo êxtase não é limitado pelo tempo, nem maculado pela ação, nem vencido por qualquer ser. (2.90)

O Yoga elimina sofrimento daquele que é jungido (*yukta*) [i.e., disciplinado] no alimentar-se e no jejuar, jungido no agir e jungido no dormir e no acordar. (2.91)

O conhecedor do Yoga conhece a Realidade que não tem começo nem fim, que não se apóia sobre nada, que é livre do mal, que não se ergue sobre fundações, que não é manifesta (*nishprapanca*) e não tem forma. (2.92)

Comentário: Aqui, a Realidade suprema é contraposta ao universo manifesto (*prapanca*), que tem começo e tem fim, é cheio de formas e de sofrimento e apóia-se sobre a Singularidade (*eka*), o Absoluto, o qual por sua vez não se apóia sobre coisa alguma.

Os conhecedores do Absoluto conhecem o grande Absoluto que é espaço, consciência e bem-aventurança, imaculado, inabalável, eterno, inativo e não-qualificado (*nirguna*). (2.93)

Comentário: A metafísica vedântica afirma, tipicamente, que o Absoluto (*brahman*) — na medida em que algo se pode dizer a Seu respeito — é o puro ser (*sat*), a pura consciência (*cit*), a pura bem-aventurança (*ânanda*). Neste caso, o puro ser é substituído pelo espaço infinito (*vyoman*).

Os conhecedores da Realidade conhecem a Realidade (*tattva*) que é espaço, consciência e bem-aventurança; que está além da inferência lógica (*hetu*) e da evidência (*drishtânta*); que transcende a mente (*manas*) e a intuição (*buddhi*). (2.94)

Comentário: *Manas* representa a atividade mental que decorre dos sentidos, ao passo que *buddhi* é a razão superior, ou a intuição, que não depende das informações sensoriais, mas capta diretamente os "inteligíveis".

Por meio dos métodos do Yoga, o *yogin* é absorvido no supremo Absoluto, que é livre do medo, não tem suporte, não tem apoio e está além de todo o mal. (2.95)

> Assim como a manteiga líquida que se derrama na manteiga líquida ainda é somente manteiga líquida, ou como o leite que se derrama no leite [ainda é só leite], assim também o *yogin* não é outra coisa senão a Realidade [única]. (2.96)
>
> O *yogin* absorto no Estado supremo assume essa forma, assim como o leite oferecido ao leite, a manteiga à manteiga ou o fogo ao fogo. (2.97)
>
> O segredo (*guhya*) revelado por Goraksha, maior do que qualquer outro segredo, é chamado pelas pessoas uma escada de libertação que elimina o medo da existência [condicionada]. (2.98)
>
> Os homens devem estudar este Compêndio de Goraksha, que foi criado por meios yogues (*yoga-bhûtam*). Livres de todos os pecados, alcançam eles a perfeição no Yoga. (2.99)
>
> Este texto, que saiu da boca de lótus do próprio Âdinâtha [i.e., Shiva], deve ser estudado diariamente. De que serve o excesso de outros textos? (2.100)[38]

Siddha-Siddhânta-Paddhati

Outro texto importante que se atribui a Goraksha é o *Siddha-Siddhânta-Paddhati* ("Rastros da Doutrina dos Adeptos"), obra de grande abrangência, composta de seis capítulos e, ao todo, 353 versículos.[39] Desenvolve a filosofia nâtha do corpo (*pinda*). No primeiro capítulo, distinguem-se seis tipos ou graus de corporificação, começando com o corpo transcendente ou supremo (*para*) e terminando com o corpo "embrionário" (*garbha*) ou físico. A anatomia esotérica deste último corpo é explicada no segundo capítulo. Num certo versículo (2.31), o verdadeiro *yogin* é definido como aquele que conhece por experiência direta as nove "rodas" (*cakra*), os dezesseis "apoios" (*âdhâra*) ou suportes de concentração, os três "sinais" (*lakshya*) e as cinco modalidades do éter (*vyoman*).

Os nove *cakras* incluem a conhecidíssima série dos sete, com a ressalva de que o *sahasrâra*, do topo da cabeça, é chamado *nirvâna-cakra*. O oitavo centro é o *talu-cakra*, situado no palato. É o ponto onde se localiza o misterioso "sino" (*ghantikâ*), o "dente dos reis" (*râja-danta*), a úvula, o ponto de onde goteja o divino néctar da imortalidade (*amrita*). O nono *cakra* é o *âkâsha-cakra*, que teria dezesseis raios e seria localizado na "fissura de Brahma", no topo da cabeça.

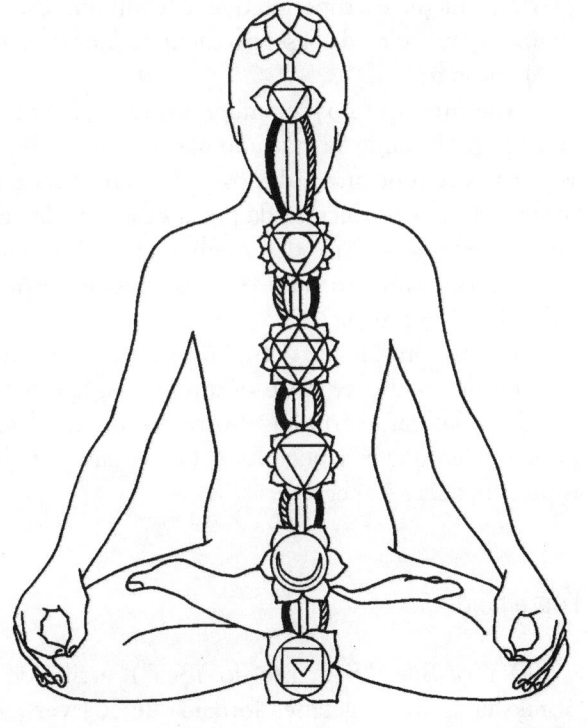

Os sete principais centros psicoenergéticos do corpo

Os dezesseis apoios são pontos do corpo onde a atenção pode fixar-se durante a concentração, a saber: os dois dedões dos pés, o *mûlâdhâra-cakra* na base da coluna, o ânus, o pênis, o baixo abdômen, o umbigo, o coração, a garganta, a úvula, o céu da boca, a língua, o ponto entre as sobrancelhas (onde se localiza o *"âjnâ-cakra*), o nariz, a base do nariz e a testa (*lalâta*).

Os três sinais (*lakshya*), ou visões, são a visão da luz fora do corpo, a visão da luz dentro do corpo e a percepção de diversos fenômenos luminosos puramente mentais. Chamam-se respectivamente *bâhya-lakshya, antar-lakshya* e *madhya-lakshya*. Estes, como também as cinco modalidades do éter ou do espaço da consciência (*âkâsha*), foram mencionados na seção que trata do Yoga da Luz, no Capítulo 15.

O terceiro capítulo do *Siddha-Siddhânta-Paddhati* prossegue tratando do mesmo tema e, em particular, afirma que o corpo é uma imagem especular microcósmica do macrocosmo. O quarto capítulo apresenta a *kundalinî-shakti* e afirma que ela existe em dois estados — o não-manifesto (cósmico) e o manifesto (individuado). No primeiro estado é chamada de *akula* e, no segundo, de *kula*. Além disso, a *kula-kundalinî* pode estar desperta ou adormecida. Embora a *kundalinî-shakti* seja uma coisa só, manifesta-se como uma série de forças subsidiárias nos diversos *cakras*. Além disso, o texto faz uma distinção entre a força (*shakti*) inferior, a média e a superior, que se localizam respectivamente no *cakra* da base, no *cakra* do umbigo e no *cakra* coronário.

O quinto capítulo procura provar que o bom êxito no Yoga depende da graça do mestre. Esta habilita os *yogins* a renunciar a todos os poderes paranormais (*siddhi*) obtidos no decurso da prática da *kundalinî* e a passar ao estado de "não-desenvolvimento" (*nirutthâna*), no qual o corpo se une ao estado supremo (*parampâda*), isto é, a Shiva.

O sexto capítulo traz definições sucintas de várias espécies de ascetas e, entre outras coisas, apresenta uma lista das características distintivas do *avadhûta-yogin*, o adepto que "lançou fora" (*ava + dhûta*) todas as preocupações e apegos.

Yoga-Bîja

O *Yoga-Bîja* ("Semente do Yoga"), atribuído a Goraksha, é uma coletânea formada de 364 versículos, dos quais 266 são semelhantes aos do *Yoga-Shikhâ-Upanishad*. Não sabemos, porém, qual dos dois textos se baseou no outro; é possível que os dois tenham sido inspirados por uma mesma fonte. O *Yoga-Bîja*, que toma a forma de um diálogo entre a Deusa e Sadâ-Shiva, tem um caráter filosófico e busca lançar luz sobre a massa disforme da confusão intelectual existente no mundo. No versículo 84, o Yoga é definido como a unificação (*samyoga*) da teia de opostos (*dvandva-jâla*), como, por exemplo, a expiração (*apâna*) e a inspiração (*prâna*), o sêmen masculino (*retas*) e a secreção feminina (*rajas*), o sol e a lua e também o eu individual e o Si Mesmo transcendente. O texto atribui grande importância ao controle da respiração, que é fundamental para o processo de *shakti-calana* ("movimentação do poder") — a ativação sistemática do poder divino dentro do corpo.

Outras Obras Atribuídas a Goraksha

Há também o *Goraksha-Bodh* (sânscrito: *Goraksha-Bodha*, "Instruções de Goraksha"), tratado de 133 versículos composto em hindi arcaico. Consiste ele num diálogo fictício entre Matsyendra e Goraksha e data, talvez, do século XIV.

O *Goraksha-Upanishad*, escrito numa mistura de hindustani e rajastani, pode datar do século XV. Entre outras coisas, apresenta uma lista das qualidades do mestre competente e do bom discípulo.

O *Goraksha-Vacana-Samgraha* ("Coletânea dos Ditos de Goraksha), de 157 versículos, afirma apresentar os ensinamentos autênticos de Goraksha, mas provavelmente foi escrito no século XVII. O fato é que não possuímos sequer uma única obra que possamos afirmar com certeza ter sido escrita pelo próprio Goraksha. Muitas vezes, os seguidores de um grande mestre atribuem a ele os seus próprios escritos, como aconteceu, por exemplo, com o mestre Swami Shivananda de Rishikesh, do século XX, que "escreveu" centenas de obras.

Ainda não se empreenderam pesquisas suficientes sobre os textos de Hatha-Yoga escritos nas línguas populares, como os poemas em língua hindi atribuídos a Goraksha.

Ânanda-Samuccaya

O *Ânanda-Samuccaya* ("Massa de Beatitude") é um texto de Hatha-Yoga que, embora pouco conhecido, é bastante significativo. Pode ter sido escrito no século XIII e tem 277 versículos distribuídos em oito capítulos. Chamou a atenção dos estudiosos no fim da década de 1950, quando um manuscrito que vinha sendo guardado por uma conhecida família brâmane da Índia foi adquirido pelo Scindia Oriental Institute, de Ujjain. As bibliotecas particulares dos pânditas e praticantes de Yoga devem conter ainda muitos outros manuscritos preciosos que sem dúvida estão precisando de cuidados urgentes, pois o clima indiano não poupa o frágil papel sobre o qual esses textos são escritos. O estilo desse texto, escrito em sânscrito, foi descrito como "muito lúcido e marcado pela alta qualidade literária",[40] coisa rara neste gênero de obras. Infelizmente não sabemos quem foi o autor, mas parece ter sido um jaina, pois abre o texto com um monossílabo *om* escrito em típica caligrafia jaina.

O *Ânanda-Samuccaya* introduz muitos conceitos esotéricos do Hatha-Yoga, como os dos (nove) *cakras*, dos *pîthas*, dos *sthânas*, dos *nâdîs* (que, segundo o texto, têm 7.200 divisões cada um) e dos dez tipos de ventos vitais (*vâyu*). Alguns de seus ensinamentos só se encontram nele, como os de *candra-câra* e *sûrya-câra*, os processos lunar e solar. Recomenda-se, pois, ao *yogin* que ative as dezesseis partes (*kalâ*) da lua oculta por meio de quarenta e duas práticas (*karman*) yogues, com o que o néctar lunar há de dar vigor ao corpo. Do mesmo modo, ativando-se as doze partes do sol oculto por meio de outras quarenta e duas práticas, ele há de brilhar com esplendor dentro do corpo.

Recomenda-se ainda ao *yogin* que equilibre os cinco elementos materiais (*bhûta*) no decorrer das estações do ano mediante o emprego das práticas yogues adequadas. O estado de harmonia que assim se alcança chama-se *bhûta-samatâ* ("equilíbrio elemental") e produz o domínio sobre os elementos (*bhûta-siddhi*), a longevidade e outros poderes paranormais. O objetivo, porém, é a união com a suprema Realidade mediante os estados progressivos de *anindriyatâ* (a capacidade de não ser afetado pelos sentidos), *tattva-avabodha* (o conhecimento da Realidade) e *jîvan-mukti* (a libertação em vida).

Carpata-Shataka

Outra obra bem antiga é o Carpata-Shataka, que, como indica o seu título, consiste numa centúria (*shataka*) de versículos compostos pelo adepto Carpata (ou Carpati). O texto dá enfase ao discernimento (*viveka*), à renúncia e aos fundamentos morais do Yoga. O universo conceitual do autor parece estar mais próximo do Jainismo do que do Hatha-Yoga, o que dota este texto de grande interesse histórico.

Yoga-Yâjnavalkya e Brihad-Yogî-Yâjnavalkya

O *Yoga-Yâjnavalkya* ("O Yoga de Yâjnavalkya"), também conhecido como *Yoga-Yâjnavalkya-Gîtâ* e *Yoga-Yâjnavalkya-Gîtâ-Upanishad*, é uma obra de 485 versículos distribuídos em doze capítulos. É atribuído a Yâjnavalkya, que, por sinal, não é o sábio upanishádico de idêntico nome. Apresenta-se como um diálogo entre o sábio e sua esposa Gârgî.

Prahlad C. Divan, que transcreveu e organizou o texto, exaltou-o como "o primeiro livro de Hatha-Yoga acessível para o homem comum".[41] Menciona o período compreendido entre 200 e 400 d.C. como data possível para o *Yoga-Yâjnavalkya*, baseando-se talvez para isso, antes de mais nada, no fato de que várias citações feitas por Shankara em seu comentário ao *Shvetâshvatara-Upanishad* parecem ter sua origem nesse texto. Porém, a autenticidade desse comentário vem sendo seriamente posta em dúvida.[42] Além disso, o *Yoga-Yâjnavalkya* refere-se reiteradamente aos *Tantras*, e os primeiros *Tantras* do Hinduísmo só foram compostos depois de 400 d.C.

Ademais, Divanji afirma erroneamente que o texto só fala da elevação do poder da serpente até o lótus do coração, quando na verdade há vários versículos que descrevem nitidamente o processo da *kundalinî* com uma linguagem bastante conhecida na literatura do Hatha-Yoga. Aliás, a terminologia e o estilo do *Yoga-Yâjnavalkya* têm muito em comum com os dos *Yoga-Upanishads*, e parece pouco provável que esse texto seja o *Yoga-Shâstra* atribuído a um certo Yâjnavalkya e mencionado ou citado em diversas outras escrituras, com destaque para o *Dharma-Shâstra* de Yâjnavalkya. É possível, porém, que o *Yoga-Yâjnavalkya* contenha alguns versículos do perdido *Yoga-Shâstra*.

A obra *Brihad-Yogî-Yâjnavalkya-Smriti* ("Grande Tratado sobre [o Yoga] do Yogue Yâjnavalkya") parece, à primeira vista, uma simples versão ampliada do *Yoga-Yâjnavalkya*, mas é um texto completamente independente, original e, provavelmente, muito mais antigo. Na sua *History of Dharmasâstra*, em vários volumes, P. V. Kane data-o do período compreendido entre 200 e 700 d.C. Esta última data não é impossível.[43]

O *Brihad-Yogî-Yâjnavalkya-Smriti* é um tratado bastante substancial, de 886 versículos, que descreve muitas práticas rituais às quais o *yogin* deve se dedicar. Fala muito sobre a filosofia e a prática da Mantra-Yoga, que consiste na recitação da sílaba *om* acompanhada pelo controle da respiração. Entretanto, à semelhança do *Yoga-Yâjnavalkya*, ele também adota o modelo do Yoga de oito membros que o *Yoga-Sûtra* de Patanjali nos dá a conhecer.

Encontramos nele um forte elemento de Yoga solar, especialmente no capítulo nono. Segundo o versículo 9.96, *idâ* e *sushumnâ* (!) têm a forma de *rashmi* (o sol) e as qualidades de *agni* (fogo) e *soma* (lua) respectivamente. O versículo 9.98 nos diz ainda que entre essas duas fica *amâ* (a lua nova), onde a lua é estimulada pelo sol. Afirma-se (9.100) que os sábios, em sua aspiração pelo Absoluto, seguem essa *amâ*, que existe no sol, no coração e no Absoluto supremo. Em 9.156, ficamos sabendo que o Si Mesmo é único mas manifesta-se sob cinco formas: o sol, o coração, o fogo, o éter e o Supremo (*para*).

O texto menciona os 72.000 *nâdîs* que saem do coração, mas, ao contrário do *Yoga-Yâjnavalkya*, não dá os nomes dos quatorze *nâdîs* mais importantes. Tampouco refere-se à *kundalinî*, o que pode ser um indício da sua antigüidade.

Evidentemente, tanto o *Brihad-Yogî-Yâjnavalkya-Smriti* quanto o *Yoga-Yâjnavalkya* foram compostos no ambiente cultural do bramanismo smârta (tradicional).

Yoga-Vishaya

O *Yoga-Vishaya* ("Objeto do Yoga"), erroneamente atribuído a Matsyendra, é um texto curto, de trinta e três versículos. Sua data de composição é incerta; pode ser relativamente recente. Fala de temas básicos, como os nove *cakras*, os três "nós" (*granthi*) e os nove *dvaras* ("portais"), ou orifícios corporais. O objetivo do controle da respiração é permitir que a força vital (*prâna*) penetre e atravesse os nós para que a *kundalinî* possa subir até o fim do eixo da coluna.

Hatha-Yoga-Pradîpikâ

O *Hatha-Yoga-Pradîpikâ* ("Luz sobre o Hatha-Yoga") foi escrito por Svâtmârâma (ou Âtmârâma) Yogendra em meados do século XIV. Trata-se, sem dúvida, do manual clássico sobre o Hatha-Yoga. Compreende 389 versículos dispostos em quatro capítulos. Svâtmârâma, seguidor da tradição shaiva-yogue de Andhra, considera o Hatha-Yoga como um meio de acesso ao Râja-Yoga.

> Ninguém obtém bom êxito no Râja-Yoga sem o Hatha[-Yoga], nem no Hatha[-Yoga] sem o Râja-Yoga. Portanto, para o progresso [espiritual], devem-se praticar ambos. (2.76)

O primeiro capítulo é dedicado antes de mais nada à descrição das principais posturas (*âsana*), ao pas-

Página de abertura do texto impresso, em sânscrito, do Hatha-Yoga-Pradîpikâ, *com o comentário* Jyotsnâ

so que o segundo fala das práticas de purificação, da força vital (*prâna*) e da ordenação desta por meio do controle da respiração (*prânâyâma*). No terceiro capítulo, Svâtmârâma apresenta-nos à fisiologia sutil e às técnicas sutis, como os selos (*mudrâ*) e as travas (*bandha*), através das quais a força vital pode ser devidamente contida no corpo e a *kundalinî* pode ser despertada. O capítulo final trata dos estágios superiores da prática do Yoga e fala, entre outras coisas, do estado de êxtase (*samâdhi*), compreendido segundo a doutrina vedântica. O *Hatha-Yoga-Pradîpikâ* tem um excelente comentário intitulado *Jyotsnâ* ("Luz"), escrito por Brahmânanda em meados do século XVIII.

Hatha-Ratna-Avalî

A *Hatha-Ratna-Avalî* ("Fieira de Pérolas sobre o Hatha") de Shrînivasa Bhatta, que pode ter sido composta em meados do século XVII e parece ter pelo menos um comentário, é obra de 397 versículos. Shrînivasa, que também escreveu sobre o Vedânta, o Nyâya e o Tantra, apresenta-nos uma composição magistral sobre o Hatha-Yoga, desenvolvendo as informações contidas no *Hatha-Yoga-Pradîpikâ*.

Gheranda-Samhitâ

A *Gheranda-Samhitâ* ("Coletânea de Gheranda"), provavelmente composta em fins do século XVII, é, dos textos de Hatha-Yoga, um dos mais conhecidos. Seu autor seguia a tradição do Yoga Vaishnava de Bengala. A obra tem sete capítulos e, ao todo, 317 versículos, embora alguns manuscritos tragam versículos adicionais. Descreve nada menos que 102 práticas yogues, entre as quais vinte e uma técnicas de higiene, trinta e duas posturas e vinte e cinco selos (*mudrâ*). Só fala de sete membros do Yoga e, curiosamente, põe o controle da respiração (*prânâyâma*) depois do recolhimento dos sentidos (*pratyâhâra*).[44] No Yoga de Patanjali, o controle da respiração é o quarto membro e o recolhimento dos sentidos, o quinto.

Shiva-Samhitâ

Depois do *Hatha-Yoga-Pradîpikâ* e da *Gheranda-Samhitâ*, a *Shiva-Samhitâ* ("Coletânea de Shiva") é o mais importante manual de Hatha-Yoga. Compreende 645 versículos distribuídos em cinco capítulos. Trata-se de um texto particularmente precioso porque traz uma boa quantidade de considerações filosóficas. Sua data de composição é desconhecida, mas parece ser obra do fim do século XVII ou começo do século XVIII.

Todo o primeiro capítulo é dedicado a uma exposição do não-dualismo vedântico:

A ilusão (*mâyâ*) é a mãe do universo; este não se firma por nenhum outro princípio. Quando [*mâyâ*] é destruída, o mundo certissimamente deixa de existir junto com ela.

Aquele para quem todo este [universo] é o jogo de *mâyâ* — que deve ser superado — não encontra consolação nas coisas nem prazer no corpo. (1.64-65)

Quando o homem está livre de toda sobreposição (*upâdhi*), pode afirmar-se dotado da forma da sabedoria (*jnâna*) imaculada e indivisível. (1.67)

O segundo capítulo descreve algumas das estruturas esotéricas do corpo humano. O terceiro começa por falar do mestre e dos discípulos qualificados e depois passa a discutir o controle da respiração e os três graus de realização yogue, a saber: (1) o "estado do pote" (*ghata-avasthâ*; escreve-se *ghatâvasthâ*), no qual a força vital contida no corpo (chamado o "pote" ou "jarro") colabora com o Si Mesmo universal; (2) o "estado de acumulação" (*paricaya-avasthâ*; escreve-se *paricayâvasthâ*), no qual a força vital se imobiliza no eixo do corpo (*sushumnâ*); (3) e o "estado de maturação" (*nishpatti-avasthâ*; escreve-se *nishpattyavasthâ*), no qual o *yogin* já destruiu as sementes do seu karma e "bebe das águas da imortalidade" (3.66).

No quarto capítulo, a autor anônimo descreve as várias travas (*bandha*) e selos (*mudrâ*) que servem para despertar a *kundalinî*. O quinto capítulo trata dos obstáculos no caminho yogue e discute os centros esotéricos do corpo (os *cakras*), especialmente o *cakra* coronário, e os estágios superiores do Yoga. O texto conclui pela afirmação de que até os pais de família podem alcançar a libertação, desde que observem com diligência os deveres do *yogin* e livrem-se de todos os apegos.

Yoga-Shâstra

O *Yoga-Shâstra* de Dattâtreya, com 334 linhas, é sem dúvida uma obra tardia; mas, como é mencionado no *Yoga-Karnikâ*, deve ser anterior a ele. O texto se apresenta como um diálogo entre o sábio (*muni*) Dattâtreya, que reside na floresta de *naimisha*, e o aspirante Sâmkriti. Na linha 28, afirma que o Mantra-Yoga é uma forma inferior (*adhama*) de Yoga; na 29, exalta o Laya-Yoga como o meio pelo qual se pode chegar à completa dissolução (*laya*) da mente.

O texto traz também (linhas 29-30) um ensinamento acerca das "convenções" (*sanketa*) referentes à concentração da mente. Diz que Âdinâtha (i.e., Shiva) ensinou oitenta milhões de *sanketas*, ou técnicas, que visam esse fim. Assim, pode-se contemplar o vazio (*shûnya*), coisa que se pode fazer em qualquer situação; pode-se fixar um olhar meditativo na ponta do nariz; pode-se concentrar a mente na nuca, no ponto entre as sobrancelhas, na fronte, no dedão de qualquer um dos pés, etc.

Afirma (linhas 52-56) que o Karma-Yoga tem os mesmos oito membros que o Yoga de Patanjali ou de Yâjnavalkya. Descreve então (linhas 57-61) as oito práticas (*kriyâ*) principais do Hatha-Yoga cultivadas por Kapila e seus discípulos: *mahâ-mudrâ*, *mahâ-bandha*, *khecârî-mudrâ*, *jalandhara-bandha*, *uddîyâna-bandha*, *mûla-bandha*, *viparîta-karanî* e *vajrolî*; esta última consiste nas técnicas de *vajrolî*, *amarolî* e *sahajolî*. Como explica o *Yoga-Shâstra* (linhas 306-316), o *yogin* deve controlar o sêmen através de *vajrolî*. Esta prática faz uso do leite (*kshîra*) — que provavelmente significa o esperma — e de uma substância chamada *angirasa* (o nome de um clã védico associado à prática de magia), que são as secreções genitais femininas. Tanto *kshîra* quanto *angirasa* devem ser sugados através do pênis caso o *yogin* sucumba à ejaculação. *Amarolî* e *sahajolî* não são explicadas, mas encontramos descrições dessas técnicas no *Hatha-Yoga-Pradîpikâ* (3.92-98). A primeira é o equivalente yogue da urinoterapia, ao passo que a segunda consiste em besuntar certas partes não mencionadas do corpo, depois da relação sexual, com uma mistura de água e das cinzas resultantes da combustão do esterco de vaca. Segundo o comentário *Jyotsnâ*, as partes do corpo são a cabeça, a fronte, os olhos, o peito, os ombros e os braços.

Yoga-Karnikâ

O *Yoga-Karnikâ* ("Brinco do Yoga") de Aghorânanda foi composto em algum momento do século XVIII. Tem quinze capítulos e mais de 1.200 versículos. A organização do conteúdo não é nem um pouco sistemática e a obra não é particularmente original. Seu interesse está, antes, nas suas muitas citações de outros textos de Hatha-Yoga, entre os quais alguns que são difíceis de obter.

Hatha-Sanketa-Candrikâ

O *Hatha-Sanketa-Candrikâ* ("Raio de Lua sobre as Convenções do Hatha[-Yoga]") é um texto pouco conhecido mas muito importante, de autoria de Sundaradeva (1675-1775).[45] O grande valor deste texto volumoso está, em parte, na sua apresentação exaustiva do Hatha-Yoga e, em parte, nas suas numerosas citações e referências. Sundaradeva cita pelo nome nada menos que setenta e dois textos e seis autores. Alguns desses textos parecem ter sido perdidos, ao passo que outros só são conhecidos porque seus títulos constam do catálogo de manuscritos de diversas instituições. Sundaradeva parece ter sido um estudioso erudito e um praticante de Yoga. Escreveu também o *Hatha-Tattva-Kaumudî* e o *Pranava-Kundalî*, bem como muitas obras sobre teatro, poesia e dietética.

Últimas Observações

A literatura tradicional sobre Hatha-Yoga tem sido muito pouco estudada. Sabemos da existência de muitos outros textos além dos aqui mencionados; mas, quando eles não são apenas títulos dos quais se ouviu falar, são manuscritos conhecidos por pouca gente e enterrados em bibliotecas empoeiradas, onde vão se deteriorando lentamente no clima úmido da Índia. Creio, porém, que a literatura à qual já se conseguiu ter acesso contém em si a substância do Hatha-Yoga. Os que quiserem se aprofundar mais terão de dispor-se a sentar aos pés dos poucos mestres que ainda ensinam de maneira autêntica o Yoga da Força.

EPÍLOGO

O Yoga assemelha-se a um rio antigo, cheio de corredeiras, torvelinhos, meandros, afluentes e remansos, que se estende por um território vasto e pitoresco, marcado por diferentes acidentes geográficos. Neste livro, o que eu fiz foi sobrevoar esse território; apresentei ao leitor o quadro geral e — assim espero — fi-lo conhecer mais a fundo as convidativas águas do Yoga e a variegada paisagem cultural através da qual correu o rio do Yoga no decurso de milênios de desenvolvimento. Vez por outra, porém, centrei o olhar num ou noutro ponto particularmente importante e explorei-o na medida em que o espaço e as disponíveis fontes de informação o permitiram.

Nosso último olhar recaiu sobre a corrente fluvial do Hatha-Yoga, o aspecto do Tantrismo que busca realizar não só a iluminação espiritual, mas também a imortalidade corporal. É esse braço do sinuoso rio do Yoga que nos leva enfim ao oceano, ao mundo além da Índia. Isso porque o Yoga indiscutivelmente chegou ao Ocidente. Temos hoje, no mundo inteiro, milhões de praticantes de Hatha-Yoga que tiram proveito dessa antiqüíssima tecnologia de saúde corporal e crescimento pessoal. Os praticantes de meditação contam-se também aos milhões. Captam eles, vez por outra, vislumbres dos segredos da consciência e da sua incrível capacidade de erguer-se no ar puxando-se pelos próprios suspensórios — isto é, de ir além do próprio condicionamento.

Porém, é muito pequeno o número de pessoas que se dedica com profundidade e coerência a explorar a intricada psicotecnologia dos vários ramos da tradição yogue. São elas que estão descobrindo que a consciência, o corpo-mente do ser humano, é um laboratório muito bem equipado no qual, por meio da autotranscendência extática, pode-se encontrar a pedra filosofal — o elixir alquímico da iluminação. Sabemos que nem todos são capazes de seguir o exemplo dessas pessoas.

Não obstante, a tradição yogue, que ainda conta com mestres autorizados, nos oferece uma oportunidade maravilhosa de mergulhar nas dimensões psíquica e espiritual que a nossa civilização pós-industrial tende a esquecer ou mesmo repudiar. Podemos estudar os textos do Yoga, antigos e modernos, e deixar que o conhecimento e a sabedoria esotérica neles contidos alimentem a nossa compreensão da natureza humana. Com uma boa orientação, podemos até tentar pôr à prova em nossa própria pessoa algumas das afirmações feitas pelos mestres de Yoga do passado e do presente. É claro que isso não se pode reduzir a uma simples questão de imitar o Oriente, mas nós podemos aprender com as suas vitórias e as suas derrotas.

Indubitavelmente, o Yoga merece receber, por parte dos cientistas, uma atenção muito maior e muito mais cuidadosa do que tem recebido até agora. A moderna civilização ocidental, que exerce hoje forte influência em todos os cantos do globo, precisa desesperadamente de uma psicotecnologia capaz de contrabalançar os efeitos nefastos dos excessos da tecnologia científica e da consciência deficiente que a criou e desenvolveu. Os cientistas, que afinal de contas afirmam que o seu objetivo é compreender a realidade, têm a obrigação específica de estudar e explorar as grandes intuições das tradições espirituais do Oriente, que, sem dó nem piedade, põem em cheque a corrente visão científica do mundo.

As limitações do paradigma materialista tornaram-se cada vez mais evidentes no decorrer do século XX. Aumenta a cada dia o número de cientistas que já não sabem com certeza o que é que eles procuram observar, medir, descrever e explicar. Essa incerteza é uma nova virtude; talvez seja uma porta a abrir-se para uma visão de mundo mais larga, que tenha lugar também para os aspectos psíquicos e espirituais da existência. As intuições e descobertas das tradições espirituais da Índia, acumuladas a duras penas no decorrer de muitos milênios, podem nos dar um vislumbre do que encontraremos do lado de lá dessa porta quando os atuais dogmas científicos forem por fim transcendidos.

Então, os adeptos dessa nova ciência serão verdadeiramente capazes de separar a realidade da ficção, a imaginação criativa (mitologia) da invencionice pura e simples. Além disso, terão condições de criar a nova linguagem que sem dúvida será necessária para descrever as realidades que serão encontradas. Acima de tudo, aprenderão a venerar o grande Mistério da existência, a humilhar-se diante d'Ele e a deixar-se transformar por Ele. Esse desafio do espírito impõe-se a todos nós; hoje em dia, impõe-se com uma urgência nunca antes vista na história da humanidade.

Coletiva e individualmente, teremos, sem dúvida, de encontrar a nossa própria resposta — o nosso próprio Yoga.

OM TAT SAT

ॐ तत् सत् ॥

NOTAS

INTRODUÇÃO

1. O adjetivo "vedântico" é derivado do substantivo sânscrito *vedânta*, que significa "fim do *Veda*" e designa um conjunto de doutrinas espirituais ligadas aos *Upanishads*, que são a parte final da revelação védica. Segundo o Vedânta, só existe a Realidade única que está por trás de todos os seres e coisas; entretanto, as diversas escolas propõem soluções diferentes para a questão de como a Multiplicidade se relaciona com a Singularidade.
2. Sri Aurobindo, *The Life Divine* (Pondicherry, Índia: Sri Aurobindo Ashram, 1977), vol. I, pp. 3-4.
3. K. Wilber, *The Atman Project: A Transpersonal View of Human Development* (Wheaton, Ill.: Theosophical Publishing House, 1980), p. ix. [*O Projeto Atman*, publicado pela Editora Cultrix, São Paulo, 1999.]
4. G. Zukav, *The Dancing Wu Li Masters: An Overview of the New Physics* (Nova York: Morrow Quill Paperbacks, 1979), pp. 42-43.
5. J. Lilly, *Simulations of God: The Science of Belief* (Nova York: Simon and Schuster, 1975), p. 144.
6. R. Tagore, *Gitanjali* (Nova York: Macmillan, 1971), p. 44.
7. Ver C. Norman, *The God That Limps: Science and Technology in the Eighties* (Nova York: W. W. Norton, 1981).
8. F. J. Dyson, *Infinite in All Directions* (Nova York: Harper & Row, 1988), p. 270.
9. Bubba [Da] Free John, *The Enlightenment of the Whole Body* (Middletown, Calif.: Dawn Horse Press, 1978), p. 377.
10. J. N. Sansonese, *The Body of Myth: Mythology, Shamanic Trance, and the Sacred Geography of the Body* (Rochester, Vt.: Inner Traditions, 1994), p. 39.
11. Ver C. G. Jung, *Psychology and the East* (Princeton, N.J.: Princeton University Press, 1978).
12. Pode-se ver nitidamente a diferença de estilo entre, digamos, os sermões do Buda ou o *Yoga-Sûtra* de Patanjali, por um lado, e os hinos do *Rig-Veda*, por outro. Expliquei esse assunto detalhadamente em *Wholeness or Transcendence? Ancient Lessons for the Emerging Global Civilization* (Burdett, N.Y.: Larson Publications, 1992). Quanto ao modelo gebseriano, discuto-o em meu livro *Structures of Consciousness: The Genius of Jean Gebser — An Introduction and Critique* (Lower Lake, Calif.: Integral Publishing, 1987).

PARTE I: FUNDAMENTOS

Capítulo 1: Elementos Básicos

1. Esta complexa questão é analisada em Usharbudh Arya, *Yoga-Sûtras of Patañjali, with the Exposition of Vyâsa: A Translation and Commentary*, vol. 1: *Samâdhi-pâda* (Honesdale, Penn.: Himalayan International Institute, 1986), pp. 76 *et seq.*
2. Ver M. Eliade, *Yoga: Immortality and Freedom* (Princeton, N.J.: Princeton University Press, 1973), p. 77.
3. As palavras *jîva-âtman* e *parama-âtman* escrevem-se, respectivamente, *jîvâtman* e *paramâtman*.
4. Os *Upanishads* são discutidos nos Capítulos 5 e 15.
5. S. Bhattacharji, *The Indian Theogony: A Comparative Study of Indian Mythology from the Vedas to the Puranas* (Cambridge, Ingl.: Cambridge University Press, 1970), faz um estudo histórico detalhado do panteão hindu. Ver também A. Danielou, *Hindu Polytheism* (Nova York: Pantheon Books, 1964) e D. e J. Johnson, *God and Gods in Hinduism* (Nova Delhi: Arnold-Heinemann, 1972).
6. O "quarto" (*turya, turîya, caturtha*) é a Realidade que transcende as três modalidades da consciência, que são a vigília, o sonho e o sono profundo.
7. Segundo alguns pesquisadores, Jesus foi educado na Caxemira, mas isso não passa de conjectura. Outros afirmam, com base em supostos indícios literários e arqueológicos, que ele sobreviveu à crucifixão e retirou-se para a Caxemira. Ver, p. ex., A. Faber-Kaiser, *Jesus Died in Kashmir* (Londres: Gorden & Cremonesi, 1977), e H. Kersten, *Jesus Lebte in Indien* (Munique: Droemersche Verlagsanstalt, 1983).
8. O termo *yoginî* designa também qualquer uma das deusas de um grupo de divindades femininas consideradas manifestações da energia criativa universal (*shakti*); elas desempenham papel importante em certas escolas do Tantrismo. O culto das sessenta e quatro *yoginîs* data dos séculos VI ou VII d.C. Ver H. C. Das, *Tantricism: A Study of the Yoginî Cult* (Nova Delhi: Sterling Publishers, 1981).
9. M. Eliade, op. cit., p. 5.
10. Ibid., p. 5.
11. Daí ser o "monge" chamado *bhikshu*.
12. Ver, p. ex., o *Mahâ-Bhâshya* do gramático Patanjali, comentando o *Sûtra* de Panini em 2.1.41.
13. Ver M. P. Pandit, *The Kulârnava Tantra* (Madras: Ganesh, 1965), pp. 98-99. Os doze tipos de mestres são: (1) *dhâtu-vâdi-guru*, que transmite ao discípulo os elementos básicos da prática; (2) *candana-guru*, que exala naturalmente a Consciência divina como a árvore de sândalo (*candana*) exala o seu perfume; (3) *vicâra-guru*, que age sobre a inteligência e o entendimento (*vicâra*) do discípulo; (4) *anugraha-guru*, que edifica pela pura e simples graça (*anugraha*); (5) *sparsha-guru*, capaz de edificar e libertar com um simples toque de seus dedos, semelhante ao toque da pedra filosofal (*sparsha mani*); (6) *kacchapa-guru*, que faz o discípulo progredir simplesmente por pensar nele, como a tartaruga (*kacchapa*), que nutre seus filhotes pelo simples pensamento; (7) *candra-guru*, que promove o bem do discípulo como a lua, que tem uma irradiação natural; (8) *darpana-guru*, que, como um espelho (*darpana*), reflete para o discípulo o verdadeiro Si Mesmo; (9) *châyâ-nidhi-guru*, cuja simples sombra (*châyâ*) abençoa e edifica o discípulo, como a sombra do pássaro *châyânidhi*, que, ao passar sobre uma pessoa, transmitiria a ela a qualidade da realeza; (10) *nâda-nidhi-guru*, que transforma o discípulo como a mágica pedra *nâdanidhi* transmuta em ouro os metais comuns através do som (*nâda*); (11) *kraunca-pakshi-guru*, que, por simplesmente lembrar-se do discípulo concede-lhe a libertação, do mesmo modo que o pássaro *kraunca*, que nutre seus filhotes a distância; (12) *sûrya-kânta-guru*, cujo simples olhar tem o poder de libertar, como os raios do sol (*sûrya*), que queimam a matéria quando passam através de um cristal.
14. Ver S. Kramrisch, *The Presence of Shiva* (Princeton, N.J.: Princeton University Press, 1981), p. 57.
15. O termo *pûmams*, que significa literalmente "homem" no sentido do sexo (lat. *vir*, gr. *andros*), refere-se aqui ao Si Mesmo transcendente, concebido como o Homem Universal.
16. A palavra *purusha*, "homem", emprega-se aqui no mesmo sentido transcendente que o termo *pûmams* no versículo de abertura.
17. Escreve-se *sarvâtmatva*.
18. Shankara reafirma aqui a comum idéia indiana de que a realização de Deus proporciona não somente a autonomia transcendental, ou "soberania" (*îshvaratva*), mas também o "domínio" (*aishvarya*) sobre o universo. Ou seja, quando passa além do universo, o adepto iluminado torna-se o senhor deste. Trata-se aqui dos oito *mahâ-siddhis* do Tantrismo.
19. A palavra *daksha* teria aqui o fito de explicar o nome Dakshinamûrti; na verdade, porém, este é derivado de *dakshina*, que significa "destro", "da direita" ou "do sul".
20. O *pranava* é a nasalização do som *om*, o maior de todos os *mantras* védicos.
21. A Consciência é onipresente; por isso, a rigor, não pode ser transmitida. A consciência dessa onipresença, porém, pode ser intensificada pela intervenção compassiva de um *guru* ou do *guru* dos *gurus*, ou seja, Dakshinamûrti.
22. Ver Swami Narayananda, *The Guru Gita* (Bombaim: India Book House, 1976), uma tradução para o inglês. Existem também *Guru-Gîtâs* extraídos do *Rudra-Yâmala* e do *Brahma-Yâmala*, dois textos tântricos.
23. Tradução inglesa: ver N. Dhargyey et al., *Fifty Verses of Guru-Devotion by Asvaghosa* (Dharamsala, Índia: Library of Tibetan Works and Archives, ed. rev., 1976).
24. Para uma tradução inglesa do *Shraddhâ-Utpâda-Shâstra* (escreve-se *Shraddhotpâdashâstra*), ver D. T. Suzuki, *Asvagosha's Awakening of Faith in the Mahayana* (Chicago: University of Chicago Press, 1900).
25. *Kriyâ-Samgraha-Panjikâ*, manuscrito, p. 5.

26. Chögyam Trungpa, *Cutting Through Spiritual Materialism* (Boulder, Colo.: Shambhala, 1973), p. 58. No Brasil: *Além do Materialismo Espiritual*, São Paulo, Ed. Pensamento.
27. O topo da cabeça é o local do "lótus das mil pétalas" (*sahasra-dala-padma*), onde residem Shiva e Shakti.
28. As escolas shaivas da Caxemira distinguem as seguintes quatro modalidades de iniciação: (1) *anupâya-dîkshâ*, ou iniciação sem meios externos, que só é possível no caso de praticantes que já progrediram muito e que podem chegar à iluminação simplesmente por estar próximos de um adepto iluminado; esta parece ser idêntica à *vedha-mayî-dîkshâ*; (2) *shâmbhavî-dîkshâ*, já explicada; (3) *shakti-dîkshâ*, ou iniciação por meio do poder intrínseco; esta parece ser idêntica à *shâkteyî-dîkshâ* mencionada antes; (4) *ânavî-dîkshâ*, ou "iniciação 'atômica'", isto é, referente ao ser individual, chamado *anu* no Shaivismo de Caxemira; este tipo de iniciação compreende diversos adjutórios rituais e o cultivo consciente, através do Yoga, da graça recebida.
29. Ver, p. ex., o *Kula-Arnava-Tantra*. Todos os adeptos verdadeiramente grandes têm o poder de transmitir o conhecimento da Realidade bem-aventurada; porém, o fato de esse dom transformar ou não transformar instantaneamente a consciência do discípulo depende do trabalho espiritual já feito por esse discípulo.
30. A data do *Mahânirvâna-Tantra* ainda é objeto de controvérsias Alguns estudiosos dão-na como o século XII d.C., ao passo que outros vêem nesse texto uma composição recente, da época do Raj britânico.
31. A explicação mais detalhada da transmissão espiritual espontânea realizada pelo adepto iluminado está nas obras do instrutor contemporâneo Da Free John (Adi Da), especialmente em *The Method of the Siddhas* (Clearlake, Calif.: Dawn Horse Press, 1978).
32. Este é o versículo 69 (ou 68, em algumas edições) do *Shata-Ratna-Samgraha* ("Compêndio das Cem Jóias"), de Umâpati. O versículo seguinte explica que *dîkshâ* significa "destruição" (*kshapana*) e "doação" (*dâna*). O que se destrói é o estado de "animalidade" (*pashutva*), ou cegueira espiritual, e o que é dado — pela graça — é o supremo Estado de Shiva (*shivatva*).
33. Ver G. Feuerstein, *Holy Madness: The Shock Tactics and Radical Teachings of Crazy-Wise Adepts, Holy Fools, and Rascal Gurus* (Nova York: Paragon House, 1991).
34. O termo *tattva* significa literalmente "qualidade de isto" (inglês: *thatness*) e pode ter o sentido de "realidade" ou "princípio"; é, neste caso, a Realidade suprema.
35. O *Ashtâvakra-Gîtâ* existe em tradução inglesa: Swami Nityaswarupananda, *Ashtavakra Samhita* (Mayavati, Índia: Advaita Ashrama, 1953). Para uma edição crítica dessa obra, ver R. Hauschild, *Die Astâvakra-Gîtâ* (Berlim: Akademie-Verlag, 1967). O *Avadhûta-Gîtâ* foi traduzido para o inglês por Swami Ashokananda (Mylapore, Índia: Sri Ramakrishna Math, [1977?]).
36. Ver H. S. Joshi, *Origin and Development of Dattâtreya Worship in India* (Baroda, Índia: Maharaja Sayajirao University of Baroda, 1965).
37. Curiosamente, o oitavo capítulo do *Avadhûta-Gîtâ* atribuído a Dattâtreya tem um espírito fortemente misógino (e pode ser uma interpolação ou acréscimo posterior).
38. Ver G. Feuerstein, *Holy Madness*, e também "The Shadow of the Enlightened Guru", em R. Walsh e F. Vaughan, orgs., *Paths Beyond Ego: The Transpersonal Vision* (Nova York: J. P. Tarcher/Perigee, 1993), pp. 147-148. [*Caminhos Além do Ego*, publicado pela Editora Cultrix, São Paulo, 1997.]
39. O texto sânscrito usa a expressão poética "ondas" (*taranga*) para conotar o número sem fim de laços de sofrimento.
40. As seis "modificações" (*vikâra*) da Natureza (*prakriti*) podem ser os seis corpos (*pinda*) a que se refere o primeiro capítulo do texto. Os seis corpos são o "transcendente" (*para*), o "sem-princípio" (*anâdi*), o "original" (*âdi*), o "grande corpo dotado de forma" (*mahâ-sakâra*), o "natural" (*prâkriti*) e o "uterino" (*garbha*). Este último é o corpo físico, e os que o antecedem são progressivamente mais sutis.
41. Escreve-se *parâkâsha*.
42. O "tecido dos yogues" (*yoga-patta*) é uma faixa de pano que se enrola em torno da cintura e dos joelhos para diminuir a tensão da postura durante a meditação. O *yoga-patta* também é mencionado no *Agni-Purâna* (90.10) como um dos objetos usados pelo praticante recém-iniciado e também (204.11) como um dos utensílios do eremita das florestas (*vâna-prastha*). Segundo o *Brihad-Yogî-Yâjnavalkya-Samhitâ* (7.39), o *yogin* pode usar um *yoga-patta* sobre as vestes durante as abluções rituais. Deve-se distinguir o *yoga-patta* do *yoga-pattaka* mencionado no *Tattva-Vaishâradi* (2.46) de Vâcaspati Mishra; este último é uma espécie de descanso de braços, também usado durante a meditação para evitar a tensão nas costas. O *Nirvâna-Upanishad* (25) dá uma interpretação simbólica do termo *yoga-patta*, identificando-o à "visão do Absoluto" (*brahma-âloka*). No *Shiva-Purâna* (6.18.11 *et seq.*), o termo parece referir-se a um ritual complexo que conduz o aspirante ao grau de preceptor e, por fim, à libertação.
43. Não se sabe exatamente o que são as seis essências (*rasa*).
44. O termo *vajrî* é a forma feminina de *vajra* e neste caso provavelmente significa a "natureza baixa", isto é, o corpo e a mente não-iluminados. Outra explicação possível é que ele se refira ao poder que a *kundalinî-shakti* tem de velar a Realidade. Ao despertar a *shakti* e promover a sua união com a dimensão *shiva* da existência, o *yogin* faz com que a *shakti*, potencialmente danosa, passe a trabalhar em seu favor. Em vez de prendê-lo na existência não-iluminada, essa grande força que dorme no centro psicoenergético da base torna-se o instrumento da sua libertação.

Capítulo 2: A Roda do Yoga

1. O *Yoga-Râja-Upanishad* (escreve-se *Yogarâjopanishad*) tem somente vinte e um versículos e trata sobretudo dos nove centros psicoenergéticos (*cakra*) do corpo.
2. Swami Vivekananda, *Raja-Yoga or Conquering the Internal Nature* (Calcutá: Advaita Ashrama, reed. 1962), p. 66.

3. Ibid., p. 11.
4. Bubba [Da] Free John, *The Enlightenment of the Whole Body* (Middletown, Calif.: Dawn Horse Press, 1978), p. 500.
5. J. W. Hauer, *Der Yoga* (Stuttgart: Kohlhammer Verlag, 1958), p. 271.
6. A expressão *mac-citta* ou "com a mente fixa em mim" (inglês: *Me-minded*) é composta de *mat* ("eu", "mim") e *citta* ("mente"). Por motivo de eufonia, o *mat* muda para *mac*.
7. N. K. Brahma, *Philosophy of Hindu Sâdhanâ* (Londres: Kegan Paul, Trench, Trubner, 1932), p. 137.
8. Swami Satprakashananda, *Methods of Knowledge* (Londres: Allen & Unwin, 1965), p. 204.
9. O *Vedânta-Siddhânta-Darshana* (190-192), obra da baixa Idade Média, menciona sete estágios (*bhumi*) da gnose:

> Os grandes videntes falaram de sete estágios da sabedoria. O primeiro deles é chamado de "boa-vontade" (*shubbha-icchâ*); o segundo é a reflexão (*vicâranâ*); o terceiro é a sutileza da mente (*tanu-mânasâ*); o quarto é a consecução da lucidez (*sattva-âpatti*); o quinto é o desapego (*asamsakti*); o sexto é o desaparecimento de todos os objetos (*padârtha-abhâvanî*) [no estado de êxtase]; e o sétimo é a entrada no Quarto [i.e., na Realidade Absoluta, que está além da vigília, do sonho e do sono profundo].

Encontraremos de novo esses estágios em nossa discussão do *Yoga-Vâsishtha*, que trata exclusivamente do Jnâna-Yoga.

10. O texto inteiro dessa prece, que se encontra no *Brihad-Âranyaka-Upanishad* (1.3.28), é o seguinte: *Asato mâ sad gamaya, tamaso mâ jyotir gamaya, mrityor mâ amritam gamaya*, "Da irrealidade [ou não-ser] conduz-me ao Real [ou Ser]; da escuridão leva-me à luz; da morte leva-me à imortalidade". A expressão *mâ amritam* escreve-se *mâmritam*.
11. Escreve-se *bhûtâtman*.
12. O termo *pushkara* já é encontrado nos mais antigos *Upanishads* e é entendido, em geral, como o nome da flor de lótus azul. No *Maitrâyanîya-Upanishad* (6.2), essa flor de lótus é identificada ao lótus do coração. No texto aqui traduzido, ela é um símbolo do próprio Absoluto. A palavra é derivada das raízes *push*, que significa "prosperar, florescer", e *kri*, que significa "fazer".
13. Vâsudeva pode significar ou "Aquele que apresenta os Vasus às divindades" ou "Deus de Luz". É um epíteto de Krishna ou Nârâyana.
14. *Confissões* I.1.
15. Ver o *Shat-Sandarbha* de Jîva Gosvâmin, edição em sânscrito (p. 541).
16. A palavra *dâsya* é derivada de *dâsa* que significa "servo" ou "escravo".
17. Escreve-se *Bhaktirasâmritasindhu*. Existe em tradução inglesa: Swami B. H. Bon Maharaj, *Bhakti-Rasâmrta-Sindhuh*, vol. 1 (Vrindaban, Índia: Institute of Oriental Studies, 1965).
18. De acordo com uma teoria cosmológica esposada por todas as escolas de Yoga, a Natureza é uma teia tecida por três forças ou qualidades fundamentais, que se chamam *sattva*, *rajas* e *tamas*. Elas representam respectivamente os princípios de lucidez ou pureza, dinamismo e inércia. A interação entre elas é responsável pela imensa variedade de formas que compõem o universo conhecido, e elas também estão por trás das nossas disposições emocionais. Portanto, até mesmo a nossa atitude perante Deus é determinada pela predominância de um ou outro desses três *gunas*.
19. S. Dasgupta, *Hindu Mysticism* (Chicago: Open Court Publishing, 1927), p. 126.
20. Os primórdios da escola ou tradição Pancarâtra permanecem até hoje envoltos em mistério. Até o significado desse nome ("Cinco Noites") é obscuro. Ver S. Dasgupta, *A History of Indian Philosophy*, vol. 3 (Delhi: Motilal Banarsidass, 1975), pp. 12-62.
21. O termo *nirodha* é tirado do *Yoga-Sûtra* de Patanjali (1.2) e recebe aqui uma conotação nova.
22. Aqui o *Sûtra* se refere ao caso do jovem abandonado quando bebê e depois reconhecido como o filho, há muito perdido, de um grande rei; ao caso do viajante que volta para casa; e ao do homem faminto que come o seu jantar e não busca nele nenhuma nova satisfação, mas simplesmente mata a fome.
23. Em outras palavras, *sattva* é qualitativamente melhor do que *rajas* e *rajas* é melhor do que *tamas*.
24. Ao dizer que a conduta das mulheres é um exemplo do que o devoto *não* deve fazer, Nârada segue o tradicional estereótipo hindu do sexo feminino. Talvez ele hoje fosse um pouco mais específico nas condenações que lança contra a conduta imoral ou indigna.
25. Quanto aos ensinamentos inovadores do *Bhagavad-Gîtâ*, ver G. Feuerstein, *Wholeness or Transcendence? Ancient Lessons for the Emerging Global Civilization* (Burdett, N.Y.: Larson Publications, 1992), pp. 210-230.
26. E. Wood, *Raja Yoga: The Occult Training of the Hindus* (Sydney, Austrália: Theosophical Publishing House, s. d.), pp. 10-11.
27. Especulações fascinantes acerca da planta chamada *soma* usada nos ritos védicos encontram-se em R. Gordon Wasson, *Soma: Divine Mushroom of Immortality* (Nova York: Harcourt, Brace and World, 1968). A identificação que Wasson faz da *soma* (que é descrita nos *Vedas* como uma trepadeira) com o cogumelo agárico não convence.
28. J. Woodroffe, *The Garland of Letters: Studies in the Mantra-Sastra* (Madras, Índia: Ganesh, 6ª ed., 1974), p. 228.
29. Ver A. Bharati, *The Tantric Tradition* (Londres: Rider, 1965), p. 106.
30. A edição sânscrita de Ramkumar Rai lê *jaya* em vez de *japa*. Ver S. Rai, org. e trad., *Mantra-Yoga-Samhitâ* (Varanasi, Índia: Chaukhambha Orientalia, 1982).
31. Escreve-se *aham brahmâsmi*.
32. *Svastika-âsana* e *padma-âsana* escrevem-se respectivamente *svastikâsana* e *padmâsana*.
33. *Yâga* é sinônimo de *yajna*.
34. S. S. Goswami, *Layayoga* (Londres: Routledge & Kegan Paul, 1980), p. 68. Nesta citação, simplifiquei a transliteração dos termos sânscritos.

35. Sri Aurobindo, *The Life Divine*, vol. 1 (Pondicherry, Índia: Sri Aurobindo Ashram, reed. 1977), p. 23.
36. Ibid., p. 23.
37. Ibid., p. 23. A atitude verticalista surgiu antes do Budismo, que muitas vezes é erroneamente acusado de ter introduzido na herança espiritual da Índia uma atitude negativa em relação à vida. O Budismo, como o Hinduísmo, inclui correntes horizontalistas, verticalistas e integrais.
38. [Manibhai, org.], *A Practical Guide to Integral Yoga: Extracts Compiled from the Writings of Sri Aurobindo and The Mother* (Pondicherry, Índia: Sri Aurobindo Ashram, reed. 1976), p. 31.
39. Sri Aurobindo, *The Life Divine*, vol. 1, p. 174.
40. Sri Aurobindo, *Sri Aurobindo on Himself and on The Mother* (Pondicherry, Índia: Sri Aurobindo Ashram, 1953), pp. 154-155.
41. H. Chaudhuri, "The Integral Philosophy of Sri Aurobindo", em H. Chaudhuri e F. Spiegelberg, orgs., *The Integral Philosophy of Sri Aurobindo: A Commemorative Symposium* (Londres: Allen & Unwin, 1960), p. 17.

Capítulo 3: O Yoga e as Outras Tradições do Hinduísmo

1. A palavra *yajnopavita* é composta de *yajna* ("sacrifício" ou "sacrificial") e *upavita* ("fio, cordão"). O cordão é feito de três cordões menores, cada um dos quais é trançado com nove fios. O material de que é feito é o algodão, o cânhamo e a lã, respectivamente para os brâmanes, os kshátrias e os vaishyas.
2. Ver G. Feuerstein, S. Kak e D. Frawley, *In Search of the Cradle of Civilization: New Light on Ancient India* (Wheaton, Ill.: Quest Books, 1996).
3. Ver N. S. Rajaram e D. Frawley, *Vedic Aryans and the Origins of Civilization: A Literary and Scientific Perspective* (Nova Delhi: Voice of India, 1995).
4. C. G. Jung, *Psychology and the East* (Princeton, N.J.: Princeton University Press, 1978), p. 57. Publicado pela primeira vez em 1938.
5. C. G. Jung, *Modern Man in Search of a Soul* (Nova York: Harvest Books, 1933), pp. 215-216.
6. Uma das exceções a essa regra é a obra de F. E. Pargiter, *Ancient Indian Historical Tradition* (Delhi: Motilal Banarsidass, reed. 1972). Publicado pela primeira vez em 1922.
7. Para uma tradução do hino 10.129, v. capítulo 4.
8. M. S. Bhat, *Vedic Tantrism: A Study of the Rgvidhâna of Saunaka with Text and Translation* (Delhi: Motilal Banarsidass, 1987), situa o *Rig-Vidhâna* no século V a.C., data provavelmente demasiado tardia. Shaunaka viveu na Era Védica e, ao menos que consideremos que o texto é uma criação posterior que foi atribuída a ele, temos de procurar-lhe a origem nessa época recuada. Não há dúvida de que a versão atual do *Rig-Vidhâna* contém palavras e idéias que não pertencem à Era Védica, mas é muito possível que haja na obra um núcleo antigo, sobre a mágica mântrica, proveniente desse período de formação.
9. Ver T. S. Anantha Murthy, *Maharaj: A Biography of Shriman Tapasviji Maharaj, a Mahatma Who Lived for 185 Years* (San Rafael, Calif.: Dawn Horse Press, 1972). O Prefácio intitulado "Penance and Enlightenment" ("Penitência e Iluminação"), é de Georg Feuerstein.
10. J. F. Sprockhoff, *Samnyâsa: Quellestudien zur Askese im Hinduismus. Vol. 1: Untersuchungen über die Samnyâsa-Upanishads* (Wiesbaden, Alemanha: Kommissionsverlag Franz Steiner, 1976), p. 2.
11. Ver G. Feuerstein, *Wholeness or Transcendence? Ancient Lessons for the Emerging Global Civilization* (Burdett, N.Y.: Larson Publications, 1992).
12. *Mauna* também significa "silêncio".
13. S. Radhakrishnan, *Indian Philosophy* (Nova York: Macmillan; Londres: Allen & Unwin, 1951), vol. 2, p. 429.
14. Alguns estudiosos afirmam que Shankara viveu por volta de 650 d.C., o que parece muito provável.
15. M. Müller, *The Six Systems of Indian Philosophy* (Nova York: Longmans, Green, and Co., 1916), p. 263.
16. A "auto-realização" é a realização do potencial do ser humano para aderir a valores morais mais elevados, como a autotranscendência, o amor, a compaixão, a integridade, a criatividade e a saúde integral. Ver A. Maslow, *The Farther Reaches of Human Nature* (Harmondsworth, Ingl.: Penguin Books, 1971).
17. D. Frawley, *Ayurveda and the Mind* (Twin Lakes, Wis.: Lotus Press, 1996), p. 5.
18. Alguns especialistas modernos em Ayurveda não gostam de traduzir os nomes dos três humores por "vento", "bile" e "fleuma" respectivamente. Afirmam eles que esses termos causam confusão, pois *vâtâ*, *pitta* e *kapha* referem-se a sistemas funcionais complexos do corpo e da mente do ser humano. Assim, *vâta* é responsável por todas as capacidades sensoriais e motoras; *pitta* é responsável pela atividade bioquímica; e *kapha* é o que está por trás de todos os processos esqueléticos e anabólicos. É evidente que os três *doshas* relacionam-se com os três *gunas* — *sattva*, *rajas* e *tamas*.
19. Ver R. E. Svoboda, *Ayurveda: Life, Health and Longevity* (Nova York: Arkana, 1992), p. 66.
20. Uma poção de ervas que é aspirada pelo nariz.
21. K. V. Zvelebil, *The Poets of the Powers: Magic, Freedom, and Renewal* (Lower Lake, Calif.: Integral Publishing, 1993), p. 123.
22. Dois livros excelentes sobre Ganesha: John A. Grimes, *Ganapati: Song of the Self* (Albany, N.Y.: State University of New York Press, 1995), e Satguru Sivaya Subramuniyaswami, *Loving Ganesha: Hinduism's Endearing Elephant-Faced God* (Kapaa, Havaí: Himalayan Academy, 1996).

23. O *Devî-Bhâgavata* provavelmente foi composto um ou dois séculos depois do *Bhâgavata-Purâna*, que é datado do século X d.C. O *Devî-Mahâtmya*, citado na íntegra no *Devî-Bhâgavata*, é um texto mais antigo dedicado ao tema da adoração da Deusa e foi datado, com ressalvas, do século VI d.C.

PARTE II: O YOGA PRÉ-CLÁSSICO

Capítulo 4: O Yoga nos Tempos Antigos

1. K. Jaspers, *Way to Wisdom: An Introduction to Philosophy* (New Haven, Ct./Londres: Yale University Press, 1954), p. 96.
2. Ver K. Jaspers, *Vom Ursprung und Ziel der Geschichte* (Frankfurt: Fischer Bücherei, 1955).
3. Ver J. Gebser, *The Ever-Present Origin* (Athens, Ohio: Ohio University Press, 1986).
4. Ver G. Feuerstein, *Wholeness or Transcendence? Ancient Lessons for the Emerging Global Civilization* (Burdett, N.Y.: Larson Publications, 1992).
5. Ver M. Harner, *The Way of the Shaman* (Nova York: Harper & Row, 1980); J. Halifax, *Shamanic Voices: A Survey of Visionary Narratives* (Nova York: Dutton, 1979). [*O Caminho do Xamã*, publicado pela Editora Pensamento, São Paulo, 1989.]
6. Este movimento psico-histórico, que constituiu a passagem da estrutura mítica para a estrutura mental da consciência, está explicado em G. Feuerstein, *Structures of Consciousness* (Lower Lake, Calif.: Integral Publishing, 1987).
7. A rigor, nem mesmo o ideal budista do *bodhisattva* ("ser da iluminação"), que se compromete a libertar todos os seres sencientes, é um ideal social. O *bodhisattva*, não é alguém que trabalha pelo bem-estar social; é um aspirante ou um adepto cujo único objetivo é o bem *espiritual* dos outros seres.
8. M. Eliade, *Yoga: Immortality and Freedom* (Princeton, N.J.: Princeton University Press, 1973), p. 320. Ver também o seu *Shamanism: Archaic Techniques of Ecstasy* (Princeton, N.J.: Princeton University Press, 1972).
9. Ver F. Goodman, *Where the Spirits Ride the Wind* (Bloomington, Ind.: Indiana University Press, 1990); cf. também B. Gore, *Ecstatic Body Postures: An Alternate Reality Book* (Santa Fé, N.M.: Bear & Co., 1995).
10. R. Walsh, *The Spirit of Shamanism* (Los Angeles: J. P. Tarcher, 1990), p. 10.
11. Cf., p. ex., T. McEvilley, "An Archaeology of Yoga", *Res*, vol. 1 (primavera 1981), pp. 44-77, que examina os elementos yogues da chamada "civilização do Indo". McEvilley, porém, baseia-se ainda na obsoleta dicotomia entre uma cultura ariana invasora e uma cultura nativa dravídica.
12. Cf. G. Feuerstein, S. Kak e D. Frawley, *In Search of the Cradle of Civilization: New Light on Ancient India* (Wheaton, Ill.: Quest Books, 1995).
13. Cf. C. Renfrew, *Archaeology & Language: The Puzzle of Indo-European Origins* (Cambridge: Cambridge University Press, 1987).
14. Cf. A. Seidenberg, "The Origin of Mathematics", *Archive for History of Exact Sciences*, vol. 18 (1978), pp. 301-342.
15. Os *Shulba-Sûtras* fazem parte da literatura *Kalpa-Sûtra* da Era Védica e tratam da construção dos altares de sacrifício.
16. S. Piggott, *Prehistoric India* (Harmondsworth, Inglaterra: Penguin Books, 1950), p. 138. Cf. também B. Allchin e R. Allchin, *The Birth of Indian Civilization: India and Pakistan Before 500 B.C.* (Harmondsworth, Inglaterra: Penguin Books, 1968); J. Marshall, *Mohenjo-Daro and the Indus Civilization* (Londres: Arthur Probsthain, 1931), 3 vols.; e R. E. Mortimer Wheeler, *Civilizations of the Indus Valley and Beyond* (Londres: Thames & Hudson, 1966).
17. As palavras *bhadra-âsana* e *goraksha-âsana* escrevem-se respectivamente como *bhadrâsana* e *gorakshâsana*.
18. Cf. S. N. Dasgupta, *Hindu Mysticism* (Chicago, Ill.: Open Court Publishing, 1927).
19. J. Miller, *The Vedas: Harmony, Meditation and Fulfilment* (Londres: Rider, 1974), p. 132.
20. Podem-se encontrar outras referências em T. G. Mainkar, *Mysticism in the Rgveda* (Bombaim: Popular Book Depot, 1961).
21. V. S. Agrawala, *The Thousand-Syllabled Speech*. Vol. 1: *Vision in Long Darkness* (Varanasi, Índia: Vedaranyaka Ashram, 1963), p. i.
22. Cf. especialmente Sri Aurobindo, *On the Veda* (Pondicherry, Índia: Sri Aurobindo Ashram, 1956), e D. Frawley, *Hymns from the Golden Age: Selected Hymns from the Rig Veda with Yogic Interpretation* (Delhi: Motilal Banarsidass, 1986).
23. J. Miller, op. cit., p. 45.
24. Ibid., p. 49.
25. Ibid., p. 97.
26. Cf., p. ex., D. Frawley, *Gods, Sages and Kings: Vedic Secrets of Ancient Civilization* (Salt Lake City, Utah: Passage Press, 1991), pp. 203 *et seq.*
27. D. Frawley, *Hymns from the Golden Age*, p. 10.
28. Ibid., p. 10.
29. Sri Aurobindo, *On the Veda*, p. 384.
30. Cf. S. Kak, *The Astronomical Code of the Rgveda* (Nova Delhi: Aditya Prakashan, 1994).
31. É importante saber que entre os *rishis* havia também os que não eram brâmanes, como os kshátrias Manu e Purûravas Aila e os váishias Bhalandana, Vatsa e Sankîla.
32. O sentido da palavra *marmrishat* é obscuro. É traduzida aqui por "mais digno". Os comentadores que escreveram em sânscrito pensam tratar-se de uma referência ao deus Indra.

33. O texto sânscrito está muito obscuro neste trecho, fato que se reflete na tradução.
34. O nome Vakreshvarî é derivado de *vakra* ("torto") e *îshvarî*, que é a forma feminina de *îshvara* ("senhor").
35. Este versículo encontra-se também no *Rig-Veda*, 1.164.31. O sentido esotérico das palavras *sadhricih* e *vishucih* é obscuro e elas foram traduzidas aqui por "[forças] convergentes" e "[forças] divergentes", respectivamente. Num certo nível, os raios do pássaro solar irradiam-se numa direção — para baixo, rumo à terra — mas também espalham-se de modo a iluminar todo o espaço. No nível espiritual, não há dúvida de que se aplica um princípio semelhante: o fulgurar da intuição intelectual, embora altamente concentrado, também ilumina todas as coisas, na medida em que afeta todo o corpo-mente.
36. É possível que as três espécies de criaturas sejam aquelas nas quais preponderam *tamas*, *rajas* ou *sattva*.
37. A palavra *harita* é muitas vezes traduzida por "amarelo" ou mesmo "verde". Neste caso, traduzimo-la por "douradas" ou "áureas".
38. Os seis pares de gêmeos são os doze meses, que vêm aos pares e perfazem 360 dias. O que "nasceu sozinho" é o mês intercalar que abarca os dias restantes do ano solar. [Sob outro aspecto, é o próprio Sol, princípio dos meses e do ano e símbolo por excelência do Princípio supremo. (N. do T.)]
39. A palavra *akshara* significa literalmente "imóvel" ou "imperecível", ou ainda "indestrutível". Pode referir-se a uma sílaba (como o *mantra* monossilábico *om*, que simboliza a Realidade suprema) ou à própria Divindade. Neste caso, refere-se aos raios solares ou às estrelas.
40. Neste caso, a palavra *agra* ou "Primo[gênito]" significa o sol, forma visível da invisível Luz suprema.
41. Os sete videntes (*sapta-rishi*; escreve-se *saptarshi*) foram provavelmente Vishvâmitra, Jamadagni, Bharadvâja, Gotama, Atri, Vashishtha e Kashyapa. Seus nomes aparecem mencionados em conjunto pela primeira vez nos *Srauta-Sûtras*, compostos no final da Era Védica. Na literatura sânscrita posterior simbolizam eles as sete faculdades cognitivas, que são os cinco sentidos, a mente (*manas*) e a "mente superior" ou intelecto (*buddhi*). O vaso que se abre para um lado é tanto o mundo visível, que é dividido pelo horizonte numa metade superior e numa metade inferior, quanto a cabeça do ser humano.
42. Por meio dos cânticos de louvor (*ric*) que acompanhavam os rituais sacrificiais, os videntes védicos aspiravam a entrar em contato com os deuses e com o próprio Deus; mas só obtinham sucesso nessa empreitada os que eram capazes de concentrar ("jungir") de modo adequado a mente.
43. O primeiro sentido do termo *ketu* é o de "luz". Pode designar um meteoro ou um cometa, mas também a evidência visível de maneira geral. Para unir numa só essas duas conotações, traduzi a palavra por "sinal luminoso".
44. O Aguadeiro — a expressão em sânscrito é *bharantam udakam* — não é outro senão o sol, que bebe a água do oceano para depois dispersá-la sob a forma das chuvas fertilizantes.
45. Conhecer o sol com a mente significa conhecer-lhe o segredo interior: saber que ele pode ser um portal que leva à Luz imortal.
46. O texto em sânscrito diz *madhye*, que significa "no meio" (de *madhya*); no caso, significa um tempo intermediário entre o presente e o princípio mesmo dos tempos.
47. A expressão "tríplice cisne" (*trivritam hamsam*) não é clara. Pode ser uma referência aos três aspectos da luz: o sol, o fogo e o relâmpago.
48. *Svar* também pode significar "céu".
49. Pode tratar-se aqui de uma referência ao fato de que os videntes védicos simbolizavam o mundo por uma cabra (*ajâ*) que se acasala com a pura natureza divina, representada por um bode (*aja*). Dessa união nascem todas as coisas.
50. As palavras *bhogya* ("comestível", "capaz de alimentar-se") e *bhojana* ("alimento") também podem ser traduzidas como "capaz de gozar" e "gozo", respectivamente.
51. A palavra *ghnanti* significa literalmente "matar", mas é traduzida aqui por "consumir".
52. A palavra *bâla* significa "criança" e como tal foi traduzida por alguns. No entanto, pode ser uma versão ortográfica de *vâla*, que significa "cabelo" e faz mais sentido neste contexto.
53. O sentido deste versículo é obscuro.
54. Este versículo é reproduzido *ipsis litteris* no *Shvetâshvatara-Upanishad* (4.3), que incorporou muitas das idéias deste hino védico.
55. No original em sânscrito temos o genitivo plural *ushasah*, "dos alvoreceres".
56. O nome Avi é derivado da raiz *av* que significa "favorecer, beneficiar", embora a palavra *avi* signifique "ovelha".
57. Alguns tradutores vertem essa palavra por "verdes", mas cf. a nota 37.
58. As formas verbais empregadas na primeira metade do versículo não permitem que se determine o sujeito da oração. Esta tradução compreende a expressão "não abandona" (*na jâhati*) como "não se pode abandonar", e "não vê" (*na pashyati*) como "não se pode ver".
59. A expressão *yathâyatham*, traduzida aqui por "tal como é", parece ser uma forma primitiva de *yathâbhûtam*. As palavras da Divindade são sagradas e contêm a verdade, como também as palavras dos que conhecem a Divindade. Essa noção está por trás de toda a revelação védica.
60. Outro versículo difícil. A "Flor das Águas" (*apâm pushpam*) parece ser um símbolo do princípio criativo oculto, da essência da existência. No caso, a palavra *mâyâ* ainda não tem o sentido posterior de "ilusão", como no Vedânta shankariano. Significa, antes, o poder criativo mágico.
61. Mâtarîshvan é o Prometeu da Índia. Seu nome significa literalmente "O que repousa na mãe", isto é, na Natureza — uma referência ao fato de o sol nascer do mar, como o fogo que fica oculto na madeira até ser despertado pela fricção. Na Era Pós-Védica, Mâtarîshvan tornou-se um dos nomes do Deus dos Ventos, e parece ter sido assim também na Era Védica. No sentido esotérico, ele é a respiração que age sobre o corpo e a mente para acender a luz interior.

62. O "purificador" deve ser o vento, que entrou nas chamas douradas e as transformou numa grande fogueira.
63. A palavra *aja* ("incriado") também pode significar "bode". Um certo tradutor caracterizou este versículo como "absolutamente obscuro", mas isso não é verdade. É através dos cânticos e hinos védicos que os adoradores chegam ao reino celeste, à morada dos Deuses. Mas além do Céu fica a Realidade suprema, chamada aqui de o Incriado.
64. Viu-se neste versículo a primeiríssima menção inequívoca do *âtman* como princípio espiritual supremo.
65. Os textos que falam dos Vrâtyas são fragmentos escritos em sânscrito arcaico e referências esparsas nas obras de antigos autores que tinham um interesse pessoal em criticar essas irmandades. Não é de admirar que a maioria dos estudiosos não tenha querido pesquisar esse tema. O único estudo realmente amplo é o do yogólogo alemão Jakob Wilhelm Hauer. Cf. J. W. Hauer, *Der Vrâtya*, vol. 1: *Die Vrâtyas als nichtbrahmanische Kultgenossenschaften arischer Herkunft* (Stuttgart: Kohlhammer Verlag, 1927). O segundo volume, anunciado, nunca chegou a ser publicado. Temos uma discussão mais recente e igualmente esclarecedora em Jan Heesterman, "Vrâtya and Sacrifice", *Indo-Iranian Journal*, vol. 6 (1962), pp. 3-37, e em David Gordon White, *Myths of the Dog-Man* (Chicago e Londres: University of Chicago Press, 1991). Este último investiga o relacionamento fascinante que havia entre os Vrâtyas e os cães. "Simbolicamente, o cão é o eixo animal do universo humano, uma vez que se encontra na fronteira que separa o selvagem do doméstico e tudo o que é representado por esses dois pólos ideais da existência. Há muito de humano nos cães, muito de canino nos seres humanos e, por trás disso tudo, muito do lobo no cão e no homem. E, além disso, há algo do Homem-Cão em Deus." (White, p. 15) Os Vrâtyas, que vagavam pelas florestas, faziam parte da contracultura védica e, nesse sentido, eram figuras *liminais* (ou, poderíamos dizer, "marginais").
66. O vínculo dos Vrâtyas com o *Sâma-Veda* foi demonstrado por J. W. Hauer. Eles parecem também ter tido algo que ver com a recitação de sagas épicas, o chamado "Quinto *Veda*"; uma parte dessas antigas histórias passou para os *Purânas*.
67. Quanto às doutrinas mágicas do *Atharva-Veda*, cf. M. Stutley, *Ancient Indian Magic and Folklore: An Introduction* (Boulder, Colo.: Great Eastern Book Co., 1980).

Capítulo 5: A Sabedoria Secreta dos Primeiros Upanishads

1. Escreve-se *prânâgnihotra*. Segundo muitos estudiosos, esse sacrifício era realizado principalmente pelos monges e eremitas, mas essa opinião não é confirmada pelos indícios de que dispomos, como deixou claro o indólogo holandês H. W. Bodewitz em seu livro *Jaiminîya Brahmana I, 1-65: Translation and Commentary, With a Study of Agnihotra and Prânâgnihotra* (Leiden, Holanda: E. J. Brill, 1973).
2. Das traduções dos *Upanishads* para o inglês, a mais abrangente, embora antiquada sob certos aspectos, está em P. Deussen, *Sixty Upanishads of the Veda*, traduzido do alemão por V. M. Bedekar e G. B. Palsule (Delhi: Motilal Banarsidass, 1980), 2 vols. O original alemão foi publicado pela primeira vez em 1897. Cf. também R. E. Hume, *The Thirteen Principal Upanishads* (Londres: Oxford University Press, 1958), e S. Radhakrishnan, *The Principal Upanishads* (Londres: George Allen & Unwin/Nova York: Humanities Press, 1953), que traz o texto em sânscrito de treze *Upanishads*. Segundo as teorias acadêmicas convencionais, os *Upanishads* mais antigos foram escritos entre 700 e 600 a.C., mas essa data está errada à luz dos estudos cronológicos mais recentes, que nos obrigam a situar os primeiros *Brâhmanas* muito antes de 1500 a.C. Como o estilo e o conteúdo dos *Upanishads* mais antigos são bastante semelhantes aos dos *Brâhmanas*, não podemos postular uma distância muito grande, no tempo, entre esses dois gêneros literários. Além disso, alguns mestres mencionados nos *Brâhmanas* também figuram nos *Upanishads*. O *Brihad-Âranyaka-Upanishad* (p. ex., 6.5.1 *et seq.*), pois, menciona pelo nome cinquenta e dois mestres, entre os quais o famoso sábio Yâjnavalkya. Como ele estava intimamente ligado às doutrinas do *Shata-Patha-Brâhmana*, que podemos situar a grosso modo por volta de 1500 a.C., temos aí um marco cronológico bastante útil. Yâjnavalkya viveu trinta e oito gerações antes de Pautimâshya, o último mestre mencionado no texto. Isso se traduz em mais ou menos 760 anos. Portanto, a última transmissão registrada do *Brihad-Âranyaka-Upanishad* pode ser situada por volta de 700 a.C., embora o seu núcleo remonte à época anterior à guerra dos Bharata. Em outras palavras, a doutrina desse *Upanishad* pertence ao período compreendido entre 1500 e 700 a.C. A data de composição dos demais *Upanishads* antigos não pode ser muito diferente disso.
3. Sobre o Eco-Yoga, cf. Henryk Skolimowsky, *Dancing Shiva in the Ecological Age* (Nova Delhi: Clarion Books, 1991) e *The Participatory Mind: A New Theory of Knowledge and of the Universe* (Londres: Arkana/Penguin Books, 1994). E também G. Feuerstein, "Yoga and Ecology", *Quarterly Journal of the Indian Academy of Yoga*, vol. 3, nº. 4 (1983), pp. 161-172.
4. A expressão *shloka-krit* ("fazedor de *shlokas*") é ambígua. *Shloka* pode ser um versículo, o som em geral ou a fama. É palavra derivada da raiz verbal *shru* ("ouvir"). Aqui, traduzi-a por "poesia". A idéia que está por trás é a de que o sábio, no estado de identificação extática com o Si Mesmo transcendente, vê nesse Si Mesmo, no Ser Supremo, a fonte da sua exuberância poética.
5. Em outros contextos, *brahma-loka* também pode significar o "mundo de Brahma", o Criador.
6. Cf. J. W. Hauer, *Der Yoga: Ein indischer Weg zum Selbst* (Stuttgart: Kohlhammer Verlag, 1958), p. 144.
7. O termo *adhyâtman* significa "relativo ao si mesmo", traduzido no caso por "Si Mesmo profundo", pois é do Si Mesmo transcendente que se está falando.

Capítulo 6: Jaina Yoga: A Doutrina dos Pontífices Vitoriosos

1. Escreve-se Âcârângasûtra, de âcâra ("conduta"), anga ("membro" ou elemento constituinte) e sûtra ("aforismo").
2. Segundo os relatos jainas, Rishabha viveu por 8,4 milhões de anos. É possível que ele tenha sido um personagem histórico que, é claro, teve um tempo de vida mais próximo do normal; o fato, porém, é que a respeito dele tudo o que se sabe é o que dizem as lendas posteriores. É especialmente digno de nota que um Rishabha seja mencionado no livro dos Vrâtyas da Atharva-Veda (livro 15). As referências do Rig-Veda a Rishabha estão em VI.16.47; VI.28.8; X.91.14; e X.166.1.
3. No entanto, o Jainismo ainda não recebeu por parte dos estudiosos a atenção que merece, e os seguidores dessa antiqüíssima tradição que habitam nos países do Ocidente não têm os recursos de que necessitam para estudar os seus próprios textos sagrados. Mas cf. a excelente obra introdutória de P. Dundas, *The Jains* (Londres/Nova York: Routledge, 1992); e as obras de A. K. Chatterjee, *A Comprehensive History of Jainism*, vol. 1 (Calcutá, 1978), vol. 2 (Calcutá, 1984); E. Fischer e J. Jain, *Jaina Iconography* (Leiden, Holanda: E. J. Brill, 1978), 2 vols.; e R. Williams, *Jaina Yoga: A Survey of the Medieval Shravakacaras* (Londres: Oxford University Press, 1963).
4. Escreve-se Tattvârthâdigamasûtra ou Tattvârthasûtra.
5. Escreve-se Shatkhandâgama.
6. K. Jaspers, *Way to Wisdom: An Introduction to Philosophy* (New Haven, Conn./Londres: Yale University Press, 1954), p. 96.
7. Deve-se distinguir este Haribhadra do polímato Haribhadra Virahânkha, que viveu nos séculos V e VI e a quem se atribui a autoria de mais de mil textos.
8. Escreve-se mahâtman.
9. Escreve-se Jnânârnava.

Capítulo 7: O Yoga no Budismo

1. V. A. Smith, *The Oxford History of India* (Londres: Oxford University Press, 1970), p. 76.
2. C. Humphreys, *Buddhism* (Harmondsworth, Inglaterra: Penguin Books, 195), p. 27.
3. O título honorífico siddhârtha é composto de siddha ("perfeito", "realizado") e artha ("objeto", "objetivo"), designando portanto a pessoa que realizou seus objetivos. Esse nome ficou famoso no Ocidente por meio do romance *Siddhartha*, de Herman Hesse (1951).
4. Sobre os trinta e dois sinais de um Buda, cf. A. Getty, *The Gods of Northern Buddhism: Their History and Iconography* (Nova York: Dover Publications, 1988), p. 190.
5. Bhikshu Sangharakshita, *A Survey of Buddhism* (Boulder, Colo.: Shambhala; Londres: Windhorse, 1980), p. 83.
6. Segundo o Budismo Mahâyâna, a causa do sofrimento não é o desejo, mas a ignorância primordial (avidyâ). Ambas essas forças psicológicas, porém, colaboram para criar a experiência de duhkha.
7. H.-W. Schumann, *Buddhism: An Outline of Its Teachings and Schools*, trad. de G. Feuerstein (Londres: Rider, 1973), p. 65.
8. Escreve-se lokottaramagga; em sânscrito, lokottaramârga.
9. A palavra sânscrita samyak, que significa "reto" ou "perfeito", transforma-se em samyag quando precede uma vogal ou uma consoante sonora.
10. Escreve-se, em sânscrito, âkâshânantâyatana.
11. Escreve-se, em sânscrito, vijnânânantâyatana.
12. Escreve-se, em sânscrito, âkimcanyâyatana.
13. Escreve-se, em sânscrito, naivasamjnâsamjnâyatana.
14. L. Hixon, *Mother of the Buddhas: Meditation on the Prajnaparamita Sutra* (Wheaton, Ill.: Quest Books, 1993), p. 6.
15. E. Conze, *Buddhist Thought in India* (Londres, Allen & Unwin, 1962), p. 200.
16. E. Conze, *Thirty Years of Buddhist Studies: Selected Essays* (Oxford: Bruno Cassirer, 1967), p. 148.
17. O termo tathâgata significa literalmente "assim ido" [ou, desenvolvendo-se um pouco para deixar mais claro, "aquele que assim se foi" (N. do T.)] e refere-se ao ser plenamente desperto, o buddha, que realizou a "eqüidade" ou "qualidade de 'isto' " (tathâtâ).
18. Geralmente escreve-se Bodhicaryâvâtara. Uma boa tradução inglesa é a de M. L. Matics, *Entering the Path of Enlightenment: The Bodhicaryâvâtara of the Buddhist Poet Sântideva* (Londres: Allen & Unwin, 1971), pp. 153-155.
19. Alguns estudiosos acham que houve dois Nâgârjunas. Um seria o filósofo e adepto (c. de 150 d.C.) e o outro, o alquimista e adepto (supostamente 700 d.C.). Os tibetanos crêem que o filósofo e adepto da escola Mâdhyamika também conhecia alquimia e era capaz de prolongar indefinidamente a própria vida. O fato é que, na Era Cristã, houve várias autoridades espirituais chamadas por esse nome. Cf. D. G. White, *The Alchemical Body: Siddha Traditions in Medieval India* (Chicago e Londres: The University of Chicago Press, 1996), pp. 66-77, que resume o debate dos estudiosos acerca desse assunto e nos dá a sua própria opinião, por sinal muito razoável, segundo a qual foram três os Nâgârjunas: o filósofo-adepto, o alquimista-adepto (discípulo do famoso siddha Saraha, do começo do século VII d.C.) e a adepto médico que escreveu o *Yoga-Shataka* (século IX d.C.).
20. Escreve-se paramârtha.
21. Os seis gatis ou formas de nascimento são os deuses, os antideuses ou titãs (asuras), os seres humanos, os animais, os espíritos famintos (preta) e os habitantes do inferno.

22. Temos aqui um belo jogo de palavras: o ser desperto é liberto do vínculo (*bandhana*) da imaginação mas continua amigo (*bandhava*) do mundo.
23. Escreve-se *bhûtârtha*.
24. Escreve-se *Ekâksharisûtra*.
25. Cf. A. Govinda, *Foundations of Tibetan Mysticism* (Londres: Rider, 1969). [*Fundamentos do Misticismo Tibetano*, publicado pela Editora Pensamento, São Paulo, 1983.]
26. Cf. P. C. Bagchi, *Dohâkosha*, parte 1 (Calcutá: Calcutta Sanskrit Series, 1938).
27. A palavra tibetana que equivale a dâkinî é *khandroma*, que significa "dançarina celeste" e refere-se à ilusória dança da consciência no mundo físico.
28. C. Humphreys, op. cit., p. 179.
29. E. Conze, *Thirty Years of Buddhist Studies: Selected Essays* (Oxford: Cassirer, 1967), p. 29.
30. Traduzido do tibetano por H. V. Guenther, *The Royal Song of Saraha: A Study in the History of Buddhist Thought* (Berkeley, Calif.: Shambhala, 1973), pp. 14-38.
31. Cf. A. Bharati, *The Tantric Tradition* (Londres: Rider, 1970), p. 20.
32. G. Tucci, *The Theory and Practice of the Mandala* (Londres: Rider, 1961), p. 25.
33. J. Blofeld, *The Tantric Mysticism of Tibet* (Nova York: Dutton, 1970), p. 33.
34. A palavra tibetana *ganden* (escreve-se também *gaden*) corresponde ao termo sânscrito *tushita* ("delicioso"), que é o nome do paraíso transcendente de Maitreya.
35. Quanto ao brilhante comentário de Tsongkhapa sobre os seis métodos de Yoga de Nâropa, cf. a tradução de G. H. Mullin, *Tsongkhapa's Six Yogas of Naropa* (Ithaca, N.Y.: Snow Lion Publications, 1996); cf. também G. H. Mullin, *Readings on the Six Yogas of Naropa* (Ithaca, N.Y.: Snow Lion Publications, 1997), que traz as traduções para o inglês de pequenos textos tibetanos sobre os seis Yogas de Nâropa, entre os quais os "Versículos Vajra da Tradição Secreta", do próprio Nâropa. Na verdade, esse texto menciona dez métodos, e não seis.
36. J. Blofeld, op. cit., p. 234.

Capítulo 8: O Florescer do Yoga

1. A expressão "Si Mesmo profundo", como tradução de *adhyâtman*, refere-se ao núcleo íntimo do ser humano, à essência última que é pura consciência e felicidade.
2. Os dois *Upanishads* atribuídos a Râma podem ser datados de cerca de 300 a.C., que parece também ser a data de composição do *Jâbâla-Upanishad*, que pertence à tradição da renúncia (*samnyâsa*). Cf. J. P. Sprockhoff, *Samnyâsa: Quellenstudien zur Askese im Hinduismus* (Wiesbaden, Alemanha: Kommissionsverlag Franz Steiner, 1976).
3. Cf. P. Richman, "Introduction: The Diversity of the Râmâyana Tradition", em P. Richman, org., *Many Râmâyanas: The Diversity of a Narrative Tradition in South Asia* (Berkeley, Calif.: University of California Press, 1991), p. 3.
4. O nome Hanumat ou Hanûmat significa "O possuidor de mandíbulas [poderosas]".
5. Sobre o simbolismo do número "18", que tem papel importante no *Mahâbhârata*, cf. G. Feuerstein, *The Bhagavad-Gîtâ: Its Philosophy and Cultural Setting* (Wheaton, Ill.: Quest Books, 1983), p. 64.
6. Cf. R. Garbe, *Introduction to the Bhagavadgîtâ*, trad. de D. Mackichan (Bombaim: The University of Bombay, 1918) e R. Otto, *The Original Gîtâ*, trad. de J. E. Turner (Londres: George Allen and Unwin, 1939).
7. Cf. P. Sinha, *The Gita as It Was: Rediscovering the Original Bhagavadgita* (La Salle, Ill.: Open Court, 1987).
8. Cf. K. N. Upadhyaya, *Early Buddhism and the Bhagavadgîtâ* (Delhi: Motilal Banarsidass, 1971).
9. M. K. Gandhi, *Young India* (Delhi, 1925), pp. 1078-1079. A imensa popularidade do Gîtâ se reflete nos numerosos comentários que lhe foram feitos em sânscrito e nas línguas populares. Dos comentários conhecidos, o mais antigo e reconhecido é o de Shankara, o maior defensor do não-dualismo hindu. Entre as outras interpretações famosas dos ensinamentos do Gîtâ temos a de Râmânuja, renomado mestre do não-dualismo qualificado, a do dualista Madhva, que compôs o *Gîtâ-Bhâshya* e o *Gîtâ-Tatparya*, e a do célebre adepto e poeta Jnânadeva, cujo *Jnâneshvarî* deve ser contado entre as mais belas criações poéticas da Índia. Na era moderna, comentários esclarecedores foram compostos pelo filósofo e *yogin* bengalês Sri Aurobindo e pelo filósofo e ex-presidente da Índia Sarvepalli Radhakrishnan.
10. J. W. Hauer em *Hibbert Journal* (Abril de 1940), p. 341.
11. Swami Prabhavananda e Christopher Isherwood, *The Song of God: Bhagavad-Gita* (Londres: Phoenix House, 1947), p. 18.
12. O título Dhanamjaya significa "Conquistador de riquezas", de *dhana* ("riqueza") e *jaya* ("conquista"). No caso, as "riquezas" são tanto o reino pelo qual se lutou a guerra dos Bharata quanto as riquezas espirituais.
13. G. Feuerstein, *The Bhagavad-Gita: Its Philosophy and Cultural Setting* (Wheaton, Ill.: Quest Books, 1983), p. 162.
14. Todas as divindades mencionadas neste versículo vêm da Era Védica.
15. A palavra *anjali* significa o gesto de mãos postas, que são levantadas à altura do coração ou da fronte.
16. Os Rudras, etc., são divindades védicas.
17. O título Savyasâcin significa "Aquele que é hábil com a mão esquerda", ou seja, "O Ambidestro".
18. Os Rakshasas são seres demoníacos.

19. As divindades mencionadas são todas da época védica. Shashânka ("A que tem a marca da lebre") é um dos nomes da divindade lunar.
20. O epíteto Janârdana significa "O que atormenta as pessoas" e equivale à palavra "herói" em português.
21. O epíteto Paramtapa significa "O que perturba o inimigo" e é sinônimo de Janârdana.
22. Escreve-se *bhûtâtman*. Este conceito significa o Si Mesmo na medida em que reside nos *bhûtas*, ou seja, nos "seres" finitos e nos "elementos" materiais. A expressão encontra-se também no *Maitrâyanîya-Upanishad* (3.2 et seq.).
23. Os três *gunas* — *sattva*, *rajas* e *tamas* — são as qualidades ou forças fundamentais da Natureza (*prakriti*), que subjazem não somente ao universo material (e portanto ao corpo humano, os sentidos inclusive), mas também à mente e aos fenômenos mentais.
24. Escreve-se *akritâtman*.
25. Escreve-se *Maitrâyanîyopanishad*.
26. Como observou o yogólogo alemão Jakob Wilhelm Hauer, a idéia de Paul Deussen de que o *Maitrâyanîya-Upanishad* foi propositadamente escrito em estilo arcaico não tem provas em seu favor. Cf. J. W. Hauer, *Der Yoga* (Stuttgart: Kohlhammer Verlag, 1958), p. 100, onde ele data o texto dos primórdios da Era Budista. Com base nas peculiaridades gramáticas desse *Upanishad*, Max Müller situou-lhe a composição numa época anterior ao gramático Pânini, que normalmente é colocado no século V a.C. ou pouco depois disso. Cf. M. Müller, *Sacred Books of the East*, vol. 15 (Oxford: Oxford University Press, 1900), p. 6. Cf. J. A. B. van Buitenen, *The Maitrâyanîya Upanishad* ('s-Gravenhage: Mouton de Gruyter, 1962).
27. Para uma tradução do *Maitreya-Upanishad*, cf. P. Olivelle, *Samnyâsa Upanishads: Hindu Scriptures on Asceticism and Renunciation* (Nova York e Oxford: Oxford University Press, l992), pp. 158-169.
28. Alguns estudiosos acham que o *Mândûkya-Upanishad* (escreve-se *Mândûkyopanishad*) é uma obra relativamente recente, que pode ter sido escrita pelo próprio Gaudapâda. Não há, porém, nenhum bom motivo que corrobore essa opinião.
29. O *mantra* completo é o seguinte; *Om bhûr bhuvah svah tat savitur varenyam bhargo devasya dhîmahi dhiyo yo nah procodayâd âpo jyotîraso'mritam*. A recitação desse *mantra* enquanto se retém o ar inspirado é contada como uma retenção (*kumbhaka*).

PARTE III: O YOGA CLÁSSICO

Capítulo 9: A História e a Literatura do Pâtanjala-Yoga

1. C. Chapple e Yogi Ananda Viraj (E. P. Kelly Jr.), *The Yoga Sûtras of Patañjali: An Analysis of the Sanskrit with Accompanying English Translation* (Delhi: Sri Satguru Publications, 1990), p. 15.
2. Cf. S. N, Tandon, *A Re-Appraisal of Patanjali's Yoga-Sutras in the Light of the Buddha's Teaching* (Igatpuri, Índia: Vipassana Research Institute, 1995).
3. A relação entre Patanjali, o adepto do Yoga, e Patanjali, o gramático, é objeto de um debate erudito em S. Dasgupta, *A History of Indian Philosophy* (Delhi: Motilal Banarsidass, 1975), vol. 1, pp. 230-233, Cf. também J. H. Woods, *The Yoga System of Patañjali* (Delhi: Motilal Banarsidass, 3ª ed., 1966), pp. xiii-xvii.
4. Cf. A. Weber, *The History of Indian Literature* (Londres: Kegan Paul, Trench, Trübner & Co., 4ª ed., 1904) , p. 233n. Weber também diz que, segundo uma certa tradição, Patanjali foi uma das encarnações anteriores do Buda.
5. S. Dasgupta, *A History of Indian Philosophy* (Delhi: Motilal Banarsidass, 1975), vol. 1, p. 62.
6. Cf. G. Feuerstein, *The Yoga-Sûtra: An Exercise in the Methodology of Textual Analysis* (Nova Delhi: Arnold-Heinemann, 1979).
7. Ao discutir a data do *Yoga-Bhâshya*, J. H. Woods, op. cit., p. xxi, identifica uma referência a este texto no *Shishupâlavada* de Mâgha (4.55), que fixaria o limite posterior para a data de composição do *Bhâshya*. Porém, ele comete então o erro de dizer que "o Comentário não pode ser anterior a 650 d.C.", quando deveria ter dito "não pode ser *posterior*". Vitimado pela própria afirmação errônea, Woods chega à seguinte conclusão: "Do mesmo modo, a data de composição do Bhâskya estaria compreendida entre 650 d.C. e 850 d.C., grosso modo", o que é manifestamente incorreto. Os estudiosos continuam a deixar-se enganar por essa afirmação.
8. T. Leggett, *The Complete Commentary by Sankara on the Yoga Sûtras: A Full Translation of the Newly Discovered Text* (Londres e Nova York: Kegan Paul International, 1990), p. 39. Cf. também P. Hacker, "Sankara der Yogin und Sankara der Advaitin: Einige Beobachtungen", *Beiträge zur Geistesgeschichte Indiens: Festschrift für E. Frauwallner* (Viena, 1968), pp. 119-148.
9. T. S. Rukmani, "The Problem of the Authorship of the *Yogasûtrabhâshyavivaranam*", *Journal of Indian Philosophy*, vol. 20 (1992), p. 422.
10. Escreve-se *Sûtrârthabodhinî*.
11. U. Arya, *Yoga-Sûtras of Patañjali*, vol. 1: *Samâdhi-Pâda* (Honesdale, Penn.: Himalayan International Institute, 1986), p. 10. Esta obra do pândita Usharbudh Arya (agora Swami Vedabharati) é o comentário que mais se aprofunda no livro de Patanjali, mas, infelizmente, até agora só foi publicada a exegese do primeiro capítulo do *Yoga-Sûtra*.
12. M. Müller, *The Six Systems of Indian Philosophy* (Londres: Longmans, Green & Co., repr. 1916), p. 450.
13. T. S. Rukmani, *Yogavârttika of Vijñânabhikshu*, vol. 1: *Samâdhipâda* (Nova Delhi: Munshiram Manoharlal, 1981), p. 5.
14. Escreve-se *Paingalopanishad*.

Capítulo 10: A Filosofia e a Prática do Pâtanjala-Yoga

1. A. Govinda, *The Psychological Attitude in Early Buddhist Philosophy* (Londres: Rider, 1969), p. 35.
2. Swami Ajaya, *Yoga Psychology: A Practical Guide to Meditation* (Honesdale, Penn.: Himalayan International Institute, 1978), p. 73.
3. G. Krishna, *The Dawn of a Science* (Nova Delhi: Kundalini Research and Publication Trust, 1978), p. 223.
4. Cf. C. Tart, *Waking Up: Overcoming the Obstacles to Human Potential* (Boston, Mass.: New Science Library, 1987).
5. J. H. Clark, *A Map of Mental States* (Londres: Routledge & Kegan Paul, 1983), p. 29.
6. Cf. H. Jacobs, *Western Psycho-Therapy and Hindu Sâdhanâ: A Contribution to Comparative Studies in Psychology and Metaphysics* (Londres: George Allen & Unwin, 1961), que faz uma crítica mordaz da posição de Jung.
7. M. Eliade, *Yoga: Immortality and Freedom* (Princeton, N.J.: Princeton University Press, 1970), p. 39.
8. O yogólogo inglês Ian Whicher, porém, afirma que não devemos compreender o dualismo de Patanjali como uma posição ontológica, mas meramente epistemológica. Se assim for, isso nos permite associar ao Yoga Clássico o ideal da libertação em vida. Cf. I. Whicher, "Implications for an Embodied Freedom in Patanjali's Yoga", palestra apresentada na Conferência de Yoga realizada na Loyola Marymount University em Los Angeles, Califórnia, a 15 de março de 1997. Cf. também C. Chapple, "The Unseen Seer and the Field: Consciousness in Sâmkhya and Yoga", em R. K. C. Forman, org., *The Problem of Pure Consciousness: Mysticism and Philosophy* (Nova York e Oxford: Oxford University Press, 1990), pp. 53-70; e C. Chapple, "Citta-vrtti and Reality in the Yoga Sûtra", em C. Chapple, org., *Sâmkhya-Yoga: Proceedings of the IASWR [Institute for Advanced Studies of World Religions] Conference*, 1981, p. 112, onde ele caracteriza minha opinião com as palavras "o único sábio bom é o sábio morto". É certo que continuo a preferir uma interpretação ontológica (dualista) da metafísica de Patanjali, mas gostaria de modificar a paráfrase que Chapple faz da minha posição para "só o sábio morto é perfeito". A bondade não tem nada que ver com o assunto, pois Patanjali afirma claramente que o *yogin* plenamente realizado transcende as categorias do bem e do mal.

PARTE IV: O YOGA PÓS-CLÁSSICO

1. Escreve-se *Shivastotrâvalî*.

Capítulo 11: A Visão Não-Dualista de Deus dos Adoradores de Shiva

1. Traduzido por C. R. Bailly em seu livro *Shaiva Devotional Songs of Kashmir: A Translation and Study of Utpaladeva's Shivastotravali* (Nova York: SUNY Press, 1987), p. 18.
2. Cf. D. Hartsuiker, *Sadhus: India's Mystic Holy Men* (Rochester, Vt.: Inner Traditions International, 1993).
3. Escreve-se *Pancârthabhâshya*.
4. Deve-se distinguir esta espécie de Yoga do Yoga das escolas Pâshupatas mencionadas nos *Purânas*, que seguem a definição de Patanjali: "O Yoga é a restrição das flutuações da consciência." Kaundinya, por exemplo, rejeita explicitamente a metafísica e a metodologia dualistas do Sâmkhya e do Yoga de Patanjali. Afirma ele que a libertação não é separar-se de todas as coisas, mas unir-se à Divindade.
5. O nome Kâlâmukha é derivado de *kâla* ("tempo") e *âmukha* ("voltado para").
6. Robert E. Svoboda, *Aghora: At The Left Hand of God* (Albuquerque, N. México: Brotherhood of Life, 1986), p. 36.
7. Ibid., p. 22.
8. A tradução é de A. K. Ramanujan, *Speaking of Siva* (Harmondsworth, Inglaterra: Penguin Books, 1973), p. 28. A grafia das palavras foi ligeiramente modificada.
9. *Upâgâma* é palavra derivada de *upa* ("secundário") e *âgama*. Sobre a literatura agâmica, cf. M. S. G. Dyczkowski, *The Canon of the Saivâgama and the Kubjikâ Tantras of the Western Kaula Tradition* (Albany, N.Y.: SUNY Press, 1988).
10. Os nomes das cinco faces de Shiva, mencionados pela primeira vez no *Mahâ-Nârâyana-Upanishad* (escreve-se *Mahânârâyanopanishad*), são associados a *mantras* que devem ser recitados em voz baixa.
11. Escreve-se *Tantrâloka*.
12. Paráfrase de uma tradução de K. C. Pandey, *Abhinavagupta: An Historical and Philosophical Study* (Varanasi, Índia: Chaukhamba Amarabharati Prakashan, 1963), p. 21.
13. *Kalâ* é um termo muito importante no Shaivismo, no Shaktismo e no Tantrismo. Designa comumente as dezesseis fases da lua, sendo a décima sexta a mais auspiciosa.
14. As palavras *kalâ* e *kâla* derivam ambas da raiz verbal *kal*, que significa "impelir".
15. Sobre os vinte e quatro princípios (*tattva*) da tradição do Sâmkhya, vide o Capítulo 3.
16. Cf. J. C. Pearce, *The Bond of Power* (Nova York: Dutton, 1981), pp. 30-31.
17. Nesta seção, os termos técnicos poderão ser dados em sânscrito ou em tâmil.
18. Trad. de V. Dehejia, *Slaves of the Lord: The Path of the Tamil Saints* (Nova Delhi: Munshiram Manoharlal, 1988), p. 35.
19. Trad. de G. E. Yocum, *Hymns to the Dancing Siva* (Nova Delhi, 1982), p. 180.

Capítulo 12: A Visão Vedântica de Deus dos Adoradores de Vishnu

1. Quanto às *Samhitâs* da tradição Pancarâtra, cf. uma visão geral em F. O. Schrader, *Introduction to the Pañcarâtra and the Ahirbudhnya Samhitâ* (Adyar, Índia: Adyar Library, 1916). Dentre essas escrituras sagradas do Vaishnavismo, destacam-se a *Ahirbudhnya-*, a *Jayâkhya-*, a *Vishnu-*, a *Parama-* e a *Paushkara-Samhitâs*, nenhuma das quais foi traduzida. O conteúdo delas, porém, é discutido de maneira útil em S. Dasgupta, *A History of Indian Philosophy*, vol. 3 (Delhi: Motilal Banarsidass, reed. 1975).
2. S. Dasgupta, op. cit., vol. 3, pp. 83-84. Modifiquei a grafia das palavras em sânscrito e em tâmil para amoldá-la à transliteração simplificada adotada neste livro.
3. J. M. Sanyal, *The Srimad-Bhagvatam of Krishna-Dwaipayana Vyasa* (Nova Delhi: Munshiram Manoharlal, 1973), p. vi (nota do editor).
4. Escreve-se *anilâyâma*.
5. Cf. T. K. V. Desikachar, *The Heart of Yoga: Developing a Personal Practice* (Rochester, Vt.: Inner Traditions International, 1995).
6. Sri Anirvan e L. Reymond, *To Live Within: Teachings of a Baul* (High Burton, Inglaterra: Coombe Springs Press, 1984), p. 252.
7. Cf. L. Lozowick, *Hohm Sahaj Mandir Study Manual: A Handbook for Practitioners of Every Spiritual and/or Transformational Path* (Prescott, Ariz.: Hohm Press, 1996), 2 vols.

Capítulo 13: O Yoga e os Yogins nos Purânas

1. Escreve-se *vamshânucarita*.
2. Escreve-se *baddhapadmâsana*.
3. Estas são diversas formas da força vital no corpo, que serão explicadas sucintamente no Capítulo 17.

Capítulo 14: O Idealismo Yogue do Yoga-Vâsishtha

1. O nome do sábio tem dois sons de *sh*, ao passo que a grafia correta do título da obra de Vâlmîki é *Vâsishtha*.
2. *In Woods of Self-Realization: The Complete Works of Swami Rama Tirtha* (Lucknow, Índia: Rama Tirtha Pratisthan, 9ª ed., 1979), vol. 3, p. 295.
3. A expressão "tríplice universo" designa a dimensão material, a dimensão psíquica intermediária e os domínios superiores, supraformais, da Natureza (*prakriti*).
4. Este modelo de sete estágios é uma das três versões diferentes que se encontram no *Yoga-Vâsishtha*.
5. No original sânscrito temos *koti-koti-amsha*, "um décimo milionésimo de décimo milionésimo".

Capítulo 15: Deus, Visões e Poder: Os Yoga-Upanishads

1. Escreve-se *Tejobindûpanishad*.
2. Todos os *Yoga-Upanishads* (escreve-se *Yogopanishads*) estão disponíveis em traduções relativamente confiáveis elaboradas pela Sociedade Teosófica de Adyar, Índia. Os estudiosos do Yoga devem muito à Sociedade Teosófica, que, em seu excelente programa editorial, tornou disponíveis muitos textos de Yoga no decorrer dos anos. Cf. T. R. S. Ayyangar, *The Yoga Upanishads* (Adyar, Índia: Adyar Library, 1952).
3. J.-E. Berendt, *Nada Brahma: The World is Sound — Music and the Landscape of Consciousness* (Rochester, Vt.: Destiny Books, 1987), p. 76. [*Nada Brahma — A Música e o Universo da Consciência*, publicado pela Editora Cultrix, São Paulo, 1993.]
4. S. S. Goswami, *Layayoga: An Advanced Method of Concentration* (Londres: Routledge & Kegan Paul, 1980), p. 13.
5. Escreve-se *Bindûpanishads*.
6. Cf. H. Nakamura, *Shoki no Vedânta Tetsugaku*, vol. 1 (Tóquio: Iwanami Shoten, 1951), pp. 63 *et seq*.
7. Escreve-se *Muktikopanishad*.
8. A prática de *tarka* provavelmente consiste na cuidadosa avaliação dos estados meditativos, para que o *yogin* não sucumba à alucinação pura e simples.
9. Escreve-se *Hamsopanishad*.
10. Escreve-se *Brahmavidyopanishad*.
11. Escreve-se *Mahâvâkyopanishad*.
12. Escreve-se *Pâshupatabrahmopanishad*.
13. J. M. Cohen e J.-F. Phibbs, *The Common Experience* (Nova York: St. Martin's Press, 1979), p. 41.
14. Escreve-se *Advayatârakopanishad*.
15. Escreve-se *paramâkâsha*.

16. Escreve-se *mahâkâsha*.
17. Escreve-se *tattvâkâsha*.
18. Escreve-se *sûryâkâsha*.
19. Escreve-se *shodashânta*. O número 16 é comumente associado à lua, cuja décima sexta *kalâ* produz o néctar da imortalidade.
20. A palavra *unmanî* é composta do prefixo *ud* ("para cima") e da raiz verbal *man* ("pensar" ou "estar consciente"). Significa um estado de euforia, isto é, de estar "fora de si", mas num sentido positivo. Contudo, liga-se de perto à palavra *unmâda* ("loucura").
21. Escreve-se *Kshurikopanishad*.
22. O termo *ucchvâsa* é composto de *ud* ("para cima") e *shvâsa* ("respiração"), denotando portanto a exalação.
23. Escreve-se *Yogakundalyupanishad*. Por motivo de eufonia, a palavra *kundalî* ou *kundalinî* tem de mudar para *kundaly* ou *kundaliny* quando é seguida de uma palavra que começa com vogal, como *upanishad*.
24. Escreve-se *Yogatattvopanishad*.
25. Escreve-se *Yogashikhopanishad*.
26. Escreve-se *shivâlaya*.
27. Escreve-se *Varâhopanishad*.
28. Escreve-se *Shândilyopanishad*.
29. Escreve-se *Trishikhibrâhmanopanishad*.
30. Escreve-se *Darshanopanishad*.
31. Escreve-se *Yogacûdâmanyupanishad*. A palavra *cudâmani* ("diadema") muda para *cudâmany* pelo mesmo motivo mencionado na nota 23.

Capítulo 16: O Yoga entre os Sikhs

1. Trad. de Swami Rama, *Sukhamani Sahib: Fountain of Eternal Joy* (Honesdale, Penn.: Himalayan International Institute, 1988), p.162.
2. Siri Singh Khalsa Yogiji, *The Teaching of Yogi Bhajan: A Practical Demonstration of the Power of the Spoken Word.* (Nova York: Hawthorn Books, 1977), p. 172.
3. Ibid., p. 184.
4. Ibid., p. 4.

PARTE V: PODER E TRANSCENDÊNCIA NO TANTRISMO

1. Escreve-se *Devyupanishad*.

Capítulo 17: O Esoterismo do Tantra-Yoga Medieval

1. Às vezes ocorre um certo intercâmbio de uso entre os termos *âgama* e *tantra*. O primeiro é explicado como "vindo [da boca do deus Shiva]".
2. Escreve-se *Mahâcinâcarakrama*.
3. Cf. G. Feuerstein, *Tantra: The Path of Ecstasy* (Boston, Mass.: Shambhala, 1998).
4. A. K. Coomaraswamy, *The Dance of Shiva: Fourteen Indian Essays* (Bombaim: Asia Publishing House, 1948), p. 140.
5. Segundo C. G. Jung, na psique humana existem duas forças arquetípicas fundamentais, que ele denominou *anima* e *animus*. A primeira é feminina e a segunda, masculina. A coexistência equilibrada de ambas em cada ser humano, seja homem ou mulher, é a chave da harmonia psíquica.
6. *Devî* é o feminino de *deva*, que em alguns contextos pode ser traduzido por "anjo". A Deusa, porém, não é um ser intermediário qualquer, mas a própria Realidade suprema concebida como uma força feminina.
7. O nome Kamalâtmikâ é composto de *kamala* ("lótus") e da palavra feminina *âtmika* ("formada").
8. Adaptação da tradução feita por S. Dasgupta em *Obscure Religious Cults* (Calcutá: Firma KLM, reed. 1976), p. 57.
9. Trad. de H. V. Guenther, *The Royal Song of Saraha: A Study in the History of Buddhist Thought* (Berkeley, Calif.: Shambhala Publications, 1973), p. 70.
10. Cf. N. Rastogi, *Introduction to the Tantrâloka* (Delhi: Motilal Banarsidass, 1987).
11. Cf. J. Singh, *The Yoga of Delight, Wonder, and Astonishment* (Albany, N.Y.: SUNY Press, 1991), que consiste numa tradução do *Vijnâna-Bhairava* para o inglês; *Siva-Sûtras: The Yoga of Supreme Identity* (Delhi: Motilal Banarsidass, 1979); *Spanda-Kârikâs: The Divine Creative Pulsation* (Delhi: Motilal Banarsidass, 1980); e *Pratyabhijnâhrdayam: The Secret of Self-Recognition* (Delhi: Motilal Banarsidass, ed. rev., 1980). Cf. também J. Singh, Swami Lashmanjee e B. Bäumer, *Abhinavagupta, Parâtrîsikâ-Vivarana: The Secret of Tantric Mysticism* (Delhi: Motilal Banarsidass, 1988).

12. Cf. D. R. Brooks, *The Secret of the Three Cities* (Chicago e Londres: University of Chicago Press, 1990), e *Auspicious Wisdom: The Texts and Traditions of Srîvidyâ Tantrism in South India* (Albany, N.Y.: SUNY Press, 1992).
13. Cf. D. R. Brooks, *Auspicious Wisdom*, p. xv.
14. Cf. M. Magee, *Vamakesvarimatam* (Varanasi, Índia: Prachya Prakashan, 1986).
15. Cf. *Kâmakalâvilâsa*, org. e trad. por A. Avalon (Madras: Ganesh & Co., 2ª ed., 1953).
16. Cf. M. S. G. Dyczkowski, *The Canon of the Saivâgama and the Kubjikâ Tantra of the Western Kaula Tradition* (Albany, N.Y.: SUNY Press, 1988), e P. E. Muller-Ortega, *The Triadic Heart of Siva: Kaula Tantricism of Abhinavagupta in the Non-Dual Saivism of Kashmir* (Albany, N.Y.: SUNY Press, 1989). Cf. também, de Dyczkowski, *The Doctrine of Vibration: An Analysis of the Doctrines and Practices of Kashmir Saivism* (Albany, N.Y.: SUNY Press, 1987).
17. Cf. *Ânandalaharî*, org. e trad. de A. Avalon (Madras: Ganesh & Co., 1961), e *Saundaryalaharî*, org. e trad. de W. N. Brown (Cambridge, Mass.: Harvard University Press, 1958).
18. H. V. Guenther, *Yuganaddha: The Tantric View of Life* (Varanasi, Índia: Chowkhamba Sanskrit Series Office, 2ª ed. revista, 1969), p. 8.
19. De G. White, *The Alchemical Body: Siddha Traditions in Medieval India* (Chicago e Londres: University of Chicago Press, 1996), p. 1.
20. H. K. Schilling, *The New Consciousness in Science and Religion* (Londres: SCM Press, 1973), p. 113.
21. Bubba [Da] Free John, *The Paradox of Instruction* (San Francisco: Dawn Horse Press, 1977).
22. Ibid., p. 236.
23. Cf. A. Avalon (John Woodroffe), *Shakti and Shakta* (Nova York: Dover Publications, reed. 1978), pp. 188 *et seq.*
24. G. Krishna, *Kundalini: Evolutionary Energy in Man* (Londres: Robinson & Watkins, 1971), pp. 12-13.
25. Cf. L. Sannella, *The Kundalini Experience: Psychosis or Transcendence?* (Lower Lake, Calif.: Integral Publishing, 1987). [*A Experiência da Kundalini*, publicado pela Editora Cultrix, S. Paulo, 1992.]
26. G. Krishna, *Kundalini: The Biological Basis of Religion and Genius* (Nova Delhi: Kundalini Research and Publication Trust, 1978), p. 88. O livro traz uma longa introdução de C. F. Freiherr von Weizsäcker, físico, filósofo e político alemão.
27. Swami Rama, R. Ballentine e Swami Ajaya (Alan Weinstock), *Yoga and Psychotherapy: The Evolution of Consciousness* (Glenview, Ill.: Himalayan Institute, 1976), p. 151.
28. Cf. A. Bharati, *The Tantric Tradition* (Londres: Rider, 1965), pp. 111 *et seq.*
29. Cf. J. Woodroffe, *The Garland of Letters: Studies in the Mantra-Sastra* (Madras: Ganesh & Co., 6ª ed., 1974).
30. Cf. P. R. Shah, *Tantra: Its Therapeutic Aspect* (Calcutá: Punthi Pustak, 1987).
31. Swami Satyananda Saraswati, *Sure Ways to Self Realization* (Moghir, Índia: Bihar School of Yoga, 1980), p. 45.
32. Citação baseada na transliteração do sânscrito dada em S. Chattopadhyaya, *Reflections on the Tantras* (Delhi: Motilal Banarsidass, 1978), p. 16, n. 20.
33. G. Krishna, *Kundalini: Evolutionary Energy in Man* (Londres: Robinson & Watkins, 1971), p. 88.
34. Na literatura budista, esse processo é chamado de "Yoga da Divindade" (*devatâ-yoga*).
35. Muitas vezes, a palavra *animan* aparece no caso nominativo, *animâ*; o mesmo vale para *mahimâ* e *laghimâ*.
36. Cf. M. Murphy, *The Future of the Body: Explorations Into the Further Evolution of Human Nature* (Los Angeles: J. P. Tarcher, 1992).
37. Neste contexto, os *asuras* não são demônios nem titãs, mas um grupo de divindades, provavelmente as que apresentam um caráter mais terrível ou irado.
38. A palavra *koti* significa "dez milhões" e muitas vezes, como neste caso, tem o sentido de "inúmeros".
39. A palavra *vipra* denota a pessoa que é profundamente tocada pela Divindade.
40. Um *cândâla* é um membro de uma das castas mais baixas, nascido da união de um shudra com uma brâmane.

Capítulo 18: O Yoga como Alquimia Espiritual: A Filosofia e a Prática do Hatha-Yoga

1. F. Capra, *The Tao of Physics* (Nova York: Bantam Books, 1977), pp. 228-229. [*O Tao da Física*, publicado pela Editora Cultrix, São Paulo, 1980.]
2. Essa imagem consta do *Agni-Purâna* (51.15 *et seq.*). Eis o trecho completo: "O asceta (*yati*) concebe o seu corpo na melhor das hipóteses como uma bolha de pele, rodeado de músculos, de tendões e de carne, cheio de urina, fezes e impurezas malcheirosas, habitáculo da doença e do sofrimento, vítima certa da velhice, da tristeza e da morte, mais transitório que uma gota de orvalho numa folha de erva, nada mais e nada menos que o produto dos cinco elementos."
3. M. Eliade, *Yoga: Immortality and Freedom* (Princeton, N.J.: Princeton University Press, 1973), p. 227.
4. K. V. Zvelebil, *The Poets of the Powers* (Lower Lake, Calif.: Integral Publishing, 1993), p. 125.
5. A. Bharati, *The Tantric Tradition* (Londres: Rider, 1965), p. 28.
6. K. V. Zvelebil, op. cit., pp. 29-30; 63.
7. Ibid., p. 87.
8. Alguns estudiosos situam Matsyendra em época tão remota quanto o século V d.C.
9. Segundo o acadêmico indiano M. Singh, a via de Goraksha não era o Hatha-Yoga, mas uma espécie de Mantra-Yoga chamada *nâda-anusandhâna* ou "aplicação do som [interior]"; e, para compreender suas opiniões teríamos de estudar os *Samnyâsa-Upanishads*

(que tratam da renúncia). Esta interpretação, porém, baseia-se numa compreensão errônea do Hatha-Yoga, pois este, sem a menor sombra de dúvida, dá uma ênfase considerável ao som interior nos estágios mais elevados da prática, como deixa claro o *Hatha-Yoga-Pradîpikâ*.

10. G. W. Briggs, *Gorakhnath and the Kanphâta Yogis* (Delhi: Motilal Banarsidass, reed. 1973), p. 23. Esse estudo etnográfico, publicado pela primeira vez em 1938, é informativo, embora nem sempre seja imparcial.
11. Cf. A. N. Upadhye, "On Some Under-Currents of the Nâtha-Sampradâya, or the Carpata-Sataka", *Journal of the Oriental Institute of Baroda*, vol. 18, parte 3 (1968-1969), pp. 198-206.
12. Segundo a *Gheranda-Samhitâ* (5.80), o *hamsa* — também chamado de *gâyatrî-mantra* espontâneo — opera nas narinas, no coração, e no *mûlâdhâra-cakra*, na base da coluna.
13. Alguns livros populares sobre o Yoga afirmam erroneamente que *ha* e *tha* são palavras que de fato significam "sol" e "lua" respectivamente, ao passo que, na verdade, elas são apenas sílabas que *representam* os dois luminares.
14. Os limites da Yogaterapia, que é uma profissão nova, ainda estão sendo definidos, tanto em relação à medicina quanto ao Yoga tradicional.
15. Escreve-se *paramâtman*.
16. O sentido da expressão *dashâdi* não é claro, pois as palavras que a compõem podem ser *dashâ-âdi* ou *dasha-âdi*. *Dashâ* significa "estado" ou "condição", ao passo que *dasha* significa "dez". Tanto num caso como no outro, não sabemos a que se refere a expressão *âdi* ("etcetera").
17. A. Avalon (J. Woodroffe), *The Serpent Power* (Londres: Luzac, 1919), p. 269.
18. Escreve-se *paramânanda*.
19. Escreve-se *svânanda*.
20. Escreve-se *paramâtman*.
21. O nome Maheshvara é composto de *mahâ* ("grande") e *îshvara* ("senhor").
22. Escreve-se *siddhâsana*. A mesma regra gramatical de associação eufônica aplica-se a todos os outros nomes de posturas mencionados no versículo seguinte, onde a palavra *âsana* é precedida pelo som *a*.
23. O texto diz, erroneamente, *dvi-laksha* em vez do consagrado *tri-laksha*. O *Siddha-Siddhânta-Paddhati* (2.10) diz *tri-lakshya*, ou seja, os três sinais": *antar-lakshya*, *bahir-lakshya* e *madhyama-lakshya*. Trata-se de estados visionários.
24. Curiosamente, em sua edição do *Goraksha-Shataka*, que contém este versículo, Swami Kuvalayananda e S. A. Shukla preferiram a variante *caturasram* ("quadrada") a *trikonam* ("triangular"), muito embora a maioria dos manuscritos de que eles dispunham favorecessem esta última.
25. *Manipûraka* é uma variante de *manipûra* ("cidade das jóias").
26. Entendo *brahma-pâdam* quando o texto diz *brahma-dvâram*, que não tem sentido nenhum.
27. Escreve-se *mitâhârin*.
28. Entendo *bhujyate* em vez do *muncate* que traz o texto original.
29. Entendo *gudâvarta* (*gudâ-âvarta*) em vez de *mudâvarta*, como está no original.
30. Antes de uma consoante sonora, *nabhas* tem de se transformar em *nabho*.
31. A expressão *shâstrângamodgîranam* é uma forma corrupta de *shastrâgamodîranam*, "repelir as armas". Cf. o *Hatha-Yoga-Pradîpikâ* 3.50, que traz a variante correta.
32. No texto sânscrito temos, erroneamente, *vitanute*.
33. A repetição dá a entender que neste ponto o texto sânscrito está corrompido.
34. O composto *marîci-jala* pode significar "água quimérica" ou "água faiscante". Refere-se a uma experiência yogue da luminosidade infinita.
35. A expressão *apâna-mûla* provavelmente uma variante errônea de *âdhâra-mûla*, que designa os músculos do esfíncter anal que se contraem no *mûla-bandha*.
36. Entendo *hutavaha* em vez de *hutabaha*.
37. O *Yoga-Kârnikâ* (10.18), ao citar este versículo, diz *shashtanâdikâ* em vez de *shashti-nâdibhih*.
38. O versículo 101 parece ser uma interpolação e foi omitido aqui.
39. Parece que existe uma outra obra com o mesmo título, de autoria de Nitya Nâtha, que tem também um resumo intitulado *Siddha-Siddhânta-Samgraha*, de Balabhadra. Temos também, do século 17, o *Goraksha-Siddhânta-Samgraha*, que se baseia em cerca de sessenta outras obras.
40. S. L. Katre, "Anandasamuccaya: A Rare Work on Hatha-Yoga", *Journal of the Oriental Institute* (Baroda), vol. 11 (1961-1962), p. 409.
41. P. C. Divanji, *Yoga-Yâjñavalkya: A Treatise on Yoga as Taught by Yogi Yâjñavalkya* (Bombaim, 1954).
42. Cf. S. Mayeda, *A Thousand Teachings: The Upadesasâhasri of Sankara* (Nova York: SUNY Press, 1992), p. 6.
43. Cf. P. V. Kane, *History of Dharmasâstra*, vol. 1 (Puna: Bhandarkar Oriental Research Institute, 1930), p. 190.
44. O *Shiva-Yoga-Pradîpikâ* ("Luz sobre o Shiva-Yoga") de Sadâshiva Brahmendra — um brâmane telinga — e o *Yoga-Cintâmani* ("Jóia do Pensamento do Yoga") de Shivânanda são outras obras do século XVII.
45. Cf. K. S. Balasubramanian, *Authorities Cited in the Hatha-Sanketa-Candrikâ of Sundaradeva*, Yoga Research Center Studies Series, nº 3 (Lower Lake, Calif.: Yoga Research Center, no prelo).

CRONOLOGIA

No geral, os acadêmicos ocidentais sempre tiveram tendência para desconfiar das cronologias elaboradas pelos próprios indianos (como, por exemplo, as listas dinásticas dos *Purânas*) e viam nelas pouco mais do que construtos fantasiosos de pânditas que nunca existiram. Alguns pesquisadores, porém, estudaram detalhadamente esse assunto complexo e descobriram que as tradições históricas da Índia são muito mais críveis do que geralmente se supôs.

No decorrer de milênios, os hindus transmitiram oralmente o seu conhecimento sagrado, o que exige um esforço extraordinário de memorização. Até hoje existem brâmanes que conseguem recitar, sem erros, um, dois ou até três dos *Vedas* com os comentários a eles anexos, num total de dezenas de milhares de versículos. Outros são capazes de recitar toda a epopéia *Mahâbhârata*, que é sete vezes maior que a *Ilíada* e a *Odisséia* juntas. Em vista dessa avançada tecnologia mnemônica, por que não levar a sério as listas de reis e videntes? É certo que os *Purânas* não fazem parte das escrituras reveladas (*shruti*), e pode-se demonstrar que não foram transmitidos tão fielmente quanto o foram os *Vedas*. Entretanto, a possibilidade de que as listas de reis dos *Purânas* contenham erros e omissões não nega o valor delas enquanto crônicas históricas.

A cronologia que apresentamos a seguir é baseada nas pesquisas e hipóteses mais recentes, e não nas idéias altamente conservadoras dos compêndios universitários. Só muito aos poucos é que o *establishment* acadêmico está começando a admitir que temos de reconsiderar por completo a história da antiga Índia. Desnecessário dizer que esta reconstituição cronológica é altamente conjectural no que se refere às épocas mais recuadas, mas tem ela a vantagem de acatar devidamente as tradições indianas e, além disso, levar em conta os indícios mais recentes. Em particular, a descoberta de que o grande rio Sarasvatî, que outrora corria por 2.900 km através do centro geográfico da civilização védica dos primeiros tempos, se havia esgotado completamente em 1900 a.C., representa um marco cronológico bastante significativo. Ajuda-nos a fixar a data dos desenvolvimentos culturais antecedentes e subseqüentes com mais plausibilidade do que até aqui foi possível.

Outro marco cronológico em potencial é a recente hipótese de que as ruínas subaquáticas encontradas no Golfo de Kutch são a cidade de Dvârakâ, capital do reino de Krishna, Deus encarnado. As ruínas foram datadas de cerca de 1450 a.C. Se, a título de experimento, datarmos os Pândavas dessa época e contarmos vinte anos para cada geração — medida bastante conservadora —, seremos capazes, com a ajuda dessas duas datas e das genealogias purânicas (segundo a reconstrução de F. E. Pargiter), de elaborar uma cronologia alternativa plausível para a Índia antiga.

A. C.

250.000	Primeiros sinais do homem na Índia.
40.000	Pinturas em abrigos rochosos na Índia Central.
6500	Primórdios da cidade de Mehrgarh (situada no atual Afeganistão), na qual se vê uma notável continuidade cultural com a civilização do Indo-Sarasvatî e a cultura hindu posterior. No quinto milênio a.C., Mehrgarh havia crescido e já era uma cidade de 20.000 habitantes (o tamanho da cidade universitária de Stanford, na Califórnia do século XX). A datação por carbono-14 revelou datas que remontam até a 8000 a.C.
4000-3000	Fase pré-harappiana da civilização do Indo-Sarasvatî, manifesta no desenvolvimento de aglomerados populacionais como Balakot, Amri e Hakra.
4000-2000	Período indicado para a composição do *Rig-Veda* por dados astronômicos contidos no próprio texto. Esta pode ser considerada a época em que foram compostos os principais hinos do *Rig-Veda* ("Conhecimento do Louvor") e das outras três Samhitâs védicas, bem como o *Purâna* ("'Tradição Antiga") original.

Deve ter sido este também o período de **Manu Svayambhuva**, o primeiro Manu, bem como dos cinco Manus seguintes, a menos que, seguindo a opinião acadêmica convencional, consideremos esses personagens como puramente fictícios. Atribui-se a Manu a autoria do *Manu-Smriti*, embora o texto atualmente existente tenha sido datado do período compreendido entre 300 a.C e 200 d.C.

Foram contemporâneos do primeiro Manu os sete grandes videntes **Marîci**, **Angiras**, **Atri**, **Pulaha**, **Kratu**, **Pulastya** e **Vashishtha**. Angiras é associado ao *Atharva-Veda* e também é o nome de vários sábios posteriores.

É esta também a era do primeiro **Bhrigu**, um sábio feroz, de quem se diz que nasceu de novo na época do Manu Vaivasvata (cf. 3310 a.C.). Seus descendentes (chamadas Bhârgavas) constituíam uma força religiosa poderosa na Era Védica e ligavam-se, em particular, ao *Atharva-Veda*.

Nessa época, viveram também o sábio **Nârada** (de quem os *Purânas* conhecem sete encarnações) e **Daksha** ou **Kan** (a primeira de duas encarnações que tiveram esse nome), cuja filha Satî uniu-se em matrimônio ao deus Shiva. |
| 3310 | O período de **Manu Vaivasvata**, o sétimo Manu e o primeiro governante que veio depois do grande dilúvio relatado em algumas escrituras hindus; viveu noventa e três gerações antes dos Pândavas. Seu filho **Ikshvâku** fundou a dinastia solar de Ayodhyâ, a linhagem de reis do norte da Índia à qual pertencia o Deus-homem Râma (cf. 2050 a.C.). **Candra**, neto de Manu e filho do sábio **Atri**, fundou a dinastia lunar à qual pertencia o Deus-homem Krishna.

É esta também a era dos sete grandes videntes **Vashishtha**, **Kashyapa**, **Atri**, **Jamadagni**, **Gautama**, **Vishvâmitra** e **Bharadvâja**. |
3210	A época do maligno rei **Vena**, que foi morto pelo poder dos *mantras*; e do seu sábio sucessor, **Prithu** de Ayodhyâ, que foi um grande vidente e um governante benigno.
18 de fevereiro de 3102	A data hindu tradicional (segundo os *Purânas*), mas improvável, em que começou a era de trevas (*kali-yuga*), a qual, de acordo com alguns pânditas, coincide com o fim da grande guerra relatada no *Mahâbhârata*. É esta a época do Deus-homem Krishna e do príncipe Arjuna. Segundo textos gregos, Héracles (=Krishna) viveu 138 gerações antes de Alexandre, o Grande (c. de 325 a.C.), mas cf. 1450 a.C.
3000	Primórdios da colonização urbana nas margens do Indo. Os centros urbanos aí fundados faziam parte da grande civilização do Indo-Sarasvatî, que ocupava uma área de aproximadamente 780.000 quilômetros quadrados. Como as camadas arqueológicas mais antigas de Mohenjo-Daro são inacessíveis em virtude de quase treze metros de água subterrânea, a data de 2600 a.C., na qual geralmente se situa a fundação dessa cidade, pode ser recuada com segurança em vários séculos.
2950	Início do Antigo Reino do Egito.

CRONOLOGIA ॐ

2600-1900	A chamada "fase harappiana" da civilização do Indo-Sarasvatî, cujo nome vem da grande cidade de Harappa. Durante este período era grande a exportação de mercadorias, especialmente de madeira, para a Suméria e outras culturas do Oriente Médio.
2600-1400	Criação das doutrinas que depois cristalizaram-se nos *Brâhmanas* (textos rituais). Eis a sua seqüência cronológica aproximada: *Panca-Vimsha* (também chamado *Tandya-* ou *Praudha-Brâhmana*; os rios Sarasvatî e Drishadvatî ainda ocupam lugar de destaque; o texto, além disso, não se refere ainda à união dos Kurus e dos Pancâlas), *Taittirîya* (refere-se à união dos Kurus e dos Pancâlas), *Jaiminîya*, *Kaushîtaki* (ou *Shânkhâyana*), *Aitareya*, *Shata-Patha* e *Go-Patha*. É esta também a época dos primórdios do Âyur-Veda (a tradição védica do norte da Índia), derivada de ensinamentos encontrados no *Atharva-Veda*.
2510	O **rei Sagara**, da dinastia solar, cujos 60.000 filhos foram, segundo consta, mortos por **Kapila** (que provavelmente não é o sábio lembrado como criador da tradição Sâmkhya). É esta também a época de **Pratardana**, filho do rei **Divodâsa II**. Pratardana foi um sábio e um filósofo que, segundo o *Kaushîtaki-Upanishad* (2.14), defendia a idéia, nova na época, do "sacrifício interior do fogo" (*antara-agni-hotra*). Baseou-se nas doutrinas sacrificiais anteriores de **Mahidâsa** e **Gârgyâyana**.
2450	O **rei Bharata** dos Pauravas, de quem a Índia tira seu nome e a cuja linhagem pertenciam os Pândavas. Data alternativa da guerra dos Bharata sugerida por Varâhamihira, astrônomo do século VI. Esta data, porém, parece antiga demais.
2371-2316	Sargão, rei da cidade de Agad, a quem o estudioso britânico L. A. Waddell identificou (erroneamente) com o rei Sagara. Parece que Sargão tinha um exército permanente de 5.400 soldados, o que habilitou-o a conquistar sucessivamente todas as cidades vizinhas. O reino de Acad, por sua vez, foi conquistado pelos babilônios, em cuja matemática percebemos a influência formativa do tipo de matemática exposta pelos *Shulba-Sûtras* e que, essencialmente, já estava presente nos primeiros *Brâhmanas*.
2050	O rei **Dasharatha** de Ayodhyâ, pai de **Râma**, **Bharata**, **Lakshmana** e **Shatrughna**. Dasharatha é mencionado numa inscrição hitita junto com Indra, os Nâsatyas e os Ashvins, o que mostra que, no decorrer dos dois milênios anteriores, a figura do imperador fora inteiramente revestida de traços mitológicos. **Râma**, de quem se diz que nasceu no final da *tretâ-yuga* (tradicionalmente fixada em 867.000 a.C.), é o herói do *Râmâyana*. Esta "epopéia original" (*âdi-kâvya*) foi composta por **Vâlmîki**, supostamente contemporâneo de Râma e mestre do famoso sábio **Bharadvâja**, embora a versão sânscrita, que chegou a nós seja muito mais recente (talvez de 300 a.C.). O reinado de Râma foi uma era de ouro para o antigo reino de Ayodhyâ, no norte da Índia. Sua esposa **Sîtâ** foi raptada por **Râvana**, o demônio-rei do Sri Lanka (antigo Ceilão). Com a ajuda do sábio semideus **Hanumat**, de cabeça de macaco, Râma conseguiu resgatar Sîtâ, que representa o princípio da fidelidade conjugal. Sabemos que os povos védicos eram grandes marinheiros e não teriam dificuldade para cruzar o oceano até a ilha de Sri Lanka. O sábio **Rishyashringa**, genro de Dasharatha, que devolveu a fertilidade às três esposas do rei. O sábio **Vâmadeva**, amigo de Vashishtha, que compôs os hinos do quarto *mandala* ("ciclo") do *Rig-Veda*. Segundo o *Râmâyana*, ele era o sumo sacerdote de Dasharatha.
1970	O rei **Sudâs** (ou Sudâsa), famoso por ter participado da Batalha dos Dez Reis mencionada no *Rig-Veda* e por ter protegido os grandes sábios **Vashishtha** e **Vishvamitra** (compositor dos hinos do terceiro *mandala* do *Rig-Veda*). Houve diversos outros Vashishthas e Vishvamitras em épocas anteriores e posteriores. O sábio **Kavasha**, que, segundo o *Rig-Veda* (7.18.12), afogou-se nas águas do rio Parushnî.
1900	A esta altura, o grande rio Sarasvatî, cujas margens férteis já haviam servido de lar para os povos da civilização do Indo-Sarasvatî, já não corria para o mar da Arábia, mas havia praticamente secado. Hoje em dia, o Sarasvatî não passa de um rio pequenino, chamado Ghaggar. Como o *Rig-Veda* ainda menciona o Sarasvatî como um rio que corria para o mar, muitos de seus hinos devem ter sido compostos no terceiro milênio a.C. e talvez em épocas ainda anteriores.

1590	**Tura Kâvasheya**, descendente longínquo do sábio Kavasha, que, segundo o *Brihad-Âranyaka-Upanishad* (6.5.4), foi o primeiro *guru* da linhagem de mestres que transmitiram esse texto.
1550	Os últimos hinos do *Rig-Veda* foram compostos por **Devâpi** (irmão mais velho do rei Shântanu, pai de Bhîshma), que renunciou ao mundo na juventude.
1500-1200	Geralmente pensa-se que tenha sido este o período da invasão das tribos indo-arianas que falavam sânscrito, vindas das estepes da Rússia. Os fortes indícios que se contrapõem a essa suposição do século XIX são discutidos no livro *In Search of the Cradle of Civilization*, de Georg Feuerstein, Subhash Kak e David Frawley. Parece que os indo-europeus estabeleceram-se no subcontinente indiano muito antes dessa data, e já podem ser associados à cidade de Mehrgarh (cf. 6500 a.C.).
1500-500	A "era de trevas" de acordo com os historiadores convencionais, como Vincent A. Smith (*The Oxford History of India*) — noção resolutamente posta em cheque pelos dados disponíveis nos quais baseia-se esta nossa cronologia.
1450	Os cinco **príncipes Pândavas**, filhos do rei Dhritarâshtra e primos dos príncipes Kauravas — os dois lados que combateram na grande guerra dos Bharata. Esta é a data aproximada do sítio arqueológico submerso de Dvârakâ, no Gujarate, que alguns arqueólogos identificaram como a cidade natal do Deus-homem **Krishna**. Curiosamente, a data de 1450 a.C. coincide com uma grande catástrofe natural no Mediterrâneo que aniquilou a civilização minóica. De acordo com a tradição purânica, foi na ilha chamada Kushasthalî que o rei Revata (3250 a.C.) — bisneto do Manu Vaivasvata — construiu a primeira cidade ou, segundo alguns relatos, a primeira fortaleza, nessa região. Ao cabo de um curto período, a cidade de Revata foi engolida pelas águas do Golfo de Kutch, no Mar da Arábia. Muito tempo depois, Krishna construiu Dvârakâ, mas sua cidade teve o mesmo destino da anterior, aparentemente logo após a morte do homem-Deus. Se a identificação das ruínas subaquáticas como Dvârakâ estiver correta, temos também a data da guerra de dezoito dias relatada no *Mahâbhârata*, na qual combateram os Kurus e os Pândavas, com seus respectivos aliados. O grande herói dos Pândavas foi o príncipe **Arjuna**, discípulo de Krishna. O diálogo travado entre os dois logo antes da primeira batalha forma o *Bhagavad-Gîtâ* ("Cântico do Senhor"), o qual, porém, é com toda probabilidade uma composição posterior (cf. 500 a.C.). O sábio **Vyâsa**, que "organiza" as quatro *Samhitâs* védicas – o *Rig-Veda*, o *Sâma-Veda*, o *Yajur-Veda* e o *Atharva-Veda* —, compõe o *Jaya* (a versão original do *Mahâbhârata*) e compila o *Purâna* ou os *Purânas* mais antigos. O sábio **Uddhâva**, atendente e amigo de Krishna, a quem se atribui (erroneamente) o *Uddhâva-Gîtâ*, que faz parte do *Bhâgavata-Purâna*.
1410	O rei **Parikshît II**, neto de Arjuna, que teve de combater o caos social que se seguiu à guerra dos Bharata.
1390	O sábio **Uddâlaka**, mestre do famoso **Yâjnavalkya Vâjasaneya**, que teve quinze discípulos principais, entre os quais seu filho **Shvetaketu** (cujo processo de discipulado está registrado no *Chândogya-Upanishad*), **Khagodara** (pai de Ashtâvakra), **Âsuri** (que pode ser o mesmo Âsura, discípulo do sábio Kapila, mencionado no *Mahâbhârata*) e o rei **Janaka** de Videha, dono de lendária riqueza. Os ensinamentos de Yâjnavalkya estão registrados no *Shata-Patha-Brâhmana* e alguns deles estão preservados no *Brihad-Âranyaka-Upanishad*. **Tittiri** (grande conhecedor do *Yajur-Veda*) e **Pippalâda**, compilador do *Atharva-Veda* e mestre de **Âshvalâyana**, autor do *Rig-Veda-Prâtishâkya*. **Shaunaka**, grande autoridade sacerdotal e mestre de Âshvalâyana.
1370	O rei **Janamejaya III** dos Kuru-Pauravas, filho de Parikshît II, célebre por ter patrocinado um sacrifício do cavalo (*ashva-medha*) de grande escala.
1350	O sábio **Ashtâvakra**, mencionado no *Mahâbhârata*, a quem se atribui (erroneamente) a autoria do *Ashtâvakra-Gîtâ*, um tratado sobre o Vedânta.

É esta também a data aproximada do núcleo do *Vedânga-Jyotishâ* do astrônomo Lagadha, a qual se depreende de dados astronômicos registrados no próprio texto. A obra foi depois modificada através de reformulações e acréscimos.

1290	**Pancashikha**, discípulo do sábio **Âsuri**; pode ser ele o antigo mestre do Sâmkhya que leva esse nome. Nesse caso, seria esta a época de **Kapila**, presumido fundador da tradição Sâmkhya.
1270	**Yâska**, autor do *Nirukta*, um comentário sobre os *Vedas*.
1000-900	Primórdios da chamada "segunda-urbanização" nas margens do rio Ganges (Gangâ). Provável início do Vaishnavismo (centrado na adoração de Deus sob a forma de Vishnu).
800-600	Possível data do *Shvetâshvatara-Upanishad*, texto shaiva que apresenta o ideal da devoção (*bhakti*), e do *Katha-Upanishad*, que define o Yoga como a "contenção dos sentidos". A data em que ambos esses textos são normalmente situados é 500-300 a.C.
599-527	**Vardhamâna Mahâvîra**, fundador do Jainismo histórico, tido como o vigésimo quarto "pontífice" (*tîrthankara*). Como o Hinduísmo e o Budismo, o Jainismo ocupa-se da libertação espiritual do indivíduo. As obras dos mestres anteriores do Jainismo, chamadas *Pûrvas*, foram perdidas.
570	**Pautimâshîputra**, a última autoridade mencionada na linhagem de mestres do *Brihad-Âranyaka-Upanishad*, que é por sua vez o mais antigo dos *Upanishads* que chegaram a nós. A transmissão desse *Upanishad* se fez ao longo de mais de cinqüenta gerações de mestres, o que equivale a cerca de 1.000 anos.
563-483	**Siddhârtha Gautama**, do clã dos Shakyas do país que hoje é o Nepal, fundador do Budismo, que alcançou a iluminação aos trinta e cinco anos de idade. Sabe-se que estudou com dois mestres, **Ârâda Kâlâpa** e **Rudraka Râmaputra**, que provavelmente ensinaram-lhe uma forma de Yoga. Gautama gostava de meditar e sabia fazê-lo muito bem. É esta também a época de **Ajita Keshakambalin**, cuja filosofia materialista foi criticada pelo Buda.
550	Data aproximada de nascimento de **Goshâla Maskarîputra** (morto por volta de 487 a.C.), fundador da seita Ajîvika de ascetas nus, que foi criticada pelo Buda por algumas de suas doutrinas (especialmente a do fatalismo). Data convencional da existência do gramático **Pânini**, que compôs o *Ashtâdhyayî*, compêndio de gramática que proporcionou aos filólogos ocidentais do século XIX um modelo para suas próprias teorias sobre a gramática. A tradição indiana situa-o em data muito anterior. Data convencional da existência de **Kanâda**, autor do *Vaisheshika-Sûtra*, obra mestra da escola Vaisheshika (de filosofia natural) do Hinduísmo. Provável época de **Akshapâda Gautama**, fundador da escola Nyâya (de lógica) e autor do *Nyâya-Sûtra* (que fala também sobre o Yoga).
500-400	Composição da versão atualmente existente do *Bhagavad-Gîtâ*, que faz parte da versão atual do *Mahâbhârata* e é o mais antigo texto exclusivamente dedicado ao Yoga de que temos notícia. O *Gîtâ* apresenta-se como um diálogo entre o Deus-homem Krishna e o príncipe Arjuna, que viveram muito tempo antes (cf. 1450 a.C.). Dá ênfase ao Yoga da devoção (*bhakti-yoga*).
483	Provável data do Primeiro Concílio budista, no qual os principais discípulos do Buda sistematizaram-lhe a doutrina.
400	Data provável do *Dhamma-Pada*, escrito em língua pali, que pode ser visto como um tratado de Yoga semelhante ao *Bhagavad-Gîtâ* dos hindus.
383	Data provável do Segundo Concílio da comunidade monástica budista, na qual sermões e poemas escritos por monges e monjas foram oficialmente acrescentados ao cânone escriturístico. Nessa época, a comunidade dividiu-se em Theravâdins e Mahâsânghikas (cujos pensamentos depois deram origem ao Budismo Mahâyâna).

327-325	Invasão da Índia Setentrional por **Alexandre, o Grande**, cujos efeitos sobre a Índia foram praticamente nulos. Alexandre encontrou-se com o rei Candragupta Maurya em 326 ou 325 a.C.
300	Concílio de Pataliputra, ao cabo do qual os jainas dividiram-se em Digambaras (seguidores nus) e Shvetambaras (seguidores vestidos de branco).
300-100	Composição de importantes trechos filosóficos da epopéia *Mahâbhârata*, com destaque para o *Moksha-Dharma*.
269-232	O imperador **Ashoka**, que, depois de sua conversão, deu grande impulso à disseminação do Budismo.
200	Data convencional da composição do *Mîmâmsâ-Sûtra* de **Jaimini**, texto básico da escola Mîmâmsâ (ritualista) do Hinduísmo.
200 a.C.-400 d.C.	Época da maior influência do Budismo na Índia.
150	Data convencional da existência de **Patanjali**, o gramático, a quem a tradição também atribui a autoria de obras de medicina e do *Yoga-Sûtra* (mas cf. 200 d.C.).
100	Data provável da existência de **Lakulin** (ou Lakulîsha), fundador semilegendário dos Pâshupatas, que praticavam o Yoga, e suposto autor do *Pâshupata-Sûtra*.
	Surgimento do Budismo Mahâyâna; composição dos primeiros *Mahâyana-Sûtras*, como o *Ashtâ-Sâhasrikâ*, o *Lankâ-Avatâra* e o *Sad-Dharma-Pundarîka*, que pregam o Vazio (*shûnyatâ*) e a compaixão (*karunâ*).
D.C.	
50	Chegada do Budismo à China.
	Data possível da missão de São Tomé à Índia.
100	**Caraka**, grande mestre do Âyurveda.
	O adepto budista **Nâgârjuna**, fundador da escola Mâdhyamika.
150	O erudito budista **Âryadeva**, discípulo de Nâgârjuna e autor do *Catuh-Shataka*.
150-200	Composição do *Yoga-Sûtra* de **Patanjali** (que, com toda probabilidade, não é o gramático de mesmo nome) e do *Brahma-Sûtra* de **Bâdarâyana**, uma das obras fundamentais da tradição vedântica. É este também o período da última reformulação do antigo *Dharma-Sûtra* de Manu (também conhecido como *Manu-Smriti*), que contém um capítulo sobre os deveres dos habitantes das florestas e dos ascetas e define o Yoga como a contenção dos sentidos.
300-400	Data de existência dos grandes mestres budistas **Asanga** (290-360 d.C.) e **Vasubandhu** (316-396 d.C.), que eram irmãos. O primeiro fundou a escola Yogâcâra e o segundo constituiu a escola Vijnânavâda, ambas do Budismo Mahâyâna.
320-500	Os soberanos da dinastia Gupta promovem um florescimento cultural, especialmente por volta de 400 d.C.
350-500	Surgimento do Tantrismo budista e hindu. Há uma tradução tibetana de um grupo de *Sûtras* tântricos sob o título de *Mahâ-Sannipâta*. Em desses *Sûtras*, o *Ratna-Ketu-Dhâranî*, foi traduzido para o chinês por volta de 450 d.C.
381	A inscrição Chandûl-Mandûl Bagîchî de **Candragupta II**, na qual são mencionados vários mestres da ordem Pâshupata e que traz uma imagem de **Lakulîsha**, fundador da ordem. Segundo o *Mahâbhârata*, os ensinamentos pâshupatas vêm de **Shiva Shri Kantha**, donde se conclui que Lakulîsha só revivificou a doutrina.

CRONOLOGIA ॐ

400-500	Composição da *Mârkandeya-Purâna*, uma das obras mais antigas desse gênero literário, que descreve uma espécie de Yoga ritualística. Temos de supor, porém, que alguns dos ensinamentos aí apresentados derivam de tradições purânicas muito mais antigas.

Esta é também uma data provável para a composição do *Sâmkhya-Kârikâ* de **Îshvara Krishna**, texto fundamental do Sâmkhya Clássico; e para a composição das *Jayâkhya-* e *Sâtvata-Samhitâs*, bem como de outros textos sagrados antigos da tradição Pancarâtra (vaishnava).

É esta, além disso, a época da fundação da universidade monástica budista de Nâlandâ, da qual saíram, nos séculos seguintes, muitos grandes mestres e adeptos. |
| 450 | Data provável do *Yoga-Bhâshya*, o mais antigo comentário ainda existente sobre o *Yoga-Sûtra*.

É esta também a época do filósofo budista **Dinnâga**, autor de dezessete obras sobre lógica e epistemologia. |
470-543	**Bodhidharma**, fundador da escola da meditação (*chan*) do Budismo na China.
500	Invasão da Índia pelos hunos.
505	Nascimento do astrônomo **Varâhamihira**.
550-700	Expansão da tradição Pancarâtra para o sul da Índia. Uma inscrição posta por **Râjasimhavarman** no Templo de Kailâsanâtha refere-se aos *Âgamas* shaivas do sul da Índia.

Composição da *Ahirbudhnya-Samhitâ*, importante texto pancarâtra. |
600	Composição do *Hevajra-Tantra* e do *Guhya-Samâja-Tantra* do Budismo.
600-650	O filósofo budista **Dharmakîrti**.
606-647	O rei **Harsha**, protetor das artes, imortalizado por **Bâna**, o poeta da corte.
638-713	**Hui-Neng**, sexto e último patriarca do Budismo chinês.
650	**Tirumûlâr**, famoso adepto e bardo do sul da Índia, autor do *Tiru-Mantiram*.

Foi também nesta época que viveu o longevo mestre budista **Candrakîrti**, abade da universidade monástica de Nâlandâ, que é considerado, depois de Nâgârjuna, o mais importante mestre da escola Mâdhyamika. |
| 690-730 | O mestre budista **Shântideva** (também chamado Busuku), autor do *Bodhi-Caryâ-Avâtara* e do *Shikshâ-Samuccaya*, que é contado entre os oitenta e quatro Grandes Adeptos (*mahâ-siddhas*).

Nesta época também viveu **Padmasambhava** ("Guru Rimpoche"), que, a pedido de Shântideva, livrou o Tibete de todos os espíritos malignos a fim de que o povo tibetano se tornasse receptivo à doutrina budista. Padmasambhava é venerado como um segundo Buda pela escola Nyingma. |
788-820	Data tradicional da existência de **Shankara**, o grande preceptor do Advaita Vedânta. Alguns pânditas situam-no em data tão recuada quanto 509 a.C., e outros em 84 d.C. Entretanto, **Gaudapâda**, mestre de seu mestre, sobre cujo *Mândûkya-Kârikâ* Shankara escreveu um comentário, não pode ter vivido muito antes de 500 d.C., em virtude da sua nítida propensão pela doutrina do Budismo Mâdhyamika. Entretanto, é provável que a data tradicional seja muito tardia e que Shankara, portanto, deva ser situado entre 650 e 750 d.C.
800	Redação final da *Caraka-Samhitâ*, uma das principais obras do Âyurveda.
825	"Descoberta" do *Shiva-Sûtra* pelo adepto caxemir **Vasugupta**, que também escreveu o *Spanda-Sûtra*.
850	Composição do *Tattva-Vaishâradî*, comentário de **Vâcaspati Mishra** ao *Yoga-Bhâshya*.
900	Data dos mais antigos manuscritos tântricos hindus que chegaram a nós, como o *Pârameshvara-Mata-Tantra* (859 d.C.) e o *Sarva-Jnâna-Uttara-Tantra*.

	O *Panca-Krama* de **Nâgarjuna**, que faz uso dos cinco primeiros estágios do Yoga óctuplo de Patanjali.
	Nâthamuni, famoso preceptor do Vaishnavismo e autor do *Yoga-Rahasya*.
900-1000	Composição do *Lakshmî-Tantra* (importante texto pancarâtra), do *Kaula-Jnâna-Nirnaya* (um dos principais textos da ordem Nâtha), do *Bhâgavata-Purâna* e da versão ampliada do *Yoga-Vâsishtha*.
900-1200	Composição dos *Upanishads Amrita-Bindu, Amrita-Nâda-Bindu* e *Nâda-Bindu*.
928-1009	**Tilopa**, um dos oitenta e quatro *mahâ-siddhas* e mestre de Nâropa. É considerado o fundador da escola Kagyu do Budismo Tibetano.
950-970	Nascimento do grande erudito e adepto shaiva **Abhinava Gupta**, autor do volumoso *Tantra-Âloka* e de um grande número de outras obras.
956-1040	**Nâropa**, cujo árduo discipulado sob a tutela de Tilopa está relatado em sua famosa biografia.
973-1048	O cientista e filósofo árabe **Al-Biruni**, que compôs uma paráfrase do *Yoga-Sûtra* em árabe (c. de 1025 d.C.).
982-1054	**Atîsha** (também chamado Dîpamkâra Shrîjnâna), de sangue real, que foi um dos maiores mestres budistas de seu tempo e cujo *Bodhi-Patha-Pradîpâ* serviu de fundamento para todas as doutrinas posteriores sobre os estágios do caminho (tibetano: *lam-rim*).
1000	Composição do *Râja-Mârtanda* do rei **Bhoja**, do *Bhakti-Sûtra* de **Nârada** e do extenso *Prapanca-Sâra-Tantra*.
	Surgimento do Kâlacakrayâna, ramo do Budismo Mahâyâna.
	Primórdios da ordem Kâlâmukha do Shaivismo.
1000-1200	Paulatino desaparecimento do Budismo na Índia.
1000-1400	Composição dos *Upanishads* de forte tendência shakta.
1012-1097	O mestre tibetano **Marpa**, célebre por suas traduções de textos sânscritos para a língua tibetana.
1017-1137	**Râmânuja**, um dos grandes preceptores do Vaishnavismo medieval e representante da Vishishta-Advaita-Vedânta.
1040-1123	**Milarepa**, o *yogin* mais querido do Tibete, discípulo de Marpa.
1050	Composição do *Peria-Purânam*, de **Cekkilar**, em língua tâmil, e compilação de hinos shaivas em tâmil para formar o *Tiru-Mûrai*, o equivalente sul-indiano dos *Vedas* sânscritos.
	Composição de importantes obras tântricas, como o *Kaula-Jnâna-Nirnaya* atribuído a Matsyendra Nâtha e o *Shâradâ-Tilaka-Tantra*.
1079-1153	**Gampopa**, discípulo principal de Milarepa e um dos maiores adeptos eruditos do Tibete; foi o autor de um grande número de obras, entre as quais o *Ornamento de Jóias da Libertação*.
1089-1172	**Hemacandra**, famoso filósofo jaina e autor do *Yoga-Shâstra*.
1106-1167	**Basava** (ou Basavanna), suposto fundador da tradição Lingâyata do sul da Índia, também conhecida como Vîra-Shaivismo.
1150-1250	Composição do *Kubjikâ-Mata-Tantra* e também dos *Yoga-Upanishads*, com a exceção dos *Bindu-Upanishads* acima mencionados (cf. 900-1200 d.C.).
1190-1276	**Madhva**, fundador do ramo dualista do Vedânta; há quem diga que ele viveu entre 1199 e 1278 d.C.

CRONOLOGIA ॐ

1200	**Jayaratha**, mestre tântrico da Caxemira, que escreveu vários comentários excelentes.
	Composição do *Kula-Arnava-Tantra* (o texto mais importante da escola Kaula).
	Começo da invasão muçulmana da Índia.
1200-1300	Composição de textos do Hatha-Yoga como o *Yoga-Yâjnavalkya*, o *Ânanda-Samuccaya* e o *Carpata-Shataka*.
1250	**Meykandar**, autor do *Shiva-Jnâna-Bodha*, um importante texto shaiva.
1275-1296	**Jnânadeva** (ou Jnâneshvara), o mais famoso adepto yogue de Maharashtra e autor do *Jnâneshvarî*, comentário poético em língua márati sobre o *Bhagavad-Gîtâ*.
1288	Primeira visita de **Marco Polo** à Índia, aonde voltou cinco anos depois.
1290-1364	**Buston**, historiador tibetano e autor dos famosos *Deb-ther-Non-po* ("Anais Azuis").
1300	Possível começo da ordem Aghorî do Shaivismo.
1350	Composição do *Hatha-Yoga-Pradîpikâ*, um dos manuais básicos do Hatha-Yoga.
	Possível data de composição do *Sâmkhya-Sûtra* atribuído a Kapila.
1357-1419	**Tsongkhapa**, reformador do Budismo Tibetano, que se havia degenerado em virtude das práticas sexuais e mágicas. Foi o autor de numerosas obras e fundador da escola Gelugpa, que hoje é o maior ramo do Budismo Tibetano.
1391-1478	**Gendun Drub**, o primeiro Dalai Lama.
1440-1518	**Kabîr**, popular poeta e santo do norte da Índia, pioneiro da integração entre as doutrinas hindus e muçulmanas.
1450	**Vidyâranya**, autor do *Jîvan-Mukti-Viveka*, obra vedântica sobre o ideal da libertação durante a vida no corpo; faz uso do *Yoga-Sûtra* e de outros textos de Yoga.
1455-1570	**Drukpa Kunleg**, famoso adepto tibetano da escola da sabedoria da loucura.
1469-1539	**Nânak**, fundador da tradição Sikh.
1479-1531	**Vallabha**, célebre mestre do Bhakti-Yoga centrado na adoração do deus Krishna.
1485-1533	**Caitanya**, um dos maiores mestres vaishnavas da Bengala medieval e grande *bhakti-yogin*.
1493	**Vasco da Gama** chega no litoral de Malabar.
1500	Composição da *Avadhûta-Gîtâ*.
	Râghava Bhatta, autor de várias obras tântricas, entre as quais o *Kâlî-Tattva*.
	Brahmânanda Giri, adepto tântrico e autor de vários textos, entre os quais o *Shâkta-Ânanda-Taranginî*.
1502	Composição do *Âgama-Kalpa-Druma* de Govinda, filho de Jagannâtha.
	Krishnânanda, autor do *Tantra-Sâra* e outras obras tântricas.
1532-1623	**Tulsî Dâs**, poeta e santo do norte da Índia, que exerceu grande influência e compôs o *Râmâyana* em língua hindi.
1550	**Vijnâna Bhikshu**, autor de numerosas obras filosóficas, entre as quais comentários ao *Yoga-Sûtra*, com destaque para o volumoso *Yoga-Vârttika*.

	Composição do *Yoginî-Tantra*, precioso conjunto de informações lendárias relativas ao culto de Devî.
1556-1605	O imperador **Akbar**, o maior governante muçulmano da Índia.
1577	Composição do *Shrî-Tattva-Cintâmani* de **Pûrnânanda Giri**, que também escreveu o *Shâkta-Krama* e o *Shyâmâ-Rahasya*.
	Composição do volumoso *Shakti-Samgana-Tantra*.
1600	**Subhagânanda Nâtha**, erudito e adepta tântrico da Caxemira, que escreveu o mais importante comentário sobre o *Tantra-Râja-Tantra*, intitulado *Manoramâ*. O conhecido **Prakâshânanda Nâtha** foi seu discípulo.
	Os ingleses e os holandeses fundam companhias de comércio na Índia.
1617-1682	**Ngawang Lobsang Gyatso**, o quinto Dalai Lama (chamado o "Grande-Quinto"), que foi o mais dinâmico e influente dos primeiros Dalai Lamas e escritor prodigioso.
1650	Composição da *Gheranda-Samhitâ*, um manual popular de Hatha-Yoga.
1718-1775	**Ram Prasad Sen**, célebre poeta bengalês e adorador de Kâlî.
1750	Composição do conhecido *Mahânirvâna-Tantra* e do *Shiva-Samhitâ*, importante obra sobre o Hatha-Yoga.
	Bhâsararâya, a maior autoridade da escola Shrî-Vidyâ, autor de mais de quarenta textos, o mais importante dos quais é o *Setu-Bandha* (um extenso comentário sobre o *Yoginî-Hridaya-Tantra*).
1760	Começo do Raj britânico na Índia.
1772-1833	**Rammohun Roy**, fundador da influente organização Brahma Samaj, chamado "o pai da Índia moderna".
1834-1886	**Ramakrishna**, um dos maiores místicos da Índia do século XIX.
1861-1941	**Rabindranath Tagore**, poeta laureado de Bengala e representante do moderno humanismo indiano.
1862-1902	**Swami Vivekananda**, principal discípulo de Shri Ramakrishna e fundador da Missão Ramakrishna (hoje chamada Missão Ramakrishna-Vivekananda), figura de destaque na disseminação do Hinduísmo na Europa e nos Estados Unidos.
1869-1948	**Mohandas Karamchand Gandhi**, defensor do princípio da não-violência (*ahimsâ*) em todos os setores da vida, especialmente na política.
1872-1950	**Sri Aurobindo**, criador do Yoga Integral.
1875	Fundação da Sociedade Teosófica, que estabeleceu sua sede em Adyar, Índia, em 1882; graças à atuação dessa organização, muitos textos em sânscrito foram traduzidos para o inglês pela primeira vez.
1876-1933	**Tupden Gyatso**, o décimo terceiro Dalai Lama, que enviou tibetanos para estudar na Europa a fim de preparar o Tibete para integrar-se ao mundo moderno.
1879-1950	**Ramana Maharshi** de Tiruvannamalai no Sul da Índia, um dos mais célebres sábios da Índia moderna e defensor incondicional do Advaita Vedânta.
1935-	**Tenzin Gyatso**, o décimo quarto Dalai Lama e ganhador do Prêmio Nobel da Paz, que dá continuidade à missão de integrar o Tibete ao resto do mundo, iniciada pelo seu predecessor.
1947	A Índia alcança a sua independência política.

GLOSSÁRIO DE PALAVRAS-CHAVE

Âcâra ("conduta"). Modo de vida, método de prática espiritual.

Âcârya ("preceptor"). Um mestre, que pode ou não ser o *guru* da pessoa.

Adhyâtma-Yoga ("Yoga do Ser íntimo"). Um Yoga baseado no Vedânta.

Advaita Vedânta ("Vedânta não-dual"). A tradição metafísica do não-dualismo baseada nos *Upanishads*. Seus dois ramos principais são o Kevala-Advaita (escreve-se Kevalâdvaita, "Não-Dualismo Radical"), pregado por Shankara, e o Vishishta-Advaita (escreve-se Vishishtâdvaita, "Não-Dualismo Qualificado"), ensinado por Râmânuja.

Âgama ("tradição"). Texto ritual revelado pertencente à tradição Pancarâtra-Vaishnava ou à tradição Shaiva (caso em que recebe em geral o nome de *Tantra*).

Agastya. O nome de vários sábios, o mais famoso dos quais foi um grande adepto (*siddha*) do sul da Índia.

Aghora ("não-terrível"). Um epíteto do Deus Shiva, que se aplica, paradoxalmente, ao seu aspecto terrificante.

Aghorî. Uma seita shaiva de base tântrica cujos membros são conhecidos por suas práticas extremistas. Cf. também Kâlâmukha, Kâpâlika.

Ahamkâra ("factor do eu"). O sentido de individuação, o ego.

Ahimsâ ("não-ferir"). A prática de abster-se de atos, pensamentos e palavras danosos e nocivos. É uma disciplina moral (*yama*) importante no Yoga, no Budismo e no Jainismo.

Âjnâ-cakra ("roda do comando"). O centro psicoenergético localizado no meio da cabeça, conhecido também como "terceiro olho".

Ajnâna. Cf. *avidyâ*.

Âlvâr. Um membro de um grupo de poetas-santos adoradores de Vishnu da Índia Meridional.

Anâhata-cakra ("roda do [som] não-tocado"). O centro psicoenergético localizado no coração, onde se pode ouvir, durante a meditação, o som universal *om*.

Ânanda ('bem-aventurança'). (i) No Vedânta, a felicidade supramental da Realidade suprema, do Si Mesmo, que não é concebida como uma qualidade divina, mas como a própria essência da Realidade. (ii) No Yoga de Patanjali, um estado de conhecimento associado a uma espécie inferior de êxtase, *samprajnâta-samâdhi* (ver).

Anga ("membro"). (i) O corpo como um todo, ou um membro do corpo. (ii) Uma categoria de práticas yogues. Cf. também *yoga-anga*.

Arjuna. O herói do *Bhagavad-Gîtâ*, discípulo do Senhor Krishna.

Ârogya ("saúde, bem-estar"). O oposto da doença (*vyâdhi*); um estado positivo de equilíbrio corpóreo e mental. Cf. *vyâdhi*.

Asamprajnâta-samâdhi ("êxtase supraconsciente"). A técnica que leva à experiência da consciência unificada e essa mesma experiência, na qual o sujeito cognoscente se une ao objeto de conhecimento sem a intermediação de quaisquer pensamentos ou idéias. No Vedânta este estado é chamado de *nirvikalpa-samâdhi*. Cf. *samprajnâta-samâdhi*.

Âsana ("assento, postura"). (i) O assento sobre o qual repousa o *yogin* ou a *yoginî*. (ii) A postura, que é o terceiro membro (*anga*) do Yoga óctuplo de Patanjali.

Asanga. Um grande mestre do Budismo Mahâyâna e fundador da escola Yogâcâra.

Âshrama. (i) Ermida. (ii) Estágio da vida. O Hinduísmo tradicional distingue quatro de tais estágios: o discipulado (*brahmacarya*), o do pai de família (*gârhasthya*), a vida na floresta (*vana-prâsthya*) e a renúncia (*samnyâsa*).

Asmitâ ("qualidade de 'eu sou'"). Cf. *ahamkâra*.

Asparsha-Yoga ("Yoga do não-contato"). O Yoga não-dualista exposto no *Mândûkya-Kârikâ* de Gaudapâda, o mestre do mestre de Shankara.

Atharva-Veda ("Conhecimento Sagrado de Atharvan"). Uma das quatro coletâneas (*samhitâ*) de hinos védicos, que trata principalmente de encantamentos mágicos mas contém também diversos documentos importantes do Yoga dos tempos antigos. Cf. também *Rig-Veda*, *Sâma-Veda* e *Yajur-Veda*.

Âtma-darshana ("visão do Si Mesmo"). O mesmo que realização do Si Mesmo ou libertação.

Âtman ("Si Mesmo"). (i) A própria pessoa. (ii) O Si Mesmo transcendente, idêntico ao Absoluto (*brahman*), segundo as escolas não-dualistas. Cf. *purusha*.

Avadhûta ("o que lançou fora"). Tipo radical do adepto da renúncia, que lança fora todas as convenções; um adepto louco.

Avatâra ("descida"). Uma encarnação de Deus, especialmente do deus Vishnu, como Râma ou Krishna.

Avidyâ ("ignorância"). A ignorância espiritual, raiz de todo o sofrimento humano e causa da prisão do ser aos estados egóicos de consciência. Cf. *jnâna*, *vidyâ*.

Âyur-Veda ("ciência da vida"). O sistema de medicina próprio da Índia.

Bandha ("vínculo"). (i) A vinculação ao mundo dos fenômenos, causada pelo karma e oposta à libertação (*moksha*). (ii) "Trava" — uma técnica especial usada no Hatha-Yoga para prender a força vital em certas partes do corpo.

Bhagavad-Gîtâ ("cântico do senhor"). O mais antigo e o mais popular de todos os textos de Yoga, que contém os ensinamentos transmitidos a Arjuna pelo Senhor Krishna.

Bhagavat ("senhor", "venerável"). Um nome de Deus, freqüentemente aplicado a Krishna. No nominativo: Bhagavân.

Bhâgavata. (i) Um adorador de Vishnu sob a forma de Krishna. (ii) O nome da tradição dos adoradores de Krishna.

Bhâgavata-Purâna. Um extenso texto em sânscrito do século X, que traz, entre outras coisas, a biografia mítica do Senhor Krishna. Também chamado de *Shrîmad-Bhâgavata*.

Bhakta ("devoto"). Um seguidor do caminho da devoção (*bhakti*).

Bhakti ("devoção, amor"). O sentimento espiritual de participação amorosa na Divindade.

Bhakti-Sûtra ("aforismos sobre a devoção"). Existem duas obras que levam esse título; uma é atribuída ao sábio Nârada, a outra ao sábio Shândilya.

Bhakti-Yoga ("Yoga da devoção"). Um dos principais ramos ou caminhos do Yoga hindu.

Bhairava. (i) Um dos nomes ou formas de Shiva. (ii) Um iniciado no Tantra. (iii) Nome de um dos mestres do Hatha-Yoga.

Bhairavî. (i) Um dos nomes ou formas de Devî. (ii) Uma iniciada no Tantra.

Bhâva ("estado, condição"). No Bhakti-Yoga, este termo refere-se a um estado de emoção intensa, a qual, segundo os textos, pode ser de cinco espécies, que representam outros tantos modos de relacionamento com Deus.

Bhrigu. O mais famoso dos videntes (*rishi*) védicos. Nos textos medievais, aparece muitas vezes como o mestre.

Bhûta ("elemento"). (i) A cosmologia hindu postula cinco elementos: a terra, a água, o fogo, o ar e o éter ou espaço. (ii) Demônio.

Bhûta-shuddhi ("purificação dos elementos"). Uma importante prática tântrica, pré-condição para o despertar pleno e seguro do poder da serpente (*kundalinî-shakti*).

Bîja ("semente"). (i) Uma causa kármica, sob a forma de um ativador subconsciente (*samskâra*). (ii) Um objeto ou idéia no qual se fixa a meditação. (iii) Abreviação de *bîja-mantra*.

Bîja-mantra ("sílaba seminal"). Um dos *mantras* fundamentais, como *om*, *ram* ou *yam*.

Bindu ("gota"). (i) O ponto colocado, no alfabeto sânscrito, acima da letra *m* na sílaba *om* e em outros *mantras* semelhantes, indicando que o *m* deve ser nasalizado. (ii) Esse mesmo som nasal. (iii) Um centro psicoenergético especial localizado na cabeça, perto do *âjnâ-cakra*. (iv) O ponto central de um *yantra* ou *mandala*. (v) Na experiência dos yogues, o estado de consciência sem objetos anterior ao surgimento de pensamentos e imagens; não se identifica, porém, ao Ser-Consciência transcendente. (vi) Na cosmologia hindu, a fronteira entre a dimensão não-manifesta da Natureza e a manifestação. (vii) O sêmen, que, segundo o Tantrismo, deve fundir-se com o fluido sexual feminino, chamado *rajas*.

Bodhi ("iluminação"). O estado de iluminação ou libertação (*moksha*).

Bodhisattva ("ser da iluminação"). No Budismo Mahâyâna, o praticante espiritual que fez o voto de dedicar-se à libertação de todos os seres.

Brahma. O Deus Criador da famosa tríade de divindades do Hinduísmo medieval, chamada *trimûrti*. Os outros dois são Vishnu (o Preservador) e Shiva (o Destruidor ou Transformador). Brahma deve ser cuidadosamente distinto de *brahman*, que é o fundamento eterno e impessoal da existência, superior a todas as divindades.

Brahmacarya ("conduta brâhmica"). A prática da castidade em pensamentos, palavras e ações, considerada uma das disciplinas morais (*yama*) fundamentais do Yoga.

Brahman. Segundo o Vedânta, o Absoluto; o fundamento transcendente da existência, distinto de Brahma, o Criador. Cf. também *âtman*, *sac-cid-ânanda*.

Brâhmana. (i) Um membro da casta sacerdotal da sociedade hindu, um brâmane. (ii) Um tipo de texto ritual que explica os hinos dos *Vedas* na medida em que têm relação com o ritualismo sacrificial dos brâmanes.

Buddha ("desperto"). Título de Gautama, fundador do Budismo.

Buddhi ("intelecto, sabedoria"). A faculdade cognitiva superior e intuitiva, a faculdade da sabedoria. O termo também é usado para significar "pensamento" ou "cognição". Cf. também *citta*, *manas*.

Caitanya. Um grande mestre medieval do Bhakti-Yoga, adorador do Senhor Krishna.

Cakra ("roda"). Um centro psicoenergético do corpo. O Tantrismo e o Hatha-Yoga distinguem, em geral, sete centros: *mûlâdhâra*, *svâdhishthâna*, *manipura*, *anâhata*, *vishuddha*, *âjnâ* e *sahasrâra*. Eles se dispõem ao longo da coluna vertebral e fazem parte do corpo do poder da serpente (*kundalinî-shakti*).

GLOSSÁRIO DE PALAVRAS-CHAVE ॐ

Caturtha ("quarto"). O Si Mesmo transcendente enquanto quarto e último estado, ou estado real, da consciência, sendo os outros três o estado comum de vigília, o sonho e o sono profundo.

Cit ("consciência"). A Consciência Pura ou consciência transcendente, além de todo pensamento ou ideação; a testemunha eterna. Cf. também *âtman*, *purusha*.

Citta ("consciência distintiva, mente"). A mente finita, a psique, a consciência que depende do jogo das atenções, oposta a *cit*. Cf. também *buddhi*, *manas*.

Darshana ("visão"). (i) A visão externa ou interna. (ii) O ato de ver um adepto realizado, considerado proveitoso. (iii) Um sistema filosófico ou doutrinal, escola de pensamento. O Hinduísmo reconhece seis pontos de vista clássicos: o Yoga, o Sâmkhya, o Mîmâmsâ, o Vedânta, o Nyâya e o Vaisheshika.

Dattâtreya. Um sábio ligado à tradição dos Avadhûtas e que foi elevado à categoria de divindade, como encarnação do deus Shiva.

Deha ("corpo"). O corpo físico, também chamado *sharîra*.

Deva ("luminoso, deus"). Geralmente, esta palavra refere-se a uma dentre as numerosas divindades do panteão hindu, concebidas como seres poderosos que habitam uma dimensão pura da existência, mais ou menos equivalentes aos anjos. O termo também pode designar a própria Divindade. Cf. *devî*.

Devatâ ("divindade"). Cf. *deva*, *ishta-devatâ*.

Devî ("deusa"). Deus concebido sob o seu aspecto feminino. Cf. *deva*.

Dhâranâ ("suportação"). A concentração, o sexto membro (*anga*) do Yoga óctuplo de Patanjali, que consiste na fixação prolongada da atenção num único objeto mental e leva à meditação (*dhyâna*).

Dharma ("suporte"). (i) A lei ou ordem cósmica. (ii) A moral ou a virtude, concebida como um dos objetivos legítimos do ser humano (*purusha-artha*) sancionados pelo Hinduísmo. É compreendida como manifestação ou reflexo da lei divina. (iii) Ensinamento, doutrina. (iv) Qualidade, oposta à substância (*dharmin*).

Dharma-megha-samâdhi ("êxtase da nuvem do dharma"). Segundo Patanjali, a forma mais elevada de êxtase supraconsciente (*asamprajnâta-samâdhi*), a porta que leva à libertação.

Dharma-shâstra ("doutrina moral"). (i) O conjunto dos ensinamentos morais do Hinduísmo. (ii) Um texto que trata de moral (*dharma*).

Dhyâna ("meditação"). A absorção meditativa ou contemplação, o sétimo membro (*anga*) do Yoga óctuplo de Patanjali, compreendido como um aprofundamento da concentração (*dhâranâ*). Cf. também *samâdhi*.

Dîkshâ ("iniciação"). Característica essencial de todas as escolas de Yoga, pela qual o aspirante passa a fazer parte de uma cadeia tradicional de *gurus*.

Dosha ("defeito, falha"). O termo refere-se especificamente aos cinco defeitos, que são a luxúria (*kâma*), a ira (*krodha*), a cobiça (*lobha*), o medo (*bhaya*) e a ilusão (*moha*). Pode denotar também os três humores: *vâta* (vento), *pitta* (bílis) e *kapha* (fleuma).

Duhkha ("sofrimento"). Segundo todas as doutrinas de libertação da Índia, a existência condicionada ou finita é intrinsecamente marcada pelo sofrimento e pela dor. É esta intuição que dá ímpeto ao esforço espiritual de realização ou libertação (*moksha*).

Eka ("um"). A Realidade singular, onipresente e onitemporal. Cf. também *âtman*, *brahman*.

Ekâgratâ ("unidirecionalidade", de *eka* e *agratâ*). O processo que subjaz à concentração.

Ekatanatâ ("unicidade de fluxo", de *eka* e *tanatâ*). O processo que subjaz à meditação.

Gautama. O nome de vários sábios, entre os quais o Buda e o fundador da escola Nyâya.

Gîtâ ("cântico"). O título de várias obras didáticas escritas em poesia sânscrita, com destaque para o *Bhagavad-Gîtâ*.

Gopa ("pastor de vacas"). No Vaishnavismo, um devoto de Krishna.

Gopî ("pastora de vacas"). Uma devota de Krishna.

Goraksha. O fundador da ordem Kânphata e um dos primeiros preceptores do Hatha-Yoga, que viveu no século X ou XI.

Guna ("fio, qualidade"). (i) No Yoga, no Sâmkhya e em diversas escolas do Vedânta, uma das três qualidades primárias da Natureza (*prakriti*): *sattva* (o princípio de lucidez), *rajas* (o princípio de dinamismo) e *tamas* (o princípio de inércia). A interação entre elas cria todo o cosmos manifesto, incluindo todos os fenômenos psíquicos e mentais. (ii) Virtude, elevação moral.

Guna-atîta ("transcendência das qualidades"). (i) A libertação, que transcende as qualidades (*guna*) da Natureza (*prakriti*). (ii) O sábio liberto.

Guru ("pesado"). Mestre espiritual.

Guru-pûjâ ("adoração do *guru*"). Prática espiritual fundamental em muitas escolas de Yoga, na qual o mestre é venerado como uma encarnação da Divindade.

Guru-yoga. Prática yogue na qual o *guru* é o foco de todos os esforços espirituais do discípulo.

Hamsa ("ganso", geralmente traduzido por "cisne"). (i) A respiração ou força vital (*prâna*). (ii) O Si Mesmo transcendente. (iii) Uma espécie de asceta itinerante (*parivrâjaka*).

Haribhadra Sûri. Um destacado mestre jaina que compôs várias obras sobre o Yoga, inclusive o *Yoga-Bindu*.

Hatha-Yoga ("Yoga forte" ou "Yoga da força"). O Yoga da disciplina física que almeja ao despertar do poder da serpente (*kundalinî-shakti*) e à criação de um corpo divino e indestrutível (*divya-deha*).

Hemacandra. Um mestre jaina do século XI, autor do *Yoga-Shâstra* e de outras obras.

Hînayâna ("pequeno veículo"). A escola minoritária do Budismo, que gira em torno do ideal do *arhat* (ou *arhant*) e não do *bodhisattva*. Cf. Mahâyâna, Vajrayâna.

Hiranyagarbha ("germe de ouro"). (i) O mítico criador do Yoga. (ii) Cosmologicamente, o estado que precede a manifestação, correspondente a Brahma.

Hrid, Hridaya ("coração"). Desde os tempos mais antigos, é considerado o ponto físico de manifestação direta do Si Mesmo (*âtman*). No Tantrismo, o coração é a sede do *anâhata-cakra*.

Indra. Grande divindade védica associada ao céu e à guerra.

Indriya ("relativo a Indra" ou "instrumento"). Órgão dos sentidos; inclui-se entre eles a mente inferior (*manas*), que é o sexto órgão sensorial.

Îsh, îsha, îshvara ("regente"). (i) O Ser divino. (ii) O Criador. (iii) No Yoga de Patanjali, *îshvara* é explicado como um "Si Mesmo especial".

Ishta-devatâ ("divindade escolhida"). A divindade predileta de um praticante espiritual.

Îshvara Krishna. Autor do *Sâmkhya-Kârikâ*, texto fundamental do Sâmkhya Clássico.

Îshvara-pranidhâna ("devoção ao Senhor"). Uma das práticas de autocontrole (*niyama*) no Yoga de Patanjali.

Jaina. (i) Relativo ao Jainismo, a tradição religiosa e espiritual fundada por Mahâvîra, um contemporâneo de Gautama Buda. (ii) Um membro do Jainismo.

Japa ("murmurar"). A recitação meditativa de *mantras*.

Japin ("murmurador"). O praticante de *japa*.

Jîva ("ser vivo"). A psique ou personalidade humana finita, que percebe-se como uma entidade distinta das outras e não conhece diretamente o Si Mesmo transcendente. Cf. *âtman*, *purusha*.

Jîva-âtman ("alma vivente"). A alma individual enquanto diversa do Si Mesmo transcendental (*âtman*). O mesmo que *jîva*.

Jîvan-mukti ("libertação em vida"). Segundo a maior parte das escolas do Vedânta, é possível alcançar a libertação, ou a iluminação plena, ainda durante a vida do corpo. O adepto realizado no Si Mesmo que alcançou essa libertação é chamado de *jîvan-mukta*.

Jnâna ("gnose, conhecimento"). Dependendo do contexto, este termo pode significar quer o conhecimento convencional, quer a gnose libertadora. Neste último sentido *jnâna* é coessencial à Realidade transcendente. Cf. *ajnâna*, *avidyâ*.

Jnânadeva. O maior mestre yogue da Maharashtra medieval, que, ainda muito jovem, compôs um esplêndido comentário sobre o *Bhagavad-Gîtâ*.

Jnâna-Yoga ("Yoga da sabedoria"). O Yoga não-dualista da sabedoria autotranscendente, baseada no cuidadoso discernimento (*viveka*) entre o Real (i.e., o Si Mesmo) e o ilusório (i.e., o ego e a Natureza).

Kaivalya ("solidão"). O estado de libertação, especialmente no Yoga e no Jainismo. Cf. também *moksha*.

Kâla ("tempo"). Um dos aspectos determinantes do mundo finito (*samsâra*) e um dos maiores motivos de ser este percebido como fonte de sofrimento (*duhkha*).

Kalâ ("parte"). (i) A décima sexta fase da lua, considerada auspiciosa. (ii) Um fato ou experiência altamente esotérica do Shaivismo da Caxemira e do Tantrismo, relacionada ao néctar lunar da imortalidade (*amrita*).

Kâlâmukha. Uma ordem de base tântrica derivada da tradição Lakulîsha do Shaivismo. Cf. Aghorî, Kâpâlika.

Kâlî. A deusa "negra" do Hinduísmo, que destrói as ilusões.

Kali-yuga. A era de derrocada espiritual que exige uma nova maneira de buscar a realização. Segundo a tradição, começou em 3102 a.C. Cf. também *yuga*.

Kalpa ("forma"). Uma era que dura um dia da vida de Brahma, o Criador, e que compreende mil *yugas*.

Kâma ("desejo"). (i) Uma divindade, o Eros do Hinduísmo. (ii) A luxúria, um dos obstáculos ao caminho yogue.

Kânphata ("orelha fendida"). A seita ou ordem de *yogins* fundada por Goraksha, que criou o Hatha-Yoga.

Kâpâlika. Uma ordem tântrica extremista cujos membros levam um crânio (*kapâla*) que usam como tigela de pedir esmolas. Cf. também Aghorî, Kâlâmukha.

Kapila. O criador da tradição do Sâmkhya, a quem se atribui a autoria do *Sâmkhya-Sûtra*.

Karman ("ação"). (i) A atividade em geral. (ii) O karma, ou o efeito sutil causado pelas ações e volições de um indivíduo não-iluminado, responsável pelo seu renascimento e pelas coisas que lhe acontecem nesta vida e nas vidas futuras. A idéia que está por trás de todas as doutrinas de libertação da Índia é a de escapar dos efeitos do karma passado e de impedir a produção de todo novo karma, quer bom, quer mau. Cf. também *samskâra*, *vâsanâ*.

Karma-Yoga ("Yoga da ação"). Um dos principais tipos de Yoga, que consiste na prática autotranscendente de ações conformes ao ser íntimo (*sva-bhâva*) da pessoa e às suas obrigações morais (*sva-dharma*).

Kaula ("relativo a kula"). (i) Um praticante da *kula*. (ii) Escola tântrica centrada nos ensinamentos *kula*.

Kaulika ("relativo a *kaula*"). Praticante ou doutrina da escola *kaula* do Tantrismo.

Keshin ("de cabelos longos"). (i) Nome védico do sol. (ii) Um extático dos tempos védicos, muitas vezes considerado precursor dos *yogins*.

Kosha ("invólucro, envoltório"). Este termo vedântico denota um envoltório corpóreo, cinco dos quais existem: o envoltório composto de alimento (*anna-maya-kosha*), o envoltório composto de força vital (*prâna-maya-kosha*), envoltório composto de pensamento (*mano-maya-kosha*), o envoltório composto de conhecimento (*vijnâna-maya-kosha*) o envoltório composto de bem-aventurança (*ânanda-maya-kosha*). Este último é às vezes identificado com o próprio Absoluto.

Krishna ("o que atrai"). Um antigo adepto que depois foi deificado. Enquanto encarnação do deus Vishnu, transmitiu ao príncipe Arjuna as instruções registradas no *Bhagavad-Gîtâ*.

Kriyâ ("ação, ritual"). Um dos principais aspectos da prática do Tantrismo.

Kriyâ-Yoga ("Yoga da ação"). O nome que Patanjali dá à prática concomitante da ascese (*tapas*), do estudo (*svâdhyâya*) e da devoção ao Senhor (*îshvara-pranidhâna*).

Kshatriya. Um membro da casta guerreira da sociedade hindu.

Kula ("rebanho, família"). (i) Shakti. (ii) Grupo tântrico. (iii) A experiência extática da identidade entre Shiva e Shakti, Deus e Deusa. Cf. também *kaula*.

Kundalinî ("enrodilhada"). O poder da serpente (*kundalinî-shakti*), que permanece adormecido no centro psicoenergético mais baixo do corpo. Seu despertar é o objetivo central do

Tantrismo e do Hatha-Yoga. A subida da *kundalinî* até o centro psicoenergético mais alto, no topo da cabeça, provoca um estado temporário de identificação extática com o Si Mesmo (*nirvikalpa-samâdhi*).

Kundalinî-Yoga. Yoga tântrica cujo objetivo é o despertar da *kundalinî*. O núcleo dos ensinamentos do Hatha-Yoga.

Lakshmî. Deusa de boa fortuna, também chamada Shrî; a divina esposa de Vishnu.

Laya ("dissolução"). (i) Um sinônimo de *pralaya*, dissolução do cosmos no fim dos tempos. (ii) A dissolução yogue dos elementos (*bhûta*) e dos outros aspectos da existência corpórea por meio da meditação e da visualização.

Laya-Yoga. O processo yogue que leva à dissolução através da meditação e de práticas correlatas, pelo qual se revela o Si Mesmo transcendente (*âtman*).

Linga ("sinal, símbolo, marca"). (i) No Shaivismo, o símbolo do aspecto criativo da Divindade. (ii) O falo enquanto símbolo da criatividade. (iii) No Yoga de Patanjali, uma fase específica do processo de evolução psicocósmica, que representa o primeiro passo que leva à manifestação.

Mahâbhârata. Uma das duas grandes epopéias nacionais da Índia, que conta a grande guerra ocorrida entre os Kauravas e os Pândavas (o partido de Arjuna). A epopéia contém muitos trechos doutrinais, entre os quais o *Bhagavad-Gîtâ* e o *Moksha-Dharma*. Cf. *Râmâyana*.

Mahâvîra ("grande herói"). O título de Vardhamâna, o fundador do Jainismo histórico. Cf. também *jaina*.

Mahâyâna ("grande veículo"). O ramo majoritário do Budismo, que tem como núcleo doutrinal o ideal do *bodhisattva* e os ensinamentos sobre o vazio (*shûnyatâ*).

Maithunâ ("relação sexual"). A prática ritual da sexualidade nos ramos *kaula* e de esquerda do Tantrismo.

Manas ("mente"). A mente inferior, compreendida como a faculdade que centraliza os dados obtidos pelos sentidos (*indriya*) e é ela mesma considerada um sentido. Cf. *buddhi*, *citta*.

Mandala ("círculo"). (i) Um espaço sagrado no qual se praticam rituais. (ii) Uma região do corpo especificamente associada a um certo elemento material (água, fogo, etc.). (iii) Uma representação gráfica semelhante ao *yantra* e usada principalmente no Budismo Vajrayâna (tibetano). Cf. também *yantra*.

Manipura-cakra ("roda da cidade das jóias"). O centro psicoenergético do umbigo. Cf. *cakra*.

Mantra. Som sagrado que dá à mente o poder de concentrar-se e transcender os estados comuns de consciência. O *mantra* pode ser uma única sílaba "seminal" (*bîja*), como *om*, ou toda uma fieira de sons e palavras, que podem ou não ter um significado explícito.

Mantra-Yoga. Uma espécie de Yoga centrada na recitação (*japa*) de *mantras*.

Manu. O fundador mitológico da raça humana atual. Cada era do mundo tem o seu próprio Manu. O atual é o Manu Vaivasvata, cujo domínio terminará com o fim de *kali-yuga*.

Matsyendra ("senhor do peixe", de *matsya* e *indra*). Um grande adepto do Tantrismo, talvez o fundador da escola Yoginî Kaula; considerado pela maior parte dos ramos da tradição como o mestre de Goraksha.

Mauna ("silêncio"). Uma importante prática yogue, que caracteriza particularmente o *muni*.

Mâyâ ("medida"). (i) O poder divino de medir e dividir. (ii) A ilusão ou o mundo ilusório.

Mîmâmsâ ("investigação"). Uma das seis escolas clássicas (*darshana*) da filosofia hindu, que trata da explanação do ritualismo védico e de suas aplicações morais.

Moksha ("libertação"). Segundo a ética hindu, o mais elevado dos quatro objetivos humanos possíveis (*purusha-artha*). Equivale à realização do Si Mesmo. Cf. também *mukti*, *kaivalya*.

Moksha-Dharma ("Ensinamento sobre a libertação"). Seção didática do *Mahâbhârata* que contém vários ensinamentos yogues.

Mudrâ ("selo"). (i) Um gesto das mãos ou postura do corpo que, além de ter significado simbólico, conduz a energia vital do corpo de uma maneira específica. O Hinduísmo e o Budismo conhecem vários gestos desse tipo, como se pode ver na iconografia. (ii) Uma iniciada nos rituais tântricos, com quem se pratica a relação sexual sagrada (*maithunâ*). (iii) Cereais tostados, um dos "cinco M's" (*panca-makâra*) das escolas *kaula* e de esquerda; pensa-se que são dotados de propriedades afrodisíacas.

Mukti ("libertação"). Sinônimo de *moksha*.

Mûlâdhâra-cakra ("roda do apoio da raiz"). O mais baixo dos centros psicoenergéticos do corpo humano, situado na base da coluna. É aí que jaz adormecido o poder da serpente (*kundalinî-shakti*).

Muni. Um sábio, ou aquele que pratica o silêncio (*mauna*). Cf. também *rishi*.

Nâda ("som"). O som (*shabda*) primordial do universo, às vezes identificado ao *mantra* sagrado *om*. Tem várias formas de manifestação, que podem ser ouvidas sob a forma de sons interiores quando a meditação atinge um certo grau de profundidade.

Nâdî ("conduto, canal"). Segundo o esoterismo hindu, o corpo humano (ou melhor, o seu equivalente sutil) consiste numa rede de canais ao longo dos quais corre a força vital (*prâna*). Muitas vezes menciona-se o número de 72.000. Desses canais, são três os mais importantes *idâ*, *pingalâ* e *sushumnâ*. Este último vai do centro psicoenergético mais baixo, na base da coluna, até o centro do topo da cabeça, e é por esse canal central que deve subir a *kundalinî* desperta.

Nâma ("nome"). Este termo é usado muitas vezes ao lado de "forma" (*rûpa*) para designar a realidade condicionada, por oposição à Realidade (*tattva*) que transcende o nome e a forma.

Nânak. O fundador do Sikhismo, tradicionalmente chamado de Guru Nânak.

Nârada. Um famoso sábio dos tempos antigos que pregava a Bhakti-Yoga, a quem se atribui a autoria do *Bhakti-Sûtra*. Cf. Shândilya.

Nâtha ("mestre, senhor"). (i) Um título do deus Shiva. (ii) Título de vários adeptos do Tantra, especialmente de Matsyendra e Goraksha.

Nâyânmâr. Nome de um grupo de santos e poetas adoradores de Shiva, da Índia Meridional. Cf. Âlvâr.

Nirguna-brahman ("Absoluto não-qualificado"). A Realidade absoluta em seu estado puro e transcendente, que não tem forma e não é caracterizada por nenhuma qualidade delimitada (*guna*). Cf. *saguna-brahman*.

Nirodha ("restrição"). No Yoga de Patanjali, o processo pelo qual se põe fim aos "remoinhos" (*vritti*) da mente.

Nirvâna ("extinção"). No Budismo, a transcendência do eu egóico. Às vezes, esse estado é descrito de forma positiva como a conquista de uma Realidade intocada pelo espaço e pelo tempo. Nos contextos hindus, o termo é usado na maioria das vezes como sinônimo de libertação (*moksha*).

Nirvikalpa-samâdhi ("êxtase transconceitual"). A designação vedântica daquilo que Patanjali chamou de *asamprajnâta-samâdhi*. Cf. *savikalpa-samâdhi*.

Niyama ("autodomínio"). O segundo membro do Yoga óctuplo de Patanjali, que consiste na prática da pureza, do contentamento, da penitência (*tapas*), do estudo (*svâdhyâya*) e da devoção ao Senhor (*îshvara-pranidhâna*). Cf. também *yama*.

Nyâsa ("colocação"). A prática tântrica de tocar em certas partes do corpo ou em certos objetos a fim de carregá-los de energia vital (*prâna*) ou de outras espécies de energia sutil.

Nyâya ("regra"). Um dos seis sistemas clássicos da filosofia hindu, que trata da lógica e da dialética crítica.

Ojas. A energia produzida pela ascese, especialmente pela prática da castidade, que envolve o processo de sublimação chamado *ûrdhva-retas*, que significa literalmente "(fluxo) ascendente do sêmen".

Om. O *mantra* principal do Hinduísmo, que simboliza o Absoluto. Esta sílaba sagrada aparece também no Budismo, no Jainismo e no Sikhismo.

Panca-ma-kâra ("cinco m's"). O nome coletivo das cinco práticas do rito principal do Tantrismo *kaula* e de esquerda: o consumo de peixe (*matsya*), carne (*mâmsa*), vinho (*madya*) e cereais tostados (*mudrâ*), a todos os quais atribuem-se propriedades afrodisíacas, e a prática de relações sexuais (*maithunâ*). As escolas tântricas de direita não compreendem essas cinco práticas de forma literal, mas simbólica. Cf. também *tantra*.

Pancarâtra ("cinco noites"). Uma tradição antiga que girava em torno da adoração de Vishnu.

Pandita. Um erudito ou estudioso.

Parama-âtman ("supremo Si Mesmo"; escreve-se *paramâtman*). O Si Mesmo transcendente, diverso do eu empírico e anímico (*jîva-âtman*). Cf. também *âtman*.

Paramparâ ("de um para o outro"). Linhagem de mestres.

Pâsha ("laço, grilhão"). No Shaivismo, o estado de aprisionamento causado pela ignorância espiritual.

Pashu ("animal, besta"). No Shaivismo, o termo que designa o mundano comum (*samsârin*), que não tem consciência da realidade espiritual superior do Si Mesmo ou de Deus.

Pâshupata ("relativo a *pashupati*"). Uma tradição antiga centrada na adoração de Shiva sob a forma de Pashupati.

Pashupati ("senhor dos animais"). Nome de Shiva como senhor de todas as criaturas.

Patanjali. O autor do *Yoka-Sûtra*, o texto fundamental do Yoga Clássico. Provavelmente viveu no século II d.C., embora a tradição hindu identifique-o ao gramático que viveu 400 anos antes disso.

Pitri ("ancestral, antepassado"). Os antepassados desempenham um papel importante na vida ritual cotidiana dos hindus, bem como no Yoga.

Prajâpati ("senhor das criaturas"). O Criador, o mesmo que Hiranyagarbha.

Prajnâ ("sabedoria"). O conhecimento que liberta. Cf. também *jnâna*, *vidyâ*.

Prajnâ-Pâramitâ ("perfeição da sabedoria"). Um conjunto de *sûtras* do Mahâyâna que pregam a doutrina do vazio (*shûnya*); o nome da divindade feminina associada a esses textos.

Prakriti ("procriadora"). A Natureza que não é senciente, consiste num fundamento eterno e transcendente (chamado *pradhâna* ou *alinga*) e em vários níveis de manifestação pura (*sattva*), sutil (*sûkshma*) e grosseira (*sthûla*). O nível mais baixo é o mundo material visível, com seus inúmeros objetos. A Natureza é composta de três tipos de qualidades ou forças (*guna*). Cf. *âtman*, *purusha*.

Pralaya ("dissolução"). A destruição do cosmos ao fim de um *yuga* ou de um *kalpa*.

Pramâna. A cognição válida, uma das atividades mentais identificadas por Patanjali. Cf. *viparyaya*.

Prâna ("vida"). (i) A vida em geral. (ii) A força vital que sustenta o corpo, a qual tem cinco formas principais: *prâna*, *apâna*, *samâna*, *udâna* e *vyâna*. (iii) A respiração enquanto manifestação externa da força vital.

Prânayâma ("controle da respiração"). A cuidadosa ordenação (ou expansão, *âyâma*) da respiração, que é o quarto membro do Yoga óctuplo de Patanjali.

Prapatti. No Vaishnavismo, a prática de entrega total à Divindade.

Prasâda ("graça, claridade"). A força da graça, que é admitida até mesmo pelas escolas não-dualistas de Yoga; chamada também *anugraha*.

Pratyabhijnâ ("reconhecimento"). Destacada escola do Shaivismo, surgida na Caxemira medieval.

Pratyâhâra ("recolhimento"). A inibição ou recolhimento dos sentidos, quinto membro do Yoga óctuplo de Patanjali. Cf. *yoga-anga*.

Pûjâ ou pûjana ("adoração"). A veneração ritual de uma divindade ou do *guru*, aspecto importante de muitas formas de Yoga, especialmente do Bhakti-Yoga.

Purâna ("[história] antiga"). Uma espécie de enciclopédia popular semi-religiosa que trata de cosmologia, teologia e especialmente da história dos reis e dos sábios.

Pûrna ("pleno, inteiro"). Uma caracterização da Realidade suprema, que é completa e inexaurível.

Purusha ("homem"). Nas tradições do Yoga e do Sâmkhya, o Si Mesmo transcendente, o Espírito, a Consciência (*cit*), na medida em que se distingue da individualidade finita (*jîva*). Cf. *prakriti*.

Purusha-artha ("objetivo humano"). O Hinduísmo reconhece quatro metas legítimas das aspirações humanas: o bem-estar material (*artha*), o prazer (*kâma*), a moralidade ou virtude (*dharma*) e a libertação (*moksha*).

GLOSSÁRIO DE PALAVRAS-CHAVE 🕉

Râdhâ. A divina esposa de Krishna.

Rajas (da raiz verbal *raj*, "excitar-se"). (i) A qualidade ou princípio da atividade, do dinamismo, que é uma das três qualidades (*guna*) primárias da Natureza (*prakriti*). (ii) A ejaculação genital feminina ou o sangue da menstruação, ambos os quais têm significado especial no Tantrismo. A fusão de *rajas* e *retas* (o sêmen masculino) produziria o estado de êxtase. Cf. também *sattva*, *tamas*.

Râja-Yoga ("Yoga real"). Designação tardia do Yoga óctuplo de Patanjali, inventada para contrapô-lo ao Hatha-Yoga.

Râma. O principal herói do *Râmâyana*, deificado como encarnação de Vishnu.

Râmânuja. Século XI. Fundador da escola do Não-Dualismo Qualificado (Vishishta Advaita) e principal rival do Não-Dualismo Absoluto (Kevala Advaita) de Shankara.

Râmâyana. Uma das duas epopéias nacionais da Índia, que conta a história do herói Râma. Cf. *Mahâbhârata*.

Rasa ("essência"). (i) Sabor. (ii) Quintessência da felicidade em algumas escolas de Bhakti-Yoga, especialmente no movimento Vaishnava Sahajîyâ de Bengala. (iii) O néctar da imortalidade (*amrita*) no Hatha-Yoga e no Tantra. (iv) Elixir alquímico.

Rasâyana ("caminho da essência"). A alquimia, que se liga de perto ao Hatha-Yoga.

Rig-Veda ("conhecimento sagrado do louvor"). O hinário védico mais antigo, a escritura mais sagrada dos hindus. Cf. também *Atharva-Veda*, *Sâma-Veda*, *Yajur-Veda*.

Rishi. Uma espécie de sábio antigo que via os hinos (*mantra*) dos *Vedas*. Ver também *muni*.

Rudra ("o que ruge"). Um epíteto ou forma de Shiva.

Rûpa ("forma"). Usado ao lado do termo *nâma* como referência ao mundo manifesto.

Sac-cid-ânanda ("ser-consciência-beatitude", de *sat*, *cit* e *ânanda*). Segundo o Vedânta, a Realidade suprema. Cf. também *ânanda*, *brahman*, *cit*, *sat*, *tattva*.

Sad-guru ("verdadeiro mestre"). Um *guru* autêntico, cuja simples presença basta para atrair os discípulos à Divindade.

Sâdhaka ("realizador"). Um praticante espiritual, especialmente no caminho tântrico, que aspira à realização (*siddhi*). Cf. *sâdhikâ*.

Sâdhana ("realização"). O caminho da realização espiritual; uma disciplina espiritual particular.

Sâdhikâ. Uma mulher praticante. Cf. *sâdhaka*.

Sâdhu ("bom"). Um asceta virtuoso.

Saguna-brahman ("Absoluto qualificado"). A Realidade suprema em sua forma secundária: o Ser dotado de várias qualidades (*guna*). Cf. *nirguna-brahman*.

Sahaja ("irmanado"). Termo medieval, expressão do fato de que a Realidade transcendente e a realidade empírica são coessenciais. Freqüentemente traduzido por "espontâneo" ou "natural".

Sahaja-samâdhi ("êxtase natural"). O êxtase (*samâdhi*) que não decorre do esforço, idêntico à libertação. Também é chamado "êxtase de olhos abertos", pois não depende da introversão da atenção através da concentração (*dhâranâ*) e da meditação (*dhyâna*).

Sahajîyâ. Movimento devocional (*bhakti*) de tendência tântrica da época medieval.

Sahasrâra-cakra ("roda de mil raios"). O centro psicoenergético do topo da cabeça, que, no Tantrismo, é o ponto para onde se dirige o poder da serpente (*kundalinî-shakti*) despertado. Cf. *cakra*.

Samâdhi ("êxtase"). O oitavo membro do Yoga óctuplo de Patanjali. Consiste na identificação temporária entre sujeito e objeto e tem duas formas principais: êxtase consciente (*samprajnâta-samâdhi*), que inclui uma variedade de pensamentos que surgem espontaneamente, o êxtase supraconsciente (*asamprajnâta-samâdhi*), no qual não há ideação nenhuma. Cf. também *dharma-megha-samâdhi*, *nirvikalpa-samâdhi*, *sahaja-samâdhi*, *savikalpa-samâdhi*.

Samatva ("igualdade"). O estado de equilíbrio interior.

Sâma-Veda ("conhecimento sagrado dos cantos"). O hinário védico que contém os cânticos (*sâman*) usados nos rituais do fogo. Cf. também *Atharva-Veda*, *Rig-Veda*, *Yajur-Veda*.

Sâmkhya ("enumeração", de *samkhyâ*, "número"). Uma das seis escolas clássicas de pensamento do Hinduísmo, que trata da classificação dos vários princípios (*tattva*) ou categorias da existência.

Samnyâsa ("renúncia"). A prática de voltar a atenção para longe das coisas mundanas e direcioná-la para Deus, geralmente acompanhada pelo ato exterior de abandonar a vida convencional. Também é possível, porém, uma renúncia puramente interior.

Samnyâsin ("o que renuncia"). A pessoa que pratica *samnyâsa*.

Samprajnâta-samâdhi ("êxtase consciente"). O tipo inferior de identificação extática com o objeto contemplado, acompanhado por pensamentos (*pratyaya*) que surgem espontaneamente. Cf. *asamprajnâta-samâdhi*.

Samsâra ("confluência"). O mundo finito da mudança, na medida em que se opõe à Realidade transcendente, infinita e imutável. Cf. *nirvâna*.

Samsârin. O mundano que vive preso ao universo mutável.

Samskâra ("ativador"). Toda ação ou volição produz um depósito subliminar (*âshaya*) na mente, o qual, por sua vez, gera novas atividades psicomentais, mantendo a pessoa presa ao mundo da mudança. Cf. também *karman*, *vâsanâ*.

Sarasvatî. (i) Um grande rio que corria pelo coração do território védico. (ii) Uma deusa védica que personifica o rio e as artes.

Sarga ("criação"). A criação do cosmos, oposta à sua dissolução (*pralaya*).

Sat ("ser"). A Realidade, o que é sumamente real. Cf. *ânanda*, *cit*, *tattva*.

Sat-sanga ("associação com o real"). A prática espiritual de freqüentar a boa (*sat*) companhia dos santos, sábios e adeptos realizados, que comunicam a Realidade (*sat*) suprema.

Sattva ("esseidade"). (i) Um ser. (ii) O princípio de puro ser ou de luz, a mais elevada das qualidades primárias (*guna*) da Natureza (*prakriti*); cf. *rajas*, *tamas*.

Satya ("verdade"). (i) Veracidade. (ii) a Realidade suprema (*sat*, *tattva*).

Savikalpa-samâdhi ("êxtase com forma/ideação"). No Vedânta, o estado de identificação extática com a Realidade transcendente, acompanhado de pensamentos e imagens. Cf. também *samprajnâta-samâdhi*; cf. *nirvikalpa-samâdhi*.

Shabda ("som"). Segundo pensamento hindu, o som está inextricavelmente ligado à existência cósmica. Por isso, existe em vários níveis de manifestação. O som supremo é o *mantra* sagrado *om*. Cf. também *nâda*.

Shaiva. Designação de qualquer processo ou obra literária, etc., que dizem respeito a Shiva; designação de um adorador dessa divindade. Cf. *vaishnava*.

Shaiva-Siddhânta. Tradição sul-indiana do Shaivismo.

Shakti ("poder"). O aspecto feminino de Deus, sua energia, fundamental para a metafísica e a espiritualidade do Shaktismo e do Tantrismo.

Shakti-pâta ("descida do poder"). O processo de iniciação, geralmente no contexto tântrico, pelo qual o *guru* transmite poder à prática espiritual do discípulo.

Shândilya. Famoso sábio dos tempos antigos e suposto autor do *Bhakti-Sûtra*. Cf. Nârada.

Shankara ("pacificador"). O maior expoente do não-dualismo hindu (Advaita Vedânta), que viveu no século VIII d.C. ou talvez um pouco antes.

Shânti ("paz"). Qualidade desejável para os *yogins*. A paz suprema coincide com a iluminação (*bodha*) ou realização do Si Mesmo.

Shâstra ("ensinamento, manual"). Um conjunto de conhecimentos, geralmente reunidos num livro. Assim, *yoga-shâstra* pode significar tanto a "doutrina do Yoga" em geral quanto um texto em particular que leva esse título.

Shiva ("benigno"). A divindade que, mais que qualquer outra do panteão hindu, serviu de modelo aos *yogins* no decorrer das eras.

Shruti ("revelação"). A revelação védica, que compreende os quatro *Vedas*, os *Brâhmanas* e os *Upanishads*. Cf. *smriti*.

Shûdra. Um membro da casta servil da sociedade hindu tradicional.

Shûnya ("vazio"). Conceito fundamental do Budismo Mahâyâna, segundo o qual todos os fenômenos são vazios de essência eterna.

Shûnyatâ ("vacuidade"). Sinônimo de *shûnya*.

Siddha ("completo"). O adepto realizado que alcançou a perfeição (*siddhi*).

Siddhi ("perfeição, completude"). (i) A perfeição espiritual, ou seja, a realização de uma identificação perfeita com a Realidade suprema; a libertação (*moksha*). (ii) Um poder paranormal, especialmente um dos oito grandes poderes que acompanham a perfeição da qualidade de adepto.

Smriti ("memória, sabedoria lembrada"). A tradição enquanto distinta da revelação (*shruti*).

Spanda ("vibração"). Segundo o Shaivismo de Caxemira, até mesmo o Absoluto sem forma permanece num estado de vibração contínua, que é a causa de toda a criação.

Sukha ("prazer, alegria"). A vida comum é uma combinação de prazer e dor (*duhkha*), e esses dois tipos de experiência têm de ser transcendidos para que se realize a beatitude suprema (*ânanda*), que também é chamada de "grande alegria" (*mahâ-sukha*).

Sûrya ("sol"). A divindade solar, que também tem muitos outros nomes.

Sûtra ("fio"). Um aforismo ou uma obra aforística, como o *Yoga-Sûtra* de Patanjali.

Svâdhishthâna-cakra ("roda que fica de pé por si mesma"). O centro psicoenergético dos órgãos genitais. Cf. *cakra*.

Svâdhyâya ("estudo de si mesmo"). O estudo dos textos sagrados e o estudo da própria psique por meio da meditação.

Svâmin ("senhor, mestre"). O título dos *gurus* hindus que pertencem a uma ordem monástica.

Svarga ("céu"). A metafísica hindu reconhece a existência de vários mundos infernais e celestiais. Estes últimos, porém, pertencem ainda ao universo mutável e têm de ser transcendidos para que a libertação (*moksha*) seja alcançada.

Tamas ("escuridão"). O princípio de inércia, uma das três qualidades (*guna*) primárias da Natureza (*prakriti*). Cf. também *rajas*, *sattva*.

Tantra ("fuso"). (i) Uma espécie de texto sagrado pertencente ao Tantrismo que trata primordialmente da adoração ritual voltada para o princípio feminino da Divindade, *shakti*. (ii) O Tantrismo, um multifacetado movimento religioso e cultural originado nos primeiros séculos da Era Cristã, que atingiu seu auge por volta de 1000 d.C. O Tantrismo tem ramos de direita (conservadores) e de esquerda (de oposição).

Tântrika. Um praticante do Tantrismo.

Tapas ("incandescência, calor"). A ascese, que, segundo se diz, gera uma grande vitalidade. O termo era aplicado a práticas semelhantes ao Yoga nos tempos védicos.

Târaka-Yoga ("Yoga do libertador"). Yoga baseada no Tantra que dá ênfase à experiência meditativa da luz.

Tat ("isto"). No Vedânta, uma referência misteriosa à Realidade suprema, ou Si Mesmo transcendente, como na frase "Tu és Isto" (*tat tvam asi*).

Tattva ("realidade"). (i) A Realidade suprema. (ii) Um princípio ou categoria da existência, como a mente superior (*buddhi*), a mente inferior (*manas*), os sentidos (*indriya*) e os elementos materiais (*bhûta*).

Tattva-vid ("conhecedor da Realidade"). (i) Um sábio liberto. (ii) Um praticante espiritual que conhece as diversas categorias da existência expostas pelo Sâmkhya e pelo Yoga.

Tîrtha ("vau"). Lugar sagrado, centro de peregrinação.

Tîrthankara ("aquele que abre um vau"). Título dos grandes mestres realizados do Jainismo, como Mahâvîra.

Tirumûlâr. Um grande poeta e santo do sul da Índia, autor do *Tiru-Mantiram*.

Trika ("tríade"). Escola shaiva da Caxemira medieval que, embora não-dualista, reconhece a existência relativa da multiplicidade (representada pelos múltiplos seres humanos individuais, chamados *nara*), da dualidade (simbolizada por *shakti*) e da unidade (representada por *shiva*).

Upanishad ("sentar-se perto"). Tipo de texto sagrado esotérico hindu que expõe a metafísica do não-dualismo (Advaita Vedânta); esses textos são considerados a última fase da revelação (*shruti*) védica.

Upâya ("meio"). No Budismo, termo que designa a compaixão (*karunâ*) e faz par com *prajnâ*, que significa o conhecimento intuitivo da natureza vazia (*shûnya*) de todos os fenômenos.

Vaisheshika ("distincionismo"). Uma das seis escolas clássicas do pensamento hindu, que trata das categorias da existência material.

Vaishnava ("relativo a Vishnu"). Designação de qualquer processo, obra literária, etc., que diz respeito ao deus Vishnu; designação do adorador desse deus. Cf. *shaiva*.

Vaishya. Um membro da casta mercantil, agrícola e produtiva da sociedade hindu tradicional.

Vajrayâna ("veículo adamantino"). O ramo tântrico do Budismo, especialmente no Tibete. Nasceu do Mahâyâna.

Vasanâ ("traço, marca"). (i) Desejo. (ii) No Yoga de Patanjali, a concatenação dos ativadores subliminares (*samskâra*) depositados nas profundezas da mente em decorrência das ações e volições passadas. Eles têm de ser dissolvidos para que possa ocorrer a libertação (*moksha*) ou iluminação (*bodha*).

Vashishtha. O nome de vários sábios da antigüidade, especialmente do grande mestre que figura no *Yoga-Vâsishtha*.

Vedânta ("fim do Veda"). A tradição filosófica predominante no Hinduísmo, que ensina que a Realidade é não-dual (*advaita*). Cf. também *âtman*, *brahman*.

Videha-mukti ("libertação fora do corpo"). O ideal de algumas escolas vedânticas que negam a possibilidade de ocorrer a libertação plena enquanto o corpo ainda está vivo. Cf. *jîvan-mukti*.

Vidyâ ("sabedoria, conhecimento"). Nos contextos espirituais, significa geralmente a sabedoria libertadora, oposta ao conhecimento puramente mental. Cf. também *jnâna*, *prajnâ*.

Viparyaya ("erro"). Segundo Patanjali, uma das atividades mentais (*vritti*) que têm de ser eliminadas. Cf. *pramâna*.

Vîra ("herói"). No Tantrismo, um tipo particular de praticante espiritual (*sâdhaka*), geralmente um seguidor de um ramo de esquerda.

Vishnu ("o que penetra todas as coisas"). A divindade adorada pelos vaishnavas e bhâgavatas, cujas duas encarnações (*avâtara*) mais famosas foram Râma e Krishna.

Vishuddha-cakra ("roda pura"). O centro psicoenergético da garganta. Cf. *cakra*.

Vishva ("todo"). O mundo empírico (*samsâra*).

Viveka ("discernimento, discriminação"). No caminho yogue, designa especificamente o discernimento entre o Si Mesmo (*âtman*) e que não é o Si Mesmo (*anâtman*).

Vrata ("voto"). Característica importante de muitos caminhos yogues.

Vrâtya ("votado"). Membro de uma irmandade sagrada dos tempos védicos. Seus membros eram unidos por votos (*vrata*) e desenvolveram práticas yogues.

Vritti ("remoinho"). No Yoga de Patanjali, uma das cinco modalidades de atividade mental que têm de ser controladas: a cognição válida (*pramâna*), a cognição errônea (*viparyaya*), a conceitualização (*vikalpa*), o sono (*nidrâ*) e a memória (*smriti*).

Vyâdhi ("doença"). A doença compreendida como um desequilíbrio dos três humores (*dosha*). Cf. *ârogya*.

Vyâsa ("organizador"). O legendário autor da epopéia *Mahâbhârata*, compilador dos quatro hinários védicos, de muitos *Purânas* e de muitas outras obras, como o *Yoga-Bhâshya*, comentário sobre o *Yoga-Sûtra* de Patanjali.

Yajna ("sacrifício"). A prática do sacrifício ritual é fundamental para o Hinduísmo. Na época dos *Brâhmanas*, e mais ainda com os *Upanishads*, o ritual sacrificial externo foi interiorizado sob a forma da meditação intensa, gerando assim a tradição yogue em toda a sua plenitude.

Yâjnavalkya. O mais celebre sábio dos primórdios da era pós-védica.

Yajur-Veda ("conhecimento sagrado dos sacrifícios"). O hino védico que contém as fórmulas sacrificiais (*yajus*). Cf. também *Atharva-Veda*, *Rig-Veda*, *Sâma-Veda*.

Yama ("disciplina"). (i) O deus da morte. (ii) O primeiro membro do Yoga óctuplo de Patanjali, que compreende cinco preceitos morais de validade universal.

Yantra ("instrumento"). No Hinduísmo, um desenho geométrico que representa o corpo da divindade escolhida (*ishta-devatâ*) pela pessoa nos ritos de adoração externa e na meditação. Cf. também *mandala*.

Yoga ("união"). (i) A prática espiritual ou mística em geral. (ii) Uma das seis escolas clássicas do pensamento hindu, formulada por Patanjali em seu *Yoga-Sûtra*.

Yoga-anga ("membro do Yoga"). Segundo Patanjali, os membros são em número de oito: disciplina moral (*yama*), autocontrole (*niyama*), postura (*âsana*), controle da respiração (*prânâyâma*), recolhimento dos sentidos (*prâtyâhara*), concentração (*dhâranâ*), meditação (*dhyâna*) e êxtase (*samâdhi*).

Yogâcâra ("via do Yoga"). A escola do Budismo Mahâyâna fundada por Asanga.

Yoga-Sûtra ("aforismo do Yoga"). O texto fundamental do Yoga Clássico, compilado por Patanjali. Cf. também *sûtra*.

Yoga-Vâsishtha. Um extenso texto poético que trata do Yoga não-dualista, composto em meados do século X d.C.

Yogin. Um praticante do Yoga.

Yoginî. Uma mulher praticante do Yoga.

Yuga ("jugo"). Uma era do mundo. Segundo a cosmologia hindu, essas eras são em número de quatro, e cada uma delas dura vários milhares de anos. O período mais negro seria o *kali-yuga*, que precede, porém, uma nova era de ouro. Cf. *kalpa*.

BIBLIOGRAFIA SELECIONADA

Tenha em mente que, nesta bibliografia, só arrolamos livros. Nas notas, mencionamos ainda outros livros e artigos. Além disso, só as vogais longas das palavras em sânscrito que aparecem nos títulos foram transliteradas com acento circunflexo. Todos os outros sinais diacríticos da transliteração do sânscrito, com a exceção do til (~), foram simplesmente omitidos.

Abbegg, Emil. *Indische Psychologie*. Zurique: Rascher Verlag, 1955.

Abbott, Justin E. *The Life of Eknath*. Delhi: Motilal Banarsidass, reed. de 1981.

Abhayananda, S. *Jnaneshvar: The Life and Works f the Celebrated Thirteenth-Century Indian Mystic-Poet*. Olympia, Wash. (EUA): Atma Books, 1989.

Abhishiktananda, Swami. *Guru and Disciple*. Londres: Society for the Promotion of Christian Knowledge, 1974.

Agni Purânam: A Prose English Translation. Tradução de Manmatha Nâth Dutt Shastrî. Varanasi, Índia: Chowkhamba Sanskrit Series Office, 1967. 2 vols.

Aguilar, H. *The Sacrifice in the Rgveda*. Delhi: Bharatiya Vidya Prakasham, 1976.

Aïvanhov, Omraam Mikhaël. *Toward a Solar Civilization*. Frejus, França: Prosveta, 1982.

_____. *The Yoga of Nutrition*. Frejus, França: Prosveta, 1982.

_____. *The Seeds of Happiness*. Frejus, França: Prosveta, 1992.

_____. *"Know Thyself" — Jnana Yoga*. Frejus, França: Prosveta, 1994.

Aiyar, K. Narayanasvami, trad. *Thirty Minor Upanishads, Including the Yoga Upanishads*. El Reno, Okla. (EUA): Santarasa Publications, reed. de 1980.
Ajaya, Swami. *Yoga Psychology: A Practical Guide to Meditation*. Honesdale, Penn. (EUA): Himalayan International Institute of Yoga Science and Philosophy. 3ª ed., 1978.

Allchin, Raymond:. *Tulsî Dâs: Kavitâvalî*. Londres: George Allen and Unwin, 1964.

Alper, Harvey, org. *Mantra*. Albany, N.Y. (EUA): SUNY Press, 1989.

_____. org. *Understanding Mantras*. Albany, N.Y. (EUA): SUNY Press, 1989.

Alston, Anthony J. *Samkara on the Absolute*. Londres: Shanti Sadan, 1980.

_____. *Samkara on the Creation*. Londres: Shanti Sadan, 1980.

_____. *Samkara on the Soul*. Londres: Shanti Sadan, 1980.

_____. *Yoga and the Supreme Bliss: Songs of Enlightenment by Swâmî Râma Tîrtha*. Londres: A. Z. Alston, 1982.

_____. *Samkara on Discipleship*. Londres: Shanti Sadan, 1989.

_____. *Samkara on Rival* Views. Londres: Shanti Sadan, 1989.

Âranya, Hariharânanda. *Yoga Philosophy of Patanjali*. Tradução de P. N. Mukerji. Albany, N.Y. (EUA): SUNY Press, ed. rev., 1983.

Arya, Usharbudh. *Mantra & Meditation*. Honesdale, Penn. (EUA): Himalayan International Institute, 1981.

_____. *Philosophy of Hatha-Yoga*. Honesdale, Penn. (EUA): Himalayan International Institute, 1985.

_____. *Yoga-Sûtras of Patanjali with the Exposition of Vyâsa: A Translation and Commentary*. Vol. 1: *Samâdhi-pâda*. Honesdale, Penn. (EUA): Himalayan International Institute, 1986. [A tradução permanece incompleta.]

Ashokananda, Swami. *Avadhûta Gîta of Dattâtreya*. Mylapore, Índia: Sri Ramakrishna Math, s.d.

Asvaghosha. *The Awakening of Faith*. Tradução de Yoshito S. Hakeda. Nova York: Columbia University Press, 1967.

Atisa. *A Lamp for the Path and Commentary*. Tradução de Richard Sherburne. Londres: George Allen & Unwin, 1983.

Atreya, B. L. *The Yogavâsistha and Its Philosophy*. Moradabad, Índia: Darshana Printers, 3ª ed., 1966.

Aurobindo, Sri. *Essays on the Gita*. Pondicherry, Índia: Sri Aurobindo Ashram, 1949.

_____. *On the Veda*. Pondicherry, Índia: Sri Aurobindo Ashram, 1964.

_____. *The Synthesis of Yoga*. Pondicherry, Índia: Sri Aurobindo Ashram, 1976.

_____. *The Life Divine*. Pondicherry, Índia: Sri Aurobindo Ashram, 10ª ed., 1977. 2 vols.

Avalon, Arthur [ver também Woodroffe, John]. *The Serpent Power, Being the Satcakranirûpana and the Pâdukâpanchaka*. Madras, Índia: Ganesh & Co. 10ª ed., 1974. Publicado pela primeira vez em 1913.

_____. *Principles of Tantra. The Tantratattva of Srîyukta Siva Candra Vidyârnava Bhattacharya*. Madras, Índia: Ganesh & Co., 3ª ed., 1960.

_____. trad. *Tantra of the Great Liberation (Mahanirvana Tantra)*. Nova York: Dover, 1972.

Ayyangar, T. R. Srinivasa e G. Srinivasa Murti. *The Yoga Upanishads*. Adyar, Índia: Adyar Library, 1952.

Bagchi, P. C. *Studies in Tantras*. Calcutá: University of Calcutta, 1975.

Bahirat, B. P. *The Philosophy of Jnânadeva as Gleaned from the Amrtânubhava*. Delhi: Motilal Banarsidass, reed. de 1984.

Banerjea, Akshaya Kumar. *Philosophy of Gorakhnath with Goraksha-Vacana-Sangraha*. Gorakhpur, Índia: Mahant Dig Vijai Nath Trust, [1961].

Banerjea, Kitendra Nath. *Pauranic and Tantric Religion*. Calcutá: University of Calcutta Press, 1966.

Barua, Benimadhab. *A History of Pre-Buddhistic Philosophy*. Delhi: Motilal Banarsidass, reed. de 1970.

Barz, Richard. *The Bhakti Sect of Vallabhâcârya*. Faridabad, Índia: Thomson Press, 1976.

Basham, A. L. *The Wonder That Was Índia*. Nova York: Grove Press, 1954.

Basu, Manoranjan. *Fundamentals of the Philosophy of Tantras*. Calcutá: Mira Basu Publishers, 1986.

Beck, Guy L. *Sonic Theology: Hinduism and Sacred Sound*. Columbia, S.C. (EUA): University of South Carolina Press, 1987.

Behanan, K. *Yoga: A Scientific Explanation*. Nova York: Dover, 1937.

Berendt, Joachim-Ernst. *Nada Brahma: The World is Sound*. Rochester, Vt. (EUA): Destiny Books, 1987. [*Nada Brahma — A Música e o Universo da Consciência*, publicado pela Editora Cultrix, São Paulo, 1993.]

Bernard, Theos. *Hatha Yoga: The Report of a Personal Experience*. Londres: Rider, 1968.

Berry, Thomas. *Religions of India: Hinduism, Yoga, Buddhism*. Nova York: Bruce Publishing/ Londres: Collier-Macmillan, 1971.

Bhagat, Mansukh Ghelabhai. *Ancient Indian Asceticism*. Nova Delhi: Munshiram Manoharlal, 1976.

Bhâgavata-Purâna. Tradução do Conselho Acadêmico. Delhi: Motilal Banarsidass, reed. de 1986. 5 vols.

Bhaktivedanta Swami, A. C. *Srî Caitanya-caritâmrta*. Nova York: Bhaktivedanta Book Trust, 1975. 17 vols.

_____. trad. *Srimad-Bhâgavatam*. Nova York: Bhaktivedanta Book Trust, 1972-1989. 30 vols.

Bhandarkar, R. G. *Vaisnavism, Saivism and Minor Religious Systems*. Varanasi, Índia: Indological Book House, reed. de 1965. Publicado pela primeira vez em 1913.

Bharadwaj, K. D. *The Philosophy of Râmânuja*. Nova Delhi: Sri Shankar Lall Charitable Trust Society, 1958.

Bharati, Agehananda. *The Tantric Tradition*. Londres: Rider & Co., 1965; Nova York: Samuel Weiser, ed. rev., 1975.

Bhat, M. S. *Vedic Tantrism: A Study of Rgvidhana of Saunaka with Text and Translation*. Delhi: Motilal Banarsidass, 1987.

Bhattacharji, S. *The Indian Theogony*. Cambridge, Mass. (EUA): Cambridge University Press, 1970.

Bhattacharya, Brajamadhava. *Saivism and the Phallic World*. Nova Delhi: Oxford University Press, 1975. 2 vols.

_____. *The World of Tantra*. Nova Delhi: Munshiram Manoharlal, 1988.

Bhattacharya, Deben. *Songs of the Bards of Bengal*. Nova York: Grove Press, 1969.

Bhattacharya, N. N. *History of the Sâkta Religion*. Nova Delhi: Munshiram Manoharlal, 1974.

_____. *History of the Tantric Religion*. Nova Delhi: Munshiram Manoharlal, 1982.

Bhattacharya, Ram Shankar. *An Introduction to the Yogasutra*. Delhi: Bharatiya Vidyâ Prakâsana, 1985.

Bhattacharya, Siddhesvara. *The Philosophy of the Srimad-Bhâgavata*. Santiniketan, Índia: Visva-Bharati, 1960, 1962. 2 vols.

Bhattacharyya, Haridas, org. *The Cultural Heritage of India*. Calcutá: Ramakrishna Mission Institute of Culture, 1956. 4 vols.

Bhishagratna, K., trad. *Sushrut Samhita*. Varanasi, Índia: Chowkhamba Sanskrit Series, 1981. 3 vols.

Birven, Henri. *Lebenskunst in Yoga und Magie*. Zurique: Origo, [1953?].

Blair, C. J. *Heat in the Rig Veda and Atharva Veda*. New Haven, Ct. (EUA): American Oriental Society, 1961.

Blofeld, John. *The Tantric Mysticism of Tibet*. Nova York. E. P. Dutton, 1970.

Bloomfield, Maurice. *The Religion of the Veda*. Nova York: G. B. Putnam's Sons, 1908.

_____. *The Life and Stories of the Jaina Savior Pârsvanâtha*. Baltimore, Md. (EUA): University of Maryland Press, 1919.

_____. *Hymns from the Atharva Veda*. Delhi: Motilal Banarsidass, reed. de 1964. Publicado pela primeira vez em 1897.

Bosch, F. D. K. *The Golden Germ: An Introduction to Indian Symbolism*. Haia: Mouton, 1960.

Bose, M. M. *The Post-Caitanya Sahajiyâ Cult of Bengal*. Calcutá: University of Calcutta Press, 1930.

Bouanchaud, Bernard. *The Essence of Yoga: Reflections on the Yoga Sutras of Patanjali*. Tradução de Rosemary Desneux. Portland, Oreg. (EUA): Rudra Press, 1997.

Brahma, Nalini Kanta. *Philosophy of Hindu Sâdhanâ*. Londres: Kegan Paul, Trench, Trubner & Co., [1932].

Briggs, George W. *Gorakhnâth and the Kânphata Yogîs*. Delhi: Motilal Banarsidass, reed. de 1973.

Brooks, Douglas Renfrew. *The Secret of the Three Cities*. Chicago e Londres: University of Chicago Press, 1990.

_____. *Auspicious Wisdom: The Texts and Traditions of Srîvidyâ Sâkta Tantrism in South India*. Albany, N.Y. (EUA): SUNY Press, 1992.

Brown, Cheever Mackenzie. *The Triumph of the Goddess: The Canonical Models and Theological Visions of the Devî-Bhâgavata Purâna*. Albany, N.Y. (EUA): SUNY Press, 1990.

Brown, Norman O., org. e trad. *The Saundaryalaharî, or Flood of Beauty: Traditionally Ascribed to Sankarâcârya*. Cambridge, Mass. (EUA): Harvard University Press, 1958.

Brunton, Paul. *The Hidden Teaching Beyond Yoga*. York Beach, Maine (EUA): Samuel Weiser, 2ª ed. rev., 1984. Publicado pela primeira vez em 1941.

_____. *The Notebooks of Paul Brunton*. Burdett, N.Y. (EUA): Larson Publications, 1984-88. 16 vols.

_____. *A Search in Secret India*. York Beach, Maine (EUA): Samuel Weiser. ed. rev., 1985. Publicado pela primeira vez em 1935. [*A Índia Secreta*, publicado pela Editora Pensamento, São Paulo, 1976.]

Bubba [Da] Free John. *The Paradox of Instruction*. São Francisco: Dawn Horse Press, 1977.

_____. *The Enlightenment of the Whole Body*. Middletown, Calif. (EUA): Dawn Horse Press, 1978.

Buddhaghosa. *The Path of Purification* (*Visuddhimagga*). Tradução de Bhikkhu Nyânamoli. Berkeley e Londres: Shambhala, 1976. 2 vols.

Buhler, Georg, trad. *The Sacred Laws of the Âryas, as Taught in the Schools of Âpastamba, Gautama, Vâsishtha, and Baudhâyana*. Delhi: Motilal Banarsidass, reed. de 1969. 2 vols.

Buitenen, J. A. B. van. *The Mahâbhârata, Books I-V*. Chicago: The University of Chicago Press, 1973-1978. 3 vols.

_____. *Râmânuja on the Bhagavadgîtâ*. Delhi: Motilal Banarsidass, reed. de 1968.

_____. trad. *Râmânuja's Vedârthasangraha*. Poona, Índia: Deccan College Postgraduate and Research Institute, 1956.

Carman, John. *The Theology of Râmânuja*. New Haven, Ct. (EUA): Yale University Press, 1974.

_____. e Vasudha Narayanan. *The Tamil Veda: Pillân's Interpretation of the Tiruvâymoli*. Chicago: University of Chicago Press, 1989.

Carter, John Ross e Mahinda Palihawadana, trad. *The Dhammapada*. Nova York e Oxford: Oxford University Press, 1987.

Chakravarti, Chintaharan. *Tantras: Studies on Their Religion and Literature*. Calcutá: Punthi Pustak, 1972.

Chakravarti, Pulinbihari. *Origin and Development of the Sâmkhya System of Thought*. Calcutá: Metropolitan Printing and Publishing House, 1951.

Chang, Garma C. C. *The Hundred Thousand Songs of Milarepa*. New Hyde Park, N.Y. (EUA): University Books, 1962.

_____. *Teachings of Tibetan Yoga*. New Hyde Park, N.Y. (EUA): University Books, 1963.

Chapple, Christopher K. *Karma and Creativity*. Albany, N.Y. (EUA): SUNY Press, 1986.

_____. e Yogi Ananda Viraj (Eugene P. Kelly, Jr.). *The Yoga Sûtras of Patanjali: An Analysis of the Sanskrit with Accompanying English Translation*. Delhi: Sri Satguru Publications, 1990.

Chatterjee, A. K. *A Comprehensive History of Jainism*. Calcutá: University of Calcutta Press, 1978, 1984. 2 vols.

Chattopadhyaya, Debiprasad. *Lokâyata: A Study in Ancient Indian Materialism*. Nova Delhi: People's Publishing House, 1959.

Chattopadhyaya, Sudhakar. *Reflections on the Tantras*. Delhi: Motilal Banarsidass, 1978.

Chaudhuri, Haridas. *Integral Yoga*. Londres: George Allen & Unwin, 1965.

_____. e Frederic Spiegelberg. *The Integral Philosophy of Sri Aurobindo*. Londres: George Allen & Unwin, 1960.

Chaudhury, Sukomal. *Analytical Study of the Abhidharmakosa*. Calcutá: Firma KLM, 1983.

Ch'en, Kenneth K. S. *Buddhism in China: A Historical Survey*. Princeton, N.J. (EUA): Princeton University Press, 1964.

Chetanananda, Swami. *Dynamic Stillness, Part One: The Practice of Trika Yoga*. Cambridge, Mass. (EUA): Rudra Press, 1983.

_____. *Dynamic Stillness, Part Two: The Fulfillment of Trika Yoga*. Cambridge, Mass. (EUA): Rudra Press, 1991.

Chinmayananda, Swami. *Ashtavakra Geeta*. Madras, Índia: Chinmaya Publications Trust, 1972.

Cleary, Thomas, trad. *Buddhist Yoga: A Comprehensive Course*. Boston, Mass. (EUA): Shambhala Publications, 1995.

Coburn, Thomas B. *Devî Mâhâtmya: The Crystallization of the Goddess Tradition*. Delhi: Motilal Banarsidass, 1984.

_____. *Encountering the Goddess: A Translation of the Devî-Mâhâtmy and a Study of Its Interpretation*. Albany, N.Y. (EUA): SUNY Press, 1991.

Cole, Colin A. *Asparsa Yoga: A Study of Gaudapâda's Mândûkya Kârikâ*. Delhi: Motilal Banarsidass, 1982.

Conze, Edward, org. *Buddhist Texts Through the Ages*. Nova York (EUA): Harper & Row, 1954.

_____. *Buddhist Meditation*. Nova York: Harper & Row, 1956.

_____. *Buddhist Thought in India*. Londres: Allen & Unwin, 1962.

_____. *Buddhism: Its Essence and Development*. Nova York: Harper & Row, 1963.

_____. trad. *The Perfection of Wisdom in Eight Thousand Lines & Its Verse Summary*. Bolinas, Calif. (EUA): Four Seasons Foundation, 1973.

Coomaraswamy, Ananda K. *The Dance of Shiva: Fourteen Indian Essays*. Bombaim e Calcutá: Asia Publishing House, reed. de 1956.

Coster, Geraldine. *Yoga and Western Psychology*. Londres: Oxford University Press, 1957.

Cowell, E. B. e A. E. Gough, trad. *Sarvadarsanasamgraha, or Review of the Different Systems of Hindu Philosophy of Madhava Âchârya.* Londres: Kegan Paul, Trench, Trübner & Co., reed. de 1914.

_____. e F. M. Müller e J. Takakusu, trad. *Buddhist Mahâyâna Sûtras.* Oxford: Clarendon Press, 1894.

Cozort, Daniel. *Highest Yoga Tantra: An Introduction to the Esoteric Buddhism of Tibet.* Ithaca, N.Y. (EUA): Snow Lion, 1986.

Criswell, Eleanor. *How Yoga Works: An Introduction to Somatic Yoga.* Novato, Calif. (EUA): Freeperson Press, 1989.

Da Free John. Ver Bubba [Da] Free John.

Dalai Lama. *The Buddhism of Tibet.* Tradução e organização de Jeffrey Hopkins. Ithaca, N.Y. (EUA): Snow Lion, 1987.

_____. *Path to Bliss: A Practical Guide to Stages of Meditation.* Tradução de Geshe Thubten Jinpa e organização de Christine Cox. Ithaca, N.Y. (EUA): Snow Lion, 1991.

Dange, Sadashiv Ambadas. *Legends in the Mahâbhârata.* Delhi: Motilal Banarsidass, 1969.

_____. *Sexual Symbolism from the Vedic Ritual.* Delhi: Ajanta Publications, 1979.

Daniélou, Alain. *Yoga: The Method of Re-Integration.* Londres: Christopher Johnson, 1949.

_____. *Shiva and Dionysus: The Religion of Nature and Eros.* Tradução de K. F. Hurry. Nova York: Inner Traditions International, 1984.

_____. *The Gods of India: Hindu Polytheism.* Nova York: Inner Traditions International, 1985.

_____. *While the Gods Play: Shaiva Oracles and Predictions on the Cycles of History and the Destiny of Mankind.* Tradução de Barbara Bailey, Michael Baker e Deborah Lawlor. Rochester, Vt. (EUA): Inner Traditions International, 1987.

Das Gupta, Shashi Bhushan. *An Introduction to Tantric Buddhism.* Calcutá: University of Calcutta, 1958.

_____. *Obscure Religious Cults as Background of Bengali Literature.* Calcutá: Firma KLM, 3ª ed., 1969.

Dasgupta, Surendranath. *The Study of Patanjali.* Calcutá: University of Calcutta, 1920.

_____. *Yoga as Philosophy and Religion.* Londres: Kegan Paul, 1924.

_____. *Hindu Mysticism.* Delhi: Motilal Banarsidass, 1927.

_____. *Yoga Philosophy in Relation to Other Systems of Indian Thought.* Calcutá: University of Calcutta, 1930.

_____. *A History of Indian Philosophy.* Cambridge, Mass. (EUA): Cambridge University Press, 1952-55. 5 vols.

Datta, Aswini Kumar, *Bhaktiyoga.* Bombaim: Bharatiya Vidya Bhavan, 1981.

De Nicolas, Antonio T. *Avatâra: The Humanization of Philosophy Through the Bhagavad Gîtâ.* Nova York, Nocilas Hays, 1976.

De, Sushil Kumar. *Early History of the Vaishnava Faith and Movement in Bengal.* Calcutá: General Printers and Publishers, 1942.

Dehejia, Vidya. *Slaves of the Lord: The Path of the Tamil Saints.* Delhi: Munshiram Manoharlal, 1988.

_____. *Ântâl and Her Path of Love: Poems of a Woman Saint from South India.* Albany, N.Y. (EUA): SUNY Press, 1990.

De Rose, Maestro. *Faça Yôga Antes que Você Precise (Swásthya Yôga Shástra).* São Paulo, Editora Nobel, 2003.

Der Weg des Yoga: Handbuch für Übende und Lehrende. Compilado pela Berufsverband Deutscher Yogalehrer. Petersberg, Alemanha: Verlag Via Nova, 1994.

Desai, S. M. *Haribhadra's Yoga Works and Psychosynthesis.* Ahmedabad, Índia: L. D. Institute of Indology, 1983.

Desikachar, T. K. V. *The Heart of Yoga: Developing a Personal Practice*. Rochester, Vt. (EUA): Inner Traditions International, 1995.

Deussen, Paul. *The Philosophy of the Upanishads*. Tradução de A. S. Geden. Nova York: Dover, reed. de 1966.

_____. *Sixty Upanishads of the Veda*. Tradução de V. M. Bedekar e G. B. Palsule. Delhi: Motilal Banarsidass, reed. de 1980, 2 vols.

Deutsch, Eliot. *Advaita Vedânta: A Philosophical Reconstruction*. Honolulu: University of Hawaii Press, 1969.

Devasthali, G. V. *Religion and Mythology of the Brâhmanas*. Poona, Índia: University of Poona, 1965.

[Devî-Bhâgavata-Purâna] *The Srimad Devi Bhagavatam*. Tradução de Swami Vijnanananda. Allahabad, Índia: Sudhindra Nath Vasu, 1922.

Dhavamony, M. *Love of God According to Saiva Siddhânta*. Londres: Clarendon Press, 1971.

Dhirendra Brahmachari. *Yogâsana Vijnâna: The Science of Yoga*. Londres: Asia Publishing House, 1970.

Digambarji, Swami, e M. L. Gharote. *Gheranda Samhitâ*. Lonavla, Índia: Kaivalyadhama S. M. Y. M. Samti, 1978.

Dikshitar, V. R. Ramachandra. *The Purana Index*. Madras, Índia: University of Madras, 1951-55. 3 vols.

Dimock, E. C. *The Place of the Hidden Moon: Erotic Mysticism in the Vaishnava Sahajiyâ Cult of Bengal*. Chicago: University of Chicago Press, 1966.

Dixit, K. K. *The Yogabindu of Âcârya Haribhadrasûri*. Ahmedabad, Índia: Lalbhai Dalpatbhai Bharatiya Sanskriti Vidyamandira, 1968.

Doniger, Wendy, e Brian K. Smith, trad. *The Laws of Manu*. Londres: Penguin Books, 1991.

Douglas, Nik, e Penny Slinger. *Sexual Secrets*. Nova York: Destiny Books, 1979.

Dowman, Keith. *Sky Dancer: The Secret Life and Songs of the Lady Yeshe Tsogyel*. Londres: Routledge and Kegan Paul, 1984.

_____. *Masters of Mahamudra*. Albany, N.Y. (EUA): SUNY Press, 1985.

Dowson, John. *A Classical Dictionary of Hindu Mithology and Religion, Geography, History and Literature*. Calcutá: Rupa & Co., 1982.

Dundas, Paul. *The Jainas*. Londres: Routledge, 1992.

Dutt, Manmath Nath, trad. *A Prose English Translation of Harivamsha*. Calcutá: Elysium Press, 1897.

Dyczkowski, Mark S. G. *The Doctrine of Vibration: An Analysis of the Doctrines and Practices of Kashmir Saivism*. Albany, N.Y. (EUA): SUNY Press, 1987.

_____. *The Canon of the Saivâgama and the Kubjikâ Tantras of the Western Kaula Tradition*. Albany, N.Y. (EUA): SUNY Press, 1988.

Easwaran, Eknath. *Thousand Names of Vishnu*. Petaluma, Calif.: Nilgiri Press, 1987.

Edgerton, Franklin. *The Beginnings of Indian Philosophy*. Cambridge, Mass. (EUA): Harvard University Press, 1965.

Eggeling, Julius, trad. *The Satapatha Brâhmana According to the Madhyandina School*. Delhi: Motilal Banarsidass, reed. de 1963, 5 vols.

Eliade, Mircea. *Yoga: Immortality and Freedom*. Princeton, N.J. (EUA): Princeton University Press, 1973.

_____. *Patañjali and Yoga*. Nova York: Schocken Books, 1975.

_____. *Shamanism: Archaic Techniques of Ecstasy*. Tradução de Willard R. Trask. Nova York: Pantheon, 1964.

Evans-Wentz, W. Y. *The Tibetan Book of the Great Liberation*. Londres: Oxford University Press, 1968. [*O Livro Tibetano da Grande Liberação*, publicado pela Editora Pensamento, São Paulo, 1987.]

_____. org. *Tibetan Yoga and Secret Doctrines*. Londres: Oxford University Press, 2ª ed., 1958. [*A Yoga Tibetana e as Doutrinas Secretas*, publicado pela Editora Pensamento, São Paulo, 1987.]

_____. org. *The Tibetan Book of the Dead*. Londres: Oxford University Press, 1960. [*O Livro Tibetano dos Mortos*, publicado pela Editora Pensamento, São Paulo, 1985.]

Evola, Julius. *The Metaphysics of Sex*. Nova York: Inner Traditions International, 1983.

_____. *The Yoga of Power: Tantra, Shakti, and the Secret Way*. Tradução de Guido Stucco. Rochester, Vt. (EUA): Inner Traditions International, 1992.

Farquhar, J. N. *An Outline of the Religious Literature of India*. Delhi: Motilal Banarsidass, reed. de 1968.

Feuerstein, Georg. *Introduction to the Bhagavad-Gita: Its Philosophy and Cultural Setting*. Wheaton, Ill. (EUA): Quest Books, 1983.

_____. *The Yoga-Sûtra of Patañjali: A New Translation and Commentary*. Rochester, Vt. (EUA): Inner Traditions International, reed. de 1989.

_____. *Sacred Paths: Essays on Wisdom, Love, and Mystical Realization*. Burdett, N.Y. (EUA): Larson Publications, 1991.

_____. *Wholeness or Transcendence? Ancient Lessons for the Emerging Global Civilization*. Burdett, N.Y. (EUA): Larson Publications, 1992.

_____. *The Shambhala Guide to Yoga*. Boston, Mass. (EUA): Shambhala Publications, 1996.

_____. *The Philosophy of Classical Yoga*. Rochester, Vt. (EUA): Inner Traditions International, 1996.

_____. *The Shambhala Encyclopedia of Yoga*. Boston, Mass. (EUA): Shambhala Publications, 1997.

_____. *The Teachings of Yoga*. Boston, Mass. (EUA): Shambhala Publications, 1997.

_____. *The Mystery of Light: The Life and Teaching of Omraam Mikhaël Aïvanhov*. Lower Lake, Calif. (EUA): Integral Publishing, 1998.

_____. *Tantra: The Path of Ecstasy*. Boston, Mass. (EUA): Shambhala Publications, 1998.

_____. Subhash Kak e David Frawley. *In Search of the Cradle of Civilization: New Light on Ancient India*. Wheaton, Ill. (EUA): Quest Books, 1995.

_____. e Jeanine Miller. *The Essence of Yoga*. Rochester, Vt. (EUA): Inner Traditions International, reed. de 1997.

Finegan, Jack. *Archaeological History of Religions of Indian Asia*. Nova York: Paragon House, 1989.

Frawley, David. *The Creative Vision of the Early Upanishads*. Madras, Índia: Rajsri Printers, 1982.

_____. *Gods, Sages and Kings: Vedic Secrets of Ancient Civilization*. Salt Lake City, Utah (EUA): Passage Press, 1991.

_____. *Wisdom of the Ancient Seers: Mantras of the Rig Veda*. Salt Lake City, Utah (EUA): Passage Press, 1992.

_____. *Beyond the Mind*. Salt Lake City, Utah (EUA): Passage Press, 1992.

_____. *Tantric Yoga and the Wisdom Goddesses*. Salt Lake City, Utah (EUA): Passage Press, 1994.

_____. *Ayurveda and the Mind: The Healing of Consciousness*. Twin Lakes, Wis. (EUA): Lotus Press, 1997.

Funderburk, James. *Science Studies Yoga: A Review of Physiological Data*. Honesdale, Penn. (EUA): Himalayan International Institute of Yoga, Science and Philosophy of the USA, 1977.

Gampopa, *The Jewel Ornament of Liberation*. Tradução de Herbert V. Guenther. Berkeley, Calif. (EUA): Shambhala Publications, 1959.

Gandhi, Mohandas Karamchand. *Collected Works*. Washington: Public Affairs Press, 1948.

_____. *My Experiments with Truth*. Tradução de Mahadev Desai. Boston, Mass. (EUA): Beacon Press, 1957.

Ganguli, Kisari Mohan, trad. *The Mahabharata*. Nova Delhi: Munshiram Manoharlal, 4ª ed., 1981. 12 vols.

Garg, Ganga Ram, org. *Encyclopedia of the Hindu World*. Nova Delhi: Concept Publishing Co., 1992.

Garuda-Purâna. Tradução do Conselho Acadêmico. Delhi: Motilal Banarsidass, reed. de 1996. 3 vols.

Gebser, Jean. *The Ever-Present Origin*. Athens, Ohio (EUA): Ohio University Press, 1985.

Geldner, Karl Friedrich. *Der Rig-Veda: Aus dem Sanskrit ins Deutsche übersetzt und mit einem laufendem Kommentar versehen*. Cambridge, Mass. (EUA): Harvard University Press, 1951-1957. 4 vols.

Ghosh, Shyam. *The Original Yoga, as Expounded in Siva-Samhitâ, Gheranda-Samhitâ and Pâtanjala Yoga-Sûtra*. Nova Delhi: Munshiram Manoharlal, 1980.

Gitananda Giri, Swami. *Frankly Speaking*. Org. por Meenakshi Devi Bhavanani. Chinnamudaliarchavady, Índia: Satya Press, 1997.

Gnoli, R. *Luce delle Sacre Scritture*. Turim, Itália: Unione Tipografico-Editrice Torinese, 1972. [Tradução italiana do *Tantrâloka* de Abhinava Gupta.]

Goel, B. S. *Third Eye and Kundalini (An Experiential Account of a Journey from Dust to Divinity)*. New Colony, Índia: Third Eye Foundation of India, 1986.

Goldman, Robert P., org. *The Râmâyana of Vâlmiki: An Epic of Ancient India*. Vol. 1: *Bâlakânda*. Vol. 2: *Ayodhyâkânda*. Princeton, N.J. (EUA): Princeton University Press, 1984, 1986.

Gonda, Jan. *Notes on Brahman*. Utrecht, Holanda: J. L. Beyer, 1950.

_____. *Die Religionen Indiens*, Stuttgart, Alemanha: Kohlhammer, 1960-64. 3 vols.

_____. *The Vision of the Vedic Poets*, Haia: Mouton, 1963.

_____. *Change and Continuity in Indian Religion*. Haia: Mouton, 1965.

_____. *Loka: World and Heaven in the Veda*. Amsterdã: Noord-Hollandsche Uitgevers Meatschappij, 1966.

_____. *Visnuism and Sivaism: A Comparison*. Londres: Athelone Press, 1970.

_____. *Vedic Literature: Samhitâs and Brâhmanas*. A History of Indian Literature, vol. 1, fasc. 1. Wiesbaden, Alemanha: Otto Harrasowitz, 1975.

_____. *Vedic Literature: The Ritual Sûtras*. A History of Indian Literature, vol. 1, fasc. 2, Wiesbaden, Alemanha: Otto Harrasowitz, 1977.

Goodall, Dominic. *Hindu Scriptures*. Berkeley: University of California Press, 1996.

Gopal, Ram. *India of Vedic Kalpasûtras*. Delhi: National Publishing House, 1959.

Gopani, Amritlal S. *Jnânasâra by Mahopâdhyaya Srî Yasovijayajî*. Bombaim: Jaina Sâhitya Vikâsa Mandala, 1986.

Goswami, Syundar Shyam. *Layayoga: An Advanced Method of Concentration*. Londres: Routledge & Kegan Paul, 1980.

Goudriaan, Teun. *The Vînâsikhatantra: A Saiva Tantra of the Left Current*. Delhi: Motilal Banarsidass, 1985.

_____. e Sanjukta Gupta. *Hindu Tantric and Sâkta Literature*. Wiesbaden, Alemanha: Otto Harrasowitz, 1981.

Govinda, Lama Anagarika. *The Psychological Attitude of Early Buddhist Philosophy*. Nova York: Weiser, 1961.

_____. *Foundations of Tibetan Mysticism*. Londres: Rider, 1972. [*Fundamentos do Misticismo Tibetano*, publicado pela Editora Pensamento, São Paulo, 1983.]

_____. *Creative Meditation and Multi-Dimensional Consciousness*. Wheaton, Ill. (EUA): Quest Books, 1976.

Govindan. Marshall. *Babaji and the 18 Siddha Kriya Yoga Tradition*. Montreal: Kriya Yoga Publications, 1991.

_____. org. *Thirumandiram: A Yoga Classic by Siddhar Thirumoolar*. Tradução de B. Natarajan. Montreal: Babaji's Kriya Yoga and Publications, 1993.

Greenwell, Bonnie. *Energies of Transformation: A Guide to the Kundalini Process*. Saratoga, Calif.: Shakti River Press, 1995.

Griffith, R. trad. *The Hymns of the Rig Veda*. Delhi: Motilal Banarsidass, reed. de 1976. 2 vols.

Guenther, Herbert V. *The Tantric View of Life*. Berkeley: Shambhala, 1972.

_____. *Philosophy and Psychology in the Abhidharma*. Berkeley e Londres: Shambhala, 1976.

_____. trad. *The Life and Teaching of Nâropa*. Londres: Oxford University Press, 1963.

_____. trad. *The Royal Song of Saraha*. Boulder, Colorado (EUA): Shambhala, 1973.

Gyaltsen, Khenpo Knchog. *The Great Kagyu Masters*. Ithaca, N.Y. (EUA): Snow Lion, 1990.

Gyatso, Geshe Kelsang. *A Meditation Handbook*. Londres: Tharpa, 1990.

_____. *Introduction to Buddhism*. Londres: Tharpa, 1992.

_____. *Understanding the Mind*. Londres: Tharpa, 1993.

_____. *Tantric Grounds and Paths*. Londres: Tharpa, 1994.

Halbfass, Wilhelm. *India and Europe: An Essay in Understanding*. Albany. N.Y. (EUA): SUNY Press, 1988.

Hardy, Friedhelm. *Viraha-Bhakti: The Early History of Krsna Devotion in South India*. Nova York: Oxford University Press, 1983.

Hare, E. M., trad. *Woven Cadences of Early Buddhists (Sutta-Nipâta)*. Londres: Oxford University Press, 1947.

Harshananda, Swami. *Sândilya Bhakti Sûtras with Svapnesvara Bhâsya*. Misore: Prasaranga, University of Mysore, 1976.

Hartsuiker, Dolf. *Sâdhus: India's Mystic Holy Men*. Rochester, Vt. (EUA): Inner Traditions International, 1993.

Hathayogapradîpikâ of Svâtmârâma, With the Commentary Jyotsnâ of Brahmânanda and English Translation. Adyar, Índia: Adyar Library and Research Centre, 1972.

Hauer, Jakob Wilhelm. *Der Yoga: Ein indischer Weg zum Selbst*. Stuttgart, Alemanha: Kohlhammer, 1958.

Haug, M., trad. *Aitareya Brâhmana of the Rgveda*. Allahabad, Índia, reed. de 1974.

Hawley, John Stratton. *Krishna, the Butter Thief*. Princeton, N.J. (EUA): Princeton University Press, 1983.

Hayes, Glen A. *The Necklace of Immortality: Metaphoric Worlds and Embodiment in Vaisnava Sahajiyâ Tantric Traditions*. Albany, N.Y. (EUA): SUNY Press, a sair em 1999.

Heard, J. e S. L. Cranson, orgs. *Reincarnation: An East-West Anthology*. Nova York: Crown, 1961.

Heinberg, Richard. *A New Covenant with Nature*. Wheaton, Ill. (EUA): Quest Books, 1996.

Hinze, Oscar Marcel. *Tantra Vidyâ*. Tradução de V. M. Bedekar. Delhi: Motilal Banarsidass, reed. de 1989.

Hooper, J. S. M. *Hymns of the Âlvârs*. Calcutá: Association Press, 1929.

Hopkins, E. W. *Ethics of India*. New Haven, Ct. (EUA): Yale University Press, 1924.

_____. *The Great Epic of India: Its Character and Origin*. Calcutá: Punthi Pustak, reed. de 1969. Publicado pela primeira vez em 1901.

_____. *Epic Mythology*. Delhi: Motilal Banarsidass, reed. de 1974. Publicado pela primeira vez em 1915.

Horner, I. B., trad. *The Collection of Middle-Length Sayings (Majjhima Nikâya)*. Londres: Luzac, 1967. 3 vols.

Hughes, John. *Self Realization in Kashmir Shaivism: The Oral Teachings of Swami Laksmanjoo*. Albany, N.Y. (EUA): SUNY Press, 1994.

Hulin, Michel. *Sâmkhya Literature*. Wiesbaden, Alemanha: Otto Harrasowitz, 1978.

Hume, Robert Ernest, trad. *The Thirteen Principal Upanisads*. Oxford: Oxford University Press, 1921,

Iijima, Kanjitsu. *Buddhist Yoga*. Tóquio: Japan Publications, 1975.

Isherwood, Christopher. *Ramakrishna and His Disciples*. Londres: Methuen, 1965.

Iyengar, B. K. S. *Light on Yoga: Yoga Dîpikâ*. Nova York: Schocken Books, 1966.

_____. *Light on Pranayama*. Nova York: Crossroad, 1981.

_____. *The Tree of Yoga*. Boston, Mass. (EUA): Shambhala, 1989.

_____. *Light on the Yoga Sûtras of Patanjali*. São Francisco: HarperSanFrancisco, 1993.

Jacobi, Hermann. *Das Râmâyana: Geschichte und Inhalt, nebst Concordanz der Gedruckten Recensionen*. Bonn: Friedrich Cohen, 1893.

_____. *Jaina Sûtras*. Nova York: Dover, reed. de 1968, 2 vols.

Jaini, Padmanabh S. *The Jaina Path of Purification*. Delhi: Motilal Banarsidass, 1979.

Jarrell, H. R. *International Yoga Bibliography, 1950 to 1980*. Metuchen, N.J. (EUA): Scarecrow Press, 1981.

Jha, A. *The Imprisoned Mind: Guru Shisya Tradition in Indian Culture*. Nova Delhi: Ambika Publications, 1983.

Jîvanmuktiviveka (Liberation in Life) of Vidyâranya. Organização e tradução inglesa de S. Subrahmanya Sastra e T. R. Srinavasa Ayyangar. Adyar, Índia: Adyar Library and Research Centre, 1978.

Johansson, R. E. A. *The Psychology of Nirvâna*. Londres: Allen & Unwin, 1969.

Johari, Harish. *Tools for Tantra*. Rochester, Vt. (EUA): Destiny Books, 1986.

_____. *Chakras: Energy Centers of Transformation*. Rochester, Vt. (EUA): Destiny Books, 1987.

Johnston, E. H. *Early Sâmkhya*, Delhi: Motilal Banarsidass, reed. de 1974.

Jones, J. J., trad. *The Mahâvastu*. Londres: Luzac , 1949, 1952, 1956. 3 vols.

Joshi, Hariprasad Shivprasad. *Origin and Development of Dattâtreya Worship in India*. Baroda, Índia: The Maharaja Sayajirao University of Baroda, 1965.

Judith, Anodea. *Eastern Body, Western Mind: Psychology and the Chakra System as a Path to the Self*. Berkeley: Celestial Arts, 1996.

Jung, Carl Gustav. *Mandala Symbolism*. Tradução de R. F. C. Hull. Princeton, N.J. (EUA): Princeton University Press, 1973.

_____. *Psychology and the East*. Princeton, N.J. (EUA): Princeton University Press, 1978.

Kaelber, Walter O. *Tapta Mârga: Asceticism and Initiation in Vedic India*. Nova York: SUNY Press, 1989.

Kak, Subhash. *The Astronomical Code of the Rgveda*. Nova Delhi: Aditya, 1994.

Kalu Rimpoche. *Secret Buddhism: Vajrayana Practices*. São Francisco: ClearPoint Press, 1995.

Kane, Pandurang Vaman. *History of Dharmasâstra*. Poona, Índia: Bhandarkar Oriental Research Institute, 1941, 5 vols.

Kannan, S., trad. *Swara Chintamani (Divination by Breath)*. Nova Delhi: Sagar Publications, 1972.

Katz, Ruth Cecily. *Arjuna in the Mahabharata: Where Krishna Is, There Is Victory*. Columbia, S.C. (EUA): University of South Carolina Press, 1989.

Kaulajnâna-nirnaya of the School of Matsyendranâtha. Organização de P. C. Bagchi e tradução de Michael Magee. Varanasi, Índia: Prachya Prakashan, 1986.

Kaveeshwar, G. W. *The Ethics of the Gîtâ*. Delhi: Motilal Banarsidass, 1971.

Kaviraj, Gopinath. *Aspects of Indian Thought*. Burdwan, Índia: University of Burdwan, 1984.

Keith, Arthur B., trad. *The Religion and Philosophy of the Vedas and Upanishads*. Delhi: Motilal Banarsidass, reed. de 1970.

_____. *The Rig Veda Brâhmanas*. Delhi: Motilal Banarsidass, reed. de 1970. Publicado pela primeira vez em 1920.

Kennedy, Melville. *The Chaitanya Movement: A Study of Vaishnavism of Bengal*. Calcutá: Association Press / Londres: Oxford University Press, 1925.

Khanna, Madhu. *Yantra: The Tantric Symbol of Cosmic Unity*. Londres: Thames and Hudson, 1979.

Khetsun Sangpo Inbochay. *Tantric Practice in Nying-Ma*. Tradução e organização de Jeffrey Hopkins. Ithaca, N.Y. (EUA): Snow Lion, 1982.

Kieffer, Gene. *Kundalini for the New Age: Selected Writings of Gopi Krishna*. Nova York: Bantam Books, 1988.

Kingsbury, F., e G. E. Phillips. *Hymns of the Tamil Saivite Saints*. Calcutá: Association Press / Londres: Oxford University Press, 1921.

Kingsland, Kevin, e Venika. *Hathapradipika: The Means by Which Constant Change May Be Transcended to Reveal the Eternal Light of the Self*. Torquay, Ingl.: Grael Communications, 1977.

Kinsley, David. *The Divine Player: A Study of Krsna Lîlâ*. Delhi: Motilal Banarsidass, 1979.

_____. *Hindu Goddesses: Visions of the Divine Feminine in the Hindu Religious Tradition*. Berkeley e Los Angeles: University of Califórnia Press, 1986.

_____. *Tantric Visions of the Divine Feminine: The Ten Mahâvidyâs*. Berkeley: University of California Press, 1997.

Kleen, Tyra de. *Mudrâs: The Ritual Hand-Poses of the Buddha Priests and the Shiva Priests of Bali*. Londres: Kegan Paul, 1924.

Klostermaier, Klaus. *A Survey of Hinduism*. Albany, N.Y. (EUA): SUNY Press, 1989.

Knipe, David M. *Hinduism: Experiments in the Sacred*. São Francisco: HarperSanFrancisco, 1991.

Kopp, S. *Guru: Metaphors from a Psychotherapist*. Palo Alto, Calif.: Science and Behavior, 1971.

Kraftsow, Gary. *Yoga and Wellness: Ancient Insights for Modern Healing*. Nova York: Penguin, a publicar.

Kramrisch, Stella. *The Hindu Temple*. Nova Delhi: Motilal Banarsidass, reed. 1976, 2 vols.

_____. *The Presence of Siva*. Princeton, N. J.: Princeton University Press, 1981.

Kripananda, Swami. *Jnaneshwar's Gita: A Rendering of the Jnaneshwari*. Albany: SUNY Press, 1989.

Krishna, Gopi. *Kundalini: Evolutionary Energy in Man*. Comentário psicológico de James Hillman. Londres: Robinson & Watkins, 1971.

_____. *The Biological Basis of Religion and Genius*. Intr. de Carl Friedrich Freiherr von Weizsäcker. Nova York: Harper & Row, 1972.

_____. *The Awakening of Kundalini*. Nova York: E. P. Dutton, 1975. [*O Despertar da Kundalini*, publicado pela Editora Pensamento, São Paulo, 1985.]

_____. *Secrets of Kundalini in Panchastavi*. Nova Delhi: Kundalini Research and Publication Trust, 1978.

_____. *Living with Kundalini*. Boston e Londres: Shambhala, 1993.

Kulârnava Tantra. Texto e trad. inglesa de Ram Kumar Rai. Varanasi, Índia: Prachya Prakashan, 1983.

Kulârnava Tantra. Org. de Târânâtha Vidyâratna e trad. de M. P. Pandit. Delhi: Motilal Banarsidass, reed. 1984.

Kumar, Pushpendra. *Sakti Cult in Ancient India*. Varanasi: Bharatiya Publishing House, 1974.

Kuppanna Sastry, T. S., trad. *Vedanga Jyotish of Lagadha*. Nova Delhi: Indian National Science Academy, 1985.

Lannoy, Richard. *The Speaking Tree: A Study of Indian Culture and Society*. Londres: Oxford University Press, 1971.

Larson, Gerald James. *Classical Sâmkhya*. Delhi: Motilal Banarsidass, 1969.

_____. e Ram Shankar Bhattacharya, orgs. *Sâmkhya: A Dualist Tradition in Indian Philosophy*. Princeton: Princeton University Press, 1987.

Lasater, Judith. *Relax and Renew: Restful Yoga for Stressful Times*. Berkeley, Calif.: Rodmell Press, 1995.

Laski, Marghanita. *Ecstasy: A Study of Some Secular and Religious Experiences*. Los Angeles: J. P. Tarcher, 1990.

Lata, Prem. *Mystic Saints of India: Shankaracharya*. Delhi: Sumit Publications, 1982.

Leggett, Trevor. *The Complete Commentary by Sankara on the Yoga Sûtras: A Full Translation of the Newly Discovered Text*. Londres e Nova York: Kegan Paul International, 1990.

Leidy, Denise Patry, e Robert A. F. Thurman. *Mandala: The Architecture of Enlightenment*. Boston: Shambhala, 1998.

LePage, Victoria. *Shambhala: The Fascinating Truth Behind the Myth of Shangri-La*. Wheaton, Ill.: Quest Books, 1996.

Lessing, F. D., e Alex Wayman. *Introduction to the Buddhist Tantric Systems*. Nova York: Weiser, 1980.

Lester, Robert C. *Râmânuja on the Yoga*. Adyar, Índia: Adyar Library and Research Centre, 1976.

Lingapurâna. Trad. do Conselho Acadêmico. Delhi: Motilal Banarsidass, 1973. 2 vols.

Lipner, Julius. *The Face of Truth: A Study of Meaning and Metaphysics in the Vedântic Theology of Râmânuja*. Albany: SUNY Press, 1986.

Lorenzen, D. N. *The Kâpâlikas and Kâlâmukhas, Two Lost Saivite Sects*. Delhi: Motilal Banarsidass, reed. 1972.

Lozowick, Lee. *The Alchemy of Love and Sex*. Pref. de Georg Feuerstein. Prescott, Ariz.: Hohm Press, 1996.

_____. *Hohm Sahaj Mandir Study Manual: A Handbook for Practitioners of Every Spiritual and/or Transformational Path*. Prescott, Ariz.: Hohm Press, 1996. 2 vols.

M. [Mahendranath Gupta]. *The Gospel of Sri Ramakrishna*. Trad. do Swami Nikhilananda. Nova York: Ramakrishna-Vivekananda Center, 1942.

Macdonell, A. A. *Vedic Mythology*. Varanasi, Índia: Indological Book House, 1963. 2 vols. Publ. pela 1ª vez em 1912.

Mackay, Ernest. *The Indus Civilization*. Londres: AMS Press, reed. 1983.

Madhavananda, Swami. *Uddhava Gita, or the Last Message of Shri Krishna*. Calcutá: Advaita Ashrama, 1971.

Mani, Vettam. *Purânic Encyclopaedia*. Delhi.: Motilal Banarsidass, reed. 1993.

Mantramahodadhi of Mahidhara. Trad. do Conselho Acadêmico. Delhi: Sri Satguru Publications, 1984.

Mantra-Yoga Samhitâ. Ed. crítica com trad. inglesa de Ramkumar Rai. Varanasi, Índia: Chaukhambha Orientalia, 1982.

Marshall, Sir John. *Mohenjo-Daro and the Indus Civilization*. Londres: Arthur Probsthain, 1931. 3 vols.

Maslow, Abraham. *Towards a Psychology of Being*. Princeton, N. J.: Van Nostrand, 1962.

Matsya-Purânam. Trad. de A Taluqdar de Oudh. Allahabad, Índia: Sudhindra Nath Vasu, 1916.

Matus, Thomas. *Yoga and the Jesus Prayer Tradition*. Ramsey, N.J.: Paulist Press, 1984.

Mayeda, Sengaku. *A Thousand Teachings: The Upadesasasâhasrî of Sankara*. Albany, N. Y.: SUNY Press, 1982.

McDaniel, June. *The Madness of the Saints: Ecstatic Religion in Bengal*. Chicago e Londres: University of Chicago Press, 1989.

McLeod, W. H. *Sikhism*. Chicago: University of Chicago Press, 1990.

Metha, Mohan Lal. *Jaina Philosophy*. Varanasi, Índia: P. V. Research Institute, 1971.

Michell, George. *The Hindu Temple: An Introduction to Its Meaning and Forms*. Chicago e Londres: University of Chicago Press, 1988.

Miller, Barbara Stoler, trad. *Love Songs of the Dark Lord: Jayadeva's Gitagovinda*. Nova York: Columbia University Press, 1977.

Miller, Jeanine. *The Vedas: Harmony, Meditation and Fulfillment*. Londres: Rider, 1974.

_____. *The Vision of Cosmic Order in the Vedas*. Londres: Routledge & Kegan Paul, 1985.

Mishra, Kamalakar. *Kashmir Saivism: The Central Philosophy of Tantrism*. Cambridge, Mass.: Rudra Press, 1993.

Mishra, Rammurti S. *The Textbook of Yoga Psychology*. Nova York: Julian Press, 1987.

Mitchener, John E. *Traditions of the Seven Rsis*. Delhi: Motilal Banarsidass, 1982.

Mitra, V. *Education in Ancient India*. Delhi: Arya Book Depot, 1964.

Mitra, Vihâri-Lâla, trad. *The Yoga-Vâsishtha-Mahârâmâyana of Vâlmiki*. Varanasi: Bharatiya Publishing House, 1976. 4 vols.

Monro, Robin, A. K. Ghosh e Daniel Kalish, orgs. *Yoga Research Bibliography: Scientific Studies on Yoga and Meditation*. Cambridge, Ingl.: Yoga Biomedical Trust, 1989.

Mookerjee, Ajit. *Tantra Art: Its Philosophy and Physics*. Basiléia, Suíça: Ravi Kumar, 1971.

_____. *Kundalini: The Arousal of the Inner Energy*. Nova York: Destiny Books, 1982.

_____. *Kali: The Feminine Force*. Nova York: Destiny Books, 1988.

_____. e Madhu Khanna. *The Tantric Way: Art, Science, Ritual*. Londres: Thames and Hudson, 1977.

Motoyama, Hiroshi. *Toward a Superconsciousness: Meditational Theory and Practice*. Berkeley, Calif.: Asian Humanities Press, 1990.

BIBLIOGRAFIA SELECIONADA ॐ

Muktananda, Swami. *Play of Consciousness* (*Chitshakti Vilas*). São Francisco: Harper & Row, 1978.

_____. *Secret of the Siddhas*. South Fallsburg, N.Y.: SYDA Foundation, 1983.

Muktibodhananda Saraswati, Swami. *Swara Yoga: The Tantric Science of Brain Breathing*. Munger, Índia: Bihar School of Yoga, 1984.

Müller, Max. *Chips from a German Workshop*. Londres: Longmans, Green & Co., 1867, 1875, 1880, 1907. 4 vols.

_____. *Ramakrishna: His Life and Sayings*. Londres: Longmans, Green & Co., 1898.

_____. *The Six Systems of Indian Philosophy*. Londres: Longmans, Green & Co., reed. 1928.

Muller-Ortega, Paul Eduardo. *The Triadic Heart of Shiva: Kaula Tantricism of Abhinavagupta in the Non-Dual Shaivism of Kashmir*. Albany, N. Y.: SUNY Press, 1989.

Mumford, Jonn. *Psychosomatic Yoga*. Londres: Thorsons, 1962.

_____. *Ecstasy Through Tantra*. St. Paul, Minn.: Llewellyn Publications, 1988.

Murphy, Michael. *The Future of the Body: Explorations into the Further Evolution of Human Nature*. Los Angeles: J. P. Tarcher, 1992.

_____. e Steven Donovan. *The Physical and Psychological Effects of Meditation: A Review of Contemporary Research with a Comprehensive Bibliography 1931-1996*. Org. e introd. de Eugene Taylor. Sausalito, Calif.: Institute of Noetic Sciences, 1997.

Murti, Tirupattur R. V. *The Central Philosophy of Buddhism: A Study of the Mâdhyamika System*. Londres: Unwin Hyman, 1980.

Narain, K. *An Outline of Madhva's Philosophy*. Allahabad, Índia: Udayana Publications, 1962.

Naranjo, Claudio, e Robert E. Ornstein. *On the Psychology of Meditation*. Londres: George Allen & Unwin, 1972.

Neevel, Walter G., Jr. *Yâmuna's Vedânta and Pâncarâtra: Integrating the Classical and the Popular*. Missoula, Montana: Scholars Press, 1977.

Neufeldt, Ronald W., org. *Karma & Rebirth: Post Classical Developments*. Albany, N. Y.: SUNY Press, 1986.

Nikhilananda, Swami, trad. *The Gospel of Sri Ramakrishna*. Nova York: Ramakrishna-Vivekananda Center, 1942.

_____. *Hinduism: Its Meaning for the Liberation of the Spirit*. Nova York: Harper & Bros., 1958.

Niranjananda, Paramahamsa. *Dharana Darshan: A Panoramic View of the Yogic, Tantric and Upanishadic Practices of Concentration and Visualization*. Deoghar, Índia: Sri Panchadashnam Paramahamsa Alakh Bara, 1993.

Nowotny, Fausta. *Eine durch Miniaturen erleuterte Doctrina Mystica aus Srinagar*. Haia: Mouton, 1958.

Oberhammer, Gerhard. *Strukturen yogischer Meditation*. Viena: Verlag der österreichischen Akademie der Wissenschaften, 1977.

O'Flaherty, Wendy Doniger. *Asceticism and Eroticism in the Mythology of Siva*. Delhi: Oxford University Press, 1973.

_____. *The Origins of Evil in Hindu Mythology*. Berkeley e Los Angeles: University of California Press, 1976.

_____. *The Rig Veda*. Nova York: Penguin Books, 1981.

_____. org. *Karma and Rebirth in Classical Indian Traditions*. Berkeley: University of California Press, 1976.

Olivelle, Patrick. *Samnyâsa Upanisads: Hindu Scriptures on Asceticism and Renunciation*. Oxford e Nova York: Oxford University Press, 1992.

_____. *Upanisads*. Oxford e Nova York: Oxford University Press, 1996.

Osborne, Arthur, org. *The Teachings of Ramana Maharshi*. York Beach, Maine: Weiser, 1995.

_____. *Ramana Maharshi and the Path of Knowledge*. York Beach, Maine: Samuel Weiser, 1995.

Pabongka Rinpoche. *Liberation in the Palm of Your Hand: A Concise Discourse on the Path to Enlightenment*. Org. de Trijang Rinpoche. Trad. de Michael Richards. Boston, Mass.: Wisdom, 1991.

Pandey, Kanti Chandra. *Abhinavagupta: An Historical and Philosophical Study*. Varanasi, Índia: Chowkhamba Sanskrit Series Office, 1963.

_____. *An Outline of the History of Saiva Philosophy*. Delhi: Motilal Banarsidass, reed. 1986.

Panikkar, Raimundo. *The Vedic Experience — Mantramanjarî: An Anthology of the Vedas for Modern Man and Contemporary Celebration*. Londres: Darton, Longaman & Todd, 1977.

Parab, B. A. *The Miraculous and Mysterious in Vedic Literature*. Bombaim: Popular Book Depot, 1952.

Pargiter, F. E. *The Mârkandeya Purâna*. Delhi: Indological Books House, reed. 1969. Publ. pela 1ª vez em 1904.

_____. *Ancient Indian Historical Tradition*. Delhi: Motilal Banarsidass, reed. 1972. Publ. pela 1ª vez em 1922.

Pathak, P. *The Heyapaksha of Yoga*. Delhi: Motilal Banarsidass, 1932.

Peo [Peo Olsen]. *Medical & Psychological Scientific Research on Yoga & Meditation*. Copenhague: Scandinavian Yoga and Meditation School, 1978.

Piggott, Stuart. *Prehistoric India*. Harmondsworth, Ingl.: Penguin Books, 1950.

Pope, G. U., org. e trad. *The Tiruvacâgam or 'Sacred Utterances' of the Tamil Poet, Saint and Sage Manikkavacagar*. Oxford: Clarendon Press, 1900.

Potdar, K. R. *Sacrifice in the Rgveda*. Bombaim: Bharatiya Vidya Bhavan, 1953.

Pott, P. H. *Yoga and Yantra: Their Interrelation and Their Significance for Indian Archaeology*. Haia: E. J. Brill, 1966.

Powers, John. *Introduction to Tibetan Buddhism*. Ithaca, N. Y.: Snow Lion, 1995.

Prabhavananda, Swami. *The Spiritual Heritage of India*. Hollywood: Vedanta Press, 1979.

Pradhan, V. G. *Jnâneshvarî*. Londres: George Allen Unwin, 1967. 2 vols.

Pratyagatmananda Saraswati, Swami. *The Fundamentals of Vedanta Philosophy*. Madras: Ganesh, 1961.

Prem, Krishna. *The Yoga of the Bhagavad Gita*. Londres: Watkins, 1969; Baltimore: Penguin Books, 1973.

_____. *The Yoga of the Kathopanishad*. Allahabad, Índia: Ananda Publishing House, s.d.

Prem Prakash. *The Yoga of Spiritual Devotion: A Modern Translation of the Narada Bhakti Sutras*. Rochester, Vt.: Inner Traditions International, 1998.

Pusalker, A. D. *Studies in the Epics and Purânas*. Bombaim: Bharatiya Vidya Bhavan, 1963.

Radhakrishnan, Sarvepalli. *Indian Philosophy*. Londres: George Allen & Unwin, 1923. 2 vols.

_____. *Idealist View of Life*. Londres: George Allen & Unwin, 1932.

_____. *The Principal Upanisads*. Londres: George Allen & Unwin, 1953.

_____. trad. *The Bhagavadgîtâ*. Londres: Routledge & Kegan Paul, 1960.

Raghavachar, S. S. *Vedârtha-Sangraha of Srî Râmânujâcârya*. Misore: Sri Ramakrishna Ashrama, 1978.

Raghunathan, N., trad. *Srîmad-Bhâgavatam*. Madras: Vighnesvara, 1976. 2 vols.

Rai, Ram Kumar. *Encyclopedia of Yoga*. Varanasi, Índia: Prachya Prakashan, 1975.

_____. *Shiva Svarodaya*. Varanasi, Índia: Prachya Prakashan, 1980.

_____. *Mantra-Yoga-Samhitâ*. Varanasi, Índia: Chaukhamba Orientalia, 1982.

Raju, P. T. *Structural Depths of Indian Thought*. Albany: SUNY Press, 1985.

Rama, Swami. *Sukhamani Sahib: Fountain of Eternal Joy*. Honesdale, Penn.: Himalayan International Institute of Yoga Science and Philosophy of the USA, 1988.

_____. Rudolf Ballentine e Swami Ajaya (Alan Weinstock). *Yoga and Psychotherapy: The Evolution of Consciousness*. Glenview, Ill.: Himalayan Institute, 1976.

Râmânuja. *Vedârthasangraha*. Org. e trad. de V. Krishnamacharya e M. B. Narasimha Ayyangar. Adyar, Índia: Theosophical Publishing House, 1953.

Ramanujan, A. K. *Speaking of Siva*. Baltimore, Md.: Penguin, 1973.

_____. trad. *Hymns for the Drowning: Poems for Visnu by Nammâlvâr*. Princeton, N. J.: Princeton University Press, 1981.

Ranade, R. D. *Mysticism in Maharashtra: Indian Mysticism*. Delhi: Motilal Banarsidass, reed. 1982.

Rao, K. B. Ramakrishna. *Theism of Pre-Classical Sâmkhya*. Misore: Prasaranga, Universidade de Mysore, 1966.

Rao, S. K. R. *The Yantras*. Delhi: Sri Satguru Publications, 1988.

Rastogi, N. *Krama Tantricism of Kashmir: Historical and General Sources*, vol. 1. Delhi: Motilal Banarsidass, 1981.

Ravindra, Ravi. *Whispers from the Other Shore: A Spiritual Search — East and West*. Wheaton, Ill.: Quest Books, 1984.

Rawlinson, Andrew. *The Book of Enlightened Masters: Western Teachers in Eastern Traditions*. Chicago e La Salle: Open Court, 1997.

Rawson, Phillip. *Tantra: The Indian Cult of Ecstasy*. Nova York: Avon Books, 1973.

_____. *The Art of Tantra*. Londres: Thames and Hudson, 1978.

Reat, N. Ross. *Origins of Indian Psychology*, Berkeley, Calif.: Asian Humanities Press, 1990.

Reddy, M. Venkata. *Hatharatnavali of Srinivasa Bhatta Mahaygindra*. Secunderabad, Índia: Vemana Yoga Research Institute, 1982.

Renou, Louis. *Religions of Ancient India*. Nova York: Schocken Books, 1968.

Reymond Lizelle. *To Live Within: A Woman's Spiritual Pilgrimage in a Himalayan Hermitage*. Portland, Oreg.: Rudra Press, 1995.

Rhie, Marilyn, e Robert A. F. Thurman. *Wisdom and Compassion: The Sacred Art of Tibet*. Nova York: Tibet House, 1996.

Rhys Davids, C. A. F. *The Birth of Indian Psychology and Its Development in Buddhism*. Londres: Luzac, 1936.

Rhys Davids, T. W., trad. *Dialogues of the Buddha*. Londres: The Pali Text Society, 1971-1973. 3 vols.

Richman, Paula, org. *Many Râmâyanas: The Diversity of a Narrative Tradition in South Asia*. Berkeley: University of California Press, 1991.

Rieker, Hans-Ulrich. *The Yoga of Light*. Trad. de Elsy Becherer. Nova York: Herder and Herder, 1971.

Robinson, Richard H. *Early Mâdhyamika in India and China*. Madison, Mil., e Londres: University of Wisconsin Press, 1967.

Rukmani, T. S, *Yogavârttika of Vijnânabhikshu*. Nova Delhi: Munshiram Manoharlal, 1981, 1983, 1987, 1989. 4 vols.

_____. *A Critical Study of the Bhâgavata Purâna*. Varanasi, Índia: Chowkhamba Sanskrit Series Office, 1970.

Sakhare, M. R. *History and Philosophy of Lingayat Religion*. Darwad, Índia: Karnatak University, 1978.

Sangharakshita, Bhikshu. *A Survey of Buddhism*. Boulder, Col.: Shambhala / Londres: Windhorse, 1980.

_____. *The Three Jewels: An Introduction to Buddhism*. Glasgow: Windhorse, 1991.

Sannella, Lee. *The Kundalini Experience: Psychosis or Transcendence?* Lower Lake, Cal.: Integral Publishing, ed. rev., 1992. [A Experiência da Kundalini, publicado pela Editora Cultrix, São Paulo, 1992.]

Sargeant, Winthrop, trad. *The Bhagavad-Gîtâ*. Org. de Christopher Chapple. Albany, N. Y.: SUNY Press, ed. rev., 1984.

Satkarmasangrahah. Org. e trad. de R. G. Harshe. Lonavla, Índia: Yoga-Mîmâmsâ Prakâsana, 1970.

Satprakashananda, Swami. *Methods of Knowledge According to Advaita Vedanta*. Londres: George Allen & Unwin, 1965.

Satyananda Saraswati, Swami. *Asana, Pranayama, Mudra, Bandha*. Monghyr, Índia: Bihar School of Yoga, 1973.

_____. *A Systematic Course in the Ancient Tantric Techniques of Yoga and Kriya*. Monghyr, Índia: Bihar School of Yoga, 1981.

_____. *Taming the Kundalini*. Munghyr, Índia: Bihar School of Yoga, 4ª ed., 1982.

_____. *Kundalini Tantra*. Munghyr, Índia: Bihar School of Yoga, 1996.

Satyasangananda Saraswati, Swami. *Tattwa Shuddhi: The Tantric Practice of Inner Purification*. Munghyr, Índia: Bihar School of Yoga, 1984.

Saunders, E. Dale. *Mudrâ: A Study of Symbolic Gestures in Japanese Buddhist Sculpture*, Princeton, N. J.: Princeton University Press, 1985.

Schiffmann, Erich. *Yoga: The Spirit and Practice of Moving into Stillness*. Nova York: Pocket Books, 1996.

Schoterman, J. A. *The Yonitantra*. Nova Delhi: Manohar Publications, 1980. [texto sânscrito com trad. inglesa.]

Schrader, F. Otto. *Introduction to the Pâncarâtra and the Ahirbudhnya Samhitâ*. Adyar, Índia: Adyar Library, 1916.

Schubring, Walther. *The Doctrine of the Jainas*. Delhi: Motilal Banarsidass, 1912.

Schumann, Hans Wolfgang. *Buddhism: An Outline of Its Teachings and Schools*. Trad. de Georg Feuerstein. Londres: Rider, 1973.

Scott, Mary. *Kundalini in the Physical World*. Londres: Routledge and Kegan Paul, 1983.

SenSharma, Deba Brata. *The Philosophy of Sâdhanâ, With Special Reference to the Trika Philosophy of Kashmir*. Albany: SUNY Press, 1990.

Sethi, V. K. *Kabir: The Weaver of God's Name*. Dera Baba Jaimal Sing, Índia: Radha Soami Satsang Beas, 1984.

Shamdasani, Sonu, org. *The Psychology of Kundalini Yoga: Notes of the Seminar Given in 1932 by C. G. Jung*. Princeton: Princeton University Press, 1996.

Sharma, Arvind. *The Hindu Gîtâ: Ancient and Classical Interpretations of the Bhagavadgîtâ*. La Salle, Ill.: Open Court, 1986.

Sharma, B. K. N. *A History of the Dvaita School of Vedânta and Its Literature*. Bombaim: Bookseller's Publishing Co., 1960.

Sharma, C. *A Critical Survey of Indian Philosophy*. Londres: Rider, 1960.

Sharma, Narendra Nath. *Yoga Kârnikâ of Nath Aghorânanda: An Ancient Treatise on Yoga*. Delhi: Eastern Book Linkers, 1981.

Sharma, Tulsi Ram. *Studies in the Sectarian Upanishads*. Delhi: Munshiram Manoharlal, 1972.

Shashi, S. S., org. *Encyclopaedia Indica*. Nova Delhi: Vedams Books International, 1996. 20 vols.

Silburn, Lilian. *Le Vijnâna Bhairava*. Paris: Editions E. De Boccard, 1961.

_____. *Kundalin: The Energy of the Depths*. Albany: SUNY Press, 1988.

Singh, Jaideva. *Siva Sûtras: The Yoga of Supreme Identity*. Delhi: Motilal Banarsidass, 1979.

_____. *Pratyabhijnâhrdayam: The Secret of Self-Recognition*. Delhi: Motilal Banarsidass, ed. rev., 1980.

_____. *Spanda-Kârikâs: The Divine Creative Pulsation*. Delhi: Motilal Banarsidass, 1980.

_____. *The Yoga of Delight, Wonder, and Astonishment*. Albany: SUNY Press, 1991.

_____. Swami Lashmanjee e Bettina Bäumer. *Abhinavagupta, Parâtrîsikâ-Vivarana: The Secret of Tantric Mysticism*. Delhi: Motilal Banarsidass, 1988.

Singh, Lal A. *Yoga Psychology: Methods and Approaches*. Varanasi, Índia: Bharatiya Vidya Prakashan, 1970.

Singh, Mohan. *Gorakhnath and Mediaeval Hindu Mysticism*. Lahore, Índia: Mohan Singh, 1937.

Sinh, Pancham, trad. *The Hatha-Yoga-Pradîpikâ*. Allahabad, Índia: Panini Office, 1915.

Sinha, Phulgenda. *The Gita as It Was: Rediscovering the Original Bhagavadgita*. La Salle, Ill.: Open Court, 1987.

Sircar, D. C. *The Sâkta Pîthas*. Delhi: Motilal Banarsidass, reed. 1981.

Sivananda Radha, Swami. *Kundalini: Yoga for the West*. Spokane, Wash.: Timeless Books, 1978.

_____. *Hatha-Yoga: The Hidden Language*. Spokane, Wash.: Timeless Books, 1987.

Sivananda Saraswati, Swami. *Guru and Disciple*. Rishikesh, Índia: Yoga Vedanta Forest Academy, 1955.

_____. *Tantra Yoga, Nâda Yoga and Kriyâ Yoga*. Rishikesh, Índia: Yoga Vedanta Forest, 1955.

_____. *Japa Yoga: A Comprehensive Treatise on Mantra Sâstra*. Shivanandanagar, Índia: Divine Life Society, 1986.

Siva-Purâna. Trad. do Conselho Acadêmico. Delhi: Motilal Banarsidass, reed. 1986. 4 vols.

Skanda-Purâna. Trad. do Conselho Acadêmico. Delhi: Motilal Banarsidass, 1992. 2 vols. [Há outros volumes sendo preparados.]

Skolimowski, Henryk. *The Participatory Mind: A New Theory of Knowledge and of the Universe*. Londres e Nova York: Arkana/Penguin Books, 1994.

Smart, Ninian. *Doctrine and Argument in Indian Philosophy*. Londres: George Allen & Unwin, reed. 1969.

Snellgrove, David L. *The Hevajra Tantra: A Critical Study*. Londres: Oxford University Press, 1959.

Sprockhoff, Joachim F. *Samnyâsa: Quellenstudien zur Askese im Hinduism*. Wiesbaden, Alemanha: Kommissionsverlag Franz Steiner, 1976.

Staal, Frits. *Exploring Mysticism: A Methodological Essay*. Londres: Penguin, 1975.

_____. *Agni: The Vedic Ritual of Fire*. Berkeley: Asian Humanities Press, 1983. 2 vols.

Stevenson, S. T. *The Heart of Jainism*. Londres: Oxford University Press, 1915.

Stewart, Jampa Machenzie. *The Life of Gampopa: The Incomparable Dharma Lord of Tibet.* Ithaca, N.Y.: Snow Lion, 1995.

Subramuniyaswami, Satguru Sivaya. *Dancing with Siva: Hinduism's Contemporary Catechism.* Concord, Cal.: Himalayan Academy, 1993.

_____. *Loving Ganesa: Hinduism's Endearing Elephant-Faced God.* Concord, Cal.: Himalayan Academy, 1996.

Sukthankar, Vishnu Sitaram. *On the Meaning of the Mahâbhârata.* Bombaim: Asiatic Society of Bombay, 1957.

Suzuki, D. T. *Essays in Zen Buddhism.* Londres: Rider, 1950, 1953, 1954. 3 vols.

_____. org. *On Indian Mahâyâna Buddhism.* Nova York: Harper & Row, 1968.

Svoboda, Robert E. *Aghora: At the Left Hand of God.* Albuquerque, N. M.: Brotherhood of Life, 1986.

_____. *Aghora II: Kundalini.* Albuquerque: Brotherhood of Life, 1993.

Tagare, Ganesh V., trad. *Siva-Purâna.* Delhi: Motilal Banarsidass, 1970.

Tagore, Rabindranath. *The Religion of Man.* Londres: George Allen & Unwin, 1953.

_____. *Gitanjali.* Nova York: Macmillan, 1971.

Tandon, S. N. *A Re-Appraisal of Patanjali's Yoga-Sutras in the Light of the Buddha's Teaching.* Igatpuri, Índia: Vipassana Research Institute, 1995.

Tapasyananda, Swami. *Sankara-Dig-Vijaya: The Traditional Life of Sri Shankaracharya by Madhava-Vidyaranya.* Madras, Índia: Sri Ramakrishna Math, 1978.

Tatia, Nathmal. *Studies in Jaina Philosophy.* Varanasi, Índia: Jaina Cultural Research Society, 1951.

_____. *Tattvârtha Sûtra: That Which Is.* Nova York: HarperCollins, 1994.

Telang, K. T. *Bhagavadgîtâ with the Sanatsujâtîya and the Anugîtâ.* Oxford: Clarendon Press, 2ª ed., 1908.

Thadani, N. V. *The Mystery of the Mahabharata.* Karachi, Índia: Bharat Publishing House, 1931-1935. 5 vols.

Thibaut, George, trad. *Vedântra-Sûtras with the Commentary of Râmânuja.* Delhi: Motilal Banarsidass, 1904.

_____. trad. *Sankara's Commentary on the Brahma-Sûtras.* Nova York: Dover, reed. 1962.

Thomas, E. J. *The Life of Buddha as Legend and History.* Delhi: Motilal Banarsidass, reed. 1993.

Thurman, Robert A. F., trad. *The Tibetan Book of the Dead.* Nova York: Bantam Books, 1994.

Tigunait, Rajmani. *Sakti Sâdhanâ: Steps to Samâdhi — A Translation of the Tripura Rahasya.* Honesdale, Penn.: Himalayan International Institute, 1993.

_____. *Saktism: The Power in Tantra.* Honesdale, Penn.: Himalayan International Institute, 1998.

Tilak, B. G. *Gîtârahasya.* Poona, Índia: Tilak Bros., 1935-36. 2 vols.

Tripurari, Swami B. V. *Jîva Goswâm's Tattva-Sandarbha: Sacred India's Philosophy of Ecstasy.* Eugene, Oreg.: Clarion Call, 1995.

_____. *Aesthetic Vedânta: The Sacred Path of Passionate Love.* Eugene, Oreg.: Mandala, 1996.

Trungpa, Chögyam. *Cutting Through Spiritual Materialism.* Boulder e Londres: Shambhala, 1973. [*Além do Materialismo Espiritual*, publicado pela Editora Cultrix, São Paulo, 1987.]

Tsang Nyön Heruka. *The Life of Marpa the Translator: Seeing Accomplishes All*. Trad. do Comitê de Tradução de Nâlandâ. Boulder, Col.: Prajnâ Press, 1982.

Tsongkhapa. *Tantra in Tibet: The Great Exposition of Secret Mantra*. Londres: George Allen & Unwin, 1980-81. 2 vols. [*Tantra no Tibete*, publicado pela Editora Pensamento, São Paulo, 1983.]

_____. *Compassion in Tibetan Buddhism*. Org. e trad. de Jeffrey Hopkins. Ithaca: Snow Lion, 1985.

_____. *The Principal Teachings of Buddhism*. Trad. de Geshe Lobsang Tharchin e Michel Roach. Howell, N.J.: Mahayana Sutra and Tantra Press, 1988.

_____. *Preparing for Tantra: The Mountain of Blessings*. Trad. de Khen Rinpoche, Geshe Lobsang Tharchin e Michael Roach. Howell, N.J.: Mahayana Sutra and Tantra Press, 1995.

Tucci, Giuseppe. *On Some Aspects of Maitreyanâtha and Asanga*. Calcutá: Calcutta University Press, 1930.

_____. *The Theory and Practice of the Mandala*. Londres: Rider, 1971.

_____. *The Religions of Tibet*, Berkeley e Los Angeles: University of California Press, 1980.

Tweedie, Irina. *Daughter of Fire: A Diary of a Spiritual Training with a Sufi Master*. Nevada City, Cal.: Blue Dolphin Publishing, 1986.

Tyagisananda, Swami. *Aphorisms on the Gospel of Divine Love, or Nârada Bhakti Sûtras*. Mylapore, Índia: Sri Ramakrishna Math, 1972.

Upadhyaya, K. N. *Early Buddhism and the Bhagavadgîtâ*. Delhi: Motilal Banarsidass, 1971.

Vamakesvarimatam. Org. e trad. de Michael Magee. Varanasi, Índia: Prachya Prakashan, 1986.

Van Lysebeth, André. *Tantra: The Cult of the Feminine*. York Beach, Maine: Samuel Weiser, 1995.

Varadachari, V. *Âgamas and South Indian Vaisnavism*. Triplicane, Índia: Prof. Rangacharya Memorial Trust, 1982.

Varenne, Jean. *Yoga and the Hindu Tradition*. Chicago. Chicago University Press, 1976.

Vasu, Rai Bahadur Sris Chandra, trad. *The Gheranda-Samhitâ*. Nova Delhi: Oriental Books Reprint Corp., 1975.

_____. *The Siva-Samhitâ*. Nova Delhi: Oriental Books Reprint Corp., 1975.

Venkataramaiah, Munagala S. *Tripura Rahasya, or The Mystery Beyond the Trinity*. Tiruvannamalai, Índia: Sri Ramanasraman, 1962.

Venkatesananda, Swami. *The Supreme Yoga: A New Translation of the Yoga Vâsishtha in Two Volumes*. Elgin, Áfr. do Sul: Chiltern Yoga Trust, 1981. 2 vols.

_____. *The Concise Yoga Vâsishtha*. Albany: SUNY Press, 1984.

Vishnudevananda, Swami. *The Complete Illustrated Book of Yoga*. Nova York: Bell Publishing, 1960.

Vivekananda, Swami. *Raja-Yoga, or Conquering the Internal Nature*. Calcutá: Advaita Ashrama, 1962.

_____. *Jnana-Yoga*. Nova York: Ramakrishna-Vivekananda Center, 1982.

_____. *Karma-Yoga and Bhakti-Yoga*. Nova York: Ramakrishna-Vivekananda Center, 1982.

_____. *The Complete Works of Swami Vivekananda*. Mayavati, Índia: Advaita Ashrama, 1947-1955. 8 vols.

Waddell, L. Austine. *Egyptian Civilization: Its Sumerian Origin & Real Chronology*. Londres: Luzac, 1930.

_____. *Tibetan Buddhism*. Nova York: Dover, 1972.

Wallis, H. W. *Cosmology of the Rigveda*. Londres: Williams & Norgate, 1887.

Walshe, Maurice. *Thus Have I Heard: The Long Discourses of the Buddha*. Londres: Wisdom Publications, 1981.

Warren, Henry Clark, trad. *Buddhism in Translations*. Nova York: Atheneum, 1963.

Wayman, Alex. *The Buddhist Tantras*. Nova York: Weiser, 1973.

_____. *Yoga of the Guhyasamâjatantra*. Delhi: Motilal Banarsidass, 1977.

Werner, Karel. *Yoga and Indian Philosophy*. Nova Delhi: Motilal Banarsidass, 1977.

Wheeler, Mortimer. *The Indus Civilization*. Cambridge: Cambridge University Press, 1960.

White, David Gordon. *The Alchemical Body: Siddha Traditions in Medieval India*. Chicago e Londres: The University of Chicago Press, 1996.

White, John, org. *Kundalini: Evolution and Enlightenment*. Nova York: Paragon House, 1990.

_____. org. *What is Enlightenment? Exploring the Goal of the Spiritual Path*. Los Angeles: J. P. Tarcher, 1985.

Whitney, William David, trad. *Atharva Veda Samhitâ*. Cambridge, Mass.: Harvard University Press, 1950. 2 vols.

Wilber, Ken. *The Atman Project: A Transpersonal View of Human Development*. Wheaton, Ill.: Theosophical Publishing House, 1980. [*O Projeto Atman*, publicado pela Editora Cultrix, São Paulo, 1999.]

_____. *Sex, Ecology, Spirituality: The Spirit of Evolution*. Boston/Londres: Shambhala Publications, 1995.

Williams, R. *Jaina Yoga: A Survey of the Mediaeval Srâvakâcâras*. Londres: Oxford University Press, 1963.

Wilson, Horace Hayman, trad. *The Vishnu-Purâna*. Delhi: Nag Publishers, reed. 1980. 5 vols.

_____. *The Matsyamahâpurânam*. Jawaharnagar, Índia: Nag Publishers, reed. 1983. 2 vols.

Winternitz, Moritz. *A History of Indian Literature*. Trad. de V. S. Sarma, Calcutá: University of Calcutta, 1927. 3 vols.

Wood, Ernest. *Great Systems of Yoga*. Nova York: Citadel Press, 1968.

Woodroffe, Sir John [ver tb. Avalon, Arthur]. *Tantrarâja Tantra: A Short Analysis*. Madras, Índia: Ganesh & Co., 3ª ed., 1971.

_____. *Introduction to Tantra Sâstra*. Madras: Ganesh & Co., 6ª ed., 1973.

_____. *Shakti and Shakta: Essays and Addresses on the Shakta Tantrashastra*. Madras: Ganesh & Co., 8ª ed., 1975.

_____. *The Garland of Letters*. Madras: Ganesh & Co., 7ª ed., 1979.

Woods, James Haughton. *The Yoga-System of Patanjali*. Delhi: Motilal Banarsidass, reed. 1966.

Yeshe Tsogyal. *The Lotus-Born: The Life Story of Padmasambhava*. Trad. de Erik Pema Kunsang e org. de Marcia Binder Schmidt. Boston: Shambhala, 1993.

Yogananda, Paramahamsa. *Autobiography of a Yogi*. Los Angeles: Self-Realization Fellowship, 1987. Publ. pela 1ª vez em 1946. Outra edição da Crystal Clarity, Nevada City, Cal., 1987.

_____. *God Talks with Arjuna: The Bhagavad Gita — Royal Science of God-Realization*. Los Angeles: Self-Realization Fellowship, 1995. 2 vols. [Obra póstuma.]

Yoga Shastra of Dattatreya. Ed. crít. de Brahma Mitra Awasthi e trad. de Amita Sharma. Roop Nagar, Índia: Swami Keshawananda Yoga Institute, 1985.

Yogendra, Jaideva, org. *Cyclopaedia Yoga*, vol. 1. Santacruz, Índia: The Yoga Institute, 1988.

_____. org. *Cyclopaedia Yoga*, vol. 3. Santacruz, Índia: The Yoga Institute, 1993.

Yogendra, Shri. *Yoga Essays*. Santacruz, Índia: The Yoga Institute, 1978.

_____. *Yoga Hygiene Simplified*, Santacruz, Índia: The Yoga Institute, 1990.

Zaehner, R. C. *The Bhagavad-Gîtâ*. Oxford: Clarendon Press, 1969.

Zimmer, Heinrich. *Philosophies of India*. Org. de Joseph Campbell. Nova York: Meridian Books, 1956.

_____. *Myths and Symbols in Indian Art and Civilization*. Org. de Joseph Campbell. Nova York: Harper & Row, 1962.

_____. *Artistic Form and Yoga in the Sacred Images of India*. Trad. de Gerald Chapple e James B. Lawson. Princeton: Princeton University Press, 1984.

Zvelebil, Kamil V. *The Smile of Murugan: On Tamil Literature of South India*. Leiden, Holanda: E. J. Brill, 1973.

_____. *Tamil Literature*. Leiden: E. J. Brill, 1975.

_____. *The Poets of the Powers*. Lower Lake, Cal.: Integral Publishing, 1993.

_____. *The Siddha Quest for Immortality*. Oxford: Mandrake of Oxford, 1996.

Periódicos Selecionados

Ascent: Journal of Swami Radha's Work. Revista trimestral publicada pela Yasodhara Ashram Society, fundada por Swami Sivananda Radha. Editor: Swami Gopalananda. Endereço: Yasodhara Ashram, Box 9, Kootenay Bay, British Columbia, Canadá VOB 1XO. Tel.: (250) 227-9224.

Back to Godhead: The Magazine of the Hare Krishna Movement. Revista mensal publicada pela Fundação Bhaktivedanta. Endereço: *Back to Godhead*, 3764 Waneka Avenue, Los Angeles, CA 90034, EUA.

Bindu. Revista trimestral publicada em várias línguas pela Escola Escandinava de Yoga e Meditação, fundada pelo Swami Janakananda. Endereço: Scandinavian Yoga and Meditation School, Haa Course Center, 340 13 Hamneda, Suécia. Tel.: 468 321218. Fax: 468 314406.

Hinduism Today. Revista mensal dirigida aos hindus e aos estudiosos do Hinduísmo, publicada pela Himalayan Academy. Editor: Acharya Palaniswami. Endereço: *Hinduism Today*, 107 Kaholalele Road, Kapaa, HI 96746-9304, EUA. Tel. Depto. Editorial (808) 822-7032 Tel. Depto. Assinaturas: (808) 823-9620 ou (800) 850-1008.

Inner Directions Journal. Periódico trimestral publicado pela Fundação Inner Directions. Editor: Matthew Greenblatt. Endereço: *Inner Directions*. P.O. Box 231486, Encinitas, CA 92023, EUA. Tel.: (619) 471-5116.

International Yoga Guide. Revista mensal publicada pela Yoga Research Foundation, fundada pelo Swami Jyotirmayananda. Editor: Swami Lalitananda. Endereço: Yoga Research Foundation, 6111 SW 74th Avenue, South Miami, FL 33143, EUA. Tel.: (305) 666-2006.

Iyengar Yoga Institute Review. Publicação trimestral do Instituto de Yoga Iyengar, de São Francisco, Endereço: 2404 27th Avenue, San Francisco, CA 94116, EUA. Tel.: (415) 753-0909.

Jaina Study Circular. Boletim informativo trimestral publicado pelo Jaina Study Circle, Inc. Endereço: Jaina Study Circle, 99-11 60 Avenue #3D, Flushing, NY 11368-4436, EUA.

Journal of the International Association of Yoga Therapists. Publicação anual fundada por Larry Payne e Richard C. Miller e publicada pela I.A.Y.T. Editor: Steven Kleinman. Endereço: I.A.Y.T., 20 Sunnyside Avenue, Suite A-243, Mill Valley, CA 94941, EUA. Tel.: (415) 868-1147. Fax: (415) 868-2230.

Light of Consciousness: Chit Jyoti — A Journal of Spiritual Awakening. Publicada três vezes por ano pela Truth Consciousness, fundada por Prabhushri Swami Amar Jyoti. Editor: Robert Conrow. Endereço: Truth Consciousness at Sacred MountainAshram, 10668 Gold Hill Road, Boulder, CO 80302-9716, EUA. Tel.: (303) 447-1637.

Moksha Journal. Periódico semestral publicado pela Vajra Printing & Publishing do Yoga Anand Ashram, fundado por Gurani Anjali. Editor: Rocco Lo Bosco. Endereço: *Moksha Journal*, 49 Forrest Place, Amityville, NY 11701, EUA.

Mountain Path. Revista mensal publicada por T. N. Venkataraman para o Sri Ramanasramam. Editor: V. Ganesan. Endereço: *Mountain Path*, Sri Ramanasramam, P.O. [sem número], Tiruvannamalai 606 603, Índia.

Self-Knowledge. Revista trimestral para os estudiosos da *adhyâtma-yoga* vedântica, publicada pela Shanti Sadan e fundada por Hari Prasad Shastri. Endereço: Shanti Sadan, 29 Chepstow Villas, London W11 3DR, Inglaterra.

Self-Realization. Revista trimestral criada por Paramahamsa Yogananda e publicada pela Self-Realization Fellowship. Endereço: Self-Realization Fellowship, 3880 San Rafael Avenue, Los Angeles, CA 90065, EUA. Tel.: (213) 225-2471. Fax: (213) 225-5088.

Shambhala Sun: Creating Enlightened Society. Revista bimestral criada por Chögyam Trungpa Rinpoche e publicada por Samuel Bercholz. Endereço: *Shambhala Sun*, 1345 Spruce Street, Boulder, CO 80302-4886, EUA. Tel.: (902) 422-8404. Fax: (902) 423-2750.

Spectrum: The Journal of the British Wheel of Yoga. Revista trimestral publicada pela British Wheel of Yoga. Editora: Rosemary Turner. Endereço: BWY, 1 Hamilton Place, Coston Road, Sleaford, Lincs. NG 34 7ES, Inglaterra. Tel.: (01529) 306851.

Tantra: The Magazine. Popular revista trimestral publicada por Alan Verdegraal. Editora: Susana Andrews. Endereço: *Tantra*, P.O. Box 10268, Albuquerque, NM 87184, EUA. Tel.: (505) 898-8246.

Tattvâloka: The Splendour of Truth. Revista bimestral publicada por T. R. Ramachandran para a Fundação Educacional Sri Abhinava Vidyatheerta Mahaswamigal. Editor: T. R. Ramachandran. Endereço: *Tattvâloka*, 125-A Mittal Court, Nariman Point, Bombaim 400 021, Índia.

Yoga: Revue Bimestrielle. Revista bimestral em francês editada por André van Lysebeth. Endereço: *Yoga*, rue des Goujons 66-72, B-170 Bruxelas, Bélgica.

Yoga & Health. Revista mensal publicada pela Yoga Today Ltd. Editora: Jane Sill. Endereço: *Yoga & Health*, 21 Caburn Crescent, Lewes, East Sussex BN7 1NR, Inglaterra.

Yoga and Total Health. Revista mensal publicada pelo Instituto de Yoga. Editor: Jayadeva Yogendra. Endereço: The Yoga Institute, Santa Cruz East, Bombaim 400 055, Índia. Tel.: 6122185 — 6110506.

Yoga Bulletin. Boletim informativo trimestral publicado pela Associação Kripalu de Professores de Yoga. Editora: Laurie Moon. Endereço: Kripalu Center, P.O. Box 793, Lenox, MA 01240, EUA. Tel.: (413) 448-3400.

Yoga International. Revista bimestral publicada pelo Himalayan International Institute. Editora: Deborah Willoughby. Endereço: *Yoga International*, Rural Route 1, Box 407, Honesdale, PA 18431, EUA. Tel.: (717) 253-6241.

Yoga Journal. Revista bimestral publicada pela Associação de Professores de Yoga da Califórnia. Editor: Rick Fields. Escritório Editorial: 2054 University Avenue, Berkeley, CA 94704, EUA. Endereço para assinaturas: *Yoga Journal*, P.O. Box 469018, Escondido, CA 92046-9018, EUA. Tel.: (510) 841-9200.

Yoga Life. Revista mensal repleta de excelentes conselhos práticos e um delicioso sabor local, publicada pela Yoga Jivana Satsangha (fundada pelo falecido dr. Swami Gitananda Giri). Editor: Meenakshi Devi Bhavanani. Endereço: *Yoga Life*, c/o ICYER, 16-A Mattu Street, Chinnamudaliarchavady, Kottakuppam (via Pondicherry), Tamil Nadu 605 104, Índia.

Yoga-Mimamsa. Periódico erudito voltado para as pesquisas indológicas e médicas acerca do Yoga, publicado pela Kaivalyadhama. Editor: M. V. Bhole. Endereço: Kaivalyadhama, Lonavla 410 403, Maharashtra, Índia.

Yoga Rahasya. Revista trimestral dedicada aos ensinamentos de B. K. S. Iyengar e ao Yoga tradicional, publicada pela Fundação de Pesquisas Light on Yoga. Editor: Rajvi Mehta. Endereço nos EUA: IYNAUS, c/o Laura Allard, 1420 Hawthorne Avenue, Boulder, CO 80304, EUA. Endereço para assinaturas de outros países: Yoga Rahasya, c/o Sam N. Motiwala, Palia Mansion, 622 Lady Jehangir Road, Dadar, Mumbai 400 014, Índia.

BIBLIOGRAFIA SELECIONADA ॐ

Yoga World: International Newsletter for Teachers and Students. Boletim informativo bimestral internacional voltado para professores e alunos de Yoga e dedicado à autenticidade, à integridade e à unidade, publicado pelo Centro de Pesquisas de Yoga. Editor: Georg Feuerstein. Endereço: YRC, P.O. Box 1386, Lower Lake, CA 95457, EUA. Tel.: (707) 928-9898. Fax: (707) 928-4738. [Publicação temporariamente suspensa; números atrasados disponíveis.]

Eu gostaria de receber informações detalhadas acerca de quaisquer outros periódicos ligados ao Yoga. Peço que me escrevam aos cuidados do Yoga Research Center (YRC), no endereço dado acima.

SOBRE O AUTOR

GEORG FEUERSTEIN, Ph.D., é internacionalmente conhecido por seus vários estudos de interpretação sobre a tradição do Yoga. Desde o início dos anos 70, ele tem feito contribuições significativas para o diálogo sobre esse tema entre Oriente e Ocidente, além de demonstrar profunda preocupação em preservar os ensinamentos autênticos do Yoga em suas várias formas.

Sua paixão pela espiritualidade da Índia despertou na ocasião em que fez 14 anos, quando ganhou o livro A Índia Secreta, de Paul Brunton, e passou a trilhar, desde então, os diferentes caminhos do Yoga. Seu trabalho e práticas espirituais têm sido inspirados por muitos dos grandes adeptos do Yoga, especialmente Ramana Maharshi, Omraam Mikhaël Aïvanhov, Adi Da e Mãe Meera. Desde 1993, seu *sâdhana* tem sido guiado pelo amigo espiritual Lama Segyu Choepel Rinpoche.

Georg Feuerstein é diretor-fundador do Yoga Research Center, no norte da Califórnia, e patrono da British Wheel of Yoga. Ele também é editor-colaborador do *Yoga Journal*, *Inner Directions* e *Intuition*. Desde monografias de cunho acadêmico até trabalhos mais populares, Feuerstein já escreveu mais de trinta livros.

© Kathleen Sohn-foster

Caso o leitor esteja interessado no atual trabalho de Georg Feuerstein, leia seus artigos publicados regularmente no website http://members.aol.com/yogaresrch/

O autor também pode ser contactado no seguinte endereço:

Dr. Georg Feuerstein
Yoga Research Center
P.O. Box 1030
Lower Lake, CA 95457
e-mail: yogaresrch@aol.com